내가 뽑은 원픽! 최신 출제경향에 맞춘 최고의 수험서

2026
화재감식평가 기사 산업기사
필기

이론편 + 기출문제편

최신 기출 해설특강 **무료 제공**

유병선 · 황인호 공저

온캠퍼스 아이디

도서 구매자들에게만 드리는 **특별한 혜택**

평균합격률 70%!? 빠른 합격은
기출이 답이다!

기사 7개년 + 산업기사 2개년
기출 해설 저자특강이 0원

연도	화재감식평가기사 필기 합격률(%)	화재감식평가산업기사 필기 합격률(%)
2024	68.5	70.8
2023	81.1	81.8
2022	85.4	84.7
2021	84.3	86.1
2020	88.9	82
2019	79.3	90.6

※ 출처 : 한국산업인력공단(2025),
국가기술자격통계연보

해설특강 포인트 I

저자따로 강사따로? NO!
현직 소방기술사, 화재조사관인 저자진의
기출해설 **직강을 무료로 제공!**

해설특강 포인트 II

타사와 가격비교? NO!
기출풀이가 핵심인 화재감식평가
기사 7개년, 산업기사 2개년 **무료 직강으로 합격을 향해 GO!**

36만 원　　23만 원　　22만 원　　4.5만 원

교재+강의비　교재+강의비　교재+강의비　교재 구매 시
S사　　　　J사　　　　E사　　　**특강 무료
예문 에듀**

화재감식평가 기사·산업기사 기출특강
이용 가이드

다음 단계에 따라 도서구매 인증을 완료하면 무료 기출특강을 이용할 수 있습니다.

www.oncampus.co.kr

STEP 01 온캠퍼스 로그인 후 메인 화면 상단의 [마이페이지]의 [1:1 상담] 누릅니다.

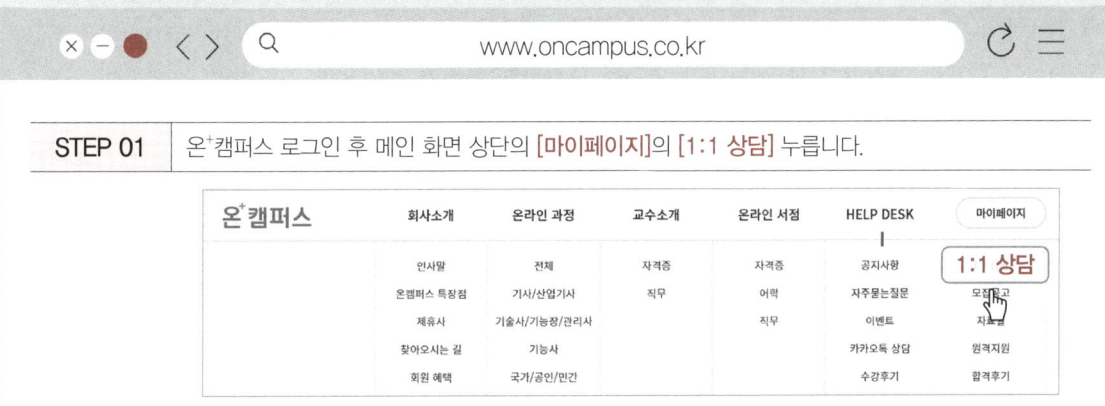

STEP 02 도서 안쪽에 있는 표지 [온캠퍼스 아이디] 칸에 아이디를 적고 도서명이 보이게 사진을 찍어 주세요.

STEP 03 하단의 [글쓰기]를 클릭 후 인증사진을 포함하여 게시글을 작성하면 인증이 완료됩니다.

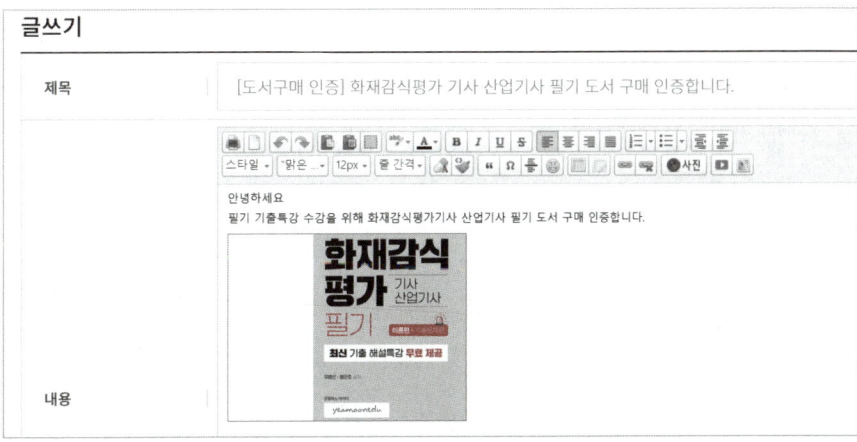

머리말 (PREFACE)

　화재감식평가 분야는 전기, 가스, 화학, 차량, 건축 등 다양한 영역에 걸쳐 얕지만 넓은 지식을 요구하는 실무이자 학문입니다. 현재 화재조사는 주로 공공영역에서 수행되고 있지만, 민간 영역으로의 확대가 점차 이루어지고 있습니다. 이로 인해 블루오션으로 주목받고 있는 유망한 분야입니다. 이러한 변화는 화재감식 분야 전문가에 대한 수요를 급격히 증가시키고 있으며, 국가공인 자격증인 화재감식평가기사·산업기사 시험에 대한 관심도 높아지고 있습니다.

　이와 같은 시장의 요구를 반영하여, 체계적이고 실질적인 학습을 지원할 수 있는 수험서의 필요성을 절감하였습니다. 이에 본 수험서는 화재감식평가 시험을 준비하는 수험생들에게 명확한 학습 방향성과 실질적인 도움을 제공하고자 기획되었습니다.
　이 책은 화재조사분야 법원 감정 경력의 소방기술사 및 현업에서 화재감식 업무를 담당하고 있는 화재조사관의 실무 경험을 기반으로 구성되었습니다.
　방대한 시험 범위와 명확하지 않은 학습 방향으로 인해 어려움을 겪는 수험생들이 보다 효율적으로 시험을 준비할 수 있도록, 한국산업인력공단의 출제기준에 맞춰 실무 경험과 이론을 체계적으로 정리하였습니다. 단순히 시험 합격을 위한 도구를 넘어, 화재감식평가에 대한 깊은 이해와 실무에 활용 가능한 지식을 제공하는 것을 목표로 하고 있습니다.

　특히, 국가기술자격 필기시험의 CBT(Computer Based Testing) 전환에 따라 변화된 문제 유형을 반영하였으며, 예상문제를 추가하여 대비할 수 있도록 구성하였습니다. 또한, 반드시 암기해야 할 부분은 [암기법]을 활용해 쉽게 기억할 수 있도록 돕고, 새로운 문제 유형에도 적응력을 키울 수 있도록 구성하였습니다. 이를 통해 짧은 시간 안에 고득점을 목표로 준비할 수 있도록 체계적인 학습 도구를 제공합니다.

　이 책이 화재감식평가 시험을 준비하는 모든 수험생에게 실질적인 도움이 되기를 진심으로 바랍니다. 더 나아가, 단순히 시험 준비를 넘어 화재감식 및 분석의 중요성을 깊이 이해하고, 실무에 이를 활용할 수 있는 반석을 마련하는 계기가 되기를 희망합니다.
　여러분의 합격과 성공을 진심으로 응원합니다.

저자 드림

시험 가이드 (GUIDE)

🚨 화재감식평가 기사 · 산업기사 개요

화재현장에서 화재원인조사, 피해조사, 화재분석 및 평가를 통해 과학적인 방법으로 원인 및 발생 매커니즘을 규명하는 기술자격이다.
수행직무는 화재원인의 판정을 위한 전문적인 지식, 기술 및 경험을 활용하여 주로 시각에 의한 종합적인 판단으로 구체적인 사실관계를 명확하게 규명하는 것이다.

🚨 시험 정보

1. 검정방법

① 시행처 : 한국산업인력공단
② 관련부처 : 소방청
③ 관련학과 : 대학의 소방행정, 소방방재학과 등 관련학과
④ 시험분야 분류 : 국가기술 자격 > 안전관리 > 화재감식평가기사 · 산업기사
⑤ 시험과목(필기)

기사	1. 화재조사론 2. 화재감식론 3. 증거물관리 및 법과학 4. 화재조사보고 및 피해평가 5. 화재조사관계법규
산업기사	1. 화재조사론 2. 화재감식론 3. 증거물관리 및 법과학 4. 화재조사관계법규 및 피해평가

⑥ 검정방법(필기) : 객관식 4지 택일형 과목당 20문항(과목당 30분)
   ※ 합격 기준 : 100점을 만점으로 하여 과목당 40점 이상, 전과목 평균 60점 이상
⑦ 필기시험 수수료 : 19,400원

2. 시험일정(기사 · 산업기사 동일)

구분	필기접수	필기시험	합격자 발표	실기 접수	실기시험	합격자 발표
2026 정기1회	26.1.12.~26.1.15.	26.1.30.~26.3.3.	26.3.11.	26.3.23.~26.3.26.	26.4.18.~26.5.6.	1차 : 26.6.5. 2차 : 26.6.12.
2026 정기2회	26.4.20.~25.4.23.	26.5.9.~26.5.29.	26.6.10.	26.6.22~26.6.25.	26.7.18.~26.8.5.	1차 : 26.9.4. 2차 : 26.9.11.
2026 정기3회	26.7.20.~26.7.23.	26.8.7.~26.9.1.	26.9.9.	26.9.21.~26.9.25., 26.9.28.	26.10.24.~26.11.13.	1차 : 26.12.11. 2차 : 26.12.18.

※ 자세한 내용은 한국산업인력공단 홈페이지(www.q-net.or.kr)를 참고하시기 바랍니다.

이책의 구성과 특징

이론편

(※ 도서를 [이론편], [기출문제편]으로 분권 구성하여, 수험생들의 편의를 도모하였습니다.)

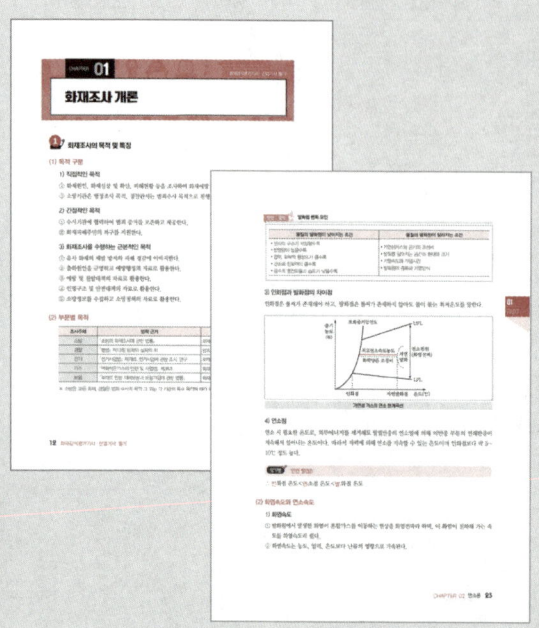

핵심이론

- 방대한 내용의 이론을 현직 소방기술사와 화재조사관의 학습 노하우를 담아 체계적으로 분석·정리하였습니다.
- 효율적인 학습을 위해 다양한 도표 및 사진, 그림은 물론 [한 번 더 클릭], [암기법]을 함께 수록하였습니다.

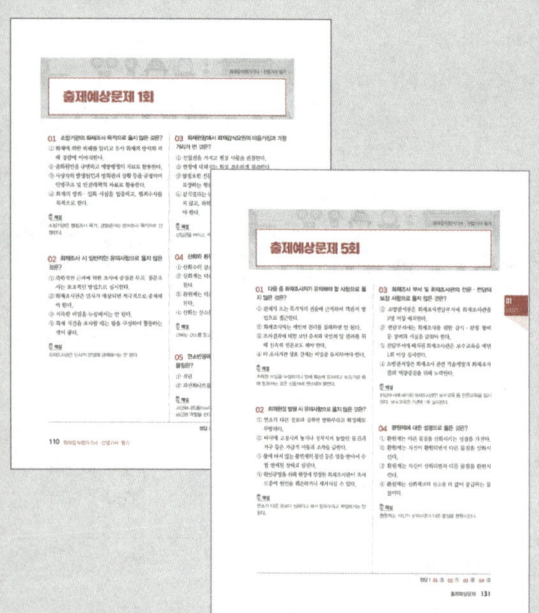

과목별 출제예상문제

- 과목별 중요 포인트들만 모아 이론에서 학습한 내용을 곧바로 점검하며, 취약점을 보완할 수 있도록 구성하였습니다.
- 문제 아래 해설을 배치하여 빠른 학습이 가능하도록 하였습니다.

기출문제편

(※ 도서를 [이론편], [기출문제편]으로 분권 구성하여, 수험생들의 편의를 도모하였습니다.)

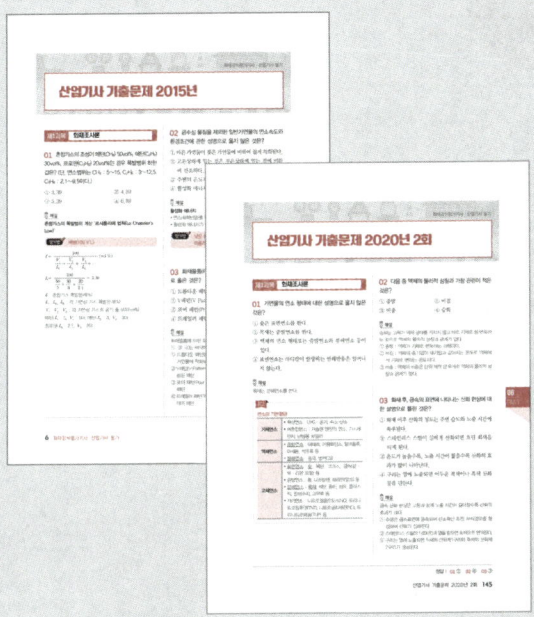

산업기사 기출문제

- 2015~2020년도 기출문제를 수록하여 실제 시험의 유형 및 난이도를 확인하고 학습이 부족한 단원을 체크할 수 있도록 하였습니다.
- 명쾌한 해설은 물론 오답에 대한 해설과 [암기법], [참고]를 통해 효과적인 학습이 가능하도록 하였습니다.

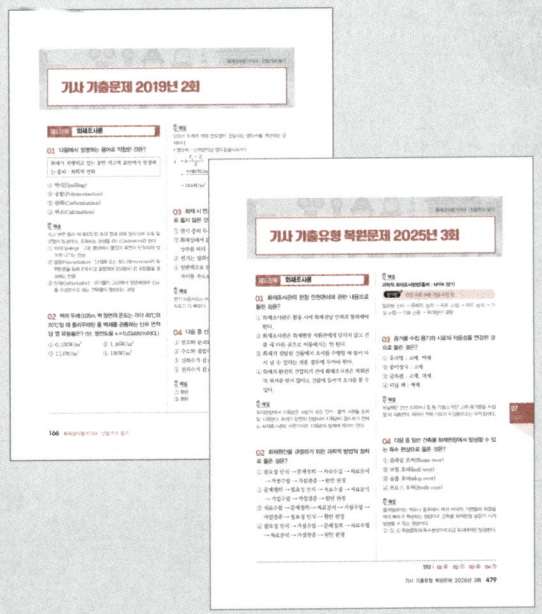

기사 기출문제

- 2019~2025년도 기출문제를 수록하여 실제 시험과 동일한 유형의 문제를 풀어보며 완벽한 마무리 점검이 가능하도록 하였습니다.
- CBT 변경 이후 출제된 문제들을 분석하여 출제 가능성이 높은 문제만 수록해 반복 출제 영역과 출제 흐름을 파악할 수 있습니다.

목차 (CONTENTS)

1권 이론편

PART 01_ 화재조사론   11
PART 02_ 화재감식론   139
PART 03_ 증거물 관리 및 법과학   335
PART 04_ 화재조사 보고 및 피해평가   407
PART 05_ 화재조사 관계법규   479

2권 기출문제편

PART 06_ 화재감식평가 산업기사 기출문제   5
PART 07_ 화재감식평가 기사 기출문제   165

이론편

PART 01 화재조사론

- CHAPTER 01_ 화재조사 개론 … 12
- CHAPTER 02_ 연소론 … 18
- CHAPTER 03_ 화재론 … 30
- CHAPTER 04_ 폭발론 … 50
- CHAPTER 05_ 예비조사 … 57
- CHAPTER 06_ 발화지역 판정 … 59
- CHAPTER 07_ 발화지점 판정 … 69
- CHAPTER 08_ 화재현장의 상황 파악 및 현장보존 … 100
- ■ 출제예상문제 … 110

PART 02 화재감식론

- CHAPTER 01_ 발화원인 판정 … 140
- CHAPTER 02_ 전기화재 감식 … 145
- CHAPTER 03_ 가스화재 감식 … 188
- CHAPTER 04_ 화학물질 화재감식 … 217
- CHAPTER 05_ 미소화원 화재감식 … 244
- CHAPTER 06_ 방화화재 감식 … 253
- CHAPTER 07_ 차량화재 감식 … 264
- CHAPTER 08_ 임야화재 감식 … 281
- CHAPTER 09_ 선박, 항공기 화재감식 … 293
- ■ 출제예상문제 … 304

PART 03 증거물관리 및 법과학

- CHAPTER 01_ 증거의 종류 … 336
- CHAPTER 02_ 증거물 수집·운송·저장·보관·검사 … 344
- CHAPTER 03_ 촬영·녹화·녹음 … 362
- CHAPTER 04_ 화재와 법과학 … 372
- ■ 출제예상문제 … 383

PART 04 화재조사 보고 및 피해평가

- CHAPTER 01_ 화재조사 서류작성 (화재조사 및 보고규정) … 408
- CHAPTER 02_ 화재피해액산정 … 437
- ■ 출제예상문제 … 450

PART 05 화재조사 관계법규

- CHAPTER 01_ 소방관계법령 … 480
- CHAPTER 02_ 관련규정 … 496
- CHAPTER 03_ 화재조사 관련 기타법률 … 507
- CHAPTER 04_ 화재수사 실무 관련 규정 … 518
- CHAPTER 05_ 화재 민사분쟁 관련 법규 … 521
- CHAPTER 06_ 화재분쟁의 소송 외적 해결 관련 법규 … 523
- ■ 출제예상문제 … 537

Fire Investigaton &

화재감식평가기사 · 산업기사 필기

화재조사론

PART 01

CHAPTER 01_ 화재조사 개론
CHAPTER 02_ 연소론
CHAPTER 03_ 화재론
CHAPTER 04_ 폭발론
CHAPTER 05_ 예비조사
CHAPTER 06_ 발화지역 판정
CHAPTER 07_ 발화지점 판정
CHAPTER 08_ 화재현장의 상황 파악 및 현장보존
- 출제예상문제(1회~5회)

CHAPTER 01 화재조사 개론

화재조사의 목적 및 특징

(1) 목적 구분

1) 직접적인 목적
① 화재원인, 화재성장 및 확산, 피해현황 등을 조사하여 화재예방 및 소방정책에 활용한다.
② 소방기관은 행정조사 목적, 경찰관서는 범죄수사 목적으로 진행한다.

2) 간접적인 목적
① 수사기관에 협력하여 범죄 증거를 보존하고 제공한다.
② 화재피해주민의 복구를 지원한다.

3) 화재조사를 수행하는 근본적인 목적
① 유사 화재의 재발 방지와 피해 경감에 이바지한다.
② 출화원인을 규명하고 예방행정의 자료로 활용한다.
③ 예방 및 진압대책의 자료로 활용한다.
④ 인명구조 및 안전대책의 자료로 활용한다.
⑤ 소방정보를 수집하고 소방정책의 자료로 활용한다.

(2) 부문별 목적

조사주체	법적 근거	목적
소방	「소방의 화재조사에 관한 법률」	화재예방, 정책자료 활용
경찰	「형법」 제13장 방화와 실화의 죄	범죄 수사
전기	「전기사업법」 제78조 전기사업에 관한 조사, 연구	화재예방, 정책자료 활용, 보상
가스	「액화석유가스의 안전 및 사업법」 제38조	화재예방, 정책자료 활용, 보상
보험	「화재로 인한 재해보상과 보험가입에 관한 법률」	화재예방, 정책자료 활용, 보상

※ 소방은 모든 화재, 경찰은 범죄 수사의 목적 그 외는 각 기관의 특수 목적에 따라 화재조사를 실시한다.

(3) 화재조사 현장의 특징

> **암기법** 현신과 보안강 프리

① **현**장성 : 화재조사에 도움이 되는 정보는 주로 현장에서 얻어진다.
② **신**속성 : 화재 초기에 비교적 진실에 가까운 내용이 많다.
③ **과**학성 : 체계적ㆍ경험적이고 전문적인 요소가 밑바탕이 된다.
④ **보**존성 : 증거물은 상태 그대로 보존되어야 효용적 가치가 있다.
⑤ **안**전성 : 불안정한 화재조사 현장에서 안전성 확보는 가장 기본이다.
⑥ **강**제성 : 「화재조사법」 제8조~11조에 의거 강제조사권을 가지고 있다.
⑦ **프리**즘식 : 조사자나 관계인의 시각과 주장이 제각각으로 마치 프리즘과 유사하다.

(4) 화재조사관에게 미치는 영향

① **위험성** : 화재현장은 붕괴, 낙하물에 의한 외상, 낙상 등 물리적 위험요소가 항상 존재한다.
② **현장성** : 화재조사는 내근부서 근무자이지만 화재현장의 현장조사를 바탕으로 화재조사를 실시한다.
③ **책임성** : 화재조사관의 업무는 법에 책임과 의무가 명시된 중요 책무이다.

(5) 화재조사 절차 및 방법

1) 화재조사의 기본 절차 및 방법

절차	방법
현장 출동 중 조사	화재발생 접수, 출동 중 화재상황 파악, 현장도착 시 연소상황 파악, 화재진압 시 상황파악
화재현장조사	발화원인의 조사, 연소상황, 피난상황, 소방용설비, 위험물 등 관계시설 상황 및 소방안전관리상황 조사, 복원, 발굴, 발화지점 판정
정밀조사	감식ㆍ감정, 화재원인 판정 등
화재조사 결과보고	화재종합보고서 작성 및 보고

2) 화재조사의 흐름도

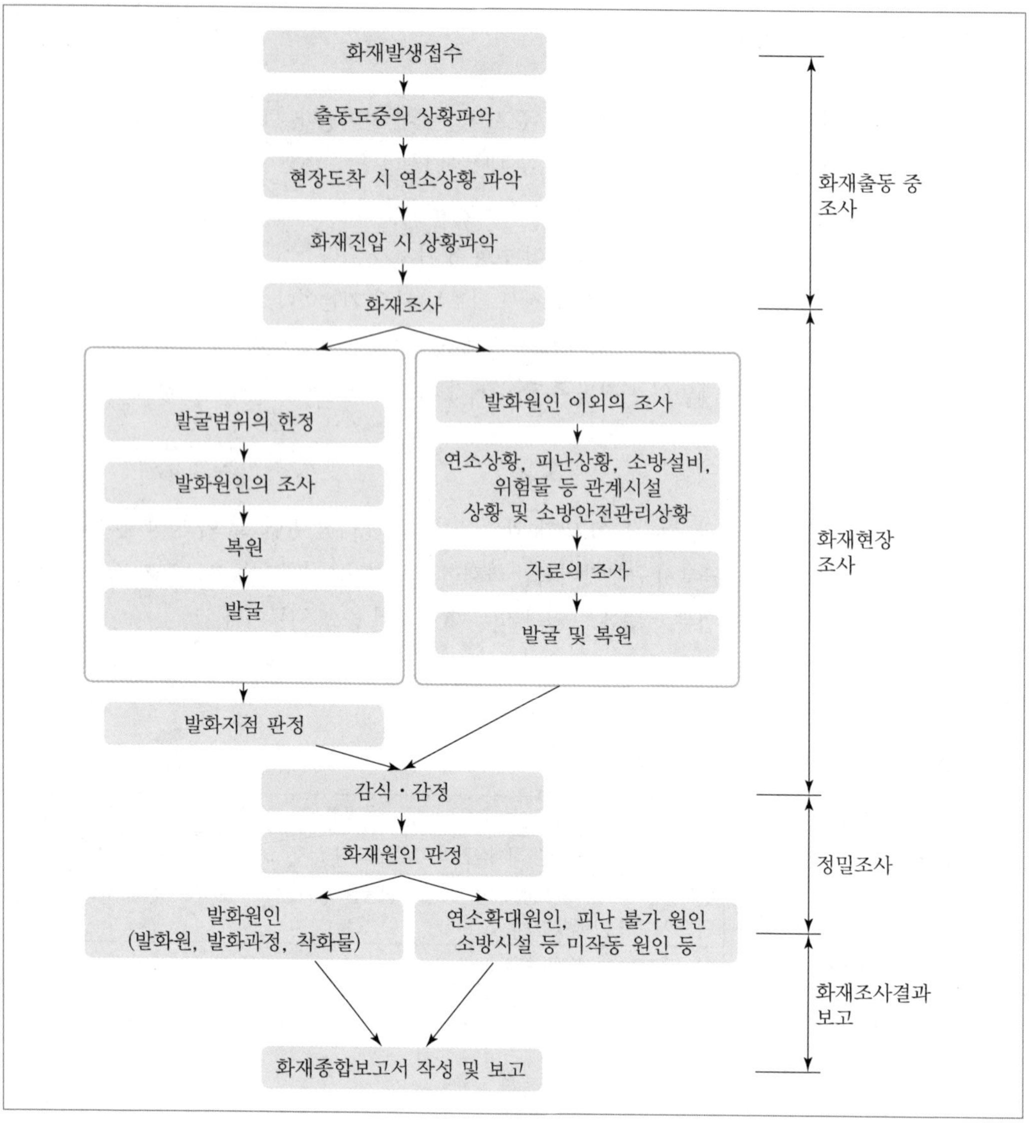

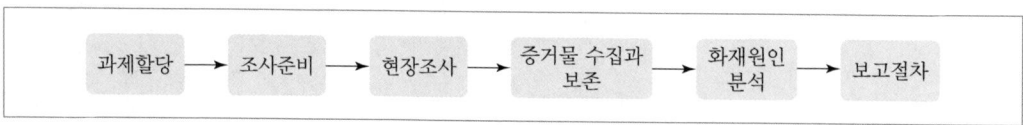

3) 화재조사 기본 방법

과제할당 → 조사준비 → 현장조사 → 증거물 수집과 보존 → 화재원인 분석 → 보고절차

2. 화재조사의 실시 및 유의사항

(1) 화재조사의 실시(「화재조사법」 제5조)

1) 화재조사 사항

> **암기법** 화재조사는 원인 인재 대소 위안

① 화재원인에 관한 사항
② 화재로 인한 인명·재산피해상황
③ 대응활동에 관한 사항
④ 소방시설 등의 설치·관리 및 작동 여부에 관한 사항
⑤ 화재발생건축물과 구조물, 화재유형별 화재위험성 등에 관한 사항
⑥ 화재안전조사의 실시 결과에 관한 사항

(2) 화재조사 시 유의사항

1) 일반적인 유의사항

① 과학적인 근거에 의한 조사에 중점을 두고, 질문조사는 보조적인 방법으로 실시한다.
② 화재 사건을 조사할 때는 팀을 구성하여 활동하는 것이 좋다.
③ 지득한 비밀을 누설해서는 안 된다.
④ 화재조사관은 민사적 분쟁에 관여해서는 안 된다.
⑤ 선입견을 버리고 사실 확인에 주안점을 두고 실시한다.
⑥ 관계자에게 유도 질문을 피하고, 임의진술을 얻도록 노력한다.
⑦ 개인의 권리를 침해하거나 업무를 방해하지 않도록 한다.
⑧ 취득한 비밀을 누설하거나 명예 훼손에 유의하고 보도기관 등에의 발표는 신중하게 판단하여 행한다.

2) 화재현장 복원 시 유의사항

① 잔존물이 파손되지 않도록 잦은 위치이동은 하지 않는다.
② 형체가 소실되어 배치 불가능한 것은 대용품을 사용하되, 대용품이라는 것이 인식되도록 한다.
③ 관계인을 입회시켜 복원상황을 확인시킨다.
④ 불명확한 것은 예측을 통하여 복원하지 않는다.

3) 화재현장 발굴 시 주의사항

① 발굴 지역의 경계구역을 설정한다.
② 낙하물 등을 우선 제거하여 안전을 확보한다.
③ 화재조사관이 발굴 중 증거물을 훼손하거나 제거시킬 수 있다는 점을 염두한다.
④ 연소가 다른 곳보다 심하다고 해서 발화부라고 확정해서는 안 된다.
⑤ 바닥에 고정시켜 놓거나 정착시켜 놓았던 물건과 가구 등은 가급적 이동과 조작을 금한다.

(3) 조사범위의 설정 및 사생활 보호

1) 조사범위의 설정
① 화재조사를 위하여 필요한 범위에서 화재현장 보존조치를 하거나 화재현장과 그 인근 지역을 통제구역으로 설정한다.
② 화재현장에 출입할 때에는 관계인 등의 입회하에 실시한다.
③ 방화·실화의 수사 대상이 된 경우에는 경찰서장이 통제구역을 설정한다.

2) 사생활 보호
① 개인의 사생활이 존중될 수 있도록 배려하고 임의진술 확보에 주력한다.
② 질문 시 선입관을 배제하고 유도질문을 삼간다.
③ 화재와 이해관계가 있는 제3자와 격리조치한 후 진술을 얻도록 한다.

3 화재조사의 책임과 권한

(1) 법적으로 부여된 권한
① 출입·조사 : 자료 제출 명령, 출입조사, 질문조사
② 관계인 등의 출석 조사
③ 화재조사 증거물 수집 조사
④ 소방공무원, 경찰공무원 협력
⑤ 관계 기관 등의 협조

(2) 전문·전담의 보장
① 화재조사전담부서에 화재조사관을 2명 이상 배치한다.
② 감식·감정 장비 등 장비와 시설을 갖춰야 한다.
③ 화재조사관은 보수교육 등 전문교육을 실시한다.
④ 화재조사 관련 기술개발과 화재조사관의 역량증진을 위해 노력한다.

(3) 화재조사관의 자세 등

> **암기법** 화재조사관은 증표 비밀 업무

① 화재조사관은 증표를 지니고 관계인 등에게 보여주어야 한다.
② 화재조사를 수행하면서 알게 된 비밀을 누설하거나, 다른 용도로 사용해서는 안 된다.
③ 화재조사관은 관계인의 정당한 업무를 방해해서는 안 된다.

(4) 화재조사관의 마음가짐

① 선입견을 버리고, 객관적인 사실을 확인해야 한다.
② 현장에 대해서는 항상 겸손하게 생각한다.
③ 불필요한 전문용어의 사용으로 자신의 의견을 과대 포장하는 행위를 하지 말아야 한다.
④ 감식결과는 누구에게 유리하거나 불리함을 고려하지 않고, 과학적이고 논리적인 근거에 의해서 말해야 한다.

CHAPTER 02 연소론

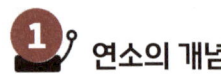 연소의 개념

(1) 연소의 정의

가연성의 물질이 산소 또는 산화제와 반응하여 열과 빛을 수반하며 산화하는 현상이다.

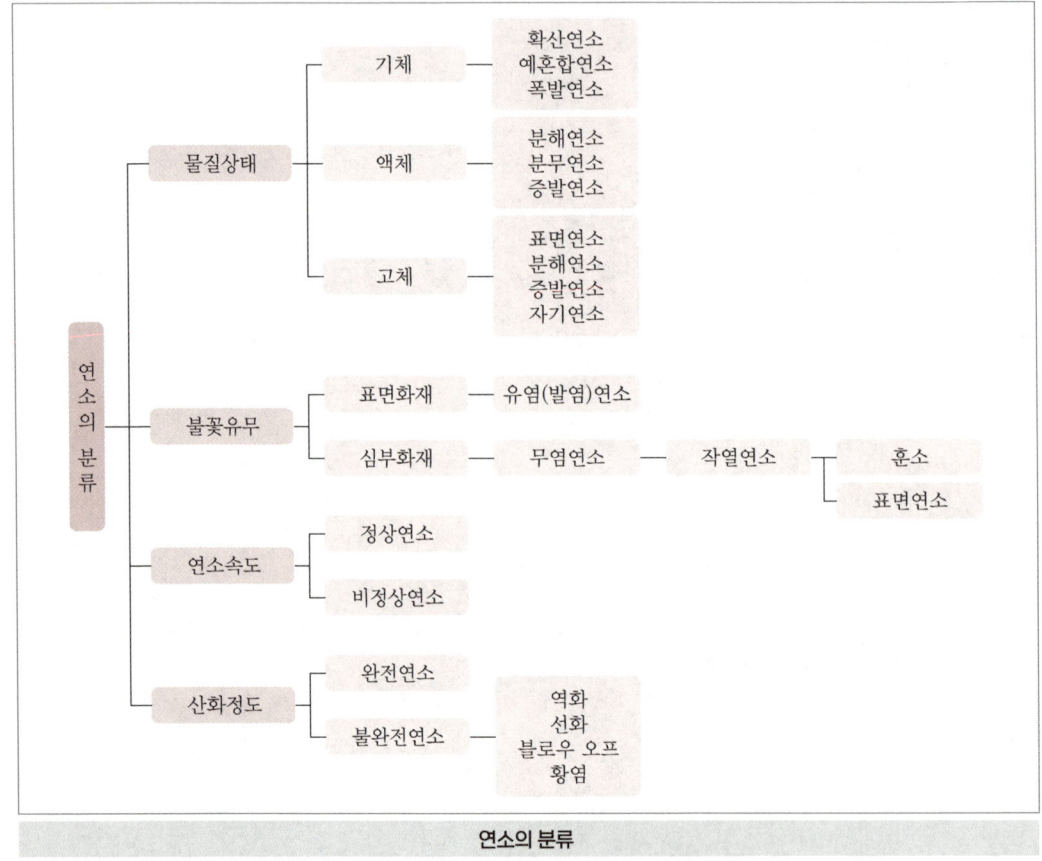

연소의 분류

> **연소의 기본요소**
>
> - 연소의 3요소 : 가연물, 산소, 점화원
> - 연소의 4요소 : 가연물, 산소, 점화원, 화학적 연쇄반응

(2) 산화와 환원

① **산화** : (원자나 화합물이) 산소를 얻거나 수소(또는 전자)를 잃는 것
② **환원** : (원자나 화합물이) 산소를 잃거나 수소(또는 전자)를 얻는 것
③ **산화수** : 산화된 정도를 나타내는 수(산화수 증가 산화, 산화수 감소 환원)
④ **산화제** : 자신은 쉽게 환원되면서 다른 물질을 산화시키는 성질이 강한 물질(예 제1류 위험물)
⑤ **환원제** : 자신은 쉽게 산화되면서 다른 물질을 환원시키는 성질이 강한 물질(예 가연물)

구분	산소	산화수	수소	전자
산화(환원제)	얻음	증가	잃음	잃음
환원(산화제)	잃음	감소	얻음	얻음

암기법 산화 : 산소 산화수 증가, 수소 전자 잃음 / (환원 반대)

(3) 연소의 조건

1) 가연물

① 가연물의 구비조건

구비조건	상세 설명
산화되기 쉽고 반응열이 클 것	산화되기 쉬운 물질은 발열량이 크다.
표면적이 넓을 것	산소와의 접촉 면적이 커져 연소가 쉽다. (고체<액체<기체)
활성화 에너지가 작을 것	산화되기 쉬운 물질은 활성화 에너지가 작다.
열전도율이 작을 것	열전도도가 작으면 열축적이 쉽다. (고체>액체>기체)
지연(조연)성 가스와 친화력이 클 것	산소 · 염소와의 친화력이 클수록 연소가 쉽다.
연쇄반응을 수반할 것	연소현상이 연쇄적으로 반응해야 한다.

② 가연물에 부적합한 조건
  ㉠ 흡열반응물질(예 NO, NO_2, NO_3 등)
  ㉡ 불활성 기체(예 He, Ne, Ar, Kr, Xe, Rn 등)
  ㉢ 산화반응이 완료된 물질(예 H_2O, CO_2, Al_2O_3, SiO_2 등)
  ㉣ 자체가 연소하지 않는 물질(예 돌, 흙 등)

2) 산소공급원

① **공기** : 공기 중 산소는 부피비율 기준 21vol%, 질량비율 기준 23wt% 존재
② **산화제** : 가열 · 충격 · 마찰에 의해 산소 발생
  ㉠ 제1류 위험물(산화성 고체) : 염소산염류, 과염소산염류, 과산화물, 질산염류 등
  ㉡ 제6류 위험물(산화성 액체) : 과염소산, 질산 등
③ **자기반응성 물질(제5류 위험물)** : 니트로글리세린(NG), 셀룰로이드, 트리니트로톨루엔(TNT) 등
④ **조연성 물질** : 산소(O_2), 불소(F_2), 오존(O_3), 염소(Cl_2), 할로겐원소 등

3) 점화원

① **전기적 요인** : 전기불꽃, 저항열, 유도열, 유전열, 아크열, 정전기

㉠ 전기불꽃에너지(최소착화에너지)

$$E = \frac{1}{2}CV^2 = \frac{1}{2}QV$$

E : 전기불꽃에너지(J)
C : 정전용량(F)
V : 전압(V)
Q : 전기량

㉡ 최소점화에너지
- 온도가 상승하면 최소점화에너지는 작아진다.
- 압력이 상승하면 최소점화에너지는 작아진다.
- 농도가 높으면 최소점화에너지는 작아진다.
- 연소하한계나 연소상한계에 가까울수록 점화가 어려워져 최소점화에너지가 증가하고, 혼합비율이 최적일 때 최소점화에너지가 가장 작아진다.

㉢ 정전기 방지대책
- 접지시설을 한다.
- 실내의 공기를 이온화한다.
- 상대습도를 70% 이상으로 한다.
- 전도체 물질을 사용한다.

② **기계적 요인** : 충격, 마찰, 단열압축, 나화, 고온표면
③ **화학적 요인** : 연소열, 분해열, 용해열, 자연발화

한번 더 클릭

자연발화를 일으키는 원인
- 분해열(예 셀룰로이드, 니트로셀룰로오스)
- 산화열(예 석탄, 건성유)
- 발효열(예 퇴비, 먼지)
- 흡착열(예 목탄, 활성탄)
- 중합열(예 HCN, 산화에틸렌)

자연발화 방지대책
- 통풍 구조를 양호하게 하여 공기유통을 잘 시킬 것
- 저장실 주위의 온도를 낮출 것
- 습도 상승을 피할 것
- 열이 축적되지 않는 구조로 적재할 것

(4) 연소의 형태

1) 기본형태
연소의 기본 형태는 가연물의 상태에 따라 기체연소, 액체연소, 고체연소로 구분할 수 있다.

연소형태		가연물 예시
기체연소	확산연소	LPG-공기, 수소-산소
	예혼합연소	가솔린 엔진의 연소, 가스레인지, 난방용 보일러
액체연소	증발연소	에테르, 이황화탄소, 알코올류, 아세톤, 석유류 등
	분해연소	중유, 벙커C유
고체연소	표면연소	목탄, 코크스, 금속(분·박·리본 포함) 등
	증발연소	황, 나프탈렌, 파라핀(양초) 등
	분해연소	목재, 석탄, 종이, 섬유, 플라스틱, 합성수지, 고무류 등
	자기연소	니트로셀룰로오스(NC), 트리니트로톨루엔(TNT), 니트로글리세린(NG), 트리니트로페놀(TNP) 등

2) 기체의 연소
① **확산연소(발염연소)** : 가연성 가스를 확산시켜 산소와 접촉, 연소범위의 혼합가스를 생성하여 연소하는 현상으로 기체의 일반적 연소 형태이다.
② **예혼합연소** : 연소 전 연소 가능한 혼합가스를 만들어 연소시키는 것으로 혼합기로의 역화를 일으킬 위험성이 크다.

3) 액체의 연소
① **증발연소** : 액체 가연물질의 연소는 액체 자체가 연소하는 것이 아니라 "증발"이라는 변화 과정을 거쳐 발생된 가연성 증기가 연소하는 것이다.

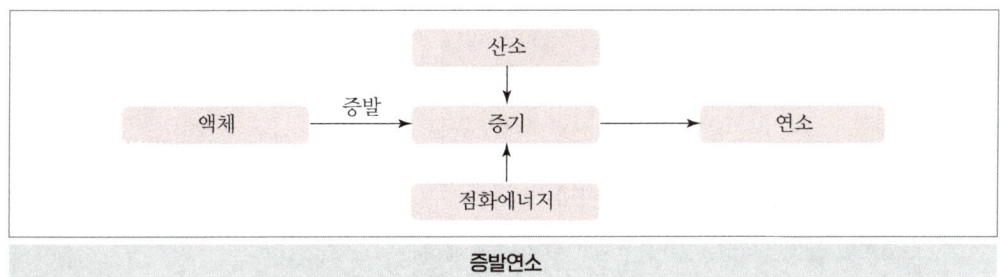

증발연소

② **분해연소** : 점도가 높고 비휘발성이거나 비중이 큰 액체 가연물이 열분해하여 증기를 발생함으로써 연소가 이루어지는 형태이다.

4) 고체의 연소
① **표면연소** : 고체 가연물이 열분해나 증발하지 않고 표면에서 산소와 급격히 산화 반응하여 연소하는 현상이다.
② **증발연소** : 고체 가연물이 열분해를 일으키지 않고 증발하여 증기가 연소되거나 먼저 융해된 액체가 기화하여 증기가 된 다음 연소하는 현상이다.

③ 분해연소 : 고체 가연물질을 가열하면 열분해를 일으켜 나온 분해가스 등이 연소하는 현상이다.

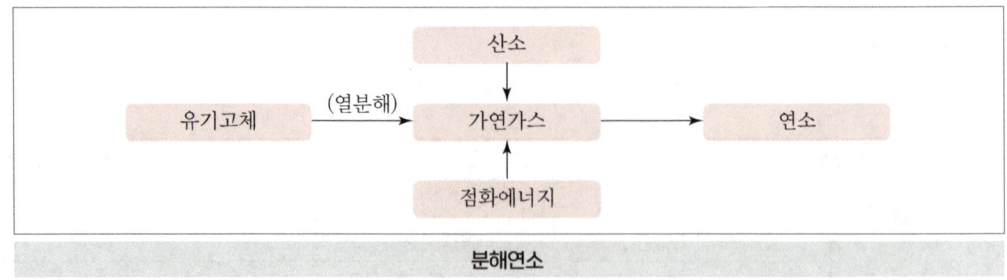

분해연소

④ 자기연소 : 가연물이 물질의 분자 내에 산소를 함유하고 있어 열분해에 의해서 가연성 가스와 산소를 동시에 발생시키므로 공기 중의 산소 없이 연소할 수 있다.

2 연소의 특성

(1) 인화와 발화

1) 인화점(Flash Point)
① 불꽃(점화원)에 의해 불이 붙는 최저온도
② 연소(폭발)범위 하한값에 도달되는 온도

[액체가연물질의 인화점]

액체가연물질	인화점(℃)	액체가연물질	인화점(℃)	액체가연물질	인화점(℃)
디에틸에테르	-45	중유	60~150	톨루엔	4.5
이황화탄소	-30	니트로벤젠	87.8	아세트알데히드	-37.7
아세톤	-18	글리세린	160	시안화수소	-18
휘발유	-43~-20	메틸알콜	11	초산에틸	-4
등유	30~60	에틸알콜	13	방청유	200

2) 발화점(착화점, 착화온도, 발화온도)
① 직접적인 불꽃(점화원) 없이 스스로 발화되는 최저온도
② 외부에서 가해지는 열에너지에 의해 스스로 타기 시작하는 온도

[가연물질의 발화점]

물질	발화점(℃)	물질	발화점(℃)	물질	발화점(℃)
황린	34	셀룰로이드	180	메탄	650
이황화탄소	100	무연탄	440~500	휘발유	257
적린	260	목탄	320~400	부탄	365
에틸알코올	363	고무	400~450	나일론	795~990
탄소	800	프로판	423	암모니아	351
목재	400~450	일산화탄소	609	산화에틸렌	429

> **한번더클릭** 발화점 변화 요인

물질의 발화점이 낮아지는 조건	물질의 발화점이 달라지는 조건
• 분자의 구조가 복잡할수록 • 발열량이 높을수록 • 압력, 화학적 활성도가 클수록 • 산소와 친화력이 클수록 • 금속의 열전도율과 습도가 낮을수록	• 가연성가스와 공기의 조성비 • 발화를 일으키는 공간의 형태와 크기 • 가열속도와 가열시간 • 발화원의 종류와 가열방식

3) 인화점과 발화점의 차이점

인화점은 불씨가 존재해야 하고, 발화점은 불씨가 존재하지 않아도 불이 붙는 최저온도를 말한다.

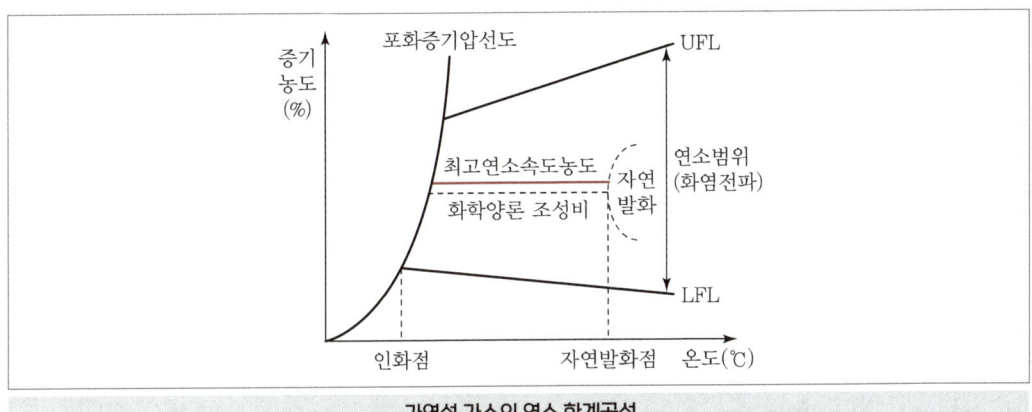

가연성 가스의 연소 한계곡선

4) 연소점

연소 시 필요한 온도로, 외부에너지를 제거해도 발열반응의 연소열에 의해 미반응 부분의 연쇄반응이 지속해서 일어나는 온도이다. 따라서 자력에 의해 연소를 지속할 수 있는 온도이며 인화점보다 약 5~10℃ 정도 높다.

> **암기법** 인연 빨(발)

∴ 인화점 온도 < 연소점 온도 < 발화점 온도

(2) 화염속도와 연소속도

1) 화염속도

① 발화원에서 발생한 화염이 혼합가스를 이동하는 현상을 화염전파라 하며, 이 화염이 전파해 가는 속도를 화염속도라 한다.
② 화염속도는 농도, 압력, 온도보다 난류의 영향으로 가속된다.

③ 화염면의 앞에 존재하는 미연소가스(혼합가스)는 이미 연소로 생성된 연소가스의 열팽창 때문에 전방으로 밀려나므로 화염은 이동하고 있는 미연소가스(혼합가스) 속을 전파해서 이동한다.

> 화염속도 = 연소속도 + 미연소가스의 이동속도

2) 연소속도

① 연소속도는 화재 경계 안에서 연료의 소모정도 또는 단위시간당 소비되는 고체 또는 액체 연료의 질량 감소를 의미한다.
② 연소속도는 재료의 질량유속으로 정의되며 $g/m^2 s$로 나타낸다.
③ 일반적으로 표면에서의 질량유속은 $5 \sim 50 g/m^2 s$ 범위에 있으며, 그 값이 5 이하인 것은 소화된다.
④ 연소속도는 미연소가스의 이동속도를 뺀 실제로 화염이 전파해 가는 속도를 의미한다.

> 연소속도 = 화염속도 − 미연소가스의 이동속도

⑤ 연소속도에 영향을 미치는 요인
  ㉠ 온도와 압력이 높을수록 연소속도 증가
  ㉡ 산소 농도가 높을수록 연소속도 증가
  ㉢ 비열이 작을수록 연소속도 증가
  ㉣ 촉매 유무(정촉매 : 반응 촉진, 부촉매 : 반응억제)
  ㉤ 연료와 산소가 잘 혼합될수록 연소속도 증가

(3) 완전연소와 불완전연소

1) 완전연소

① 정의 : 완전연소란 가연성 물질에 산소공급이 충분하여 가연물이 모두 연소하는 것으로서 탄화수소의 경우는 완전연소의 결과로 수증기(H_2O)와 이산화탄소(CO_2)만 발생한다.
② 탄화수소의 완전연소에 따른 연소방정식

 mn 42

$$C_m H_n + \left(m + \frac{n}{4}\right) O_2 \rightarrow m CO_2 + \frac{n}{2} H_2 O$$

예 ㉠ 메탄 : $CH_4 + 2O_2 \rightarrow CO_2 + 2H_2O + 212.80 kcal$
   ㉡ 프로판 : $C_3H_8 + 5O_2 \rightarrow 3CO_2 + 4H_2O + 530.60 kcal$
   ㉢ 부탄 : $C_4H_{10} + 6.5O_2 \rightarrow 4CO_2 + 5H_2O + 687.64 kcal$

2) 불완전연소

가스 연소 시 연소 생성물을 포함한 배기가스(가연성 성분)가 공급가스와의 산화반응을 완전히 완료하지 않으므로 일산화탄소, 그을음, 알데하이드, 카본(Free-carbon) 등의 미연소물이 생기는 것과 같은 상태를 불완전연소라 한다.

(4) 연소범위

1) 정의

기체가 연소할 때, 공기 중에 기체가 적절하게 섞여 '가연성 혼합기'를 형성해야 한다. 이 혼합기의 농도가 특정 범위 내에 있을 때만 연소가 가능하다. 이 범위를 '연소범위'라고 하며, 기체의 종류에 따라 연소범위는 다르다.

2) 연소범위에 영향을 미치는 인자

① 온도 : 온도가 높아질수록 폭발범위는 넓어진다.
② 압력 : 압력이 높아지면 하한값이 크게 변하지 않으나 상한값은 높아진다.
③ 산소 농도 : 산소농도가 높을수록 연소범위는 넓어진다.
④ 불화성기체 : 질소나 수증기 등의 불활성 기체가 존재하면 연소범위는 좁아진다.

3) 가연성 증기의 연소범위

기체 또는 증기	연소범위(vol%)	기체 또는 증기	연소범위(vol%)
메탄	5.0~15	산화에틸렌	3.0~80
에탄	3.0~12.5	휘발유	1.4~7.6
프로판	2.1~9.5	아세톤	2~13
부탄	1.4~8.3	암모니아	15.7~27.4
수소	4.1~75	메틸알코올	7~37
일산화탄소	12.5~75	에틸알코올	3.5~20
아세틸렌	2.5~82	시안화수소	12.8~27

> **한번더클릭** 한계산소지수(LOI ; Limited Oxygen Index)
>
> 가연성 물질이 연소할 수 있는 공기 중의 최저 산소농도를 한계산소농도 혹은 한계산소지수(LOI)라고 한다. 물질에 따라서 이 농도는 다른데 일반적인 가연물의 경우 14~15vol% 정도이다. 따라서 일반적인 건물에서 공기 중의 산소농도를 이 농도 이하로 유지하면 화재는 소멸된다.

(5) 위험도

① 해당 물질이 얼마나 쉽게 연소하거나 폭발할 수 있는지를 나타내는 척도이다.
② 연소상한과 연소하한의 차이가 클수록 위험도가 크다.
③ 연소하한이 낮을수록, 연소상한이 높을수록 위험도가 크다.

> **암기법** 유(U)마(−)엘(L)/엘(L)

$$H(위험도) = \frac{U(연소상한계) - L(연소하한계)}{L(연소하한계)}$$

(6) 르샤틀리에 법칙(Le Chatelier's Low)
두 종류 이상의 가연성 가스 또는 가연성 증기 혼합물의 연소한계값을 구하는 법칙이다.

> **암기법** 백불(100 V L)

$$L = \frac{100}{\dfrac{V_1}{L_1} + \dfrac{V_2}{L_2} + \dfrac{V_3}{L_3} + \cdots} \ (\text{Vol}\%)$$

L : 혼합가스 연소한계(%)
L_1, L_2, L_3 : 각 가연성 가스 연소한계(%)
V_1, V_2, V_3 : 각 가연성 가스의 공기 중 부피(vol%)

(7) 증기비중
① 물질의 분자량을 공기의 분자량으로 나눈 값을 말한다.
② 보통 1 이상이면 공기보다 무겁고, 1 미만이면 공기보다 가볍다.
③ 계산법

> **암기법** 분 29(분/29)

$$증기비중 = \frac{분자량}{29} \ (29 : 공기의 평균 분자량)$$

(8) 잠열
① 물질의 상변화 시 온도의 변화가 없을 때 상태변화에 필요한 열량을 말한다.
② 물질이 고체에서 액체로 변할 때 필요한 열량을 융해잠열이라 하고, 액체에서 기체로 변할 때 필요한 열량을 기화(증발)잠열이라 한다.
③ 대기압에서 물의 융해잠열은 80cal/g, 기화잠열은 539cal/g이다.
④ 물은 수소결합이라는 강력한 인력으로 인해 잠열이 큰 물리적 특성이 있다. 대부분의 물질보다 잠열이 커서 소화약제로 사용된다.

기체, 액체, 고체의 발화 및 점화원

(1) 인화성 기체의 발화

기체는 충분한 에너지를 가진 점화원이 필요하며, 연소 한계 범위(가연성 농도 범위) 내에 있어야 발화할 수 있다. 또한, 연료원과 점화 지점 사이의 분리도 이러한 경우에 중요한 요소로 작용할 수 있다.

(2) 액체의 발화

증기가 가연성 농도 범위 내에 있고, 점화원이 있을 때 발화가 일어날 수 있다. 이러한 증기는 액체 원천으로부터 먼 거리에서 발화할 수도 있다.

(3) 고체의 발화

고체 물질의 발화는 열 관성, 표면 대 질량 비율, 열원과의 근접성 등에 따라 달라진다. 먼지나 섬유처럼 표면 대 질량 비율이 높은 물질은 낮은 비율을 가진 물질보다 더 쉽게 발화된다.

(4) 소화 이론

1) 소화의 정의

연소가 일어나기 위해서는 가연물, 산소, 점화원, 연쇄반응의 4요소가 구비되어야 하므로 이 요소 중 하나 이상을 제거하면 연소를 중단시켜 소화할 수 있다.

2) 소화 방법

구분	작용 형태	소화원리	주요 예시
제거소화	물리적 작용	연소물 제거 → 연소반응 중지	• 가스밸브 폐쇄(잠금) • 연소물 직접 제거 · 파괴 • 입으로 불어서 증기 날려 보내기 • 산불 시 바람 방향의 연료 제거
질식소화		산소 공급원 차단 → 산소 농도 15% 이하로 억제	• 불연성 기체(이산화탄소 등)로 덮기 • 불연성 포(foam)로 덮기 • 불연성 고체(모래 등) 덮기
냉각소화		연소 중 발생하는 열 제거 → 착화온도 이하로 냉각	• 주수(물 뿌리기)로 냉각 • 이산화탄소 소화약제는 2차 냉각도 작용
부촉매(억제)소화	화학적 작용	연소반응의 '화학적 연쇄' 억제 → 반응 중단	• 할론, 할로겐화합물 억제(부촉매 작용) 작용 • 분말소화제 억제(부촉매 작용) 작용

> **한번더클릭 소화작용의 효과**
>
> - 물리적 작용 : 제거소화, 질식소화, 냉각소화
> - 화학적 작용 : 부촉매(억제)소화
> - 이산화탄소 소화약제의 주된 소화 효과는 질식효과, 부가적으로 냉각소화도 효과 있음.

3) 소화약제의 분류

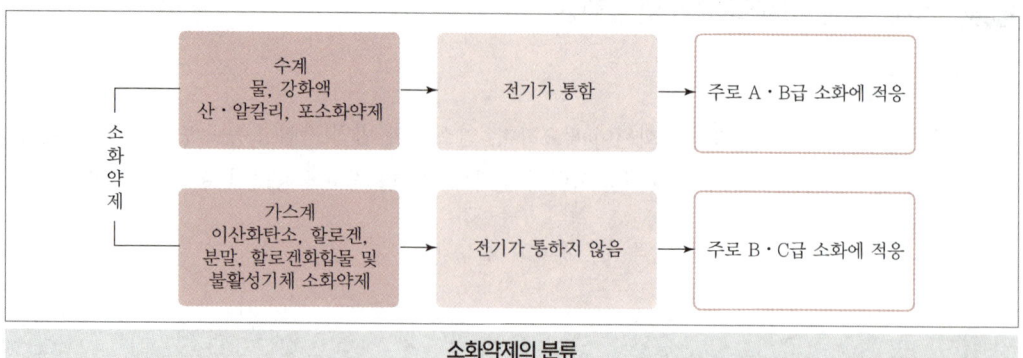

소화약제의 분류

특성 \ 종류	수계 소화약제		가스계 소화약제		
	물	포	이산화탄소	할로겐화합물	분말
주 소화효과	냉각	질식, 냉각	질식	부촉매	부촉매, 질식
소화속도	느리다	느리다	빠르다	빠르다	빠르다
냉각효과	크다	크다	적다	적다	극히 적다
대응화재 규모	중형-대형	중형-대형	소형-중형	소형-중형	소형-중형
사용 후 오염	크다	크다	전혀 없다	극히 적다	적다
적용 화재	A급	A, B급	B, C급	B, C급	(A), B, C급

4) 소화약제의 특징

① 물 소화약제
  ㉠ 가격이 저렴하여 구입과 운송이 용이
  ㉡ 비열 및 증발잠열이 커 냉각효과가 우수
  ㉢ 사용 후 오염정도가 심하고, 추운 곳에서 사용 불가
  ㉣ 동결방지제 : 에틸렌글리콜, 프로필렌글리콜, 염화칼슘

② 포 소화약제
  ㉠ 물에 약간의 첨가제(포소화약제)를 혼합한 후 여기에 공기를 주입하면 포(foam)가 발생하고, 이 포가 연소물의 표면을 덮어 질식효과와 물에 의해 냉각효과도 나타난다.
  ㉡ 적응화재 : 비행기 격납고, 자동차 정비공장, 차고, 주차장, 특수가연물 저장·취급 장소, 위험물 시설

한번데클릭 수성막포소화약제와 분말소화약제의 장단점

• 수성막포소화약제와 분말소화약제를 혼용하면 상호 단점이 보완되어 효율적인 소화가 가능함

약제 종류	장점	단점
수성막포소화약제	• 수성막으로 유류표면 차단 질식효과 • 물로 유류표면 냉각효과	• 소화 완료까지 장시간 소요
분말소화약제	• 단시간에 소화 가능	• 전체 유류표면 덮지 못함 • 냉각효과 부족하여 재발화 가능성 있음

③ 이산화탄소 소화약제(질식소화, 냉각소화)
　㉠ 무색, 무취의 부식성이 없는 기체, 공기보다 1.5배 무겁다.
　㉡ 자체 증기압 21℃에서 $57.8kg/cm^2$ 정도로 별도의 가압원이 필요하지 않다.
　㉢ 전기부도체로 전기화재(C급)에 적응성이 있다.
　㉣ 대체로 용기에 액화상태로 저장한 후 방출 시에는 기체화된다.
　㉤ 적응화재 : 통신기기실, 전산기기실, 도서관, 미술관, 소화활동이 곤란한 선박

④ 할로겐화합물 소화약제(부촉매 소화, 질식소화, 냉각소화)
　㉠ 활성화된 라디칼의 전파, 분기 반응에 의한 연쇄반응 억제로 소화한다.
　㉡ 약제의 변질, 분해 염려가 없고, 연소 억제 작용이 크고 소화능력이 우수하다.
　㉢ 독성가스가 발생하고, 오존층이 파괴시키는 단점이 있다.
　㉣ 적응화재 : 유류화재, 전기화재, 밀폐장소에서 전역 방출 방식의 일반화재도 유효하다.

⑤ 분말소화약제

종별	주성분	색상	적응화재
제1종 분말	탄산수소나트륨($NaHCO_3$)	백색	B급, C급
제2종 분말	탄산수소칼륨($KHCO_3$)	담회색	B급, C급
제3종 분말	제1인산암모늄($NH_4H_2PO_4$)	담홍색	A급, B급, C급
제4종 분말	탄산수소칼륨＋요소($KHCO_3+(NH_2)_2CO$)	회색	B급, C급

CHAPTER 03 화재론

1. 화재개론

(1) 화재의 정의(「소방의 화재조사에 관한 법률」)

사람의 의도에 반하거나 고의 또는 과실에 의하여 발생하는 연소 현상으로서 소화할 필요성이 있는 현상 또는 사람의 의도에 반하여 발생하거나 확대된 화학적인 폭발현상을 말한다.

(2) 화재의 분류

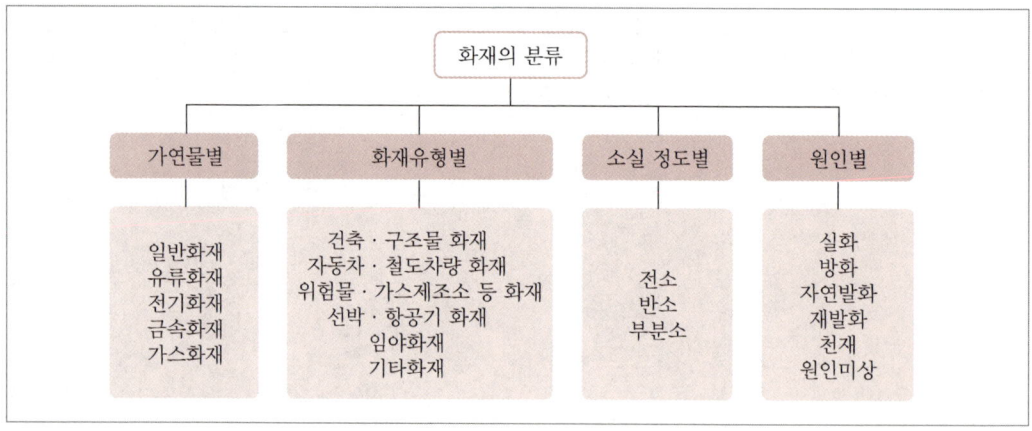

1) 가연물에 따른 분류

 일A, 유B, 전C, 금D 백황청무

구분	내용	소화기 표시색
일반화재 (A급)	• 목재, 섬유, 고무, 플라스틱 등과 같은 일반 가연물의 화재를 말한다. • 발생빈도나 피해액이 가장 큰 화재이다. • 일반화재에 대한 소화기의 적응화재별 표시는 A로 표시한다.	백색
유류화재 (B급)	• 인화성 액체(4류 위험물), 1종 가연물(락카퍼티, 고무풀), 2종 가연물(고체파라핀, 송진)이나 페인트 등의 화재를 말한다. • 유류화재에 대한 소화기의 적응화재별 표시는 B로 표시한다.	황색
전기화재 (C급)	• 전류가 흐르고 있는 전기설비에서 불이 난 경우의 화재를 말한다. • 전기화재에 대한 소화기의 적응화재별 표시는 C로 표시한다.	청색

구분	내용	소화기 표시색
금속화재 (D급)	• 나트륨, 칼륨, 마그네슘과 같은 가연성 금속의 화재를 말한다. • 금속화재에 대한 소화기의 적응화재별 표시는 D로 표시한다.	무색
가스화재 (B급)	• 메탄, 에탄, 프로판, 암모니아, 아세틸렌, 수소 등의 가연성 가스의 화재를 말한다. • 가스화재에 대한 소화기의 적응화재별 표시는 국제적으로 E로 표시하고 있으나 현재 국내에서는 유류화재(B급)에 준하여 사용하고 있다.	황색

한번대 클릭 국내외 기구별 화재 분류

분류	국내(KS B 6259)	미국방화협회(NFPA 10)	국제표준기구(ISO 7165)
A급	일반화재	일반화재	불꽃을 발생하는 유기물질화재
B급	유류 및 가스화재	유류 및 가스화재	액체 또는 액화하는 고체로 인한 화재
C급	전기화재	전기화재	가스화재
D급	금속화재	금속화재	금속화재
K급	–	튀김기름을 포함한 조리화재	–
F급	–	–	튀김기름을 포함한 조리화재

※ 튀김기름을 포함한 조리화재는 국내 화재안전기준에만 K급화재로 분류한다.

2) 화재의 유형에 따른 분류

구분	내용
건축·구조물 화재	건축물, 구조물 또는 그 수용물이 화재로 인하여 소손된 화재를 말한다.
자동차·철도차량 화재	자동차, 철도차량 및 피견인 차량 또는 그 적재물이 화재로 인하여 소손된 화재를 말한다.
위험물·가스제조소 등 화재	위험물제조소 등, 가스제조·저장·취급시설 등이 화재로 인하여 소손된 화재를 말한다.
선박·항공기 화재	선박, 항공기 또는 그 적재물이 소손된 화재를 말한다.
임야화재	산림, 야산, 들판의 수목, 잡초, 경작물 등이 소손된 화재를 말한다.
기타 화재	위의 각 호에 해당되지 않는 화재를 말한다.

※ 화재가 복합되어 발생 시 화재피해금액이 큰 것으로 한다. 다만, 화재피해금액으로 구분하는 것이 사회관념상 적당하지 않을 경우에는 발화장소로 화재를 구분한다.

3) 화재의 소실정도에 따른 분류

구분	내용
전소	건물이 70% 이상 소실되었거나 그 미만이라도 잔존 부분에 보수를 하여도 재사용이 불가능한 화재를 말한다.
반소	건물이 30% 이상 70% 미만이 소실된 화재를 말한다.
부분소	전소 또는 반소화재에 해당되지 아니하는 화재를 말한다.

※ 자동차·철도차량, 선박·항공기 등의 소실정도도 동일하게 적용한다.

4) 화재 원인에 따른 분류

구분	내용
실화	취급부주의나 사용·보관 등의 잘못으로 발생한 과실적(過失的) 화재를 말하며, 중과실과 단순 실화인 경과실이 있다.
방화	고의적인 생각과 행위로서 일부러 불을 질러 발생시킨 화재를 말한다.
자연발화	산화, 약품혼합, 마찰 등에 의해서 발화한 것과 스파크 또는 화염이 없는 상태에서 열기에 의해 발화된 연소를 말한다.
천재	지진, 낙뢰, 분화 등에 의해서 발화한 것을 말한다.
원인불명	위의 각 호 이외의 원인으로서 발화한 것을 말한다.

2 화재의 양상

(1) 건물화재

1) 구획실 화재의 진행단계

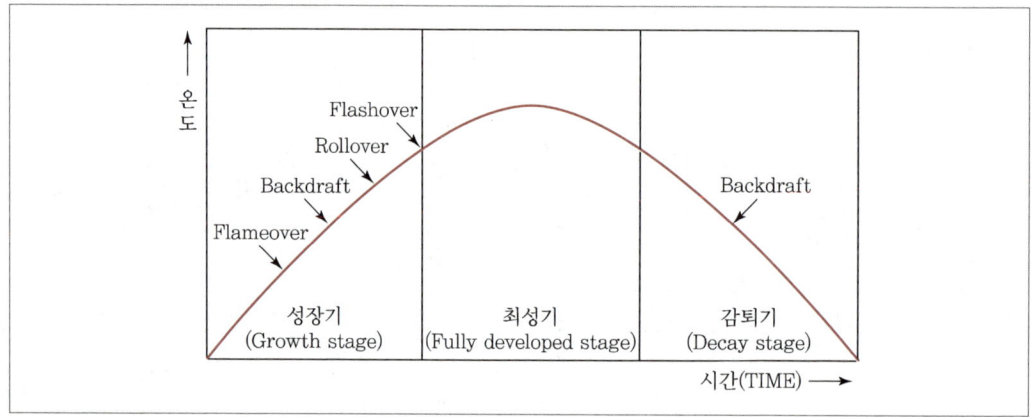

① 초기(발화기)
  ㉠ 발화기는 화재가 시작되는 시점을 의미하며, 화재의 4요소가 결합해 연소가 시작되는 시기이다.
  ㉡ 발화는 스파크, 불꽃, 또는 물질의 자체 열에 의해 유도된다. 이때 발화점에 도달하면 열이 축적되면서 연소가 시작된다.
  ㉢ 발화 시점에서는 화재 규모가 작고, 처음 발화된 가연물에 국한된다.

② 성장기
  ㉠ 발화 후 화염이 커지면서 주변 공기를 끌어들이고, 가연물이 더욱 활발하게 연소한다.
  ㉡ 구획실 내에서는 벽과 천장이 화염에 영향을 주며, 가연물 위치에 따라 흡수되는 공기량과 화염 온도가 달라진다.
  ㉢ 성장기 동안 뜨거운 가스층이 형성되고, 구획실 내 온도는 점차 상승한다.

③ 최성기
　㉠ 구획실 내 모든 가연성 물질이 연소에 관여하며, 최대의 열량을 발산한다.
　㉡ 연소생성가스는 환기구 크기와 수에 따라 달라지며, 구획실 내 산소가 부족해 많은 양의 연소하지 않은 가스가 생성된다.
　㉢ 이 시기에 연소하지 않은 뜨거운 가스가 다른 공간으로 흘러 들어가 산소와 만나 발화할 수 있다.

④ 쇠퇴기
　㉠ 화재가 구획실 내의 가연물을 소모하면서 열 발산율이 감소하기 시작한다.
　㉡ 가연물이 소진되면 화재 규모가 줄어들고, 구획실 내 온도도 점차 낮아진다.
　㉢ 남은 잔화물은 일정 시간 동안 구획실 온도를 유지할 수 있다.

2) 구획실 화재의 특수현상

① 플래시오버(Flashover)
　㉠ 구획실 내 모든 가연물이 발화점에 도달하여 동시 발화되는 현상이다.
　㉡ 대류와 복사열에 의해 발생하며, 공간이 순식간에 화염으로 가득 차게 된다.
　㉢ 플래시오버 발생 시, 뜨거운 가스층에서 복사되는 에너지가 $20kW/m^2$를 초과하며, 구획실 내 온도는 483~649℃에 이른다.

[플래쉬오버의 징후와 특징]

징후	특징
• 고온의 연기 발생 • Rollover 현상이 관찰됨 • 일정공간 내에서의 전면적인 자유연소 • 일정공간 내에서의 계속적인 열집적(다른 물질의 동시가열) • 두텁고, 뜨겁고, 진한연기가 아래로 쌓임	• 실내 모든 가연물의 동시발화 현상 • 바닥에서 천장까지 고온상태

　㉣ 발생에 영향을 미치는 요인
　　• 개구부의 개구율
　　• 내장 재료의 종류
　　• 화원의 크기
　　• 화재실의 온도
　　• 구획실의 천장높이
　　• 가연물의 화재하중과 발열량

> **한번더클릭　Babrauskas 계산식(플래시오버 예측 모델)**
>
> 플래시오버를 일으키는 열방출률($\dot{Q}_{F.O}$)은 개구부 면적(A_v)과 개구부 높이 $\sqrt{H}$에 비례한다.
> $$\dot{Q}_{F.O} = 750 A_v \sqrt{H}$$
> $\dot{Q}_{F.O}$: 플래시오버 시 열방출률(KW)
> A_v : 개구부(vent) 유효면적
> H : 개구부 높이

② 백드래프트(Backdraft)

밀폐된 공간에서 화재가 발생하여 연소가 지속되면서 내부의 산소가 부족해지고, 이로 인해 가연성 가스가 축적된 상태에서 문이나 창문이 열려 외부의 산소가 유입될 경우 폭발하는 현상이다.

> **암기법** 밀폐된 공간, 산소 부족, 가연성 가스 축적, 산소 유입, 폭발

[폭발압력의 효과]

압력(Peak Pressure)	효과(Effect)
0.5psi	창문에 심한 충격이 가해짐
1psi	소방관이 넘어짐
1~2psi	목구조 벽이 붕괴됨
2~3psi	콘크리트 블록 벽이 붕괴됨
7~8psi	벽돌조 벽이 붕괴됨

[백드래프트와 플래시오버의 차이점]

구분	백드래프트 현상	플래시오버 현상
연소현상	훈소상태(불완전연소상태)	자유연소상태
산소량	산소 부족	상대적으로 산소공급 원활
폭발성 유무	폭발현상이며 그에 따른 충격파, 붕괴, 화염폭풍 발생	폭발이 아님
악화요인 (연소확대의 주 매개체)	외부유입 공기(산소)	열(축적된 복사열)
발생시점	성장기, 감퇴기	성장기의 마지막이자 최성기의 시작점

③ 플래임오버(Flameover)

㉠ 플래임오버는 복도나 통로에서 벽과 바닥의 가연물이 화염을 따라 빠르게 확산되는 현상이다.
㉡ 가연성 벽이나 천장, 바닥이 화염에 가열되면서 표면이 갑작스럽게 점화되어 화재가 급속히 확산된다.
㉢ 주거용 건물의 내장재는 플래임오버를 방지하기 위해 비가연성 물질로 마감해야 한다.

④ 롤오버(Rollover) 현상

㉠ 화재가 발생한 구획실의 천장에 형성된 가연성 가스층이 천장면을 따라 파도처럼 빠른 속도로 연소하면서 화염이 확산하는 현상이다.
㉡ 롤오버는 플래시오버의 전조현상으로 주로 화재가 발생한 공간의 상층부에서 발생한다.

[플래쉬오버와 롤오버의 차이점]

구분	플래쉬오버	롤오버
복사열	열의 복사가 강함	열의 복사가 플래쉬오버에 비해 상대적으로 약함
확대범위	일순간 전체공간으로 확대됨	화염선단부분이 주변공간으로 확대됨
확산 매개체	공간 내 모든 부분(상층과 하층) 가연물의 동시 발화	상층부의 초고온 증기(가연성가스)의 발화

한번데클릭 👆 Outer Flashover 메커니즘

Outer Flashover는 필로티구조에서 발생되는 현상으로 화재가 구획된 실내뿐만 아니라 외부 공간에서도 동시에 급격히 확산하는 현상이다. 기존 Flashover가 실내 공간에서만 발생하는 것과 달리, Outer Flashover는 건물 외부 및 숨겨진 구획공간에서 동시에 발생하며, 대류열이 주요한 열전달 매체로 작용한다.

3) 화재하중

화재하중(Fire Load)이란 단위 바닥면적에 대한 등가목재중량이다.

$$Q = \frac{\sum GH_1}{HA} = \frac{\sum Q_1}{4{,}500\,A}$$

Q : 화재하중(kg/m²)
G : 여러 가지 가연물의 양(kg)
H_1 : 그 가연물의 단위중량당 발열량(kcal/kg)
H : 목재의 단위중량당 발열량으로 4,500kcal/kg
A : 화재구획의 바닥면적(m²)
$\sum Q_1$: 모든 가연물의 전발열량(kcal)

(2) 유류화재

1) 액면상의 연소확대

가연성 액체의 액면상의 한 점에서 착화가 일어나면 화염은 액면을 따라 일정한 속도로 확대된다. 이 거동은 액체온도가 액체의 인화점보다 높고 낮음에 따라 변한다.

① **예혼합형 전파** : 액체의 온도가 인화점보다 높은 경우(경질유)
  ㉠ 액면상의 증기는 가연범위에 들어있는 농도 영역이 존재한다.
  ㉡ 화염은 그 증기층을 통하여 전파하며, 가연성 혼합기의 화염 전파와 유사하다.

② **예열형 전파** : 액체의 온도가 인화점보다 낮은 경우(중질유)
  ㉠ 액면상의 농도는 농도 하한계 이하 영역으로 액체를 가열하여 착화한다.
  ㉡ 화염에 의해 미연소 액면이 예열되어야만 연소가 확대된다.
  ㉢ 인화점이 40℃ 부근인 맥동유의 경우 상온에서 착화하면 계속 연소한다.

2) 유류화재의 현상

① 오일오버(Oilover) : 저장탱크 내의 제4류 위험물이 50% 이하로 저장된 상태에서, 화재로 인해 증기압력이 상승하면서 탱크가 파열되어 유류가 외부로 분출되는 현상이다.

② 보일오버(Boilover)
  ㉠ 원유를 저장하는 탱크에 물이 존재하는 상태에서, 탱크 표면에 화재가 발생해 원유와 물이 함께 넘치는 현상이다.
  ㉡ 유류탱크에서 탱크 바닥에 물과 기름의 에멀션이 섞여 있을 때 이로 인하여 화재가 발생한다.
  ㉢ 연소유면으로부터 100℃ 이상의 열파가 탱크 저부에 물이 급격히 증발하여 연소유를 탱크 밖으로 비산시키면서 연소하는 현상이다.

> **한번더클릭 보일오버(Boilover) 발생조건**
> - 저장탱크 꼭대기에 뚜껑이나 지붕이 없는 열린 탱크일 때
> - 탱크 내 고온층을 형성하는 유층의 열파가 저부로 전달될 때
> - 탱크의 밑 부분에 물 또는 수분을 다량으로 함유한 유류가 있을 때
> - 물이 증발할 때 기름거품을 만들기 충분한 고온이 있을 때
> - 화재가 장시간 지속될 때

③ 프로스오버(Frothover)
  ㉠ 점성을 가진 뜨거운 유류 표면 아래에서 물이 비등하면서 화재탱크 내 유류가 넘치는 현상이다.
  ㉡ 직접적인 화재의 원인은 아니지만, 비등한 물이 유류를 넘치게 한다.

④ 슬롭오버(Slopover)
  ㉠ 물보다 비점이 높은 점성 유류가 물과 접촉 시, 표면 온도로 인해 물이 수증기로 팽창하며 유류가 외부로 비산되는 현상이다.
  ㉡ 소화용수가 연소유의 뜨거운 표면에 닿아 급비등하여 유류가 탱크 외부로 분출될 때 발생한다.

⑤ 위험물 화재의 특수현상 비교

구분	오일오버(Oilover)	보일오버(Boilover)	슬롭오버(Slopover)	프로스오버(Frothover)
특성	화재로 저장탱크 내의 유류가 외부로 분출하면서 탱크가 파열하는 현상	탱크표면화재로 원유와 물이 함께 탱크 밖으로 흘러 넘치는 현상	유류 표면온도에 의해 물이 수증기가 되어 팽창, 비등함에 따라 유류를 외부로 비산시키는 현상	유류표면 아래 비등하는 물에 의해 탱크 내 유류가 넘치는 현상
위험성	위험성이 가장 높음	대규모 화재로 확대되는 원인	직접적 화재발생요인은 아님	직접적 화재발생요인은 아님
그림	탱크 내용적의 50% 이하 / 증기 압력 상승 / Oil / 화재 발생	Tank / 탱크 저부에 있는 물이 급격히 증발	소화수 / Tank / 기름표면에서 화재가 발생하는 현상	Tank / 화재를 수반하지 않고 용기가 넘치는 현상

 **화재의 현상**

(1) 열 및 화염의 전달

1) 전도(conduction)

고체 내부에서 열이 분자 또는 원자 간의 직접적인 충돌을 통해 전달되는 과정이다.

① **열전달 원리** : 전도는 물질의 미세한 입자(분자, 원자, 전자 등)가 고온 부분에서 저온 부분으로 에너지를 전달하면서 발생한다.

② **전도율** : 금속과 같이 자유 전자가 많은 물질에서는 열전도가 매우 효율적이며, 비금속 물질은 상대적으로 열전도율이 낮다.

③ **물질에 대한 열전도율**

물질	열전도율(W/m · k)	물질	열전도율(W/m · k)
유리	1.1	은	429
목재	0.04~0.4	구리(동)	380
철	80	금	318
스테인리스	12.11~45	알루미늄	220

한번더클릭 푸리에(Fourier)의 법칙

전도에 의한 단위시간당의 열전달량은 온도차와 면적에 비례하고 두께, 거리에 반비례한다.

$$\dot{q} = kA\frac{T_2 - T_1}{L}$$

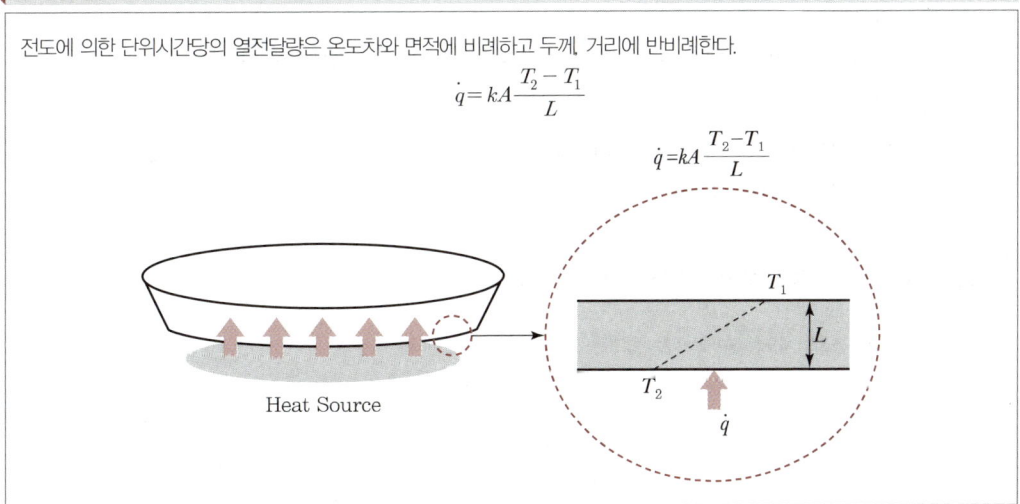

한번더클릭 열관성(Thermal Inertia)

주위온도가 변하더라도 현재의 온도를 유지하려는 성질이다.

$$열관성 = k\rho c$$

(k : 열전도율, ρ : 밀도, c : 열용량)

- 고밀도 물질(철, 구리 등 금속)은 밀도와 열전도율이 높아 열관성도 높다.
- 저밀도 물질(목재)은 밀도와 열전도율이 낮아 열관성이 낮다.

2) 대류(Convection)

대류는 유체(액체 및 기체)의 대규모 흐름을 통해 열을 전달하는 방식이다.

① **자연 대류** : 유체가 가열되어 밀도가 낮아지면 위로 상승하고, 차가운 유체가 하강하여 열 순환이 일어난다.

② **강제 대류** : 펌프나 팬을 이용해 유체의 이동을 촉진시켜 열을 전달하는 방법으로, 공조 시스템이나 열교환기에서 자주 사용된다.

> **한번데클릭 뉴턴의 냉각법칙(Newton's law of cooling)**
>
> - 시간에 따른 물체의 온도변화는 그 물체의 온도와 주위 물체의 온도차에 비례한다는 법칙이다.
> - 온도 차이가 적을 때 근사적으로 사용할 수 있다.
>
> $$\dot{q}_w'' = h \times \triangle T$$
>
> $\dot{q}_w''$: 대류 열유속
> h : 대류열전달계수(5W/m² · ℃)
> $\triangle T$: 화염 온도와 벽 온도 간의 차이

3) 복사(Radiation)

복사는 전자기파 형태로 열에너지가 전달되는 방식으로, 매질 없이 열이 이동할 수 있다.

① **열복사의 원리** : 모든 물체는 그 온도에 비례하는 전자기 복사를 방출하며, 이는 주로 적외선의 형태로 나타난다.

② **스테판-볼츠만 법칙** : 물체가 방출하는 열 복사량은 물체의 절대온도의 네제곱에 비례하며, 복사 강도에 영향을 미친다.

③ **진공에서의 열전달** : 복사는 진공 상태에서도 열을 전달할 수 있으며, 이는 우주에서 태양의 에너지가 지구로 전달되는 방식과 같다.

> **한번데클릭 스테판-볼츠만 법칙(Stefan-Boltzman Law)**
>
> 모든 파장에 의해 방사되는 총에너지는 절대온도의 4제곱에 비례한다.
>
> $$Q = \varepsilon \sigma T^4$$
>
> Q : 복사열(W/m²)
> ε : 방사율(흑체의 경우 1)
> σ : 스테판-볼츠만 상수
> T : 화염 온도와 벽 온도 간의 차이

4) 접염 연소(Flame Spread Combustion)

접염 연소는 불꽃이 인접한 가연성 물질로 확산되는 현상으로, 화재의 급속한 확대를 초래할 수 있다.

① **연소 확산 메커니즘** : 불꽃이 인접한 물체로 열을 전달하여 가연성 물질이 발화온도에 도달하면 새로운 연소가 시작된다.

② **연소 속도에 영향을 미치는 요인** : 물질의 화학적 성질, 표면 상태, 주변 온도 및 공기 유동 등이 연소 확산 속도에 큰 영향을 미친다.

5) 비화(Spotting or Ember Attack)

비화는 화재 중 발생한 불씨나 타고 있는 잔해물이 바람 등에 의해 이동하여, 원거리에서 새로운 화재를 유발하는 현상이다.

① **비화에 의한 화재 확산** : 비화는 특히 산불이나 대형 화재에서 중요하며, 불씨가 먼 거리를 이동하여 예측하기 어려운 곳에서 화재를 발생시킬 수 있다.
② 화점으로부터 바람의 방향 10~25° 범위가 가장 위험하며, 800m 전후의 비화 범위에서 잘 발생한다.

(2) 연기

1) 연기의 정의

① 가연물이 연소할 때 생성되는 고상의 미립자, 액상의 타르 등 액적입자, 무상의 증기 및 기상의 분자가 공기 중에서 부유, 확산하는 복합 혼합물이다.
② 연소과정에서 발생된 개별 그을음(soot) 입자는 성분이 대부분 탄소로써 덩어리의 형태를 띠고 있는데 0.01~10μm의 개별입자들이 뭉쳐져 그을음(soot) 덩어리를 형성하고 있다.

2) 연기로 인한 영향

① 시야를 방해하여 피난행동 및 소화활동을 저해한다.
② 연기에 포함된 유독성 물질(일산화탄소, 포스겐 등)을 흡입 시 생명이 위험하다.
③ 정신적으로 긴장 또는 패닉 현상에 빠지게 되는 2차적 재해의 가능성이 있다.
④ 최근 건물화재의 특징은 난연 처리 또는 방염처리 된 물질을 사용하여 연소 그 자체는 억제되고 있지만, 다량의 연기입자 및 유독가스를 발생하는 특징이 있다.

3) 연기의 이동속도

구분	수평방향	수직방향(계단 등)		굴뚝효과 발생 시
		화재 초기	중기 이후	
속도(m/sec)	0.5~1	1.5	3~4	5 이상

※ 인간의 보행속도는 1~1.2m/sec이다.

4) 연기의 이동

① 굴뚝 효과(연돌 효과)
  ㉠ 고층 건물의 계단실이나 엘리베이터 샤프트 같은 수직 공간에서 내부 공기가 외부보다 따뜻해지면 공기의 밀도차로 인해 압력 차이가 발생하여 굴뚝 효과(stack effect)가 발생한다.
  ㉡ 여름철에는 외부 공기가 하향 이동하는 역굴뚝 효과가 나타난다.

② 부력
  ㉠ 화재로 인해 발생한 고온의 연기는 밀도가 낮아져 부력을 얻는다.
  ㉡ 부력은 화재 구획 내외의 압력 차이로 연기를 상층으로 이동시킨다.
  ㉢ 연기가 화염에서 멀어질수록 온도 강하와 희석 작용으로 부력 효과는 감소한다.

③ 팽창
   ㉠ 화재로 방출되는 에너지는 연소가스를 팽창시킨다.
   ㉡ 팽창된 연소가스는 연기의 이동을 촉진하는 요인이 된다.

④ 바람
   ㉠ 바람에 의한 풍압은 고층 건물 내에서 공기 누출과 이동을 유발한다.
   ㉡ 틈새가 많거나 창문이 많은 건물은 바람의 영향을 크게 받아 연기의 이동 경로가 복잡해진다.

⑤ 공기조화시스템(HVAC)
   ㉠ 화재 시 공조 시스템(HVAC)은 연기의 확산을 가속화할 수 있다.
   ㉡ 화재 구역으로 신선한 공기를 공급해 연소를 돕기도 한다.

(3) 연소생성가스

1) 일산화탄소(CO)
① 인체 내 헤모글로빈과 결합하여 산소의 운반기능을 약화시켜 질식하게 하는 가스이다.
② 헤모글로빈(Hb)과 친화력은 산소에 비해 200~250배로 친화력이 크다.
③ 1~3분 내로 사망시킬 수 있는 공기 중 일산화탄소의 농도는 1.28%이다.

2) 이산화탄소(CO_2)
① 완전연소 시 생성되는 무색 · 무미의 기체로, 공기보다 무겁다.
② 독성은 거의 없으나, 다량 존재 시 호흡 속도를 증가시켜 위험을 가중시킨다.
③ 허용농도는 5,000ppm이다.

3) 황화수소(H_2S)
① 불완전 연소 시 발생하며, 썩은 계란 냄새가 나는 가스이다.
② 0.2% 이상 농도에서 후각이 마비되고, 0.4~0.7%에서 장기 혼란과 호흡기 통증이 발생한다.
③ 0.7% 이상에서는 독성이 강해져 신경계와 호흡기에 치명적인 영향을 미친다.

4) 이산화황(SO_2)
① 아황산가스로도 불리며, 유황 함유 물질의 연소 시 발생하는 무색의 자극성 기체이다.
② 눈과 호흡기 점막을 손상시키며, 질식사를 초래할 수 있다.
③ 유황을 취급하는 공장에서 화재 발생 시 2차 피해가 발생할 가능성이 크다.

5) 암모니아(NH_3)
① 질소 함유물이 연소할 때 발생하는 무색의 유독성 기체이다.
② 강한 자극성을 가지며, 점액질과 기도조직에 심각한 손상을 초래한다.
③ 냉동시설 화재 시 누출 가능성이 크므로 주의가 필요하며, 허용농도는 25ppm이다.

6) 시안화수소(HCN)

① 질소 성분이 포함된 합성수지나 섬유의 불완전연소 시 발생하는 맹독성 가스이다.
② 0.3% 농도에서 즉시 사망할 수 있다.
③ 인화성이 매우 강하며, 수분이나 알칼리와 반응하면 폭발 위험이 크다.

7) 포스겐($COCl_2$)

① 폴리염화비닐(PVC) 등의 연소 시 발생하는 맹독성 가스이다.
② 2차 세계대전 당시 독일군이 사용한 독가스로, 허용농도는 0.1ppm이다.
③ 일산화탄소와 염소가 반응하여 생성될 수도 있다.

8) 염화수소(HCl)

① 염소 함유 수지류의 연소 시 생성되며, 자극성이 강한 유독성 기체이다.
② 눈과 호흡기에 큰 영향을 미치며, 허용농도는 5ppm이다.
③ 흡입 시 기도의 알칼리성 조직을 중화시켜 기도의 부종 또는 경련으로 사망에 이르게 한다.

9) 이산화질소(NO_2)

① 질산셀룰로오스의 연소 또는 분해 시 발생하며, 독성이 매우 강하다.
② 200~700ppm 농도에 잠시 노출되어도 인체에 치명적이다.

10) 불화수소(HF)

① 불소수지의 연소 시 발생하는 무색의 자극성 기체이다.
② 유독성이 강하며, 허용농도는 3ppm이다.
③ 모래나 유리를 부식시키는 성질이 있다.

11) 아크롤레인(CH_2)

① 불완전 연소 시 발생하는 무색의 자극성 기체이다.
② 강한 냄새와 자극성을 가지고 있으며, 눈과 호흡기에 심각한 영향을 미친다.
③ 허용농도는 0.1ppm이다.

12) 질소산화물(NO)

① 질소와 산소의 화합물로, 연소 시 발생하는 유독성 기체이다.
② 주로 고온에서 생성되며, 대기 오염의 주요 원인이다.
③ 흡입 시 호흡기 질환을 유발할 수 있다.

[유독가스의 허용농도]

종류	발생조건	허용농도(TWA)
일산화탄소(CO)	불완전연소 시 발생	50ppm
이산화탄소(CO_2)	완전연소 시 발생	5,000ppm
아황산가스(SO_2)	중질유, 고무, 황화합물 등의 연소 시 발생	5ppm
염화수소(HCl)	플라스틱, PVC	5ppm
시안화수소(HCN)	우레탄, 나일론, 폴리에틸렌, 고무, 모직물 등의 연소	10ppm
암모니아(NH_3)	열경화성 수지, 나일론 등의 연소 시 발생	25ppm
포스겐($COCl_2$)	프레온 가스와 불꽃의 접촉	0.1ppm

 체내산소농도에 따른 인체영향

- 공기 중 산소농도는 약 21%이며, 18%가 안전범위의 최저로 보고 있다.
- 16%~12% : 맥박호흡수 증가, 정신집중력 저하, 정밀 작업성 저하, 근력저하, 두통, 이명, 구역질, 구토, 동맥혈중산소포화도 85~80%에서 청색증이 발생
- 14%~9% : 판단력 저하, 불안정한 정신상태, 당시의 기억이 없음, 상처에 통증을 느끼지 않음, 전신 탈진, 체온상승, 청색증상, 의식몽롱, 두통, 이명, 구역질, 구토
- 10%~6% : 구역질, 구토, 행동의 자유를 잃음, 위험을 느껴도 움직이지 못하고 외칠 수 없음, 의식 상실, 혼면, 핵심 신경 장애, 전신경련, 죽음의 위기
- 6% 이하 : 몇 번의 헐떡이는 호흡으로 실신 · 혼면, 호흡정지, 신체마비, 심장정지, 6분 만에 사망

4 화염확산

(1) 화염의 연소특성

1) 역방향 화염확산

① 반대방향 화염확산이라고도 하며, 화염확산의 방향과 가스의 흐름이 반대인 경우에 발생한다.
② 화염이 수평면 위에서 옆으로 확산이 되는 경우와 수직표면 위에서 아래로 확산이 되는 경우로 연소는 느리게 진행이 된다.
③ 역방향 화염확산은 화염이 화염 전면에 있는 가연물을 가열할 수 없을 때 느려진다.

2) 정방향 화염확산

① 순풍 화염확산이라고도 하며, 화염확산 방향이 가스흐름이나 바람의 방향과 동일할 때에 발생한다.
② 얇은 고체가연물에서의 정방향 화염확산은 위로 퍼지는 화염확산에서 발생한다.
③ 커튼 위로 화염이 퍼지거나 종이 위로 화염이 퍼지는 것이 대표적인 예이다.
④ 화염이 벽에서 위로 향하는 경우로 가연물에 화염이 직접 면하기 때문에 연소는 매우 빠르게 진행이 된다.

3) 경사면의 화염

① 경사진 벽이나 계단, 경사로 등은 정방향 화염확산 효과가 있다.
② 경사면 화염확산은 위쪽으로 가연성 표면을 예열시키면서 경사면 아래쪽으로는 공기유입이 이뤄져 불꽃 위 표면으로 복사열이 증대된다.
③ 경사트렌치 내의 경사면 화염은 상향 확산과 같은 급속하게 화염이 확산되는데 이 효과를 트렌치 효과라 한다.

4) 코안다 효과(Coanda effect)

화재로 창문 등 개구부로 분출된 화염은 초기에는 벽에 부착되지 않고 떨어져서 상승하지만, 시간이 지나면서 벽과 외기의 압력 차에 의해 벽 쪽으로 기울어지면서 재부착이 일어나는 현상이다.

 **화재성장의 3요소**

> ① 연소속도
> ② 발화
> ③ 화염확산
> ※ 화염확산속도 영향 인자 : 연료의 단면적, 밀도, 비열, 온도

(2) 액체연료의 기상(氣象) 화염 확산

① 1~2m/s가 가장 널리 인용되는 수치로, 실제 화재 현장에서 액체연료가 공기와 접촉해 화염이 퍼지는 평균 속도를 의미하며, 연료의 종류, 표면 상태, 주변 환경(온도, 풍속 등)에 따라 다소 달라질 수 있다.
② 1cm/s 이하의 매우 느린 확산은 주로 표면 연소나 미세한 증기 확산 형태이다.
③ 10m/s 이상의 빠른 확산은 대형 폭발이나 특수 상황에서 나타난다.

(3) 고체에서의 화염확산

1) 고체 가연물에서의 화염확산

고체 가연물에서 화염확산 속도는 가연물의 두께와 열적 특성에 따라 달라진다.

2) 얇은 가연물에서의 화염확산

정방향	• 화염은 주로 위를 향해 확산된다. • 커튼이나 종이 위로 타오르는 화염에서 관찰된다. • 화염 확산 속도는 아래로 확산되는 역방향 화염 확산보다 빠르며, 가연물이 활발하게 연소되는 영역이 더 넓다. • 얇은 가연물의 경우 발화와 연소가 빠르게 이루어져 화염 길이는 짧다. • 화염 확산 속도는 얇은 가연물일 때 수십 cm/sec에 이를 수 있다.
역방향	• 역방향 화염 확산은 아래로 향해 진행된다. • 성냥개비나 종이를 따라 내려가는 화염이 대표적인 예이다. • 이 경우 화염이 가연물의 양쪽 표면에 닿아 확산되지만, 활발하게 연소되는 영역은 짧은 편이다. • 역방향 화염 확산 속도는 얇은 가연물에서 0.2~2mm/sec 범위에 있다.

3) 두꺼운 가연물에서의 화염확산

정방향	• 두꺼운 가연물에서는 화염이 벽에서 위로 향하거나, 가연성 천장의 아래쪽에서 확산된다. • 두꺼운 가연물은 열전달에 의해 연소 지점 전방의 물질을 가열할 때 화염 길이가 길어진다. • 이로 인해 화염 확산 속도가 무제한적으로 가속될 수 있지만, 이는 모든 경우에 해당하지 않는다. • 화염이 벽에 충분히 노출되지 않거나 화염 크기가 작을 경우, 위로 향한 화염 확산이 제한되거나 특정 높이에 이르러 멈출 수 있다.
역방향	• 역방향 화염 확산은 벽을 따라 아래로 향하거나, 수평면에서 화염이 옆으로 퍼질 때 발생하는 현상이다. • 가열속도는 열이 전달되는 면적이 좁아지기 때문에 제한적으로 진행된다. • 두꺼운 가연물의 내부로 열이 흡수되면서, 화염 확산이 느려진다. • 외부에서 추가적인 열 공급이 없을 경우, 두꺼운 가연물에서 역방향으로 화염이 퍼지기 어렵다. • 두꺼운 고체 가연물의 화염 확산 속도는, 외부 열에 의해 가열된 상태에서 액체 가연물에서 발생하는 화염 확산 속도와 비슷해진다.

 고체연료의 발화시간

① 얇은 재료의 착화시간(<2mm)

$$t_{ig} = \rho d \frac{T_{ig} - T_\infty}{\dot{q}''}$$

② 두꺼운 재료의 착화시간(>2mm)

$$t_{ig} = C(k\rho c)\left[\frac{T_{ig} - T_\infty}{\dot{q}''}\right]^2$$

t_{ig} : 재료의 착화시간[s]
k : 열전도도[kW/m·k]
C : $\pi/4$(열손실 없는 이상적인 경우)
ρ : 밀도[kg/m³]
c : 비열[kj/kg·k]
l : 재료의 두께[mm]
T_{ig} : 점화온도[K]
T_∞ : 초기온도(실온)[K]
$\dot{q}''$: 열유속[kW/m²]

5 구획실 화재 발달

(1) 구획실 화재 현상

1) 구획화재의 일반적인 특징

① 화재플럼이나 연기유동이 천장이나 벽, 출입구 등과 같은 공간의 기하학적 요소에 의해 제한된다.
② 화재에서 발생된 열과 연기가 외기로 전파되는 것이 아니라 공간 내부에서 연층을 형성하고 주변의 온도를 상승시키는 역할을 하게 된다.
③ 벽이나 연층으로부터의 공급되는 열전달에 의해 화재특성이 영향을 받는다.
④ 연소과정에 필요한 산소공급이 제약을 받아 개구부의 위치에 영향을 받아 화재플럼은 대칭적이지 못하고 유동에 영향을 받는다.

2) 구획화재의 열 및 유동형태

① 연소반응에 의해 발생된 열과 연소생성물은 밀도 차에 따른 부력에 의해 상승하며 화재플럼을 형성한다.
② 화재플럼이 상승하면서 주변 공기가 지속적으로 유입되고, 상승한 플럼이 천장과 충돌하면서 부력은 상실되지만 관성력이 증가해 천장 제트(ceiling jet)를 형성한다.
③ 천장을 따라 전파되는 연기는 벽과 만나 벽 제트(wall jet)를 형성하고, 벽면과의 마찰로 인해 벽 제트의 관성 에너지가 점차 감소한다.
④ 부력이 다시 작용하여 벽 제트의 하강은 둔화되고, 상승하는 플럼 쪽으로 유동이 이끌려 다시 화재플럼 쪽으로 유입된다.
⑤ 이러한 과정을 반복하며 고온의 연층(hot smoke layer)이 형성된다.

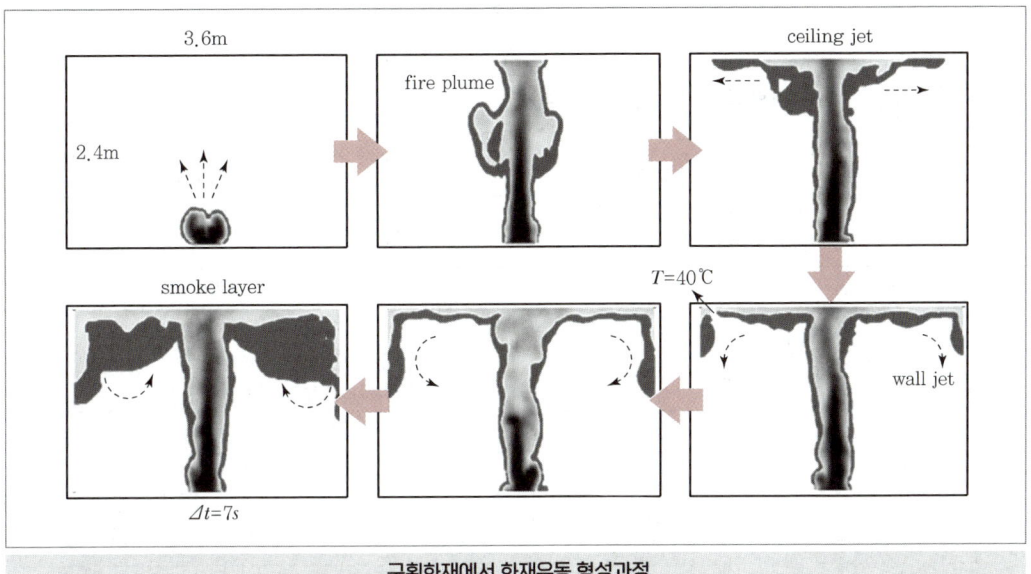

구획화재에서 화재유동 형성과정

3) 구획공간에서 화염 충돌에 의한 화재확산

① 구획공간에서 연료가 있는 위치에 따라 화염의 길이가 변한다.
② 구획공간에서 연료의 위치가 벽과 구석(corner)에 있을 때 화염의 길이는 구석이 더 길다.
③ 화염의 높이가 천장보다 클 때는 화염이 천장을 따라 확산된다.
④ 화염이 천장을 따라 수평으로 확산되면 전체 길이가 길어진다.

4) 구획실 화재의 발달

구획 공간 내에서의 화재발달 과정은 화재강도(발열량)에 의해서 나타내기도 하지만 연층부의 온도로 나타내는 경우가 많다. 일반적으로 구획화재의 진행단계는 크게 발화기 – 성장기 – 최성기 – 쇠퇴기로 분류할 수 있다.

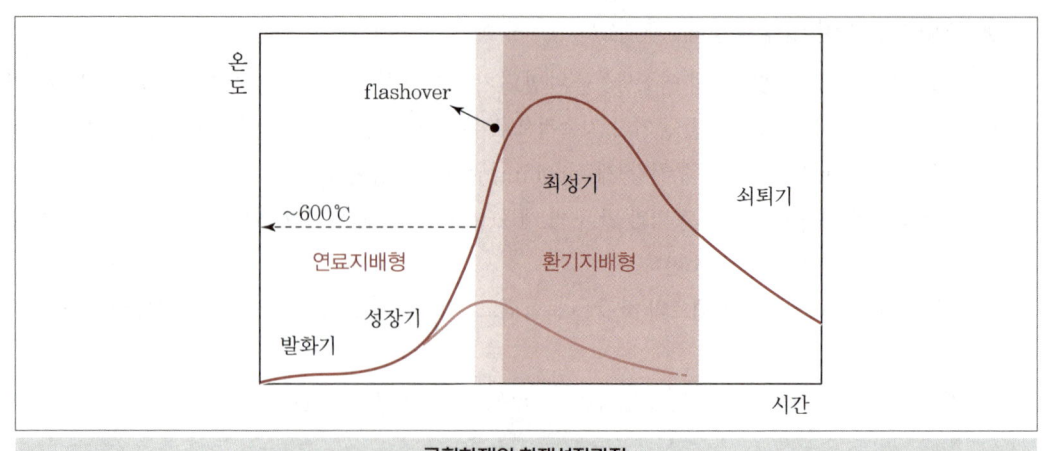

구획화재의 화재성장과정

한번데클릭 연료지배형 화재와 환기지배형 화재 비교

구분	연료지배형 화재	환기지배형 화재
개념	• 가연물양이 화재지배 • 통기량은 많고 가연물이 제한	환기(산소)량이 화재지배
연소	완전연소	불완전연소
발생장소	• 개방 공간 • 큰 개방형 창문이 있는 목조건물	• 지하 무창층 • 밀폐된 건물 • 내화구조(콘크리트)
화재양상	확산연소	훈소
발생단계	플래시오버 이전(성장기)	플래시오버 이후(최성기)
중요인자	화재성장속도($Q = \alpha t^2$)	환기인자($Q = A\sqrt{H_o}$)

(2) 구획실 환기 유동

대부분의 구획공간은 출입구나 창문, 환기구 등과 같은 개구부 통해 외기나 인접공간과 연결되어 있다. 이러한 개구부를 통칭해서 일반적으로 환기구(vent)라 부르고 환기구에서의 유동은 내부와 외부의 압력차에 기인한다.

1) 중성대

화재가 성장하면서 출입구의 상부 쪽으로는 고온의 연소가스가 빠져나가고 아래쪽으로는 외부의 공기가 화재실로 유입된다. 따라서 출입구 상부에서 내부의 압력이 외부에 비해 상대적으로 높지만, 출입구의 하부에서는 오히려 외부의 압력이 내부에 비해 높게 형성되는데 이때 실내압력과 실외압력이 같아지는 면을 중성대라고 한다.

2) 단일 환기구 흐름

① 고온가스층이 개구부의 꼭대기에 있어 개구부를 통한 가스 배출이 이루어질 때 가스층의 경계면과 중성대의 높이는 같게 된다.
② 고온가스층의 경계면이 개구부의 아래쪽으로 내려가면 중성대는 주로 개구부의 1/3~1/2 정도에 위치하게 된다.
③ 중성대가 개구부의 가장 아랫부분에 있다면 외부에서 공기가 유입될 수 없으므로 연소가 정지하지만 이와 반대로 중성대가 올라가면 공기가 내부로 왕성하게 유입이 되므로 연소는 활발하게 촉진이 된다.
④ 단일 환기구가 있는 구획실 안쪽으로의 공기흐름은 환기요인, $A\sqrt{H}$ (A : 개구부 면적, H : 개구부 높이)에 비례한다.

3) 다중 환기구 흐름

① 화재 구획실 안에 서로 다른 높이의 개구부가 여러 개 있는 경우 중성대 높이는 하나만 존재하며, 중성대 위로 여러 개 있는 개구부는 유출 배기구로서만 작용한다.
② 화재가 일어나는 동안 환기구가 추가로 열리게 되면 중성대의 높이도 달라진다.
③ 중성대가 위로 올라가면 갈수록 화재기류도 올라가게 되므로 위층으로 연소가 확대되며 중성대의 상층부는 열과 연기로부터 생존할 수가 없는 지역이 된다.
④ 환기구는 보통 유리로 되어 있는데 60~100℃에 이르면 금이 가고 화염에 직접적으로 접촉을 하지 않는 한 일반적으로 플래시오버가 일어나기 전까지는 떨어져 나가지 않는다.

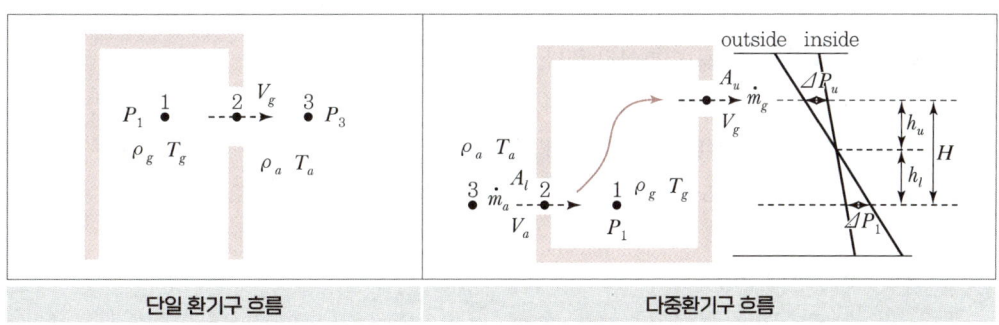

| 단일 환기구 흐름 | 다중환기구 흐름 |

6 구획실 간 화재확산

(1) 개구부를 통한 화재확산

① 직접적인 화염에 의한 점화 : 화염이 개구부를 통해 직접 인접 구획으로 확산된다.
② 복사열에 의한 점화 : 개구부를 통해 복사열이 전달되어 인접 구획의 가연물에 점화되어 확산된다.
③ 불씨가 이동하여 점화 : 불씨가 개구부를 통해 다른 구획으로 이동하여 점화되어 확산된다.

(2) 방화벽을 통한 화재확산

① 방화벽 전도열로 인한 화재확산 : 방화벽을 통해 열이 전도되어 화재가 인접 구획으로 확산된다.
② 방화벽 붕괴로 인한 화재확산 : 화재로 인해 방화벽이 붕괴되어 화재가 다른 구획으로 확산된다.
③ 주요구조부 붕괴로 인한 화재확산 : 건물의 주요 구조부가 붕괴되며 방화벽도 손상되거나 무너져서 화재가 다른 구획으로 확산된다.

7 화재거동

(1) 부력유동(Buoyant Flow)

부력유동은 화재로 발생한 고온 가스가 상승하며, 화재 확산과 연기 흐름에 중요한 영향을 미친다.
① 화재에 의한 온도는 연기 밀도를 감소시켜 부력이 발생한다.
② 화염으로부터 연기가 이동하여 멀어지면 온도는 낮아진다.
③ 구획된 부분에서 부력은 천장에 닿으면, 연기가 천장을 따라 수평으로 이동한다.
④ 부력효과는 화염으로부터 거리가 멀어질수록 온도가 낮아져 감소한다.

(2) 화재기둥(Fire Plume)

화재기둥은 화재 발생 지점에서 발생하는 뜨거운 연기와 가스가 상승하며 형성되는 기둥 모양의 흐름이다.
① 화염부와 고온가스부로 이루어져 있다.
② 화재기둥이 주위의 공기온도로 인하여 냉각된다면 화재기둥은 상승을 멈추게 된다.
③ 화재기둥의 온도는 주위 공기온도보다 상대적으로 높기 때문에 가스를 상승시키는 힘이 된다.
④ 화재기둥의 부력은 밀도 차이에 의해 유체를 상승시키는 힘이 되고 밀도는 가스의 온도에 반비례한다.

(3) 천장분출(Ceiling Jet)

천장분출은 화재기둥이 천장에 도달한 후, 뜨거운 가스와 연기가 천장을 따라 수평으로 퍼지는 현상이다.

> **한번 더 클릭** 천장제트(Ceiling jet), 벽제트(Wall jet) 흐름 영향
>
> 구획화재 시 천장제트와 벽제트 흐름 영향으로 천장면에 가장 근접한 12시 방향이 먼저 탄화된다.

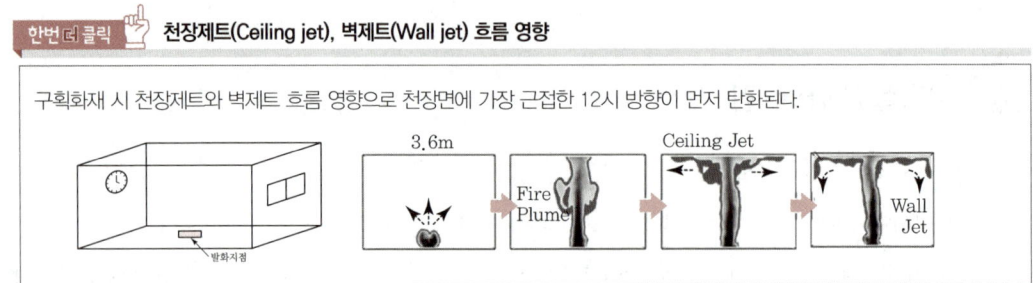

(4) 환기유동(Ventilation Flow)

환기유동은 화재 발생 시 구획 내외의 공기와 연기 흐름을 제어하는 환기 조건에 의해 발생하는 현상이다.
① **환기구의 역할** : 창문, 문, 환기구 등의 개구부는 환기유동의 경로를 결정짓는 중요한 요소이다.
② **화재와 환기 사이의 상호작용** : 환기유동은 화재의 연소 속도와 확산 방향에 직접적인 영향을 미친다.

CHAPTER 04 폭발론

1. 폭발의 조건 및 원인

(1) 폭발의 정의
연소의 일종으로 산화반응이 급격한 진행으로 압력의 해방에 따른 폭음과 충격파를 발생하며 순간적으로 반응이 완료되는 현상이다.

(2) 폭발의 조건
① 가연성 가스, 증기 및 분진이 공기 또는 산소와 혼합되어 폭발범위 내에 있어야 한다.
② 혼합가스 및 분진에 발화를 일으킬 수 있는 최소점화에너지가 있어야 한다.
③ 혼합가스 및 분진이 밀폐공간 또는 밀폐용기와 같은 공간에 존재해야 한다.

(3) 폭발의 원인
① 발열 화학 반응 과정에서 열과 압력이 급격히 증가하면 폭발이 일어날 수 있다.
② 강력한 에너지에 의한 급속가열 시 발생한다(예 부탄가스통 가열 시 폭발).
③ 응축 상태에서 기상으로 급격히 상변화(액체, 고체 → 기체)할 때 폭발이 발생할 수 있다.

2. 폭발의 분류

(1) 원인에 따른 분류

구분	종류
물리적 폭발	BLEVE, 보일러폭발
화학적 폭발	산화폭발, 분해폭발, 중합폭발

(2) 물질의 상태에 따른 분류

구분	종류
기상폭발	가스폭발, 분해폭발, 분무폭발, 분진폭발, 증기운폭발
응상폭발	수증기폭발, 증기폭발, 전선폭발

(3) 반응 전파속도에 따른 분류

구분	종류
폭연	충격파의 반응전파속도가 음속보다 느린 것
폭굉	충격파의 반응전파속도가 음속보다 빠른 것

(4) 폭연과 폭굉의 비교

구분	폭연	폭굉
전파속도	음속 이하(0.1~10m/sec)	음속 이상(1,000~3,500m/sec)
전파에 필요한 에너지	전도, 대류, 복사	충격에너지
폭발압력	초기압력의 10배 이하	초기압력의 10배 이상
화재파급효과	큼	작음
충격파 발생	발생 안 함	발생
전파메커니즘	열의 분자확산 이동과 반응물과 연소생성물의 난류혼합에 의한 전파	혼합물을 자연발화 온도 이상으로 압축시키는 강한 충격파에 의해 전파

한번더클릭 폭굉유도거리가 짧아지는 조건

- 압력이 높을수록 폭굉유도거리는 짧아진다.
- 정상연소 속도가 큰 혼합가스일수록 폭굉유도거리는 짧아진다.
- 관지름이 작을수록 폭굉유도거리는 짧아진다.
- 점화원의 에너지가 클수록 폭굉유도거리는 짧아진다.

3 분류(원인, 상태)별 폭발의 성상

(1) 원인에 따른 분류

1) 물리적 폭발

진공용기의 압괴, 과열액체의 급격한 비등에 의한 증기폭발, 용기의 과압과 과충진 등에 의한 용기파열 등이 물리적인 폭발에 해당한다.

① 비등액체팽창증기폭발(BLEVE ; Boiling Liquid Expanding Vapor Explosion)
비점이 낮은 인화성 액체(유류)가 가득 차 있지 않은 저장탱크 주위에 화재가 발생하여 저장탱크 벽면이 장시간 화염에 노출되면 윗부분의 온도가 상승하여 재질의 인장력이 저하되고 내부의 비등현상으로 인한 압력상승으로 저장탱크 벽면이 파열되는 현상을 의미한다.

② 블레비(BLEVE) 형성과정
  ㉠ 액체의 온도(액온) 상승
  ㉡ 연성파괴 : 탱크의 강도 저하로 인한 균열발생(액체 입자가 탱크벽에 충돌)
  ㉢ 액격현상, 취성파괴 : 탱크가 파괴되고 파편이 사방으로 비산(물리적 폭발)
  ㉣ 화구(Fire ball) 발생 : 물리적 폭발에서 화학적 폭발로 이어져 일어나는 폭발

> **한번 더 클릭** 블레비(BLEVE) 현상의 발생 메커니즘
>
> **암기법** 블레비 압연 액취
>
> 화재 → 액온상승 및 압력증가 → 연성 파괴 → 액격현상 → 취성파괴 → 내용물의 폭발적 분출

③ 블레비(BLEVE) 발생조건
  ㉠ 가연물이 비점 이상 가열될 것
  ㉡ 가연성 가스가 밀폐계 내에 존재할 것
  ㉢ 기계적 강도를 초과하는 압력이 형성될 것
  ㉣ 내용물이 대기 중으로 방출될 것
  ㉤ 온도상승으로 인한 탱크 파열

2) 화학적 폭발

① 연소폭발
  ㉠ 연소폭발은 가연성 가스, 증기, 분진, 미스트 등이 공기와 혼합되거나 산화성, 환원성 고체 및 액체혼합물과의 반응에 의해 발생한다.
  ㉡ 대부분의 연소폭발 사고는 가연성 가스가 공기 중에 누출되거나 인화성 액체 저장 탱크에 공기가 혼합되어 폭발성 혼합가스를 형성하고, 이 혼합가스가 점화원에 의해 착화되어 발생한다.
  ㉢ 연소폭발은 폭풍과 충격파를 동반하여 구조물에 심각한 피해를 준다.
  ㉣ 폭발의 주체가 되는 물질에 따라 연소폭발은 가스, 분진, 분무폭발로 분류된다.

② 분해폭발
  ㉠ 분해폭발은 산화에틸렌(C_2H_4O), 아세틸렌(C_2H_2), 히드라진(N_2H_4)과 같은 분해성 가스나 디아조 화합물 같은 자기분해성 고체류가 분해하면서 발생한다.
  ㉡ 아세틸렌은 대표적인 분해성 가스로서 반응 시 발열량이 크고, 연소 시 3,000℃의 고온을 발생시키는 물질로서 금속의 용단, 용접에 사용된다.
    아세틸렌 : $C_2H_2 \rightarrow 2C + H_2 + 54.19[kcal]$

ⓒ 고압으로 압축된 아세틸렌 기체는 충격에 의해 분해반응을 일으킬 수 있으므로, 불활성 다공 물질에 아세톤 액을 스며들게 하여 고압으로 용해 충전하는 방법이 사용된다.

ⓓ 용해 아세틸렌은 저장 시 용기 내에 공간이 없도록 하며, 충전 후 냉각시켜 온도가 안정될 때까지 관리해야 한다.

③ **중합폭발**

ⓐ 중합폭발은 초산비닐, 염화비닐 등의 모노머가 폭발적으로 중합되어 반응열로 인해 압력이 급상승하면서 발생한다.

ⓑ 중합반응은 단량체에 촉매를 넣어 일정 온도와 압력에서 반응시켜 고분자를 생성하는 과정이며, 대부분 발열반응이므로 적절한 냉각설비가 필요하다.

ⓒ 냉각 실패 시 반응 온도가 급격히 상승하여 미반응 모노머가 팽창 및 비등하면서 고압이 형성되어 반응 장치가 파괴될 수 있다.

ⓓ 중합이 용이한 물질은 촉매 없이도 공기 중 산화, 산화성 물질, 알칼리성 물질에 의해 반응을 일으킬 수 있으므로, 반응 중지제를 준비해야 한다.

(2) 물질의 상태에 따른 분류

1) 기상폭발

① **가스폭발**

ⓐ 가연성 가스와 조연성 가스가 일정 비율로 혼합된 가연성 혼합기가 발화원에 의해 착화되면 가스폭발이 발생한다.

ⓑ 가연성 가스에는 수소, 천연가스, 아세틸렌, LPG뿐만 아니라 휘발유, 벤젠, 톨루엔, 알코올, 에테르 등의 증기도 포함된다.

> **한번 더 클릭** 가스폭발 vs 분진폭발

구분	가스폭발	분진폭발
최초폭발, 연소속도, 폭발압력	크다	작다
2차, 3차~n차 연쇄폭발현상	없다	있다
발화에너지, 발생에너지, 파괴력	작다	크다
일산화탄소 발생률	작다	크다

② **분해폭발**

ⓐ 기체 분자가 분해할 때 발열하는 가스는 단일성분의 가스라도 발화원에 의해 착화되면 가스폭발이 일어난다.

ⓑ 분해폭발은 산소가 없어도 발생하며, 아세틸렌, 산화에틸렌, 에틸렌, 프로필렌, 메틸아세틸렌, 이산화염소, 히드라진 등이 대표적인 분해폭발성 가스이다.

ⓒ 아세틸렌 충전공장에서는 고압 아세틸렌의 분해폭발 사고가 발생하며, 폴리에틸렌 공장에서는 고압 에틸렌의 분해폭발로 인해 누설된 가스가 공기 중에서 혼합가스를 형성해 폭발하는 경우도 있다.

③ 분진폭발
  ㉠ 미세한 가연성 분진입자가 공기 중에 부유하여 폭발범위를 형성하고 있다가 점화원에 의해 폭발하는 현상을 말한다.
  ㉡ 공기 중에 부유하고 있는 분진이 어떤 점화원에 의해 에너지가 주어지면 폭발하는 현상을 말한다.
  ㉢ 분진폭발을 일으키는 물질 : 밀가루, 쌀가루, 설탕가루, 전분, 석탄, 커피가루, 솜가루, 금속분말, 아스피린 분말
  ㉣ 분진폭발을 일으키지 않는 물질 : 시멘트, 석회석(소석회), 탄산칼슘($CaCO_3$), 생석회(CaO), 수산화나트륨(NaOH)
  ㉤ 분진폭발의 진행과정
   • 열 발생 및 에너지 축적
   • 증발 및 가스화
   • 가연성 혼합가스 형성 및 발화
   • 연쇄반응 및 폭발

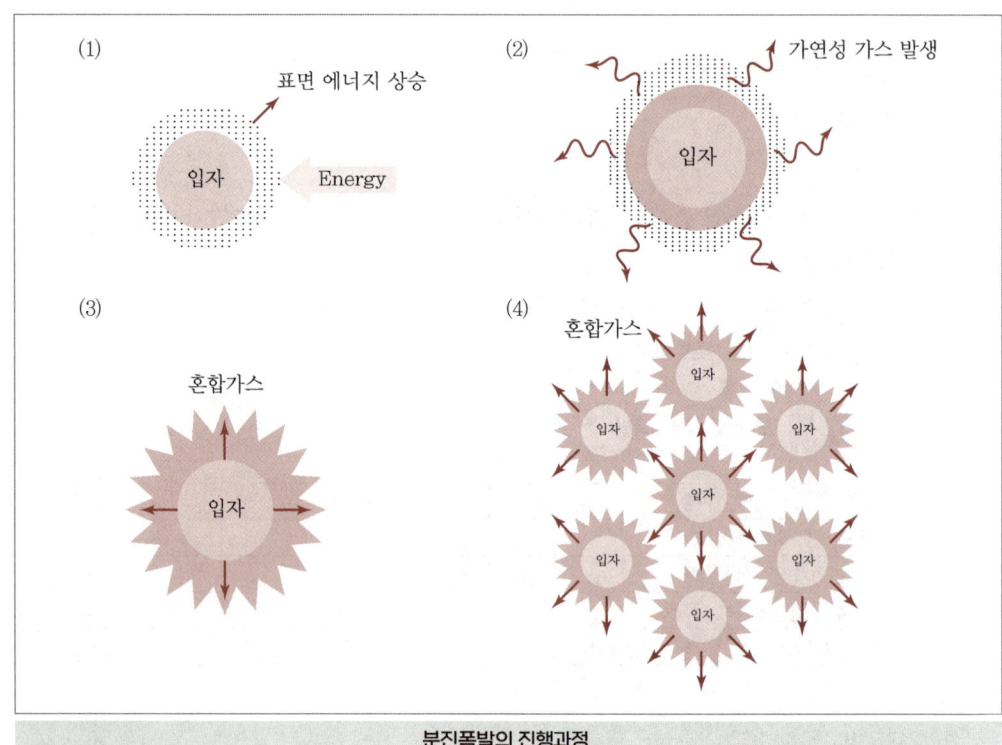

분진폭발의 진행과정

한번데클릭 분진의 발화폭발 조건

① 가연성 : 금속, 플라스틱, 밀가루, 설탕, 전분, 석탄 등
② 미분상태 : 200mesh(76μm) 이하
③ 지연성 가스(공기) 중에서의 교반과 운동
④ 점화원의 존재

④ 분무폭발
- ㉠ 가연성 액체가 공기 중에서 미세한 액적으로 분출되어 무상 상태가 되고, 여기에 착화에너지가 주어지면 분무폭발이 발생한다.
- ㉡ 분출된 가연성 액체의 온도가 인화점 이하일지라도, 미세한 액적 상태로 분출된 경우 폭발이 일어날 수 있다.
- ㉢ 고압 유압설비에서 기계유가 분출되어 공기 중에서 미세한 액적이 될 때 분무폭발이 발생할 수 있다.

⑤ 증기운 폭발(UVCE)
- ㉠ 저비점의 가연성 가스가 대기 중에 대량으로 유출되거나 가연성 액체가 대량으로 누출되었을 때, 그로 인해 발생한 증기가 공기와 혼합되어 가연성 혼합기체를 형성하고, 점화원에 의해 대규모 폭발을 일으키는 현상이다.
- ㉡ 대기 중으로 퍼져나간 다량의 가연성 가스나 증기가 점화원과 만나 급격한 폭발을 일으키는 것을 말한다.
- ㉢ 풍속이 낮아 증기운이 잘 퍼지지 않는 상황에서 특히 피해가 커지며, 폭발 시간이 짧아 복사열보다는 화염 전파와 압력파로 인한 시설물 피해가 더 심각하다.
- ㉣ 증기운 폭발(UVCE)과 블레비(BLEVE)의 비교

증기운 폭발(UVCE)	블레비(BLEVE)
화학적 폭발	물리적 폭발
개방공간의 폭발	밀폐된 공간 폭발
대기 중 기체상태에서 발생	액화가스에서 발생

한번더클릭 증기운폭발의 물질 분류

분류	물질	특성	증발 형태
I	액화천연가스(LNG)	• 임계온도<주위온도 • 대기압에서 저온으로 액화	열전달이 증발 제한
II	액화석유가스(LPG), 액화암모니아, 액화염소	• 임계온도>주위온도 • 비점<주위온도 • 상온에서 가압하여 액화	순간 증발
III	벤젠, 헥산	• 임계압력>주위압력 • 비점<주위온도 • 비점온도의 온도지만 가압하여 액화	열전달 및 확산이 증발 제한
IV	액화사이클로헥산	• 주위온도보다 높은 온도에 있는 물질 • 가압하여 액화	내부에너지로 순간 증발

2) 응상폭발

① 보일러 폭발
- ㉠ 고압의 포화수를 저장한 보일러와 같은 용기가 파손되면 내부 압력이 급격히 하락하고, 이로 인해 일부 액체가 급속히 기화하면서 증기압이 급상승해 용기가 파괴된다.
- ㉡ 내용물이 가연성 물질일 경우, 비등 기화된 증기가 대량으로 방출되며 화염원에 의해 착화되어 화구(Fire Ball)를 형성하게 된다.
- ㉢ 100℃ 이상 과열된 상태인 압력하의 물을 폭발수(explosive water)라 한다.

② 수증기 폭발(액체의 급속 가열)
- ㉠ 물 또는 물을 포함한 액체에 고온의 용융금속이나 용융염이 대량으로 유입되면, 이 물질로 인해 물이 급격히 증발하면서 밀폐된 상태에서 고압이 발생해 폭발이 일어난다.
- ㉡ 수증기 폭발은 고온 용융염의 투입 속도가 **빠를수록**, 그리고 용기의 단면적이 작을수록 더 쉽게 발생한다.

③ 증기폭발(극저온 액화가스의 수면유출)
- ㉠ LNG와 같은 극저온 액화가스가 상온의 물에 유출되면, 급격히 기화되면서 증기폭발이 발생한다.
- ㉡ 이때 물(15℃)이 뜨거운 유체로 작용하며, LNG는 $-162℃$에서 액화된 가스로서 차가운 액체로 작용한다.
- ㉢ 폭발의 에너지원은 물의 현열(Sensible Heat)이다.

④ 전선폭발
- ㉠ 무정형 안티몬이 동일한 고상의 안티몬으로 전이하면서 발열하고, 이로 인해 주위 공기가 팽창하여 폭발이 발생할 수 있다. 이를 고상 간 전이에 의한 폭발이라 한다.
- ㉡ 알루미늄제 전선에 한도 이상의 대전류가 흐를 때, 전선이 급격히 가열되면서 용융과 기화가 빠르게 진행되어 폭발을 일으킬 수 있다.

CHAPTER 05 예비조사

1. 화재조사 전 준비

(1) 화재현장 조사 계획 수립
① 경찰 등 관계기관 연락
② 조사의 방법, 책임자 선정 및 임무 분담
③ 화재현장의 상황 및 특성에 적합한 조사 과정의 수립

(2) 역할의 분담
① 조사 책임자는 전반적인 조사 계획을 수립하고, 팀원들의 업무를 조율한다.
② 화재합동조사전담부서 등을 설치·운영 시에는 현장조사를 실시 전에 회의를 통해 역할을 분담해야 한다.
③ 화재현장 감식 시 업무가 중복되는 것을 피하고, 조사관 간에 긴밀하게 연락을 유지한다.
④ 전문분야 기기, 장소에서 화재 발생 시 해당분야 전문가를 참여시켜 지원을 받는다. 이때 이해관계가 충돌되지 않도록 해야 한다.
⑤ 기계공학자, 전기공학자, 자동차공학자, 화학공학자 등을 전문 인력으로 정할 수 있다.

(3) 조사복장과 기자재

1) 조사복장
① 낙하물, 빠짐, 돌출물 등에 의한 사고방지를 고려해야 한다.
② 기상조건에 따라 우의 또는 방한복 등을 구비하여야 한다.
③ 화재조사의 독립성을 위해 관계자나 제3자가 화재조사자임을 알 수 있어야 한다.
④ 사고방지를 위해 헬멧, 안전화, 절연장화 등을 준비해야 한다.

2) 기자재(전담부서에 갖추어야 할 장비와 시설)

구분	기자재명 및 시설규모
발굴용구 (8종)	공구세트, 전동 드릴, 전동 그라인더(절삭·연마기), 전동 드라이버, 이동용 진공청소기, 휴대용 열풍기, 에어컴프레서(공기압축기), 전동 절단기
기록용 기기 (13종)	디지털카메라(DSLR)세트, 비디오카메라세트, TV, 적외선거리측정기, 디지털온도·습도측정시스템, 디지털풍향풍속기록계, 정밀저울, 버니어캘리퍼스(아들자가 달려 있어 두께나 지름을 재는 기구), 웨어러블캠, 3D스캐너, 3D카메라(AR), 3D캐드시스템, 드론
감식기기 (16종)	절연저항계, 멀티테스터기, 클램프미터, 정전기측정장치, 누설전류계, 검전기, 복합가스측정기, 가스(유증)검지기, 확대경, 산업용실체현미경, 적외선열상카메라, 접지저항계, 휴대용디지털현미경, 디지털탄화심도계, 슈미트해머(콘크리트 반발 경도 측정기구), 내시경현미경
감정용 기기 (21종)	가스 크로마토그래피, 고속카메라세트, 화재시뮬레이션시스템, X선 촬영기, 금속현미경, 시편(試片)절단기, 시편성형기, 시편연마기, 접점저항계, 직류전압전류계, 교류전압전류계, 오실로스코프(변화가 심한 전기 현상의 파형을 눈으로 관찰하는 장치), 주사전자현미경, 인화점측정기, 발화점측정기, 미량융점측정기, 온도기록계, 폭발압력측정기세트, 전압조정기(직류, 교류), 적외선 분광광도계, 전기단락흔실험장치[1차 용융흔(鎔融痕), 2차 용융흔(鎔融痕), 3차 용융흔(鎔融痕) 측정 가능]
조명기기 (5종)	이동용 발전기, 이동용 조명기, 휴대용 랜턴, 헤드랜턴, 전원공급장치(500A 이상)
안전장비 (8종)	보호용 작업복, 보호용 장갑, 안전화, 안전모(무전송수신기 내장), 마스크(방진마스크, 방독마스크), 보안경, 안전고리, 화재조사 조끼
증거 수집 장비 (6종)	증거물수집기구세트(핀셋류, 가위류 등), 증거물보관세트(상자, 봉투, 밀폐용기, 증거수집용 캔 등), 증거물 표지세트(번호, 스티커, 삼각형 표지 등), 증거물 태그 세트(대, 중, 소), 증거물보관장치, 디지털증거물저장장치
화재조사 차량 (2종)	화재조사 전용차량, 화재조사 첨단 분석차량(비파괴 검사기, 산업용 실체현미경 등 탑재)
보조장비 (6종)	노트북컴퓨터, 전선 릴, 이동용 에어컴프레서, 접이식 사다리, 화재조사 전용 의복(활동복, 방한복), 화재조사용 가방
화재조사 분석실	화재조사 분석실의 구성장비를 유효하게 보존·사용할 수 있고, 환기 시설 및 수도·배관시설이 있는 30제곱미터(m²) 이상의 실(室)
화재조사 분석실 구성장비 (10종)	증거물보관함, 시료보관함, 실험작업대, 바이스(가공물 고정을 위한 기구), 개수대, 초음파세척기, 실험용 기구류(비커, 피펫, 유리병 등), 건조기, 항온항습기, 오토 데시케이터(물질 건조, 흡습성 시료 보존을 위한 유리 보존기)

[비고]
1. 위 표에서 화재조사 차량은 탑승공간과 장비 적재공간이 구분되어 주요 장비의 적재·활용이 가능하고, 차량 내부에 기초 조사사무용 테이블을 설치할 수 있는 차량을 말한다.
2. 위 표에서 화재조사 전용 의복은 화재진압대원, 구조대원 및 구급대원의 의복과 구별이 가능하고, 화재조사 활동에 적합한 기능을 가진 것을 말한다.
3. 위 표에서 화재조사용 가방은 일상적인 외부 충격으로부터 가방 내부의 장비 및 물품이 손상되지 않을 정도의 강도를 갖춘 재질로 제작되고, 휴대가 간편한 가방을 말한다.
4. 위 표에서 화재조사 분석실의 면적은 청사 공간의 효율적 활용을 위하여 불가피한 경우 최소 기준 면적의 절반(1/2) 이상에 해당하는 면적으로 조정할 수 있다.

CHAPTER 06 발화지역 판정

1 종합적 방법론

(1) 활동의 순서

1) 화재발생 접수

① 인지와 동시에 조사활동에 들어간다.

② 화재 초기 조사활동 사항
   ㉠ 출동 도중 화재상황 관찰 : 신고내용, 기상 상황, 원거리 화염 또는 연기·폭발 등 사진촬영
   ㉡ 현장 도착 : 관계인 동향, 건물외관 연소의 강약 및 방향, 소방시설 작동여부 파악
   ㉢ 관계인 탐문 : 맨발, 복장, 소화액의 부착, 부상자, 순찰차 내 경찰연행 등
   ㉣ 정보의 정리 : 다수의 정보를 하나로 정리, 화재 초기 개황 정리
   ㉤ 현장보존

③ 화재 진화 후의 조사활동
   ㉠ 조사계획 : 인원, 임무분담, 장비 확인
   ㉡ 현장관찰
   ㉢ 관계자 진술(재질문)
   ㉣ 발굴장소의 검토
   ㉤ 현상발굴과 복원
   ㉥ 발화원의 검토
   ㉦ 발화원의 판정
   ㉧ 현장 철수

> **한번 더 클릭 | 화재현장 관찰 방법**
>
> - 바깥의 주변부터 중심부로 관찰
> - 높은 곳에서 전체를 관찰
> - 탄화가 약한 쪽부터 강한 쪽으로 관찰
> - 도괴의 방향성
> - 국부적인 강한 탄화(연소) 지점 관찰
> - 탄화물의 변색, 박리, 용융 관찰
> - 유류 등 특이한 냄새
> - 건물구조를 고려하여 불꽃 흐름을 추적, 관찰

(2) 순차적 패턴 분석

화재현장에는 건물과 물건들에 수많은 화재 패턴이 남으며, 물질별 용융점, 비점, 발화점 등이 달라 화재현장에 퇴적층과 같이 탄화 잔해물이 쌓인다. 따라서 순차적으로 화재패턴을 분석하면 정확한 발화원을 판정할 수 있다.

① 소손 정도가 약한 부분에서 강한 부분으로 순차적으로 찾아가서 출화개소를 판정한다.
② 물질별 연소강약을 비교하고, 연소의 방향성을 순차적으로 확인하여 발굴장소를 검토한다.

(3) 체계적 절차

화재조사의 기본 절차 및 과학적인 화재조사 방법에 따라 체계적으로 화재조사를 실시한다.

1) 기본절차

현장 출동 중 조사 → 화재현장조사 → 정밀조사 → 화재조사 결과보고

2) 현장 감식의 요령

잔해 물질별 연소의 강약 비교 → 연소의 방향성 감식 → 열 및 화염 벡터 작성 및 분석 → 발화지역(발화지점) 판정

3) 과학적인 화재조사 방법에 따른 조사

문제의 인식 → 문제의 정의 → 데이터 수집 → 데이터 분석 → 가설 수립 → 가설 검증 → 화재원인 결정

② 발화위치 결정을 위한 데이터 수집

(1) 초기 현장 평가
① **현장 도착 시 초기 관찰** : 잔여 열기, 연기, 냄새 등을 포함한 초기 관찰 내용 기록
② **기본 정보 수집** : 초기 사진 촬영, 목격자 인터뷰, 건축물 현황, 소방시설 확인, 인명 피해 및 대피 현황 파악 등

(2) 발굴 및 복원
① **발굴 작업** : 화재현장에서 잔해를 제거하거나 특정 부분을 발굴하여 증거물을 찾아낸다.
② **복원 작업** : 발화원인을 규명하기 위해 파손된 구조물을 복원하거나, 현장 상태를 가능한 원래의 상태로 복원한다.

> **한번더클릭 화재현장 발굴과 복원 방법**
> - 관계자 입회하에 현장발굴과 복원을 하고, 사고 시의 보상 진행
> - 현장발굴 전 반드시 상부 낙하물을 제거한 후 안전하게 복원작업 진행
> - 외측에서 발화지점방향으로 발굴
> - 증거물 훼손이 있을 수 있어 수작업으로 발굴
> - 발화 전 상황을 알 수 있도록 복원하면서 사진촬영 등으로 기록

(3) 추가 데이터 수집 활동
CCTV 영상, 차량 블랙박스 영상, 기상 정보(낙뢰, 기상특보 등), 관계인들의 추가 증언, 사설 보안시스템 로그기록, 자동화재탐지설비 수신반 로그, 전기설비, 가스설비, 환기설비 등 다양한 출처에서 추가적인 데이터를 수집한다.

③ 자료 분석

(1) 화재패턴 분석

1) 화재패턴의 정의
화재패턴은 열과 연소로 인한 물리적 변화와 손상의 흔적으로 벽, 천장, 바닥, 가구 등의 표면에서 나타나는 흔적을 포함하며, 화재의 이동 경로를 추적하는 물적 증거로 활용된다.

2) 화재패턴 분석의 목적과 한계
① 화재패턴이 있는 곳은 연소가 강했다는 것을 의미하며, 화재 진행 방향성을 이해할 수 있어 확산 경로를 추정할 수 있다.
② 화재가 확산하면서 여러 패턴이 중첩될 수 있어, 화재패턴이 있는 곳이 발화지점이라 오인하면 안 된다.

③ 플래시오버 이후 구획실 화재패턴은 화재하중, 환기 상태, 관계인과 소방대의 초기 소화활동으로 인해 원래의 화재패턴이 변화될 수 있어 분석에 어려움을 줄 수 있다.

> **한번 더 클릭** 화재패턴으로 연소방향 판정 시 고려사항
>
> - 창문 등 개구부에 가까운 개소는 공기의 공급량이 많으므로 강한 소손을 나타낸다.
> - 화재하중의 높은 다량의 가연물이 있으면 발화개소에서 떨어져 있어도 그 개소는 강한 소손을 나타낸다.
> - 소방대 소화수의 방수개시가 늦은 부분은 연소시간이 길어지므로 강한 소손을 나타낸다.

(2) 열 및 화염 벡터 분석

1) 열 및 화염 벡터의 개념과 목적

① 개념 : 화재현장에서 열, 연기 또는 화염 흐름의 방향을 표시하는 것으로써, 화재현장도에 사용되는 화살표이다.

② 목적 : 열과 연기에 따른 연소 강도를 파악하고 연소 강도가 강한 곳에서 약한 곳으로 열 및 화염 벡터를 표시하면 발화장소(발화지점)를 판정하는 데 유용하다.

2) 열 및 화염 벡터 분석의 적용

① 물리적 흔적 분석 : 벡터는 벽, 천장, 바닥, 가구 등에서 나타나는 물리적 흔적(탄화, 용융, 변색, 박리, 소실 등)으로부터 도출된다.

② 패턴과의 연계 : 벡터 분석은 앞서 설명한 화재패턴 분석과 연계되어 진행된다(V패턴은 열이 올라가는 방향의 벡터 표시).

3) 벡터의 특징

① 벡터의 크기는 열의 강도를 나타내며, 더 강한 열은 더 길고 두꺼운 벡터로 표현된다.
② 벡터의 방향은 열 또는 화염이 이동한 방향을 나타낸다.
③ 벡터는 상호작용할 수 있으며, 벡터들이 모이는 지점은 발화지점을 가리킬 가능성이 크다.

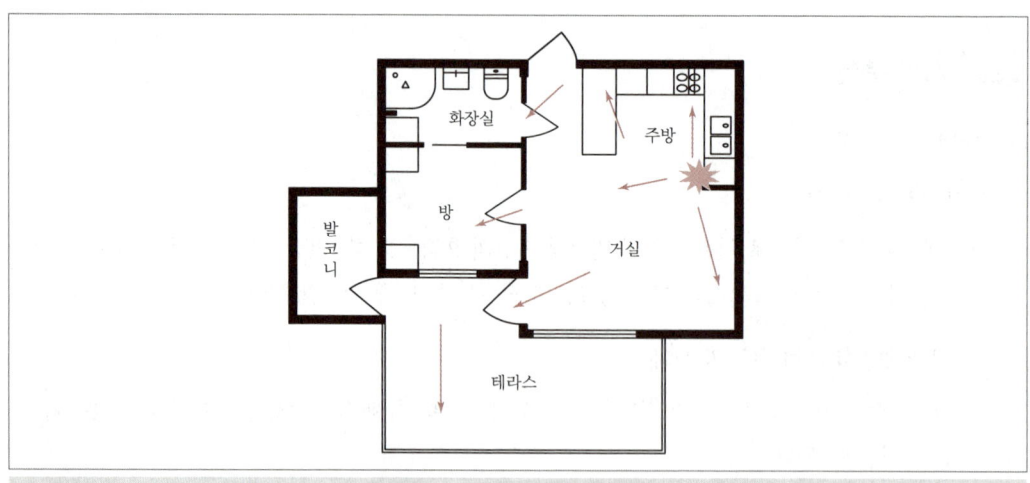

열 및 화염 벡터를 표시한 화재현장도

(3) 탄화심도 분석

1) 탄화심도(Depth of Char)
① 가연성 재료가 화재로 인해 탄화(그을려서 숯처럼 변하는 현상)된 깊이를 측정한 것이다.
② 발화부와 가까울수록 탄화심도가 깊다.
③ 목재표면에 발생하는 균열은 발화부와 가까울수록 골이 넓고 깊어진다.

※ 목재는 발화부 주변에서 강한 열을 받아 더 깊게, 더 좁게 갈라지고, 발화부와 멀어질수록 열의 강도가 약하므로 균열은 깊지 않지만 넓게 퍼진다.

발화부 주변의 일반적인 연소현상

- 발화부를 향해 소락(燒落)되거나 도괴된다.
- 발화부와 가까울수록 탄화심도가 깊다.
- 목재표면에 발생하는 균열은 발화부와 가까울수록 골이 넓고 깊어진다.
- 발화부는 비교적 밝은색을 띠며 발화부와 멀어질수록 어두운 빛을 나타낸다.

2) 탄화심도 측정방법
① 탄화된 요철(凹凸) 부위 중, 철(凸) 부위를 택하여 측정한다.
② 게이지로 측정된 깊이 외에 이미 소실된 부위의 깊이를 더하여 비교하여야 한다.
③ 탄화되지 않은 곳까지 삽입될 수 있으므로 송곳과 같은 날카로운 측정기구는 사용하지 않는다.
④ 측정기구는 목재와 직각으로 삽입하여 측정한다.
⑤ A지점, B지점의 측정 시 동일한 압력으로 측정하여야 한다.
⑥ 수회 측정하여 평균값을 사용, 측정오차를 줄인다.

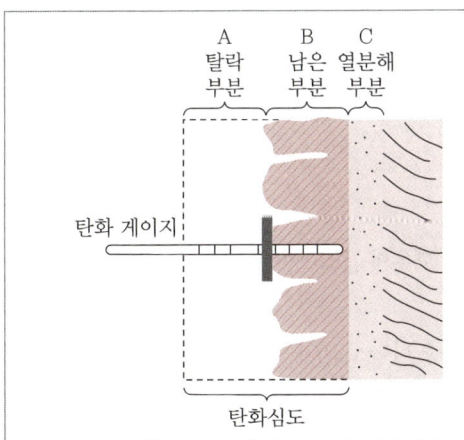 

탄화심도 측정

3) 목재의 탄화심도에 영향을 미치는 인자

① 가열속도와 가열시간
② 산소농도
③ 목재의 밀도
④ 목재의 종류
⑤ 목재 수분함유량

(4) 하소심도 측정

1) 하소의 개념

① 하소는 물질을 태워 휘발성분을 없애고 재로 만드는 일을 말한다.
② 석고벽판재료가 고온에 노출되어 화학적, 물리적으로 변형되는 과정에서 석고는 열에 의해 탈수되며, 저밀도의 경석고로 변환된다.
③ 하소된 석고벽판재료는 원상태에 비해 밀도가 낮아지고, 색상이 변하며, 심한 경우 벽에서 떨어져 나가거나 무너질 수 있다.
④ 더 깊은 하소 심도는 벽판재료가 더 길고 강렬한 열에 노출되었음을 의미한다. 따라서 하소 심도의 상대적 비교를 통해 발화부를 추적할 수 있다.

2) 하소 심도 측정 방법

① **시각적 측정** : 벽이나 천정의 작은 부분을 주의 깊게 떼어내어 하소된 석고층의 두께를 관찰하고 측정한다. 최소한 직경 50mm 정도의 영역을 통해 횡단면을 조사한다.
② **탐촉자 조사** : 작은 탐침을 벽면 횡단면에 삽입해 하소된 석고의 저항 차이를 감지하고 그 심도를 측정한다. 탐침 조사는 일정한 간격(약 0.3m 이하)으로 수행되며, 탐침의 삽입 압력을 일정하게 유지한다.

(5) 아크조사 또는 아크 매핑(arc mapping)

1) 아크조사(아크매핑 : arc mapping)

① **아크(Arc)** : 전기적 고장 시 전류가 공기 중을 통과해 고온의 플라즈마를 형성하는 현상으로 전기기기의 금속부분에 패임, 절단, 용흔 형태로 나타난다.
② **아크조사(아크매핑 : arc mapping)** : 화재조사 기법 중 하나로 화재 열이 전선 또는 회로에 침범하여 생기는 특이점(아크)을 조사하여 발화지점을 추정하는 기법이다.
③ **아크조사(아크매핑 : arc mapping) 개념**

| 전신주 → 전력량계 → 분전반 → 벽면 콘센트 → 멀티탭 → 냉장고 |
| ㉠ 전원측 → ㉡ 부하측 |

㉠ 아크매핑 시 전원측과 부하측은 상대적 개념이다.
  예 분전반은 전력량계에 비해 부하측이지만, 벽면 콘센트와 비교해서는 전원측이다.

ⓒ 전원측이 차단되면, 부하측도 전기가 끊겨 아크가 발생되지 않지만, 부하측이 차단되더라도 전원측은 계속 통전 중이므로 아크가 발생할 수 있다.

예 분전반 차단 : 콘센트와 가전제품은 전기 차단, 전신주에서 전력량계와 분전반 인입전선까지는 계속 통전

④ 아크조사는 전기 배선에서 아크(arc)가 수 개소 발견된 경우 손상된 부분을 순차적으로 추적하여 발화장소(발화지점) 및 연소 확산 경위 등을 과학적으로 규명하는 방법이다.

 아크조사로 발화장소(지점) 추정 방법

인접한 A, B건물에서 화재가 발생하여 두 건물 모두 전소되었고 그림과 같은 합선흔적(단락흔)이 아크조사되었다면 A건물이 최초 발화장소다.
① A건물 방1에서 최초 발화되면 B건물 방1은 통전 중으로 아크가 조사될 수 있다.
② 반면 B건물 방1에서 최초 발화되었다면, A건물 방2 또는 방3으로 연소확대되는 중에 A건물 분전반이 차단되면서 방1은 합선흔적이 발견될 수 없다.

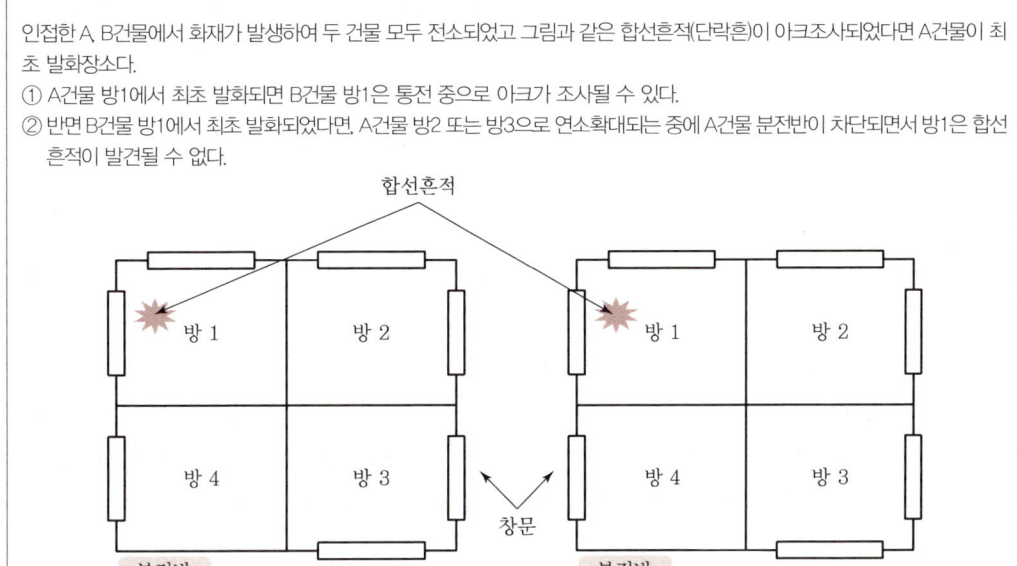

(6) 순차적 사건의 분석

1) 개념

① 순차적 사건의 분석은 화재 발생과 진행 과정을 시간 순서대로 배열해 사건들의 상호작용을 분석하는 방법이다.
② 화재 발생에서부터 최종적인 진압에 이르기까지의 모든 사건을 논리적이고 시간 순서에 맞게 배열하여, 화재 원인, 발화 위치, 화재 확산 경로 등을 명확하게 규명하는 것이다.

2) 분석 절차

① **데이터 수집** : 현장에서 수집된 증거, 목격자 진술, 화재 알람 및 경보 시스템 기록, CCTV 영상 등 다양한 자료를 기반으로 사건의 순서를 구성한다.
② **사건의 식별** : 화재 발생과 관련된 중요한 사건들을 식별하고, 각 사건이 발생한 정확한 시점을 추정한다.

③ **시간순서 배열** : 식별된 사건들을 시간 순서대로 배열하고, 각 사건 간의 인과 관계를 분석한다.
④ **상호작용 분석** : 사건 간의 상호작용을 분석하여, 어떤 사건이 화재 확산에 중요한 역할을 했는지 파악한다.

4 발화위치 가설

(1) 최초 가설

① 최초 가설은 초기 조사와 증거 수집을 바탕으로, 발화 지점과 화재 원인에 대해 초기 단계에서 세워지는 가설이다. 이 가설은 현장에서 수집된 물리적 증거, 목격자 진술, 화재패턴 분석 등을 통해 형성된다.
② 최초 가설은 화재의 시작점을 추정하기 위해 현장조사를 통해 수집된 데이터를 종합적으로 분석하여 세운다. 이 단계에서는 여러 가능성을 고려하며, 확실성이 높은 가설을 우선시한다.

(2) 최초 가설의 수정

① 최초 가설은 추가적인 증거 수집, 분석 결과, 실험 및 검증 과정에서 수정될 수 있다. 초기 가설은 추가 정보에 따라 변화하거나 반증될 수 있다.
② 최초 가설이 세워진 후, 현장에서 추가적으로 발견되는 증거나 새로운 분석 결과에 따라 가설을 재검토하고 수정한다. 조사 과정이 진행되면서 더 정확한 정보를 반영하고, 발화 지점을 규명하기 위함이다.
③ 수정된 가설은 다시 검증 과정을 거치며, 이 과정에서 새로운 증거와의 일치 여부가 확인된다. 이 단계에서는 가설이 논리적으로 타당한지, 증거와 일관성이 있는지를 지속적으로 평가한다.

5 발화지점 가설의 검증

(1) 가설 검증의 방법

1) 가설 검증 개념

가설 검증의 목적은 수립된 발화지점 가설이 현장에서 수집된 모든 증거와 일치하는지 확인하는 것으로 가설의 타당성을 평가하고 확정하는 과정이다.

2) 검증 방법

① **물리적 증거 비교** : 화재현장에서 수집된 물리적 증거와 가설의 일치 여부를 평가한다.
② **목격자 진술 검토** : 목격자의 진술을 검토하여 가설이 사건의 흐름과 일치하는지 확인한다.
③ **현장 재현** : 가능한 경우, 실험이나 시뮬레이션을 통해 가설이 실제 상황에서 어떻게 작용했는지를 재현하여 검증한다.
④ **반증 확인** : 가설이 잘못되었을 가능성을 탐색하는 과정으로, 증거와 일치하지 않거나 더 적절한 설명이 있을 경우 가설을 반증하고 수정한다.

(2) 분석 기법 및 도구

1) 분석 기법
① 화재로 인해 형성된 열 및 연기의 이동 패턴을 분석하여, 가설이 이 패턴과 일치하는지 검토한다.
② 화재현장에서 발견된 전기적 장비나 배선의 손상 패턴을 분석하여, 발화 원인이 전기적 요인인지 확인한다.
③ 화재 발생 시의 연료와 환기 조건을 분석하여, 가설이 이 조건들과 일치하는지 확인한다.

2) 분석 도구
① **화재모델링** : 컴퓨터 시뮬레이션을 통해 화재의 진행 경로와 발화지점을 가설적으로 재현하고, 이를 통해 가설의 타당성을 검증한다.
② **타임라인 분석** : 사건의 전개 과정을 시간순으로 파악하여 인과관계를 추론하고, 사고의 원인을 분석한다.
③ **재현실험** : 특정 조건하에서 화재를 재현하는 현장 실험을 통해, 가설이 실제 상황과 일치하는지 확인한다.

6 최종 가설의 선택

(1) 발화지역 결정

화재 원인 조사에 있어서 첫 번째 단계 중 하나로, 정확한 발화지역을 결정하지 못하면 이후의 원인 분석이 정확하지 않을 수 있다. 발화지역 결정은 현장조사, 증거 수집 및 분석, 증언 등을 종합적으로 고려하여 이루어진다.

(2) 모순된 데이터의 선별

① 관계자의 진술 중에는 발화건물의 판정 등 결과와 모순되는 경우가 있을 수 있다. 이러한 경우, 조사 현장에서 확인된 사실과 충분히 검토하여 모순이 없는 진술을 판단의 근거로 삼아야 한다.
② 모순되는 진술이라도 조사 보고서에는 반드시 기록하여야 한다. 이는 당시에는 모순되었으나, 이후 방화범의 검거나 실화자의 자백 등으로 진술이 달라질 가능성이 있기 때문이다.
③ 조사 과정에서 검토된 내용 중 부정된 사항에 대해서는, 결론 도출 시 반증을 제시하며 부정해야 한다.
④ 모순된 진술이 언급되지 않은 경우, 이는 진술을 의도적으로 회피한 것으로 간주될 수 있으며, 조사서를 읽는 제3자에게 의구심을 줄 수 있기 때문이다. 따라서 판정 결과와 모순된 진술에 대해서도 그 내용을 명확히 기술해야 한다.

7 선택된 가설의 검증

(1) 증거를 통한 가설의 검증

1) 검증 유의사항
① 화재조사에서 수립된 가설은 반드시 물리적 증거와 일관성이 있어야 한다.
② 조사자는 현장에서 수집된 증거를 통해 가설을 검증해야 한다.
③ 모든 가설은 증거에 의해 뒷받침되어야 한다.

2) 검증 절차
① 수집된 모든 증거가 가설과 일치하는지 확인한다.
② 가설이 증거와 충돌할 경우, 해당 가설을 수정하거나 배제한다.
③ 여러 가설을 설정한 후, 가장 합리적인 가설을 도출한다.

(2) 대형 화재 발화지역의 검증

1) 검증 유의사항
① 대형 화재는 복잡한 발화지역을 포함할 수 있으며, 이 경우 발화지역의 정확한 위치를 특정하기 어려울 수 있다.
② 대형 화재에서는 복수의 발화지점을 고려하거나, 발화지점이 대규모일 가능성을 염두에 두어야 한다.

2) 검증 절차
① 대형 발화지역 내에서 여러 증거를 분석하여 화재의 출발 지점을 식별한다.
② 여러 발화지점의 가능성을 조사하여, 가장 합리적인 발화지점을 추정한다.
③ 발화지점에 영향을 미칠 수 있는 외부 요인(바람, 건물 구조)을 고려한다.

(3) 발화지역에 대한 목격자 증언

1) 검증 유의사항
① 목격자의 증언은 발화지점을 특정하는 데 중요한 단서가 될 수 있다.
② 목격자의 기억이 왜곡되거나 상황을 정확히 인지하지 못했을 가능성도 고려해야 한다.

2) 검증 절차
① 목격자 진술을 다른 증거와 비교하여 일관성을 검토한다.
② 목격자의 진술이 신뢰할 수 있는지 평가하고, 다른 증거와 충돌하는 경우 그 원인을 분석한다.
③ 목격자의 증언을 참조하되, 물리적 증거를 우선시하여 가설을 검증한다.

발화지점 판정

 1 건물 구조재의 연소특성 및 방향의 파악

(1) 목재류

1) 연소강약

① 목재의 수열에 의한 상태 · 형상 변화

온도(℃)	상태 · 형상
100 미만	• 틈새에 들어 있는 수분이 서서히 증발하여 건조된다.
100	• 100℃인 채로 수분 증발이 계속된다.
160	• 분해가스가 갈색이 되며, 휘발성의 에스테르가 나오기 시작한다(낡은 판자나 마디 등은 화원이 있으면 착화되는 상태). • 목재의 표면이 갈색으로 눋는다.
220	• 표면이 흑갈색이 되며 거스러미 등은 조그만 불씨에도 착화된다.
260	• 목재의 인화온도이다. • 급격하게 분해되며 다량의 가스가 발생한다. • 다른 화원이 있으면 확실하게 착화된다.
300~350	• 탄화가 완료된다.
420~470	• 목재의 발화온도이다. • 다른 화원(火源)이 없어도 타기 시작한다.

[비고]
목재는 타기 시작한 후에는 표면에서 중심을 향해 탄화가 진행하며, 탄화모양과 형상이 다음과 같이 변화해 간다.
• 표면은 요철(凹凸)이 많고 거칠어진다.
• 탄화된 골은 폭이 넓고 또한 깊어진다.
• 표면이 박리와 회화(灰化)를 반복한다.
• 즉, 연소가 계속되면서 타서 가늘게 되고 박리되어 소실되어 간다.

② 목재의 연소경과에 수반되는 형상변화

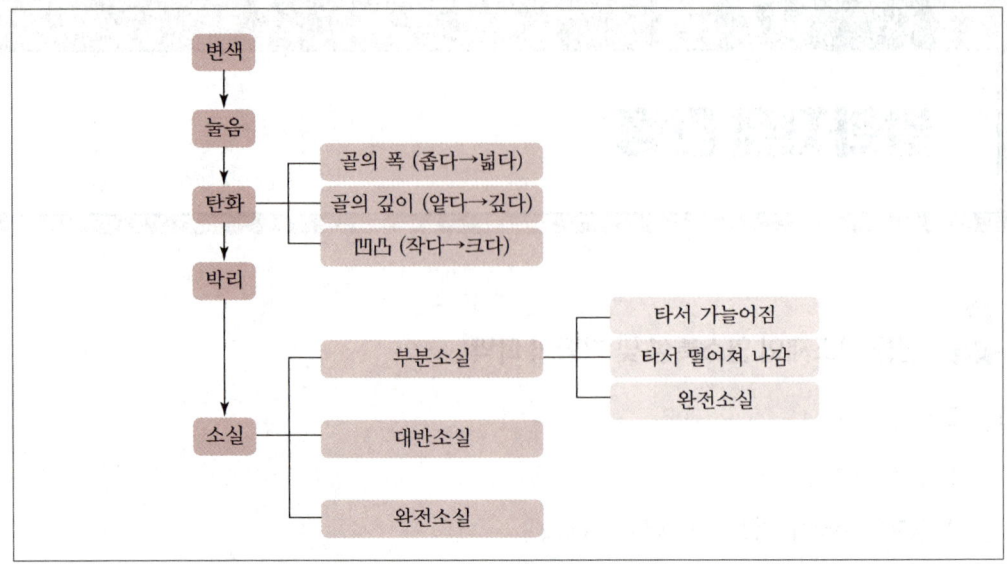

> 한번 더 클릭
>
> ① **연소강약 고찰 전제** : 발화개소에 가까울수록 화염의 영향을 오래 받는다. 즉, 발화개소에 가까울수록 열의 영향을 깊게 남긴다.
> ② **연소방향** : 국면별로 나타난 「연소강약」을 통해 판단되는 화재현장 전체적으로 불이 번져나간 방향을 말한다.
> ③ **열과 화염의 벡터 분석** : 열 및 화염이 특정 지점에서 시작되어 어떻게 퍼져나갔는지를 분석하여 발화지점을 파악한다.
> ※ 건축물 구조재의 연소특성을 파악하고, 각 물질별 연소강약을 분석 후 연소방향을 열과 화염의 벡터 분석을 하면 조금 더 정확한 발화지점을 판정할 수 있다.

2) 탄화

① 불에 오래도록 강하게 탈수록 탄화의 깊이는 깊다.
② 탄화모양을 형성하고 있는 패인 골이 깊을수록 소손이 강하다.
③ 탄화모양을 형성하고 있는 패인 골의 폭이 넓을수록 소손이 강하다.
④ 탄화면이 거친 상태일수록 연소가 강하다.
⑤ 유염연소는 목재의 표면에 따라 광범위하게 전파되지만, 무염연소는 깊게 타들어가는 형태로 전파된다.
⑥ 노출온도 조건에 따른 목재의 균열흔

> **암기법** 완강열 친구일 → 완소흔 강소흔 열소흔 7 9 1

구분	노출온도(℃)	탄화형태
완소흔	700~800	갈라진 틈의 폭이 넓지 않고, 골이 얕으며, 부푼 모양이 삼각형 또는 사각형의 형태
강소흔	900	나무가 갈라져서 파인 골의 깊이가 깊은 편이며, 골의 테두리 모양은 각이 없는 반원형
열소흔	1,100	홈의 깊이가 가장 깊고, 홈의 폭이 넓으며, 부푼 형태는 구형에 가깝도록 볼록

> **한번데클릭** 목재의 탄화심도에 영향을 미치는 인자
>
> - 가열속도와 가열시간
> - 산소농도
> - 목재의 밀도
> - 목재의 종류
> - 목재 수분함유량

3) 박리

① 탄화되어 벗겨져 나가는 것을 박리라고 하며, 목재 연소강도 비교에 많이 활용된다.
② 연소가 강할수록 박리부분이 깊고, 크며, 많아진다.
③ 연소열과 소화수에 의한 탄화물 박리상태 차이점

항목 \ 차이	연소박리	소화수박리
박리면적	소	대
표면의 거칠기	대	소
박리의 분포	산재	집중적
박리면	거칠다	평탄하고 윤기 난다

4) 소실상태

부분소실 1 (타서 가늘어짐)	판재, 각재의 면이나 각의 일부가 부분적으로 타서 가늘어지는 것으로 가늘수록 소손정도가 강하다.
부분소실 2 (타서 떨어져 나감)	목재는 서서히 타서 가늘어지고 결국에는 타서 떨어져 나간다. 타다 남아 있는 상태를 통해서 연소강약을 알 수 있다.
부분소실 3 (타서 뚫림)	타서 뚫림이란 천장판자나 바닥판이 부분적으로 소실된 상태를 말한다. 타서 뚫린 면적의 차이가 연소강약을 나타낸다.
대반소실	건물 구조재 등의 대부분이 소실된 상태를 말한다. 소실범위가 많은 쪽이 소손정도가 강하다.
완전소실	건물구조재의 일부 천장재 등이 완전히 소실된 상태를 말한다.

(2) 금속류

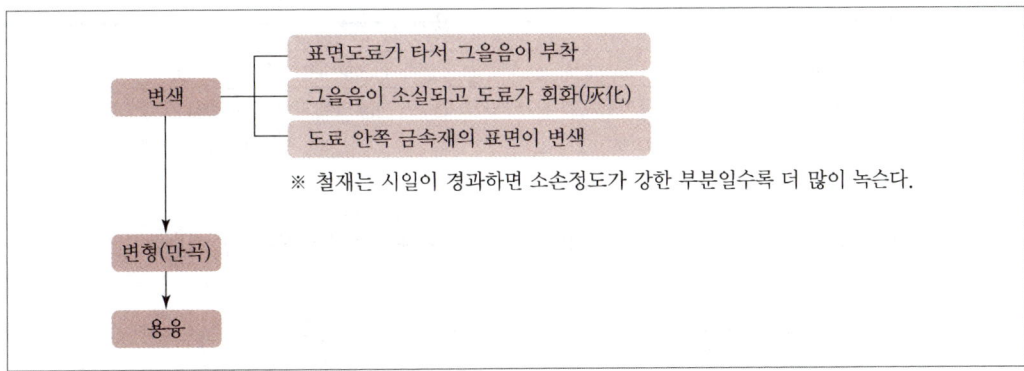

※ 철재는 시일이 경과하면 소손정도가 강한 부분일수록 더 많이 녹슨다.

1) 변색

열에 의한 색상변화를 활용하여 연소강약을 판단하여 현장에서 남은 금속류의 연소방향을 판단한다.

가열온도(℃)	스테인레스강	냉연강판
300	아주 조금 엷은 갈색	엷은 황갈색
400	조금 엷은 갈색	조금 진한 황갈색
500	엷은 적자색	엷은 자색
600	적자색	암자색
700	진한 적자색	회색에 가까운 암자색
800	자색	흑자색
900	암청색	회색(산화철색)
1,000	회색	회색(산화철색)

2) 변형(만곡)

① 연소열을 받은 금속은 용융하기 전에 자체 중량 등으로 인해 좌굴(축 방향에 압력을 받은 기둥이나 판이 어떤 한계를 넘으면 휘어지는 현상)한다.
② 철제 구조물의 경우, 발열량이 가장 많은 부분에서 화염에 의한 열적인 팽창 및 자중에 의한 변형으로 휨 현상이 발생하며, 동 현상은 초기의 화염 방향이나 위치를 추적하기 유용하다.
③ 일반적으로 금속의 만곡 정도가 수열 정도와 비례한다고 보아도 좋다. 그러나 좌굴은 수용물 중량, 화재하중에 좌우되므로 신중하게 검토할 필요가 있다.

> **한번데 클릭** 금속(철) 구조물의 수열위치에 따른 만곡 형태
>
> ① 철 구조물은 열을 받은 반대 방향으로 휘어진다.
> ② 철골의 만곡은 발화부뿐만 아니라 철골에 열이 받는 곳에서는 발생한다.
> ③ 금속의 만곡 정도는 수열 정도에 비례하나 설치각도, 화재하중 등에 따라 변형될 수 있다.
> ④ 철골의 만곡은 지붕 등 하중에 많은 영향을 받는다.
>
>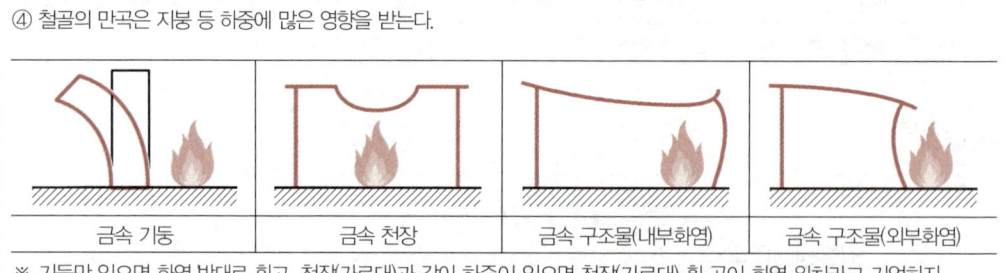
>
> ※ 기둥만 있으면 화염 반대로 휘고, 천장(가로대)과 같이 하중이 있으면 천장(가로대) 휜 곳이 화염 위치라고 기억하자.

3) 용융

① 금속에 따라 용융온도 등이 다르므로 화재현장에서 용융금속의 종류를 파악할 수 있으면 그 개소의 대략적인 온도를 알 수 있다.
② 같은 재질이면 용융이 많은 쪽이 보다 많은 열을 받은 것이므로 용융상태를 파악함으로써 연소방향을 판단할 수 있다.

③ 금속별 용융점

금속 명칭	용융점(℃)	금속 명칭	용융점(℃)
수은	39	금	1,063
주석	232	구리	1,083
납	327	니켈	1,455
아연	420	스테인리스	1,520
마그네슘	650	철	1,530
알루미늄	660	티탄	1,800
은	960	몰리브덴	2,620
황동	900~1,000	텅스텐	3,400

(3) 콘크리트, 몰탈, 타일류

1) 연소강약

① 콘크리트의 수열정도에 따른 외관관찰 결과

온도(℃)	금이 간 곳의 개수(개/10mm²)	금이 간 폭(mm)	외관
450	25~27	0.03	회색 그을음
650	16~19	0.05	검은 그을음
850	10~12	0.10	그을음 없음

② 콘크리트의 수열정도에 따른 형상변화

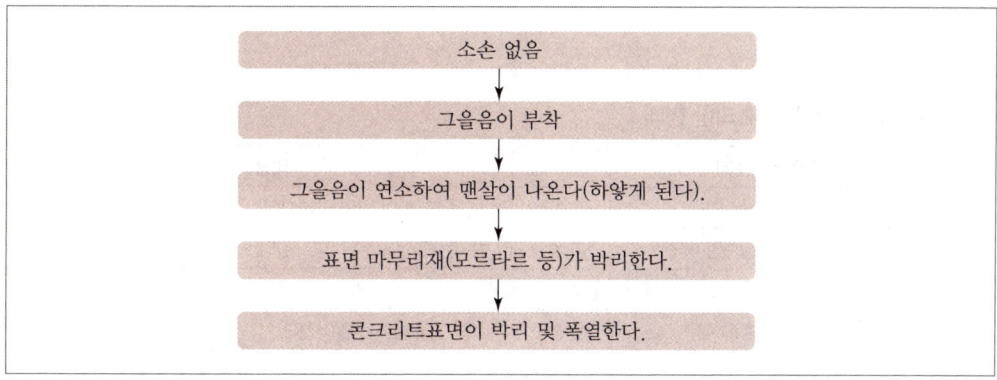

2) 폭열

① 폭열의 정의

콘크리트에 포함되어 있는 수분이 화재 시 발생하는 급격한 온도 변화와 열로 인하여 내부에 갇혀 있던 수분이 외부로 빠져나가지 못하고 팽창 한계점에 도달, 이후 폭발하여 표면의 콘크리트가 탈락되거나 박리되는 현상이다.

② 폭렬의 발생 원인
- ㉠ 흡수율이 큰 골재의 사용
- ㉡ 내화성이 약한 골재의 사용
- ㉢ 콘크리트 내부 함수율이 높을 때
- ㉣ 콘크리트의 치밀한 조직으로 화재 시 수증기 배출이 안 될 때

3) 박리
① 콘크리트 등에 포함된 수분이 열에 의해 팽창하면서 시멘트를 부서지게 만든다.
② 콘크리트 내의 강철제의 팽창은 둘러싸고 있는 콘크리트를 파괴한다.
③ 콘크리트, 회벽, 벽돌 면이 깨지거나 부서진 것을 말한다.
④ 폴리프로필렌 섬유는 화재 시 녹아서 모세관 통로를 형성하여 수증기가 빠져나가는 경로를 제공함으로써 내부 압력을 낮춰 박리를 방지하는 역할을 한다.
⑤ 박리면적으로 열영향의 크기를 추정하는 것도 한 방법이다.

4) 백화현상
① 콘크리트 벽면 수열정도에 따른 형상변화는 그을음 부착(450℃ 회색 그을음, 650℃ 검은 그을음) 후 그을음이 연소하여 하얗게(850℃ 그을음 연소)되는 백화흔이 관찰된다.
② 콘크리트의 경우, 표면이 시커멓게 된 부분보다도 하얗게 된 부분이 소손 정도가 강하다.
③ 소화수에 의한 그을음 씻겨나가거나, 장애물에 의한 그림자 효과와 혼동하지 않도록 주의해야 한다.

(4) 유리

1) 연소강약
① 유리의 수열영향에 의한 형태

수열영향 형태	내용
낙하방향	유리는 수열을 받은 측에 더 많이 낙하한다.
표면의 조개껍질모양 박리	조개껍질모양 박리는 고온일수록 많고 깊다.
금이 가는 상태	유리는 수열정도가 클수록 작게 금이 간다.
용융상태	수열정도가 클수록 용융범위가 많아진다.

② 화재열을 받은 유리는 점성변화를 나타내어 방수에 의한 급격한 냉각으로 열수축을 일으켜서 미세한 금이 가게 하거나 유리표면의 박리를 일으킨다.
③ 이 상태를 상세히 관찰하면 유리의 수열영향의 정도를 판단할 수 있다.

④ 열영향에 의한 유리의 상태

유리의 상태		대략적인 온도(℃)
조개껍질모양 박리	박리가 적고 얕음	150 전후
	박리가 많고 깊음	250 이상
금이 감	직경 1cm 이상의 금이 감	400
	직경 1cm 미만의 금이 감	600
용융	자체중량으로 변형되며 일부가 용착됨	800
	깨진 모서리면이 용융하여 둥글게 됨	1,000
	용융하여 덩어리 모양이 됨	1,600

2) 깨진 형태(화재열, 충격, 폭발)

① 화재열로 인한 유리 파손
  ㉠ 표면에 길고 불규칙한 곡선 형태로 파손되고 잔금이 발생하며 파단선이 약간 둥글고 매끄러운 곡선을 나타낸다.
  ㉡ 단면에는 리플마크가 없고 그을음이 부착된다.

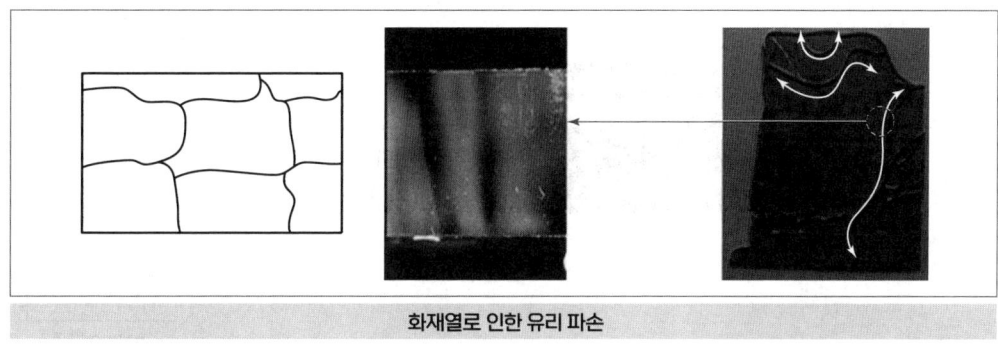

화재열로 인한 유리 파손

② 충격에 의한 유리 파손
  ㉠ 충격지점을 중심으로 거미줄 형태의 패각상(방사형)으로 파손되고, 충격지점에 가까울수록 파편이 작고 먼수록 파편이 크다.
  ㉡ 거미줄형태로 파괴되는 이유는 물리적인 충격이 가해진 충격지점은 가해진 힘으로 인해 밖으로 밀려나지만, 다른 부분은 고정되어 있기 때문이다.
  ㉢ 리플마크의 관찰을 통해 탈출을 위한 내부 충격 파손인지 소방관에 의한 외부 충격 파손인지를 알 수 있으며, 그을음 상태를 관찰하면 화재 전·후를 확인할 수 있다.

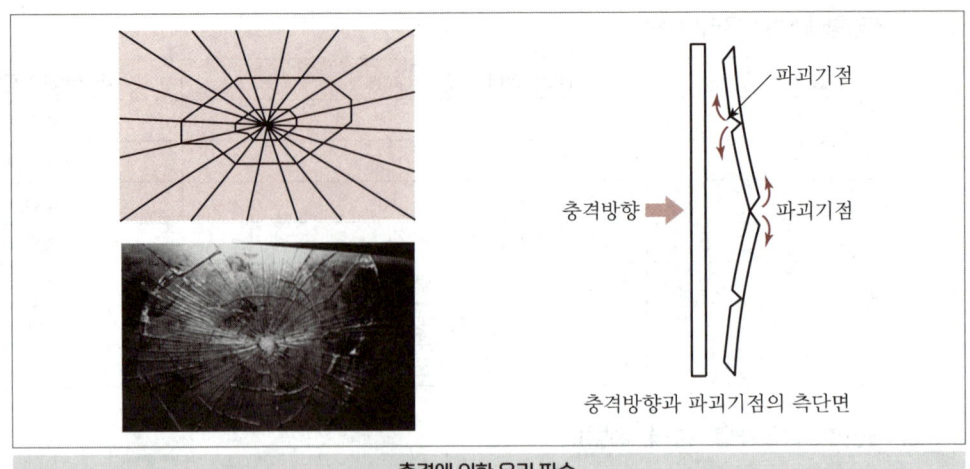

충격에 의한 유리 파손

㉢ 월러라인과 리플마크

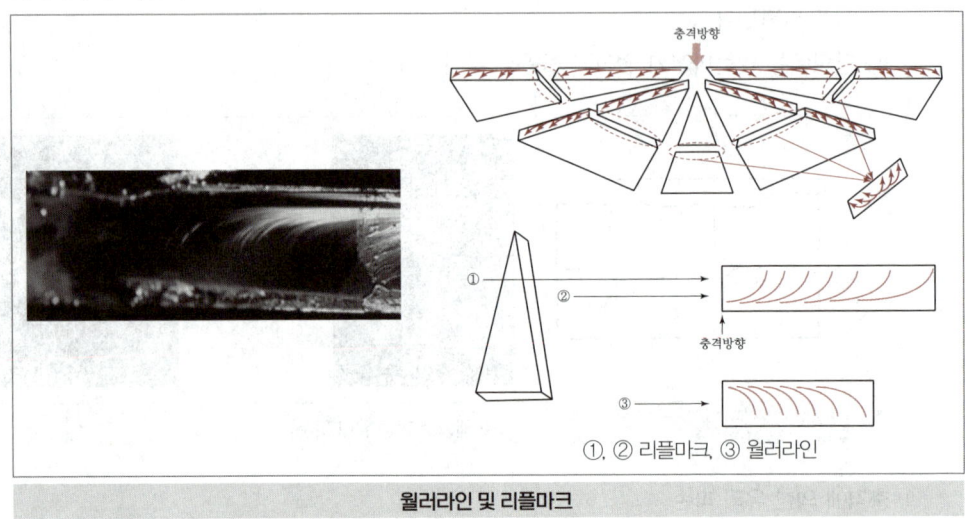

월러라인 및 리플마크

③ 폭발에 의한 파손
㉠ 유리 표면적 전면이 압력을 받아 평행하게 파괴되며 날카로운 모습을 보인다.
㉡ 파손형태는 사각 창문 모서리 부분을 중심으로 4개의 기점이 존재한다.

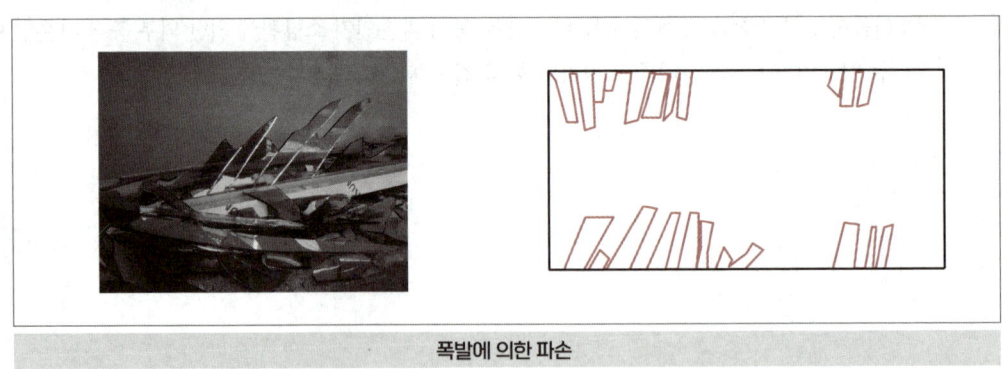

폭발에 의한 파손

3) 파단면 특징

① 강화유리의 자발파괴(Spontaneous Breakage)형태는 쌍을 이루는 6각형의 파편이 발견된다.
② 충격에 의한 파괴유리의 충격방향을 확인하기 위해서는 동심원파단면의 리플마크를 확인한다.
③ 재료가 여러 번의 외력에 의하여 순차적으로 분리되었을 때는 동반하여 발생하는 분리선을 관찰하며 외력의 작용 순서를 알 수 있다.
④ 폭발로 인한 압력에 의해 많은 파편이 폭발의 중심부로부터 멀리 비산되는데, 화재 이후 폭발이 발생하였다면, 멀리 비산된 파편에 그을음이 부착된다.
⑤ 화재열을 받은 고온의 유리는 방수 과정에서 급격히 냉각되어 수축하다가 잔금이 발생하는 크래이즈드 글라스(crazed glass) 현상이 발생한다.

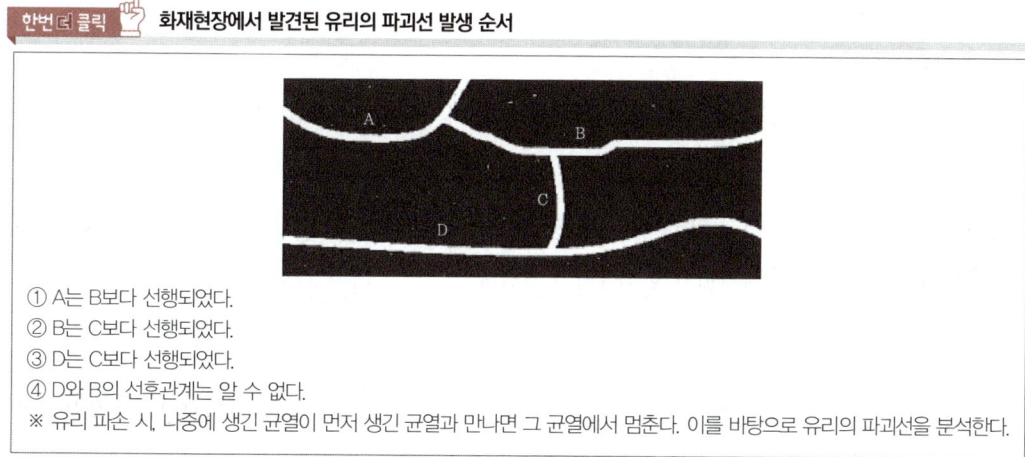

화재현장에서 발견된 유리의 파괴선 발생 순서

① A는 B보다 선행되었다.
② B는 C보다 선행되었다.
③ D는 C보다 선행되었다.
④ D와 B의 선후관계는 알 수 없다.
※ 유리 파손 시, 나중에 생긴 균열이 먼저 생긴 균열과 만나면 그 균열에서 멈춘다. 이를 바탕으로 유리의 파괴선을 분석한다.

(5) 합성수지류

합성수지는 일단 연소가 시작되면 외부의 열이 없어도 자체적인 화염으로 열이 공급되어 연소가 지속된다. 그러나 일부 합성수지는 열전도가 충분하지 않아, 열원이 제거되면 연소가 정지하는 경우도 있다.

1) 화재열에 의한 형태 변화

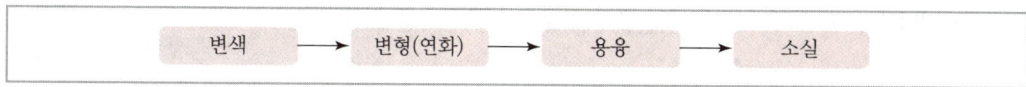

변색 → 변형(연화) → 용융 → 소실

2) 변형(연화)

① 재료가 열에 의해 연화되기 시작하면, 하중이 가해진 경우 형태가 **빠르게 붕괴되거나 구멍이 생겨 떨어질 수 있다.** 연소 강도는 자체 중량에 의한 변형 정도로 비교된다.

② 고분자재료의 융점 등

재료명	연화점(℃)	융점(℃)	열변형온도(℃)
폴리에틸렌	123	220	41~83
폴리프로필렌	157	214	85~110
염화비닐수지	219	–	55~75
나일론	209	228	55~58
폴리우레탄	121	155	–
폴리카보네이트	213	305	132
ABS수지	202	313	–
불포화폴리에스텔	327	–	60~200
에폭시수지	298	–	–

3) 용융

연화되는 합성수지류를 더욱 가열하면 점차 녹아 떨어져 내리며, 마침내는 본체에서 이탈한다.

4) 소실

난연처리가 되지 않은 합성수지류는 가연성이며 착화온도는 낮다. 열분해온도는 200~400℃이며, 이 온도가 되면 용이하게 착화하여 연소하며 소실된다.

(6) 도료류

화재현장에는 수많은 도료의 탄 흔적을 볼 수 있다. 도료류는 금속 등 표면에 막모양으로 도포되어 있으며, 차량의 보닛, 건물 함석지붕 등 연소강약의 단서가 되는 경우가 많다.

1) 외관 변화

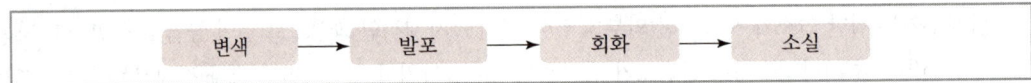

변색 → 발포 → 회화 → 소실

2) 변색

도포되어 있는 도료의 수열 전 색깔을 파악하여 연소강약을 판단한다.

3) 발포

발포는 열을 받아 거품 모양이 생기는 상태를 가리키며, 발포 개개의 크기나 수의 차가 연소강약을 나타낸다.

4) 소실

금속 등의 표면에 도포되어 있는 도료류는 비교적 소실되기 쉬우므로 연소강약은 잔존부분의 상태로부터 판단한다.

> **한번더클릭** 　**도료의 종류**
>
> ① 페인트 : 아마인유, 대두유, 오동유 등의 건성유를 90~100℃에서 5~10시간 공기를 불어 넣으면서 가열하여 색과 점도를 준 것으로 요오드가 145 이상인 보일유에 안료와 전색제 등을 혼합한 착색도료이다.
> ② 락카 : 빠르게 건조되며, 매우 광택이 나는 표면을 보호하기 위한 코팅제이다. 주로 나무와 금속에 사용되며, 얇은 코팅을 통해 매끄러운 표면을 만든다.
> ③ 에나멜 : 페인트의 일종으로, 착색보다는 광택 용도로 사용된다. 내구성이 높고, 물과 화학물질에 강해 금속이나 나무 표면 광택용도로 사용한다.
> ④ 프라이머 : 다른 페인트나 코팅제가 잘 붙도록 도와주는 기초 코팅제이다. 표면을 평탄하게 하고, 흡수력을 줄이며, 최종 페인트의 발색과 내구성을 개선한다.
> ⑤ 시너 : 페인트나 에나멜, 락카의 점도를 조절하고, 청소나 희석에 사용되는 용매이다.

(7) 내화보드(변색, 하소, 탈락)

① 내벽 등에 사용되는 내화보드도 변색, 하소, 탈락 등 다른 물질과 같은 변화를 외관에 남긴다. 특히, 열영향을 받아 강도가 약해지면 모래처럼 허물어지는 경우가 있다.
② 소화활동 등에 의해 파괴된 경우도 있으므로 단순하게 낙하 정도가 연소강약 판단으로 이어지지 않는 경우가 있으므로 주의한다.
③ 내화보드 안쪽 재료 소손상황의 비교, 파단면의 상황 등에 의거 판단하면 된다.

(8) 전기용융흔에 의한 연소방향

1) 단락흔과 열용흔의 특징

구분	통전	정의	외관의 특징
1차 단락흔	통전	화재원인이 된 단락흔	**암기법** 구슬, 광택 O, 매끈 O, 탄소 X 구슬모양으로 광택이 있고 매끄러우며, 대부분 탄소가 검출되지 않는다.
2차 단락흔		화재열로 전선피복 등이 타서 2차적으로 생긴 단락흔	**암기법** 광택 X, 매끈 X, 탄소 O 구리 본연의 광택이 없고 매끄럽지 않으며, 일반적으로 탄소가 검출된다.
열용흔	미통전	연소열로 용융한 것	**암기법** 눈물모양, 광택 X 눈물모양으로 처져 있고 광택이 없다.

2) 전선류 단락흔 발생 위치에 따른 연소방향

① 단락흔의 발생개소, 그 자체가 연소방향을 나타내고 있으며, 같은 전기회로에 여러 개소의 단락흔이 있는 경우에는 이론적으로 모순되지 않도록 연소방향을 판정해야 한다.
② 여러 개소의 단락흔의 연소방향은 부하측 → 전원측으로 연소가 진행되었다고 판정할 수 있다. 따라서 부하측부터 전원측으로 단락흔의 위치를 확인한다.
③ 타요인이 배제되고 전기적 요인으로 화재가 발생하였다면, 최종 부하측이 화재원인이 될 수 있다.

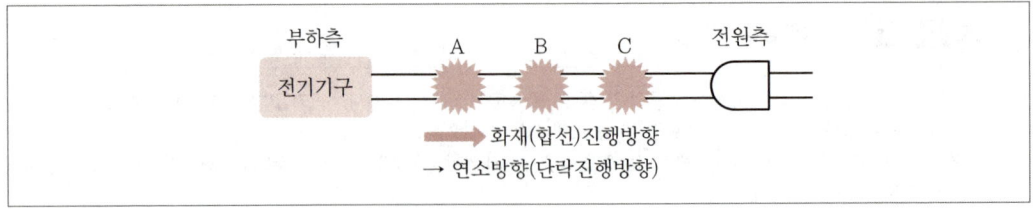

(9) 철재구조물 변형 또는 도괴방향에 의한 연소방향 판정

① 구조물 중앙에 화염이 있는 경우

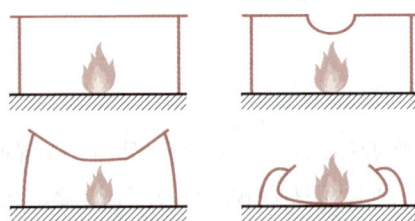

② 구조물 내부 한쪽방면에 화염이 접한 경우

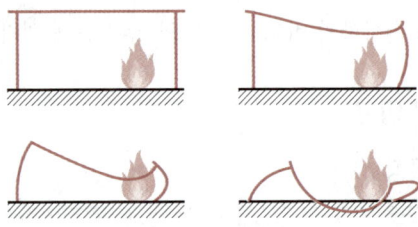

③ 구조물 외부 한쪽방면에 화염이 접한 경우

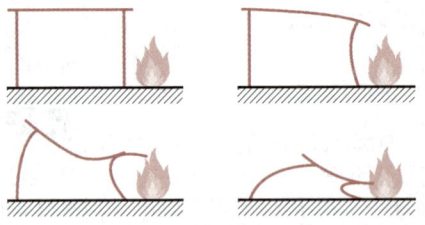

※ 구조물의 도괴 방향으로 화염의 위치를 찾을 때는 천장(가로대)처럼 하중을 주는 부분의 도괴 방향이 화염의 위치다.

2 발화건물의 판정

(1) 연소방향 관찰 방법

① 화재현장 전체의 연소방향은 가급적 높은 쪽에서 낮은 쪽을 바라보며 파악한다.
② 각 건물의 연소방향은 타다 멈춘 부분 또는 연속강약이 명확한 부분부터 파악한다.
③ 타서 허물어진 부분을 보고 연소방향을 추정할 수 있다.
④ 복수의 건물이 소손되어 있으면 인접동 간격, 외벽구조, 개구부 상황 등으로부터 연소상황을 파악한다.

(2) 개구부(창문, 출입문)를 통한 연소 확산 특성

1) 개구부를 통한 화재 확산
① 복사열에 의한 점화
② 불씨가 이동하여 점화
③ 직접적인 분출된 화염과 접염 의한 점화

2) 구획실 내부로의 공기흐름(공기의 질량유량)
구획실 화재현장에서 단일 환기구가 있는 구획실 내부로의 공기흐름은 유입되는 공기의 질량유량 산정 공식으로 나타낼 수 있다.

$$\dot{m}_a = KA\sqrt{H_o}$$

A : 개구부 면적
H : 개구부 높이
K : 환기계수

3) 출화개소 판단 시 유의사항
① 출입구의 방향과 창문, 환기구 등 개구부는 환기에 의한 패턴 등을 파악한다.
② 발화지점과 연소 확산된 경계구역을 구분한다.
③ 건물 내·외부 연소상태를 비교 판단하여 화염의 이동경로를 파악한다.
④ 소손 정도가 약한 부분에서 강한 부분으로 순차적으로 찾아가서 출화개소를 판정한다.
⑤ 붕괴되거나 도괴된 경우 해당 원인을 확인한다.

(3) 상층과 하층으로의 연소 특성

1) 수직 및 상층으로의 연소확대
① **고온의 연기와 가스 상승** : 화재 발생 시 생성된 뜨거운 연기와 가스는 자연적으로 위로 상승하게 된다. 상층의 온도가 급격히 상승하면서, 상층부의 가연성 물질에 쉽게 착화되어 상층으로 연소 확대된다.
② **굴뚝 효과** : 계단, 엘리베이터, 샤프트 등을 통해 수직 및 상층으로 연소 확대된다.
③ **층간 간격 및 구조물의 연소성** : 층간 간격이 좁고, 벽이나 천장 구조물이 가연성일 경우, 상층부로의 통로가 많을수록 연소가 확산되기 쉽다.

2) 수평 및 하층으로 연소확대
① **복사열에 의한 연소** : 복사열은 화재가 발생한 곳에서 주변으로 퍼져나가면서 수평 방향으로 연소를 확대시킨다.
② **바닥이나 천장 공간을 통한 확산** : 불이 바닥이나 천장 사이 공간의 가연물을 통해 수평 및 하층으로 연소 확대될 수 있다. 특히, 폴다운으로 하층 바닥에서 독립된 발화 형태가 관찰될 수 있다.
③ **바람과 공기흐름에 따른 연소 확산** : 바람이나 건물 내의 공기흐름이 화재를 수평 방향으로 확대시킬 수 있다. 문이나 창문이 열려 있거나 환기구가 있는 경우, 연소가 빠르게 주변으로 퍼져나갈 수 있다.

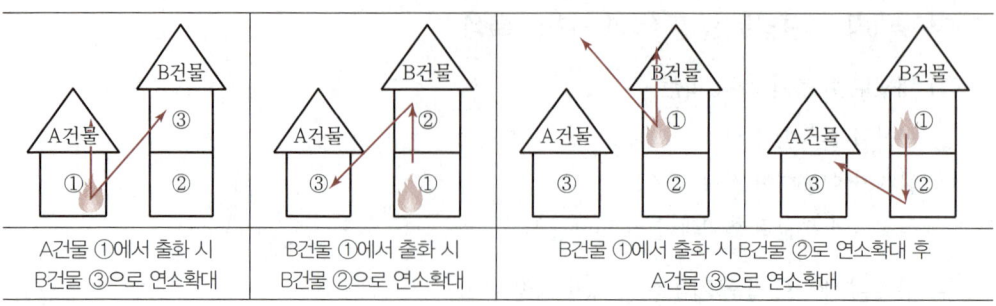

④ 탁자 화재 진행 방향

㉠ 탁자의 소실된 구멍이 상부에서 하부로 경사진 형태를 띠고 있다면 화염은 상부에서 하부로 확산된 형태이다.

㉡ 탁자의 소실된 구멍이 위로 경사진 형태라면 하부에서 위쪽으로 확산된 형태이다.

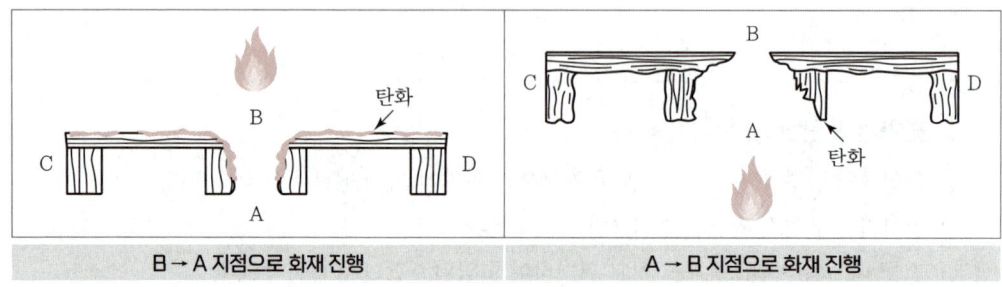

한번 더 클릭 수직면의 연소

화재플럼 확대 비율은 상 20, 좌·우 1, 하 0.3이다. 그래서 화염, 연기 등이 위로 갈수록 넓어지는 전형적인 연소형태로 화재 진행 방향에 따라 V패턴 형태가 나타난다.

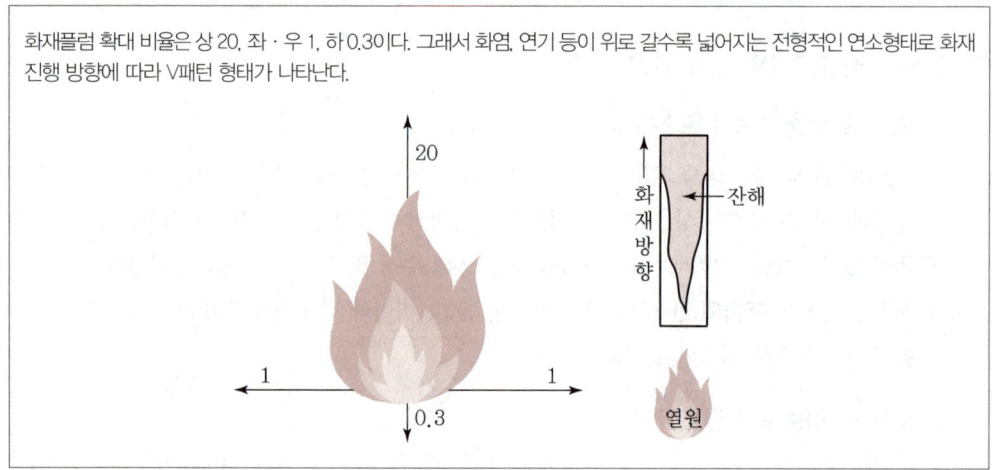

 **화재패턴**

(1) 패턴생성 역학

1) 화재패턴의 정의

① 그을음, 고온가스, 열기, 화염 등에 의해 탄화, 변색, 용융, 소실 등의 형태로 손상된 물질의 형상을 말하며, 최초 발화지점을 파악할 수 있는 현장 기록이라고 할 수 있다.
② 화재 후에 남아 있는 것을 눈으로 볼 수 있으며 측정할 수 있는 물리적인 효과를 말한다.

(2) 화재패턴의 원인

① 화재패턴이 만들어지는 원인으로는 열에 의한 변형, 소실, 연소생성물의 퇴적 등에 의해서 생성된다.
② 물질의 성질에 따라서 탄화되거나 소실될 수 있고, 용융되거나 변색 또는 부식 정도에 차이를 나타내면서 손상을 입지 않은 부분 및 덜 손상된 부분을 구분할 수 있는 선과 경계를 나타내게 된다.
③ 열원으로부터 거리 또는 상하 위치에 따라 손상 정도의 차이를 보여 화재패턴이 생성된다.

> **한번데클릭 화재패턴 생성 원리**
>
> ① 열원으로부터 가까울수록 강해지고 멀어질수록 약해지는 복사열의 차등 원리
> ② 고온가스가 열원으로부터 멀어질수록 온도가 낮아지는 원리
> ③ 화염 및 고온가스의 상승 원리
> ④ 연기나 화염이 물체에 의해 차단되는 원리

(3) 화재패턴의 종류

1) 벽면에 나타나는 화재패턴

① V패턴(V Pattern)
  ㉠ 물질의 연소에서 가장 빈번하게 형성되는 V자형 패턴은 화염, 고온화재의 가스로부터 대류열 또는 복사열의 연기에 의해 생성되며 화재효과의 가장자리를 나타내는 경계선이다.
  ㉡ 불꽃과 대류 또는 복사열에 의해서 생성된다.
  ㉢ 연소가 진행될 때 수직으로 된 벽면에 나타난다.
  ㉣ V패턴 각도는 열방출률, 가연물의 양과 형태, 환기효과 등이 각도를 결정한다.
  ㉤ 발화지점이 아닌 곳에서도 생성될 수 있다.

V패턴

> **V패턴의 각도 결정요소**
>
> - 열방출률
> - 가연물의 형태
> - 환기 효과
> - 수직표면의 발화성과 연소성
> - 천장, 선반, 테이블 상판 등 장애물 존재

② 역 원뿔 패턴(Inverted Cone Pattern)
  ㉠ 역 원뿔형은 삼각형 모양으로 천장에 닿지 않은 수직화염의 플럼(plume)에 의해 흔히 발생한다.
  ㉡ 완전히 발달하지 않았거나 수직으로 제한되지 않은 화재플럼이 있는 화재이며, 열방출률이 낮은 화재이거나 비교적 단기간 지속된 화재의 징후가 된다.

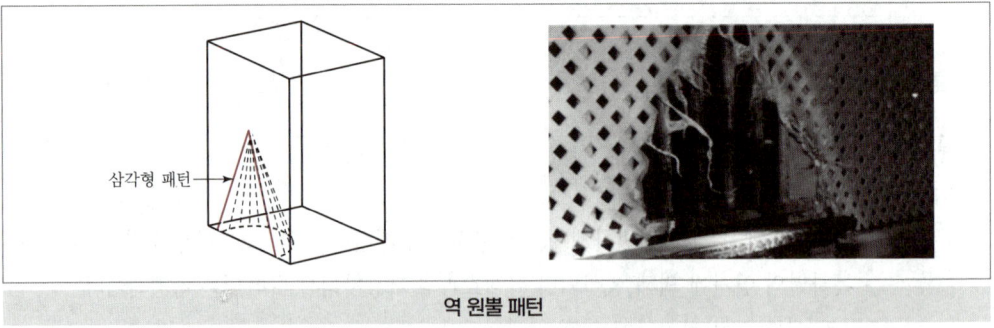

역 원뿔 패턴

③ 모래시계 패턴(Hourglass Pattern)
  ㉠ 화염이 하단부에서 거꾸로 된 V형태를 나타내고 고온가스 영역이 수직 표면의 중간에 위치할 때 전형적인 V형태가 만들어지는 형태이다.
  ㉡ 화염이 수직 표면과 가깝게 맞닿으면 이로 인해 화염구역에서는 거꾸로 된 V형태가 나타나고 고온가스 구역에는 전형적인 V형태가 나타나는데 이 전체적인 것을 모래시계 패턴이라고 한다.

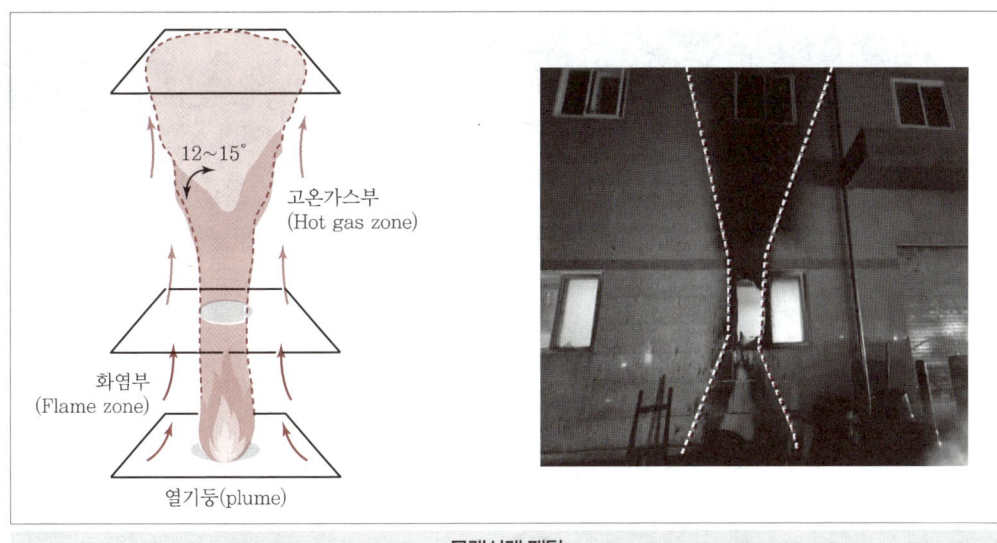

모래시계 패턴

④ U자 모양 패턴(U-shaped Pattern)
  ㉠ V패턴과 유사하지만, 복사열의 영향을 더욱 크게 받는다.
  ㉡ V패턴이 예각에 가까운 형태를 띠고 있지만, U패턴은 매우 완만하게 굽이친 곡선 형태로 나타낸다.

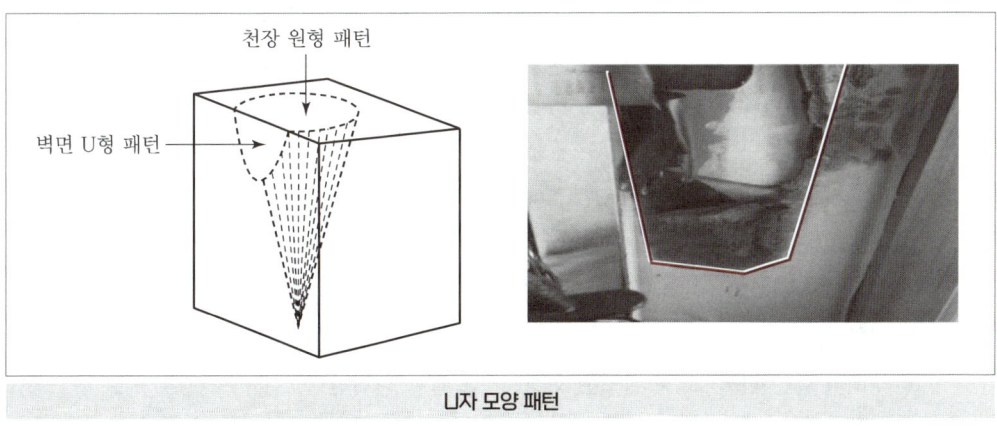

U자 모양 패턴

⑤ 원형 패턴(Circular-shaped Pattern)
  ㉠ 천장, 테이블 상판, 선반과 같은 수평면의 아래쪽에 생긴 패턴은 대략 원형을 나타낼 수 있다.
  ㉡ 벽으로부터 열원이 멀수록 더 둥근 패턴으로 나타나는 특징이 있다.

⑥ 드롭다운 패턴(Drop-down Pattern)
  ㉠ 복사열 등의 열전달에 의해 화재로부터 멀리 떨어진 가연물에 착화되어 연소물이 바닥으로 떨어져 연소하는 현상이다.
  ㉡ 벽에 부착된 커튼, 수건걸이 등이 충분히 열에 노출되면 바닥으로 떨어져 연소하는 경우가 있다.
  ㉢ 폴다운 패턴(Fall-down Patten)과 동의어로 사용된다.

드롭다운 패턴

⑦ 끝이 잘린 원추 패턴
   ㉠ 수직, 수평면 양쪽에서 보여주는 3차원의 화재형태이다.
   ㉡ 플룸이 수직상승하다가 천장에 의해 제한을 받으면 끝이 잘린 형태로 나타난다.

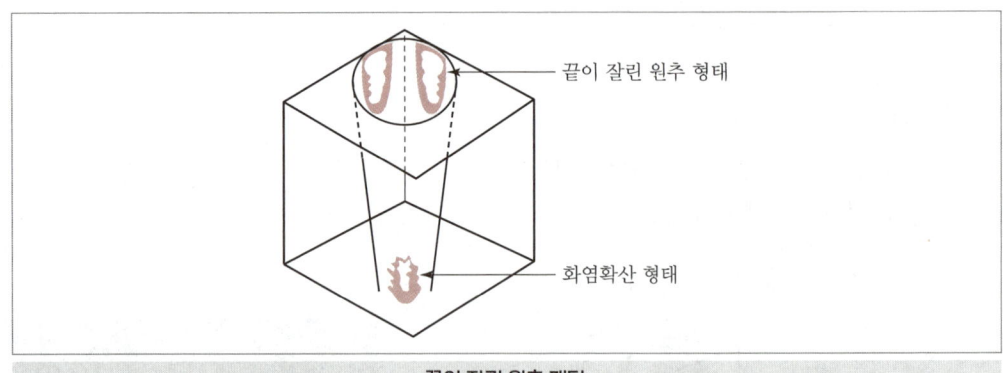

끝이 잘린 원추 패턴

2) 가연성액체에 의한 패턴 분석

① 포어 패턴(Pour Pattern, 퍼붓기 패턴)
   ㉠ 인화성 액체가연물이 바닥에 쏟아졌을 때 쏟아진 부분과 쏟아지지 않은 부분의 탄화경계 흔적을 말한다.
   ㉡ 방화와 같은 의도적으로 살포된 현장에서도 많이 나타난다.
   ㉢ 액체 가연물이 있던 지역은 다른 곳보다 연소가 강하기 때문에 탄화 정도의 강약으로 구분하기도 한다.

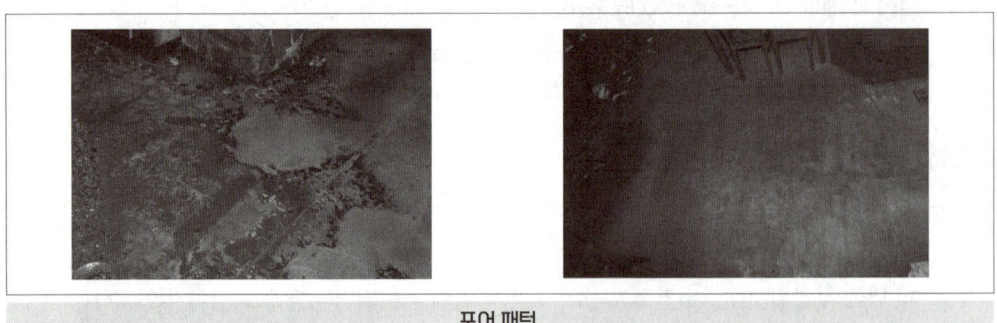

포어 패턴

② 스플래시 패턴(Splash Pattern)
　㉠ 액체가연물이 쏟아지면서 주변으로 튀거나 연소되면서 발생하는 열에 의해 스스로 가열되어 액면에서 끓으며 주변으로 튄 액체로 인해 형성된다.
　㉡ 포어패턴의 미연소 부분에서 국부적으로 점처럼 연소된 흔적을 말한다.

 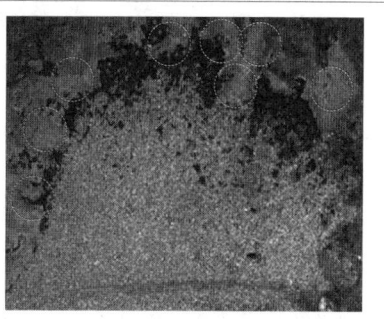

스플래시 패턴

③ 고스트 마크(Ghost mark)
　㉠ 바닥면 타일 위로 인화성 액체가 쏟아져 화재가 발생하면 액체 가연물이 타일 사이로 스며들어 타일 틈새가 변색되고 박리되는 경우도 있는데 바닥면과 타일 사이 연소로 형성되는 흔적을 말한다.
　㉡ 플래시오버 직전 강력한 화재 열기 속에서 발생한다.

 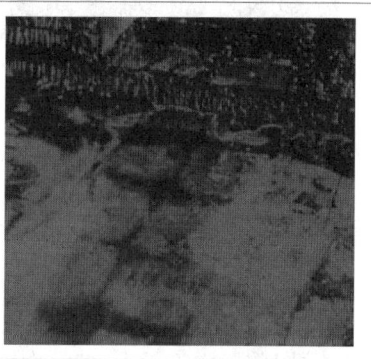

고스트 마크

④ 도넛 패턴(Doughnut Pattern)
　㉠ 고리 모양으로 연소된 부분이 덜 연소된 부분을 둘러싸고 있는 도넛 모양 형태는 가연성액체가 웅덩이처럼 고여 있는 경우 발생한다.
　㉡ 대부분 유류가 쏟아진 곳의 가장자리 부분이 내측에 비하여 강한 연소 흔적을 보이는 것이 일반적이다.

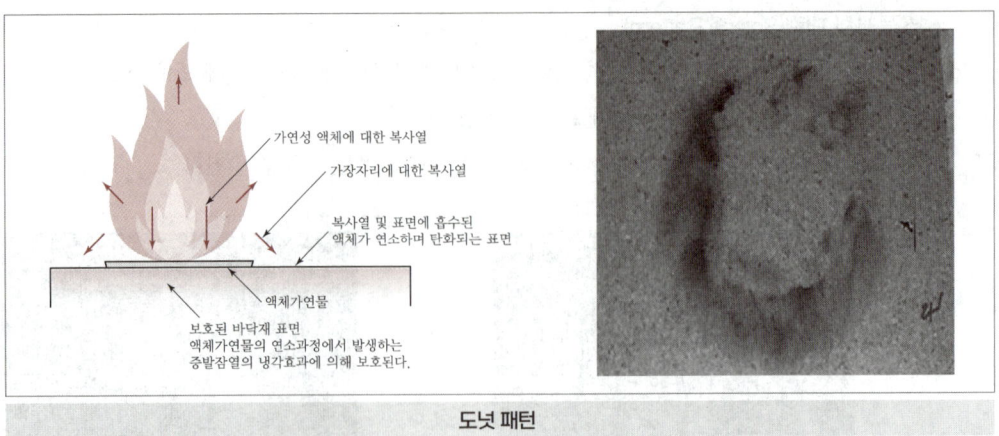

도넛 패턴

⑤ 틈새연소 패턴(Seamburn Pattern)

바닥의 틈새 및 모서리에 가연성액체가 흐르는 경우 틈새를 따라서 흘러가거나 더 많은 액체가 고이게 되는데, 이 액체가 다른 부위에 비하여 더 강하게, 더 오래 연소하게 되면서 남겨진 흔적을 말한다.

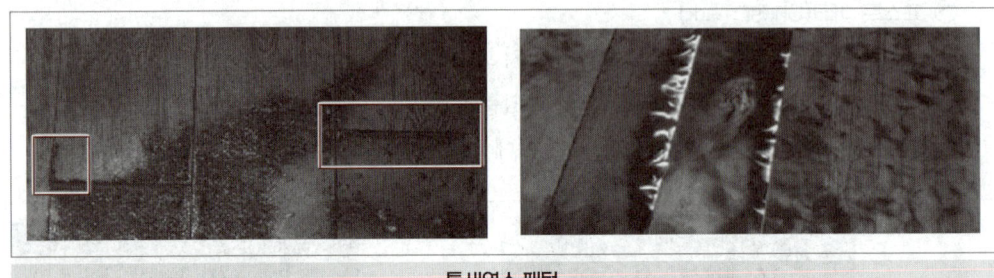

틈새연소 패턴

한번더클릭 액체(유류)의 특징

- 낮은 곳으로 흐르며 고인다.
- 바닥재의 특성에 따라 광범위하게 퍼지거나 흡수될 수 있다.
- 증발하면서 잠열에 의한 냉각효과가 있다.
- 끓게 되면 주변으로 방울이 튈 수 있다.
- 어떤 액체가연물은 고분자물질을 침식시키거나 변형시키는 등 용매로서의 성질을 가지기도 한다.

3) 방화화재의 전형적 패턴 분석

① 트레일러 패턴(Trailer Pattern)

의도적으로 불을 지르기 위해 발화성 액체뿐만 아니라 두루마리 화장지, 신문지, 옷 등을 트레일러처럼 길게 이어 붙여 한 장소에서 다른 장소로 연소 확산시키기 위한 방화 연소흔적이다.

트레일러 패턴

② 낮은 연소 패턴(Low burn Pattern)

보통 화염은 연소가스의 부양성으로 밀도가 작아지면 수직으로 상승한다. 이로 인해 발화 지점 상단의 손상이 크게 나타나는데 낮은 지점으로 소실이 심하고 위쪽으로 상승성이 미약할 경우 인화성 촉진제 등을 사용한 의도된 화재로 추정할 수 있다.

낮은 연소 패턴

③ 독립 연소 패턴

발화점이 2개소 이상인 연소형태를 말한다. 방화자의 의도에 따라 천차만별의 수단을 이용하여 2개소 이상에 불을 지른 형태이다.

4 화재패턴의 분석요소

(1) 화재 효과를 통한 온도 예측

① 유리, 플라스틱, 강철과 같은 다양한 물질의 온도를 예측하기 위해서는, 화재현장에서 시료를 수거하여 연구실로 보내거나 전문가의 분석을 통해 해당 물질의 특성을 규명해야 한다. 이를 통해 화재 당시의 온도와 열에 대한 반응을 보다 정확하게 파악할 수 있다.

② 모든 탄화수소 기반 가연물은 난류 확산 화염에서 비슷한 온도를 보이지만, 가연물마다 열 방출률이 다르다는 점을 주의해야 한다. 이 차이는 화재의 규모와 확산 속도에 영향을 미칠 수 있으므로, 화재 패턴 분석 시 중요한 요소로 고려해야 한다.
③ 분말 형태의 금속이나 발열성 화학반응 물질은 일반적인 탄화수소 가연물이 연소할 때보다 더 높은 온도를 나타낼 수 있다. 이러한 물질들이 포함된 화재는 특히 높은 온도로 인해 독특한 화재패턴을 형성할 수 있다.
④ 열전달은 전도, 대류, 복사라는 세 가지 방식으로 이루어진다. 이들 각각은 물질에 전달되는 에너지의 양에 따라 영향을 받으며, 이를 통해 화재의 확산 경로와 강도를 예측할 수 있다. 특히, 각 물질이 어떤 방식으로 열을 전달받았는지에 따라 화재패턴이 달라질 수 있다.

(2) 물질의 질량 손실

① **연소에 따른 질량 감소** : 화재가 발생하면 가연성 물질이 연소하면서 일부 또는 전체가 소실된다. 이러한 질량 손실은 화재의 강도와 지속시간을 평가하는 데 중요한 요소가 된다.
② **화재 강도와 연관성** : 질량 손실의 정도는 화재의 열에너지와 직결된다. 예를 들어, 큰 질량 손실이 발생한 경우 이는 높은 열에너지와 장시간의 연소를 의미할 수 있다. 반대로, 질량 손실이 적다면 화재의 강도가 낮았거나 짧은 시간 동안 연소가 이루어졌을 가능성이 있다.
③ **물질의 특성에 따른 차이** : 각 물질은 연소 시 다른 비율로 질량을 잃는다. 예를 들어, 나무와 같은 유기물은 불에 쉽게 타며 큰 질량 손실을 보이지만, 금속은 상대적으로 적은 질량 손실을 보인다. 이를 통해 화재현장에서 어떤 물질이 어떻게 연소되었는지를 파악할 수 있다.
④ **증거물로서의 가치** : 질량 손실은 화재 원인 조사의 중요한 단서로 활용될 수 있다. 예를 들어, 특정 물질이 예상보다 더 많은 질량 손실을 보인다면, 이는 화재의 출발 지점이거나, 집중적으로 연소된 구역일 가능성이 높다.

(3) 탄화물

1) 탄화물 표면 효과

① 목재 표면의 탄화 상태는 화재의 강도와 지속시간을 파악하는 데 중요하다.
② 탄화 깊이와 질감은 목재가 열에 노출된 시간을 나타내며, 이는 화재의 진행 방향과 발화지점을 찾는 데 유용하다.
③ 더 깊이 탄화된 부분은 더 높은 온도에 더 오랫동안 노출된 장소일 가능성이 크다.

2) 목재의 탄화율

① 목재의 종류, 수분 함량, 나뭇결 방향, 그리고 화재의 노출 시간이 탄화율에 영향을 미친다.
② 탄화율은 화재의 진행 경과를 이해하고 시간대를 재구성하는 데 중요한 요소로 작용한다.
③ 탄화율에 영향을 주는 변수
  ㉠ 목재 종류(침엽수, 활엽수 등)에 따라 탄화율이 다르다.
  ㉡ 수분 함량 : 목재의 수분 함량이 높을수록 탄화 속도가 느려진다.

ⓒ 화재의 강도와 지속시간 : 화재가 강하고 오래 지속될수록 탄화가 더 깊다.
ⓔ 환기 상태 : 잘 환기된 화재에서는 더 완전한 연소가 이루어져 다른 탄화 패턴을 남긴다.
ⓜ 목재의 방향 : 목재가 구조물 내에서 수평 또는 수직으로 놓여있는지에 따라 탄화 방식이 달라진다.
ⓗ 보호 피복 : 페인트나 코팅제는 탄화 속도와 패턴을 변경시킨다.
ⓢ 환경 조건 : 바람, 습도 등도 목재의 탄화에 영향을 미친다.

(4) 폭열

① 콘크리트, 석재, 돌, 또는 벽돌에 포함되어 있는 수분이 화재 시 발생하는 급격한 온도 변화와 열로 인하여 내부에 갇혀있던 수분이 외부로 빠져나가지 못하고 팽창 한계점에 도달, 이후 폭발하여 표면의 콘크리트가 탈락되거나 박리되는 현상이다.

② 폭열 발생원인
  ㉠ 흡수율이 큰 골재의 사용할 때
  ㉡ 내화성이 약한 골재의 사용할 때
  ㉢ 콘크리트 내부 함수율이 높을 때
  ㉣ 콘크리트의 치밀한 조직으로 화재 시 수증기 배출이 안 될 때

(5) 산화작용

1) 산화작용 정의

산화작용은 산소(O_2)와 연료가 결합하여 에너지를 방출하는 화학 반응으로 이 과정에서 열, 빛, 화염 등의 형태로 에너지가 방출되며 연소생성물에 화재패턴을 생성한다.

2) 금속의 산화작용

① 금속 산화 현상은 고온과 함께 노출 시간이 길어질수록 산화의 효과가 크다.
② 철 표면이 산화되면 푸르스름한 회색의 일산화철(FeO)이 형성되고, 온도가 더 높게 유지되면 더 산화되어 붉은색이나 갈색의 산화철(Fe_2O_3)이 형성된다.
③ 스테인리스 스틸이 1,000℃의 열을 받으면 회색으로 변색된다.
④ 구리는 열에 노출되면 적색의 산화제1구리와 흑색의 산화제2구리가 생성된다.

(6) 색 변화

① 색 변화는 화재 또는 폭발 시 열, 화염, 산화작용 등으로 인해 물질의 화학적 성질이 변하면서 발생한다.
② 금속의 산화, 특정 페인트나 코팅의 열분해, 합성물질의 연소 등이 색 변화를 일으킨다.
③ 금속 표면이 붉은색에서 갈색 또는 검은색으로 변하는 것은 금속이 산화되었음을 나타낸다. 이러한 색 변화는 화재의 온도를 추정할 수 있다.
④ 벽, 천장, 바닥 등의 표면에서 관찰되는 색 변화는 화염의 이동 경로, 열원의 위치, 연소진행사항을 파악할 수 있다.

⑤ 현장에서 발견된 색 변화는 화재 전의 고유의 색, 환경적 요인, 그리고 연료의 특성을 모두 고려해야 정확한 분석이 가능하다.
⑥ 특정 화학물질의 분해로 인한 색 변화는 화재의 초기 발생 지점을 추적할 수 있다.

(7) 물질의 융해

1) 융해의 정의
융해는 고체 물질이 열에 의해 녹아 액체 상태로 변하는 과정으로 이 현상은 특정 물질의 융점(녹는점)에서 발생하며, 물질의 특성에 따라 달라진다.

2) 물질별 융점
① 다양한 물질들은 각기 다른 융점을 가지고 있으며, 화재현장에서 이러한 융점을 파악하는 것이 중요하다.
② 화재현장에서 특정 물질이 융해된 상태를 관찰함으로써, 그 지역의 화재 온도를 추정할 수 있다.

(8) 열팽창 및 물질의 변형

1) 열팽창의 정의
① 열팽창은 물질이 열을 받으면 그 부피가 증가하는 현상이다.
② 고체, 액체, 기체 모두 열을 받으면 팽창하지만, 물질에 따라 팽창 정도는 다르다.
③ 금속은 열에 의해 팽창할 수 있으며, 이로 인해 구조물이 변형된다.

2) 물질의 변형
① 물질의 변형은 화재현장에서 열에 의해 물질이 물리적 변화를 겪는 것을 의미한다.
② 열팽창, 뒤틀림, 균열, 휘어짐 등 다양한 형태로 나타난다.
③ 변형은 화재의 온도와 지속시간에 따라 달라지며, 특정 물질의 특성에 따라 다르다.

3) 금속의 열팽창과 변형
① 금속은 열에 매우 민감하며, 열팽창에 따라 길이와 부피가 증가한다.
② 고온에서 금속은 뒤틀리거나 휘어질 수 있으며, 이는 구조물 붕괴의 원인이나 화재 진행 상황을 분석하는 데 도움이 된다.

4) 유리의 열팽창 및 변형
① 유리는 열에 의해 팽창하고, 비균질하게 열이 가해질 경우 깨지거나 파손될 수 있다.
② 유리창의 파손 패턴은 화재의 위치와 열원의 강도를 분석하는 데 도움이 된다.
③ 유리가 특정 방향으로 파손되었거나, 파손 부위의 크기와 형태가 특이하다면, 이는 화재의 원인이나 발화 지점을 분석할 수 있는 근거가 된다.

5) 건축 자재의 변형

목재, 콘크리트, 플라스틱 등 건축 자재의 변형은 화재의 강도, 지속시간, 열원의 위치를 파악하는 데 중요한 단서가 된다.

6) 화재조사에서 열팽창과 변형의 분석

화재현장에서 열팽창과 물질 변형의 흔적을 분석함으로써, 조사관은 화재의 온도, 열원의 위치, 그리고 화재가 어떻게 확산되었는지를 이해할 수 있다.

(9) 표면에 연기 침착

① 그을음은 매끄러운 표면보다는 거친 표면에 잘 부착된다.
② 접촉된 물체 사이에 그을음이 없는 경우, 이는 물체들이 화재 이전부터 접촉되어 있었다는 것을 의미한다.
③ 대기의 온도보다 차가운 물체는 주변의 그을음 입자들을 더 쉽게 붙잡아두기 때문에 그을음이 쉽게 부착되고, 물체가 뜨거우면 그을음이 부착이 어렵다.
④ 콘크리트 벽면 수열정도에 따른 형상변화는 그을음 부착(450℃ 회색 그을음, 650℃ 검은 그을음) 후 그을음이 연소하여 하얗게(850℃ 그을음 연소)되는 백화흔이 관찰된다.

한번더 클릭 탄화수소기체별 연소가스의 생성률

탄화수소기체	이산화탄소	일산화탄소	그을음
메탄(CH_4)	2.72	–	–
에탄(C_2H_6)	2.85	0.001	0.013
프로판(C_3H_8)	2.85	0.005	0.024
부탄(C_4H_8)	2.85	0.007	0.029

(10) 완전연소

1) 완전연소의 정의

연료가 충분한 산소와 만나 모든 가연성 물질이 완전히 산화되는 화학 반응이다.

2) 완전연소의 조건

① 완전연소가 이루어지려면 충분한 산소 공급과 적절한 온도가 필요하다.
② 연료가 완전히 산화되려면 산소 농도가 높고 연소 온도가 연료의 연소점을 초과해야 한다.
③ 이상적인 완전연소는 100% 이론적 공기가 제공되는 경우에 발생한다.

3) 완전연소와 불완전 연소의 차이

완전연소에서는 이산화탄소와 물이 주된 생성물인 반면, 불완전 연소에서는 산소 공급 부족으로 인해 일산화탄소(CO), 그을음(soot), 탄화수소 등이 발생한다.

4) 완전연소의 중요성

① 화재조사에서 완전연소 여부를 파악하는 것은 중요한 단서가 된다.
② 완전연소가 이루어지면 그을음이나 연료 잔여물이 거의 없고, 이는 높은 온도와 충분한 산소 공급을 의미한다.
③ 불완전 연소가 일어났다면, 이는 산소 부족, 연료 과잉, 낮은 온도 등으로 인해 연료가 완전히 연소되지 못했음을 나타낸다.

(11) 하소

1) 하소의 정의

물질이 고온에 노출되어 화학적, 물리적 변화를 겪는 과정을 의미하며, 이 과정에서 물질은 열에 의해 분해되고, 가스나 고체 잔여물인 재로 변환된다.

2) 하소의 특징

① 석회석은 하소되면 이산화탄소가 방출되고 산화칼슘(CaO)으로 변환되고, 목재는 탄화되어 재를 남긴다.
② 하소는 고온에서 발생하므로, 하소 정도가 심할수록 고온에 오래 노출되었음을 의미한다.
③ 하소가 발생한 물질을 분석하면, 화재가 발생한 위치와 열원의 강도를 추정할 수 있다.
④ 하소된 물질은 화재 발생 시 열과 관련된 정보를 제공하므로, 화재의 온도, 시간, 발화 지점 등을 추적하는 데 중요한 증거가 된다.

(12) 유리창

① 유리의 파편은 열을 받는 쪽으로 낙하하기 쉽다.
② 화재로 파괴된 유리의 각은 둥글고 매끄럽지만, 폭발로 파괴된 유리의 각은 날카롭다.
③ 현장 발화부 건물에서 쉽게 발견되는 유리의 파손에 대하여 강제 파손 시 깨어짐 형태인 방사상의 무늬 식별 여부와 화재에 의한 파손 시 유리창의 한쪽 면에 그을림이 있는지에 대하여 감식한다.
④ 유리조각의 비산 위치와 파단면을 검사하여 충격 방향을 확인한다.
⑤ 평면유리에 충격이 가해지면 충격의 반대쪽 면에 방사형 방향으로 파괴기점이 나타나고 동심원 방향은 이와 반대쪽에 파괴기점이 나타난다.
⑥ 파편의 파단면이 방사형 부분인지 동심원 부분인지를 구분하여 리플마크(Ripple marks)에서 파괴기점을 알아내면 유리의 외력방향을 알 수 있다.

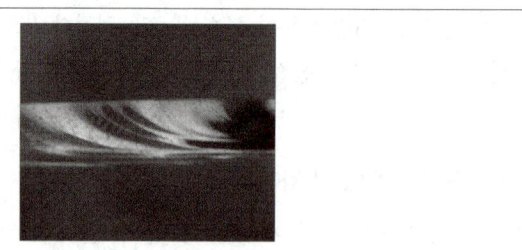

외력 충격 후 식별되는 Ripple Marks

(13) 붕괴된 가구 스프링

① 스프링의 붕괴된 부위와 붕괴되지 않은 부위를 비교하여 화염의 방향을 추정할 때 붕괴된 부위 방향을 화재의 진행방향으로 판단할 수 있다.
② 화재 이전부터 침대 위에 무거운 것이 올려져 있다면, 화염의 방향과 상관없이 스프링이 붕괴될 수 있으며, 그에 따른 소락물의 영향을 받을 수 있다.
③ 스프링이 무거운 물체의 압력을 받지 않더라도, 화재의 열에 의해 금속의 강도가 약해지거나 녹아내려 스프링이 붕괴될 수 있다.
④ 화재 후에도 스프링이 붕괴되지 않고 남아있는 경우, 열에 의한 영향이 적어 탄성을 어느 정도 유지할 수 있으나, 고온에 노출된 스프링은 열에 의해 일부 탄성을 잃는다.

(14) 뒤틀린 전구

1) 전구의 변형된 형태로부터 연소진행방향 식별

① 유리는 고온에 노출되면 열에 의해 팽창하며, 가열된 유리표면이 열원 쪽으로 휘거나 볼록해지는 경향이 있다.
② 유리가 약 750℃에서 녹기 시작하며, 이때 유리의 접촉면이 먼저 녹는다.
③ 유리가 가열될 때, 다가오는 불꽃에 접한 면이 먼저 말랑말랑해진다. 이로 인해 불꽃이 접촉하는 방향으로 유리표면이 부풀어 오르고 변형된다. 이러한 "blowout" 현상은 불꽃의 방향을 가리키는 지표가 된다.
④ 유리의 깨짐과 낙하 위치를 분석하여 화재 전의 유리 위치와 발화지점에 대한 정보를 얻을 수 있다.

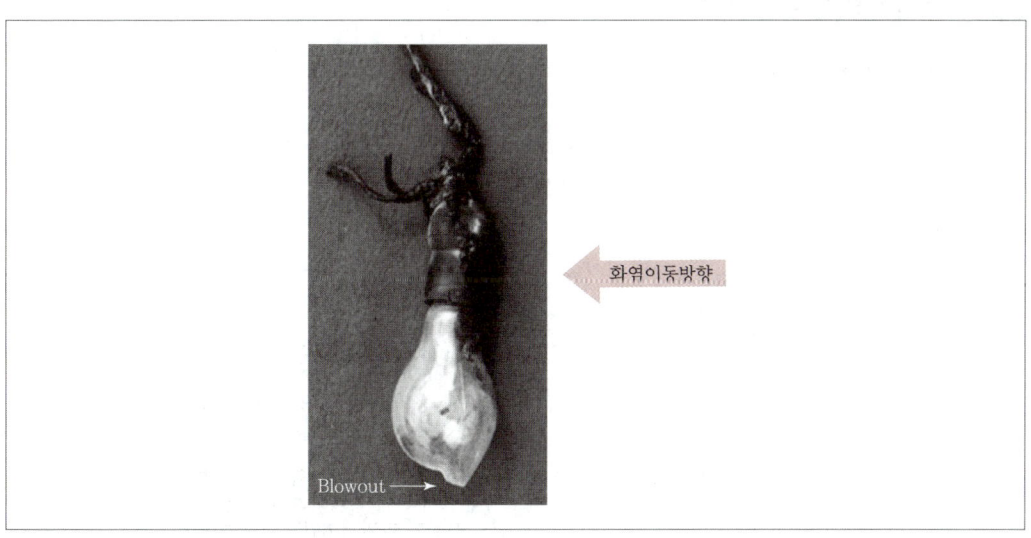

(15) 무지개 효과(Rainbow Effect Pattern)

1) 정의

무지개 효과는 인화성 액체, 유성 물질, 또는 기타 유기물질이 물의 표면 위에 떠서 형성되는 다양한 색상의 무지개 패턴을 의미한다.

2) 원인과 메커니즘

① 인화성 액체나 유성 물질은 물과 혼합되지 않고 표면에 떠 있기 때문에, 그 위에서 빛이 굴절되고 반사되어 색상 패턴이 형성된다.
② 아스팔트, 목재, 플라스틱 등 건축 자재의 유기 물질이 열에 의해 분해되면서 형성되는 유성 물질은 물의 표면에서 무지개 효과를 일으킬 수 있다.

3) 조사 시 유의사항

① 무지개 효과가 있다고 해서 반드시 인화성 액체가 존재한다고 단정할 수 없다.
② 다양한 물질이 열에 의해 색상 패턴을 생성할 수 있기 때문에, 이를 인화성 액체의 존재 여부를 판단하는 단독 기준으로 사용해서는 안 된다.
③ 아스팔트, 목재, 플라스틱 등의 건축 자재도 화재현장에서 무지개 패턴을 생성할 수 있다는 점을 염두에 두어야 한다.

5 패턴에 의한 화재진행과정 추적

(1) 화재원인 판정 절차

발화건물 → 발화 층, 발화실 → 발화범위한정(발굴·복원 전) → 발화개소(발굴·복원 후) → 발화원 → 발화원인 규명

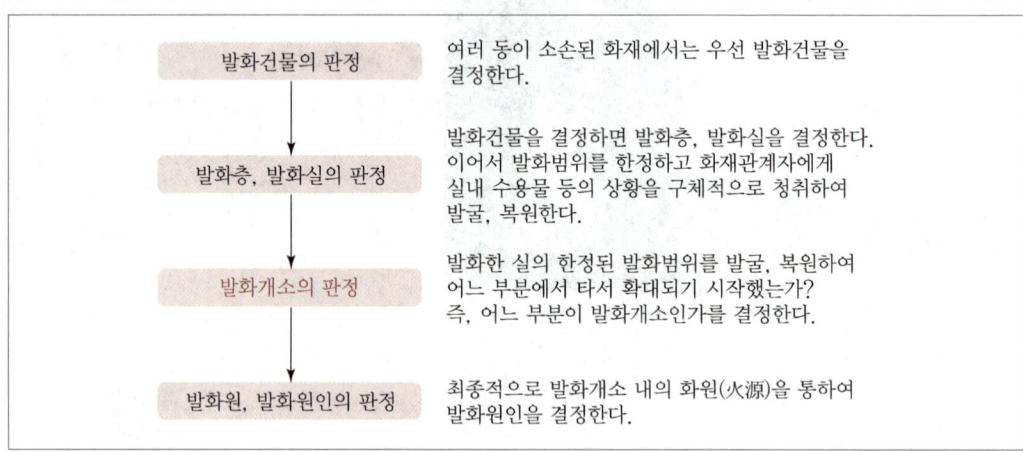

단계	설명
발화건물의 판정	여러 동이 소손된 화재에서는 우선 발화건물을 결정한다.
발화층, 발화실의 판정	발화건물을 결정하면 발화층, 발화실을 결정한다. 이어서 발화범위를 한정하고 화재관계자에게 실내 수용물 등의 상황을 구체적으로 청취하여 발굴, 복원한다.
발화개소의 판정	발화한 실의 한정된 발화범위를 발굴, 복원하여 어느 부분에서 타서 확대되기 시작했는가? 즉, 어느 부분이 발화개소인가를 결정한다.
발화원, 발화원인의 판정	최종적으로 발화개소 내의 화원(火源)을 통하여 발화원인을 결정한다.

(2) 발화건물의 판정

1) 전체의 연소방향 파악
① 화재현장 전체의 연소방향은 높은 곳에서 파악한다.
② 높은 장소에서 화재현장을 보면, 전체적인 연소방향의 파악이 비교적 용이하다.
③ 지붕재, 기타의 구조재 등의 잔존상황과 타서 무너진 방향의 건물 간에 연소방향이 나타난다.
④ 높은 장소가 없는 경우에는 사다리차, 헬리콥터, 드론 등을 활용한다.

2) 건물별 연소방향 파악
① 각 건물의 연소방향은 타다 멈춘 부분 또는 연소강약이 명확한 부분으로부터 파악한다.
② 타다 멈춘 부분은 연소방향이 명확하므로 발화건물 판정의 유효한 단서가 된다.
③ 연소방향은 타서 허물어진 경우에도 나타나고, 발화개소 측으로 타서 허물어지는 경우가 많다.

3) 인접 건물 간의 연소방향 파악
복수의 건물이 소손되어 있으면 인접동 간격, 외벽의 구조, 대면하는 개구부의 상황 등으로부터 건물 간의 연소방향, 즉 연소경로를 명확히 하여 둔다.

(3) 발화층의 판정

화재가 발생하면 일반적으로 불길은 위쪽으로 확산된다. 이로 인해 화재가 발생한 층이 가장 아래층인 경우가 많다. 그러나 화재가 아래층으로도 확산하거나, 각 층의 소손 정도만으로 화재의 원인을 판단하기 어려운 경우도 있으므로 주의가 필요하다.

(4) 발화범위의 판정(발굴 · 복원 전)

① 발화원인규명 과정에서 발화했다고 추정되는 개소(보통은 부엌, 거실 등의 실 단위)를 발굴한다.
② 발굴범위를 그르치는 것은 발화원인을 그르치는 것이므로, 발굴범위의 판정은 신중을 기해야 한다.
③ 발굴범위를 한정하는 순서(발화건물의 판정과 유사)

> 발화개소의 연소강약 파악 → 건물 전체의 연소방향 파악 → 발굴범위의 판정

(5) 발화개소의 판정(발굴 · 복원 후)

① 명확한 화염이 올라간 흔적이 보이는 경우를 제외하고는 발굴 전 발화범위의 한정은 실 단위의 넓은 범위로 한다.
② 발굴 · 복원 후에는 그 범위를 좁혀 아주 한정적인 부분(침대 주위, TV 주위 등)으로 압축하여 발화개소를 판정한다.

> 실내의 각 가구재 · 건물 구조재 개개의 연소강약 파악 → 연소강약이 나타내는 실내 전체의 연소방향 파악
> → 발화개소의 판정

한번더클릭 바닥 등의 특이한 연소상황

① 바닥에서 화재가 시작된 경우, 바닥에 소손상황을 남기는 경우가 있다.
② 특히 바닥에 시너 등 연소촉진제를 뿌리고 불을 붙인 경우에 그러하다.
③ 화재가 확대되어 천장 가연물에 불이 붙어 떨어져 내린 낙하물로 인해 2차적으로 바닥이 소손되거나 벽을 타오르는 경우도 있으므로 주의해야 한다.

6 발굴 및 복원

(1) 발굴 전 관찰사항

① 발굴 지역의 경계구역을 설정한다.
② 발굴 전 모든 연소상황을 사진촬영하고 기록해야 한다.
③ 낙하물 등을 우선 제거하여 안전을 확보한다.

(2) 발굴 및 복원의 방법

① 발굴은 위에서 아래로 실시한다.
② 발화지점에 가까울수록 삽과 같은 것을 거친 공구보다 섬세한 공구나 수작업으로 발굴한다.
③ 발굴한 물건 중 복원할 필요가 있는 것은 번호 또는 표식을 부착해 정리해 둔다.
④ 발굴한 연소된 물건은 가능한 그 위치를 옮기지 않는다. 다만, 불가피하게 이동하는 경우에는 복원 가능한 조치를 한다.
⑤ 형체가 소실되어 배치 불가능한 것은 대용품을 사용하되, 대용품이라는 것이 인식되도록 한다.
⑥ 관계인(관리자, 종업원, 작업책임자 등)을 발굴 현장에 입회시키는 것을 원칙으로 한다.
⑦ 잔존물이 파손되지 않도록 잦은 위치이동은 하지 않는다.

> **한번더클릭 　발화지점 발굴 요령**
>
> - 삽을 사용하지 않는다.
> - 발굴은 위에서 아래로 실시한다.
> - 발굴된 물건은 위치를 변경시키지 않는다.
> - 불가피하게 이동할 때는 복원 가능한 조치를 한다.
> - 복원할 필요가 있는 것은 번호 또는 표식을 부착해 정리한다.

(3) 주요 관찰 및 주의사항

발굴 과정에서 발견되는 증거물은 매우 중요한 단서가 될 수 있으므로, 이를 정확히 기록하고 분석하는 것이 중요하다. 특히, 발굴 중 손상될 수 있는 증거물에 관한 주의와 발굴 후 현장의 복원 과정에서 원래 상태를 최대한 유지하는 것이 중요하다.

CHAPTER 08 화재현장의 상황 파악 및 현장보존

 화재상황

(1) 기상상황

① **날씨** : 맑은 날씨는 햇볕에 의한 돋보기 효과로 화재 발생 가능성이 있고, 비 오는 날씨에는 전기합선, 누전에 의한 화재가 잦고, 낙뢰, 돌풍 등 시 자연적 요인으로 화재 발생 가능성이 높아지므로 기상 여건을 종합적으로 고려한다.
② **습도와 온도** : 습도는 연료의 건조 상태에 영향을 미치며, 낮은 습도는 연료를 더 쉽게 점화시킬 수 있다. 온도가 높으면 화재의 연소속도가 증가할 수 있다.
③ **바람** : 풍향과 풍속은 화재의 확산 경로를 결정짓는 중요한 요소로, 불길이 특정 방향으로 퍼지는 데 영향을 준다.
④ **기상특보** : 폭염, 한파, 태풍 등 극단적인 기상 현상은 화재 발생에 직접적 또는 간접적으로 영향을 미칠 수 있다. 이러한 상황에서는 평소와 다른 연료의 상태나 연소 패턴이 나타날 수 있다.

(2) 가연물질의 종류 및 특징

1) 목재 등의 가연물

① 목재는 수분이 15% 이상이면 고온에 장시간 접촉해도 착화가 어렵다.
② 목재는 화염에 근접한 부분에서부터 연소되고, 발화부와 가까운 부분의 탄화형태가 균열이 크고, 균열 사이의 골이 깊어지는 특징이 있다.
③ 목재가 연소하였을 때는 탄화심도를 측정 비교하여 연소의 방향성을 알 수 있다.
④ 온도에 따른 목재의 상태 · 형상

> **암기법** 목재 흑갈 22, 인화 26, 완료 30, 발화 42

온도(℃)	상태 · 형상
100~160	수분증발, 갈색의 분해가스, 휘발성 에스테르 생성
220	표면이 **흑갈**색으로 변색, 조그만 불씨에도 착화
260	목재의 **인화**온도(급격한 분해 및 다량 가스 발생)
300~350	탄화 **완료**
420~470	목재의 **발화**온도

목재의 연소방향성

목재는 연소가 계속되면 타서 가늘어지고 박리되어 소실된다. 따라서 소실이 많이 된 부분에서 소실이 적은 부분으로 연소 방향을 판단할 수 있다.

2) 위험물(유류, 가스 등)
① 유류와 가스는 낮은 인화점과 발화점을 가지며, 작은 열원에도 쉽게 발화할 수 있다.
② 가연성 가스는 공기 중에서 특정 농도 범위(폭발범위)에서 폭발적인 화재를 일으킬 수 있다.
③ 유류와 가스는 증기 밀도가 공기보다 무거운 경우가 많아, 누출 시 낮은 위치에 증기가 모일 수 있다. 이는 잠재적 발화원이 있는 지역에서 폭발 위험을 증가시킨다.

3) 합성화합물(플라스틱 등)
① 플라스틱은 저온상태에서는 착화가 어렵지만 일단 착화하면 진압이 어렵다.
② 플라스틱은 일반적으로 저분자 물질과 달리 온도에 따른 상변화가 명확하지 않다.
③ 열경화성 수지는 화염에 노출되면 표면이 고체 숯과 같이 되는 경향 때문에 내부로의 연소 확대가 지연된다.
④ 열가소성 수지는 가열하면 녹아서 유연해지고, 냉각하면 다시 단단해지는 성질을 반복할 수 있다.
⑤ **열가소성수지와 열경화성수지 종류**
  ㉠ 열가소성수지 : 폴리염화비닐(PVC), 폴리스티렌(PS), 폴리에틸렌(PE), 폴리프로필렌(PP), 아크릴수지 등
  ㉡ 열경화성수지 : 에폭시수지, 폴리에스터, 폴리우레탄, 페놀수지, 멜라민수지, 우레아수지 등

(3) 화염의 상황

1) 화세의 강약
① **연소강약 고찰 전제** : 발화개소에 가까울수록 화염의 영향을 오래 받는다. 즉, 발화개소에 가까울수록 열의 영향을 깊게 남긴다.
② **연소방향** : 국면별로 나타난 「연소강약」을 통해 판단되는 화재현장 전체적으로 불이 번져나간 방향을 말한다.
③ **열과 화염의 벡터 분석** : 열 및 화염이 특정 지점에서 시작되어 어떻게 퍼져 나갔는지를 분석하여 발화지점을 파악한다.

④ 건축물 구조재의 연소특성을 파악하고, 각 물질별 연소강약을 분석 후 연소방향을 화세의 강약 비교를 통해 조금 더 정확한 발화지점을 판정할 수 있다.

2) 화염의 높이

① 구획공간에서 연료가 있는 위치에 따라 화염의 길이가 달라진다.
② 구획공간에서 연료의 위치가 벽과 구석(corner)에 있을 때 화염의 길이는 구석이 더 길다.
③ 화염의 높이가 천장보다 클 때는 화염이 천장을 따라 확장된다.
④ 천장에 의해 화염이 잘려지면 화염이 천장을 따라 수평으로 확산되어 전체 길이는 오히려 길어진다.
⑤ 화염의 수직·수평으로 확산속도

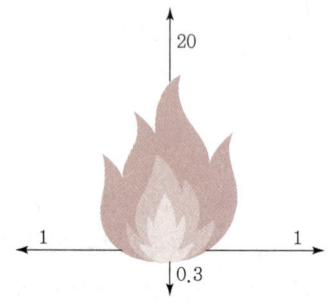

한번더클릭 가연물 위치에 따른 불꽃 높이 비교

- 동일 가연물에 같은 조건의 연소라면 불꽃 높이는 공기와 접하는 가연물 표면적에 영향을 받는다.
- 공기의 유입량이 벽에 의해 제한받기 때문에 벽이 많을수록 공기유입방향으로 불꽃이 길게 올라간다.
- 불꽃 높이는 C(구석)＞B(벽면)＞A(중앙) 순이다.

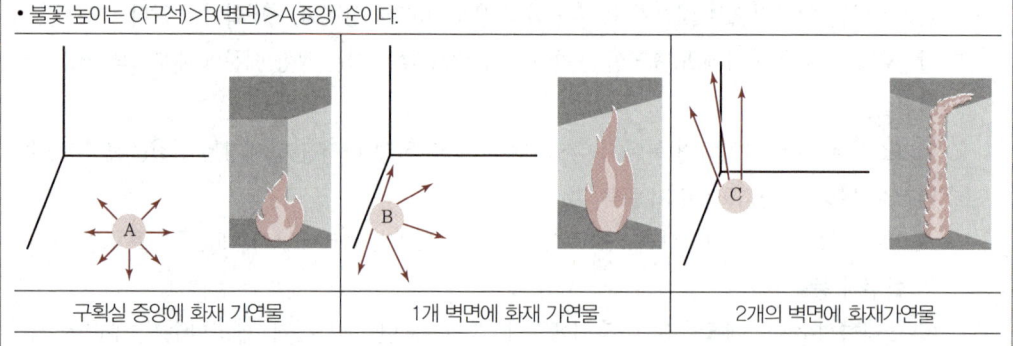

| 구획실 중앙에 화재 가연물 | 1개 벽면에 화재 가연물 | 2개의 벽면에 화재가연물 |

3) 온도

① 인화점은 외부로부터 에너지를 받아서 착화 가능한 최저온도이다.
② 발화점은 외부로부터 점화에너지 공급 없이 주변의 열에 의해 물질 스스로 착화되는 최저온도이다.
③ 주변 온도가 높을수록 자연발화가 용이하다.
④ 온도가 높을수록 최소착화에너지는 낮아진다.
⑤ 최성기의 구획실 화재 온도는 1,000℃ 이상에 도달한다.

4) 비화

① 비화는 불씨나 타고 있는 물질이 바람이나 다른 매개체를 통해 원래의 화재현장에서 떨어진 다른 장소로 옮겨져 새로운 화재를 발생시키는 현상을 말한다.
② 비화는 주로 강한 바람, 폭발, 또는 타고 있는 물체가 다른 장소로 이동하면서 발생한다.

5) 화염의 색

암기법 화염의 색 담암(52) 암(7) 적(85) 휘(95) 황(11) 백(13) 휘백(15)

담암적색	암적색	적색	휘적색	황적색	백적색	휘백색
520℃	700℃	850℃	950℃	1,100℃	1,300℃	1,500℃

(4) 연기의 상황

1) 연기의 이동속도 및 특성

① 연기 층의 두께는 연소가 진행됨에 따라 달라진다.
② 화재실에서 분출된 연기는 대류에 의하여, 통로의 상부를 따라 유동한다.
③ 건물 내부온도가 외부온도보다 높을 때 연기는 위로 확산된다.
④ 건물 외부온도가 내부온도보다 높을 때 연기는 아래로 확산한다.
⑤ 연기 이동속도는 수평방향(0.5~1m/s) 보다 수직방향(2~3m/s) 속도가 더 빠르다. 또한 계단실 내의 수직이동속도는 3~5m/s에 이른다.

2) 연기확대경로

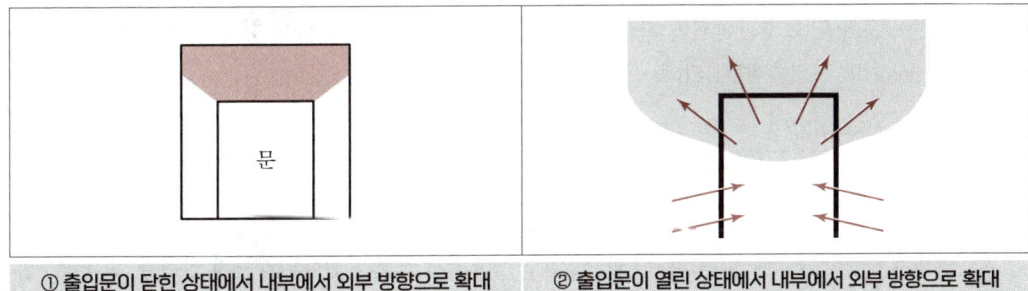

① 출입문이 닫힌 상태에서 내부에서 외부 방향으로 확대   ② 출입문이 열린 상태에서 내부에서 외부 방향으로 확대

3) 연기의 농도

① 절대 농도
  ㉠ 중량 농도법 : 단위체적 중 포함되어 있는 입자의 중량으로 단위는 [kg/m^3]이다.
  ㉡ 입자 농도법 : 단위체적 중 포함되어 있는 입자의 개수로 단위는 [개/m^3]이다.

② 상대 농도
  ㉠ 감광계수법 : 빛을 투과하였을 경우 빛의 감쇄에 따른 가시거리의 감소를 측정하는 것이다.
  ㉡ 감광계수와 가시거리

연기 농도(감광계수)	가시거리(m)	상황
0.1	20~30	연기감지기가 작동할 때의 농도
0.3	5	건물 내부에 익숙한 사람이 피난에 지장을 느낄 농도
0.5	3	어두운 것을 느낄 정도의 농도
1	1~2	거의 앞이 보이지 않을 정도의 농도
10	0.2~0.5	화재 최성기 때의 농도, 유도등이 보이지 않을 농도
30	–	출화실에서 연기가 분출할 때의 농도

4) 연기를 이동시키는 요인

① **팽창력** : 화재실 내 온도상승에 따른 체적의 팽창(샤를의 법칙)으로 압력이 높아져 연기 유동의 원인이 된다.
② **부력** : 화재실 내 온도가 상승하므로 상하부의 밀도차(비중차)가 발생하여 연기가 상부로 이동한다.
③ **연돌효과** : 건물 내의 온도차에 의한 밀도차로 이동원인이 되며, 고층일수록 연돌효과가 크다.
④ **바람의 효과** : 건축물 외부의 바람이 건축물 내로 유입되어 연기 이동에 영향을 미친다.
⑤ **공조설비** : 건축물 내부에 있는 냉·난방용 공기조화설비에 의해 연기가 유동한다.

5) 연기의 색

① 연소 초기에는 충분한 산소의 공급과 그을음 및 찌꺼기가 없어 흰색 또는 푸르스름한 흰색(white-bluish)의 연기가 발생된다.
② 시간이 흘러 연소가 확산되면 그을음과 찌꺼기가 생겨 연기의 색상은 회색을 거쳐 검은 색(Black-Grayish)의 연기를 띠게 된다.

(5) 연소확대 상황

1) 연소의 범위

① 화재가 발생한 구조물 또는 영역 내에서 어느 정도까지 연소가 진행되었는지 범위를 설정하여 발화지점 분석에 활용할 수 있다.
② 발화건물에서 건물붕괴, 복사열, 비화, 접염 등으로 연소확대 될 수 있으므로 유의하여 조사한다.
③ 화재현장을 전후좌우에서 연소확대 상황 과정을 파악한다.

2) 진행방향

① 열과 불의 이동 방향을 나타내는 연소 흔적을 통해 화재의 진행 방향을 분석한다.
② 건축물 구조재의 연소특성을 파악하고, 각 물질별 연소강약을 분석 후 연소방향을 열과 화염의 벡터 분석을 하면 조금 더 정확한 발화지점을 판정할 수 있다.

3) 화재 성장

① 점화 이후 시간변화에 따라 화재 강도의 변화정도를 화재성장(fire growth)으로 나타내 일반적으로 시간변화에 따른 발열량변화를 화재성장률(fire growth rate)로 정의한다.

② t^2 화재성장 모드

  ㉠ t^2 화재성장 분류(NFPA)는 1MW에 도달하는데 걸리는 시간으로 4가지 화재성장모드(Slow, Medium, Fast, Ultrafast)로 분류한다.

  ㉡ t^2 화재성장 곡선

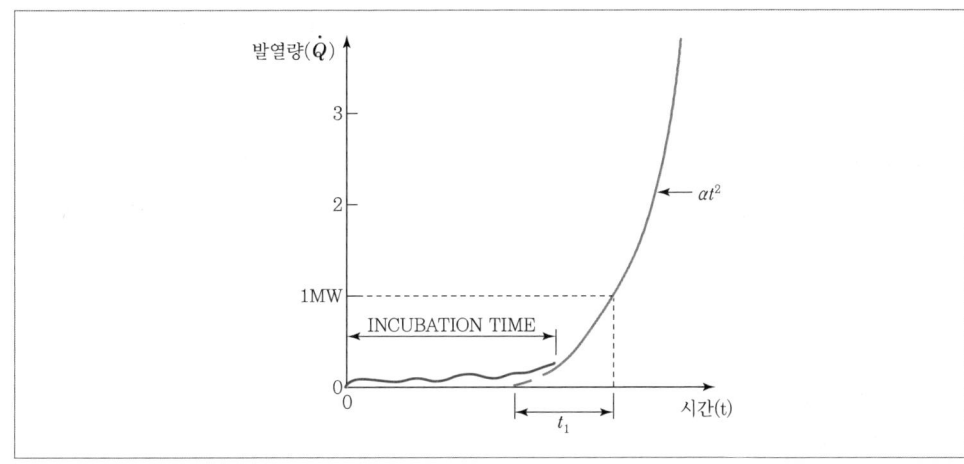

$$\dot{Q} = \alpha t^2$$
$\dot{Q}$: 발열량(W)
t : 시간(s)
α : 성장률(W/s^2)

  ㉢ 건축공간의 형태에 따른 화재성장 정도

건축물의 종류	화재성장률
주택	Medium
사무실	Medium
호텔 객실	Medium
상점	Fast
창고	Ultrafast

2 화재진압상황

(1) 목격자 진술
① 화재 발생 당시 현장에 있던 사람들의 진술을 현장에서 수집한 자료와 비교·분석한다.
② 목격자의 진술은 화재 발생 시각, 최초의 불꽃이나 연기, 초기 대응 상황 등에 대한 정보를 제공한다.
③ 목격자의 진술 중에는 모순되는 경우 조사현장에서 확인된 사실과 같이 충분히 검토하여 모순이 없는 진술만을 인용하여 판단하되, 모순되는 진술이라 할지라도 조사서에는 기록하여야 한다.
④ 조사관이 원하는 내용을 얻기 위하여 피질문자에게 암시하는 방법 등으로 유도하지 않아야 한다.

(2) 소방대 초기 대응
① 소방대가 화재현장에 도착했을 때의 상황과 그들이 초기 진화 작업을 어떻게 수행했는지를 조사한다.
② 최초신고자의 신고시각과 소방대가 도착하여 초기 대응의 타임라인을 분석하여 연소확대 과정을 분석할 수 있다.

(3) 소방대의 활동 상황
① **소방대 배치** : 소방 선착대가 화염을 목격한 지점을 확인하고 초기 대응한 지점을 통해 발화지점을 역추적한다.
② **소방 활동 기록** : 소방 선착대의 출동보고서 기록을 검토하여, 관계자 진술과 화재현장 상황과 비교·분석한다.

(4) 화재진화 과정상 특이점

1) 현장도착 시의 관찰·확인상황
① 화재건물 등의 불꽃이나 연기의 상황, 연소상황, 지붕 등이 연소로 내려앉았는지 여부, 처마·개구부로부터의 화연분출상황, 화세의 강약과 확인 시의 위치
② 이상한 소리, 특이한 냄새, 폭발 등 특이한 현상과 확인 시의 위치
③ 관계자 등의 부상, 복장, 행동의 개요 및 응답내용
④ 건물의 출입문, 창문, 셔터 등의 개폐 및 잠금 상태

2) 소화활동 중의 관찰·확인사항
① 연소확대 상황
② 관계자의 발언내용
③ 누설전류·가스누설 유무, 가스밸브의 개폐상황, 기타 화재원인판정에 필요한 사항
④ 잔화작업 시 발화지점 부근의 물건 이동, 도괴, 손괴상황 등

(5) 소방시설 조사

1) 비상경보 및 자동탐지설비
① 화재 발생 시 비상경보 시스템과 자동탐지설비가 제대로 작동했는지 조사한다.
② 최초 감지가 작동한 경계구역은 발화지점 판정의 근거로 활용할 수 있다.
③ 수신반의 이벤트 로그 분석을 통해 연소확대 방향도 분석할 수 있다.

2) 스프링클러 시스템
① 스프링클러가 적절히 작동했는지 확인하고, 스프링클러가 화재 진압에 어느 정도 기여했는지를 확인한다.
② 스프링클러 살수 범위는 발화지점을 포함한 화재연소범위 분석의 근거로 활용할 수 있다.

3 탐문

(1) 범죄심리학적 탐문

1) 진술분석 기법
① 목격자나 관련자의 진술을 분석하는 방법으로, 진술의 일관성, 정확성, 세부사항을 검토해 진술의 신뢰성을 판단한다.
② 반복적 질문에 일관된 답변 여부, 목소리 떨림 등을 분석하여 진술의 진위를 가려낸다.

2) 행동분석 기법
① 피의자나 목격자의 행동을 분석하여 그들의 심리 상태와 의도성을 파악하는 방법이다.
② 말투, 신체 언어, 스트레스 반응 등을 통해 행동의 배후에 있는 동기를 추정하며, 방화나 기타 범죄 행위가 의심될 때 유용하다.

(2) 확보방안

1) 관계자 찾는 방법
맨발, 복장, 소화액 부착 여부, 부상자 상태, 순찰차 내 경찰 연행 여부 등으로 관계자를 확인한다.

2) 탐문방법
상대방 확인, 일문일답식 질의, 발화 건물 상황 파악, 신속한 기록유지 등으로 탐문한다.

(3) 관계자 진술방법
① 허위진술을 방지하기 위해 질문을 시작할 때 상대방의 성명, 연령, 주소 등을 청취하고 기재한다.
② 관계자 인권은 고려하고, 유도심문은 삼가고, 임의진술을 확보한다.
③ 일문일답 형식으로 계통적 순서에 따라 질문하고 청취한다.
④ 관계자의 기억이 희박해지기 이전에 최대한 빨리 질문하는 것이 좋다.

⑤ 피질문자의 심리가 충분히 안정된 상태에서 진술할 수 있는 장소를 선택하는 것이 좋다.
⑥ 관계자의 진술내용을 신속하게 기록하며, 상황에 따라서는 녹음(녹취)도 필요하다.
⑦ 화재와 이해관계가 있는 제3자와 격리한 후 관계자의 진술을 얻는다.

4 현장보존

(1) 화재방어 시 현장보존과 통제

① 화재방어 시에는 화재현장의 상태가 위험하기에 소방활동구역을 광범위하게 설정해 두고 진화를 실시한다.
② 진화 후에 위험한 상태가 해제되면 관계자와 제3자가 출입하기 쉬운 상황이 되므로, 현장에 남아있는 상황증거 등이 파손·이동 유실되지 않도록 조사에 반드시 필요한 범위를 소방활동구역으로 제한해 두고 사람의 출입을 금지시킨다.
③ 출입을 금지하는 범위는 화재의 상황에 따라 다르겠으나, 원칙적으로 소손 및 소훼된 장소 전체가 대상이 된다.
④ 현장발굴이 필요한 범위와 피해방지범위를 설정해 로프와 표식 등으로 출입금지구역을 분명히 해 둔다.
⑤ 재발화 방지를 위해 필요한 최소한의 조치를 취하되, 현장에 대한 불필요한 변형을 피해야 한다.
⑥ 소화활동 시 현장물건 등의 이동 또는 파괴를 최소화하여 원활한 화재조사활동이 이루어질 수 있도록 현장보존에 노력해야 한다.

(2) 출입금지구역의 통제

1) 출입금지구역의 통보

① 소방활동구역의 관리는 수사기관과 상호 협조해야 한다.
② 조사관계자 이외의 출입을 금지시키는 것과 동시에 관계자에게 구두나 문서로 반드시 알린다.
③ 소방활동구역을 설정한 후에는 관계인의 인지 여부를 반드시 확인하여야 하며, 관계인의 충분한 이해를 구한다.

2) 출화금지구역의 범위 확대

① 출화지점이나 그 부근의 목격상황에 대한 진술자들의 진술이 제각기 달라 출화범위가 불명확할 때
② 초기 목격자와 화재조사자의 판단하는 출화범위에 상당한 차이가 있어, 서로의 관련성이 불명확할 때
③ 건물 전체가 소손되어, 출화범위를 정하기 어려운 정도로 연소현상의 특이성이 관찰되지 않을 때
④ 건물 구조물 등이 광범위하게 대량으로 소손되어, 바닥에 소손퇴적물이 높게 쌓여 있을 때
⑤ 행방불명 및 실종자가 발생한 화재의 경우, 진화 후에도 존재나 거취가 전혀 확인되지 않을 때
⑥ 발화원으로 추정되는 물건이 연결된 설비 전체를 포함한 범위를 소방활동구역으로 설정할 때
⑦ 폭발 등으로 비산거리의 영향권에 드는 범위를 출입금지구역으로 설정할 때

(3) 조사범위

1) 화재원인조사

발화원인 조사	발화지점, 발화열원, 발화요인, 최초착화물 및 발화관련기기 등
발견, 통보 및 초기소화상황 조사	발견경위, 통보 및 초기소화 등 일련의 행동과정
연소상황 조사	화재의 연소경로 및 연소확대물, 연소확대사유 등
피난상황 조사	피난경로, 피난 상의 장애요인 등
소방·방화시설 등 조사	소방·방화시설의 활용 또는 작동 등의 상황

2) 화재피해조사

인명피해		화재로 인한 사망자 및 부상자
		화재진압 중 발생한 사망자 및 부상자
재산피해	소실피해	열에 의한 탄화, 용융, 파손 등의 피해
	수손피해	소화활동으로 발생한 수손피해 등
	기타피해	연기, 물품반출, 화재 중 발생한 폭발 등에 의한 피해 등

5 화재조사 현장안전

(1) 일반사항

① **방호복 및 장비** : 화재현장은 위험할 수 있으므로 조사자는 헬멧, 장갑, 안전화, 호흡 보호 장비 등 적절한 방호복과 장비를 착용해야 한다. 이러한 장비는 물리적 위험과 유해 물질로부터 보호하기 위해 필요하다.

② **화재현장 위험** : 화재현장에는 구조적 붕괴, 뜨거운 잔해, 유해 물질, 전기적 위험 등 여러 위험요소가 존재한다. 조사자는 이러한 위험 요소를 사전에 평가하고, 안전한 접근 방법을 계획해야 한다.

(2) 화재현장 안전에 영향을 주는 요소

조사자는 현장을 철저히 평가하고, 안전한 조사를 수행해야 한다.

① 화재의 규모
② 구조의 손상 정도
③ 잔류 열
④ 화학물질의 존재 여부 등

(3) 현장 밖 조사활동의 안전

수집된 증거의 보관, 이송처리, 화학 분석, 실험실 내 안전 규정 준수 등을 포함하며, 현장 밖 조사활동도 안전 절차를 준수해야 한다.

출제예상문제 1회

01 소방기관의 화재조사 목적으로 옳지 않은 것은?
① 화재에 의한 피해를 알리고 유사 화재의 방지와 피해 경감에 이바지한다.
② 출화원인을 규명하고 예방행정의 자료로 활용한다.
③ 사상자의 발생원인과 방화관리 상황 등을 규명하여 인명구조 및 안전대책의 자료로 활용한다.
④ 화재의 방화·실화 사실을 입증하고, 범죄수사를 목적으로 한다.

해설
소방기관은 행정조사 목적, 경찰관서는 범죄수사 목적으로 진행한다.

02 화재조사 시 일반적인 유의사항으로 옳지 않은 것은?
① 과학적인 근거에 의한 조사에 중점을 두고, 질문조사는 보조적인 방법으로 실시한다.
② 화재조사관은 민사가 예상되면 적극적으로 중재해야 한다.
③ 지득한 비밀을 누설해서는 안 된다.
④ 화재 사건을 조사할 때는 팀을 구성하여 활동하는 것이 좋다.

해설
화재조사관은 민사적 분쟁에 관여해서는 안 된다.

03 화재현장에서 화재감식요원의 마음가짐과 가장 거리가 먼 것은?
① 선입견을 가지고 현장 사물을 관찰한다.
② 현장에 대해서는 항상 겸손하게 생각한다.
③ 불필요한 전문용어의 사용으로 자신의 의견을 과대 포장하는 행위를 하지 말아야 한다.
④ 감식결과는 누구에게 유리하거나 불리함을 고려하지 않고, 과학적이고 논리적인 근거에 의해서 말해야 한다.

해설
선입견을 버리고, 객관적인 사실을 확인해야 한다.

04 산화와 환원에 대한 설명으로 옳지 않은 것은?
① 산화수의 감소는 환원을 의미한다.
② 산화제는 다른 물질을 산화시키면서 자신은 환원된다.
③ 환원제는 다른 물질을 환원시키면서 자신은 산화된다.
④ 산화는 산소를 잃고 수소를 얻는 과정이다.

해설
산화는 산소를 얻고 수소를 잃는 과정이다.

05 연소반응에 있어서 산소공급원의 역할을 하는 물질은?
① 적린　　　　　② 알루미늄
③ 과산화나트륨　④ 디에틸에테르

해설
과산화나트륨(Na_2O_2)은 제1류 산화성 고체로 연소반응 시 산소공급원 역할을 한다.

정답 | 01 ④　02 ②　03 ①　04 ④　05 ③

06 정전용량 20[μF]인 대전된 도체의 정전에너지가 40[J]일 때, 도체에 가해진 대전전위는 몇 [V]인가?

① 500
② 1,000
③ 1,500
④ 2,000

해설

$$E = \frac{1}{2}CV^2$$

E : 정전에너지(J)
C : 정전용량(F)
V : 전위차(V)

$$40[J] = \frac{1}{2} \times 20 \times 10^{-6}[F] \times V^2$$

$$V = \sqrt{\frac{40}{\frac{1}{2} \times 20 \times 10^{-6}}} = 2,000[V]$$

07 가연성 기체 중 위험도가 가장 큰 것은? (단, 메탄 연소범위=5.0~15%, 에탄 연소범위=3.0~12.4%, 프로판 연소범위=2.1~9.5%, 아세틸렌 연소범위=2.5~82%이다.)

① 메탄
② 에탄
③ 프로판
④ 아세틸렌

해설
연소범위가 넓을수록, 연소하한계가 낮을수록 폭발의 위험성이 높다.

위험도

$$H(위험도) = \frac{U(연소상한계) - L(연소하한계)}{L(연소하한계)}$$

08 전기화재(C급)의 소화 방법으로 적절하지 않은 것은?

① 할로겐화합물 소화약제를 사용한다.
② 물을 사용하여 빠르게 전기를 차단하고 소화한다.
③ 이산화탄소 소화약제를 사용하여 비전도성 소화제를 활용한다.
④ 분말 소화약제를 사용하여 전기기기의 화재를 진압한다.

해설
전기화재에서는 물과 같은 전도성 물질을 사용하면 감전 위험이 있으므로 비전도성 소화약제를 사용해야 한다.

09 구획실 화재 현상에 관한 설명 중 틀린 것은?

① 플레임오버나 롤오버는 플래시오버에 선행하는 것이 일반적이다.
② 플레임오버나 롤오버 이후에는 반드시 플래시오버가 일어난다.
③ 화재가 성장하면서 복사열이 화재를 지배하게 한다.
④ 환기지배형화재의 경우에는 고온가스층에 미연소 열분해물과 일산화탄소의 수치가 증가한다.

해설
플레임오버나 롤오버가 플래시오버 전조증상이지만, 반드시 플래시오버가 일어나지는 않는다.

10 건축물의 구획된 공간에서 플래시오버가 발생하면 고온 연기층으로부터 바닥으로 방사되는 복사열유속(kW/m²)은?

① 약 20kW/m²
② 약 30kW/m²
③ 약 40kW/m²
④ 약 60kW/m²

해설
바닥으로 방사되는 20kW/m²의 복사열유속은 플래시오버 발생 조건에 해당한다.

11 다음 중 보일오버(Boilover)와 슬롭오버(Slopover)의 공통점으로 옳은 것은?

① 모두 탱크 내부의 물이 증발하여 발생하는 현상이다.
② 소화용수가 연소유에 닿아 급비등할 때 발생한다.
③ 모두 점성 유류에서 발생한다.
④ 유류가 탱크 밖으로 넘치거나 비산되는 현상이다.

해설
보일오버와 슬롭오버 모두 유류가 탱크 밖으로 넘치거나 비산되는 현상으로, 화재와 관련하여 중요한 현상이다.

정답 | 06 ④ 07 ④ 08 ② 09 ② 10 ① 11 ④

12 다음 중 열이 전파되는 방식 중 물질을 통하지 않고 에너지가 직접 전파되는 현상을 무엇이라고 하는가?

① 전도 ② 대류
③ 복사 ④ 증발

🛢 해설
복사는 열이 물질을 매개하지 않고 직접적으로 에너지가 전파되는 방식이다. 주로 태양열이나 화재에서 발생하는 열전달 방식이다.

13 다음 중 굴뚝 효과(Stack Effect)에 대한 설명으로 옳은 것은?

① 고층 건물의 수직 공간에서 내부 공기가 외부보다 차가워질 때 발생한다.
② 겨울철에는 외부 공기가 상층으로 이동하며, 여름철에는 내부 공기가 하향 이동한다.
③ 건물 내부와 외부의 공기 밀도 차이로 인해 압력 차이가 생기고, 이로 인해 굴뚝 효과가 발생한다.
④ 굴뚝 효과는 연기의 확산에 영향을 미치지 않는다.

🛢 해설
굴뚝 효과는 건물 내부와 외부의 공기 밀도 차이로 인해 압력 차이가 생기며 발생한다. 겨울철에는 내부 공기가 상층으로 이동하고, 여름철에는 역굴뚝 효과로 외부 공기가 하향 이동한다.

14 화염이 확산 시 연소특성으로 옳지 않은 것은?

① 경사진 벽이나 계단, 경사로 등은 역방향 화염확산 효과가 있다.
② 커튼 위로 화염이 퍼지는 것은 대표적인 정방향 화염확산이라 할 수 있다.
③ 역방향 화염확산은 화염이 화염 전면에 있는 가연물을 가열할 수 없어 느려진다.
④ 경사트렌치 내의 경사면 화염은 상향 확산과 같은 급속하게 화염이 확산되는데 이 효과를 트렌치 효과라 한다.

🛢 해설
경사진 벽이나 계단, 경사로 등은 정방향 화염확산 효과가 있다.

15 다음 중 폭굉유도거리가 짧아지는 조건으로 옳은 것은?

① 압력이 낮을수록 폭굉유도거리는 짧아진다.
② 관지름이 클수록 폭굉유도거리는 짧아진다.
③ 점화원의 에너지가 클수록 폭굉유도거리는 짧아진다.
④ 정상연소 속도가 작은 혼합가스일수록 폭굉유도거리는 짧아진다.

🛢 해설
폭굉유도거리는 점화원의 에너지가 클수록, 압력이 높을수록, 관지름이 작을수록, 정상연소 속도가 큰 혼합가스일수록 짧아진다.

16 다음 중 분진폭발의 위험성이 가장 낮은 물질은?

① 밀가루 분말 ② 설탕 분말
③ 석탄 분말 ④ 시멘트 분말

🛢 해설
시멘트 분말은 무기물로 가연성이 없어 분진폭발의 위험성이 없다. 가연성 분진으로는 금속, 플라스틱, 밀가루, 설탕, 전분, 석탄 등이 있다.

17 조사 인원과 임무 분담에 대한 설명으로 옳지 않은 것은?

① 화재조사 책임자는 화재의 규모와 발굴범위 등을 종합적으로 고려하여 조사 인원을 결정한다.
② 발굴 범위가 넓을 경우 경계구역을 지정하여 팀별로 임무를 분담할 수 있다.
③ 현장이 제한적일 때는 다른 유관기관과 협의하지 않고 자체 인력만으로 조사를 진행한다.
④ 사진 촬영, 도면 작성, 발굴 인원 등 각 업무가 한쪽으로 편중되지 않도록 구성해야 한다.

🛢 해설
현장이 제한적일 때는 유관기관과 협의하여 인원 및 자원의 지원을 받도록 해야 한다.

정답 | 12 ③ 13 ③ 14 ① 15 ③ 16 ④ 17 ③

18 화재조사 전담부서에서 갖추어야 할 기록용 기기가 아닌 것은?

① 3D 스캐너
② 버니어캘리퍼스
③ 고속카메라 세트
④ 디지털카메라(DSLR) 세트

🗒 해설
고속카메라 세트는 감정용 기기다.

19 다음 중 조사 전 팀 회의에서 논의되는 사항이 아닌 것은?

① 정보 공유
② 이슈 및 과제식별
③ 안전장비 및 조사장비 확인
④ 화재 신고 접수

🗒 해설
화재 신고 접수는 조사 전 팀 회의에서 다루는 사항이 아니다.

20 다음 중 관계인을 찾는 방법으로 옳지 않은 것은?

① 맨발 여부 확인
② 소화액의 부착 여부 확인
③ 복장의 상태 확인
④ 현장보존 조치

🗒 해설
현장보존은 관계인 탐문과 별개의 조치이며, 이는 조사 과정에서 이루어진다.

21 화재 진화 후 현장관찰 시 올바른 관찰 순서로 옳은 것은?

① 중심부부터 외곽으로 관찰
② 낮은 곳에서 높은 곳으로 관찰
③ 탄화가 강한 쪽부터 약한 쪽으로 관찰
④ 바깥의 주변부터 중심부로 관찰

🗒 해설
화재현장 관찰은 바깥의 주변부터 중심부로, 탄화가 약한 쪽부터 강한 쪽으로 관찰해야 한다.

22 다음 중 발화위치 결정을 위한 추가 데이터 수집 활동에 해당하지 않는 것은?

① 실험실에서 증거물의 과학적 분석
② CCTV 영상, 기상 정보, 주민 증언 등 외부 정보 수집
③ 화재 진압 중 소방대원의 인터뷰 기록
④ 현장 상태를 원래 상태로 복원

🗒 해설
현장 복원은 발굴 및 복원작업의 일환이지, 추가 데이터 수집 활동에 해당하지 않는다.

23 다음 중 화재패턴 분석의 한계로 옳은 것은?

① 화재패턴은 항상 명확하게 발화 지점을 보여준다.
② 화재패턴이 환경적 요인에 의해 왜곡될 수 있다.
③ 초기 소화 활동은 화재패턴에 영향을 미치지 않는다.
④ 패턴의 중첩은 화재 진행 방향을 쉽게 파악하게 한다.

🗒 해설
건물 구조, 환기 상태, 가연성 물질의 종류 등 환경적 요인에 의해 화재패턴이 왜곡될 수 있다.

24 하소의 개념에 대한 설명으로 옳지 않은 것은?

① 석고벽판재료는 고온에 노출되면 화학적, 물리적으로 변형된다.
② 하소된 석고벽판재료는 열에 의해 탈수되며 밀도가 낮아진다.
③ 하소는 물질을 태워 휘발성분을 제거하고 재로 만드는 과정이다.
④ 하소된 석고는 원상태보다 더 밀도가 높아지며 강도가 증가한다.

🗒 해설
하소된 석고벽판재료는 밀도가 낮아지고, 푸석푸석해지는 특성을 보인다.

정답 | 18 ③ 19 ④ 20 ④ 21 ④ 22 ④ 23 ② 24 ④

25 화재현장에서 열, 연기 또는 화염 흐름의 방향을 표시하는 것으로써, 화재현장도에 사용되는 화살표는 무엇인가?

① 열관성
② 타임라인
③ 열방출률
④ 열 및 화염 벡터

해설
열, 연기 등에 의한 연소강도를 파악하고 연소 강도가 강한 곳에서 약한 곳으로 열 및 화염 벡터를 표시하면, 발화지점 판정 시 유용하다.

26 폭발 현장에서 수집한 배경정보를 바탕으로 폭발 전·후 사고 경위를 표로 만든 후 인과관계이론과 일치 여부를 추론하여 최적 이론을 설정하는 분석은?

① 손상패턴 분석
② 구조물 분석
③ 열효과 상관분석
④ 타임라인 분석

해설
타임라인 분석은 사건의 전개 과정을 시간 순으로 파악하여 인과관계를 추론하고, 사고의 원인을 분석한다.
① 손상패턴 분석 : 손상된 구조물, 물체 형태, 규모 등을 관찰하고 분석
② 구조물 분석 : 손상된 구조물 설계, 재료, 공정 분석
③ 열효과 상관분석 : 열전달, 폭발 원인 등 열적 효과를 고려한 분석

27 목재 온도가 220℃일 때 탄화형상으로 옳은 것은?

① 목재가열 개시, 수분량 증발
② 갈색에서 흑갈색으로 변화
③ 목재의 급격한 분해 시작
④ 발화 및 탄화종료

해설
목재 온도가 220℃일 때 표면이 흑갈색이 되며 거스러미 등은 조그만 불씨에도 착화된다.

28 다음 중 철 구조물의 만곡에 대한 설명으로 옳지 않은 것은?

① 하중이 없는 상태에서 화염을 받은 부분의 열팽창률이 높아져 열을 받은 반대 방향으로 휘어진다.
② 철골의 만곡은 발화부뿐만 아니라 열이 가해진 곳에서도 발생할 수 있다.
③ 만곡 및 도괴는 설치각도, 가연물 적치 상태 등에 따라 변형될 수 있다.
④ 철골의 만곡은 하중에 거의 영향을 받지 않고 오직 열에 의해 발생한다.

해설
철골의 만곡은 열에 의해 발생할 수 있지만, 하중의 영향을 크게 받는다. 특히 지붕 등의 하중이 철 구조물에 영향을 미쳐 만곡이 발생할 수 있다.

29 화재 시 철근콘크리트에서 박리현상이 발생하는 원인으로 가장 거리가 먼 것은 어느 것인가?

① 인화성 물질의 사용
② 콘크리트 내부의 기포 팽창
③ 콘크리트 내부 철골의 열팽창 차이
④ 콘크리트 내부 수분의 기화에 의한 팽창

해설
인화성 물질 자체만으로 철근콘크리트는 부식이나 박리현상이 발생하지 않는다. 다만, 염화물이나 화학물질은 자체만으로 콘크리트 표면에 부식을 일으킬 수 있다.

30 다음 중 목재가 고온에 장시간 접촉해도 쉽게 점화되지 않는 수분 함유율은?

① 5% 이상
② 10% 이상
③ 13% 이상
④ 15% 이상

해설
목재의 수분 함유율이 15% 이상이면 고온에 오랜 시간 접촉하더라도 쉽게 점화되지 않는다.

정답 | 25 ④ 26 ④ 27 ② 28 ④ 29 ① 30 ④

출제예상문제 2회

01 소방기관이 화재조사를 수행하는 근본적인 목적으로 옳은 것은?

① 유사화재의 재발 방지와 피해 경감을 위한 자료로 활용
② 출화원인 규명으로 사법처리 근거 자료로 활용
③ 인적, 물적 피해사항 조사를 통한 통계자료로 활용
④ 법률관계에 수반된 증거보전 자료로 활용

🗒 해설
화재원인, 화재성장 및 확산, 피해현황 등을 조사하여 화재예방 및 소방정책에 활용이 근본적인 목적이다.

02 화재조사의 기본절차 중에서 현장출동 중 조사로 옳지 않은 것은?

① 화재발생 접수 내용 파악
② 출동 중 화재상황 파악
③ 위험물 등 관계시설 상황 파악
④ 현장도착 시 연소상황 파악

🗒 해설
위험물 등 관계시설 상황파악은 화재현장 도착하여 본격적인 조사 시 파악한다.

03 다음 중 가연성 물질에 해당하는 것은?

① CO
② Ar
③ NO_3
④ CO_2

🗒 해설
일산화탄소(CO)는 산소와 반응하기 때문에 가연물이 될 수 있다.

04 다음 중 물질의 발화점이 낮아지는 조건으로 옳은 것은?

① 분자의 구조가 간단할수록
② 발열량이 낮을수록
③ 압력, 화학적 활성도가 클수록
④ 금속의 열전도율과 습도가 높을수록

🗒 해설
물질의 발화점이 낮아지는 조건
- 분자의 구조가 복잡할수록
- 발열량이 높을수록
- 압력, 화학적 활성도가 클수록
- 산소와 친화력이 클수록
- 금속의 열전도율과 습도가 낮을수록

05 다음은 탄화수소의 완전연소에 따른 연소방정식이다. 각 물질의 완전연소 반응식 중 옳지 않은 것은?

$$C_mH_n + \left(m + \frac{n}{4}\right)O_2 \rightarrow mCO_2 + \frac{n}{2}H_2O$$

① 메탄 : $CH_4 + 2O_2 \rightarrow CO_2 + 2H_2O$
② 에탄 : $C_2H_6 + 7O_2 \rightarrow 4CO_2 + 6H_2O$
③ 프로판 : $C_3H_8 + 5O_2 \rightarrow 3CO_2 + 4H_2O$
④ 부탄 : $C_4H_{10} + 6.5O_2 \rightarrow 4CO_2 + 5H_2O$

🗒 해설
에탄의 완전연소 반응식은 $C_2H_6 + 3.5O_2 \rightarrow 2CO_2 + 3H_2O$이다.

정답 | 01 ① 02 ③ 03 ① 04 ③ 05 ②

06 가솔린의 연소범위(vol%)가 1.4~7.6일 때 위험도로 옳은 것은?

① 1.2
② 4.4
③ 6.4
④ 8.4

🗑 **해설**
위험도

$$H(위험도) = \frac{U(연소상한계) - L(연소하한계)}{L(연소하한계)}$$

$$= \frac{7.6 - 1.4}{1.4}$$

$$= 4.4$$

07 복사체에서 절대온도의 차이가 두 배 높아지면 해당 물질로부터 복사에 의한 열전달률은 몇 배가 되는가?

① 4
② 8
③ 16
④ 32

🗑 **해설**
스테판-볼츠만 법칙(Stefan-Boltzman Law)
- 모든 파장에 의해 방사되는 총에너지는 절대온도의 4제곱에 비례한다. 따라서 복사체에서 절대온도의 차이가 2배 높아지면 열전달률은 16배이다.
- $Q = \varepsilon \sigma T^4$

08 벽의 두께 0.1m, 벽 양면의 온도는 각각 80°C와 40°C일 때 폴리우레탄 폼 벽체를 관통하는 단위 면적당 열유동률은? (단, 열전도율 k=0.034W/m이다.)

① 1.36W/m²
② 13.6W/m²
③ 136W/m²
④ 1,360W/m²

🗑 **해설**
0.1m 두께의 벽에 전도열이 전달되는 열유속을 계산하는 문제이다.
- 열유속 : 단위면적당 열유동률(kW/m²)

$$\dot{q}'' = k\frac{T_2 - T_1}{L}$$

$$= \frac{0.034\,W/m \cdot K \times (80-40)K}{0.1\,m}$$

$$= 13.6\,W/m^2$$

09 다음 중 폭발이 발생하기 위한 필수 조건으로 옳지 않은 것은?

① 가연성 가스, 증기, 분진이 공기 또는 산소와 혼합되어 있어야 한다.
② 혼합가스 및 분진이 폭발범위 내에 있어야 한다.
③ 혼합가스 및 분진이 밀폐공간이나 밀폐용기에 있어야 한다.
④ 가연성 가스가 있는 공간은 밀폐되지 않아야 한다.

🗑 **해설**
폭발이 발생하려면 가연성 가스가 밀폐공간 또는 밀폐용기 내에 있어야 한다. 밀폐되지 않으면 폭발이 일어나기 어렵다.

10 다음 중 분진폭발(Dust Explosion)에 대한 설명으로 옳지 않은 것은?

① 1차 폭발 후 부유된 가연성분진이 연소하면서 2차적 폭발이 일어날 수 있다.
② 가스폭발이나 화약폭발과는 달리 착화에 필요한 에너지가 작다.
③ 공기 중을 부유하고 있거나 퇴적된 상태인 분진의 폭발을 의미한다.
④ 분진의 입경은 폭발의 최소착화에너지 및 화염전면의 이동속도에 영향을 미친다.

🗑 **해설**
분진입자는 고체 형태로 표면적이 커 산소와 접촉이 제한적이다. 따라서 가스나 화약에 비해 착화에너지가 크다.

11 화재조사자의 복장에 대한 설명으로 틀린 것은?

① 관계자나 제3자가 화재조사자임을 알 수 없도록 간편 복장을 준비한다.
② 낙하물, 빠짐, 돌출물 등에 의한 사고방지를 고려해야 한다.
③ 기상조건에 따라 우의 또는 방한복 등을 구비하여야 한다.
④ 사고방지를 위해 헬멧, 안전화, 절연장화 등을 준비해야 한다.

🗑 **해설**
복장은 화재조사자임을 알 수 있도록 하고, 안전을 보장할 수 있는 복장이어야 한다.

정답 | 06 ② 07 ③ 08 ② 09 ④ 10 ② 11 ①

12 화재조사 전담부서에서 갖추어야 할 발굴용구에 해당하지 않는 것은?

① 에어컴프레서 ② 전동 절단기
③ 웨어러블캠   ④ 전동 드라이버

해설
웨어러블캠은 기록용 기기이다.

13 화재조사분석실의 최소 면적은 몇 m²인가?

① 10m² ② 20m²
③ 30m² ④ 40m²

해설
화재조사분석실은 최소 30m² 이상의 면적을 갖추어야 한다.

14 화재조사관이 출동 도중 화재 상황을 관찰할 때 포함되지 않는 사항은?

① 기상 상황
② 원거리 화염 또는 연기 파악
③ 신고 내용
④ 관계인 탐문

해설
관계인 탐문은 현장에 도착한 후 이루어지는 활동이다.

15 다음 중 순차적 패턴 분석에 대한 설명으로 옳지 않은 것은?

① 물질별 용융점, 비점, 발화점 등이 달라 화재현장에 퇴적층과 같은 탄화 잔해물이 쌓인다.
② 소손 정도가 약한 부분에서 강한 부분으로 순차적으로 찾아가 출화개소를 판정한다.
③ 물질별 연소 강약과 연소 방향성을 비교하여 발굴 장소를 검토한다.
④ 연소 강도가 가장 강한 곳부터 순차적으로 발굴장소를 결정한다.

해설
순차적 패턴 분석은 소손 정도가 약한 부분에서 강한 부분으로 진행된다.

16 발굴 및 복원 과정에서 조사자가 우선적으로 해야 할 작업은?

① 파손된 구조물을 가능한 원래 상태로 복원
② 증거물이 있는 특정 부분을 발굴하여 분석
③ 발굴 중 손상된 증거물 보호
④ 구역별로 나누지 않고 전체 현장을 한 번에 분석

해설
발굴 작업에서는 증거물이 있는 특정 부분을 우선적으로 발굴하여 분석하는 것이 중요하다.

17 다음 중 목재의 탄화심도에 영향을 미치는 인자가 아닌 것은?

① 가열속도와 가열시간
② 산소농도
③ 목재의 색상
④ 목재 수분함유량

해설
목재의 색상은 탄화심도에 영향을 미치지 않으며, 가열속도, 산소농도, 목재의 밀도 및 수분함유량 등이 영향을 미친다.

18 목격자의 증언을 활용해 발화지점을 검증할 때 옳지 않은 것은?

① 목격자 진술을 다른 증거와 비교하여 일관성을 검토한다.
② 목격자의 진술이 신뢰할 수 있는지 평가한다.
③ 목격자의 증언을 물리적 증거보다 우선시하여 가설을 검증한다.
④ 물리적 증거와 충돌하는 목격자 진술은 그 원인을 분석해야 한다.

해설
목격자 증언은 중요한 단서가 될 수 있지만, 물리적 증거를 우선시하여 가설을 검증해야 한다.

정답 | 12 ③ 13 ③ 14 ④ 15 ④ 16 ② 17 ③ 18 ③

19 다음 중 목재의 탄화심도에 영향을 미치는 인자로 옳지 않은 것은?

① 가열속도와 가열시간
② 산소농도
③ 목재의 결 방향
④ 목재의 수분함유량

해설
목재의 탄화심도에 영향을 미치는 주요 인자는 가열속도와 가열시간, 산소농도, 목재의 밀도와 종류, 그리고 목재의 수분함유량이다. 목재의 결 방향은 탄화심도에 직접적인 영향을 미치지 않는다.

20 물질의 융점으로 옳은 것은?

① 납 : 327℃
② 구리 : 1,540℃
③ 스테인리스 : 1,250℃
④ 텅스텐 : 1,560℃

해설
② 구리 : 1,083℃
③ 스테인리스 : 1,520℃
④ 텅스텐 : 3,400℃

21 폭열(Spalling)의 발생원인이 아닌 것은?

① 흡수율이 큰 골재의 사용
② 내화성이 약한 골재의 사용
③ 콘크리트 내부 함수율이 낮을 때
④ 콘크리트의 치밀한 조직으로 화재 시 수증기 배출이 안 될 때

해설
콘크리트 내부 함수율(수분이 들어 있는 비율)이 높아야 수분이 팽창하면서 폭열이 발생한다.

22 합성수지류의 화재열에 의한 형태 변화 과정으로 올바르게 나열된 것은?

① 변형 → 변색 → 소실 → 용융
② 변색 → 변형 → 용융 → 소실
③ 변형 → 용융 → 변색 → 소실
④ 용융 → 변형 → 변색 → 소실

해설
합성수지류는 화재열에 의해 변색이 먼저 발생하고, 이어 변형(연화), 용융, 소실 순으로 변화가 일어난다.

23 출화개소 판단 시의 유의사항으로 틀린 것은?

① 발화지점과 연소확산된 경계구역을 구분한다.
② 건물 내·외부 연소상태를 비교 판단하여 화염의 이동경로를 파악한다.
③ 출입구의 방향과 창문, 환기구 등 개구부는 변동요인이 많으므로 제외한다.
④ 붕괴되거나 도괴된 경우, 해당 취약요인을 확인한다.

해설
진압대원이 진입하여 소화수 방출 방향, 개구부의 환기에 의한 패턴 등 출화개소 판단에 출입문은 중요한 역할을 하므로 반드시 조사한다.

24 개구부(창문, 출입문)를 통한 화재 확산 방식으로 옳지 않은 것은?

① 복사열에 의한 점화
② 불씨가 이동하여 점화
③ 직접 분출된 화염에 의한 점화
④ 전도에 의한 점화

해설
개구부를 통한 화재 확산은 복사열, 불씨 이동, 직접적인 화염에 의한 점화가 주요 메커니즘이다. 전도는 개구부를 통한 주요 확산 방식이 아니다.

정답 | 19 ③ 20 ① 21 ③ 22 ② 23 ③ 24 ④

25 벽면에 나타나는 V패턴에 대한 설명으로 옳지 않은 것은?

① V패턴은 불꽃과 대류 또는 복사열에 의해 생성된다.
② V패턴은 연소가 진행될 때 수직으로 된 벽면에 나타난다.
③ V패턴 각도는 열방출률, 가연물의 양과 형태, 환기효과 등에 따라 결정된다.
④ V패턴은 꼭짓점을 발화지점으로 볼 수 있다.

📖 해설
V패턴은 발화지점이 아닌 화재하중이 높은 곳에서도 생성될 수 있으며, 다양한 요인에 의해 형성될 수 있다.

26 천장, 테이블 상판, 선반과 같은 수평면 아래쪽에서 나타나는 패턴은?

① 모래시계 패턴 ② U자 모양 패턴
③ 드롭다운 패턴 ④ 원형 패턴

📖 해설
원형 패턴은 천장이나 테이블 상판과 같은 수평면 아래쪽에서 형성되며, 벽과의 거리와 열원의 위치에 따라 둥근 형태로 나타난다.

27 표면에 그을음이 침착되는 원인으로 옳지 않은 것은?

① 그을음은 매끄러운 표면보다 거친 표면에 잘 부착된다.
② 화재 이전부터 묾체들이 접촉되어 있었다면, 그 접촉된 부분에는 그을음이 부착되지 않는다.
③ 뜨거운 물체는 주변의 그을음 입자를 더 쉽게 붙잡아두어 그을음이 더 많이 부착된다.
④ 콘크리트 벽면에서 온도에 따른 그을음의 변화는 450℃에서 회색, 650℃에서 검은색, 850℃에서 그을음이 연소되어 백화흔이 나타난다.

📖 해설
차가운 물체는 그을음 입자를 더 쉽게 붙잡아두어 그을음이 부착되기 쉽고, 뜨거운 물체는 그을음이 부착되기 어렵다.

28 발화건물 판정 시 연소방향을 파악하는 방법으로 옳지 않은 것은?

① 화재현장 전체의 연소방향은 높은 곳에서 파악하는 것이 용이하다.
② 각 건물의 연소방향은 타다 멈춘 부분에서 명확하게 파악할 수 있다.
③ 인접 건물 간의 연소방향은 외벽구조와 개구부 상황 등을 통해 판단한다.
④ 연소방향은 건물 내에만 국한되며, 건물 간의 연소경로는 파악할 수 없다.

📖 해설
건물 간의 연소경로는 인접동 간격, 외벽구조, 대면하는 개구부 상황 등을 통해 명확히 파악할 수 있으며, 연소방향은 건물 내외에서 모두 확인이 가능하다.

29 백열전구의 필라멘트 소재로 옳은 것은?

① 구리 ② 알루미늄
③ 텅스텐 ④ 은

📖 해설
백열전구의 필라멘트는 높은 온도에서 견디며 밝게 빛나는 텅스텐으로 만들어진다.

30 구획공간에서 화염의 높이와 관련된 설명으로 옳지 않은 것은?

① 구획공간에서 연료의 위치에 따라 화염의 길이가 달라진다.
② 구획공간에서 연료가 벽과 구석(corner)에 있을 때 화염의 길이는 벽보다 구석에서 더 길다.
③ 화염의 높이가 천장보다 클 때, 화염은 천장을 따라 확장된다.
④ 천장에 의해 화염이 잘리면 수평으로 확산되며, 전체 길이는 줄어든다.

📖 해설
천장에 의해 화염이 잘리면, 화염은 천장을 따라 수평으로 확산되어 전체 길이는 오히려 길어진다.

정답 | 25 ④ 26 ④ 27 ③ 28 ④ 29 ③ 30 ④

출제예상문제 3회

01 화재조사 현장의 특징으로 옳지 않은 것은?
① 보존성
② 신속성
③ 현장성
④ 일체성

해설
화재조사 현장의 특징은 현장성, 신속성, 과학성, 보존성, 안전성, 강제성, 프리즘식이다.

02 화재조사 시 일반적인 유의사항으로 옳지 않은 것은?
① 선입견을 버리고 사실 확인에 주안점을 두고 실시한다.
② 관계자에게 질문을 통해서 화재상황을 파악하고 상황에 따라 필요한 사실에 대해 임의진술을 얻도록 노력한다.
③ 개인의 권리를 침해하지 않는 범위에서 업무는 조사 목적을 위해 일부 방해가 허용된다.
④ 취득한 비밀을 누설하거나 명예 훼손에 유의하고 보도기관 등에의 발표는 신중하게 판단하여 행한다.

해설
개인의 권리를 침해하거나 업무를 방해하지 않도록 한다.

03 인화점이 가장 낮은 액체 가연물질은?
① 아세톤
② 휘발유
③ 디에틸에테르
④ 이황화탄소

해설
① 아세톤 : −18℃
② 휘발유 : −43~−20℃
③ 디에틸에테르 : −45℃
④ 이황화탄소 : −30℃

04 산화와 환원에 대한 설명으로 옳은 것은?
① 산화는 원자나 화합물이 수소를 얻는 과정을 의미한다.
② 산화제는 자신은 쉽게 산화되면서 다른 물질을 산화시키는 물질이다.
③ 환원제는 자신은 쉽게 환원되면서 다른 물질을 산화시키는 성질을 가진 물질이다.
④ 산화는 산소를 얻거나 수소를 잃는 과정이며, 산화수가 증가한다.

해설
산화는 산소를 얻거나 수소를 잃는 과정이며, 그 결과 산화수가 증가하는 화학반응이다.

05 가연물의 최소착화에너지에 영향을 미치는 요인에 대한 설명으로 옳은 것은?
① 압력이 높을수록 최소착화에너지는 낮아진다.
② 혼합된 공기의 산소농도와 관계없이 최소착화에너지는 일정하다.
③ 가연물의 종류와 관계없이 최소착화에너지는 일정하다.
④ 온도가 높을수록 최소착화에너지는 높아진다.

해설
압력, 온도, 산소의 농도가 높을수록 연소반응이 쉽게 일어나므로 최소착화에너지는 낮아진다. 또한 가연물의 종류, 농도에 따라 최소착화에너지는 다르다.

정답 | 01 ④ 02 ③ 03 ③ 04 ④ 05 ①

06 프로판 40vol%, 메탄 40vol%, 수소 20vol%의 조성으로 혼합된 가연성연료가 공기 중에 존재한다고 할 때 이 연료가스의 연소하한계(LFL)는? (단, 프로판의 LFL은 2.1vol%, 메탄의 LFL은 5vol%, 수소의 LFL은 4vol%이다.)

① 약 2.87vol% ② 약 3.12vol%
③ 약 3.97vol% ④ 약 5.07vol%

해설
혼합가스의 폭발범위 계산 "르샤틀리에 법칙(Le Chatelier's Low)"

$$L = \frac{100}{\frac{V_1}{L_1} + \frac{V_2}{L_2} + \frac{V_3}{L_3} + \cdots}$$

L : 혼합가스 폭발한계(%)
L_1, L_2, L_3 : 각 가연성 가스 폭발한계(%)
V_1, V_2, V_3 : 각 가연성 가스의 공기 중 부피(vol%)

$$\therefore L = \frac{100}{\left(\frac{40}{2.1} + \frac{40}{5} + \frac{20}{4}\right)} = 3.12(vol\%)$$

07 공기의 비중을 1이라 했을 때 다음 중 비중이 가장 큰 가스는?

① 메탄 ② 에탄
③ 프로판 ④ 부탄

해설
증기분자량이 크면 증기비중도 크다. 따라서 증기분자량이 가장 큰 부탄이 증기비중도 크다.

$$증기비중 = \frac{증기분자량}{공기평균분자량(29)}$$

① 메탄(CH_4) : $\frac{16}{29} = 0.55$

② 에탄(C_2H_6) : $\frac{30}{29} = 1.03$

③ 프로판(C_3H_8) : $\frac{44}{29} = 1.52$

④ 부탄(C_4H_{10}) : $\frac{58}{29} = 2$

08 화학적 작용에 의한 소화 방법으로 옳은 것은?

① 분무주수를 사용해 열에너지를 흡수하여 냉각소화를 하는 방법
② 가연성혼합기에 불활성물질을 첨가해 연소범위를 축소시키는 방법
③ 연소반응에서 활성화 라디칼의 생성을 억제하는 방법
④ 작은 화염에 강한 기류를 보내어 화염을 불안정하게 만드는 방법

해설
화학적 작용에 의한 소화는 연소반응에서 활성화 라디칼의 생성을 억제하거나, 라디칼을 흡수하여 연소반응을 중단시키는 방법이다.

09 다음 중 화재의 정의에 해당하지 않는 것은?

① 방치된 전기 히터에서 발생한 화재
② 고의로 발생시킨 방화
③ 가정에서 발생한 요리 화재
④ 난방을 위해 의도적으로 발생시킨 벽난로의 불

해설
화재는 사람의 의도에 반하는 연소 현상이어야 하며, 벽난로의 불과 같이 의도적으로 발생한 것은 화재로 정의되지 않는다.

10 전도 열전달 형태와 관계되는 법칙으로 옳은 것은?

① 뉴튼(Newton)의 법칙
② 플랭크(Planck)의 법칙
③ 피크(Fick)의 법칙
④ 푸리에(Fourier)의 법직

해설
푸리에(Fourier)의 법칙
- 전도에 의한 열전달량은 온도차와 면적에 비례하고 두께, 거리에 반비례한다.
- $\dot{q} = kA\dfrac{T_2 - T_1}{L}$

정답 | 06 ② 07 ④ 08 ③ 09 ④ 10 ④

11 화재구획 내에서 가연물의 총 발열량이 540,000 kcal이고, 해당 구획의 바닥면적은 100m²이다. 이 구획 내 가연물의 화재하중은 몇 kg/m²인가? (단, 목재의 단위중량당 발열량은 4,500kcal/kg이다.)

① 1.2kg/m² ② 10kg/m²
③ 12kg/m² ④ 15kg/m²

해설
화재하중

$$Q = \frac{\sum GH_1}{HA} = \frac{\sum Q_1}{4,500A}$$
$$= \frac{540,000}{4,500 \times 100}$$
$$= 1.2 \text{kg/m}^2$$

12 연기의 정의에 대한 설명으로 옳은 것은?

① 연기는 가연물이 연소할 때 생성된 고상 입자와 기상 입자가 따로 분리되어 있다.
② 연기는 연소할 때 생성되는 다양한 입자와 분자가 공기 중에서 부유, 확산하는 복합 혼합물이다.
③ 연소 중에 발생하는 그을음 입자는 대부분 수소로 이루어져 있다.
④ 연기는 항상 무해하며, 주변에 아무런 영향을 미치지 않는다.

해설
연기는 가연물이 연소할 때 생성되는 고상, 액상, 기상의 다양한 입자가 공기 중에서 부유하며 확산하는 복합 혼합물이다.

13 화재 시 연기가 상층으로 이동하는 주요 원인 중 하나는 무엇인가?

① 팽창
② 부력
③ 바람의 영향
④ 공기조화시스템(HVAC)

해설
화재로 인해 발생한 고온의 연기는 밀도가 낮아져 부력을 얻게 되며, 이로 인해 연기가 상층으로 이동하게 된다.

14 천장제트(Ceiling Jet)에 대한 설명으로 옳은 것은?

① 천장제트는 화재기둥이 천장에 도달하지 못할 때 발생한다.
② 천장제트는 뜨거운 가스가 천장에 부딪힌 후 수평으로 퍼지는 현상이다.
③ 천장제트는 화재 발생 직후 바닥에서 발생하는 현상이다.
④ 천장이 낮을수록 천장분출의 범위는 좁아진다.

해설
천장분출(Ceiling Jet)은 화재기둥이 천장에 도달한 후, 뜨거운 가스가 천장을 따라 수평으로 퍼지면서 발생하는 현상이다.

15 환기유동에 영향을 미치는 요소로 옳지 않은 것은?

① 환기구의 크기
② 공기 유입구의 위치
③ 화재기둥의 크기
④ 환기구의 배치

해설
환기유동은 환기구의 크기, 배치, 공기 유입구와 배출구의 위치에 의해 결정되며, 화재기둥의 크기는 직접적인 영향을 미치지 않는다.

16 폭발에 영향을 미치는 요인으로 옳은 것은?

① 고압일수록 폭발범위는 좁아진다.
② 압력이 높아지면 발화온도는 높아진다.
③ 용기의 크기가 작으면 발화는 가능하나 폭발로 진행되지 못할 수 있다.
④ 일산화탄소는 고압에서 폭발범위가 넓어진다.

해설
작은 용기에서 발화가 가능하더라도 폭발로 이어지지 않을 수 있다. 폭발은 특정한 조건에서만 발생한다.

17 다음 중 물리적 폭발에 해당하는 것은?

① 산화폭발　　② 중합폭발
③ BLEVE　　　④ 분해폭발

📖 해설
물리적 폭발은 BLEVE(Boiling Liquid Expanding Vapor Explosion)나 보일러 폭발처럼 물리적 상태변화에 의해 발생하는 폭발이다. 나머지 산화폭발, 분해폭발, 중합폭발은 화학적 폭발에 해당한다.

18 다음 중 임무 분담에 대한 설명으로 옳은 것은?

① 발화점 조사팀은 화재현장의 전반적인 관리와 조사 인원 배치 등을 책임진다.
② 현장 기록팀은 주로 증거물의 분석과 실험실로 이송할 잔해를 관리한다.
③ 현장 관리 책임자는 화재현장의 출입 통제 및 보존 상태 유지 등을 감독한다.
④ 증거물 분석팀은 화재의 확산 경로와 피해 규모를 시각적으로 기록한다.

📖 해설
현장 관리 책임자는 화재현장의 관리와 출입 통제, 보존 상태 유지 등을 감독한다.

19 화재조사 전담부서에서 갖추어야 할 장비의 구분과 기자재명의 연결로 옳지 않은 것은?

① 발굴용구 - 공구세트, 이동용 진공청소기
② 조명기기 - 휴대용 랜턴, 전원공급장치
③ 안전장비 - 보호용 작업복, 보안경
④ 감정용 기기 - 슈미트해머, 적외선 분광광도계

📖 해설
슈미트해머는 감식기기, 적외선 분광광도계는 감정용 기기이다.

20 다음 중 화재조사 업무 구성에 포함되지 않는 것은?

① 민원서류 발급　　② 조사서류 작성
③ 화재현장 감식　　④ 소방차 배치

📖 해설
소방차 배치는 화재조사 업무에 포함되지 않는다.

21 다음 중 화재 초기 조사활동의 순서로 옳은 것은?

① 화재상황 관찰 → 현장 도착 → 관계인 탐문 → 현장보존 → 정보의 정리
② 화재상황 관찰 → 현장 도착 → 관계인 탐문 → 정보의 정리 → 현장보존
③ 정보의 정리 → 화재상황 관찰 → 관계인 탐문 → 현장보존 → 현장 도착
④ 현장 도착 → 관계인 탐문 → 정보의 정리 → 화재상황 관찰 → 현장보존

📖 해설
화재 초기 조사활동은 화재상황 관찰 후 현장 도착, 관계인 탐문, 정보 정리, 현장보존의 순서로 이루어진다.

22 화재패턴 분석의 목적에 해당하지 않는 것은?

① 화재가 시작된 지점을 파악한다.
② 화재가 확산된 경로와 방향을 추정한다.
③ 화재 진압에 사용된 소화기의 종류를 파악한다.
④ 특정 패턴을 통해 전기적 원인이나 인화성 물질의 사용 여부를 추정한다.

📖 해설
화재패턴 분석의 목적은 발화 위치 결정, 화재 진행 방향 이해, 발화 원인 파악에 있으며, 소화기의 종류 파악은 해당되지 않는다.

23 발화부 주변의 일반적인 연소현상에 대한 설명 중 틀린 것은?

① 발화부를 향해 소락(燒落)되거나 도괴된다.
② 발화부와 가까울수록 탄화심도가 깊다.
③ 목재표면에 발생하는 균열은 발화부와 가까울수록 골이 넓고 굵어진다.
④ 발화부는 비교적 밝은색을 띠며 발화부와 멀어질수록 어두운 빛을 나타낸다.

📖 해설
목재표면 균열은 발화부와 가까울수록 골이 넓고 깊어진다. 또한 발화부와 가까울수록 박리와 소실 부분이 많아진다.

정답 | 17 ③　18 ③　19 ④　20 ④　21 ②　22 ③　23 ③

24 다음 중 화재 열기로 인하여 탄화균열이 발생하는 물질은?

① 금속재　　② 콘크리트
③ 석재　　　④ 목재

🏺 **해설**
탄화균열이 발생하는 것은 목재다. 목재 탄화, 균열, 박리, 소실 상태를 관찰하면 연소방향성을 확인할 수 있다.

25 금속의 용융점으로 옳지 않은 것은?

① 알루미늄 : 660℃　　② 마그네슘 : 520℃
③ 은 : 960℃　　　　　④ 니켈 : 1,455℃

🏺 **해설**
마그네슘의 용융점은 650℃이다.

26 출화개소를 판단할 때 유의해야 할 사항으로 옳지 않은 것은?

① 출입구와 창문, 환기구 등 개구부를 통해 환기에 의한 패턴을 파악한다.
② 발화지점과 연소 확산된 경계구역을 구분한다.
③ 소손정도가 강한 부분에서 약한 부분으로 순차적으로 찾아가 출화개소를 판정한다.
④ 건물 내부와 외부의 연소상태를 비교하여 화염의 이동경로를 파악한다.

🏺 **해설**
출화개소는 소손 정도가 약한 부분에서 강한 부분으로 순차적으로 찾아가 판정해야 한다. 연소가 진행된 방향을 역추적하는 방식으로 출화개소를 확인하는 것이 일반적이다.

27 화재패턴이 형성되는 원인으로 옳지 않은 것은?

① 열에 의한 변형, 소실, 연소생성물의 퇴적 등에 의해 화재패턴이 만들어진다.
② 물질의 성질에 따라 탄화, 용융, 변색 또는 부식 정도에 차이가 나며 손상 경계가 나타난다.
③ 화재패턴은 열원으로부터의 거리나 상하 위치에 따라 손상 정도의 차이를 보이며 생성된다.
④ 화재패턴은 주로 바람의 방향에 의해 형성되며, 열원과 무관하게 나타난다.

🏺 **해설**
화재패턴은 주로 열에 의한 변형, 소실, 연소생성물의 퇴적 등으로 형성되며, 바람의 방향보다는 열원과의 거리나 상하 위치에 따라 손상 정도의 차이가 발생해 패턴이 나타난다.

28 V패턴의 각도에 영향을 미치는 요소로 옳지 않은 것은?

① 열방출률
② 가연물의 형태
③ 환기 효과
④ 연소가 진행되는 수평 표면의 발화성

🏺 **해설**
V패턴의 각도는 열방출률, 가연물의 형태, 환기효과, 그리고 천장, 선반, 테이블 상판 등 장애물의 존재에 영향을 받는다. 수평 표면보다는 수직 표면에서 발화성과 연소성이 V패턴의 형성에 더 큰 영향을 미친다.

29 포어 패턴(Pour Pattern)에 대한 설명으로 옳은 것은?

① 인화성 액체가연물이 벽면에 튀었을 때 나타나는 탄화 경계 흔적을 말한다.
② 인화성 액체가 바닥에 쏟아졌을 때 쏟아진 부분과 쏟아지지 않은 부분의 탄화 경계 흔적을 의미한다.
③ 액체 가연물이 바닥에서 증발할 때 나타나는 흔적이다.
④ 자연 발생한 화재에서만 나타나는 패턴이다.

🏺 **해설**
포어 패턴은 인화성 액체가 바닥에 쏟아졌을 때 쏟아진 부분과 그렇지 않은 부분 사이에 탄화경계가 생기는 패턴으로, 방화 현장에서도 자주 나타난다.

정답 | 24 ④　25 ②　26 ③　27 ④　28 ④　29 ②

30 t^2 화재성장 모드에 대한 설명으로 옳은 것은?

① t^2 화재성장 모드는 100KW에 도달하는 시간으로 분류된다.
② t^2 화재성장 곡선은 화재 발생 후 시간이 지날수록 일정하게 감소하는 형태를 보인다.
③ t^2 화재성장 모드에서 Slow 모드는 가장 빠르게 1MW에 도달하는 화재 성장 모드이다.
④ t^2 화재성장 모드는 Slow, Medium, Fast, Ultrafast 의 4가지 모드로 나뉜다.

해설
t^2 화재성장 모드는 NFPA에 의해 1MW에 도달하는 시간에 따라 Slow, Medium, Fast, Ultrafast로 분류되며, t^2 화재성장 곡선은 시간이 지남에 따라 화재의 성장이 점차 빨라지는 형태를 보인다.

정답 | 30 ④

출제예상문제 4회

01 화재조사 기본 절차에서 현장출동 중 조사 내용으로 옳지 않은 것은?

① 화재발생 접수
② 출동 중 화재상황 파악
③ 화재진압 시 상황파악
④ 증거물 수집

해설
현장출동 중 조사 내용
- 화재발생 접수
- 출동 중 화재상황 파악
- 현장도착 시 연소상황 파악
- 화재진압 시 상황파악

02 「소방의 화재조사에 관한 법령」상 화재조사의 실시 사항으로 옳지 않은 것은?

① 증거물 보존 및 기록에 관한 사항
② 화재안전조사의 실시 결과에 관한 사항
③ 화재발생건축물과 구조물, 화재유형별 화재위험성 등에 관한 사항
④ 소방시설 등의 설치·관리 및 작동 여부에 관한 사항

해설
제5조 화재조사의 실시 「소방의 화재조사에 관한 법률」
1. 화재원인에 관한 사항
2. 화재로 인한 인명·재산피해 상황
3. 대응활동에 관한 사항
4. 소방시설 등의 설치·관리 및 작동 여부에 관한 사항
5. 화재발생건축물과 구조물, 화재유형별 화재위험성 등에 관한 사항
6. 화재안전조사의 실시 결과에 관한 사항

암기법 원시 대피건
- (화재)원인
- (소방)시설
- 대응
- (인명·재산)피해
- (화재발생)건축물

03 화재현장 복원 시 유의사항으로 옳지 않은 것은?

① 대용재료를 사용할 경우에는 타고남은 잔존물과 유사한 것을 사용한다.
② 타고 남은 잔존물은 파손되지 않도록 조심스럽게 다룬다.
③ 불명확한 것도 복원하도록 노력한다.
④ 복원상황을 관계자에게 확인시킨다.

해설
불명확한 것은 복원하지 않는다.

04 화재관계자에게 질문 시 유의할 사항이 아닌 것은?

① 상대방에게 암시하는 등의 방법으로 유도하지 않고 임의성을 확보하여야 한다.
② 관계자에 대한 질문은 발화건물 및 화재 발생의 원인 등을 추정하는 데 필요한 정보로 활용한다.
③ 관계자로부터 임의의 진술을 받아내기 위해서는 가능하면 제3자를 의식하지 않는 장소에서 질문을 청취한다.
④ 현장의 연소상황과 일치되지 않는 목격자 진술은 배제한다.

해설
현장의 연소상황과 일치되지 않는 목격자 진술도 기록유지하고, 왜 일치하지 않는지를 확인해야 한다.

정답 | 01 ④ 02 ① 03 ③ 04 ④

05 연소가 용이한 가연물의 조건으로 적합하지 않은 것은?

① 산소와의 접촉 가능한 면적이 클 것
② 발열량이 클 것
③ 지연(조연)성 가스와 친화력이 낮을 것
④ 열전도율이 작을 것

해설
산소·염소와 같이 조연성 가스와 친화력이 클수록 연소가 쉽다.

06 자연발화 방지대책으로 옳지 않은 것은?

① 저장실 주위의 온도를 높인다.
② 습도 상승을 피한다.
③ 열이 축적되지 않도록 구조를 설계하여 적재한다.
④ 공기유통이 잘 되도록 통풍 구조를 개선한다.

해설
자연발화 방지대책으로 저장실 주위의 온도를 낮춘다.

07 연소범위에 영향을 미치는 인자로 옳은 것은?

① 산소 농도가 낮아질수록 연소범위는 넓어진다.
② 불활성 기체가 존재하면 연소범위는 넓어진다.
③ 온도가 높아질수록 폭발범위는 넓어진다.
④ 압력이 높아지면 하한값이 크게 변하지만, 상한값은 변화하지 않는다.

해설
온도가 높아지면 연소범위가 넓어지는 것은 연소반응이 더 쉽게 일어나기 때문이다.

08 다음 중 연소범위가 가장 넓은 기체는?

① 에틸렌 ② 아세틸렌
③ 일산화탄소 ④ 메탄

해설
아세틸렌의 연소범위는 2.5~82vol%로 가장 넓다.
① 에틸렌 : 3.0~33.5vol%
③ 일산화탄소 : 12.5~75vol%
④ 메탄 : 5.0~15vol%

09 수소의 연소범위는 4~75%이다. 수소의 위험도로 옳은 것은?

① 16.25 ② 17.75
③ 25.67 ④ 29.75

해설
위험도

$$H(위험도) = \frac{U(연소상한계) - L(연소하한계)}{L(연소하한계)}$$

수소 : $\frac{75-4}{4} = 17.75$

10 0℃의 물 1g을 100℃의 수증기로 만들기 위해 필요한 총 열량으로 옳은 것은? (단, 물의 비열 1cal/g·℃, 융해잠열 80cal/g, 기화잠열 539cal/g이다.)

① 100cal ② 539cal
③ 639cal ④ 719cal

해설
0℃의 물 1g을 100℃의 수증기로 만들기 위해서는 100cal(0℃에서 100℃까지 가열)+539cal(기화잠열)가 필요하므로 총 639cal가 필요하다.

11 「화재조사 및 보고규정」상 발화열원에 의하여 발화로 이어진 연소현상에 영향을 준 인적·물적·자연적인 요인을 무엇이라 하는가?

① 발화지점 ② 최초착화물
③ 연소확대물 ④ 발화요인

해설
「화재조사 및 보고규정」제2조 정의에 따르면 발화요인이란 발화열원에 의하여 발화로 이어진 연소현상에 영향을 준 인적·물적·자연적인 요인을 말한다.
① 발화지점 : 열원과 가연물이 상호작용하여 화재가 시작된 지점
② 최초착화물 : 발화열원에 의해 불이 붙은 최초의 가연물
③ 연소확대물 : 연소가 확대되는 데 있어 결정적 영향을 미친 가연물

정답 | 05 ③ 06 ① 07 ③ 08 ② 09 ② 10 ③ 11 ④

12 「소방의 화재조사에 관한 법령」상 화재의 개념으로 옳지 않은 것은?

① 사람의 의도에 반하거나 고의 또는 과실로 발생하는 연소 현상
② 소화의 필요성이 있는 연소 현상 또는 화학적인 폭발
③ 사람의 의도에 상관없이 발생하는 모든 연소 현상
④ 소화할 필요성이 없는 경우라도 화학적 폭발을 포함한다.

🔍 **해설**
화재는 사람의 의도에 반하거나 고의 또는 과실로 발생하는 연소 현상이어야 하며, 사람의 의도와 무관하게 발생하는 모든 연소는 화재로 정의되지 않는다.

13 난류화염으로부터 30℃의 벽으로 전달되는 대류 열유속(kW/m²)은?

> 대류열전달계수(h)는 10W/m²·℃이고, 시간 평균 최대 화염온도는 900℃이다.

① 0.87
② 8.7
③ 87
④ 8,700

🔍 **해설**
대류열유속은 고체 표면의 온도와 유체 온도 사이의 온도차에 비례한다.

대류열유속($\dot{q}_w''$) = $h \times \Delta T$
h : 대류열전달계수(10W/m²·℃)
ΔT : 화염 온도와 벽 온도 간의 차이
$\dot{q}_w''$ = 10W/m²·℃ × (900℃ - 30℃)
    = 8,700W/m²
    = 8.7kW/m²

14 구획화재 중 환기지배형 화재의 화재특성을 결정하는 인자로 옳은 것은?

① 화재실의 크기
② 화재실 내의 가연물의 양
③ 화원의 크기
④ 개구부의 크기와 형상

🔍 **해설**
환기지배형 화재는 환기(산소)량이 적어 산소 유입이 화재 진행을 결정한다. 따라서 산소가 유입되는 개구부의 크기·형상·위치 등이 화재를 지배한다.

15 개구부를 통해 화재가 확산되는 요소로 틀린 것은?

① 수증기 발생
② 복사열
③ 불티
④ 불꽃 접촉

🔍 **해설**
수증기 발생은 물의 증발에 의해 일어나는 현상으로, 화재 확산과는 직접적인 관련이 없다. 화재 확산은 주로 복사열, 불티, 불꽃 접촉에 의해 발생한다.

16 다음 중 정방향 화염확산의 예로 적절한 것은?

① 화염이 수평면 위로 확산되는 경우
② 화염이 커튼이나 종이 위로 빠르게 퍼지는 경우
③ 화염이 벽에서 아래로 향하는 경우
④ 화염이 벽에 닿지 않고 진행되는 경우

🔍 **해설**
정방향 화염확산은 화염이 가연물에 직접 면하며, 커튼 위나 종이 위로 빠르게 퍼지는 예가 대표적이다.

17 경사면 화염확산에 대한 설명으로 옳지 않은 것은?

① 경사진 벽이나 계단에서 정방향 화염확산 효과가 나타난다.
② 경사면 아래쪽으로 공기가 유입되며 위쪽으로는 복사열이 증대된다.
③ 경사트렌치 내의 경사면 화염은 급속히 확산되며 이를 트렌치 효과라고 한다.
④ 경사면에서는 화염이 느리게 확산된다.

🔍 **해설**
경사면에서는 화염이 빠르게 확산되며, 이를 트렌치 효과라고 부른다.

정답 | 12 ③ 13 ② 14 ④ 15 ① 16 ② 17 ④

18 분진의 발화폭발 조건으로 옳지 않은 것은?

① 가연성 물질로 금속, 밀가루, 설탕 등이 포함된다.
② 미분상태로 200mesh(76μm) 이하이어야 한다.
③ 물속에서의 교반과 운동이 필요하다.
④ 발화를 일으킬 수 있는 점화원이 존재해야 한다.

📖 해설
분진의 발화폭발 조건은 지연성 가스(공기) 중에서 교반과 운동이 있어야 하며, 물속에서는 폭발이 일어나지 않는다.

19 다음 중 기상폭발에 해당하지 않는 것은?

① 분해폭발   ② 증기폭발
③ 분진폭발   ④ 가스폭발

📖 해설
증기폭발은 응상폭발에 해당하며, 분해폭발, 분진폭발, 가스폭발은 기상폭발에 해당한다.

20 화재조사 전담부서에서 갖추어야 할 안전장비로 옳지 않은 것은?

① 안전모
② 마스크(방진마스크, 방독마스크)
③ 정전기측정장치
④ 안전화

📖 해설
정전기측정장치는 감식기기이다.

21 다음 중 조사 전 팀 회의의 목적에 대한 설명으로 옳지 않은 것은?

① 조사팀 전체의 이해도를 높이고, 역할 분담을 명확히 하기 위해 회의를 진행한다.
② 조사 현장에서 예상되는 문제와 그 해결 방안을 논의한다.
③ 조사팀 개별 구성원의 계획만 공유하며, 팀 전체의 정보는 회의에서 다루지 않는다.
④ 조사 과정에서의 안전 준수 사항을 명확히 하고, 모든 팀원이 이를 숙지하도록 한다.

📖 해설
팀 전체의 계획을 공유하고, 조사팀 구성원들의 역할 분담을 명확히 하는 것이 목적이다.

22 현장 도착 후 조사활동에 포함되지 않는 것은?

① 현장 둘러보며 화재현장 파악
② 관계인 동향파악
③ 건물 외관 화세의 강약, 연소방향 파악
④ 신고 내용 확인

📖 해설
신고 내용 확인은 출동 도중에 이루어지는 활동이다.

23 화재현장에서 관계인 탐문 시 사용하는 적절한 방법은?

① 일문일답식 질의   ② 자유 토론식 대화
③ 단답형 질문   ④ 발화 원인 설명 요청

📖 해설
일문일답식 질의는 구체적이고 명확한 정보를 얻기 위한 방법이다.

24 다음 중 열 및 화염 벡터 분석의 개념에 대한 설명으로 옳지 않은 것은?

① 화재현장에서 열, 연기 또는 화염 흐름의 방향을 표시하는 것을 열 및 화염 벡터라고 한다.
② 벡터는 연소 강도가 약한 곳에서 강한 곳으로 표시된다.
③ 벡터 분석은 화재현장도에 사용되어 화재 확산 경로를 추적하는 데 유용하다.
④ 벡터는 화재패턴 분석과 연계되어 발화지점을 파악하는 데 도움을 준다.

📖 해설
벡터는 연소 강도가 강한 곳에서 약한 곳으로 표시된다.

정답 | 18 ③ 19 ② 20 ③ 21 ③ 22 ④ 23 ① 24 ②

25 다음 중 목재의 탄화와 관련된 설명으로 옳지 않은 것은?

① 불에 오래도록 강하게 탈수록 탄화의 깊이는 깊다.
② 탄화모양을 형성하고 있는 패인 골이 깊을수록 소손이 강하다.
③ 탄화모양을 형성하고 있는 패인 골의 폭이 넓을수록 소손이 강하다.
④ 탄화면이 거친 상태일수록 연소가 강하다.

🗒 **해설**
탄화면이 거친 상태는 연소가 강하다는 것을 의미하지 않는다. 연소가 강할수록 탄화면은 오히려 매끄러워질 수 있다.

26 다음 중 용융점이 가장 높은 금속은?

① 철　　　　　② 몰리브덴
③ 티탄　　　　④ 텅스텐

🗒 **해설**
텅스텐의 용융점은 3,400℃로, 제시된 금속 중 가장 높다.

27 화재 시 발생하는 박리 현상(spalling)의 원인에 대한 설명으로 옳은 것은?

① 콘크리트에 포함된 수분의 증발 및 팽창
② 철근 또는 철망 및 주변 콘크리트 간의 불균일한 수축
③ 콘크리트 혼합물과 골재 간의 균일한 팽창
④ 화재에 노출된 표면과 슬래브 내장재 간의 균일한 팽창

🗒 **해설**
박리 현상은 콘크리트가 고온에 노출될 때 표면이 벗겨지거나 부서지는 현상으로 수분 증발 및 팽창하여 발생한다.

28 무지개 효과(Rainbow Effect Pattern)에 대한 설명으로 옳지 않은 것은?

① 무지개 효과는 인화성 액체나 유성 물질이 물 위에 떠서 형성되는 다양한 색상의 패턴을 의미한다.
② 무지개 효과는 반드시 인화성 액체의 존재를 의미하므로, 이를 통해 인화성 물질이 사용되었음을 확신할 수 있다.
③ 아스팔트, 목재, 플라스틱 등의 유기물질이 열에 의해 분해되면서 유성 물질을 형성해 무지개 패턴을 일으킬 수 있다.
④ 다양한 물질이 열에 의해 색상 패턴을 생성할 수 있으므로, 무지개 효과를 인화성 액체의 단독 판단 기준으로 사용해서는 안 된다.

🗒 **해설**
무지개 효과가 있다고 해서 반드시 인화성 액체가 존재한다고 단정할 수 없다. 다양한 물질이 열에 의해 무지개 패턴을 생성할 수 있으므로 신중한 판단이 필요하다.

29 화재현장에서 연소의 강약을 분석하여 발화지점을 추정하는 방법으로 옳지 않은 것은?

① 발화개소에 가까울수록 화염의 영향을 오래 받아 열의 흔적이 깊게 남는다.
② 연소방향은 각 지점에서 나타나는 연소강약을 통해 화재가 번져 나간 방향을 추정할 수 있다.
③ 열과 화염의 벡터 분석을 통해 화재의 시작 지점과 확산 경로를 파악할 수 있다.
④ 연소의 강약만 비교해도 발화지점을 정확하게 판정할 수 있다.

🗒 **해설**
건축물의 연소특성과 각 물질별 연소강약을 함께 분석해야 발화지점을 더욱 정확하게 판정할 수 있다.

30 화재성장률이 가장 빠른 건축공간은?

① 주택　　　　② 사무실
③ 상점　　　　④ 호텔 객실

🗒 **해설**
상점은 Fast 화재성장률을 보이며, 창고는 Ultrafast 화재성장률로 가장 빠르게 화재가 성장하는 공간이다.

정답 | 25 ④　26 ④　27 ①　28 ②　29 ④　30 ③

출제예상문제 5회

01 다음 중 화재조사자가 유의해야 할 사항으로 옳지 않은 것은?
① 관계자 또는 목격자의 진술에 근거하여 객관적 방법으로 접근한다.
② 화재조사자는 개인의 권리를 침해하면 안 된다.
③ 조사결과에 대한 보안 유지와 국민의 알 권리를 위해 신속히 언론보도 해야 한다.
④ 타 조사기관 상호 간에는 비밀을 유지하여야 한다.

해설
취득한 비밀을 누설하거나 명예 훼손에 유의하고 보도기관 등에 발표하는 것은 신중하게 판단하여 행한다.

02 화재현장 발굴 시 유의사항으로 옳지 않은 것은?
① 연소가 다른 곳보다 심하면 발화부라고 확정해도 무방하다.
② 바닥에 고정시켜 놓거나 정착시켜 놓았던 물건과 가구 등은 가급적 이동과 조작을 금한다.
③ 불에 타지 않는 불연재의 물건 등은 열을 받아서 수연 변색된 상태로 살핀다.
④ 원인규명을 위해 현장에 임장한 화재조사관이 조사 도중에 원인을 훼손하거나 제거시킬 수 있다.

해설
연소가 다른 곳보다 심하다고 해서 발화부라고 확정해서는 안 된다.

03 화재조사 부서 및 화재조사관의 전문·전담의 보장 사항으로 옳지 않은 것은?
① 소방관서장은 화재조사전담부서에 화재조사관을 2명 이상 배치한다.
② 전담부서에는 화재조사를 위한 감식·감정 장비 등 장비와 시설을 갖춰야 한다.
③ 전담부서에 배치된 화재조사관은 보수교육을 매년 1회 이상 실시한다.
④ 소방관서장은 화재조사 관련 기술개발과 화재조사관의 역량증진을 위해 노력한다.

해설
전담부서에 배치된 화재조사관은 보수교육 등 전문교육을 실시한다. 보수교육은 2년에 1회 실시한다.

04 환원제에 대한 설명으로 옳은 것은?
① 환원제는 다른 물질을 산화시키는 성질을 가진다.
② 환원제는 자신이 환원되면서 다른 물질을 산화시킨다.
③ 환원제는 자신이 산화되면서 다른 물질을 환원시킨다.
④ 환원제는 산화제보다 산소를 더 많이 공급하는 물질이다.

해설
환원제는 자신이 산화되면서 다른 물질을 환원시킨다.

정답 | 01 ③ 02 ① 03 ③ 04 ③

05 다음 중 전기적 점화원에 해당하지 않는 것은?

① 전기불꽃 ② 저항열
③ 마찰열   ④ 아크열

해설
마찰열은 기계적 요인에 해당한다. 전기적 요인의 점화원은 전기불꽃, 저항열, 유도열, 유전열, 아크열, 정전기에 해당한다.

06 발화점이 낮아지는 조건으로 옳지 않은 것은?

① 산소와 친화력이 클수록
② 분자의 구조가 복잡할수록
③ 금속의 열전도율이 낮을수록
④ 발열량이 높을수록

해설
분자의 구조가 복잡할수록 발화점이 오히려 높아질 수 있다. 산소와의 친화력, 금속의 열전도율, 발열량이 높을수록 발화점이 낮아진다.

07 연소속도에 영향을 미치는 요인으로 옳은 것은?

① 연료의 색상   ② 가연물의 온도
③ 연료의 밀도   ④ 화염의 길이

해설
연소속도에 영향을 미치는 요인으로는 가연물의 온도, 산소의 농도, 산화반응의 속도, 촉매, 압력 등이 있다.

08 열전달에 대한 설명 중 틀린 것은?

① 열전달 방식 중 가장 빠른 것은 복사이다.
② 유체의 가장 높은 곳에 열원이 있다면 대류는 발생하지 않는다.
③ 유체인 원유를 보관하는 탱크에서 보일오버(Boil over)현상의 주요 열전달 메커니즘은 대류에 의한 것이다.
④ 천장부 열기층을 살펴보면 구획실 화재에서 고온부와 저온부의 순환이 일어나지 않는다는 것을 알 수 있다.

해설
보일오버는 원유 저장 탱크 표면에 화재가 발생하여 전도열로 원유와 물이 저장탱크 밖으로 흘러넘치는 현상이다.

09 연기로 인해 발생할 수 있는 영향으로 옳지 않은 것은?

① 연기는 광선을 흡수하여 감광성을 갖는다.
② 연기에는 유독가스가 다량 포함되어 있다.
③ 연기는 산소농도를 높여 화재의 확산을 돕는다.
④ 연기는 고열을 동반하며 복사열이나 대류로 가연물에 열을 전달한다.

해설
연기는 산소농도를 낮추어 산소결핍을 발생시키며, 화재의 확산을 방해하는 요인이 될 수 있다.

10 다음 중 폭연과 폭굉의 차이에 대한 설명으로 옳은 것은?

① 폭연은 음속보다 빠르게 전파되며, 폭굉은 음속보다 느리게 전파된다.
② 폭연은 연소반응이 천천히 일어나고, 폭굉은 순간적으로 반응이 완료된다.
③ 폭연은 고압에서 발생하고, 폭굉은 저압에서 발생한다.
④ 폭연은 충격파를 발생시키며, 폭굉은 충격파 없이 전파된다.

해설
폭연은 연소반응이 천천히 일어나며, 폭굉은 매우 급격하게 반응이 완료되어 폭발이 일어난다. 또한, 폭연은 음속보다 느리게 전파되며, 폭굉은 음속보다 빠르게 전파된다.

정답 | 05 ③ 06 ② 07 ② 08 ③ 09 ③ 10 ②

11 조사인원 중 전문 인력에 관한 설명으로 틀린 것은?

① 기계공학자는 전문 인력으로 부적합하다.
② 특이화재의 경우 전문 인력의 도움을 받을 수 있다.
③ 전문 인력을 데려오면 이해관계의 출동을 피해야 한다.
④ 어떤 부분에 대한 훈련을 받았거나 받지 않았다는 사실이 특정 전문가의 자격에 영향을 끼친다는 뜻은 아니다.

📖 해설
기계공학자, 전기공학자, 자동차공학자, 화학공학자 등은 전문 인력으로 적합하다.

12 화재조사 전담부서에서 갖추어야 할 조명기기에 해당하지 않는 것은?

① 이동용 발전기　② 드론
③ 휴대용 랜턴　　④ 전원공급장치

📖 해설
드론은 기록용 기기다.

13 화재 진화 후 현장발굴 및 복원에 대한 설명으로 옳지 않은 것은?

① 관계자 입회하에 현장발굴과 복원을 실시한다.
② 발굴 작업 시 증거물 훼손을 방지하기 위해 수작업으로 발굴한다.
③ 발굴 전 상부 낙하물을 제거하고 안전하게 복원작업을 한다.
④ 발굴 작업은 발굴할 수 있는 가장 빠른 방법을 선택하여 기계로 진행한다.

📖 해설
발굴작업은 증거물 훼손을 방지하기 위해 수작업으로 진행하며, 기계로 진행하지 않는다.

14 관계자 진술(재질문)에 대한 설명으로 옳은 것은?

① 발화 현장에서 처음으로 관계자를 대상으로 질문을 한다.
② 관계인 없이 조사를 진행하고 나중에 도면을 작성한다.
③ 빠른 시기에 다수의 사람에게 재질문하여 정보를 확인한다.
④ 발화 전 상황에 대해서는 별도로 질문하지 않는다.

📖 해설
빠른 시기에 여러 사람에게 재질문하여 발화 전 상황에 대한 정보를 확인하는 것이 중요하다.

15 다음 중 순차적 패턴 분석에 대한 설명으로 옳지 않은 것은?

① 소손 정도가 약한 부분에서 강한 부분으로 찾아가서 출화개소를 판정한다.
② 물질별 연소 강약과 연소 방향성을 비교하여 발굴 장소를 검토한다.
③ 물질의 용융점, 비점, 발화점 등을 무시하고 현장 퇴적층을 분석한다.
④ 화재현장의 다양한 화재패턴을 순차적으로 분석하여 정확한 발화원을 판정할 수 있다.

📖 해설
물질의 용융점, 비점, 발화점 등을 고려하여 화재현장의 퇴적층과 탄화 잔해물을 분석해야 한다.

16 다음 중 발굴 및 복원 과정에서 올바른 절차는?

① 층별 또는 구역별로 잔해를 정리하여 화재 진행 상황을 분석한다.
② 증거물이 발견된 경우, 현장을 즉시 종료하고 증거물만 분석한다.
③ 잔해가 제거되기 전에 현장 상태를 복원한다.
④ 발화원인을 규명하기 위해 복원작업 없이 증거물만 조사한다.

📖 해설
잔해를 층별 또는 구역별로 정리하며 화재의 진행 상황을 분석하는 것이 발굴 및 복원 과정의 올바른 절차이다.

정답 | 11 ①　12 ②　13 ④　14 ③　15 ③　16 ①

17 다음 중 화재패턴을 통해 연소 방향을 판정할 때 고려해야 할 사항으로 옳지 않은 것은?

① 창문 등 개구부에 가까운 장소는 공기의 공급량이 많아 강한 소손을 나타낸다.
② 다량의 가연물이 있는 경우, 발화지점과 가까워도 소손이 약하게 나타난다.
③ 소방대의 방수개시가 늦은 부분은 연소시간이 길어져 강한 소손을 나타낸다.
④ 화재하중이 높은 경우, 발화지점에서 떨어진 곳도 강한 소손을 나타낼 수 있다.

🔦 **해설**
다량의 가연물이 있는 경우, 발화지점에서 떨어져 있어도 강한 소손을 나타낼 수 있다.

18 하소된 석고벽판재료에서 나타나는 주요 징후로 옳지 않은 것은?

① 열에 노출되면 석고벽판재료는 색상이 변한다.
② 하소된 석고는 밀도가 낮아지며 약해진다.
③ 석고벽판재료의 하소된 깊이는 화열에 노출된 시간을 반영한다.
④ 하소된 석고는 열에 의해 색상이 더 진해지고 밀도가 높아진다.

🔦 **해설**
하소된 석고는 열에 의해 색상이 옅어지며 밀도가 낮아진다.

19 목재의 탄화심도 측정 시 유의사항 중 틀린 것은?

① 수회 측정하여 평균값을 사용, 측정오차를 줄인다.
② 동일한 압력으로 측정하여야 한다.
③ 탄화된 요철 부위 중 철(凸) 부위를 택하여 측정한다.
④ 탄화되지 않은 곳까지 삽입될 수 있으므로 송곳과 같은 날카로운 측정기구를 사용한다.

🔦 **해설**
탄화되지 않은 곳까지 삽입되지 않도록 끝이 평평하거나 뭉툭한 측정기구를 사용한다.

20 화재조사에서 수립된 가설을 검증할 때 중요한 절차로 옳지 않은 것은?

① 수집된 모든 증거가 가설과 일치하는지 확인한다.
② 가설이 증거와 충돌할 경우, 가설을 수정하거나 배제한다.
③ 물리적 증거와 상관없이 가설이 타당하면 그대로 유지한다.
④ 여러 가설 중 가장 합리적인 가설을 도출한다.

🔦 **해설**
가설은 물리적 증거와 일관성이 있어야 하며, 증거와 충돌할 경우 수정하거나 배제해야 한다.

21 화재현장에 노출된 금속의 표면에 화재열에 의하여 나타나는 현상이 아닌 것은?

① 변색
② 분해
③ 만곡
④ 용융

🔦 **해설**
금속표면의 변색, 만곡, 용융을 통해 연소강도와 연소방향성을 파악한다.

22 수직 및 상층으로의 연소확대와 관련된 설명으로 옳지 않은 것은?

① 고온의 연기와 가스는 자연적으로 위로 상승하여 상층부 가연성 물질에 착화될 수 있다.
② 굴뚝 효과는 계단, 엘리베이터, 샤프트 등을 통해 연소가 수직으로 확산되는 현상이다.
③ 층간 간격이 넓을수록 상층부로의 연소확대가 더 쉽게 일어난다.
④ 상층부의 온도가 급격히 상승하면 상층 가연성 물질이 쉽게 연소될 수 있다.

🔦 **해설**
층간 간격이 좁고, 가연성 구조물이 있을수록 상층으로의 연소확대가 더 쉽게 발생한다. 간격이 넓을수록 연소 확산이 어려워질 수 있다.

정답 | 17 ② 18 ④ 19 ④ 20 ③ 21 ② 22 ③

23 화재플럼의 확대 비율이 수평방향 1, 상방향 20, 하방향 0.3인 이유로 가장 적절한 것은?

① 전도　　② 복사
③ 대류　　④ 비화

해설
화재플럼의 확대는 주로 대류에 의해 상방향으로 열과 연기가 크게 퍼지기 때문에, 상방향으로 더 많이 확산된다. 수평방향은 상대적으로 적고, 하방향은 복사와 전도에 의해 제한적으로 확산된다.

24 다음 중 화재패턴이 생성되는 원리로 옳지 않은 것은?

① 열원으로부터 가까울수록 강해지고 멀어질수록 약해지는 복사열의 차등 원리
② 고온가스가 열원으로부터 멀어질수록 온도가 낮아지는 원리
③ 화염 및 고온가스는 하강하면서 연소 영역을 확장하는 원리
④ 연기나 화염이 물체에 의해 차단되어 손상 경계가 형성되는 원리

해설
화염 및 고온가스는 하강이 아닌 상승하는 원리로 인해 연소 영역을 확장하고, 손상 패턴을 형성한다.

25 화재패턴 중 수직면에서 화염과 고온가스에 의해 형성되는 패턴은?

① 원형 패턴　　② 모래시계 패턴
③ U자 모양 패턴　　④ 드롭다운 패턴

해설
모래시계 패턴은 화염이 하단부에서 거꾸로 된 V형태를 나타내고, 고온가스 구역에서는 전형적인 V형태가 형성되어 수직면에서 모래시계 모양을 이룬다.

26 유류에 의해 만들어진 패턴으로 가장 거리가 먼 것은?

① 포어 패턴　　② 스플래쉬 패턴
③ 도넛 패턴　　④ V패턴

해설
V패턴은 수직면에 나타나는 패턴으로, 유류와는 직접적인 관련이 없다. 반면, 포어 패턴, 스플래쉬 패턴, 도넛 패턴은 유류에 의해 형성될 수 있는 패턴이다.

27 물질의 질량 손실과 관련된 설명으로 옳지 않은 것은?

① 화재 발생 시 가연성 물질이 연소하면서 질량 손실이 발생하며, 이는 화재의 강도와 지속시간을 평가하는 중요한 요소이다.
② 질량 손실의 정도는 화재의 열에너지와 연관되며, 큰 질량 손실은 높은 열에너지와 장시간 연소를 의미할 수 있다.
③ 나무와 같은 유기물은 금속보다 질량 손실이 적게 나타난다.
④ 질량 손실은 화재 원인 조사의 중요한 단서로 활용될 수 있으며, 집중적으로 연소된 구역을 파악하는 데 도움이 된다.

해설
나무와 같은 유기물은 금속보다 질량 손실이 훨씬 크다. 금속은 일반적으로 연소에 따른 질량 손실이 적다.

28 다음 중 뒤틀린 전구를 통해 연소진행방향을 식별하는 방법으로 옳지 않은 것은?

① 고온에 노출된 유리는 열원 쪽으로 휘거나 볼록해지는 경향이 있다.
② 유리는 약 750℃에서 녹기 시작하며, 접촉면이 먼저 녹는다.
③ 불꽃이 접한 유리 표면은 불꽃 반대 방향으로 부풀어 오르고 변형된다.
④ 유리의 깨짐과 낙하 위치를 분석하여 화재 전 유리의 위치와 발화지점에 대한 정보를 얻을 수 있다.

정답 | 23 ③　24 ③　25 ②　26 ④　27 ③　28 ③

📖 **해설**
유리가 가열될 때 불꽃이 접한 면이 먼저 말랑해지고, 불꽃이 접촉하는 방향으로 부풀어 오르며 변형된다.

29 발화범위를 판정하는 과정으로 옳은 것은?
① 발굴 전 발화범위를 한정할 때는 매우 좁은 범위로 시작하여 발굴을 진행한다.
② 발굴범위는 발화원인을 규명하는 데 있어 크게 중요하지 않다.
③ 발굴범위를 그르치면 발화원인 규명에 오류가 생길 수 있으므로 신중히 판단해야 한다.
④ 발굴범위는 발굴 후 확장하는 것이 일반적이다.

📖 **해설**
발굴범위를 그르치는 것은 발화원인을 그르치는 것과 직결되므로, 발굴범위의 판정은 매우 신중하게 이루어져야 한다.

30 발화지점 발굴 요령으로 옳지 않은 것은?
① 삽을 사용하지 않는다.
② 발굴은 위에서 아래로 실시한다.
③ 발굴된 물건은 불가피한 경우라도 위치를 자유롭게 변경한다.
④ 숯 종류는 별도로 보관한다.

📖 **해설**
발굴된 물건은 위치를 변경하지 않는 것이 원칙이며, 불가피하게 이동할 때는 복원 가능한 조치를 취해야 한다.

정답 | 29 ③ 30 ③

내가 뽑은 원픽!

Fire Investigaton &

화재감식평가기사 · 산업기사 필기

Evaluation Engineer

PART 02

화재감식론

CHAPTER 01_ 발화원인 판정
CHAPTER 02_ 전기화재 감식
CHAPTER 03_ 가스화재 감식
CHAPTER 04_ 화학물질 화재감식
CHAPTER 05_ 미소화원 화재감식
CHAPTER 06_ 방화화재 감식
CHAPTER 07_ 차량화재 감식
CHAPTER 08_ 임야화재 감식
CHAPTER 09_ 선박, 항공기 화재감식
- 출제예상문제(1회~5회)

CHAPTER 01 발화원인 판정

 **일반사항**

(1) 화재 발생 요소 확인

연소의 3요소(발화열원, 최초 착화물, 산소)가 결합하여 화재가 발생하며, 이 발화요인들이 화재의 시작을 가능하게 한다. 또한, 연쇄반응은 화재를 지속시키는 연소의 4요소 중 하나이다.

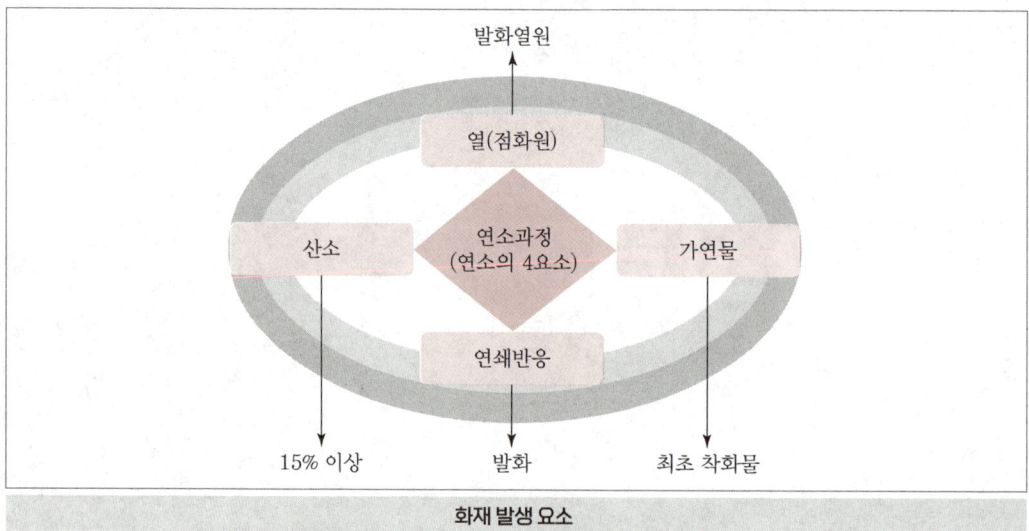

화재 발생 요소

① **발화열원** : 발화의 최초 원인이 된 불꽃 또는 열을 말한다.
② **발화** : 열원에 의하여 가연물질에 지속적으로 불이 붙는 현상을 말한다.
③ **최초착화물** : 발화열원에 의해 불이 붙은 최초의 가연물을 말한다.
④ **발화지점** : 열원과 가연물이 상호작용하여 화재가 시작된 지점을 말한다.
⑤ **발화요인** : 발화열원에 의하여 발화로 이어진 연소현상에 영향을 준 인적·물적·자연적인 요인을 말한다.
⑥ **연소확대물** : 연소가 확대되는데 있어 결정적 영향을 미친 가연물을 말한다.

 **배제과정**

(1) 배재 방법

① 화재원인 판별은 증거가 없는 상태보다는 존재하는 증거를 기반으로 이루어져야 한다. 그러나 발화위치가 명확히 판정되는 경우, 화재 이후에 확인된 점화원의 물리적 증거물이 없더라도 화재원인에 대한 확실한 판별을 할 수 있다.

② 가능성 있는 발화위치를 배제할 때는 명확하게 판정된 발화위치가 존재해야 한다.
　㉠ 배제를 하는 과정이 무차별적으로 이루어져서는 안 된다.
　㉡ 발화위치를 명확히 확인할 수 없어 다른 모든 잠재적 발화위치를 배제할 수 없는 경우에는 점화원에 대해 추정을 해서는 안 된다.

③ 대안 가설의 전개, 검증 및 폐기를 실제로 포함하는 배제과정은 발화위치인 구획실에 대한 파괴 정도가 커질수록 더 어려워지며, 많은 경우에서 불가능하다.

④ 조사관이 외관 또는 직접 육안으로 관찰한 모습을 토대로 하나의 설비나 기기를 발화원에서 배제할 것을 제안할 때마다, 그 설비나 기기가 만일 화재의 발화원이었다면 그 외관이나 상태가 관찰된 것과 어떻게 다를 것인지에 대해 설명할 수 있어야 한다.

⑤ 점화원의 물리적 증거물 없이 화재원인을 밝히는 경우, 처음 불이 붙은 물질과 발화 순서를 확인하는 것이 중요하다.

(2) 과학적인 화재조사 방법

화재조사의 기본적 방법론은 체계적인 접근법과 관련된 모든 세부사항에 대한 면밀한 주의를 기울이는 자세를 기반으로 해야 한다. 화재조사에 대한 적절한 방법론은 먼저 발화지점을 결정한 다음 발화를 유발한 환경, 조건 또는 매체, 가연물, 산화제 모두를 포함하여 이루어져야 한다.

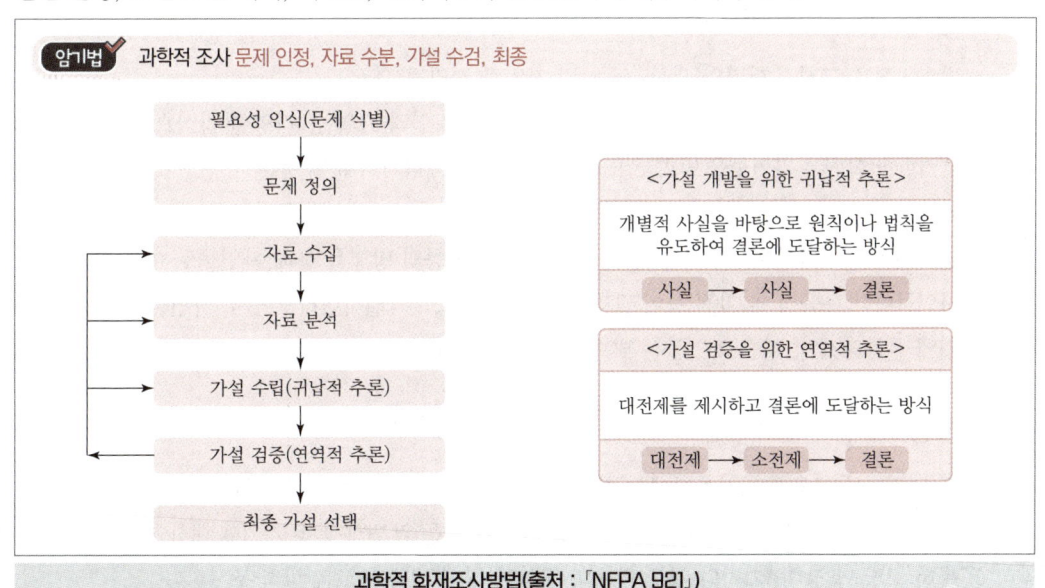

과학적 화재조사방법(출처 : 「NFPA 921」)

> **한번 더 클릭** 가설 수립 및 검증 방법
>
> ① 귀납적 추론 : 다수의 사실을 바탕으로 일반적인 원칙이나 법칙을 유도하여 결론에 도달하는 방법
> ② 연역적 추론 : 하나의 전제에서 결론이 도출되는 직접추리와 2개 이상의 전제에서 결론이 나타나는 간접추리로 나누는 추론 방법

(3) 우발적 원인에 의한 화재 판별

1) 우발적 원인에 의한 화재 개요

① 우발적 원인에 의한 화재는 의도치 않게 발생한 사건이나 환경적 요인으로 인해 불이 나는 경우로 계획적인 방화와 반대되는 개념이다.
② 전기 기기의 오작동, 자연 발화, 과열, 태양광 반사, 정전기, 우발적 방화 등 다양한 원인이 포함된다.
③ 자료 수집의 한계가 있어 예측이 어렵기 때문에 감식 과정에서 주의 깊은 분석이 필요하다.

2) 우발적인 방화 원인

① 정신이상 등에 의한 경우 : 정신이상, 노이로제, 알코올 중독이나 약물에 의한 환각증상 등에 의한 범행이 해당한다.
② 불만발산에 의한 경우 : 사회 또는 가정 등에 불만을 품고 있는 자가 불을 지르는 경우이다.
③ 원한에 의한 경우 : 원한은 앞뒤를 가리지 않고 불을 지르는 우발적인 경우도 있지만, 은밀한 계획을 세워 방화하는 경우도 있다.

3 발화원의 원천 및 형태

(1) 발화원의 생성, 이동 및 가열

① 발화과정은 크게 발화원의 생성, 이동 및 가열로 정리될 수 있다.
② 발화원은 화학적 반응, 물리적 현상, 전기적 요인, 자연적 요인 등 다양한 방식으로 이루어진다.
③ 유력한 발화원은 가연물을 발화 온도에 도달할 만큼 에너지 수준이 충분히 높을 것으로 추정해 볼 수 있다.
④ 발화원의 열에너지는 전도, 대류, 복사, 접염, 비화 등의 방법을 통해 가연물로 이동된다.
⑤ 가연물마다 용융점, 발화점 등이 달라 동일 발화원으로 가열하더라도 일부 가연물은 낮은 온도에서 쉽게 발화되지만, 다른 가연물은 발화하지 않을 수 있다.

(2) 발열 장치, 기기, 설비 확인

① 평소 기기를 사용했던 사용자에게 기기에 대한 정보(오작동 등)를 수집한다.
② 화재조사자는 발화지역 내 발화를 일으켰을 수 있는 모든 열 발생장치, 기기에 대하여 확인하여야 한다.
③ 특히 고장 난 장치, 기기의 경우 화재의 원인이 될 수 있으므로 면밀히 조사한다.

④ 히터, 가스(전기)레인지, 스토브뿐만 아니라 전기설비, 콘센트 등도 확인할 필요가 있다.
⑤ 발열기기의 사용자 부주의 요인을 확인하고, 열이 과도하게 발생한 원인을 분석한다.

(3) 발화원

① 반드시 발화원의 물리적 증거가 있어야만 화재원인을 판별할 수 있는 것은 아니다.
② 발화원은 눈에 띄는 형태로 있을 수도 있고, 경우에 따라서 변경, 파괴되거나 이동될 수 있다.
③ 발화원은 대체로 발화지점 근처에 있으나 반드시 발화지점 근처에서 발견되어야만 증거로서 인정받을 수 있는 것은 아니다.
④ 발화원은 충분한 온도와 에너지를 가지고 있을 것이며 가연물과 오랫동안 접촉하고 있었을 것으로 추측해 볼 수 있다.
⑤ 무염화원, 자연발화, 돋보기 효과, 낙뢰, 라이터 불 등 발화원은 현장에서 잔해가 없을 가능성이 높다.

(4) 발화원인 판정

① 화재의 원인을 판정하기 위해서는 화재를 일으킨 물질, 주변 상황, 인적요인을 확인하여야 한다.
② 발화지점을 명확히 지정하지 못하고 다른 잠재적 발화지점을 배제할 수 없을 때는 발화원에 대해 추정해서는 안 된다.
③ 물리적 증거물이 없더라도 정황증거 등으로 화재원인에 관한 판정을 할 수 있으나 이때는 신중해야 한다.
④ 현장 감식 결과 발화원으로 추정되는 물질이 발견되었을 때는 과학적으로 설명할 수 있어야 한다.

4 최초 발화 물질(초기 가연물의 확인)

① 화재를 유발한 사건을 이해하기 위해 초기 가연물을 확인하는 것이 중요하다.
② 초기 가연물은 오작동하거나 고장 난 장치의 일부일 수 있고, 열을 발생시키는 장치에 너무 가까이 있는 물체일 수 있다.
③ 표면적 대 질량 비율이 높은 가연물에는 먼지, 섬유 및 종이 등이 있다.
④ 표면 대 질량 비율이 높은 고체 또는 액체 가연물은 표면 대 질량 비율이 낮은 가연물보다 훨씬 쉽게 발화한다.

5 의견

(1) 의견에 대한 기준 설정

화재나 폭발에 대한 가설로부터 의견을 개진할 때에, 조사관은 이러한 의견에 대한 확실함의 수준에 대한 기준을 세워야 한다. 다음은 의견과 관련하여 중요성을 갖는 두 가지 확신 기준이다.

① 상당히 근거 있음(Probable) : 이 수준의 확신은 진실일 가능성이 더 높은 경우에 해당하며, 가설이 50% 이상의 확률로 진실일 가능성을 나타낸다.
② 가능성은 있음(Possible) : 이 수준의 확신은 가설이 상당히 적당한 것으로 간주할 수 있지만, 상당히 근거 있음(Probable)이라고 단언할 수는 없다. 두 개 이상의 가설이 비슷한 경우에는 확신의 수준은 "가능성은 있음"이어야 한다.

(2) 기준에 따른 처리

① 의견의 확실성이 "가능성은 있음" 또는 "의심됨(suspected)"일 경우에는 발화원인은 미확인으로 처리되어야 한다.
② 확실성의 수준이 "상당히 근거 있음"으로 판단되는 경우, 화제원인을 분류할 수 있다.

> **한번더클릭** 국내 화재조사서 작성 시 용어
>
> ① 사료(思料) : 어떠하다고 생각하여 헤아림(50% 이하일 때)
> ② 추정(推定) : 미루어 생각하여 결정함(50% 이상일 때)
> ③ 판단(判斷) : 일정한 논리나 기준에 따라 사물의 가치와 관계를 결정함(100% 확신일 때)

(3) 화재조사관의 의견

① 화재나 폭발에 대한 가설로부터 의견을 개진할 때에 화재조사관은 이러한 의견에 대한 확실함의 수준에 대한 기준을 세워야 한다.
② 화재조사관은 수집된 데이터와 분석을 통해 얻어진 가설을 가지고 검증작업을 통해 화재원인 판별을 한다.
③ 최종의견은 해당 의견을 도출하는 데 사용된 데이터의 질과 연관성이 있다고 볼 수 있다.
④ 조사에서 수집된 데이터 및 분석을 통해 얻어진 가설은 해당분야 전문가 의견, 다른 사람의 연구결과 또는 실험 등의 근거로 검증해야 한다.

CHAPTER 02 전기화재 감식

1 기초전기

(1) 정전기

전하가 정지 상태에 있어 흐르지 않고 머물러 있는 전기를 말한다.

1) 정전기 대전 개요

물체와 물체 사이에 접촉 또는 분리, 마찰, 충격, 유동 및 분사 등으로 인하여 전하가 축적된 상태를 정전기가 대전되었다고 한다.

2) 정전기 대전의 종류

① 마찰 대전 : 물체가 접촉했을 때 마찰로 전하 분리가 생겨 정전기가 발생하는 현상
② 박리 대전 : 상호 밀착된 물체가 분리될 때 대전되는 현상
③ 유동 대전 : 유체가 파이프 등의 수송관에 액체가 흐를 때 관벽과의 마찰로 대전되는 현상
④ 분출 대전 : 분체, 액체, 기체가 단면적이 작은 개구부에서 분출 시 대전되는 현상
⑤ 충돌 대전 : 물체가 마찰이 아닌 충돌할 때 대전되는 현상
⑥ 유도 대전 : 전기장을 가진 물체가 다른 물체에 가까이 갔을 때 대전되는 현상
⑦ 기타 대전 : 그 외의 정전기 대전현상으로 진동 대전(교반 대전), 파괴 대전, 비말 대전 등이 있다.

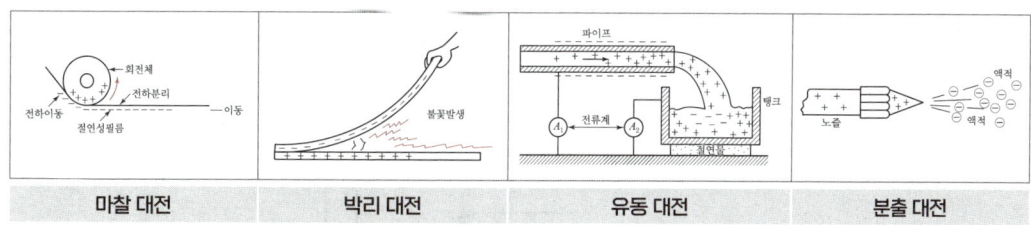

| 마찰 대전 | 박리 대전 | 유동 대전 | 분출 대전 |

3) 정전기 발생에 영향을 주는 요인

물질의 특성	• 정전기 발생량은 두 물질의 접촉과 분리 시 물질의 상호특성에 의해 결정 • 대전서열이 멀수록 정전기 발생량이 커진다. • 대전서열 : 물체를 마찰시킬 때 전자를 잃기 쉬운 순서대로 나열 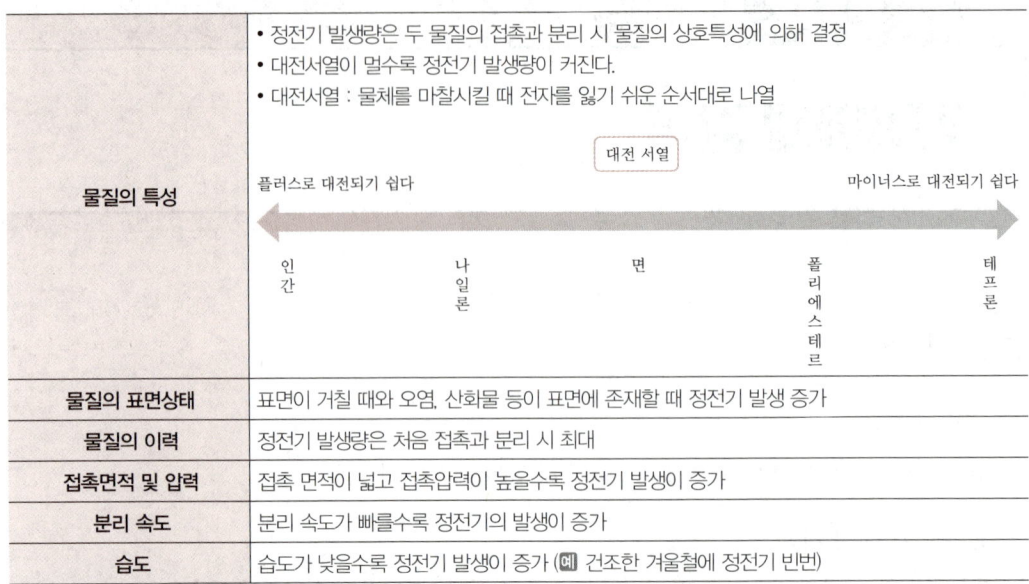
물질의 표면상태	표면이 거칠 때와 오염, 산화물 등이 표면에 존재할 때 정전기 발생 증가
물질의 이력	정전기 발생량은 처음 접촉과 분리 시 최대
접촉면적 및 압력	접촉 면적이 넓고 접촉압력이 높을수록 정전기 발생이 증가
분리 속도	분리 속도가 빠를수록 정전기의 발생이 증가
습도	습도가 낮을수록 정전기 발생이 증가 (예 건조한 겨울철에 정전기 빈번)

4) 정전기 방전의 종류

① **코로나 방전** : 방전 또는 대전물체 부근의 돌기의 끝부분에서 미약한 발광이 일어나거나 보이는 현상 (예 고전압 전선 근처에서 보이는 푸르스름한 빛)

② **브러시 방전** : 대전량이 큰 부도체와 접지도체 사이에서 발생하는 것으로 강한 파괴음과 발광을 동반하는 현상(예 고전압 전선이 대지와 가까운 곳에서 발생하는 방전)

③ **불꽃방전** : 대전물체와 접지도체의 간격이 좁을 경우 그 공간에서 갑자기 발광이나 파괴를 동반하는 방전(예 전자기기 플러그를 뺄 때 발생하는 작은 불꽃)

④ **전파브러시 방전** : 대전되어 있는 부도체에 접치체가 접근할 때 대전물체와 접지체 사이에서 발생하는 방전과 동시에 부도체 표면을 따라 발생하는 방전(예 대전된 고무장갑 표면을 따라 발생하는 방전)

한번더클릭 코로나방전 현상

절연체에 고전압을 인가하면 침과 평판전극계와 같이 불평등한 전계에서는 침 끝부분의 고전계부분에 집중되어 지속방전이 발생하는데 이를 코로나방전이라고 한다. 코로나 발광부가 전극 간을 이어서 발광하는 현상은 스트리머코로나 방전형식이다.

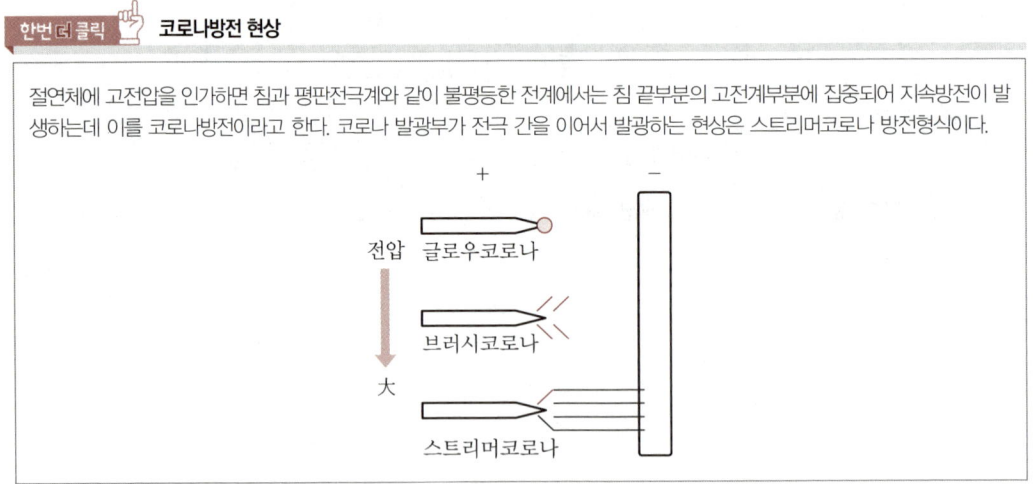

5) 정전기 방지대책

① 접지시설을 한다.
② 실내의 공기를 이온화한다.
③ 공기 중의 상대습도를 70% 이상으로 한다.
④ 대전을 방지하기 위해 전도성 물질을 사용한다.
⑤ 비전도성 물질에 탄소, 금속분 등의 대전방지제를 첨가한다.

(2) 전류 · 전압 · 저항 등

1) 전하

① 모든 전기현상의 근원이 되는 실체로 대전되어 있는 물체는 전하를 가진다.
② 전하의 크기를 전기량이라고 하며 항상 기본전하량($e = 1.6021 \times 10^{-19}$C)의 정수배가 된다.
③ 전하는 음양의 구별이 있으며, 양전하, 정전하, 전자, 부전하로 분류된다.
④ 분포 상태가 변하지 않을 때가 정전하이며, 전하가 이동하는 현상이 전류이다.

2) 전류

① 전위가 높은 곳에서 낮은 곳으로 전하가 연속적으로 이동하는 현상이다.
② 전류의 세기는 도선의 임의 단면적을 1초 동안 1C(쿨롱)의 전하가 통과할 때의 값을 단위로 하여 1A(암페어)라 한다.

$$I = \frac{Q}{t} [A]$$

여기서, I : 전류(A), Q : 전기량(C), t : 시간(s)

3) 전압

① 전기장 또는 도체 내 두 점 사이의 전기적인 위치에너지 차이로 전위차라고 한다.
② 1쿨롱(C)의 전하가 전위차가 있는 두 점 사이에서 이동하였을 때 하는 일이 1줄(J)일 때 그 두 점 사이의 전위값, 즉 전압을 1V로 한다.

$$V = \frac{W}{Q} [V]$$

여기서, V : 전압(V), Q : 전기량(C), W : 일(J)

4) 저항

① 전류가 통과하기 어려운 정도를 표시하는 것을 저항이라고 한다.
② 1Ω이란 1V의 전압을 가했을 때 1A의 전류가 흐르는 도체의 저항을 의미한다.

(3) 직류와 교류

1) 직류
건전지에서의 전류처럼 항상 일정한 방향으로 흐르는 전류를 말하며, 문자 기호로는 DC(Direct Current)로 나타낸다.

2) 교류
흐름의 방향이 시간에 따라 주기적으로 변하는 전류나 전압을 말하며, 문자 기호로는 AC(Alternating Current)로 나타낸다.

(4) 전기 계산

1) 옴의 법칙
부하에 전압이 인가되었을 때 흐르는 전류의 크기는 전압의 크기에 비례하고 저항의 크기에 반비례한다.

$$V = IR\,[V],\ I = \frac{V}{R}\,[A],\ R = \frac{V}{I}\,[\Omega]$$

2) 줄의 법칙
저항 R[Ω]에 전류 I[A]가 t[sec]동안 흘렀다면 이 저항에서 소비되는 에너지는 전부 열에너지로 바뀐다는 것이 줄의 법칙이라 하고, 이때 발생하는 열을 줄열 또는 저항열이라 한다. 열량은 칼로리(cal)라는 단위를 사용하므로 전기에너지에 의한 발생 열량 H는 다음과 같다.

$$H = I^2 Rt\,[J]$$

열량의 칼로리(cal) 단위로 변환하면, 1[J]=1/4.2[cal]의 관계가 있으므로 다음과 같이 나타낼 수 있다.

$$H = 0.24 I^2 Rt\,[cal]$$

3) 전력(Watt)
단위시간 동안의 전기에너지를 나타내는 말로서 1[sec] 동안에 1[J]의 일을 할 때 1[W]의 전력이 된다.

$$P = VI = I^2 R\,[W]$$
여기서, P : 전력(W), V : 전압(V), I : 전류(A), R : 저항(Ω)

4) 전력량(Watt hour)
V[V]의 전압을 가하여 1[A]의 전류가 t[sec]동안 흘러서 Q[C]의 전하가 이동되었을 때를 전력량이라 한다.

$$W = VIt = I^2 Rt = Pt$$
여기서, W : 전력량[J], P : 전력(W), V : 전압(V), I : 전류(A), R : 저항(Ω)

5) 공진주파수

교류 전원 장치에 저항, 코일, 축전기가 직렬로 연결된 R-L-C 회로에서 그 회로의 고유 주파수와 전원의 주파수가 같을 경우 공진을 일으켜 회로에 가장 센 전류가 흐르게 되는데, 이때의 주파수가 바로 공진주파수이다.

$$f_0 = \frac{1}{2\pi\sqrt{LC}}$$

여기서, f_0 : 공진주파수(Hz), L : 인덕턴스(H), C : 정전용량(F)

6) 소선의 용단특성(W. H. Preece의 실험식)

① 용단이란 전선, 케이블, 퓨즈 등에 과전류가 흘렀을 때 전선이나 퓨즈의 가용체가 녹아 절단되는 현상이다.

② 용단전류

$$I_S = \alpha d^{\frac{3}{2}} \, [A]$$

d : 선의 직경(mm)
α : 재료 정수(구리 80, 알루미늄 59.3, 철 24.6, 주석 12.8, 납 11.8)

7) 리액턴스

① 유도 리액턴스

$$X_L = \omega L = 2\pi f L$$

여기서, X_L : 유도 리액턴스(Ω), ω : 각주파수(rad/sec), f : 주파수(Hz), L : 인덕턴스(H)

② 용량 리액턴스

$$X_c = \frac{1}{\omega C} = \frac{1}{2\pi f C}$$

여기서, X_c : 용량 리액턴스(Ω), ω : 각주파수(rad/sec), f : 주파수(Hz), C : 정전용량(F)

(5) 전기의 사용 및 안전

① 전기기기는 공업표준규격 표시, 형식 승인을 받은 전기용품을 사용하여, 전기기술기준에 따라 시설해야 한다.
② 습한 환경에서는 감전의 위험이 높아 전기 사용을 금한다.
③ 기계 기구류의 점검이나 보수 시에는 반드시 전원을 차단한 후 실시한다.
④ 전기회로가 밖으로 드러나지 않게 방호시설이나 절연을 충분히 하여 사용한다.
⑤ 콘센트는 사용 전압을 확인하고 과부하가 걸리지 않도록 용량을 고려한다.
⑥ 분전반에 전기 회로의 사용 유무를 표시하여, 점검 중에 스위치가 켜지지 않도록 한다.
⑦ 누전차단기는 전원과 부하를 확인하여 접속한다.
⑧ 고주파를 발생하는 기기의 전원 측에 콘덴서 등을 설치하여 전파장애를 방지해야 한다.

2 전기화재 발생 현상

(1) 전기화재의 발생원인

전기에너지를 열원으로 하여 발생하는 화재를 일반적으로 전기화재라 하며 발생원인은 4가지로 분류한다.
① 전기적 조건의 변화에 따라 발생한 줄열이 발화원이 된 화재
② 전기절연재의 절연파괴에 의한 화재
③ 전기기기의 기능, 성능 저하, 이상 작동 등 고장에 의한 화재
④ 사용자의 부적절한 사용방법으로 인한 화재

(2) 전기화재 발생과정

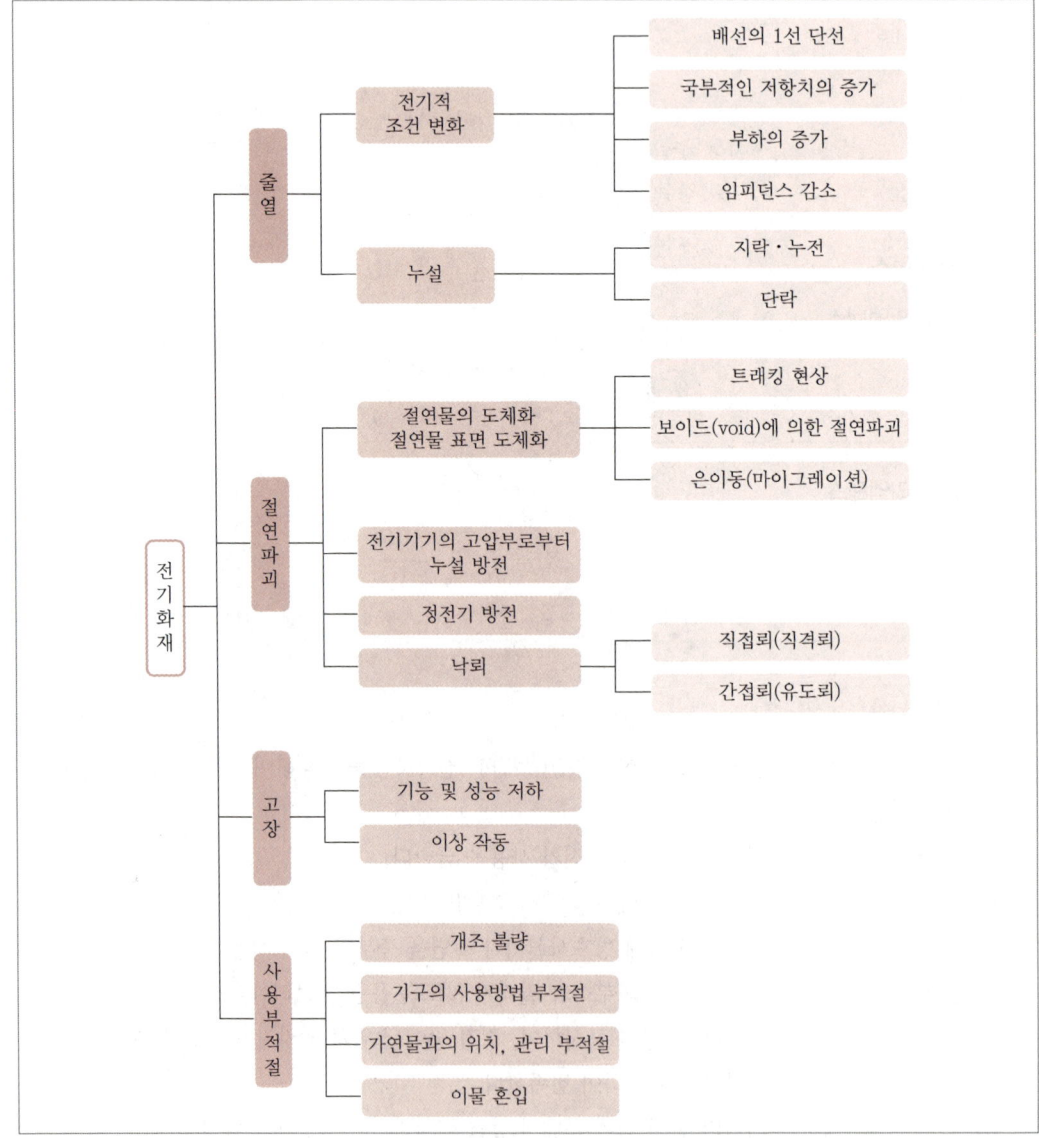

> **한번 더 클릭** 전기의 3가지 특성
>
> ① 발열작용 : 도체에 통전되면 열이 발생하는 원리 이용(예 전등, 전기다리미, 전기히터 등)
> ② 자기작용 : 코일에 전류를 흘리면 그 속에 자계가 발생 원리 이용(예 모터 등)
> ③ 화학작용 : 이온화 경향을 이용하여 전자이동 이용(예 전기도금, 배터리 등)

(3) 줄열(전기적 조건의 변화)

줄열				
	전기적 조건의 변화	배선의 1선 단선	3상 3선식 배선의 1선 단선	3상 모터의 단상운전
			단상 3선식 배선의 중성선 단선	중성선 단자부 체결 불량
		국부적인 저항치의 증가	아산화동 증식 반응	전선 등 동도체가 스파크 등으로 인해 발생
			접촉저항의 증가	코드, 단자 등의 접촉불량, 체결불량
			반단선	코드의 굽히거나 접힘 등으로 소선 10% 단선, 1선 단선 등
		부하의 증가		모터의 과부하 운전
				코드류의 과부하 통전
				고조파에 의한 과전류
		임피던스의 감소		코일의 층간단락
				콘덴서의 절연열화
				반도체 등의 전기적 파괴
	회로 외로 누설	충전부에 도체접촉	지락·누전 (주로 비접지측 충전부에 도체접촉)	코드·케이블류의 피복 손상 후 건물·구조물 등의 금속부에 접촉
			단락 (양극 충전부에서의 도체접촉)	코드의 바닥 깔림, 접히거나 굽혀짐, 스테이플 손상(찔림)

1) 아크불꽃이 직접 가연물(고체)을 착화시키는 경우

① 아크불꽃은 3,000℃ 이상의 고온을 형성하며, 이로 인해 인근의 가연성 가스, 액체, 고체 물질에 착화될 수 있다.

② 전선 단락 시 발생하는 아크불꽃은 전선 내부의 구리 소선(동 용융점 1,083℃, 아산화동 용융점 1,232℃)을 순간적으로 녹여 구리 구슬형 입자를 형성하고, 이 입자가 비산하여 착화되기 쉬운 먼지나 기타 가연물에 떨어지면 화재로 이어질 수 있다.

2) 아산화동 증식 반응

① **아산화동 증식** : 접촉부의 도체 접촉저항이 증가하여 접촉부가 과열될 때 접촉부 표면에 산화물의 막이 형성되어 아산화동(Cu_2O)이 생성된다.

② **아산화동 특징** : 상온에서는 수십 kΩ의 전기저항을 갖지만, 온도가 상승하면 급격하게 저하된다.

※ 950℃에서 급격히 감소, 1,050℃에서 약 3Ω으로 최소가 된다.

③ **아산화동 발열** : 고온에서 아산화동 부분의 저항이 낮아서 전류가 집중적으로 흘러 발열하여 화재가 발생한다.

④ 노출된 표면은 검은색(CuO 부분)이지만 안쪽은 적갈색(Cu_2O 부분)이며 적갈색 부분을 실체현미경으로 관찰하면 루비와 같은 광채를 확인할 수 있다. 또한 공기 중에 노출된 아산화동 표면은 구리가 열을 받았을 때와 마찬가지로 시간이 경과하면 파랗게 녹스는 녹청현상이 발생하여 녹색을 띤다.

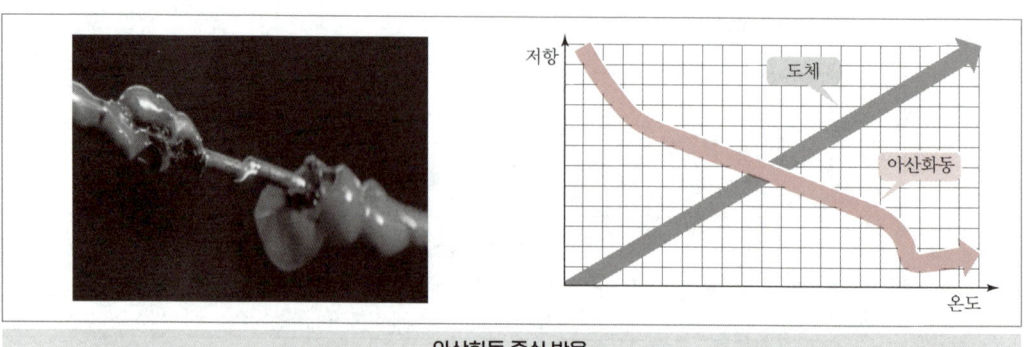

아산화동 증식 반응

3) 접촉 불량(접촉저항의 증가)

① 일반사항

　㉠ 전기설비의 약점은 전선 이음부나 스위치, 콘센트 등의 접점 부분에서 나타난다.

　㉡ 접점 부분에서는 통전 중에 눈에 보이지 않는 불꽃 방전이 지속적으로 발생할 수 있어, 나사 연결이 견고하지 않거나 단자 접속이 헐거워지면 화재 위험이 커진다.

　㉢ 접속이 견고하더라도 이동, 진동, 온도 변화 등의 환경적 요인으로 인해 시간이 지나면서 헐거워질 수 있다.

　㉣ 접속부가 헐거워져 과열로 발화되면, 차단기 등의 안전장치가 작동하기 전에 단락이 발생할 위험이 있다.

　㉤ 접촉저항 증가로 인한 화재는 대부분 한쪽 극의 도체 접속부에서 발생한다.

② 조사 시 착안 사항

　㉠ 연소된 부분에 접속부가 포함되어 있는지 확인한다.

　㉡ 접속부분을 기점으로 연소 확대된 상황을 살펴본다.

　㉢ 부하회로는 통전상태인지 확인한다.

　㉣ 접속부의 용융면은 한쪽 면이 강하고 다른 쪽은 상대적으로 약한 경우가 많다.

　㉤ 용융된 면은 충전부 측이며 1차측인 경우가 많으므로 양방향의 소손 상태를 확인한다.

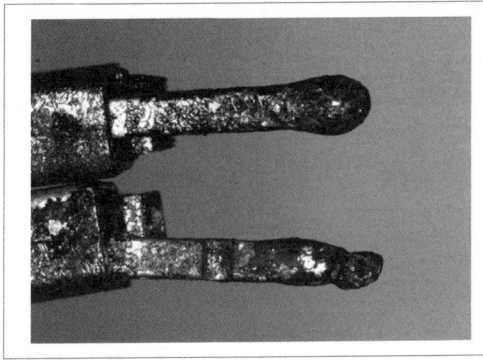

접촉불량에 의한 용융흔

4) 반단선(단면적의 감소)

① 일반사항

　㉠ 전선이나 코드의 심선이 10% 이상 끊어지거나 일부만 접촉 상태로 남아 있는 것을 반단선이라고 한다.

　㉡ 반단선 상태에서 통전하면 단면적의 감소로 인해 저항이 증가하여 국부적으로 발열량이 커지거나 스파크가 발생해 전선 피복 등의 가연물이 탈 수 있다.

　㉢ 반단선이 발생하면 단선율이 급격히 증가하고, 결국 소선이 용단되거나 단락 현상이 발생할 수 있다.

반단선 상태

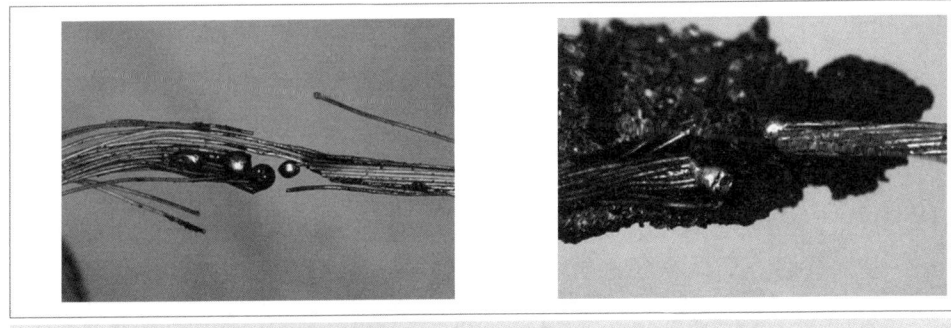

반단선 상태

② 반단선 메커니즘

　㉠ 반단선 된 부분의 저항치가 커져서 국부적으로 발열량이 증가하거나 스파크가 발생한다.

　㉡ 선이 용단하거나 접촉, 단속을 반복하여 용융흔이 생긴다.

　㉢ 다른 한쪽 선의 피복까지도 소손되면 결국 양 선간에서 단락현상이 발생한다.

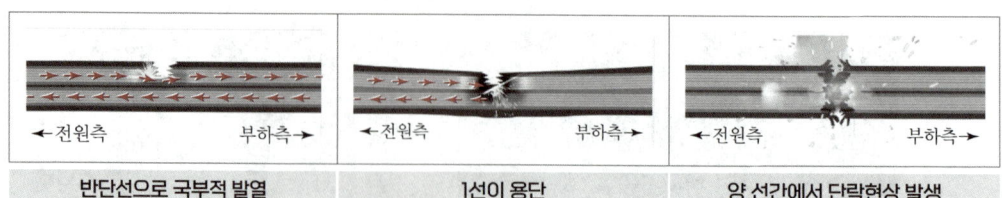

| 반단선으로 국부적 발열 | 1선이 용단 | 양 선간에서 단락현상 발생 |

 **반단선용흔과 금속으로 절단된 용흔의 특징**

반단선에 의한 용흔과 금속에 의해 절단된 경우의 용흔과의 결정적인 차이는 육안으로 식별할 때 대부분 아래의 그림 같이 단선 부분의 어느 쪽에 많은 용흔이 크게 생겨 있는가 여부로 판단한다. 즉 반단선의 경우는 단선 부분의 양쪽에, 금속 등의 도체로 절단된 경우는 단선 부분의 전원측의 한쪽 부분에 집중적으로 생겨 있다.

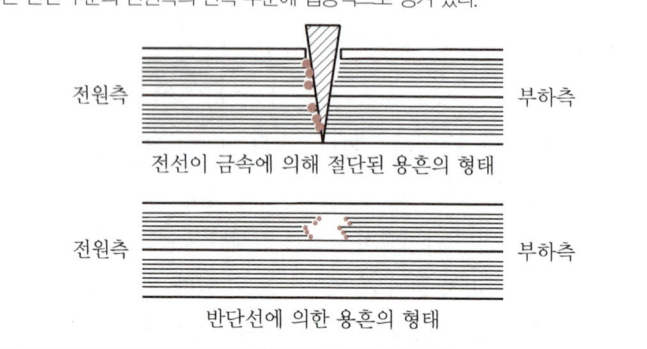

5) 지락과 누전 및 전기기기의 고압부에서의 누설방전

① 지락

㉠ 지락은 전기기기나 전로가 대지와 비정상적으로 연결되어, 전로 또는 기기의 외부에 위험한 전압이 나타나거나 전류가 흐르는 현상을 말한다.

㉡ 지락 사고로 인해 발생하는 전류를 지락 전류라 하며, 이는 인체 감전, 누전화재, 기기 손상의 원인이 된다.

㉢ 지락은 전로와 대지 간의 절연 저하로 인해 발생하며, 아크나 도전성 물질이 교락(Short-Circuit)을 유발할 수 있다.

지락의 원인

- 절연체의 경년열화
- 기계적 충격이나 절연 파열에 의한 물리적 손상
- 극심한 과도 전압 충격이나 정상 전압에 의한 열화
- 단락 사고의 확대로 인한 지락

② 누전
  ㉠ 누전은 전류가 전기설비의 정상적인 경로 외의 다른 경로로 흐르는 현상으로, 주로 절연 손상이나 변질로 인해 발생한다.
  ㉡ 절연이 손상되면 전류가 도체 외부로 누설되어 금속 외함 등을 통해 대지로 흐르게 되며, 이로 인해 누전 화재나 감전 사고가 발생할 수 있다.
  ㉢ 누전은 전선이나 기기 내부에서 발생하며, 대지로 흐르는 전류가 지락 전류로 이어질 수 있다.

> **한번 더 클릭** 누전 화재의 3요소
>
> ① 누전점
> ② 접지점
> ③ 출화점

6) 코일의 층간단락

① 변압기, 모터, 형광등 안정기 등의 코일에는 동선에 절연피복을 한 폴리에스텔 동선 등이 사용된다.
② 동선에 절연피복을 완벽하게 적용하는 것은 매우 어려운 기술로, 미세한 상처(핀홀)나 경년변화로 인해 절연 열화가 발생할 수 있다.
③ 절연 열화로 인해 코일의 동선 사이에서 접촉이 발생하면, 일부 코일이 전체에서 분리되어 링회로를 형성한다.
④ 이 링회로에는 부하가 없어 다량의 전류가 흘러 국부 발열이 발생하고, 이로 인해 층간단락이 확대되어 화재로 이어질 수 있다.
⑤ 층간단락을 발생시키는 요인
  ㉠ 코일 제조단계에서 제품 불량 등 자체 요인으로 발생하는 경우
  ㉡ 회로에 과전류가 흘러 2차적으로 발생하는 경우
⑥ 감식요령 〈조사 포인트〉
  ㉠ 표면적으로 관찰되지 않은 경우, 동선을 세심하게 풀어헤쳐서 관찰한다.
  ㉡ 전기용융흔의 위치를 화살표 등으로 표시하여 전체 및 확대 촬영한다.

권선의 층간단락

(4) 절연파괴

구분	현상	세부내용
절연물의 도체로 변질 절연물 표면에 도체 부착	트래킹현상	각종 스위치류
	보이드(Void)에 의한 절연파괴	고압전기설비의 단자판, 고압부품
	은 이동(마이그레이션)	직류기기의 단자간
전기기기의 고압부로부터의 누설 방전		고압변압기, 네온배선, 충전부 등으로부터의 방전
정전기 방전		유동액체 · 유동분체, 인체 등
낙뢰	간접뢰(유도뢰)	지락경로에서의 과전류통과
	직접뢰(직격뢰)	낙뢰지점에서의 용융, 지락경로에서의 과전류 통과

1) 절연물 표면에 도체부착 · 절연물의 도체로의 변질

① 트래킹(Tracking)
  ㉠ 전압이 인가된 도체 사이의 절연물 표면에 오염 등으로 도전로가 형성된 후, 도전로의 분단과 미소발광 방전이 발생하여 표면이 탄화하는 현상이다.
  ㉡ 트래킹 현상의 발생 조건
  - 습기가 많거나 결로현상이 있는 장소
  - 솜, 분진 발생 장소
  - 장롱 등 먼지가 쌓일 수 있는 장소
  - 열대어를 기르는 수족관 주변
  - 온도 변화가 심한 장소

 트래킹 현상 진행 과정

> **암기법** 도전 방 탄
> - 1단계 : 절연재료 표면의 오염 등에 의한 도전로 형성
> - 2단계 : 도전로의 분단과 미소발광 방전이 발생
> - 3단계 : 방전에 의한 표면의 탄화

② 흑연(그래파이트 : Graphite)화 현상
  ㉠ 목재와 같은 유기질 절연체가 탄화되면 초기에는 전기를 통과시키지 않지만, 스파크나 아크 등의 영향을 받아 흑연화되면서 도전성을 갖게 된다.
  ㉡ 흑연이 축적되면 전기통로가 생기고, 줄열에 의해 도전로가 확대되면서 발열과 전류가 증가해 결국 발화로 이어진다.
  ㉢ 전기기계 · 기구에 나타나는 경우를 트래킹 현상이라 하고 전기기계 · 기구 이외의 곳에 나타난 경우를 그래파이트 현상으로 파악하는 경향이다. 세계적으로는 트래킹 현상 속에 그래파이트 현상을 포함시키는 추세이다.

 **트래킹과 흑연화 차이점**

- 전기기계·기구에 나타나는 경우 : 트래킹
- 전기기계·기구 이외의 곳에 나타나는 경우 : 흑연(그래파이트 : Graphite)화
※ 세계적으로는 트래킹 현상 속에 그래파이트 현상을 포함하는 추세이다.

③ 보이드(Void : 빈 공간)에 의한 절연파괴
  ㉠ 고전압이 인가된 이극도체 간의 유기성 절연물 내부에 보이드가 있으면, 보이드의 양극 측에서 방전이 발생한다.
  ㉡ 시간이 지남에 따라 방전로가 전극을 향해 연장되면서 절연파괴가 진행되고, 절연물이 타기 시작한다.
  ㉢ 보이드에 의한 절연파괴는 절연물 내부에서 발생하며, 트래킹 현상과 유사하게 유기성 절연물의 저항치가 저하된다.

④ 은 이동(Silver Migration)
  ㉠ 직류 전압이 인가되어 있는 은(도금 포함)으로 된 이극 도체 간에 절연물이 있을 때, 그 절연물 표면에 수분이 부착하면 은의 양이온이 절연물 표면을 따라 음극 측으로 이동하며, 그곳에 전류가 흘러 발열하는데, 이 현상을 은 이동이라 한다.
  ㉡ 발생 조건
  - 은(도금 포함)의 존재
  - 장시간 직류 전압의 인가
  - 흡습성이 높은 절연물의 존재
  - 고온, 다습한 환경에서의 사용한 경우
  ㉢ 은 이동 진행 요인
  - 인가전압이 높고, 절연 거리가 짧다.
  - 절연재료의 흡수율이 높고, 산화, 환원성 가스 등이 존재하는 분위기에서 진행된다.

2) 낙뢰
① **직격뢰** : 뇌방전의 주방전이 직접 건조물 등을 통해 형성되는 것(소위 낙뢰)
② **측격뢰** : 낙뢰의 주방전에서 분기된 방전이 건조물 등에 방전하는 경우, 수목의 전위가 높아져 부근에 있는 건조물 등으로 재방전하는 경우
③ **유도뢰** : 낙뢰와 운간방전에 의해 주위의 물건이 유기된 고압에 의한 경우
④ **침입뢰** : 송배전선에 낙뢰하여 뇌전류가 송배전상을 진행하여 건물 또는 발전소나 변전소 등의 기기를 통하여 방전하는 경우
⑤ **낙뢰의 조건**
  ㉠ 높은 곳에 떨어지기 쉽다.
  ㉡ 뇌전류는 물체의 표면을 따라 흐르기 쉽다.
  ㉢ 뇌전류는 금속체에 흘러도 전기저항이 높은 곳을 피해 대기 중에 재방전하는 경우가 있다.

㉣ 뇌전류는 물체의 저항이 낮아도 대전류 때문에 발열하여 금속을 용융시키며, 경우에 따라서는 급격한 용융 증발로 인해 폭발할 수도 있다.

[전기화재의 원인 분류와 조사포인트 요약]

원인	의의 및 적용 방법
누전	• 전류가 설계된 경로를 벗어나 건물, 부대설비 또는 공작물의 일부를 통해 흐르며, 그 과정에서 발열되어 화재를 일으킨 경우를 말한다. – 플러스선이 마이너스선 이외의 금속에 접촉되어 전류가 흘러 발열한 경우 발생한다. – 지락 전류의 귀전류에 의해 발열한 경우도 포함한다. – 발열한 부분은 보통 전기를 흐르게 설계된 회로가 아니다. – 보통 전원이 저압이다. – 일반적으로 누전된 후 발화까지 시간이 경과된다.
지락	• 배선의 플러스선이 직접 대지와 단락 상태가 되었거나, 건물 및 부대설비 또는 공작물이 아닌 다른 물체가 개입하여 대지와 단락 상태가 되어 그 개입된 물체가 소손된 화재를 말한다. – 전기기기의 플러스 측이 케이스 어스에 접촉되어 화재가 발생한 경우를 포함한다. – 보통 고압 전압에서 발생한다. – 낙뢰나 염해에 의한 화재는 제외된다.
단락	• 회로 중 양극의 두 지점이 부하 앞에서 직접 전기적으로 연결되어 발생한 화재를 말한다. – 단락 발생 지점에 전기 용융 흔적(단락 흔적)이 남는 경우를 말한다. – 단락 시 발생한 스파크로 인한 화재도 포함된다. – 모터, 트랜스 등 코일의 층간 단락도 포함된다. – 차량 화재의 경우, 차체는 어스선으로 간주되므로 플러스선이 차체와 연결된 경우도 단락으로 본다. – 낙뢰나 염해에 의한 화재는 제외된다. – 전기 용융 흔적이 남지 않은 경우에는 스파크로 인한 화재로 본다.
과전류	• 전기기기에 정격 이상의 전류가 흘러 발열되어 발생한 화재를 말한다. – 발전기, 전동기, 변압기 등의 전기기기에 과부하가 걸려 과전류가 흘러 출화한 경우를 말한다. – 송전선, 배전선 또는 코드 등에 과전류가 흘러 이들 배전선이나 부하에 연결된 전기기기가 발화한 경우를 말한다.
단상운전	• 3상 모터의 한 상이 결상되어 단상 전류에 의해 운전되면서 발생한 화재를 말한다. – 스위치 접촉 불량, 퓨즈 끊어짐, 배선 접촉 불량, 배선 단선 등으로 인해 단상 운전이 발생하여 화재가 발생한 경우를 포함한다.
스파크	• 전기기기 또는 배선의 플러스선이 마이너스선이 아닌 다른 물체에 접촉하여 그 부분에서 불꽃 방전이 발생한 경우, 또는 스위치류의 개폐 시 튀는 불꽃(아크 방전을 포함)으로 인해 발생한 화재를 말한다. – 플러스선이 마이너스선이 아닌 다른 물체에 접촉하여 그 부분에서 불꽃 방전이 발생한 경우 – 회로 접점의 개폐 시 튀는 불꽃 또는 아크 방전으로 인해 발생한 화재 – 발전기 모터의 코미테이터와 브러시 사이에서 발생한 불꽃에 의해 착화된 경우
반단선	• 배선이 무리하게 구부려지거나 꺾이거나 하여 소선 중 일부가 절단되어 그 부분이 발열하여 출화한 경우를 말하며, 비닐평형코드의 한 선에는 손상이 보이지 않고 다른 1선에만 단락흔상의 용융개소가 확인될 수 있다.
접촉부 과열	• 배선 또는 전기기기의 접촉(접속)부가 느슨해져 접촉 저항에 의해 줄열이 발생하여 발화한 화재를 말한다. – 배선 상호 간의 접촉부가 발열하여 발생한 화재 – 전기기기의 단자부, 스위치류 또는 접속기의 접속부가 스파크나 트래킹 이외의 원인으로 발열하여 발생한 화재 – 아산화동 증식 반응에 의한 화재
정전스파크	• 절연된 도체 또는 절연체에 대전된 전하(정전기)가 방전하여 이때 발생한 스파크에 의해 출화한 화재를 말한다.

원인	의의 및 적용 방법

절연열화	• 전기기기의 절연물이 수분이나 경년열화에 의해 물리적 또는 화학적으로 변화하여 절연내력이 저하하여 출화한 화재를 말한다.
	  – 코일을 갖는 전기기기의 코일부분 절연열화에 의해 출화한 경우
	  – 절연오일 등의 절연열화에 의해 출화한 경우
	  – 콘덴서의 절연내력이 저하하여 출화한 경우
	  – 형광등 안정기의 절연내력이 저하하여 출화한 경우

누설방전	• 고압전원이 매체를 통하여 불꽃 방전하여 출화한 화재를 말한다.
	  – 네온등 또는 네온등 배선에서의 누설전류에 의해 출화한 경우
	  – TV 고압부의 방전에 의해 출화한 경우
	  – 고압전선의 애자 등 표면을 방전한 경우

트래킹 (Tracking)	• 절연물이 수분이나 먼지 등의 존재로 인해 스파크 또는 아크등의 고온으로 단속적 또는 계속적으로 열이 가해져 그래파이트화하여 출화한 화재를 말한다.

 전기화재 조사장비 활용법

(1) 검전기

1) 용도

기기의 정식 명칭은 잔류전류검지기로 100Hz 이하의 교류를 검지하며 전류가 검지되면 경보신호가 발생하여 전류가 흐르는 위치를 찾을 수 있는 장비이다.

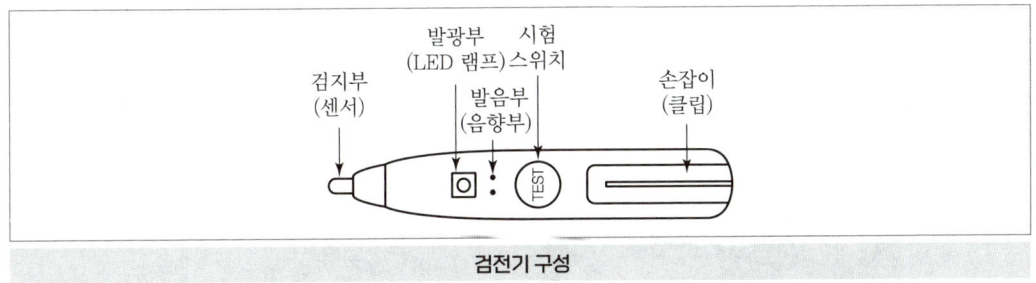

검전기 구성

2) 사용방법

① 고압용이나 특별 고압용을 검전할 때에는 반드시 절연 고무장갑을 착용하고 사용해야 한다.
② 손잡이 부분을 확실하게 잡고 사용한다.
③ 고압용 검전기는 케이블이나 절연 피복 위에서 비접촉으로 검지한다.
④ 옥내용, 옥외용은 사용 전압 범위와 회로 전압이 정해져 있어 그 범위 내에서 사용한다.
⑤ 검전은 이미 알고 있는 충전 부분에서 동작 확인 시험을 하거나 성능을 체크해 둔다.

3) 검전기의 종류와 사용전압 범위

용도	정격전압(V)	사용전압 범위(V)
저압용	300, 600	AC, DC 80~300, 600
고압용	7,000	AC 80~7,000
특별고압용	80,500	AC 20,000~80,500

4) 보관과 관리

① 건조한 장소에 보관하고, 절연 부분이 파손되거나 흠집이 나지 않도록 주의한다.
② 분진이 적은 장소에 보관하고, 사용 후에는 손질과 보전을 완벽하게 해야 한다.
③ 절연 성능 시험을 6개월 이내에 실시해야 한다.
④ 사용 개시 전에 검전 성능을 점검해야 한다.

(2) 회로시험기

1) 용도

전압, 전류, 저항 등의 값을 하나의 기기로 측정할 수 있는 가장 간단한 기기가 멀티미터(Multimeter)이다. 이를 회로 시험기 또는 멀티테스터라고도 한다.

2) 회로시험기 사용 시 유의사항

① 고압 측정 시 계측기 사용 안전 규칙을 준수한다.
② 측정하기 전에 계측기의 지침이 "0"점에 있는지 확인한다.
③ 측정 전에 레인지 선택 스위치와 시험봉이 적절한 위치에 있는지 확인한다.
④ 측정 위치를 잘 모를 경우, 가장 높은 레인지에서부터 선택한다.
⑤ 측정이 끝나면 피측정체의 전원을 끄고, 반드시 레인지 선택 스위치를 OFF에 둔다.

3) 회로시험기의 부분별 명칭

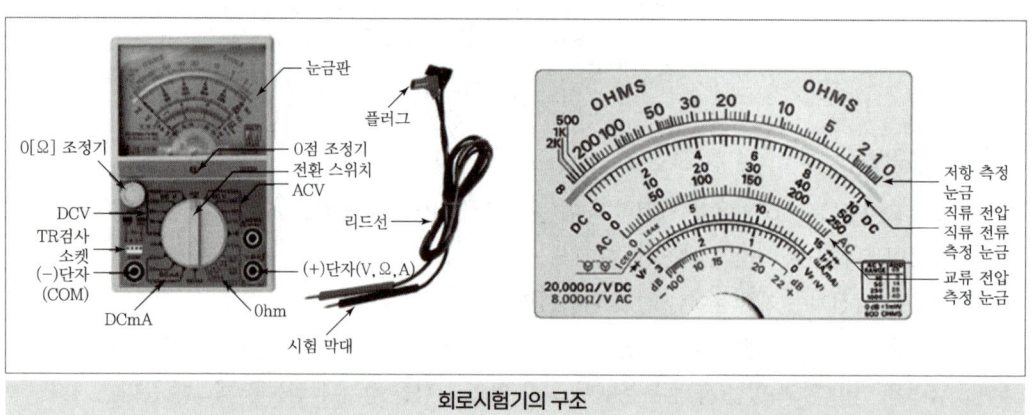

회로시험기의 구조

4) 회로시험기의 사용법

회로시험기의 외형은 서로 다르지만, 그 기본 구성 및 측정 방법, 눈금(스케일), 읽는 방법은 거의 동일하다. 회로시험기로 저항측정, 직류 전압측정, 직류 전류측정, 교류 전압측정, 인덕턴스 측정, 콘덴서 측정, 전압비(dB) 측정 등을 할 수 있다.

> **한번더클릭** 회로 시험기로 측정 가능한 것
> - 저항 측정, 전압 측정(직류(DC), 교류(AC)전압), 직류 전류 측정(교류 전류는 측정할 수 없음)
> - 통전 시험, 절연 시험, 트랜지스터 검사

5) 안전 및 유의사항

① 회로시험기를 사용할 때, 빨간 리드 플러그는 항상 빨간(+) 리드 잭에, 흑색 리드 플러그는 검정(−) 리드 잭에 연결해야 한다.
② 전압계나 전류계로 회로시험기를 사용할 때는, 측정할 전압과 전류의 대략적인 크기를 예측한 후, 전환 스위치를 적절한 범위에 설정하여 측정해야 한다.
③ 직류 전압이나 교류 전압을 측정하기 전에, 전환 스위치가 저항 또는 전류측정 범위에 있지 않은지 반드시 확인해야 한다. 그렇지 않으면 계기가 손상될 수 있다.
④ 측정할 전압과 전류의 크기를 예측할 수 없는 경우, 전환 스위치를 먼저 최대 측정 범위로 설정한다.
⑤ 저항계로 사용할 때는, 측정 범위를 전환할 때마다 0Ω으로 조정한 후에 측정을 진행해야 한다.
⑥ 회로시험기를 사용하지 않을 때는, 전환 스위치를 항상 off 위치에 두거나, off 단자가 없는 경우에는 DC V 또는 AC V 위치로 돌려놓아야 한다.

(3) 절연저항계

1) 용도

옥내배선의 정격 전압 또는 전기기기의 절연저항을 측정할 때 사용하며, 보통 메거(Megger)라고 한다.

2) 저압전로의 절연저항 측정

전로 사용전압 구분		절연저항값
400V 미만	대지전압 150V 이하의 경우	0.1MΩ
	대지전압 150V를 넘고 300V 이하인 경우	0.2MΩ
	사용전압 300V를 넘고 400V 미만인 경우	0.3MΩ
400V 이상		0.4MΩ

※ 사용전압에 대한 누설전류 기준 : 최대 공급전류의 1/2,000 이하

3) 절연저항계 각 부분의 명칭

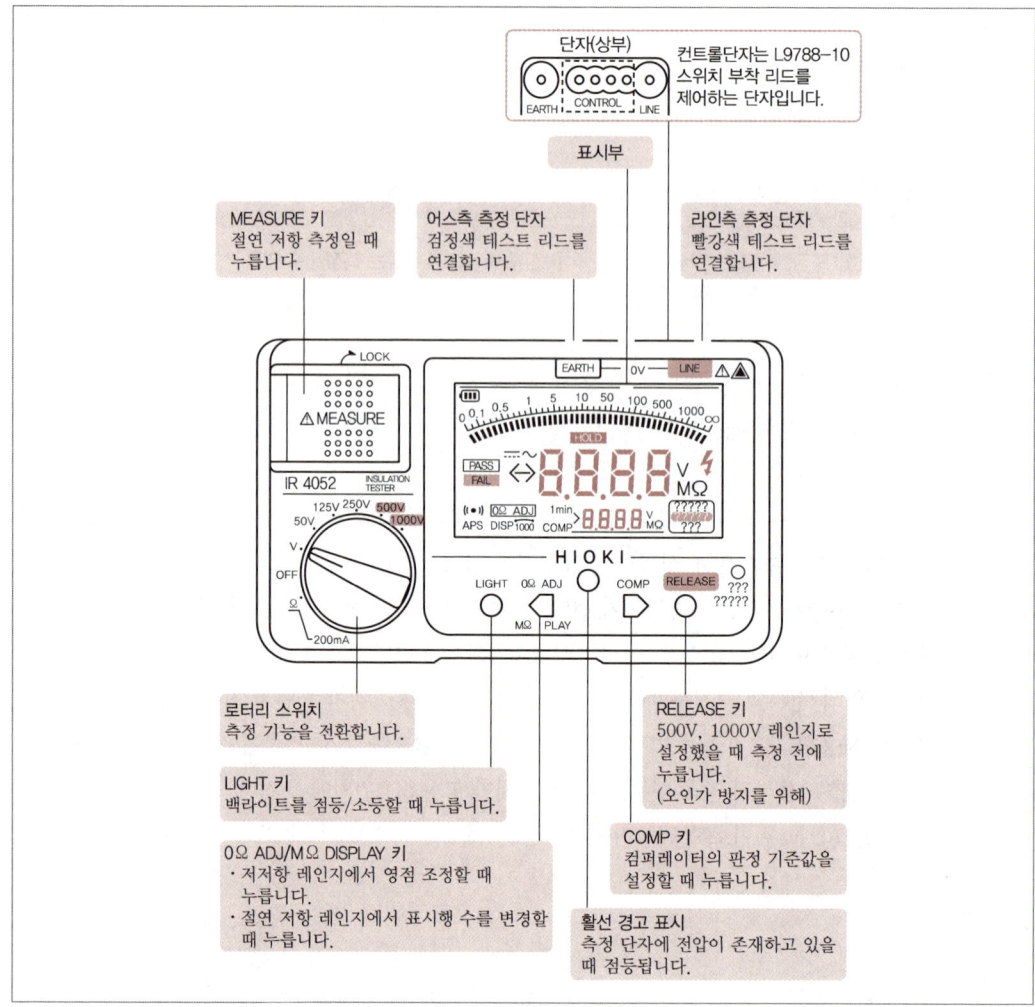

4) 절연저항계 주의사항

① 절연저항계에서의 절연 측정은 전기기기나 전로의 사용을 멈추고 단전상태에서 한다.
② 최근 컴퓨터나 컴퓨터로 제어하는 기기의 증가와 함께 전기설비의 보수를 위한 단전이 곤란해지고 있으며, 시대의 흐름에 따라서 활선상태로 전로의 절연저항을 측정하는 활선 절연저항계가 시판되고 있다.

5) 지시계의 동작원리와 전원방식

동작원리	기호		전원방식	기호
가동코일형	⌒		정전압회로를 내장하는 방식	K
가동코일비율계형	⌒		정전압회로를 갖지 않는 방식	N

(4) 클램프미터

1) 용도
① 운전 중인 기기의 부하전류나 누설전류를 측정한다.
② 기기의 운전 상태나 설비의 기능, 능력을 파악하는 중요한 점검 측정기이다.
③ 한 대로 누설전류부터 수 백A의 부하전류까지 측정 가능하다.
④ 전류측정기능 외에 교류전압 측정 및 저항측정 기능이 부가된 것도 있으며, 클램프미터 1대로 어느 정도의 일상적인 점검이 가능하다.

2) 사용방법
① 부하 전류 측정의 경우, 단상 2선이라면 두 선 중 하나만 클램프 안에 넣는다. 3상 선의 경우, R, S, T 각각의 전선을 클램프에 끼워 각각의 전류값을 측정해야 한다.
② 누설전류 측정의 경우, 단상 2선이라면 2선을 모두 클램프 안에 넣는다. 누설전류가 있는 경우, 두 선의 자기장 차이로 인해 측정된 전류값이 누설전류가 된다. 3상 선의 경우, R, S, T 3개의 선을 모두 클램프 안에 넣고 측정한다.

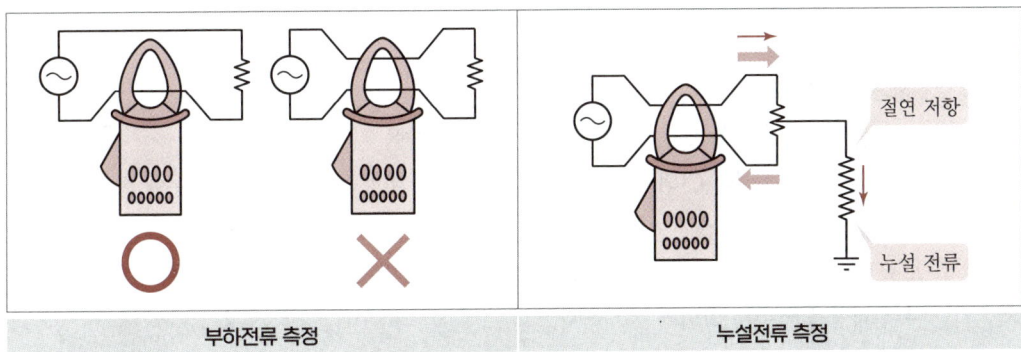

(5) 접지저항계

1) 접지저항
① 전기설비는 설비 자체의 안전뿐만 아니라 인명, 가축의 안전을 보장하기 위하여 반드시 접지해야 한다.
② 그림 (a)와 같이 2개의 접지판 E, C를 10m 이상 떨어진 위치에 매설하고 E, C 사이에 교류전압 e를 가하여 전류 i를 흘린다. 또, 보호 접지판 P를 설치하고 E, C 사이에 내부 저항이 높은 전압계 V를 접속한다.
③ P를 E, C 선상에서 순차적으로 이동시켜 E점으로부터의 전압강하 e_x를 측정하고, EC 간의 거리 X와의 관계를 구하면 그림 (b)와 같이 된다. 이 곡선이 수평으로 된 위치의 전압강하 e_x를 전류 i로 나눈 값을 E의 접지저항으로 정의한다.

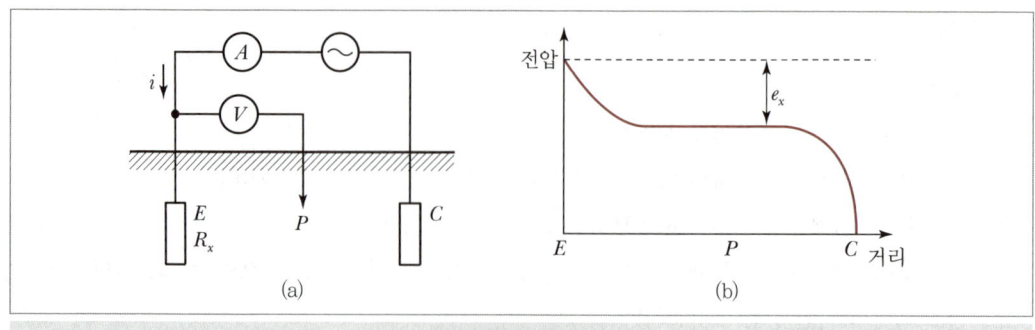

접지저항측정 이론

$$E의\ 접지저항\ R_x = \frac{e_x}{i}$$

2) 접지저항 측정

① 전위강하법

접지저항 측정에 널리 사용되는 방법으로, 보조전극을 이용해 유한구간의 전위상승을 검출하여 접지저항을 측정한다.

② 보조전극의 접지저항

㉠ 보조전극의 저항은 높지만, 접지저항 측정치에 영향을 미치지 않는다.

㉡ 전류 공급용 보조전극(C)의 저항은 전류와 전위차가 비례적으로 변하기 때문에 접지저항 값에 영향이 없다.

㉢ 보조전극의 저항이 과도하게 높을 경우, 측정 오차가 발생할 수 있으며, 이를 방지하기 위해 물을 부어 저항을 낮추는 방법이 유효하다.

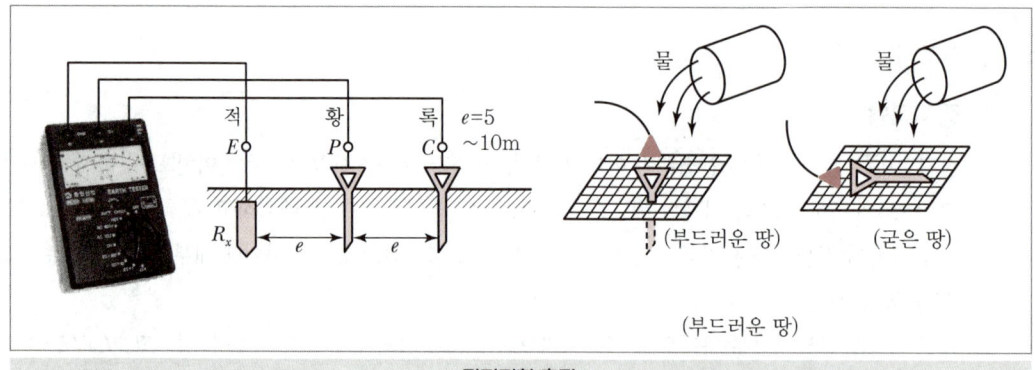

접지저항 측정

(6) 오실로스코프(Oscilloscope)

오실로스코프는 전기 신호의 변화를 시간에 따라 그래픽으로 표시하는 측정 장비이다. 주로 전압의 파형을 시각적으로 분석하여 신호의 크기, 주기, 주파수 등을 확인할 수 있다.

1) 용도

① **전자 회로 설계 및 분석** : 회로에서 발생하는 신호를 분석하여 오류를 찾아내고, 회로의 성능을 최적화하는 데 사용된다.
② **통신 장비 테스트** : 통신 신호의 품질을 측정하고 분석하여 문제를 해결한다.
③ **의료 기기** : 심전도(ECG) 파형을 분석하여 심장의 전기 활동을 모니터링 하는 데 사용된다.
④ **자동차 진단** : 차량의 전자 시스템에서 발생하는 신호를 분석하여 고장 진단에 활용된다.

2) 구조 및 기능

① 오실로스코프는 시간에 따라 변하는 다양한 형태의 전기적 신호를 음극선관(CRP ; Cathode Ray Tube)이나 액정디스플레이(LCD ; Liquid Crystal Display) 같은 표시장치를 이용하여 직접 볼 수 있게 한 분석 장치이다.
② 기본적으로 시간에 따라 변하는 전압을 표시하는 장치로 수직축 (Y-축)은 전압의 크기 그리고 수평축 (X-축)은 시간의 변화를 각각 나타낸다. 수직축의 신호는 [Volts]로 그리고 수평축의 신호는 [time]으로 표시된다.
③ 입력단자의 수와 기능에 따라 여러 종류가 있지만, 일반적으로 가장 흔하게 사용되는 오실로스코프는 두 개의 입력단자(CH1, CH2)를 갖추고 있어 서로 다른 두 파형을 동시에 관측, 비교할 수 있다.

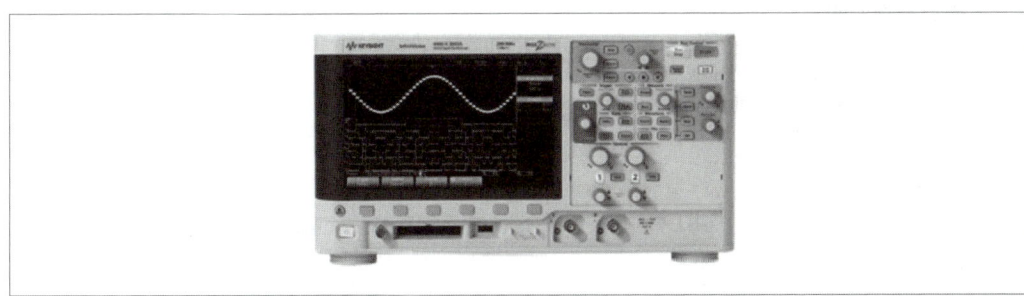

오실로스코프

4 전기화재 감식요령

(1) 감식체계의 흐름

1) 통전입증

① 감식할 전기기기를 발화원으로 판정하기 위해서는 출화 당시 통전을 입증해야 한다.

② 통전상태이기 위해서는 플러그가 콘센트에 접속되어 있고 중간스위치나 전원스위치가 "ON"이 되어 있어야 한다.
③ 통전입증은 부하측에서 전원측으로 진행한다.
④ 1회로 계통에 2개소 이상에서 전기용흔이 식별된 경우 일반적으로 부하측에서 먼저 단락되었다고 볼 수 있다.
⑤ 화재 시 콘센트에 플러그가 꽂혀 있었는지의 확인은 절연물의 용융상태와 그을음의 부착상태를 조사하여 확인할 수 있다.

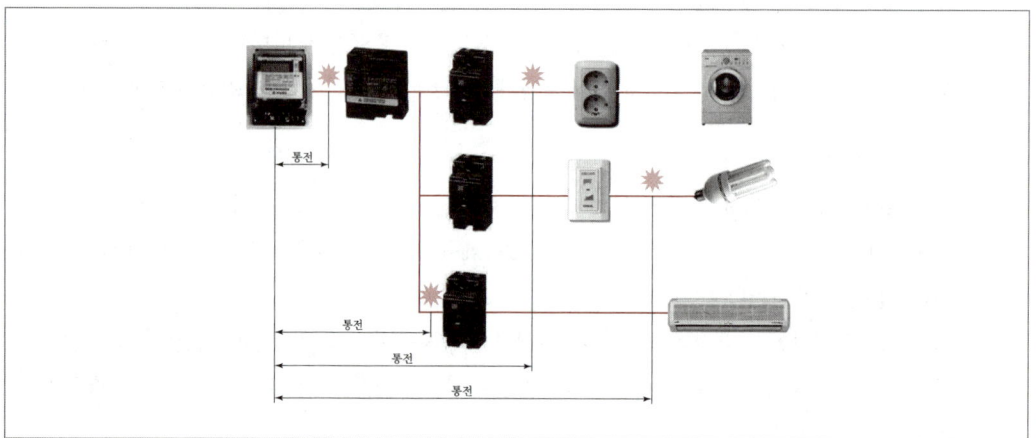

한번더클릭

통전입증 감식방법
① 현장 조사는 부하측에서 전원측으로 순차적으로 확인한다.
② 분전반의 차단기 상태를 확인한다.
③ 전열기를 비롯한 각종 전기기구의 부하측 상태를 확인한다.
④ 플러그 및 콘센트 등 접속기구와 배선 상태를 확인한다.

일반적인 통전입증의 순서
부하기기 → 전선 접속기구 → 스위치 → 개폐기 → 배선용차단기, 누전차단기 → 전력량계

① 플러그의 칼날
  ㉠ 절연 파괴에 의한 화재는 주로 접속 기구류의 접속 단자 간이나 콘센트와 플러그 칼날 사이에서 발생한다.
  ㉡ 칼날받이 사이에 습기가 부착되면 연면 전류가 흘러 탄화 도전로를 형성하고, 주위의 가연물에 착화된다.
  ㉢ 특히 습기가 많고 외부에 노출이 심한 장소나 진동으로 인해 접속 불량이 자주 발생하는 곳에서 쉽게 발생할 수 있다.
  ㉣ 화재 발생 시, 플러그 칼날 표면에는 칼날받이와의 접촉면 경계를 나타내는 변색 현상이 나타난다.
  ㉤ 칼날과 칼날받이의 접촉면은 열을 덜 받아 산화가 약하므로, 진화 후에도 광택이 남아있다.
  ㉥ 광택, 그을음 부착, 변색 상태 등을 통해 플러그 칼날이 칼날받이에 꽂혀 있었는지를 판별할 수 있다.

 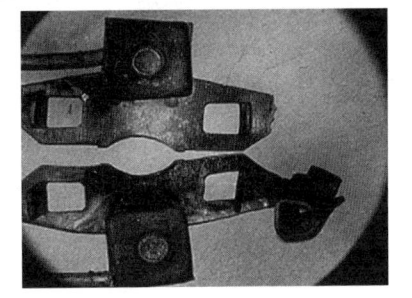

| 플러그 칼날 | 칼날받이 |

② 콘센트 등의 칼날받이
  ㉠ 벽체 콘센트나 테이블 탭의 칼날받이는 평상시에 닫혀 있다.
  ㉡ 화재 시, 플러그가 꽂혀 있던 칼날받이는 소방 활동 등으로 플러그가 빠져도 열린 상태를 유지한다.
  ㉢ 이는 플러그가 꽂힌 상태에서 열을 받아 탄력성을 잃었기 때문이다.
  ㉣ 칼날받이의 극간이 칼날의 두께와 일치하는지, 전기적 용흔이 정합되는지를 관찰하여 판단한다.

③ 중간스위치, 기구스위치
  ㉠ 스위치가 타서 없어진 경우, 손잡이의 정지 위치나 "ON", "OFF" 표시로 상태를 판단한다.
  ㉡ 소손된 수지에 가려진 경우, 건조 후 도통시험 또는 X선 촬영으로 접점면을 확인한다.

④ 배선
  ㉠ 코드나 전선의 피복 손상, 압력 물에 의한 눌림, 진동에 의해 스파크 현상이 발생할 수 있다.
  ㉡ 코드나 전선의 용흔과 변색 상태를 통해 화재 당시 장력을 받았는지, 지속적인 스파크나 아크로 인한 화재 가능성을 조사한다.

⑤ 콘덴서
  ㉠ 전하를 축적하는 장치로 2장의 금속판을 마주하고 사이에 유전체라는 절연물을 끼워 넣은 형태로 전극 판으로는 알루미늄이나 주석이 사용되고 유전체로는 절연지, 공기, 기름, 운모 등을 사용한다.
  ㉡ 콘덴서 내부 소자를 절단하여 중심부가 소손된 경우 콘덴서에서 출화한 것으로 판정할 수 있다.

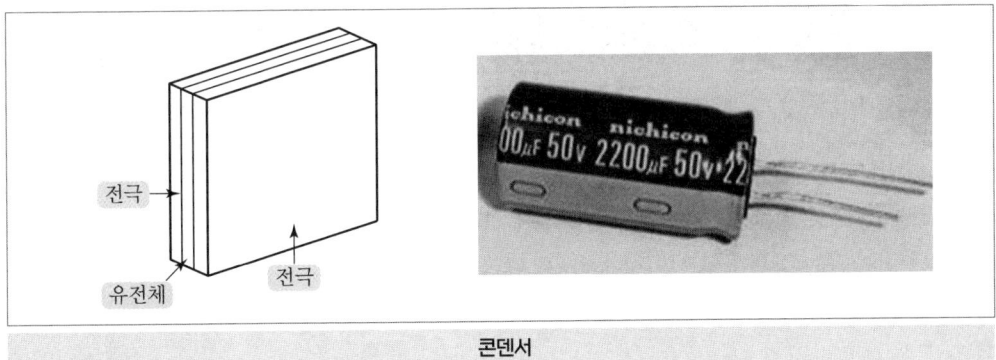

| 콘덴서 |

2) 용흔

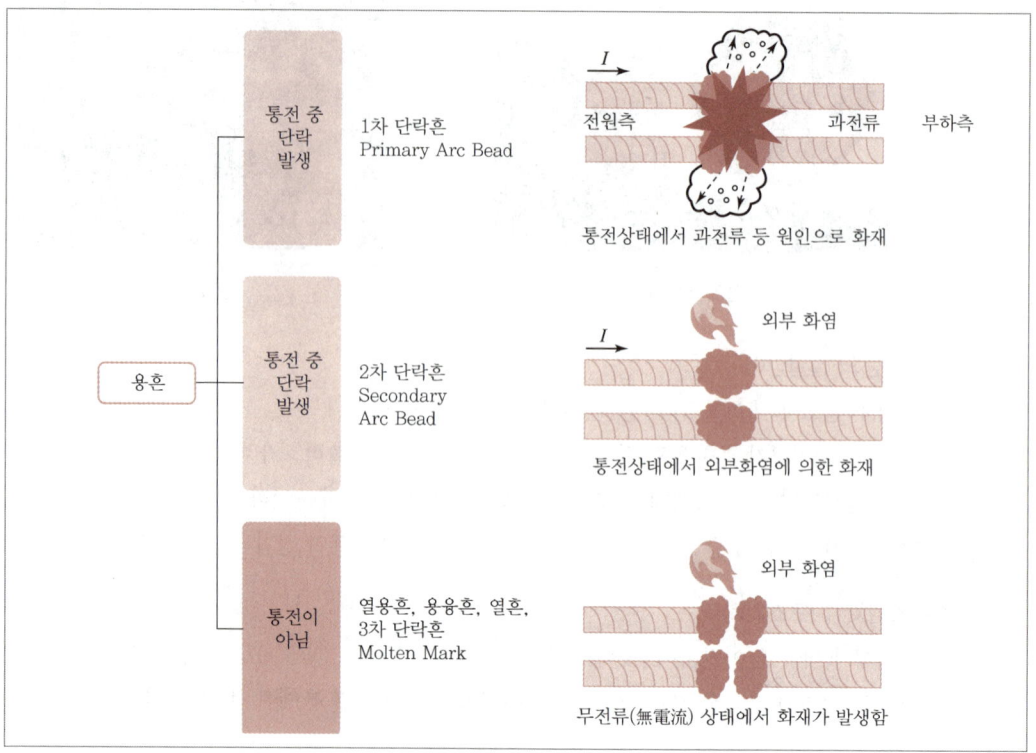

① 1차 단락흔

화재원인이 되는 단락흔으로 형상이 구형이고, 광택이 있으며, 매끄러우며 일반적으로 탄소가 검출되지 않는다.

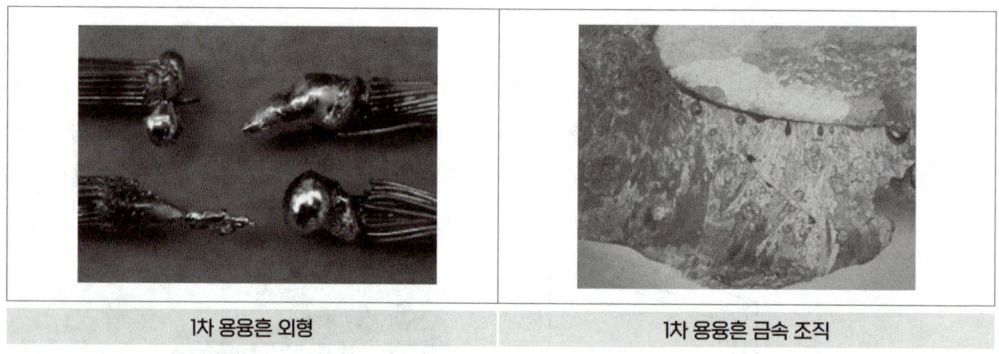

| 1차 용융흔 외형 | 1차 용융흔 금속 조직 |

② 2차 단락흔

화재열로 통전 중인 전선피복 등의 손실에 의한 단락흔으로 형상이 구형이 아니거나 광택이 없고, 매끄럽지 않는 경우가 많으며 일반적으로 탄소가 검출된다.

	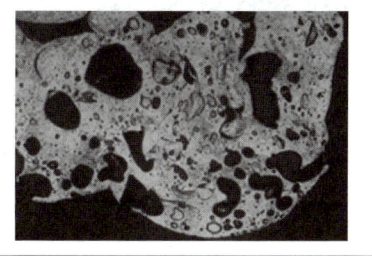
2차 용융흔 외형	2차 용융흔 금속 조직

③ 열 용흔

통전 중이 아닌 전선이 연소열 용융한 것으로 눈물모양으로 처져 있고 광택이 없다.

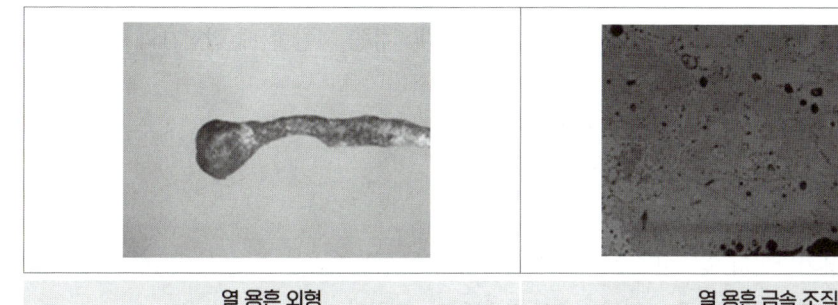

| 열 용흔 외형 | 열 용흔 금속 조직 |

「단락흔」과 「열용흔」의 특징

구분	통전	정의	외관의 특징
1차 단락흔	통전	화재원인이 된 단락흔	암기법 구슬, 광택 O, 매끈 O, 탄소 X 구슬모양으로 광택이 있고 매끄러우며, 대부분 탄소가 검출되지 않는다.
2차 단락흔		화재열로 전선피복 등이 타서 2차적으로 생긴 단락흔	암기법 광택 X, 매끈 X, 탄소 O 구리 본연의 광택이 없고 매끄럽지 않으며, 일반적으로 탄소가 검출된다.
열용흔	미통전	연소열로 용융한 것	암기법 눈물모양, 광택 X 눈물모양으로 처져 있고 광택이 없다.

(2) 배선기구, 조명기구

1) 배선기구

배선기구란 배선용차단기, 누전차단기, 과전류차단기, 커버나이프스위치, 점멸기, 개폐기, 전자개폐기, 접속기, 배분전반 및 기타 이와 유사한 배선용의 기구를 말한다.

① 배선용차단기(MCCB ; Molded Case Circuit Breaker)
　㉠ 개요
　　• 배선용차단기는 개폐기구, 트립장치 등을 절연물의 용기 내에 일체로 조립한 기구이다.
　　• 통상 사용 상태의 전로를 수동 또는 절연물 용기 외부의 전기조작장치 등에 의하여 개폐할 수가 있고, 또 과부하 및 단락 등일 경우, 자동적으로 전로를 차단시킬 수 있다.
　㉡ 배선용차단기의 구성
　　• 몰드케이스(하부 케이스와 상부 케이스)
　　• 접점부(고정접점과 가동접점)
　　• 개폐기구부(3상 동시 Trip을 행할 수 있는 Cross-bar)
　㉢ 소호장치
　　• 병렬로 배치된 소호 그리드(Grid)에 의하여 대전류를 차단할 때 접점간의 아크(Arc)를 소호(아크방전을 제거)하는 장치이다.
　　• 차단기가 ON, OFF(또는 Trip)할 경우, 아크가 생성되면 이를 소호시켜주는 장치로 아크 챔버(Arc Chamber)라고 부른다.
　㉣ 배선용차단기의 외형상태 감식
　　• 배선용차단기의 외형이 탄화되어 부하측과 전원측을 구별할 수 없으면, 회로시험기로 저항을 측정하여 켜짐(0Ω)과 꺼짐(∞) 상태를 확인할 수 있다.
　　• X-ray 시험기를 사용하면 증거물을 분해하지 않고도 켜짐(투입) 및 꺼짐(개방) 상태를 쉽게 확인할 수 있다.
　　• 배선용차단기의 동작편이 중립에 있을 때, 2차 회로는 통전상태로 부하측에서 과부하 또는 단락이 발생한 것으로 판단하며, 이를 부하측 전선의 용융흔으로 규명한다.

② 누전차단기
　㉠ 기능
　　• 감전에 의한 인체 사고 및 지락에 의한 화재 사고 예방
　　• 폭발위험이 있는 장소에서의 전기회로 보호
　　• 습기가 많은 장소 및 옥외 인체 접촉이 용이한 곳에 설치
　　• 과전류 및 단락전류에 대한 보호 동작(열동형, 전자식)
　㉡ 누전차단기의 외형 및 내부 감식
　　• 합성수지 케이스가 탄화되어 변형된 경우 : Mold Case가 화염에 탄화되어 부하측과 전원측을 구별할 수 없을 경우에는 회로시험기 등으로 저항을 측정하여 켜짐(저항 0Ω)과 꺼짐(저항 ∞)상태를 확인한다.
　　• 분해할 경우 동작편의 위치로 식별 : 케이스가 소실되고 밑 부분과 금속부분을 포함한 일부분만 남았을 경우 투입 및 개방상태를 식별하는 방법은 동작편(금속)이 수직상태일 때는 투입(ON)상태이고, 동작편이 수평일 때는 개방상태로 판정한다.

- X-Ray촬영으로 확인 : 합성수지 등으로 피복된 물건 내부는 증거물을 분해하지 않은 상태로 촬영하여 켜짐(투입) 및 꺼짐(개방)상태를 용이하게 확인할 수 있다.

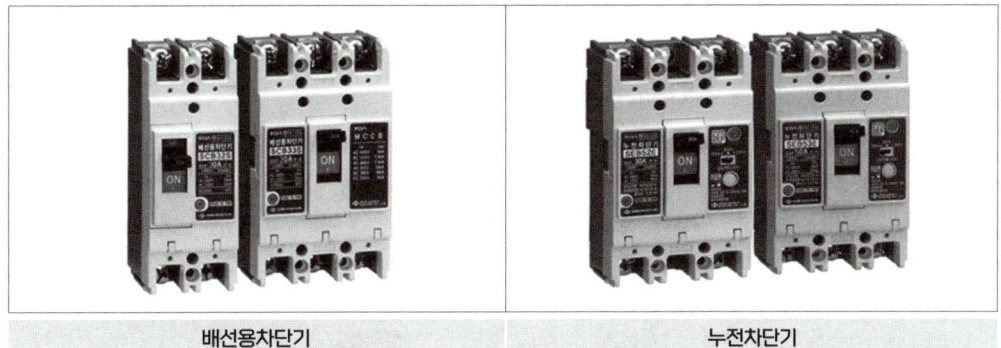

| 배선용차단기 | 누전차단기 |

③ 커버나이프 스위치
  ㉠ 커버나이프 스위치의 사용과 퓨즈 : 커버나이프 스위치 개폐의 판정은 투입편 가동자와 투입편 고정자와의 접합부 변색, 투입편 칼받이의 물림부분의 변색, 칼받이의 개폐상황 등으로 확인할 수 있다.
  ㉡ 감식요령
    • 나이프 스위치가 닫힌 상태에서는 투입편과 고정자의 접촉이 직각에 가까운데, 이때 투입편의 오염 상태를 보고 화재 당시의 개폐 상태를 판단할 수 있다.
    • 투입편이 칼받이와 맞물린 경우, 맞물린 부분과 그렇지 않은 부분의 오염 정도가 다르며, 투입편 전체가 탄화물로 오염된 경우 스위치가 열린 상태였음을 추정할 수 있다.
    • 칼받이 투입편이 투입된 상태에서 화염에 타면 열처리에 의해 가역성을 잃게 되어, 이 상태를 통해 스위치가 열린 상태였는지를 식별할 수 있다.
  ㉢ 퓨즈의 용단상태에 따른 통전 유무 식별
    • 단락에 의해 퓨즈가 용융되었을 때 : 퓨즈 몸체 전체가 녹아서 둥근 형태로 비산되어 케이스 등에 부착
    • 100~300% 과부하일 경우 : 퓨즈 중앙부분이 용단
    • 접촉불량 등으로 용단된 경우 : 양쪽 끝부분에 검게 변색된 흔적으로 식별
    • 외부화염에 의해 용융된 경우 : 불규칙한 형태

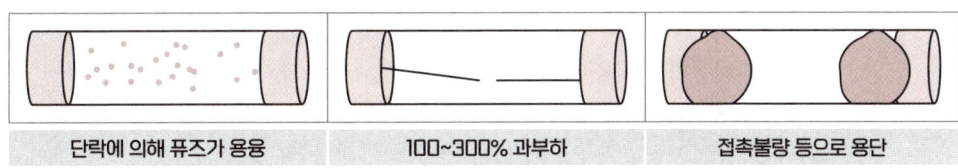

| 단락에 의해 퓨즈가 용융 | 100~300% 과부하 | 접촉불량 등으로 용단 |

2) 조명기구

① 백열전구(Incandescent Lamp)

㉠ 전구의 가운데에 있는 필라멘트에 전류가 흘러서 고열을 발하고, 이것이 빛이 되어 빛나는 성질을 이용하여 만들어진 것으로, 불활성가스인 아르곤 등을 봉입한 유리구에 필라멘트(텅스텐선)가 넣어져 있어 2,200℃까지의 고온에 견딜 수 있다.

㉡ 아르곤가스를 봉입한 이유는 텅스텐필라멘트와 화학반응하지 않은 불활성가스를 넣어 고온에서 발광하는 필라멘트의 증발·비산을 제어하여 수명을 길게 하기 위함이다.

㉢ 백열전구 구조

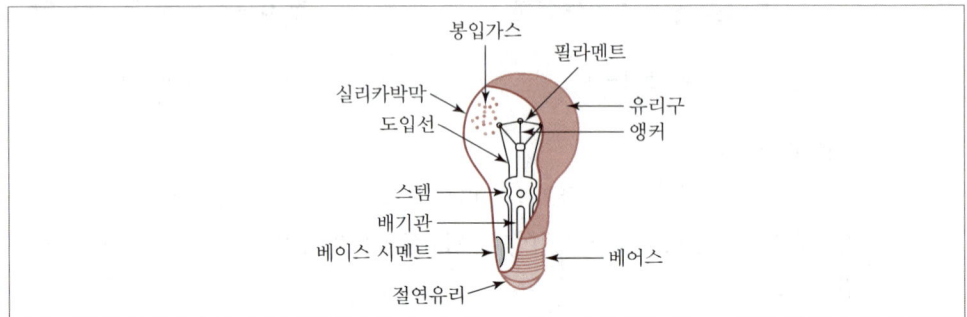

- 유리구 : 필라멘트를 보호하며 빛을 투과하는 역할로, 일반적으로 소다 석회유리나 옥외용 붕규산 유리를 사용한다.
- 필라멘트 : 몰리브덴선이나 텅스텐선으로 만들어져, 앵커에 의해 지지되는 발광 부분이다.
- 베이스 : 전구를 소켓에 연결해 전기를 공급받기 위한 부분이다.
- 봉입기체 : 출력에 따라 소출력 전구는 진공, 20~30W 이상의 전구는 비활성 기체가 봉입된다.
- 도입선 : 베이스에서 필라멘트로 전류를 전달하며, 위치에 따라 니켈, 듀밋선, 동선이 사용된다.
- 게터 : 유리구 내부의 불순 기체가 필라멘트를 산화시키는 것을 방지한다.

㉣ 열에 의하여 소손된 전구의 감식방법

- 내부가 불활성 가스로 충전된 전구는 연화된 부분이 부풀어 오르거나 외부로 터져 나가는 형태로 변한다.
- 내부가 진공상태인 전구는 일부가 연화되기 시작하면 외부의 압력 때문에 내부로 함몰되는 형태로 변한다.
- 전선에 매달려 있는 전구의 경우, 화재 당시의 방향을 신뢰할 수 없으므로 화재진행방향의 지표로써 사용하는 것을 피해야 한다.
- 전구 필라멘트의 산화 여부 및 전구 내벽에 부착된 필라멘트 증기 등으로 On/Off를 확인할 수 있다.
- 화염이 전달되는 방향의 구면에서 변형이 먼저 발생하고, "blowout(펑크)" 방향이 보통 먼저 말랑말랑해지기 때문에 불길이 다가오는 방향을 가리킨다.

② 형광등(Fluorescent Lamp)
　㉠ 저압기체방전을 이용하여 수은원자에 고유한 자외선(253.7nm)을 발생시키고 이를 유리관 내에 도포되어 있는 형광체에 조사하여 형광체를 여기(excitation)시켜 가시광의 발광을 일으키도록 한 것이다.
　㉡ 감식사례
　　• 안정기로부터의 출화 : 안정기에 관계된 것이 대부분을 차지하며 그 원인으로는 절연열화, 층간단락, 이상발열 등 여러 가지가 있다.
　　• 안정기에서 출화에 이르는 과정

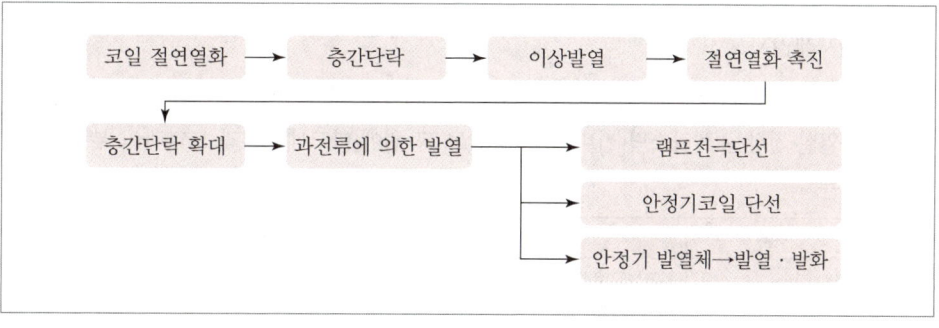

　　• 점등관으로부터의 출화 : 형광등의 초기 점등에 대한 예열 역할을 하는 것으로 유리관을 사용하는 것과 플라스틱 관을 사용하는 것이 있다.
　　• 전자회로의 부품에서 발화하는 경우 : 전자회로의 부품에서 발화하는 경우와 회로 기판의 납땜 접속부에서 발화하는 경우가 있다.
　　• 인입선 및 등 기구 내 배선에서 발화

③ 네온등
　㉠ 네온등은 내부에 네온 가스가 채워진 유리관에 고전압을 인가하여, 네온 가스가 이온화되면서 빛을 내는 원리로 작동한다. 전압이 가해지면 네온 가스가 붉은색 빛을 발산하는데, 다른 가스를 혼합하면 다양한 색을 구현할 수 있다.

ⓒ 화재가 발생하면 네온등의 유리관이 깨지거나 내부의 가스가 고온으로 인해 방출될 수 있다. 이 과정에서 네온등 자체가 발화의 원인이 되지는 않지만, 고전압 장치와의 결합 상태에서 전기적 요인이 화재의 원인이 될 수 있다.

ⓒ 네온등이 있는 현장에서 화재 감식을 할 때는 유리관의 손상 여부와 고전압 장치의 상태를 확인해야 한다. 유리관이 파손되었거나, 고전압 장치에서 단락이나 과열이 발생했을 경우 화재 원인으로 고려될 수 있다.

ⓔ 네온등이 발화원인으로 의심될 경우, 유리관의 파손 상태와 내부 가스의 흔적 등을 통해 화재의 원인을 규명할 수 있다.

④ HID램프(High Intensity Discharge Lamp : 고압방전램프)

ⓐ 방전램프는 전류가 이온가스를 통과할 때 빛이 발생하며, 나트륨램프, 메탈할라이드램프, 수은등 등이 포함된다.

ⓑ 메탈할라이드램프는 발광물질로 수은과 금속 할로겐 물질을 사용하여 다양한 빛을 발산하며, 높은 광효율과 긴 수명을 가진다.

ⓒ 메탈할라이드램프는 백열전구보다 에너지 효율이 높고, 자연색에 가까운 빛을 방출하는 연색성이 우수한 조명이다.

ⓓ 감식 시에는 램프 발열, 배선 상태, 전선 굵기, 절연 손상 여부, 방전관의 오손 상태 등을 확인해야 한다.

ⓔ 전선피복의 트래킹 발생 여부와 안정기권선의 층간단락 유무 등도 중요한 조사 포인트이다.

(3) 주방 및 가전관련 기기

1) 전자레인지

① 구조 : 전자레인지는 강판으로 된 외함과 스테인리스 강판 또는 알루미늄판으로 된 가열실을 가지며, 가열실 천장은 플라스틱 커버로 되어 있고 그 위에 마그네트론과 도파관이 부착되어 있다.

② 기능

구분	특징
가열실	전파적으로 밀폐된 식품 가열 상자로, 턴테이블이나 스틸러를 사용해 균일하게 가열하며, 내부에 조명등이 설치되어 있다.
발진부	마그네트론, 도파관, 마이크로웨이브를 교반하는 팬과 냉각팬으로 구성되어 마이크로웨이브를 발생시키고 가열실로 인도한다.
전원부	마그네트론을 동작시키는 직류 3,300V 고압회로와 오븐 기능이 있는 경우 시스히터용 직류고전압을 생성하는 고압변압기, 고압콘덴서, 저압회로 등이 포함된다.
제어부	문이 열릴 때 전파 방사 방지와 조리시간 설정 등을 조절하며, 조리조정과 안전성을 관리한다.
안전장치	전류퓨즈, 도어 또는 래치스위치, 온도과도 상승 방지장치 등이 포함되어 있다.

③ 감식 사례

ⓐ 가열실 내부의 상태(식품의 과열 발화)

ⓑ 금속용기의 방전에 의한 발화

ⓒ 급전구 커버에 부착된 식품찌꺼기의 발화

- ㉣ 기판에 먼지나 벌레 등이 부착되어 절연파괴로 발화
- ㉤ 도어 래치 스위치의 접촉부 과열
- ㉥ 회전구동모터와 팬 모터 배선 및 코일의 절연파괴
- ㉦ 전원코드의 단락
- ㉧ 트랜스(Transformer)와 부품의 절연파괴
- ㉨ 고압콘덴서, 고압Diode 등 부품의 절연파괴로 인한 발화

2) 냉장고

① 원리

- ㉠ 비점이 낮은 냉매가스가 압축기(compressor)로 압축되고, 압축된 냉매가스는 파이프를 통해 냉각기로 보내진다.
- ㉡ 냉각기에서 액체 상태의 냉매가스가 기화되면서 주위로부터 열을 빼앗아 냉각을 한다.
- ㉢ 냉각기를 통과한 냉매가스는 응축기(condenser)로 보내져 액화되고, 액화된 냉매가스는 다시 압축기로 보내져 순환이 반복된다.
- ㉣ 냉각기와 저장고 사이에는 팬이 설치되어 있어 냉풍을 순환시킨다.
- ㉤ 냉각기에는 대기 중의 수분이 빙결되어 냉각 효과가 저하될 수 있는데, 서모스위치와 타임스위치를 통해 서리제거 히터가 작동하여 서리를 녹인다.
- ㉥ 녹은 물은 드레인 히터로 증발되며, 서리제거 히터에는 과열 방지를 위한 온도퓨즈가 부착되어 있다.
- ㉦ 저장고 내부의 온도는 서모스위치로 제어된다.

② 구조

구분	특징
컴프레서(압축기)	피스톤의 왕복운동은 모터 축에 연결된 크랭크에 의해 이루어지며, 윤활유는 컴프레서 케이스 밑에서 모터 축에 공급된다. 또한, 경량소형으로 효율이 좋은 로터리 컴프레서도 사용된다.
콘덴서(응축기)	냉각기에서 흡수한 열과 컴프레서에서 발생한 열을 방출하는 장치로, 고온 고압의 가스상 냉매를 공기 또는 물로 냉각하여 고압의 액체로 변환시킨다.
냉각기	냉매가 증발하면서 주위의 열을 흡수하여 냉각을 담당하며, 냉동 사이클을 반복하여 냉장고 내부를 냉각시킨다.
기동기	컴프레서 모터의 회전을 시작시키기 위한 장치로, 주권선과 보조권선으로 구성되어 있으며, 시동 후에는 주권선만으로 회전을 유지한다.
과부하계전기	컴프레서에 과전류가 흐르거나 고온이 되었을 때 자동으로 작동하여 컴프레서를 보호하며, 바이메탈이 온도나 과전류를 감지해 모터를 보호한다.

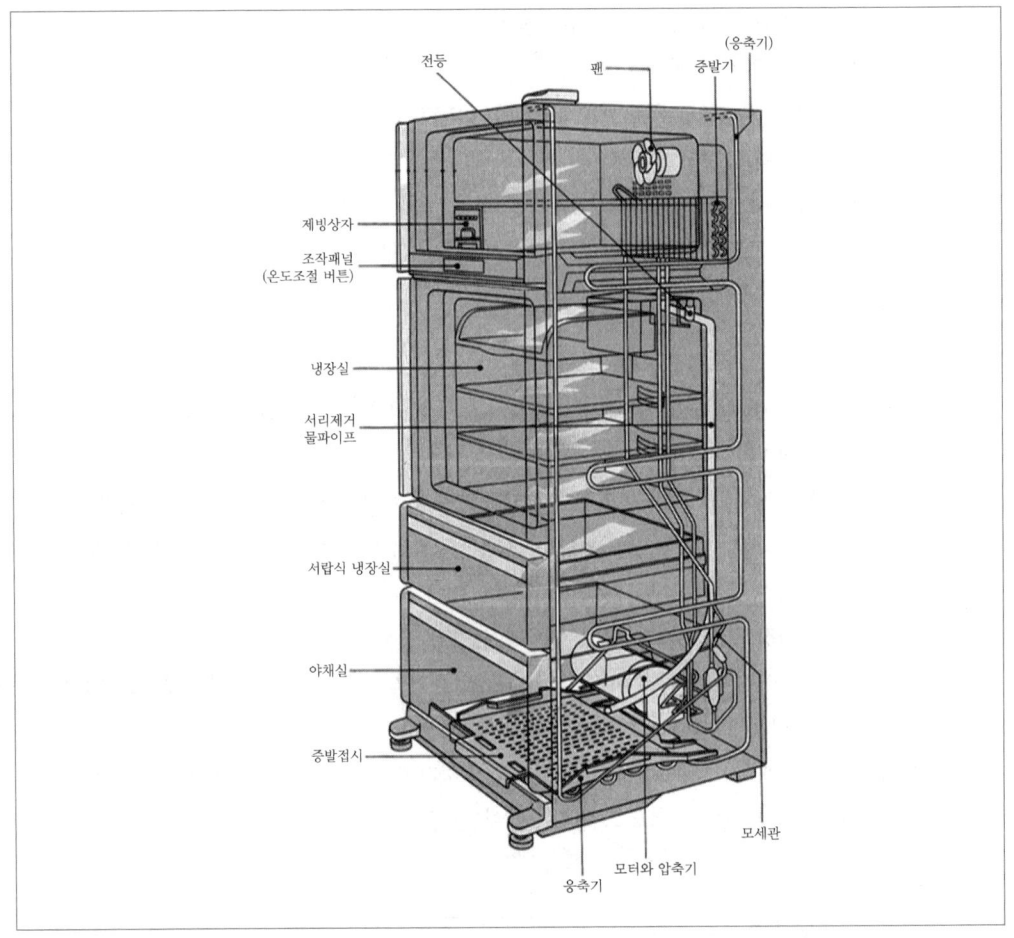

③ 각종 히터

ⓐ 서모스탯(Thermostat) 히터 : 서모스탯 본체의 온도를 감지하여, 주위 온도가 내려가더라도 본체 부분을 따뜻하게 유지하여 정상 작동을 보정하는 역할을 한다.

ⓑ 서리제거 히터 : 냉각기 내부나 이면에 설치되어 서리 제거를 촉진시키는 역할을 한다.

ⓒ 드레인 히터 : 냉각기 아래에 설치되어 서리 제거 서모스탯의 작동에 따라 서리가 용융되거나 서리 제거 물의 재동결을 방지한다.

ⓓ 냉장실 칸 히터 : 냉장실의 중간 경계 반대쪽에 설치되어 연속 통전으로 서리 부착을 방지하며, 핫가스 방식을 채용한다.

ⓔ 외부박스 히터 : 외부박스 전면에 설치되어 주위 온도가 높을 때 외부박스의 온도가 노점온도 이하로 떨어지는 것을 방지하여 수분 응축과 이슬 맺힘을 방지한다.

④ 냉장고 화재 감식요령

ⓐ 전원코드의 단락 : 플러그부분에서 불완전 접촉, 냉장고 몸체인입선에서의 반단선, 전원선이 눌리거나 쥐 등에 의해 물리적 손상으로 피복손상 및 단락으로 출화위험이 있다.

ⓛ 제상히터(L코드)의 단선 : 제상히터는 L코드가 노후 등으로 단선되면 제상타이머에 의해 제상은 되지 않고, 제상조절기가 작동하지 않아 TE플레이트가 지속적으로 발열하여 냉동실과 냉장실 사이의 단열재에 착화 발화하게 된다.
ⓒ 시동콘덴서의 단락 : 콘덴서가 내부에서 단락되면 자체가 발화하기보다는 이에 연결된 발열체 즉 저항이나 코일부분에서 과열되어 절연이 파괴되면서 단락된다.
ⓔ 스위치 부분에서의 발화 : 접점의 불완전접촉 및 노후로 아산화동이 형성되면 융착하게 되고, 이때 발생되는 고열로 과부하보호장치 접점, 냉동실온도조절기 접점, 제상타이머스위치 부분 등에서 발화된다.
ⓜ 과부하보호장치에서의 트래킹 : 압축기에 바이메탈 스위치가 내장되어 있고, 이것이 융착되면 절연체가 탄화되며 노출된 단자 사이의 먼지와 물기에 의해 트래킹 현상이 일어나 발화된다.
ⓑ 모터류의 과열 : 모터 연결전원선 및 내부 권선에서 단락흔이 식별되며, 특히 대부분의 모터 과열 시 축수부분에서 터닝칼라가 형성된다.

3) 냉·온수기

① 일반사항
  ㉠ 냉·온수기에서 발생하는 진동이 전원 배선이나 제어 배선을 손상시킬 위험이 있다.
  ㉡ 온도 제어 과정에서 릴레이 접점에 아크가 발생하여 전극이 변형되고 전기적 발열이 생길 수 있다.
  ㉢ 아크로 인해 절연물이 파괴되면서 화재가 발생할 가능성이 있다.

② 냉·온수기의 원리
  냉·온수기에서 냉수를 만드는 방법은 반도체 냉각방식과 컴프레서를 이용한 방식이 있다.

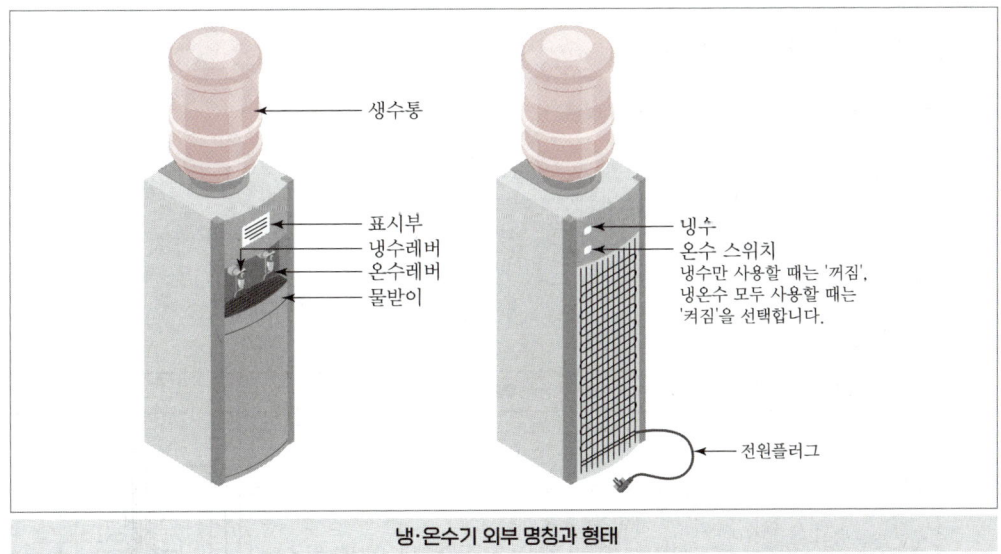

냉·온수기 외부 명칭과 형태

③ 구성요소

구분	특징
냉수장치	냉매가스를 이용한 냉동장치로, 압축기, 응축기, 냉각기로 구성된다.
압축기	피스톤의 왕복운동을 통해 냉매를 압축하며, 진동과 소음을 줄이기 위해 모터와 압축기를 핀으로 고정한다. 최근에는 경량소형 로터리 압축기도 사용된다.
응축기	고온, 고압의 가스형 냉매를 공기 또는 물로 냉각하여 고압의 액체로 변환하는 장치로, 자연통풍에 의한 공냉식이 일반적으로 사용된다.
냉각기	응축기에서 액화된 냉매를 기화시켜 주위의 열을 빼앗아 냉각하는 장치이다.
건조기(드라이어)	모터의 작동 중 과전류가 발생하면 접점을 열어 전류를 차단하여 모터를 보호하는 역할을 한다.
과부하계전기	압축기에 과전류나 고온이 발생할 때 자동으로 작동하여 압축기를 보호하며, 바이메탈이 가열되면 전류를 차단한다.
서모스탯	온도를 자동으로 조절하여 일정한 온도를 유지하며, 냉·온수기, 난방기구 등 다양한 장치에 사용된다.

④ 감식요령

㉠ 압축기에서 발생할 수 있는 층간 단락, 배선 피복 손상, 또는 전자접촉기 표면의 트래킹 현상으로 인해 전기적 발열이 발생하고 이로 인해 화재가 일어날 수 있다.

㉡ 기동장치 스위치에서 가연성 가스나 인화성 물질이 누설되면, 스위치의 불꽃에 의해 착화되어 화재로 발전할 위험이 있다.

㉢ 서모스탯의 노출 단자 간 절연체 오염이나 그래파이트화, 또는 아크열에 의한 열화로 인해 트래킹 현상이 발생하여 발화할 수 있다.

㉣ 압축기 기동 릴레이가 장시간 사용되면서 열화되면, 트래킹 현상이 발생하여 전기적 발열이 일어나고 이로 인해 화재가 발생할 수 있다.

> **한번더클릭** 냉·온수기 발화원인 조사
>
> - 압축기 등 각 모터류 내부코일 층간단락 여부
> - 모터기동장치 스위치 결함 및 단락 여부
> - 서모스탯 이상발열(트래킹) 여부(기동 접점부에 발열흔 및 용융흔)
> - 압축기 기동릴레이 경년열화에 의한 트래킹 여부

4) 세탁기

① 일반사항

구분	특징	구조
드럼식	• 드럼 내부에 여러 개의 돌출부가 형성되어 있어, 물과 세제, 빨래를 넣고 수평축으로 저속 회전시킨다. • 돌출부에 의해 빨래가 올려졌다가 떨어지면서 발생하는 충격으로 세탁이 이루어진다.	세탁조, 애지테이터(교반 날개), 교반 기구(베어링 기구), 모터

구분	특징	구조
교반식	• 세탁조 중앙에 위치한 날개 모양의 교반기를 좌우로 회전시켜 세탁한다. • 세척력이 우수하지만 소음과 진동이 크며, 빨래의 손상이 발생할 수 있다.	세탁조 / 진동자 / 발진기
와권식 (소용돌이식)	• 1960년 일본에서 개발된 방식으로, 원판 모양의 펄세이터를 회전시켜 발생하는 물살로 세탁한다. • 2조식은 세탁조와 탈수조가 각각 분리되어 있으며, 물의 배수와 급수를 수동으로 진행한다. • 1조식은 전자동 방식으로, 세탁기 자체가 자동으로 물을 급수하고 배수함	세탁조 / 펄세이터 / 모터

② 감식요령
  ㉠ 배수밸브의 이상으로 인한 화재 : 전자동세탁조의 배수밸브에 배수 마그네트(드레인 모터 고장)가 사용되고, 이 배수 마그네트 내의 전환스위치 접점에 채터링을 일으켜 출화한다.
  ㉡ 커패시터(Capacitor, 콘덴서)의 절연열화
    • 스위치 전환 시 발생하는 잡음을 방지하기 위해 커패시터와 모터회전을 제어하는 기동용 커패시터 설치한다.
    • 장기간 고온 다습한 상태에서 사용하여 결로에 의해 잡음 방지 커패시터의 접속 단자부분이 부식하여, 알루미늄 커패시터 외피로 피크 전류가 흘러 앞에 있는 고정체 저항으로 발열하여 출화할 수 있다.
  ㉢ 진동 마찰에 의한 내부 배선의 절연손상 : 세탁기 외함과 내부 배선 간의 진동 마찰에 의해 절연손상이 발생하고, 이에 의한 발열에 의해 발화할 수 있다.

5) 전기밥솥

전기밥솥은 열판 가열 방식과 전자기 유도 가열 방식(Induction Heating)이 있다.

① **열판 가열 방식**
  ㉠ 취사에 필요한 열을 공급하는 열판이 하부에서 가열하는 방식이다.
  ㉡ 취사용 스위치로서는 마그네트식 서모스탯을 사용하며, 동작온도는 150℃ 전후이다.
  ㉢ 안전장치는 온도퓨즈나 전류퓨즈가 전원회로에 직렬로 들어가 있다. 또한, 본체 내에 내부 솥을 넣지 않았을 때나 뚜껑을 완전히 닫지 않은 때에는 취사·보온의 각 회로가 작동하지 않는 안전장치가 설치되어 있다.

② 전자기 유도 가열 방식(Induction Heating)
  ㉠ 냄비 주변의 코일에 전류가 흐를 때 발생되는 자력선에 의해 냄비가 스스로 발열되어 취사하는 방식이다.
  ㉡ 냄비 밑바닥 부분에 배치된 코일의 자력선에 의해 냄비의 금속부분 내에 발생한 와전류가 냄비가 가진 전기저항에 의해 줄열이 발생하여 냄비 그 자체가 히터가 된다.

③ 관찰 및 조사포인트
  ㉠ 전원코드리드선이 물려 들거나 나올 때 반복 작동에 따른 반단선
  ㉡ 커넥터의 접촉 불량이나 접속 나사의 이완
  ㉢ 기판부에 밥물이 흘러들어 트래킹현상에 의한 출화
  ㉣ 전자코일의 층간단락 등에 따른 절연파괴로 인한 출화
  ㉤ 온도퓨즈나 온도 센서 등의 감열부품 장착 부적합
  ㉥ 제어기판에 이물질(벌레, 습기나 먼지)부착으로 제어기능 불량
  ㉦ 과전압 및 과전류 등에 의한 절연파괴 촉진
  ㉧ 저항, 트랜지스터, 콘덴서 등 장착된 부품의 절연파괴에 의한 발열
  ㉨ 전기압력밥솥을 밥 이외에 다른 용도로 사용하거나 기타 요인 등

④ 감식요령
  ㉠ 기판부의 트래킹에 의한 경우 : 솥을 떠받치는 본체 상부의 상부 틀 부분의 조립 공정 시 상부 틀과 상부 틀 링 사이에 방수용 충전제를 충전할 때 충전제가 균일하게 도포되어 있지 않았기 때문에 상부 틀과 틀 링에 틈이 발생하여 침투한 수증기 등의 수분이 밑바닥 부분에 설치되어 있는 가열제어기판에 떨어져서 트래킹현상이 발생하여 가열 제어기판이 발화하여 출화할 수 있다.
  ㉡ 트랜지스터 내부 단락 : 기판에 들어가 있는 트랜지스터 내부에서 경년열화 등에 의거 에미터와 콜렉터 사이에서 단락하여 과전류가 흘러서 발열하고 기판 착화하여 출화한다. 기판의 잔존부분을 도통시험을 하여 그래파이트화 상황을 확인한다.
  ㉢ 과전압·과전류에 의해 취사히터가 출화 : 단상 3선식 배선에서 중성선 결손으로 발생한 과전압·과전류로 히터가 과열되어 알루미늄 다이캐스트가 용융 변형된 경우, 전기공사 후 기기 이상 및 출화 시각을 확인하고 히터의 이상 발열을 조사한다.
  ㉣ 유도 가열용 코일에서 출화 : 유도 가열형 전기밥솥은 25kHz의 고주파 전류가 1차 코일에 흐르며, 전자유도로 2차 코일(밥통)이 가열된다. 유도 가열용 1차 코일의 층간단락 사항을 확인한다.
  ㉤ 기구 코드로부터의 출화 : 밑바닥 부분에 설치되어 있는 코드의 반단선으로 출화하는 경우에는 부하전류가 흐르고 있는 것이 전제조건이며, 반단선에 이르는 요인을 사용연수·상황·설치환경 등을 확인한다.

(4) 냉·난방관련 기기

1) 에어컨

① 냉방의 원리
   ㉠ 실내의 공기상태를 용도, 목적에 따라 가장 적합한 상태(온도조절, 습도조절, 공기청정, 분배 등)로 유지하는 것이다.
   ㉡ 물의 증발잠열의 원리를 이용하여 물보다 증발하기 쉬운 액체[프레온가스(R-22)를 기화(증발)시키면 더욱 시원해지는 원리이다.
   ㉢ 물은 1기압에서 100℃에서 증발하지만, 프레온가스(R-22)는 -40℃의 매우 낮은 온도에서 증발한다.

② 냉동사이클로의 주요 부품 등

구분	특징
컴프레서(압축기)	냉매를 압축하여 고온·고압 상태로 만들고, 냉각기에서 냉매를 흡입해 압축 상태를 유지하며 냉매를 순환시키는 장치이다.
콘덴서(응축기)	고온 고압의 냉매가스를 냉각하여 액화시키며, 냉매가스에서 방출된 열을 물이나 공기로 방출하는 장치이다.
냉각기	실내공기와 냉매의 열교환을 통해 실내를 냉방하며, 콘덴서와는 반대로 냉매를 증발시켜 냉각 작용을 한다.
모세관(캐피러리 튜브)	고온·고압의 액상냉매가 모세관을 통과하며 저온·저압으로 변환되고, 컴프레서 정지 후 압력 균형이 이루어지는 장치이다.
사방밸브	냉난방 겸용 에어컨에서 냉방 사이클과 난방 사이클을 전환하는 밸브이다.

③ 에어컨 구조도

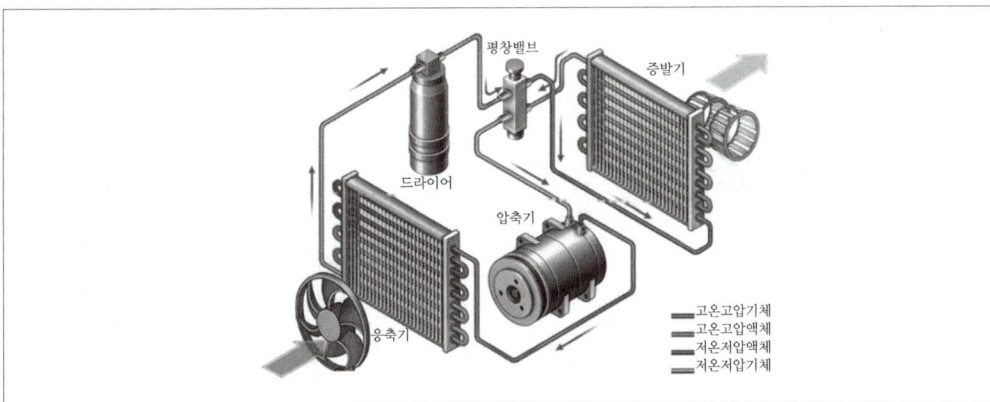

④ 감식사례
   ㉠ 에어컴프레서용 모터의 층간단락 : 실외기 컴프레서 모터 권선의 절연열화로 인해 층간단락이 발생하고, 터미널부가 용융되어 배선피복에 착화하여 출화된다.
   ㉡ 배수모터의 층간단락 : 천장매입형 실내기의 배수용 모터 권선이 층간단락하여 출화되었으며, 경년열화와 과부하운전이 원인으로 고려된다.

ⓒ 전원선의 단락 : 실외기 전원선이 예리한 프레임과 접촉하여 진동으로 인해 피복이 손상되고, 지락 후 단락이 발생하여 출화된다.

ⓒ 전원선이 진동에 의해 본체의 프레임부분과 접촉 단락 : 천장매입형 실내기의 전원선이 프레임과 접촉되어 진동으로 피복이 손상되고, 천장에 착화하여 출화된다.

ⓒ 쥐에 의한 결로방지 히터선의 반단선 : 쥐가 갉아 반단선이 된 히터선이 줄열로 인해 발열하고, 배선피복에 착화하여 출화된다.

ⓗ 전원코드를 손으로 비틀어 꼬아 접속하여 접촉부 과열 : 창문형 에어컨의 전원선을 손으로 비틀어 접속하여 접촉부 과열이 발생하고, 커튼에 착화하여 출화된다.

ⓐ 배선의 오접속 : 실내기 청소 후 보조 히터 제어용 릴레이를 잘못 접속하여 과열되었고, 합성수지 성형품에 착화하여 출화된다.

2) 선풍기

① 기능과 원리

ⓞ 기능 : 선풍기의 기능에는 좌우회전, 타이머 기능, 미풍에서 강풍까지 날개의 회전속도를 전환할 수 있는 기능이다.

ⓛ 원리
- 팬의 회전수를 바꾸는 원리 : 선풍기 모터는 유도형 콘덴서모터로, 전압을 조정하여 회전수를 조절한다. 스위치의 설정에 따라 주권선에 가해지는 전압이 달라지며, 이를 통해 팬의 속도를 조절한다.
- 좌우회전기구의 원리 : 선풍기의 좌우 회전은 크랭크기구를 통해 이루어지며, 모터의 회전을 기어로 감속하여 좌우로 변환한다. 클러치버튼과 웜기어를 이용해 회전 방향과 속도를 조절한다.

② 선풍기 구조도

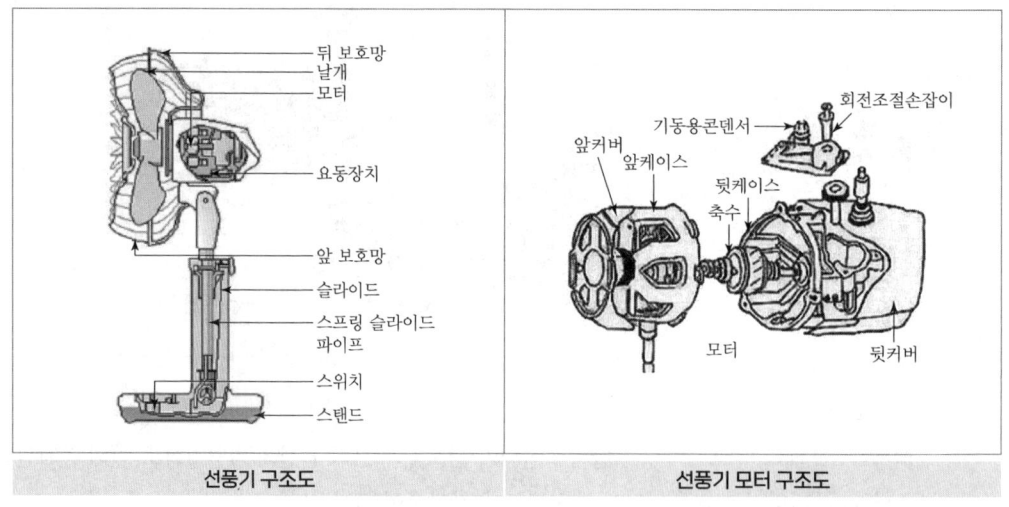

| 선풍기 구조도 | 선풍기 모터 구조도 |

③ 감식사항
  ㉠ 기구 내 배선의 반단선 : 배선이 고화되어 좌우 회전 운동으로 반단선되어 발열, 출화할 수 있어 모터 종류와 배선 상태, 스위치 접점의 용흔 등을 세밀히 관찰한다.
  ㉡ 콘덴서의 절연열화 : 절연열화로 인해 콘덴서 내부에 누설전류가 발생, 발열하여 출화할 수 있어 콘덴서 케이스의 손상 및 내부 전극, 유전체의 탄화 여부를 확인한다.
  ㉢ 모터의 층간단락 : 코일 절연이 열화되어 국부적으로 큰 전류가 흘러 발열, 출화할 수 있어 코일을 분해해 전기용흔 위치와 스위치 상태를 면밀히 조사한다.

3) 전기히터

① 니크롬선 히터
  ㉠ 전원은 단상 220V를 주로 사용한다.
  ㉡ 스위치 전원은 ON/OFF 외에 열량을 "강", "중", "약"으로 전환하는 것이 있다.

② 시스히터
  ㉠ 시스히터는 금속 보호관에 전열선을 코일 모양으로 내장하고, 절연 분말로 절연하여 니크롬선 히터를 보호하며, 전력은 1.2~2kW이다.
  ㉡ 로터리 스위치는 눌러 돌리는 방식으로 전원 ON/OFF 및 전력 조절을 하며, 경사 힘이 가해지면 스위치가 고정될 수 있다.

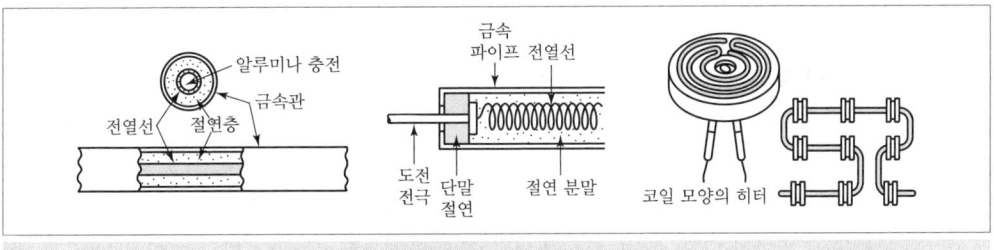

시스히터의 구조도와 전기풍로의 구조

③ 감식사항
  ㉠ 복사열에 의해 출화한 경우 : 히터 주위 가연물의 소손 여부를 확인하고, 스위치의 ON/OFF 상황을 확인한다.
  ㉡ 가연물의 접촉에 의해 출화한 경우 : 히터부에 부착된 가연물의 흔적을 관찰하고, 스위치의 ON/OFF 상태를 확인한다.
  ㉢ 착각 또는 신체나 물건이 접촉되어 출화 : 전기풍로 위 가연물의 탄화 여부와 스위치의 위치와 작동 여부를 확인한다. 또한, 주변 공간이 좁아 신체가 스위치에 닿을 가능성을 조사한다.
  ㉣ 전원코드의 단락으로 인한 발화 : 전원코드 상태 및 주변 물건의 배치를 조사하고, 히터부와의 접촉 여부 및 출화 가능성을 검토한다.
  ㉤ 시스히터의 과열 : 시스히터 내부의 열선 과밀 및 과전압 유입 여부를 확인하고, 과열로 인한 니크롬선 및 절연물의 손상 여부를 확인한다.

| 선풍기 스위치의 상태 | 권선의 층간 단락흔 |

(5) 전기모터와 변압기

1) 전기모터

① 개요
  ㉠ 전기모터는 전자기 유도 원리를 기반으로 전기적 에너지를 기계적 회전 에너지로 변환하는 장치이다.
  ㉡ 모터 내부에 흐르는 전류가 자기장을 생성하고, 이 자기장이 모터의 회전자를 움직여 기계적 운동을 생성한다.

② 전기모터 구성요소 : 스테이터, 로터, 코일, 브러시와 정류자, 베어링

③ 모터의 과열 원인
  ㉠ 과부하 : 모터가 정격 용량을 초과하는 부하를 받으면, 모터의 코일과 기타 부품이 과도하게 열을 발생시킨다.
  ㉡ 과전압 : 모터에 정상보다 높은 전압이 공급되면, 전기적 스트레스와 과열이 발생할 수 있다.
  ㉢ 저전압 : 전압이 낮을 때 모터는 더 많은 전류를 흡수하려 하며, 이로 인해 발열이 증가한다.
  ㉣ 베어링 문제 : 베어링이 마모되거나 손상되면 회전 저항이 증가하여 열이 발생한다.
  ㉤ 절연열화 : 모터의 절연이 열화되면, 권선의 단락이나 누설 전류로 인해 열이 발생할 수 있다.
  ㉥ 모터 내부 결함 : 코일의 단락, 고립 물질의 손상 등 내부 결함이 열을 유발할 수 있다.

④ 모터의 과부하로 인한 전기화재 발생과정

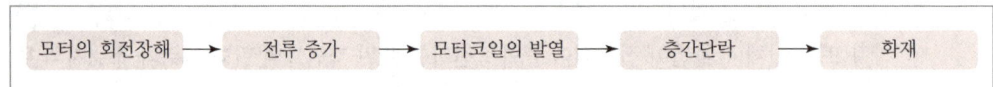

모터의 회전장해 → 전류 증가 → 모터코일의 발열 → 층간단락 → 화재

2) 변압기

① 변압기 구조
  변압기는 철심, 권선, 단철, 무전압 탭 절환단자, 냉각 팬, 상간리드, 권선온도 검출보호장치, 방진고무, 1·2차 단자, 인양고리, 접지단자 등으로 구성되어 있다.

② 감식사항
  ㉠ 배전용 변압기의 2차측 리드선이 이격 지지금구와 접촉해 피복이 손상되었고, 변압기 외장과 접지선을 통해 지락이 발생하여 출화한다.
  ㉡ 배전용 변압기의 1차측 배선에서 인입구 부싱의 노후화로 누설방전이 발생하고, 전선피복에 착화되어 출화한다.
  ㉢ 단상변압기의 2차측 리드선이 연결된 볼트 커넥터 부분의 접촉저항 증가로 발열이 발생하고, 전선피복에 착화되어 출화한다.
  ㉣ 주상변압기 인하용 절연전선과 부싱 사이의 캡 접촉부가 과열되어 커버에 착화되어 출화한다.
  ㉤ 주상 특고압 컷아웃 스위치의 본체와 하부 충전부가 태풍 등의 비바람으로 수목에 접촉하거나 근접해 아크 방전이 발생하고, 하부 절연커버에 착화되어 출화한다.

(6) 전선 시스템(배선과 시공)

1) 허용전류

① 허용전류란 전선이나 케이블이 연속적으로 사용될 때, 절연피복의 열화가 현저하지 않도록 유지할 수 있는 최대 전류를 의미한다.
② 일반적으로 허용전류는 연속 사용에 대한 값을 나타낸다.
③ 단시간 사용하는 경우에는 더 높은 전류를 허용할 수 있지만, 이 경우는 단시간 정격 허용전류라고 부른다.

2) 내열 PVC절연(HIV)전선 허용전류

① 단선일 경우(IV 전선 경우)

전선의 굵기	허용전류	MCCB 차단기	사용전압	사용가능 전력[kW]	
				단상	3상
1.6mm	19A	15A	110V	2.09	
			220V	4.18	7.24
			380V		12.50
2.0mm	24A	20A	110V	2.64	
			220V	5.28	9.15
			380V		15.80
2.6mm	34A	30A	110V	3.63	
			220V	7.26	12.57
			380V		22.38
3.2mm	43A	30A	110V	4.73	
			220V	9.46	16.38
			380V		28.30

② 연선일 경우(CV 전선 경우)

전선의 굵기	허용전류	MCCB 차단기	사용전압	사용가능 전력[kW] 단상	사용가능 전력[kW] 3상
8mm²	54A	50A	220V	11.88	20.58
			380V		35.54
14mm²	76A	75A	220V	16.72	28.96
			380V		50.02
22mm²	100A	100A	220V	22.00	38.11
			380V		65.82
38mm²	140A	125A	220V	30.80	53.34
			380V		92.15
60mm²	190A	150A	220V	41.80	72.40
			380V		125.10

한번더클릭 | 전선, 배선, 케이블의 구분

- 전선 : 강전류전기의 전송에 사용하는 전기도체, 절연물로 피복한 전기도체 또는 절연물로 피복한 위를 보호피복으로 보호한 전기도체를 말한다.
- 배선 : 전기사용장소에 고정하여 시설하는 전선을 말하고 기계·기구 내(배·분전반을 포함)에 그 일부분으로 시설된 전선, 소세력 회로의 전선 등은 포함하지 않는다.
- 케이블 : 통신용케이블 이외의 케이블 및 캡타이어케이블을 말한다.

(7) 과전류 · 화염에 의한 전선피복 소손흔과 용융흔 특징

1) 과전류에 의한 전선의 변화

① 개요
  ㉠ 전선은 염화비닐수지(PVC)로 절연되며, 최대 허용 전류와 최고 허용 온도를 가진다.
  ㉡ 과부하 또는 규격 미달의 전선 굵기로 사용 시 절연물의 최고 허용 온도를 초과하여 과열이 발생한다.
  ㉢ 과전류가 흐르면 피복이 열화되어 연기와 가스가 발생하며, 전선피복이 팽창, 용융, 탄화된다.

② 과전류에 의한 전선피복 소손흔 특징
  ㉠ 200% 과전류 : 초기에는 피복에서 연기가 발생(110℃)하며, 내부에서 탈염화현상이 일어난다.
  ㉡ 300%에서 2분 이상 지속 과전류 : 온도가 165℃ 이상이 되어 전선이 부풀어 오르고 피복이 두 개 층으로 나누어지며, 심한 연기가 발생한다.
  ㉢ 300%에서 3분 이상 지속 과전류 : 온도가 210℃ 이상으로 피복의 탄화가 확대된다.
  ㉣ 300%에서 5분 이상 지속 과전류 : 온도가 230℃ 이상으로 상승하여 전선피복이 흘러내리고 탈락하기 시작하며, 도체와 접촉 부분이 연녹색으로 변색된다.
  ㉤ 손상된 부분과 손상되지 않은 부분의 경계선이 명확하지 않으며, 피복 내부에서 외부로 탄화가 진행된 것을 식별할 수 있다.

ⓑ 전선절연 피복의 내부에서 외부로 탄화가 진행된 것을 식별하면, 과전류에 의해 전선 등의 절연피복이 소손된 후 합선이 진행된 것으로 판단할 수 있다.

2) 화염에 의한 전선피복 소손흔과 용융흔 특징

① 외부화염에 노출되어 불에 탄 부분과 타지 않은 부분의 경계선이 명확하다.
② 화염이 직접 노출된 전선의 외부피복에서 내부로 탄화가 진행된 것을 식별할 수 있다.
③ 동으로 된 전선이나 케이블 등이 외부화염에 노출되면 전선의 표면은 온도가 상승함에 따라 절연피복이 소실되고, 400~900℃에서는 동 전선의 표면이 산화되어 박리현상이 일어나며, 외부에서 내부로 산화가 진행된다.
④ 1,000℃와 1,100℃로 과열되면 구리전선의 전체가 산화되어 성분과 형태가 변화한다.

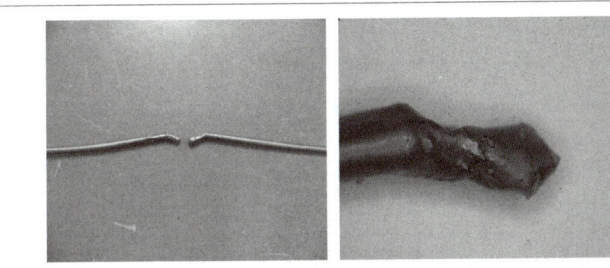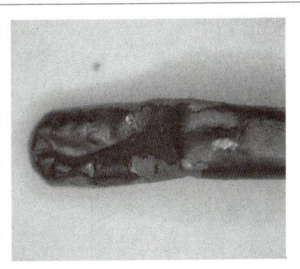

1.6mm 전선 5배 과전류 용단흔 전원측(左) 부하측(右)

1,000℃ 노출된 동 전선(左)과 1,100℃ 노출된 동 전선 형태(右)

한번더클릭 과전류에 의한 전선의 변화

- 통전전류가 클수록 짧은 시간에 용단된다.
- 용융된 부분과 용융되지 않은 부분의 경계선이 명확하지 않다.
- 회로 전체 배선에 과열된 흔적이 관찰된다.
- 용융되지 않은 전선의 표면은 산화작용에 의해 변색 산화되어 구부리면 표면의 일부가 박리되어 떨어진다.

CHAPTER 03 가스화재 감식

 가스의 이해

(1) 가스의 기초

1) 고압가스의 분류

분류		종류	내용
취급·저장 상태	압축가스	산소, 수소, 질소, 아르곤, 메탄	상태변화 없이 압축 저장하는 가스 [가스 → 가스]
	액화가스	액화석유가스(LPG), 암모니아, 이산화탄소, 액화산소, 액화질소	상온에서 압축하면 쉽게 액화되는 가스(액체상태로 저장) [가스 → 액체]
	용해가스	용해아세틸렌가스	압축하면 분해폭발하는 성질 때문에 단독으로 압축하지 못하고, 용기에 다공물질의 고체를 충전한 다음 아세톤과 같은 용제를 주입하여 기체상태로 압축한 것 [가스 → 가스]+충전제 및 용제
연소성	가연성 가스	수소, 암모니아, 액화석유가스, 아세틸렌	공기와 혼합하면 빛과 열을 내면서 연소하는 가스(하한 10% 이하, 상한과 하한의 차 20% 이상)
	조연성 가스	산소, 공기, 염소	다른 가연성 물질과 혼합 시 폭발이나 연소가 일어날 수 있도록 도움을 주는 가스
	불연성 가스	질소, 이산화탄소, 아르곤, 헬륨	연소와 무관한 가스
독성	독성가스	염소, 아황산가스, 암모니아, 일산화탄소, 산화에틸렌, 포스겐	인체에 유해성이 있는 가스(허용농도 200ppm 이하)

> **한번 더 클릭** 고압가스의 종류 및 범위 「고압가스 안전관리법 시행령」 제2조
>
> ① 상온에서 압력이 1MPa 초과되는 압축가스로서 실제로 그 압력이 1MPa 초과되는 것
> ② 15℃에서 압력이 0Pa을 초과하는 아세틸렌가스
> ③ 상온에서 압력이 0.2MPa 이상되는 액화가스로서 실제 압력이 0.2MPa 이상되는 것
> ④ 35℃의 온도에서 압력이 0Pa 초과하는 액화가스 중 액화시안화수소, 액화브롬화메탄 및 액화산화에틸렌가스

2) 폭발범위(연소범위 = 연소한계)

가스명	연소범위(용량%)		가스명	폭발범위(용량%)	
	하한	상한		하한	상한
프로판	2.1	9.5	메탄	5	15
부탄	1.8	8.4	일산화탄소	12.5	74
수소	4	75	황화수소	4.3	45
아세틸렌	2.5	81	시안화수소	6	41
암모니아	15	28	산화에틸렌	3.0	80

3) 압력

① 압력의 정의 : 용기나 관등의 벽에 수직으로 작용하고 있는 힘을 말한다.

$$\frac{힘(무게)}{면적} \text{(예)} \ kg/cm^2, \ MPa, \ kPa$$

② 압력의 단위와 종류

기압(atm)	kg/cm²	수은주(mmHg)	수주(mH₂O)
1	1.0332	760	10.332
0.968	1	735.7	10.00

※ $1kg/cm^2 = 98066.5Pa = 98.0665kPa = 0.0980665MPa ≒ 100kPa ≒ 0.1MPa$

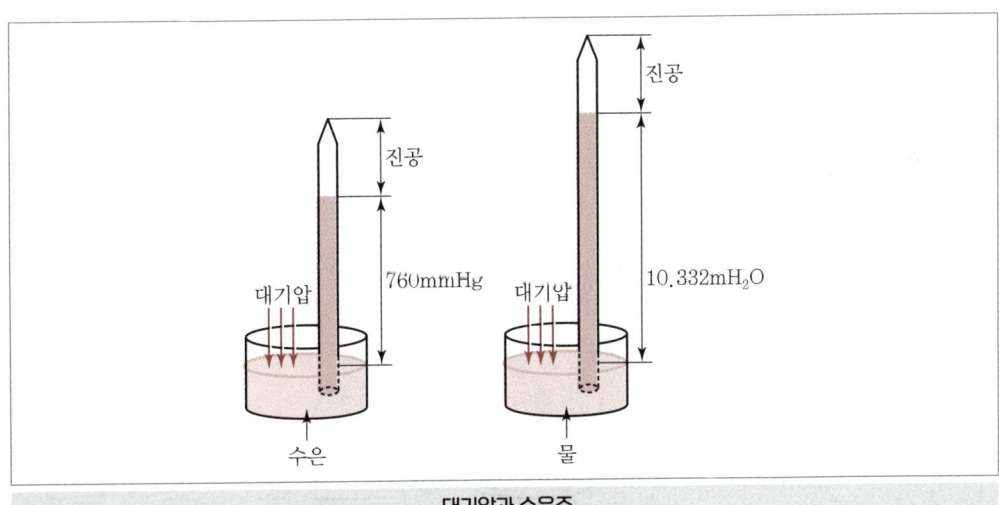

대기압과 수은주

③ 절대압력 = 대기압 + 게이지압력

4) 온도

① 섭씨온도(℃) : 끓는 점과 어는점을 100등분하여 끓는 점을 100℃, 어는점을 0℃로 정해 사용하는 온도
② 화씨온도(℉) : 끓는 점과 어는점을 180등분하여 끓는 점을 212℉ 어는점을 32℉로 정해 사용하는 온도
③ 섭씨온도와 화씨온도의 환산값

$$°F = \frac{9}{5}℃ + 32, \quad ℃ = \frac{5}{9}(°F - 32)$$

5) 비중

① 가스비중
  ㉠ 가스의 무게와 공기의 무게를 비교한 값이 비중이 된다.
  ㉡ 공기의 기준 부피(22.4ℓ, 1mol)의 질량은 29g이다.

  예 메탄(CH_4)의 비중 = $\frac{가스의\ 무게}{공기의\ 무게}$ = $\frac{16g}{29g}$ = 0.55, 공기보다 가볍다.

② 액비중
  ㉠ 액체의 비중을 액비중이라 부르며 기준이 되는 물질은 4℃의 물이다.
  ㉡ 4℃의 물 $1cm^3$는 질량이 1g이기 때문에 밀도의 단위는 g/cm^3이나 $kg/ℓ$로 할 경우 밀도의 값과 비중의 값이 같게 된다.

6) 증기압

① 증기압은 동일 물질, 동일 온도라면 용기에 들어있는 액체의 양과 관계없이 압력은 일정하게 유지된다. 액체의 증기압은 휘발성을 가늠하는 척도가 된다.
② 용기밸브를 열어 용기 내 상부공간을 채우고 있는 가스의 일부를 사용하면, 그 공간부분의 가스량이 감소하기 때문에 압력이 낮아진다. 그 결과 액면에 가해지는 압력도 감소되어 액체상태의 액화석유가스는 다시 증발하여 가스를 발생하게 된다. 용기밸브를 닫으면 가스가 증가하여 압력이 상승하고 결국 증발이 정지되어 일정한 압력을 유지하게 된다.

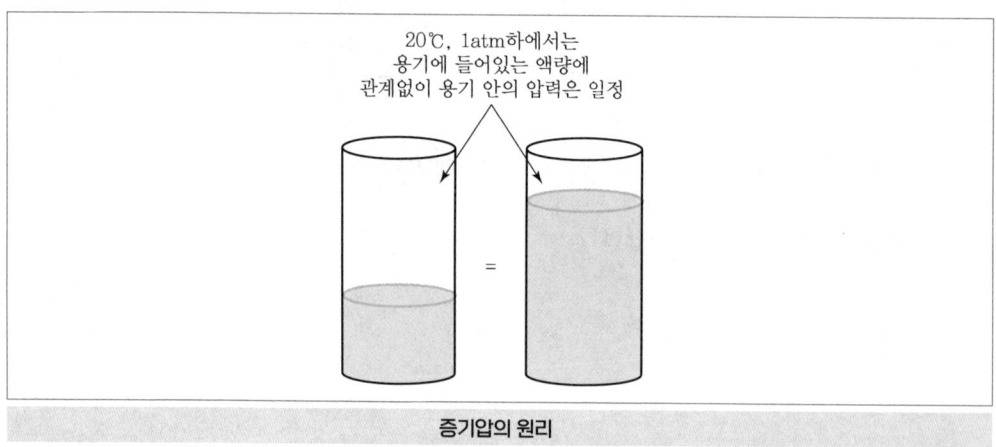

증기압의 원리

③ 프로판, 부탄의 온도에 따른 증기압(게이지압력)

온도(℃)		0	10	20	30	40
증기압 (kg/cm²)	프로판	3.9	5.4	7.4	9.5	12.7
	부탄	0	0.4	1.1	1.8	2.8

7) 액화가스의 부피팽창

① 모든 물질은 온도가 높아지면 부피가 커지고 반대로 온도가 내려가면 부피가 작아진다.

② 액화석유가스의 온도 증가에 따른 액의 부피팽창

온도(℃)	-15	0	15	30	40	60
프로판	93.5	95.8	100	105.0	108.3	119.3
부탄	94.3	97.2	100	102.8	104.7	110.3

③ 보일-샤를의 법칙

㉠ 일정량의 기체의 부피는 압력에 반비례하고 절대온도에 비례한다.

$$\frac{PV}{T} = K(일정)$$

㉡ 압력이 P_1이고 절대온도가 T_1일 때 부피가 V_1인 일정량의 기체가 압력이 P_2, 절대온도가 T_2로 바뀌었을 때 부피가 V_2이었다면, 이들 사이에는 다음과 같은 관계식이 성립된다.

$$\frac{P_1 V_1}{T_1} = \frac{P_2 V_2}{T_2}$$

④ 예외 물질 : 물은 0℃에서 4℃까지 온도가 상승하게 되면 반대로 그 부피가 작아지고, 4℃를 넘어 온도가 높아지면 그 부피는 커지게 된다.

> **한번데클릭 증발잠열**
> - 가스가 증발하면서 주위로부터 열을 빼앗아 액체상태에서 기체상태로 상변화할 때 사용되는 열을 기화열 또는 증발잠열이라고 한다. 이때 용기의 표면에는 이슬이 맺히게 된다.
> - 액화 프로판 1kg은 증발하면서 주위로부터 102kcal의 열을 빼앗아 가게 되는데 이것을 프로판의 증발잠열이라고 한다.

(2) 가스별 특성

1) 액화천연가스(LNG)

① 성질

㉠ LNG는 메탄이 주성분인 무색의 투명한 액체로 비점은 약 -162℃이다.

㉡ 기화된 LNG는 저온에서는 건조된 공기보다 무겁지만, 온도가 상승하면 가벼워진다.

㉢ 비중은 약 0.625로, 가스누출 시 부취제를 첨가해 감지할 수 있다.

㉣ 산지에 따라 성분 차이로 인해 비점, 발열량, 비중이 다를 수 있다.

② 용도

구분	주요 용도
연료	도시가스, 발전용 연료, 공업용 연료
한랭 이용	액화산소 및 액화질소의 제조, 냉동창고, 냉동식품, 해수 담수화, 냉각(발전소 물의 냉각), 저온분쇄(자동차 폐타이어, 대형폐기물, 플라스틱 등)
화학공업원료	메탄올, 암모니아의 냉각

③ 폭발성 및 인화성
  ㉠ 기화된 LNG는 공기와 혼합 시 폭발성 분위기를 형성해 취급 시 주의가 필요하다.
  ㉡ 메탄은 연소속도가 느리고 발화에너지가 높으나, 인화폭발 위험이 크다.
  ㉢ 누출 시 저온으로 인해 안개가 발생하며, 이를 통해 시각적으로 누출을 확인할 수 있다.

④ 인체 및 환경에 미치는 영향
  ㉠ 천연가스는 독성이 없으나 고농도로 존재할 경우 질식 위험이 있다.
  ㉡ 연소 시 유해물질 배출이 적어, 대기오염 방지에 적합한 연료이다.

2) 액화석유가스(LPG)

① 기본성질
  ㉠ 기화 및 액화가 쉽다.
  ㉡ 증기는 공기보다 무겁고 물보다 가볍다.
  ㉢ 액화하면 부피가 약 1/250로 작아진다.
  ㉣ 연소 시 다량의 공기가 필요하다.
  ㉤ 발열량이 높고, 청정성이 우수하다.
  ㉥ 유지류와 천연고무 등을 녹이는 용해성이 있다.
  ㉦ 무색·무취이며, 누출 시 감지하기 위해 부취제가 첨가된다.

> **한번 더 클릭** 프로판(C_3H_8)가스의 물성값
>
> 발화점 : 약 470℃, 기체 비중 : 약 1.52, 임계온도 : 약 96.8℃, 연소범위 : 약 2.1~9.5vol%

② 용도
  ㉠ 프로판은 가정용, 공업용 연료 및 내연기관 연료로 사용된다.
  ㉡ 부탄은 라이터 연료 및 화학공업에서 합성고무 제조에 사용된다.

③ 폭발성
  ㉠ LPG는 공기와 혼합되어 폭발성 혼합가스를 형성한다.
  ㉡ 프로판의 폭발범위는 2.1~9.5vol%, 부탄의 폭발범위는 1.8~8.4vol%이다.
  ㉢ 폭발하한계가 낮고 인화점이 낮아 취급 시 주의가 필요하다.

④ 인화성
    ㉠ LPG는 정전기를 발생시킬 수 있어 방전 스파크에 의한 인화폭발 위험이 있다.
    ㉡ 전기절연성이 높아 유동·여과·분무 시 주의가 필요하다.

3) 일반가스

① 산소(Oxygen : O_2)
    ㉠ 물리적 성질
        - 산소는 상온에서 무색·무취의 기체로 존재한다.
        - 물에 약간 녹으며, 비중은 1.13으로 공기보다 약간 무겁다.
        - 영하 183℃에서 액체로 변하며, 액체 산소는 푸른색을 띤다.
    ㉡ 화학적 성질
        - 산소는 화학적으로 매우 활발한 원소로, 대부분의 원소와 결합해 산화물을 생성한다.
        - 순수한 산소에서는 연소가 더욱 격렬하게 일어난다.
        - 산소와 수소는 격렬하게 반응해 물을 생성하며 폭발을 일으킬 수 있다.
        - 탄소와 결합하면 이산화탄소 또는 일산화탄소가 생성된다.
        - 산소는 스스로 폭발하지 않지만, 강력한 조연성가스로서 주의가 필요하다.
        - 산소 중에 기름이나 그리스가 있을 경우 발화 시 폭발적으로 반응한다.

② 염소(Chlorine : Cl_2)
    ㉠ 성질
        - 염소는 상온에서 자극적인 냄새가 나는 황록색의 무거운 기체이다.
        - −34℃ 이하로 냉각하거나 압력을 가하면 액체로 변해 저장할 수 있다.
        - 기체 상태에서 공기보다 약 2.5배 무겁다.
        - 염소는 화학적으로 반응성이 풍부하여 조연성가스로 취급된다.
    ㉡ 용도
        - 수돗물의 살균에 사용된다.
        - 펄프·종이·섬유의 표백에 활용된다.
        - 공업용수나 하수의 정화제로 쓰인다.
    ㉢ 폭발성, 인화성 및 인체에 미치는 영향
        - 염소가스와 혼합된 금속을 가열하면 금속이 연소된다.
        - 염소와 아세틸렌이 접촉하면 자연발화의 위험이 있다.
        - 염소는 독성가스로, 호흡기에 유해하다.

③ 암모니아(Ammonia : NH_3)
    ㉠ 성질
        - 암모니아는 상온에서 자극적인 냄새가 나는 무색의 기체이다.
        - 물에 잘 용해되며, 0℃, 1atm에서 물에 1,164배 용해된다.

ⓒ 용도
- 질소비료와 황산암모늄 제조에 사용된다.
- 나일론과 아민류의 원료로 사용된다.
- 냉동기의 냉매로도 쓰인다.

ⓓ 누출검지 및 인체에 미치는 영향
- 염산수용액과 반응하면 흰 연기가 발생한다.
- 페놀프탈레인 용액과 반응하여 색이 변한다.
- 적색리트머스 시험지와 반응하면 색이 파랗게 변한다.
- 독성가스로서, 8시간 노출 시 최대 허용 농도는 25ppm이다.

④ 수소(Hydrogen : H_2)

ⓐ 성질
- 수소는 상온에서 무색, 무취, 무미의 기체이다.
- 수소는 가장 가벼운 기체이다.
- 액체수소는 매우 낮은 온도에서 존재하며, 금속재료를 쉽게 취화시킬 수 있다.
- 수소와 산소를 연소시키면 2,000℃ 이상의 고온을 얻을 수 있다.
- 고온·고압 하에서 강철 중의 탄소와 반응해 메탄을 생성하는 수소취화현상이 발생한다.

ⓑ 용도
- 수소는 공업용으로 널리 사용된다.
- 금속의 용접 및 절단에 사용된다.
- 액체수소는 로켓 및 미사일의 추진용 연료로 중요하다.

ⓒ 폭발성 및 인체에 미치는 영향
- 수소는 염소, 불소와 반응하여 폭발을 일으킬 수 있다.
- 최소발화에너지가 매우 작아 정전기나 스파크로도 폭발할 수 있다.
- 비독성으로 작용하지만, 질식제로도 작용할 수 있다.

⑤ 아세틸렌(Acetylene : C_2H_2)

ⓐ 성질
- 아세틸렌은 3중 결합을 가진 불포화 탄화수소이다.
- 아세틸렌은 무색의 기체이다.
- 비점과 융점이 거의 비슷하며, 고체 상태에서는 승화한다.
- 물 1몰에 아세틸렌은 1.1몰, 아세톤 1몰에 25몰이 녹는다.
- 산소와 함께 연소시키면 3,000℃ 이상의 불꽃을 얻을 수 있다.
- 아세틸렌은 공기 중에서 발화점이 낮다.
- 압력을 받으면 불안정해지며, $1kg/cm^2$ 이상에서는 폭발적으로 분해될 수 있다.

○ 용도
- 산소−아세틸렌염을 이용해 금속의 용접 및 절단에 사용된다.
- 아세틸렌−에틸렌 혼합가스를 고온에서 가열하면 발열반응을 통해 수소가 생성된다.

4) 독성가스

① 산화에틸렌(CH_2CH_2O)

㉠ 성질
- 물리적 성질
  - 녹는 점 : $-113℃$, 끓는 점 : $-10.4℃$, 밀도 : 1.52(vap), 비중 : 0.8711
  - 상온에서는 무색 가스이며, 저온에서는 액체로, 상쾌한 향기와 함께 에테르 냄새가 나고, 고농도에서는 자극적인 냄새가 난다.
  - 공기보다 5배 무겁고, 기화 시 약 450배 팽창한다.
- 화학적 성질
  - 금속에 대해 부식성이 없으나, 산화에틸렌이 포함될 경우 구리 등 특정 금속과는 반응해 아세틸라이드를 형성하므로 주의해야 한다.
  - 액체상태에서는 안정적이나, 증기 상태에서는 폭발성과 가연성을 지닌다.

㉡ 위험성
- 인화점 : $-17.8℃$, 발화점 : $429℃$, 폭발범위 : 3~80%

㉢ 인체영향
- 낮은 농도에서도 노출 시 메스꺼움과 구토를 유발할 수 있다.
- 고농도에서는 마취 효과, 기침, 구토, 기관지염, 폐수종 등을 초래할 수 있다.
- 액체와 피부 접촉 시 즉각적인 자극은 없지만, 제거하지 않으면 수포가 생길 수 있다.
- 눈에 들어가면 각막염 및 화상을 일으키며, 피부에 닿으면 동상을 초래할 수 있다.

② 시안화수소(HCN)

㉠ 성질
- 물리적 성질
  - 녹는 점 : $-14℃$, 끓는 점 : $26℃$, 밀도 : 0.941(vap), 비중 : 0.6932($16℃$)
  - 복숭아 냄새나 약한 아몬드 냄새가 나는 무색 기체 또는 무색 액체로, 증기는 약간 푸른색을 띤다.
- 화학적 성질
  - 물, 암모니아수, 수산화나트륨 용액에 잘 흡수된다.
  - 장기간 저장 시 중합하여 암갈색 폭발성 고체가 된다.

㉡ 위험성
- 인화점 : $-17.8℃$, 발화점 : $538℃$, 폭발범위 : 6~41%

㉢ 인체영향
- 매우 강한 독성을 지니며, 다량 흡입 시 즉시 사망할 수 있다.
- 소량 흡입 시에도 호흡 마비와 졸도를 초래할 수 있다.

- 삼켰을 경우 현기증, 구토, 체온 상승, 호흡 곤란 및 경련이 발생할 수 있다.
- 피부 접촉 시에도 쉽게 흡수되어 중독을 일으킨다.
- 눈 접촉 시 비자극적이나, 흡수되면 매우 강한 독성을 보인다.
- 저농도에서는 무기력, 두통, 메스꺼움, 경련, 구토를 일으킬 수 있다.

③ 아황산가스(SO_2)
  ㉠ 성질
    - 물리적 성질
      - 녹는 점 : -101℃, 끓는 점 : -34℃, 밀도 : 2.3(vap, air=1), 비중 : 1.46(liq)
      - 물과 알코올, 에테르에 잘 녹는다.
      - 건조된 상태에서는 2~3기압으로 압축 시 액화되며, 철과 구리를 부식하지 않는다.
    - 화학적 성질
      - 온기가 있을 경우 금속을 부식시킬 수 있다.
  ㉡ 인체영향
    - 아황산가스는 강한 자극성을 지닌다.
    - 눈, 코, 기도를 강하게 자극하며, 감기나 기침을 악화시킨다.
    - 농도가 높으면 목을 자극하고, 기침, 가슴 압박감, 눈의 통증 등을 유발할 수 있다.

④ 염화수소(HCl)
  ㉠ 성질
    - 물리적 성질
      - 녹는 점 : -114.2℃, 끓는 점 : -85℃, 밀도 : 1.639g/ℓ(0℃, 1기압(vap)), 비중 : 1.194(liq)
      - 비이온화 용매에는 녹지 않으나, 물과 알코올, 에테르에는 잘 녹는다.
      - 무색투명 또는 담황색 액체로 자극적인 냄새가 나며, 습한 공기 중에서 발연한다.
    - 화학적 성질
      - 강산성으로, 금속을 녹이고 크롬산염 등과 반응해 염소를 발생시킨다.
      - 발연성과 자극성이 강하며, 암모니아와 반응해 유독성 연무를 발생시킨다.
      - 대부분의 염화물은 용해되지 않으나, 염화주석(IV)은 용해된다.
      - 수소와 염소 혼합기체는 폭발할 수 있다.
  ㉡ 위험성
    - 염화수소 자체는 폭발성이 없으나, 금속과 반응해 발생한 수소가 공기와 혼합될 경우 폭발할 수 있다.
    - 화약류, 독물, 방사선물질, 가연성 고체 등과의 혼재를 피해야 한다.
  ㉢ 폭발성 및 인체에 미치는 영향
    - 피부 접촉 시 염증을 일으키며, 장시간 노출 시 시력감퇴 및 치아 부식을 초래할 수 있다.
    - 진한 가스를 흡입하면 기침, 코나 목의 염증을 유발하며, 폐수종으로 사망할 수 있다.

- 0.15~0.2%의 염산을 함유한 공기 흡입 시 몇 분 내로 사망할 수 있다.
- 진한 염산을 섭취하면 위통 및 구토를 일으키며, 성인의 경우 15~20g 섭취 시 사망할 수 있다.

⑤ 이황화탄소(CS_2)
  ㉠ 성질
   - 물리적 성질
     - 녹는점 : −112℃, 끓는점 465℃, 비중 : 1.263(20℃), 2.67(vap, air=1)
     - 물에는 잘 녹지 않으나 알코올과 에테르에 용해된다.
     - 무색 또는 엷은 황색의 휘발성 액체로, 보통 계란 썩은 냄새와 같은 악취가 있다.
   - 화학적 성질
     - 저온에서도 강한 인화성을 가지며, 가열 시 폭발할 수 있다.
     - 뜨거운 물체나 불꽃과 접촉 시 분해되어 이산화탄소와 이산화황을 생성한다.
     - 공기 중에서 100℃에서 발화하기 쉽고, 증기와 공기가 혼합되면 폭발성이 있다.
  ㉡ 위험성
   - 인화점 : −30℃(밀폐 시), 발화점 : 90℃, 폭발범위 : 1.3~50%
   - 화약류, 산화성 물질 등과 혼재하면 안 된다.
  ㉢ 인체영향
   - 신경독성이 있으며, 흡입 시 현기증, 두통, 의식불명 등을 일으킬 수 있다.
   - 삼켰을 때 두통, 구토, 혼수상태를 유발할 수 있다.
   - 피부에 닿으면 홍반과 통증을 일으킬 수 있으며, 흡수되면 중독될 수 있다.
   - 눈에 닿으면 심한 자극과 통증이 발생하며, 급성중독 시 폐와 신경계에 영향을 줄 수 있다.

⑥ 일산화탄소(CO)
  ㉠ 성질
   - 물리적 성질
       녹는점 : −205℃, 끓는점 : −192.2℃, 밀도 : 0.97
     - 물에는 잘 녹지 않으나 알코올에 녹는다.
     - 무미, 무취, 무색의 기체로, 강한 독성을 가진다.
   - 화학적 성질
     - 금속과 반응하여 금속카보닐을 생성한다.
     - 청색 화염을 내며 연소하여 이산화탄소로 변한다.
  ㉡ 위험성
   - 발화점 : 608.9℃, 폭발범위 : 12.5~74.2%
  ㉢ 인체영향
   - 흡입 시 중추신경계에 영향을 미쳐 두통, 현기증, 구토 등이 발생할 수 있다.
   - 고농도에서는 산소결핍으로 인해 마비상태가 될 수 있다.
   - 공기 중 허용농도는 50ppm으로, 그 이상은 심각한 건강 위험을 초래할 수 있다.

⑦ 포스겐($COCl_2$)
  ㉠ 성질
    • 물리적 성질
      - 녹는점 : -128℃, 끓는점 : 8.2℃, 비중 : 1.435(liq), 3.5(vap)
      - 벤젠, 톨루엔에 잘 용해되며, 물에서는 분해된다.
      - 순수한 것은 무색이며, 자극적인 냄새가 나는 액체(기체)이다.
    • 화학적 성질
      - 서서히 분해하면서 유독하고 부식성이 있는 가스를 생성한다.
      - 300℃에서 분해되어 일산화탄소와 염소가 된다.
      - 자체적으로는 폭발성 및 인화성이 없다.
  ㉡ 인체영향
    • 포스겐은 강한 자극제로서 폐수종을 일으켜 질식을 초래할 수 있다.
    • 흡입 시 호흡곤란, 기침, 가슴 답답함 등의 증상을 유발하며, 심한 경우 치명적일 수 있다.
    • 노출 후 5~6시간이 지나서야 심각한 증상이 나타날 수 있어 즉각적인 대응이 필요하다.

⑧ 황화수소(H_2S)
  ㉠ 성질
    • 물리적 성질
      - 녹는점 : -82.9℃, 끓는점 : -61.8℃, 비중 : 0.96(liq)
      - 에탄올과 이황화탄소에 용해되고, 썩은 계란 냄새를 가진 무색기체이다.
    • 화학적 성질
      - 강질산, 강산화성물질과 격렬한 반응을 일으킨다.
      - 공기와 혼합하면 폭발성이 있으며, 연소 시 유독한 아황산가스를 발생시킨다.
  ㉡ 위험성
    • 발화점 : 260℃, 폭발범위 : 4.3~46%
    • 눈, 코, 목 등의 점막을 자극하고, 고농도 흡입 시 치명적일 수 있다.
  ㉢ 인체영향
    • 눈 점막을 자극하여 눈물, 각막염, 통증 등을 유발할 수 있다.
    • 신경계통에 장애를 주어 심각한 건강 문제를 일으킬 수 있다.

2 가스설비의 이해

(1) 가스공급 시설

1) 정압기실

① 정압기실은 정압기가 설치되는 장소를 말하며, 주로 옥외에 설치된다.

② 환기가 불량한 경우에는 환기설비를 설치하고, 출입을 통제하기 위해 출입문 안전장치를 마련한다.
③ 정압기실 내의 전기는 방폭형으로 설치하며, 가스방출 안전장치와 가스누출 경보장치 등이 포함된다.

2) 정압기

① 정압기 개요

㉠ 정압기는 도시가스의 공급압력을 고압에서 중압으로, 중압에서 저압으로 감압하여 적절한 압력으로 공급하기 위해 사용된다.

㉡ 정압기는 배관의 적절한 위치에 설치되며, 1차 압력과 부하용량의 변동에도 불구하고 2차 압력을 일정하게 유지하는 기능을 가진다. 또한, 시간별 가스 수요량의 변동에 따라 공급압력을 조정하는 감압장치, 안전장치, 감시 장치 등이 조합된 설비이다.

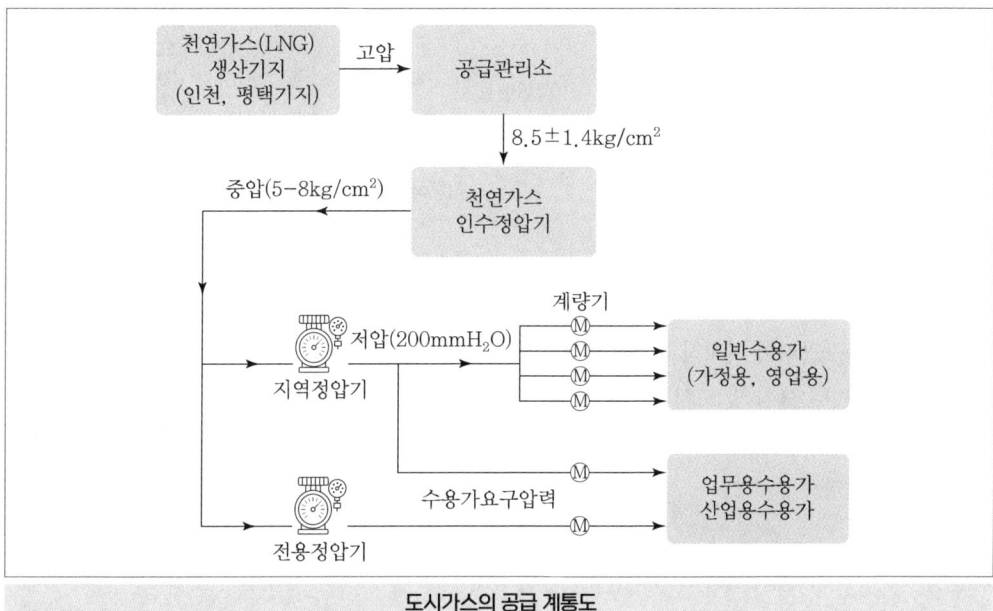

도시가스의 공급 계통도

② 정압기의 구조

구분	특징
다이어프램	2차 압력(사용측 압력)을 감지하여 그 사용유량(압력변동)에 따라 상하로 움직이면서 메인밸브를 작동시키는 것으로서 감지부라고 한다.
스프링	2차 압력(사용측 압력)을 설정하는 것으로서 스프링의 힘을 가힘에 따라 일정범위 내에서 신축이 용이하여 유량변화에 따른 압력조절이 가능한 것으로서 부하라고 한다.
메인밸브	가스의 흐름을 제어하기 위한 것으로서 밸브의 열림 정도에 의해 직접 조정하는 것으로서 제어부라고 한다.

③ 정압기의 종류

㉠ 직동식 정압기
- 감지부, 부하부, 제어부의 3요소가 정압기 본체 내에 들어가 있다.
- 다이어프램이 메인 밸브를 움직여 조정압력을 유지한다.

- 구조가 간단하고 경제적이며, 유지관리가 용이하다.
- 출구압을 일정하게 유지하기 어려운 단점이 있다.
- 주로 단독주택 등 가스사용량이 적은 곳에 사용된다.

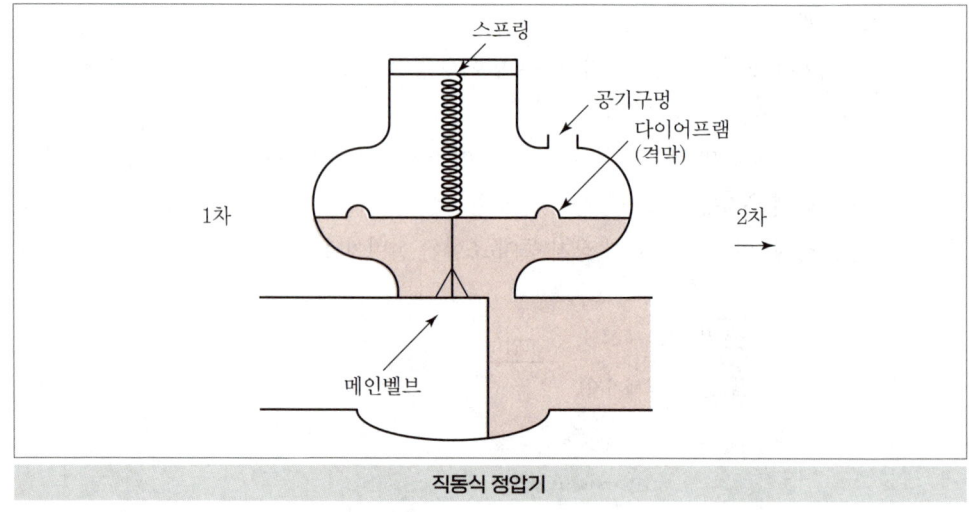

직동식 정압기

    ⓒ 파이롯트식 정압기
- 2차 측의 미소한 압력을 감지하여 다이어프램에 구동압력을 증폭시켜 공급한다.
- 출구압력이 비교적 안정적으로 유지된다.
- 대량수요처 및 도시가스사업자용 정압기에 주로 사용된다.
- 주로 사용하는 파이롯트식정압기의 종류로는 로딩식, 피셔식, 언로딩 A.F.V식 정압기 등이 있다.

(2) 밸브박스

1) 개요

밸브박스는 도시가스 인입관의 분기점에서 건물로 연결되는 가스차단장치인 밸브를 보호하기 위해 설치되는 장치이다.

2) 설치장소

① 정압기실
② 본관에 설치된 밸브박스(가스도매사업의 경우 공급관 포함)
③ 시·도지사가 안전확보상 필요하다고 인정하는 장소의 밸브박스
④ 밸브박스는 사용목적 이외에 개폐할 수 없도록 전용 개폐 기구를 사용하여 개폐하는 구조 또는 충분한 강도와 공간을 갖는 구조로서 자물쇠 채움 등의 조치를 강구하여야 한다.

(3) 가스계량기

1) 개요
① 가스계량기는 배관을 통해 단위시간당 흐르는 가스 사용량을 측정하는 장치이다.
② LPG의 경우, 가스계량기를 통해 용기 내 잔가스량을 예측할 수 있어, 갑작스러운 가스공급 중단을 방지하고 중량 판매 시 발생하는 중량 시비를 줄일 수 있어 편리하고 안전하다.

2) 가스계량기의 종류

실측식	건식	막식(다이어프램식)	가정용
		회전식(루트식)	산업용
	습식	드럼(drum)형	기준기 검사용
추측식		터빈형	산업용

3 가스용품과 특정설비

(1) 가스 시설

1) 용기
① 용기의 종류
    ㉠ 이음매 없는 용기(Seamless cylinder)
        • 높은 압력에 견딜 수 있는 특징
        • 산소, 수소, 질소, 아르곤, 천연가스 등 압축가스 저장
        • 상온에서 높은 증기압을 갖는 이산화탄소(CO_2) 액화가스 저장
    ㉡ 용접용기(Welding cylinder)
        • 용접용기는 강판을 성형하여 프레스 가공한 상판, 하판, 원통형 동판을 용접하여 제작
        • 이음매 없는 용기보다 무게는 가벼우나, 높은 압력에는 견디기 어려움
        • LP가스, 프레온, 암모니아 등 상온에서 비교적 낮은 증기압을 가진 액화가스를 저장
    ㉢ 납붙임 또는 접합용기
        • 살충제, 화장품, 의약품, 도료의 분사제, 이동식 연소기용 부탄가스 등 다양한 용도로 사용
        • 보통 1회용으로 설계, 최근 재충전 가능한 용기도 생산
    ㉣ 초저온 용기
        • 초저온 용기는 $-50℃$ 이하의 액화가스를 충전하기 위해 단열재로 피복된 용기다.
        • 주로 액화질소, 액화산소, 액화아르곤, 액화천연가스 등의 저장에 사용된다.

② 가스용기의 색상

암기법 주황색 수소, 갈색 염소, 백반 암모니아, 청량 탄산, 녹색 산소, LPG 외 회색

가스 종류	색상	가스 종류	색상
아세틸렌	황색	LPG	회색
수소	주황색	탄산가스	청색
(액화)암모니아	백색	산소	녹색
(액화)염소	갈색	그 밖의 가스	회색

③ 용기의 재료

㉠ 이음매 없는 용기 : 크롬–몰리브덴강

㉡ 용접 용기 : 저탄소강 또는 알루미늄합금

㉢ 납붙임 및 접합 용기 : 저탄소강 또는 알루미늄합금, 스테인레스강

㉣ 초저온 용기 : 내조는 스테인레스강, 외조에는 저탄소강 또는 스테인레스강

④ 저장능력 산정기준 [별표 1] 「고압가스법 시행규칙」

㉠ 압축가스 용기의 저장량 (예 LNG 도시가스)

$$Q = (10P + 1)V_1$$

Q : 저장능력[m³]
P : 35℃(아세틸렌의 경우에는 15℃)에서의 최고충전압력[MPa]
V_1 : 내용적[m³]

㉡ 액화가스의 용기 및 차량에 고정된 탱크 저장능력 (예 액화프로판, 액화부탄 등)

$$W = \frac{V_2}{C}$$

W : 저장능력[kg]
V_2 : 용기의 내용적[ℓ]
C : 가스의 충전정수(액화프로판 2.35, 액화부탄 2.05, 액화암모니아 1.86)

㉢ 액화가스의 저장탱크 저장능력

$$W = 0.9dV_2$$

W : 저장능력[kg]
V_2 : 용기의 내용적[ℓ]
d : 상용온도에서의 액화가스의 비중[kg/L]

2) 용기밸브

① 용기밸브 구조와 기능
- ㉠ 역할 : 가스 용기의 넥크링에 부착되어 가스의 흐름을 개폐한다.
- ㉡ 구성 : 밸브몸통, 안전장치, 핸들, 스핀들, 스템, 스토퍼 또는 그랜드너트, 오링, 밸브시트 등
- ㉢ 기능
  - 시계 반대방향으로 돌리면 밸브디스크가 올라가 가스 유로가 열린다.
  - 시계방향으로 돌리면 밸브디스크가 내려가 가스 유로가 닫힌다.

② 안전장치
- ㉠ 목적 : 용기밸브에 부착된 안전장치는 가스압력이 올라가 용기가 파열되는 것을 방지한다.
- ㉡ 역할 : 용기 내 가스압력이 높아질 때 자동으로 작동하여 압력을 외부로 방출하는 역할을 한다.
- ㉢ 용기에 따른 안전밸브의 종류

> **암기법** L 스프, 염아산 가용, 압파, 초저온 스파2

용기 종류	안전밸브 종류
LPG 용기	스프링식 안전밸브
염소, 아세틸렌, 산화에틸렌 용기	가용전(가용합금식) 안전밸브
산소, 수소, 질소, 아르곤 등의 압축가스 용기	파열판식 안전밸브
초저온 용기	스프링식과 파열판식의 2중 안전밸브

3) 기화장치(기화기, 증발기)

① 개요
- ㉠ 대량 가스가 필요한 상황에서 자연기화 방식으로는 가스공급이 부족할 때 사용하는 장치이다.
- ㉡ 이 장치는 용기 내의 액체가스를 전열, 온수 또는 증기 등으로 가열하여 기화시키는 역할을 한다.
- ㉢ 설치 공간이 적게 들고, 기화량이 용기의 크기와 개수에 구애받지 않는 장점이 있다.

② 사용 시 주의사항
- ㉠ 사이폰관(액체밸브와 기체밸브가 용기 상부에 있는 것)이 부착된 용기를 사용해야 한다.
- ㉡ 온수가열식 기화기 사용 시, 수위계, 온도계, 압력계를 주기적으로 점검하고 온수 온도가 80℃ 이상으로 상승하지 않도록 주의해야 한다.
- ㉢ 겨울철에 장시간 사용하지 않을 경우, 기화장치 저부의 드레인밸브를 이용해 물을 제거하고, 동파방지를 위해 부동액을 첨가해야 한다.
- ㉣ 기화장치의 용량은 연소기 가스 소비량의 총합(kg/h)의 1.2배(120%)에 해당하는 용량으로 설치해야 한다.

4) 압력조정기

① 압력조정기의 기능

㉠ 압력조정기는 용기 내의 LPG 압력을 연소기에 적합한 최적의 압력으로 낮추는 역할을 한다.

㉡ 또한, 가스 소비량의 변동에도 일정한 압력으로 가스를 공급하고, 연소기 콕 또는 중간밸브가 닫혔을 때 내부압력이 상승하여 가스가 공급되지 않도록 하는 폐쇄압력 기능을 갖추고 있다.

② 압력조정기의 종류

1단감압식	저압조정기	저압 조정기
		준저압 조정기
2단감압식	준저압 조정기	1차 조정기
		2차 준저압 조정기
		2차 저압 조정기
자동절체식	일체형	저압 조정기
		준저압 조정기
	분리형 조정기	-

③ 압력조정기의 구성 및 형태

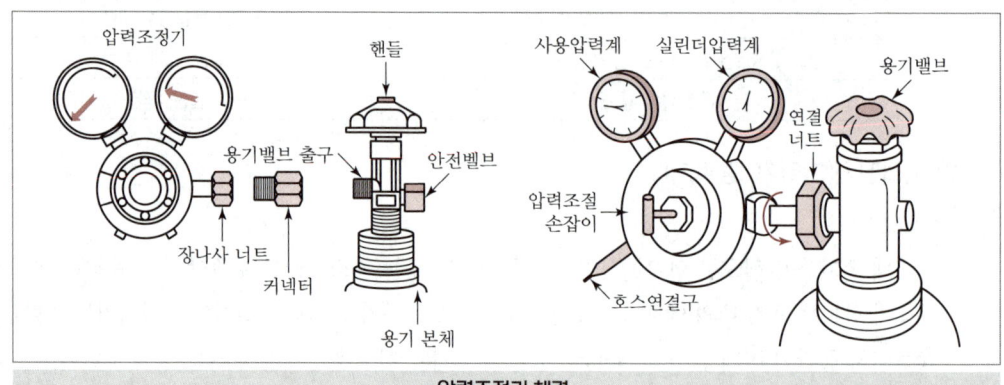

압력조정기 체결

5) 배관

① 강관

㉠ 배관은 용기, 조정기, 가스계량기 등 설비를 연결하여 LPG를 연소기에 공급하는 중요한 역할을 한다.

㉡ 배관용 탄소강관(SPP)은 사용 압력이 적은 증기, 물, 기름, 가스, 공기 등의 배관에 사용되며, 아연도금 유무에 따라 흑관과 백관으로 구분된다.

㉢ 압력배관용 탄소강관(SPPS)은 350℃ 이하에서 사용하는 압력 배관에 적합하다. 스케줄 번호(Sch.No)는 강관의 두께를 계열화하여 표시한다.

㉣ 연료가스 배관용 탄소강관(SPPG)은 중압 이하의 연료용 가스를 공급하는 배관에 사용되며, 인장강도는 $34kg/cm^2$이다.

② 동관(KS D 5301)
  ㉠ 동관은 LPG 설비에 사용되며, 이음매 없는 동 및 동합금관이 주로 사용된다.
  ㉡ 중압 및 저압 배관에는 8mm, 10mm, 15mm 규격의 동관이 사용되고, 고압 배관에는 외경 8mm, 두께 1.0mm의 동관이 사용된다.
  ㉢ 동관의 외경은 호칭경보다 약간 크기 때문에 시공 시 주의가 필요하다.

③ 가스용 폴리에틸렌관(KS M 3514)
  ㉠ 도시가스 및 액화석유가스를 수송하는 데 사용되는 폴리에틸렌관이다. 관의 색은 주로 노란색이며, 직사광선이나 화재에 주의해야 한다.
  ㉡ 최고 사용 압력이 0.4MPa 이하인 배관에 사용하며, 지하에 매설하여 설치할 경우 KS 표시 허가 제품을 사용해야 한다.
  ㉢ 배관의 안전성과 성능을 유지하기 위해, 설치 전후에 반드시 필요한 검사와 관리가 이루어져야 한다.

④ 가스용 금속플렉시블호스
  ㉠ 내식성과 신축성을 갖춘 동합금 또는 스테인레스제의 주름관으로, 주로 가스보일러 접속 배관에 사용된다.
  ㉡ 튜브 양단에 이음쇠를 접속할 수 있는 구조로 제작되며, 이음쇠는 플레어 이음 또는 경납땜 등으로 부착된다. 설치 시에는 비틀림이나 수축이 발생하지 않도록 주의해야 한다.

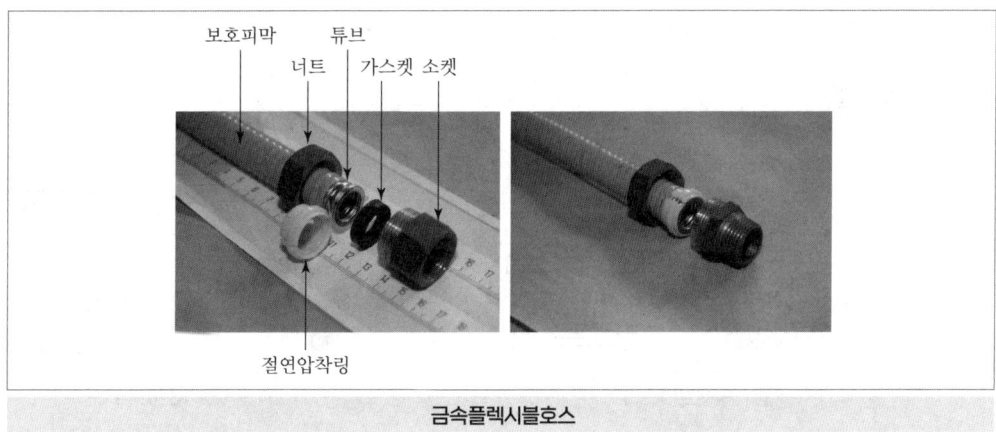

금속플렉시블호스

⑤ 스테인레스강관
  ㉠ 배관용 스테인레스강관(KS D 3576)은 내식성, 저온용, 고온용 등의 배관에 사용된다.
  ㉡ 오스테나이트계, 페라이트계 등의 스테인레스강관이 있으며, 이음매 없는 제조법이나 자동아크용접, 전기저항용접으로 제작된다.

6) 밸브

① 볼밸브

㉠ 볼밸브는 내부에 구멍이 뚫린 구슬(볼)을 통해 유체의 흐름을 제어하는 밸브이다.

㉡ 밸브 핸들을 90도 회전하면 내부의 볼이 함께 회전하여 유체의 흐름이 조절된다. 신속한 개폐가 가능하고, 유체의 압력손실이 적어 주로 저압 배관에 사용된다.

② 글로브밸브

㉠ 글로브밸브는 구형의 몸통을 가진 밸브로, 유체가 S자 형태로 흐르는 구조를 가지고 있다.

㉡ 기밀성이 우수하지만, 유체의 압력손실이 크다는 단점이 있다.

㉢ 주로 고압부에서 사용되며, 설치 시 밸브몸통에 표시된 방향을 따라 상류에서 하류로 설치해야 한다.

③ 게이트밸브

㉠ 게이트밸브는 밸브판이 유체 흐름에 직각으로 움직여 유체의 통로를 막아 개폐하는 밸브이다.

㉡ 밸브는 완전히 열어 사용해야 하며, 일부만 열 경우 밸브판 뒤에 와류가 발생하여 진동을 일으킬 수 있다.

㉢ 압력손실이 적어 대규모 플랜트나 긴 배관에서 널리 사용된다.

④ 체크밸브

㉠ 체크밸브는 유체가 한 방향으로만 흐르도록 하여 역류 시 자동으로 폐쇄되는 밸브이다.

㉡ 체크밸브에는 리프트형, 스윙형, 볼형, 경사판형 등이 있다.

> **암기법** 볼 90도, 글로브 S자, 게이트 직각, 체크 역류방지

볼밸브(90도)	글로브밸브(S자)
게이트밸브(직각)	체크밸브(역류방지)

7) 퓨즈콕

가스 사용 중 호스가 빠지거나 절단되었을 때, 또는 화재 시 규정량 이상의 가스가 흐르면 콕에 내장된 볼이 떠올라 가스 통로를 자동으로 차단하여 안전성을 높인다.

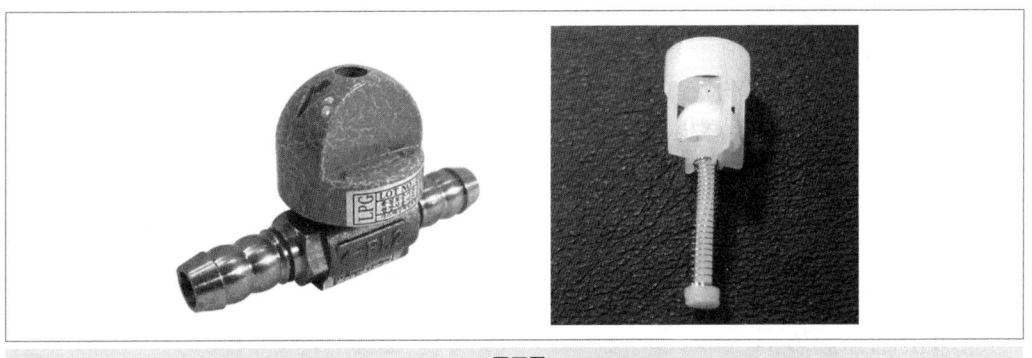

퓨즈콕

8) 호스

① 고압호스
  ㉠ 트윈호스 : 트윈호스는 두 개의 용기에 연결되는 입구 측과 조정기에 연결되는 출구 측으로 나뉘며, 입구와 출구 측의 나사 접속부는 주로 POL(왼나사의 특수이음매) 나사로 되어 있다.
  ㉡ 측도관 : 측도관은 집합배관이나 자동절체식 조정기의 입구에 연결되어 사용된다. 일반적으로 입구 측은 POL 나사, 출구 측은 PT 나사로 되어 있으며, 주로 집합배관용으로 사용된다.
  ㉢ 호스의 취급
   • 고무는 직사광선이나 응력이 가해진 상태에서 열화가 심해지므로 인장, 비틀림, 굽힘 등이 없도록 설치한다.
   • 설치 또는 교환 시에는 호스에 수분, 먼지 등의 이물질이 없는지 확인하고, 접속부를 청소한 후 설치한다.
   • 파이프렌치 등을 사용하여 과도하게 조이지 않도록 주의한다.
   • 트윈호스의 경우 양쪽 입구 측에 반드시 용기를 접속해 두어야 한다.

② 저압호스
  ㉠ 호스의 구조 : 저압호스는 내가스성의 내층고무와 내후성의 외층고무 사이에 보강층이 설치되어 있으며, 고압호스와 달리 외면에는 합성섬유 보강층이 없다.
  ㉡ 호스의 취급
   • 고압호스는 조정기로 향하는 상향구배로 설치하지만, 저압호스는 조정기의 출구 측에서 하향구배로 설치하며 가스계량기에 이르는 배관의 아래 부분에 드레인 밸브를 설치한다.
   • 호스 부착 시, 최소 굽힘 반경은 내경 10mm의 경우 140mm, 내경 12.7mm의 경우 170mm 이하가 되지 않도록 한다.

9) 연소기

① 연소기의 구조

　㉠ 노즐 : 가스를 분사하고, 연소에 필요한 1차 공기를 가스와 함께 버너에 보내는 역할을 한다.

　㉡ 혼합관 : 노즐에서 분사된 가스와 공기조절기에서 흡입된 1차 공기를 혼합하는 역할을 한다.

　㉢ 버너헤드 : 혼합관에서 형성된 가스와 공기의 혼합기체를 염공에 균일하게 배분하고 공급하여, 완전연소가 이루어지도록 한다.

　㉣ 염공 : 혼합된 가스와 공기를 대기 중으로 분출하는 역할을 한다. 염공이 크면 역화 현상이 발생하기 쉽고, 작으면 리프팅 현상이 발생할 수 있다.

　㉤ 점화장치 : 가스를 착화시키는 장치로, 압전 점화방식과 연속 스파크 방식이 있다. 압전 점화방식은 압력에 의해 전기를 발생시켜 가스를 점화하는 원리이다.

② 연소기의 구분

연소기는 연소에 필요한 공기를 취하는 방법과 연소한 배기가스를 배출하는 방법에 따라 개방형, 반밀폐형, 밀폐형 등으로 분류한다.

구분			구분내용	방식	약호
옥내	개방형		연소용 공기를 옥내에서 취하고, 연소 폐가스를 그대로 옥내로 배출하는 형식	개방식	–
	반밀폐형	자연배기	연소용 공기를 옥내에서 취하고, 연소폐가스를 배기통을 이용하여, 자연 통기력으로 옥외에 배출하는 방식	배기통식	CF
		강제배기	연소용 공기를 옥내에서 취하고, 연소폐가스를 배기통을 이용하여, 강제적으로 옥외에 배출하는 방식	강제배기	FE
	밀폐형	자연급배기	급배기통을 외기에 접하는 벽을 관통하여, 옥외로 내어 자연통기력에 의하여 급배기하는 방식	밸런스 외벽식	BF–W
			급배기통을 전용챔버 내에 접속하여, 자연통기력에 의해 복도로 급배기하는 방식	밸런스 챔버식	BF–C
			급배기통을 공용 급배기 덕트 내에 접속하여, 자연통기력에 의해 급배기하는 방식	밸런스 덕트식	BF–D
		강제급배기	급배기통을 외기에 접하는 벽을 관통하여, 옥외로 내고, 급배기 팬에 의해 강제적으로 급배기하는 방식	강제 급배기식	FF
옥외형			옥외에 설치하는 연소기		–

10) 가스의 연소현상

① 안정된 불꽃(완전연소)

　㉠ 염공에서 가스유출속도와 연소속도가 균형을 이루면 안정된 불꽃이 유지된다.

　㉡ 안정된 불꽃이라도 내염이 저온의 물체에 닿으면 불완전연소가 발생하여 일산화탄소나 알데히드류가 방출되어 가스중독의 위험이 있다.

② 리프팅(Lifting)

염공에서의 가스유출속도가 연소속도보다 빠를 때, 가스가 염공을 벗어나 연소하는 현상을 리프팅이라 한다.

> **한번더클릭 리프팅의 원인**
> ① 염공에 먼지 등이 부착되어 염공이 작아진 경우
> ② 가스의 공급압력이 지나치게 높은 경우
> ③ 노즐구경이 지나치게 클 경우
> ④ 가스의 공급량이 버너에 비해 과도할 경우
> ⑤ 공기조절기를 지나치게 열었을 경우
> ⑥ 연소폐가스 배출이 불충분하거나 환기가 불충분하여 2차 공기 중 산소가 부족한 경우

③ 역화(Flash Back)

가스의 연소속도가 염공에서의 가스유출속도보다 빠르거나, 가스유출속도가 느릴 때 불꽃이 버너 내부로 들어가 노즐 선단에서 연소하는 현상을 역화라 한다.

> **한번더클릭 역화의 원인**
> ① 염공이 부식으로 커진 경우
> ② 노즐구경이 너무 작은 경우
> ③ 노즐구경이나 연소기 콕의 구멍에 먼지가 묻은 경우
> ④ 콕이 충분히 열리지 않은 경우
> ⑤ 가스 압력이 낮은 경우
> ⑥ 큰 냄비 등을 장시간 사용한 경우

④ 황염(Yellow tip)
  ㉠ 버너에서 황적색 불꽃이 나타나는 것은 공기량이 부족하기 때문이다.
  ㉡ 황염이 발생하면 불꽃이 길어지고, 저온의 물체에 접촉하여 불완전연소를 일으켜 일산화탄소나 그을음이 발생한다.
  ㉢ 1차 공기 조절기를 열어 황염을 없애야 하며, 그래도 황염이 지속되면 노즐 구경이 너무 크거나 가스 공급압력이 낮은 것이다.

⑤ 불완전연소
  ㉠ 가스 연소는 산화반응이며, 충분한 산소와 일정한 온도가 필요하다. 이 조건이 충족되지 않으면 불완전연소가 발생한다.
  ㉡ 불완전연소의 원인
    • 공기와의 접촉 및 혼합이 불충분한 경우
    • 가스량이 과다하거나 필요량의 공기가 부족한 경우
    • 불꽃이 저온물체에 접촉하여 온도가 내려간 경우

| 리프팅(Lifting) | 역화(Flash Back) | 황염(Yellow tip) |

(2) 안전장치류

1) 긴급차단장치

① **자동차단 밸브** : 가스 압력이나 유속이 비정상적으로 높거나 낮을 때 자동으로 가스를 차단하여 설비를 보호하는 장치이다. 이 장치는 주로 고압가스 설비나 대규모 가스시설에 설치된다.

② **비상 스위치** : 가스 누출이나 화재 발생 시 사람이 수동으로 가스를 차단할 수 있도록 설계된 장치이다. 비상 시 빠르게 가스 공급을 중단하여 사고 확산을 방지할 수 있다.

③ **안전 연동장치** : 특정 조건이 만족되지 않을 경우 자동으로 가스를 차단하는 시스템이다. 예를 들어, 보일러나 가스레인지의 경우 화염이 꺼지면 자동으로 가스를 차단하여 가스 누출을 방지한다.

2) 가스누출경보기

① **고정식 가스누출경보기** : 특정 장소에 고정 설치하여 가스 누출 여부를 지속적으로 감지하는 장치이다. 이 경보기는 감지된 가스 농도가 위험 수준에 도달하면 경보음을 울리거나 경고 신호를 보내어 즉각적인 조치를 취할 수 있도록 한다.

② **이동식 가스누출경보기** : 휴대가 가능하며, 특정 지역이나 장비 주변에서 가스 누출을 감지하기 위해 사용된다. 현장 작업자가 가스 누출 가능성을 검사할 때 주로 사용된다.

3) 살수장치

① **스프링클러 시스템** : 화재 발생 시 열을 감지하여 자동으로 물을 분사하여 화재를 진압하는 시스템이다. 주로 가스 설비가 설치된 건물 내에 설치되어 있으며, 초기 화재를 신속하게 제압하는 데 효과적이다.

② **물분무 소화장치** : 가스 설비 주변에 설치되어 있는 장치로, 고온의 불꽃을 냉각시키고 연소를 억제하기 위해 물을 미세하게 분사한다. 고온의 가스 화재를 신속히 진압하는 데 적합하다.

③ **고압 살수장치** : 화재나 긴급 상황에서 가스 설비를 신속히 냉각시키기 위해 고압의 물을 분사하는 시스템이다. 이 장치는 대형 가스 저장 탱크나 가스 공장 등의 대규모 시설에 주로 설치된다.

4) 과압 안전장치

① **안전밸브** : 가스 설비 내 압력이 일정 수준 이상으로 상승할 경우, 과압을 방출하여 설비를 보호하는 장치이다. 주로 고압가스 설비에서 사용되며, 사고를 예방하는 중요한 역할을 한다.

② **압력 릴리프 밸브** : 압력이 특정 한계를 초과하면 가스를 안전하게 배출하여 시스템의 손상을 방지하는 장치이다. 이 장치는 과도한 압력 증가로 인한 폭발을 방지하는 데 필수적이다.

가스누출, 화재, 폭발, 중독조사

(1) 가스사고 조사

1) 가스사고의 정의
가스관계 3법에 규정된 모든 가스 및 그 가스와 관계되는 모든 시설 또는 용기·용품 등에서 발생한 누설, 폭발, 질식, 중독 등의 사고를 총칭한다.

2) 가스사고의 구성요소
① 인간의 의도에 반하여 발생하며 현저하게 확대하거나, 또는 고의에 의해 발생한 것
② 안전장치 등을 사용하여 안전조치를 할 필요가 있다고 객관적으로 판단되는 상태인 것

3) 가스사고의 종류
① 누출사고 : 고의 또는 과실로 가스가 누출된 사고
② 누출·화재사고 : 고의 또는 과실로 누출된 가스가 점화원에 의하여 발생한 사고
③ 폭발사고 : 고의 또는 과실로 누출된 가스가 점화원에 의하여 폭발한 사고
④ 질식사고 : 누출된 가스 또는 가스의 화학반응 등에 의한 생성물에 질식 또는 질식사한 사고
⑤ 중독사고 : 누출된 가스 또는 가스의 화학반응 등에 의한 생성물에 중독 또는 중독사한 사고
⑥ 화재·폭발사고 : 가스가 아닌 일반화재 등에 의하여 2차적으로 가스시설 등이 폭발한 사고
⑦ 기타사고 : 상기에 분류되지 않은 사고로 가스 등과 직접, 간접 또는 밀접한 관계가 있는 사고

(2) 가스사고의 원인조사

1) 원인조사의 내용
① 조사의 범위
  ㉠ 누출 원인 조사 : 가스누출부위를 판정하며 누출부위에 존재하였던 "점화원"을 규명하고 가스사고 발생의 과정을 과학적으로 입증한다.
  ㉡ 폭발 연소의 원인 조사 : 가스누출부터 시작하여 확산 과정 등을 포함한 건축 구조, 지리적 조건 등 인적, 물적, 자연 조건을 밝혀낸다.
  ㉢ 사상자 발생 원인의 조사 : 사상자 발생과 가스누출 원인, 폭발(연소) 원인의 상호관계부터, 물적, 인적, 환경과의 관련을 고찰하여 밝혀낸다.

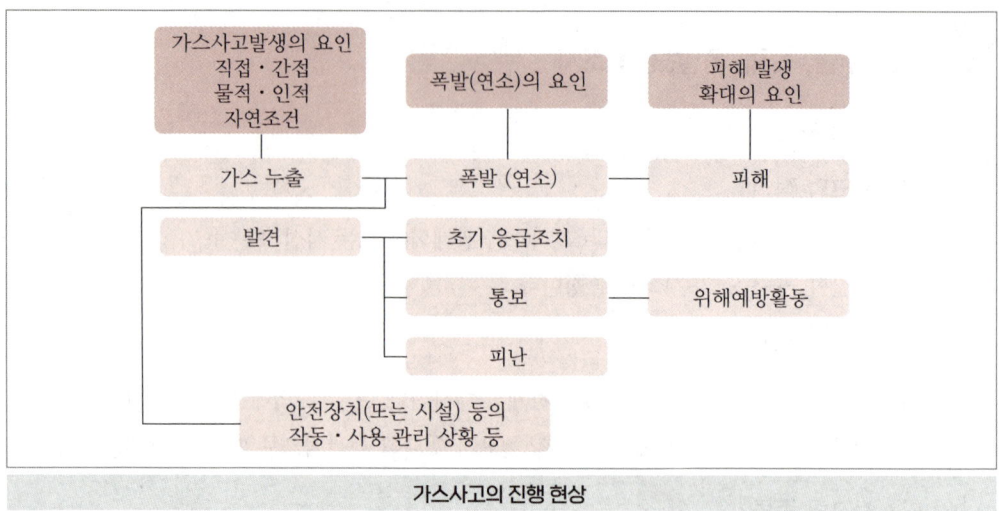

가스사고의 진행 현상

② 가스사고 원인의 분류
  ㉠ 가스사고 형태별 분류 : 누출, 화재(착화), 폭발, 파열, 질식, 중독, 동상
  ㉡ 사고에 이르는 과정(원인) 분류 : 화학적, 물리적, 기계적, 전기적 현상, 시설의 미비, 기계·기구의 불량, 천재지변 등의 상태, 사용 방법의 부적합, 조작 미숙, 고의·과실, 불법 등의 행위

> **한번 더 클릭** 사고의 통보 등 「액화석유가스의 안전관리 및 사업법」 제56조
>
> 한국가스안전공사는 사고의 통보 내용을 시장·군수·구청장에게 보고
> ① 사람이 사망한 사고
> ② 사람이 부상당하거나 중독된 사고
> ③ 가스누출에 의한 폭발 또는 화재 사고
> ④ 가스시설이 손괴되거나 가스누출로 인하여 인명대피나 공급중단이 발생한 사고
> ⑤ 그 밖에 가스시설이 손괴되거나 가스가 누출된 사고

(3) 가스시설별 사고조사 FLOW-CHART

1) 용기 사고조사 FLOW-CHART

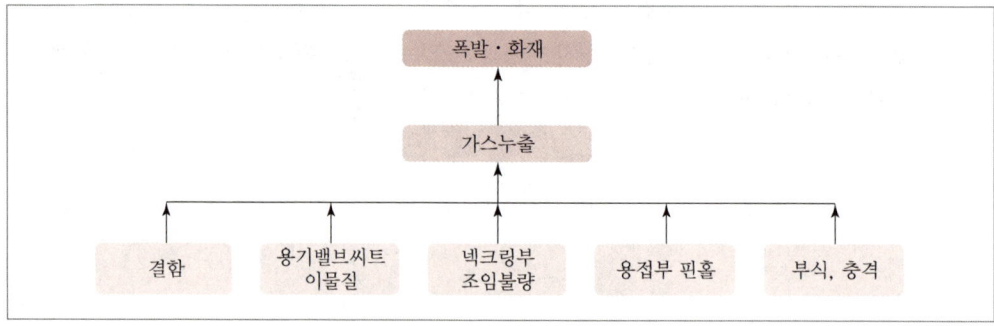

2) 압력조정기 사고조사 FLOW-CHART

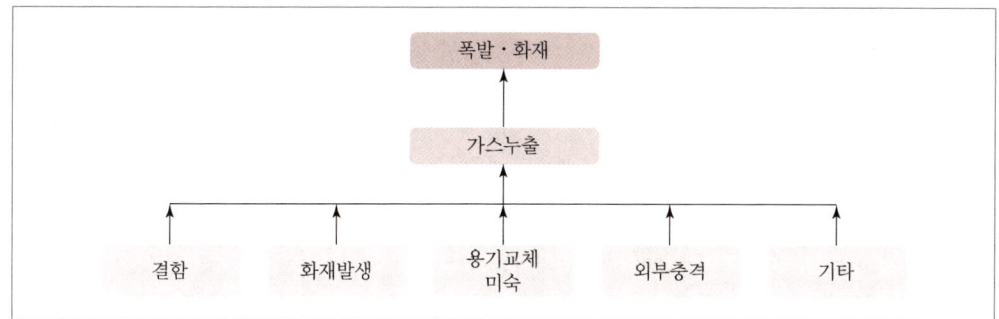

3) 배관에 의한 사고조사 FLOW-CHART

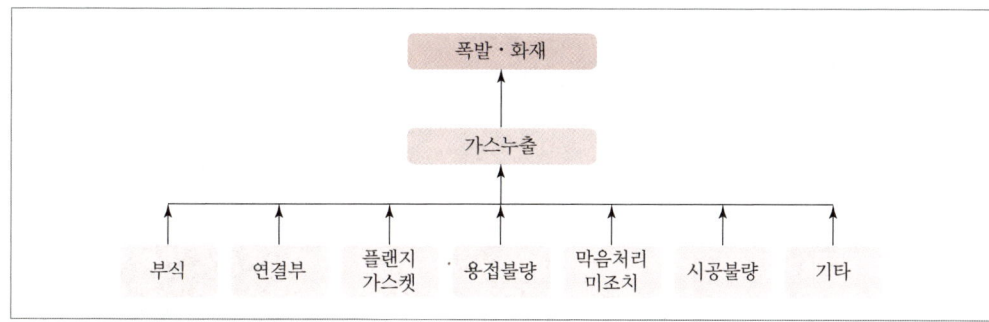

4) 염화비닐호스에 의한 사고조사 FLOW-CHART

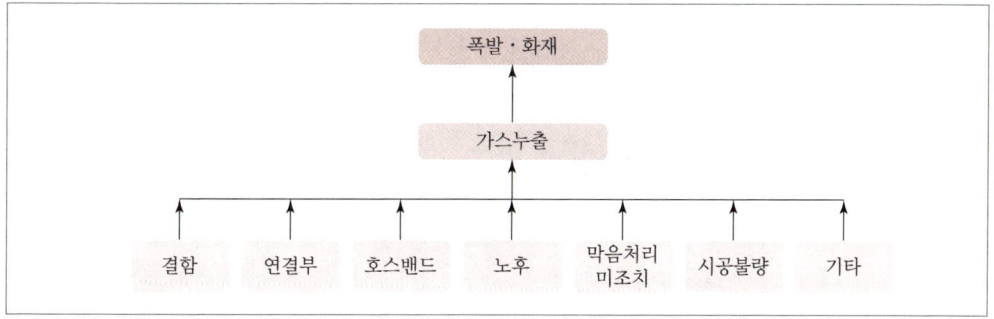

5) 호스콕(퓨즈콕)에 의한 사고조사 FLOW-CHART

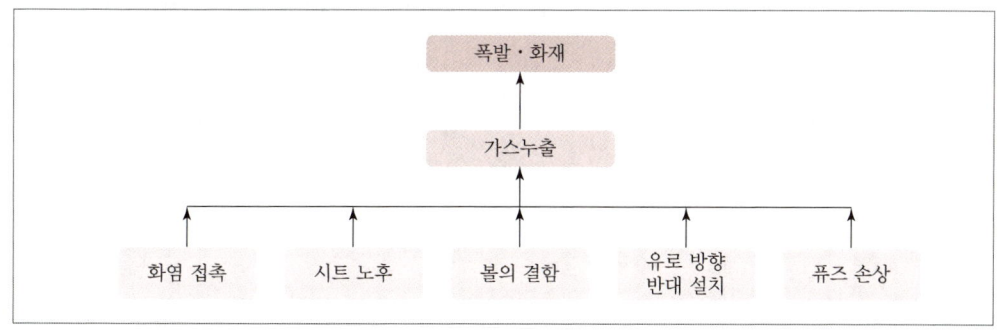

6) 가스누출 자동경보차단장치에 의한 사고조사 FLOW-CHART

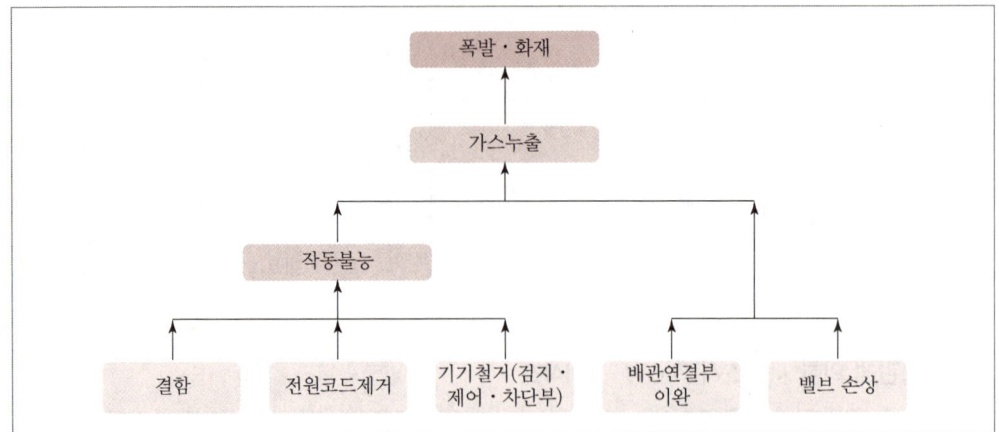

7) 가스누출사고의 흐름도 FLOW-CHART

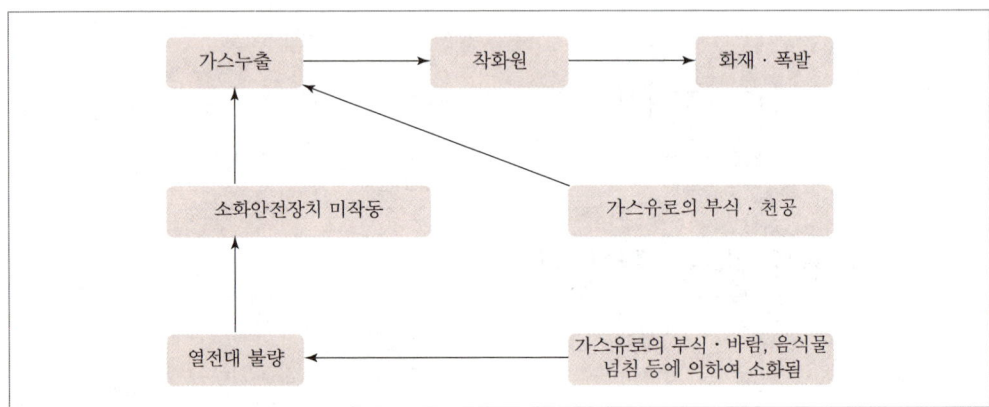

8) 가스레인지에 의한 사고조사 FLOW-CHART

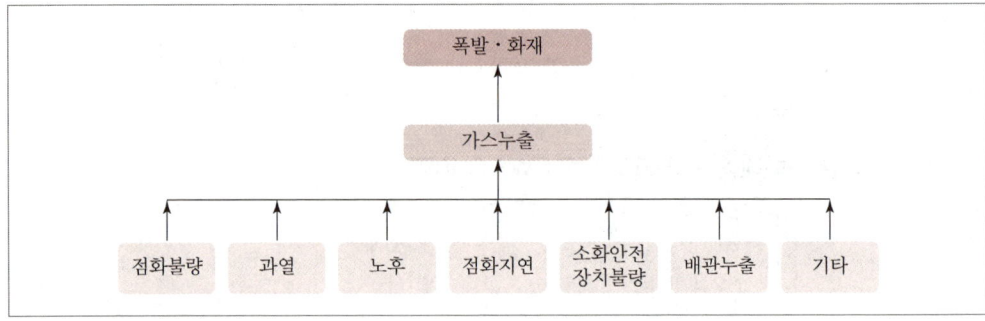

9) 가스온수기와 가스보일러에 의한 사고조사 FLOW-CHART

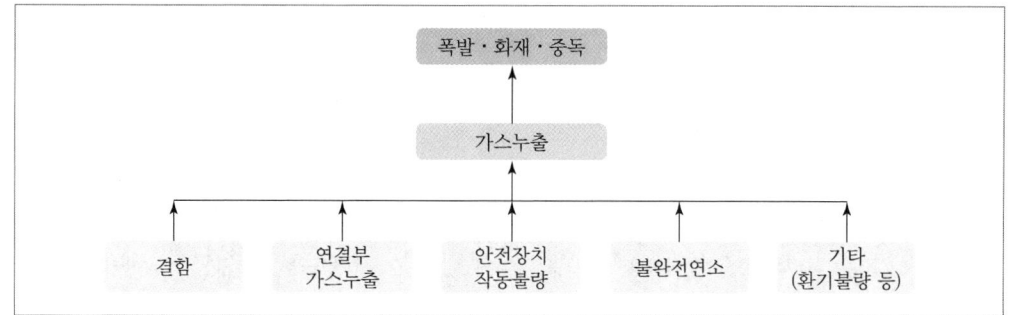

10) 이동식부탄연소기 가스누출에 의한 사고조사 FLOW-CHART

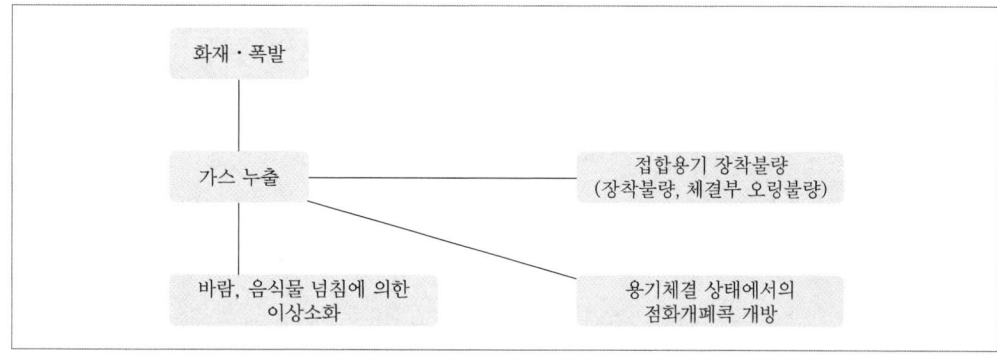

11) 이동식부탄연소기 용기 파열에 의한 사고조사 FLOW-CHART

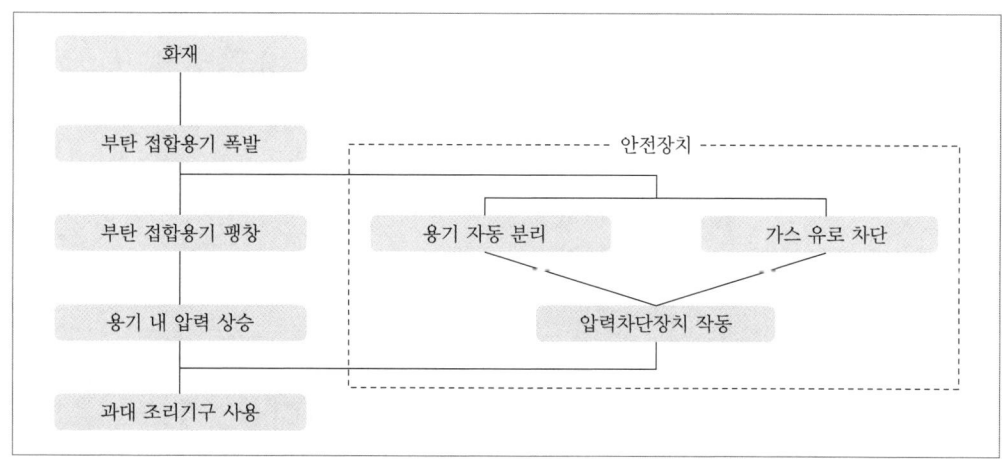

12) 이동식부탄연소기(카세트식)에 의한 사고조사 FLOW – CHART

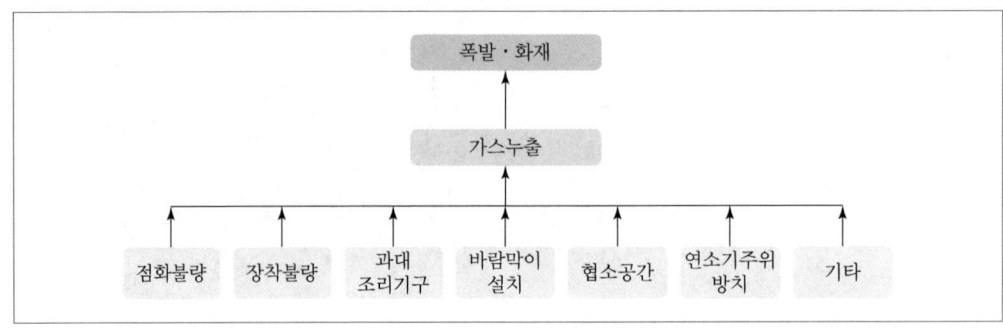

CHAPTER 04 화학물질 화재감식

1 기초화학

(1) 화학양론

화학양론은 기본적으로, 화학반응이 일어날 때 원래의 원자가 없어지거나 새로운 원자가 생겨나지 않으며 각 원자의 양은 전 반응 동안 보존된다는 사실에 바탕을 둔다. 일정 성분비의 법칙, 질량보존의 법칙, 배수비례의 법칙이 이에 관한 법칙들이다.

1) 일정 성분비의 법칙

어떤 화합물이든지 그 화합물을 구성하는 원소들은 항상 일정한 비율로 결합한다. 즉, 동일한 화합물 내에서 각 원소의 질량 비율은 항상 일정하다.
(예 H_2O은 수소와 산소 질량비 1 : 8, NH_3는 질소와 산소 질량비 14 : 3)

2) 질량보존의 법칙

화학반응이 일어날 때 반응물의 총 질량은 생성물의 총 질량과 같다. 즉, 화학 반응 전후에 질량은 변하지 않는다.
(예 $C + O_2 = CO_2$, 12g + 36g = 44g)

3) 배수비례의 법칙

2종류의 원소가 화합하여 2종 이상의 화합물을 만들 때, 한 원소의 일정량과 결합하는 다른 원소의 질량비는 항상 간단한 정수비를 나타낸다.
(예 CO와 CO_2, C와 결합하는 O의 질량비는 16g : 32g = 1 : 2의 정수비가 성립한다.)

4) 기체반응의 법칙

기체가 반응할 때, 반응하는 기체들과 생성되는 기체들의 부피는 같은 온도와 압력에서 항상 간단한 정수비를 이룬다. 즉, 기체들이 화학 반응을 할 때, 그 부피의 비율이 단순한 정수로 나타난다.
(예 $2H_2 + O_2 \rightarrow 2H_2O$ = 2 : 1 : 2)

5) 아보가드로의 법칙

동일한 온도와 압력에서, 모든 기체는 같은 부피 속에 동일한 수의 분자를 포함한다. 즉, 표준상태(0℃, 1기압)에서 1몰의 모든 기체는 약 22.4리터의 부피를 차지하며, 그 속에는 6.022×10^{23}개의 분자가 포함되어 있다.

6) 보일의 법칙(기체의 부피와 압력)

기체의 온도가 일정할 때, 기체의 부피는 압력에 반비례한다.

$$PV = k \text{ (일정온도)}$$
$$P_1V_1 = P_2V_2 \text{ (처음상태와 나중상태의 압력과 부피 관계)}$$
여기서, P : 압력, V : 부피, k = 상수

7) 샤를의 법칙(기체의 부피와 온도)

기체의 압력이 일정할 때, 기체의 부피는 절대온도(K)에 비례한다.

$$V = k'T \text{ (일정압력)}$$
$$\frac{V_1}{T_1} = k' = \frac{V_2}{T_2} \text{ (처음상태와 나중상태의 부피와 온도 관계)}$$
여기서, V : 부피, k' = 상수, T = 절대온도(t + 273°)

8) 보일 - 샤를의 법칙

$$\frac{P_1V_1}{T_1} = \frac{P_2V_2}{T_2}$$

9) 이상기체의 상태방정식

$$PV = nRT = \frac{m}{M}RT$$
여기서, P : 압력(atm), V : 부피(L), n : 몰수(mol), M : 몰 질량(g/mol), m : 기체질량(g), T : 절대온도(K), R : 기체상수(R = 0.082 L · atm/mol · K)

(2) 화학반응

1) 화학반응과 에너지

① 열화학반응식

화학 반응은 에너지를 방출하거나 흡수하는 과정과 연관되어 있고, 이러한 반응은 열의 출입에 따라 발열반응과 흡열반응으로 구분된다.

㉠ 발열반응 : 반응진행과정에서 열을 방출하는 반응

예 $CH_4(g) + 2O_2(g) \rightarrow CO_2(g) + 2H_2O(l) + 212\text{kcal}$

ⓒ 흡열반응 : 반응진행과정에서 열을 흡수하는 반응
  예) $2HgO(s) \rightarrow 2Hg(l) + O_2(g) - 43.4kcal$

발열반응	흡열반응
• 반응물 → 생성물 + 열방출	• 반응물 + 열흡수 → 생성물
• $H_{반응물}$은 $H_{생성물}$보다 크다.	• $H_{생성물}$은 $H_{반응물}$보다 크다.
• ΔH는 음의 값을 갖는다.	• ΔH는 양의 값을 갖는다.

② 반응열의 종류
  ㉠ 생성열 : 화합물 1몰이 그 성분 원소로부터 생성될 때 발생하거나 흡수되는 열
    예) $H_2(g) + O_2(g) \rightarrow H_2O(l) + 68.3kcal$
  ㉡ 분해열 : 화합물 1몰이 그 성분 원소로 분해될 때 발생하거나 흡수되는 열
    예) $HCl(g) \rightarrow H_2(g) + Cl_2(g) - 22.1kcal$
  ㉢ 연소열 : 1몰의 물질이 산소와 완전 연소할 때 발생하는 열
    예) $CH_4(g) + 2O_2(g) \rightarrow CO_2(g) + 2H_2O(l) + 213.3kcal$
  ㉣ 용해열 : 물질 1몰을 용매에 녹일 때 발생하거나 흡수되는 열
    예) $H_2SO_4(l) + aq \rightarrow H_2SO_4(aq) + 18.9kcal$
  ㉤ 중화열 : 산과 염기가 1몰씩 반응하여 중화될 때 발생하는 열
    예) $H^+ + OH^- \rightarrow H_2O + 13kcal$

2) 화학반응의 종류
① 화합반응 : 둘 이상의 물질이 결합하여 새로운 화합물을 형성하는 반응이다.
  예) $H_2 + Cl_2 \rightarrow 2HCl$

② 치환반응 : 화합물의 한 원소가 다른 원소로 대체되는 반응이다. 주로 활성이 큰 금속이 작은 금속이나 수소를 대체한다.
  예) $CH_4 + Cl_2 \rightarrow CH_3Cl + HCl$

③ 분해반응 : 하나의 화합물이 분해되어 두 개 이상의 물질을 생성하는 반응이다.
  예) $2H_2O \xrightarrow{전기분해} 2H_2 + O_2$

④ 복분해반응 : 두 가지 화합물이 서로 성분의 일부를 바꾸어 서로 다른 성질을 갖는 새로운 물질을 생성하는 반응이다.
  예) $HCl + NaOH \rightarrow NaCl + H_2O$

(3) 산과 염기

산과 염기는 물질의 특성을 정의하는 중요한 개념이다. 산은 일반적으로 수소 이온(H^+)을 내놓는 물질을 말하며, 염기는 수산화 이온(OH^-)을 내놓는 물질을 의미한다.

1) 산의 특성
① 산은 물에 녹아 수소 이온(H^+)을 방출한다.
② 일반적으로 신맛을 내며, 금속과 반응해 수소 기체를 발생시킬 수 있다.
③ 산성 용액은 pH 값이 7보다 낮다.
예 염산(HCl), 황산(H_2SO_4), 아세트산(CH_3COOH)

2) 염기의 특성
① 염기는 물에 녹아 수산화 이온(OH^-)을 방출한다.
② 일반적으로 쓴맛을 내며, 미끄러운 느낌을 가진다.
③ 염기성 용액은 pH 값이 7보다 높다.
예 수산화나트륨(NaOH), 수산화칼륨(KOH), 암모니아(NH_3)

3) 산과 염기의 중화반응
산과 염기가 반응하면 서로의 성질을 상쇄하여 물과 염을 형성하는데 이 반응을 중화반응이라고 한다.
예 염산(HCl)과 수산화나트륨(NaOH)이 반응하여 염화나트륨(NaCl)과 물(H_2O)을 생성

4) 산과 염기의 비교

구분		산(Acid)	염기(Base)
맛		신맛	쓴맛
색	리트머스	청색 → 적색	적색 → 청색
	BTB	황색	청색
	MO	적색	노랑색
	PP	무색	적색
촉감		끈끈함	미끈미끈함
화학반응		금속과 반응 → 수소↑	단백질을 용해

(4) 산화와 환원반응

1) 산화와 환원

산화	환원
• 산소와 결합할 때, 수소를 잃을 때 • 전자를 잃을 때, 산화수가 증가할 때	• 산소를 잃을 때, 수소와 결합할 때 • 전자를 얻을 때, 산화수가 감소할 때

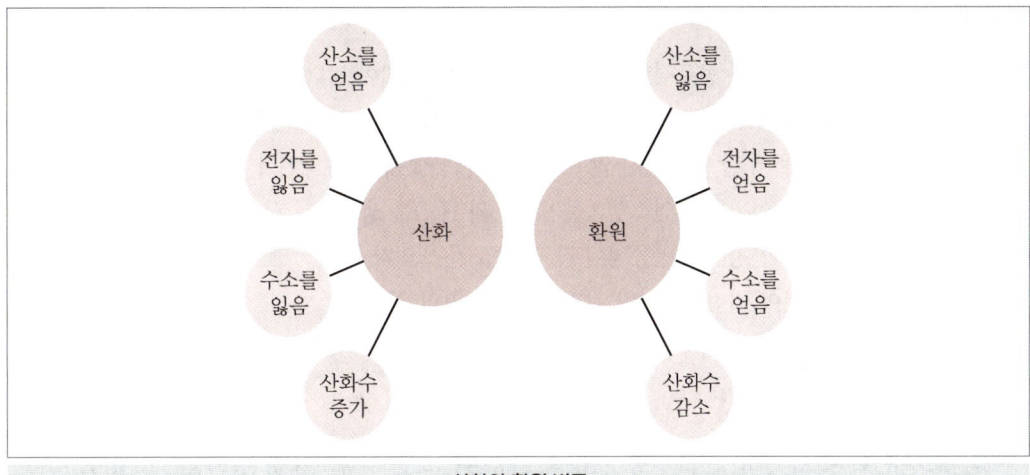

산화와 환원 비교

2) 산화제와 환원제

① 산화제
  ㉠ 정의 : 자신은 쉽게 환원되면서 다른 물질을 산화시키는 성질이 강한 물질이다.
  ㉡ 조건
    • 산소를 내기 쉬운 물질
    • 수소와 화합하기 쉬운 물질
    • 전자를 얻기 쉬운 물질
    • 전기음성도가 큰 비금속 단체

② 환원제
  ㉠ 정의 : 자신은 쉽게 산화되면서 다른 물질을 환원시키는 성질이 강한 물질이다.
  ㉡ 조건
    • 수소를 내기 쉬운 물질
    • 산소와 화합하기 쉬운 물질
    • 전자를 잃기 쉬운 물질
    • 이온화 경향이 큰 금속 단체

(5) 유기화합물

1) 정의

① 유기화합물의 기본은 탄화수소이며, 탄소-탄소, 탄소-수소의 공유결합으로 이루어진 화합물이다.
② 생물에서만 생성된다고 여겨졌으나, 1828년 뵐러가 실험실에서 합성에 성공하면서 무기화합물과의 차이가 사라졌다.

2) 유기화합물의 특성

① 화학결합 : 원자 사이의 공유결합으로 안정하며, 비전해질이 많다.
② 성분원소 : 주로 C, H, O이며, P, S, N, Cl 등의 비금속원소 포함한다.
③ 용해성 : 대부분 물에 잘 용해되지 않고, 주로 유기용매에 잘 용해된다.
④ 연소반응 : 대부분 연소하여 연소생성물인 CO_2와 H_2O를 생성하나 산소가 부족하면 C가 유리된다.
⑤ 반응속도 : 분자가 안정하여 반응성이 작고, 속도가 느리다.
⑥ 전리반응 : 대부분이 비전해질이며 전기전도성이 거의 없다.

3) 탄화수소의 분류

① 포화탄화수소 : 탄소－탄소 단일결합만으로 되어 있다.
② 불포화탄화수소 : 탄소－탄소다중결합, 즉 이중결합 또는 삼중결합 등을 포함하고 있다.
③ 방향족탄화수소 : 벤젠구조와 관련된 고리모양의 불포화화합물이다.

분류	분자구조	명칭	결합형식	일반식	화합물의 예
포화 탄화수소	사슬모양	알칸	단일 결합	C_nH_{2n+2}	메탄, 에탄
	고리모양	시클로알칸	단일 결합	C_nH_{2n}	시클로헥산
불포화 탄화수소	사슬모양	알켄	2중 결합	C_nH_{2n}	에텐(에틸렌)
	알킨		3중 결합	C_nH_{2n-2}	아세틸렌
고리모양	시클로알켄	(2중 결합)×n			시클로헥센

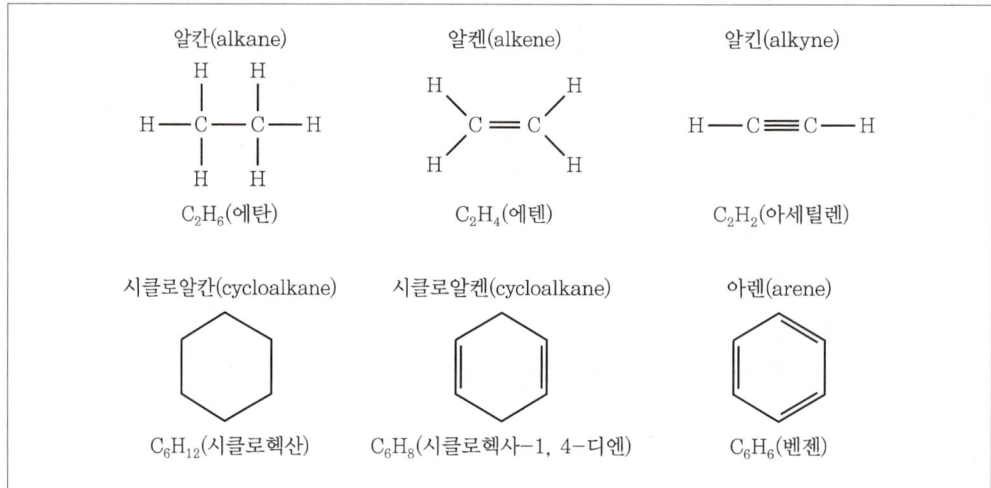

(6) 상태변화 및 열분해

1) 상태변화

① 물질의 상태변화

물질은 고체, 액체, 기체의 세 가지 상태로 존재하며, 외부 조건(온도, 압력)에 따라 이들 상태가 서로 변환된다. 이 과정이 바로 상태변화다.

② 상태변화의 종류
　㉠ 융해 : 고체가 열을 흡수하여 액체로 변하는 과정(예 얼음이 녹아 물이 되는 과정)
　㉡ 응고 : 액체가 열을 잃고 고체로 변하는 과정(예 물이 얼음으로 변하는 과정)
　㉢ 기화 : 액체가 열을 흡수하여 기체로 변하는 과정(예 물이 증발하여 수증기가 되는 과정)
　㉣ 응축 : 기체가 열을 잃고 액체로 변하는 과정(예 수증기가 물방울로 응결되는 과정)
　㉤ 승화 : 고체가 직접 기체로 변하거나 기체가 직접 고체로 변하는 과정(예 드라이아이스가 기체 이산화탄소로 변하는 과정)

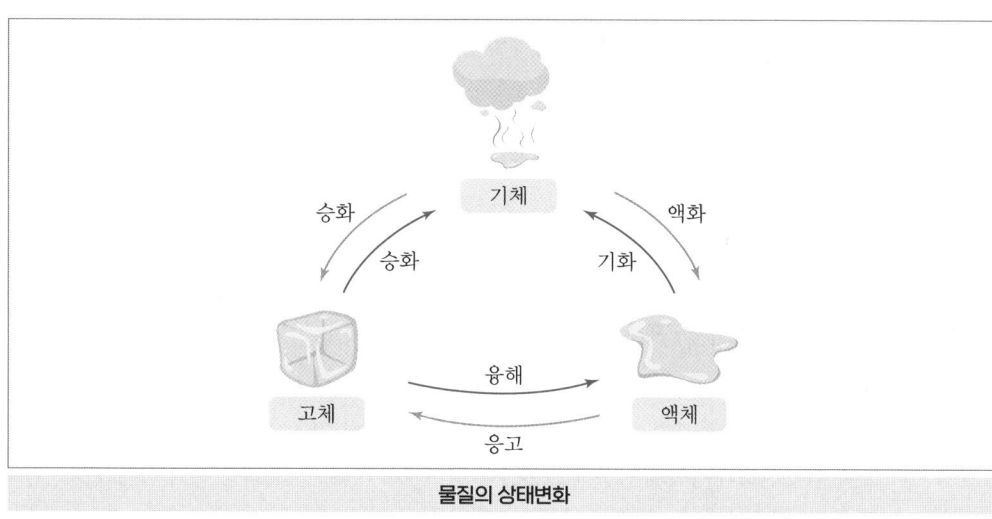

물질의 상태변화

2) 열분해

외부에서 열을 가하여 분자를 활성화시켰을 때 약한 결합이 끊어져서 두 가지 이상의 성질이 다른 새로운 물질을 만드는 반응을 말한다.

① 무기화합물의 열분해
　㉠ 탄산칼슘($CaCO_3$)은 열분해로 이산화탄소(CO_2)와 산화칼슘(CaO)으로 분해되어 생석회를 생성한다.

$$CaCO_3 \rightarrow CaO + CO_2$$

　㉡ 탄산수소나트륨은 베이킹파우더의 원료로 가열하면 빵이 부푼다. 이는 탄산수소나트륨이 열분해되면서 이산화탄소를 생성하여 기포가 형성되기 때문이다.

$$2NaHCO_3 \rightarrow Na_2CO_3 + H_2O + CO_2$$

② 유기화합물의 열분해
　㉠ 유기화합물에서는 온도를 높이는 것에 의해 간단한 분자가 이탈하는 경우가 많다.
　㉡ 다음과 같은 말론산 유도체는 가열에 의해 쉽게 지방산과 이산화탄소로 분해된다.

$$RCH(COOH)_2 \rightarrow RCH_2COOH + CO_2$$

2. 화학물질의 개요

(1) 화학물질의 특성

1) 화학물질 정의
① 화학물질(chemical substance)이란, 일정한 화학적 성분과 구조를 가진 물질을 의미한다.
② 화학물질은 원자나 분자가 결합하여 이루어진 물질로, 그 조성과 구조에 따라 특정한 물리적, 화학적 성질을 나타낸다.
③ 화학물질은 자연계에 존재하거나, 인위적으로 합성될 수 있다.

2) 위험물의 성질
① **출화위험** : 위험물은 외부 점화원이 없어도 공기, 수분, 다른 화학물질과 반응해 내부 열이 축적되어 발화점에 도달해 연소할 수 있다. 이연성과 속연성이 강해 저온에서도 쉽게 인화되며, 약간의 자극만으로도 발화할 수 있다.
② **연소 확대 위험** : 가연성 위험물은 연소속도와 온도가 높아 쉽게 연쇄반응을 일으킨다. 산소 농도가 낮아도 연소가 가능하며, 가연성 가스나 미분 상태가 되면 연소가 더욱 활발해진다.
③ 소화에 대한 위험성
　㉠ 물에 대한 위험 : 물과 반응해 발화 또는 폭발을 유발하거나 유독성 가스를 발생시킬 수 있다.
　㉡ 고온위험 : 산소와 강하게 반응해 고온을 발생시키며, 이로 인해 화상 등의 피해가 발생할 수 있다.
　㉢ 연소 계속위험성 : 악조건에서도 연소를 지속하며 확대될 수 있다.
　㉣ 유독 또는 유해한 물질생성 : 유독성 물질이 생성될 수 있어 방호장비가 필수적이다.
　㉤ 폭발성 : 폭발 시 인명과 시설에 큰 피해를 주며 소화 작업이 매우 어렵다.
④ 손상위험
　㉠ 대인 위험 : 피부, 점막에 자극을 주거나 생리기능에 장애를 유발하며, 화상과 질식의 위험이 크다.
　㉡ 대물 위험 : 발열반응으로 물질 변형, 부식, 파손 등이 발생할 수 있으며, 폭발을 동반할 수 있다.

3) 위험물의 일반적인 성질
① 제1류 위험물
　㉠ 산소를 포함한 물질로서, 가연성 물질의 연소를 돕는 지연성 물질이다.
　㉡ 대부분 무색결정이나 백색분말 형태의 무기화합물이며, 물에 잘 녹는다.
　㉢ 산소를 방출해 연소를 돕고, 가열, 충격, 마찰 시 분해하여 폭발 위험이 있다.
　㉣ 무기과산화물은 물과 반응하여 산소를 방출하며 발열한다.

[제1류 위험물 품명 및 지정수량]

유별	성질	품명 및 품목	지정수량
제1류	산화성고체	1. 아염소산염류, 2. 염소산염류, 3. 과염소산염류, 4. 무기과산화물	50킬로그램
		5. 브로민산염류, 6. 질산염류, 7. 아이오딘산염류	300킬로그램
		8. 과망가니즈산염류, 9. 다이크로뮴산염류	1,000킬로그램
		10. 그 밖에 행정안전부령으로 정하는 것	50킬로그램, 300킬로그램 또는 1,000킬로그램
		11. 제1호부터 제10호까지의 어느 하나에 해당하는 위험물을 하나 이상 함유한 것	

[비고]
"산화성고체"라 함은 고체[액체(1기압 및 섭씨 20도에서 액상인 것 또는 섭씨 20도 초과 섭씨 40도 이하에서 액상인 것을 말한다) 또는 기체(1기압 및 섭씨 20도에서 기상인 것을 말한다) 외의 것을 말한다. 이하 같다]로서 산화력의 잠재적인 위험성 또는 충격에 대한 민감성을 판단하기 위하여 소방청장이 정하여 고시(이하 "고시"라 한다)하는 시험에서 고시로 정하는 성질과 상태를 나타내는 것을 말한다. 이 경우 "액상"이라 함은 수직으로 된 시험관(안지름 30밀리미터, 높이 120밀리미터의 원통형유리관을 말한다)에 시료를 55밀리미터까지 채운 다음 당해 시험관을 수평으로 하였을 때 시료액면의 선단이 30밀리미터를 이동하는데 걸리는 시간이 90초 이내에 있는 것을 말한다.

② 제2류 위험물

㉠ 가연성고체로서 비교적 낮은 온도에서 착화하기 쉽다.
㉡ 산소와의 결합력이 용이하고 산화되기 쉽다.
㉢ 금속분류, 철분, 마그네슘은 물과 반응하여 수소(H_2)가스를 발생하고 묽은 산과 접촉에 의해 수소가스를 발생한다.
㉣ 물보다 무겁고 물에 녹지 않는다.

[제2류 위험물 품명 및 지정수량]

유별	성질	품명 및 품목	지정수량
제2류	가연성고체	1. 황화인, 2. 적린, 3. 황	100킬로그램
		4. 철분, 5. 금속분, 6. 마그네슘	500킬로그램
		7. 그 밖에 행정안전부령으로 정하는 것	100킬로그램 또는 500킬로그램
		8. 제1호부터 제7호까지의 어느 하나에 해당하는 위험물을 하나 이상 함유한 것	
		9. 인화성고체	1,000킬로그램

[비고]
1. "가연성고체"라 함은 고체로서 화염에 의한 발화의 위험성 또는 인화의 위험성을 판단하기 위하여 고시로 정하는 시험에서 고시로 정하는 성질과 상태를 나타내는 것을 말한다.
2. 유황은 순도가 60중량퍼센트 이상인 것을 말한다. 이 경우 순도측정에 있어서 불순물은 활석 등 불연성물질과 수분에 한한다.
3. "철분"이라 함은 철의 분말로서 53마이크로미터의 표준체를 통과하는 것이 50중량퍼센트 미만인 것은 제외한다.
4. "금속분"이라 함은 알칼리금속·알칼리토류금속·철 및 마그네슘 외의 금속의 분말을 말하고, 구리분·니켈분 및 150마이크로미터의 체를 통과하는 것이 50중량퍼센트 미만인 것은 제외한다.
5. 마그네슘 및 제2류 제8호의 물품 중 마그네슘을 함유한 것에 있어서는 다음 각목의 1에 해당하는 것은 제외한다.
   가. 2밀리미터의 체를 통과하지 아니하는 덩어리 상태의 것
   나. 직경 2밀리미터 이상의 막대 모양의 것
6. "인화성고체"라 함은 고형알코올 그 밖에 1기압에서 인화점이 섭씨 40도 미만인 고체를 말한다.

③ 제3류 위험물
   ⊙ 자연발화성 물질 및 물과 반응하여 가연성가스를 발생하는 금수성 물질이다.
   ⊙ 무기화합물과 유기화합물로 구성되며, 일부 물질은 물과 접촉 시 발화한다.
   ⊙ 공기 중에 노출되거나 강산화제와 접촉 시 위험성이 높아진다.
   ⊙ 일부 물질은 물과 반응하여 부식성 물질을 생성한다.

[제3류 위험물 품명 및 지정수량]

유별	성질	품명 및 품목	지정수량
제3류	자연발화성물질 및 금수성물질	1. 칼륨, 2. 나트륨, 3. 알킬알루미늄, 4. 알킬리튬	10킬로그램
		5. 황린	20킬로그램
		6. 알칼리금속(칼륨 및 나트륨을 제외한다) 및 알칼리토금속 7. 유기금속화합물(알킬알루미늄 및 알킬리튬을 제외한다)	50킬로그램
		8. 금속의 수소화물 9. 금속의 인화물 10. 칼슘 또는 알루미늄의 탄화물	300킬로그램
		11. 그 밖에 행정안전부령으로 정하는 것 12. 제1호 내지 제11호의 1에 해당하는 어느 하나 이상을 함유한 것	10킬로그램, 20킬로그램, 50킬로그램 또는 300킬로그램

[비고]
1. "자연발화성물질 및 금수성물질"이라 함은 고체 또는 액체로서 공기 중에서 발화의 위험성이 있거나 물과 접촉하여 발화하거나 가연성가스를 발생하는 위험성이 있는 것을 말한다.

④ 제4류 위험물
   ⊙ 물보다 가볍고 대부분 유기화합물이며, 인화성이 매우 크다.
   ⊙ 증기가 공기보다 무거워 낮은 곳에 체류하며, 연소범위가 넓을수록 위험하다.
   ⊙ 착화온도가 낮은 물질은 고온체와 접촉 시 쉽게 발화한다.
   ⊙ 정전기가 점화원이 될 수 있으며, 유동성 액체는 연소 확대의 위험이 있다.

[제4류 위험물 품명 및 지정수량]

유별	성질	품명 및 품목		지정수량
제4류	인화성액체	1. 특수인화물		50리터
		2. 제1석유류	비수용성액체	200리터
			수용성액체	400리터
		3. 알코올류		400리터
		4. 제2석유류	비수용성액체	1,000리터
			수용성액체	2,000리터
		5. 제3석유류	비수용성액체	2,000리터
			수용성액체	4,000리터
		6. 제4석유류		6,000리터
		7. 동식물유류		10,000리터

[비고]
1. "인화성액체"라 함은 액체(제3석유류, 제4석유류 및 동식물유류의 경우 1기압과 섭씨 20도에서 액체인 것만 해당한다)로서 인화의 위험성이 있는 것을 말한다. 다만, 다음 각 목의 어느 하나에 해당하는 것을 법 제20조 제1항의 중요기준과 세부기준에 따른 운반용기를 사용하여 운반하거나 저장(진열 및 판매를 포함한다)하는 경우는 제외한다.
   가. 「화장품법」 제2조 제1호에 따른 화장품 중 인화성액체를 포함하고 있는 것
   나. 「약사법」 제2조 제4호에 따른 의약품 중 인화성액체를 포함하고 있는 것
   다. 「약사법」 제2조 제7호에 따른 의약외품(알코올류에 해당하는 것은 제외한다) 중 수용성인 인화성액체를 50부피퍼센트 이하로 포함하고 있는 것
   라. 「의료기기법」에 따른 체외진단용 의료기기 중 인화성액체를 포함하고 있는 것
   마. 「생활화학제품 및 살생물제의 안전관리에 관한 법률」 제3조 제4호에 따른 안전확인대상생활화학제품(알코올류에 해당하는 것은 제외한다) 중 수용성인 인화성액체를 50부피퍼센트 이하로 포함하고 있는 것
2. "특수인화물"이라 함은 이황화탄소, 디에틸에테르 그 밖에 1기압에서 발화점이 섭씨 100도 이하인 것 또는 인화점이 섭씨 영하 20도 이하이고 비점이 섭씨 40도 이하인 것을 말한다.
3. "제1석유류"라 함은 아세톤, 휘발유 그 밖에 1기압에서 인화점이 섭씨 21도 미만인 것을 말한다.
4. "알코올류"라 함은 1분자를 구성하는 탄소원자의 수가 1개부터 3개까지인 포화1가 알코올(변성알코올을 포함한다)을 말한다. 다만, 다음 각목의 1에 해당하는 것은 제외한다.
   가. 1분자를 구성하는 탄소원자의 수가 1개 내지 3개의 포화1가 알코올의 함유량이 60중량퍼센트 미만인 수용액
   나. 가연성액체량이 60중량퍼센트 미만이고 인화점 및 연소점(태그개방식인화점측정기에 의한 연소점을 말한다. 이하 같다)이 에틸알코올 60중량퍼센트 수용액의 인화점 및 연소점을 초과하는 것
5. "제2석유류"라 함은 등유, 경유 그 밖에 1기압에서 인화점이 섭씨 21도 이상 70도 미만인 것을 말한다. 다만, 도료류 그 밖의 물품에 있어서 가연성 액체량이 40중량퍼센트 이하이면서 인화점이 섭씨 40도 이상인 동시에 연소점이 섭씨 60도 이상인 것은 제외한다.
6. "제3석유류"란 중유, 크레오소트유, 그 밖에 1기압에서 인화점이 섭씨 70도 이상 섭씨 200도 미만인 것을 말한다. 다만, 도료류 그 밖의 물품은 가연성 액체량이 40중량퍼센트 이하인 것은 제외한다.
7. "제4석유류"라 함은 기어유, 실린더유 그 밖에 1기압에서 인화점이 섭씨 200도 이상 섭씨 250도 미만의 것을 말한다. 다만 도료류 그 밖의 물품은 가연성 액체량이 40중량퍼센트 이하인 것은 제외한다.
8. "동식물유류"라 함은 동물의 지육(枝肉 : 머리, 내장, 다리를 잘라 내고 아직 부위별로 나누지 않은 고기를 말한다) 등 또는 식물의 종자나 과육으로부터 추출한 것으로서 1기압에서 인화점이 섭씨 250도 미만인 것을 말한다. 다만, 법 제20조 제1항의 규정에 의하여 행정안전부령으로 정하는 용기기준과 수납ㆍ저장기준에 따라 수납되어 저장ㆍ보관되고 용기의 외부에 물품의 통칭명, 수량 및 화기엄금(화기엄금과 동일한 의미를 갖는 표시를 포함한다)의 표시가 있는 경우를 제외한다.

⑤ 제5류 위험물

㉠ 자기반응성 물질로서 외부로부터 산소의 공급없이도 연소ㆍ폭발을 일으킬 수 있는 물질이다.
㉡ 연소 시 다량의 유독가스를 발생하며, 물과 반응하지 않는다.
㉢ 가열, 충격, 마찰에 민감하며, 공기 중 장기 저장 시 분해될 위험이 있다.
㉣ 유기과산화물은 불안정하여 폭발 위험이 크다.

[제5류 위험물 품명 및 지정수량]

유별	성질	품명 및 품목	지정수량
제5류	자기반응성물질	1. 유기과산화물 2. 질산에스터류 3. 나이트로화합물 4. 나이트로소화합물 5. 아조화합물 6. 다이아조화합물 7. 하이드라진 유도체 8. 하이드록실아민 9. 하이드록실아민염류 10. 그 밖에 행정안전부령으로 정하는 것 11. 제1호부터 제10호까지의 어느 하나에 해당하는 위험물을 하나 이상 함유한 것	제1종 : 10킬로그램 제2종 : 100킬로그램

[비고]
1. "자기반응성물질"이란 고체 또는 액체로서 폭발의 위험성 또는 가열분해의 격렬함을 판단하기 위하여 고시로 정하는 시험에서 고시로 정하는 성질과 상태를 나타내는 것을 말하며, 위험성 유무와 등급에 따라 제1종 또는 제2종으로 분류한다.
2. 제5류 제11호의 물품에 있어서는 유기과산화물을 함유하는 것 중에서 불활성고체를 함유하는 것으로서 다음 각목의 1에 해당하는 것은 제외한다.
    가. 과산화벤조일의 함유량이 35.5중량퍼센트 미만인 것으로서 전분가루, 황산칼슘2수화물 또는 인산수소칼슘2수화물과의 혼합물
    나. 비스(4-클로로벤조일)퍼옥사이드의 함유량이 30중량퍼센트 미만인 것으로서 불활성고체와의 혼합물
    다. 과산화다이쿠밀의 함유량이 40중량퍼센트 미만인 것으로서 불활성고체와의 혼합물
    라. 1·4비스(2-터셔리뷰틸퍼옥시아이소프로필)벤젠의 함유량이 40중량퍼센트 미만인 것으로서 불활성고체와의 혼합물
    마. 사이클로헥산온퍼옥사이드의 함유량이 30중량퍼센트 미만인 것으로서 불활성고체와의 혼합물

⑥ 제6류 위험물
　㉠ 산소를 포함한 불연성 액체로, 물보다 무겁고 대부분 강산성이다.
　㉡ 물과 접촉하거나 염기와 반응 시 발열하며, 산화성이 크다.
　㉢ 강산성 물질과 접촉 시 폭발 위험이 있으며, 가연성 물질과 혼촉발화가 가능하다.
　㉣ 증기가 유독하며, 피부와 점막에 부식성을 나타낸다.

[제6류 위험물 품명 및 지정수량]

유별	성질	품명 및 품목	지정수량
제6류	산화성액체	1. 과염소산	300킬로그램
		2. 과산화수소	
		3. 질산	
		4. 그 밖에 행정안전부령으로 정하는 것	
		5. 제1호 내지 제4호의 1에 해당하는 어느 하나 이상을 함유한 것	

[비고]
1. "산화성액체"라 함은 액체로서 산화력의 잠재적인 위험성을 판단하기 위하여 고시로 정하는 시험에서 고시로 정하는 성질과 상태를 나타내는 것을 말한다.
2. 과산화수소는 그 농도가 36중량퍼센트 이상인 것에 한하며, 제21호의 성상이 있는 것으로 본다.
3. 질산은 그 비중이 1.49 이상인 것에 한하며, 제21호의 성상이 있는 것으로 본다.
4. 위 표의 성질란에 규정된 성상을 2가지 이상 포함하는 물품(이하 이 호에서 "복수성상물품"이라 한다)이 속하는 품명은 다음 각목의 1에 의한다.
   가. 복수성상물품이 산화성고체의 성상 및 가연성고체의 성상을 가지는 경우 : 제2류 제8호의 규정에 의한 품명
   나. 복수성상물품이 산화성고체의 성상 및 자기반응성물질의 성상을 가지는 경우 : 제5류 제11호의 규정에 의한 품명
   다. 복수성상물품이 가연성고체의 성상과 자연발화성물질의 성상 및 금수성물질의 성상을 가지는 경우 : 제3류 제12호의 규정에 의한 품명
   라. 복수성상물품이 자연발화성물질의 성상, 금수성물질의 성상 및 인화성액체의 성상을 가지는 경우 : 제3류 제12호의 규정에 의한 품명
   마. 복수성상물품이 인화성액체의 성상 및 자기반응성물질의 성상을 가지는 경우 : 제5류 제11호의 규정에 의한 품명
5. 위 표의 지정수량란에 정하는 수량이 복수로 있는 품명에 있어서는 당해 품명이 속하는 유(類)의 품명 가운데 위험성의 정도가 가장 유사한 품명의 지정수량란에 정하는 수량과 같은 수량을 당해 품명의 지정수량으로 한다. 이 경우 위험물의 위험성을 실험·비교하기 위한 기준은 고시로 정할 수 있다.
6. 위 표의 기준에 따라 위험물을 판정하고 지정수량을 결정하기 위하여 필요한 실험은 「국가표준기본법」 제23조에 따라 인정을 받은 시험·검사기관, 기술원, 국립소방연구원 또는 소방청장이 지정하는 기관에서 실시할 수 있다. 이 경우 실험 결과에는 실험한 위험물에 해당하는 품명과 지정수량이 포함되어야 한다.

⑦ 위험물 혼합발화 방지를 위한 혼재기준

위험물의 구분	제1류	제2류	제3류	제4류	제5류	제6류
제1류		×	×	×	×	○
제2류	×		×	○	○	×
제3류	×	×		○	×	×
제4류	×	○	○		○	×
제5류	×	○	×	○		×
제6류	○	×	×	×	×	

[비고]
1. "×"표시는 혼재할 수 없음을 표시한다.
2. "○"표시는 혼재할 수 있음을 표시한다.
3. 이 표는 지정수량의 $\frac{1}{10}$ 이하의 위험물에 대하여는 적용하지 아니한다.

⑧ 특수가연물

품명		수량
면화류		200킬로그램 이상
나무껍질 및 대팻밥		400킬로그램 이상
넝마 및 종이부스러기, 사류(絲類), 볏짚류		1,000킬로그램 이상
가연성 고체류		3,000킬로그램 이상
목재가공품 및 나무 부스러기		10세제곱미터 이상
고무류 · 플라스틱류	발포시킨 것	20세제곱미터 이상
	그 밖의 것	3,000킬로그램 이상

[비고]
1. "면화류"란 불연성 또는 난연성이 아닌 면상(綿狀) 또는 팽이모양의 섬유와 마사(麻絲) 원료를 말한다.
2. 넝마 및 종이부스러기는 불연성 또는 난연성이 아닌 것(동물 또는 식물의 기름이 깊이 스며들어 있는 옷감 · 종이 및 이들의 제품을 포함한다)으로 한정한다.
3. "사류"란 불연성 또는 난연성이 아닌 실(실부스러기와 솜털을 포함한다)과 누에고치를 말한다.
4. "볏짚류"란 마른 볏짚 · 북데기와 이들의 제품 및 건초를 말한다. 다만, 축산용도로 사용하는 것은 제외한다.
5. "가연성 고체류" 란 고체로서 다음 각 목에 해당하는 것을 말한다.
   가. 인화점이 섭씨 40도 이상 100도 미만인 것
   나. 인화점이 섭씨 100도 이상 200도 미만이고, 연소열량이 1그램당 8킬로칼로리 이상인 것
   다. 인화점이 섭씨 200도 이상이고 연소열량이 1그램당 8킬로칼로리 이상인 것으로서 녹는점(융점)이 100도 미만인 것
   라. 1기압과 섭씨 20도 초과 40도 이하에서 액상인 것으로서 인화점이 섭씨 70도 이상 섭씨 200도 미만이거나 나목 또는 다목에 해당하는 것
6. 석탄 · 목탄류에는 코크스, 석탄가루를 물에 갠 것, 마세크탄(조개탄), 연탄, 석유코크스, 활성탄 및 이와 유사한 것을 포함한다.
7. "가연성 액체류"란 다음 각 목의 것을 말한다.
   가. 1기압과 섭씨 20도 이하에서 액상인 것으로서 가연성 액체량이 40중량퍼센트 이하이면서 인화점이 섭씨 40도 이상 섭씨 70도 미만이고 연소점이 섭씨 60도 이상인 것
   나. 1기압과 섭씨 20도에서 액상인 것으로서 가연성 액체량이 40중량퍼센트 이하이고 인화점이 섭씨 70도 이상 섭씨 250도 미만인 것
   다. 동물의 기름과 살코기 또는 식물의 씨나 과일의 살에서 추출한 것으로서 다음의 어느 하나에 해당하는 것
      1) 1기압과 섭씨 20도에서 액상이고 인화점이 250도 미만인 것으로서「위험물안전관리법」제20조 제1항에 따른 용기기준과 수납 · 저장기준에 적합하고 용기 외부에 물품명 · 수량 및 "화기엄금" 등의 표시를 한 것
      2) 1기압과 섭씨 20도에서 액상이고 인화점이 섭씨 250도 이상인 것
8. "고무류 · 플라스틱류"란 불연성 또는 난연성이 아닌 고체의 합성수지제품, 합성수지반제품, 원료합성수지 및 합성수지 부스러기(불연성 또는 난연성이 아닌 고무제품, 고무반제품, 원료고무 및 고무 부스러기를 포함한다)를 말한다. 다만, 합성수지의 섬유 · 옷감 · 종이 및 실과 이들의 넝마와 부스러기는 제외한다.

(2) 화학물질의 분석 방법

1) 증거분석

화재 시 온도에 따라 물질의 상태가 변하거나, 분해 및 화학적 변화를 일으켜 새로운 물질을 생성할 수 있다. 이러한 물성 변화는 화재 원인 분석에서 중요한 단서가 되며, 온도에 따른 물질의 반응 특성을 이해하는 것이 필요하다.

[물질의 온도변화에 따른 물성효과]

효과	온도(℃)	효과	온도(℃)
땜납 용융	180	마그네슘 용융	650
주석 용융	232	알루미늄 용융	660
납 용융	327	청동 용융	788
아연 용융	420	황동 용융	871~1,050
윤활유 자연발화	420	은 용융	960
스테인리스 변색	430~480	금 용융	1,063
유리 용융	450~850	구리 용융	1,083
합판 자연발화	482	주철 용융	1,232
비닐전선 자연발화	482	니켈 용융	1,455
고무호스 자연발화	510	스테인리스 용융	1,520

2) 결과 분석기법

① 연역법

㉠ 일반적인 원리나 법칙에서 출발하여 특정한 결론을 끌어내는 방법이다.

㉡ 사고 지점에서 시작하여 사고 이전상태를 검사하는 방법이다.

㉢ 예시 : "전기 배선의 단락이 화재를 일으킬 수 있다."라는 이론을 바탕으로, 화재현장에서 전기 배선의 손상 흔적을 찾아 단락이 원인일 가능성을 분석하는 방법이다.

② 귀납법

㉠ 개별적인 사례나 관찰된 데이터를 바탕으로 일반적인 결론을 도출하는 방법이다.

㉡ 여러 화재사례나 증거를 수집하여 공통점을 분석하고, 이를 통해 가설을 수립한다.

㉢ 예시 : 수집된 여러 증거물에서 유사한 연료 잔여물이 발견되었다면, 이 연료가 원인일 가능성을 귀납적으로 추론하는 방법이다.

③ 형태학적 접근법

㉠ 시스템의 구조와 형태를 분석하여 문제를 해결하는 방법이다.

㉡ 주로 물질의 변형, 파괴 패턴, 구조적 변화를 연구하여 화재 원인이나 성격을 분석한다.

㉢ 예시 : 화재로 인해 금속재료가 변형된 형태를 분석하여, 금속의 변형 패턴이 고온에서 발생한 것인지, 기계적 손상인지 판별하는 방법이다.

3 화학물질 화재조사감식 방법

(1) 화학화재의 분류와 원인 입증

화학화재는 연소의 형태와 가연물의 종류에 따라 다양한 분류체계를 갖지만, 일반적으로 다음과 같이 분류한다.

1) 화학화재의 분류

① **자연발화** : 물과 습기 또는 공기 중에서 물질이 발화온도보다 낮은 온도에서 화학적 변화로 인해 발열하며, 이로 인해 물질 자체 또는 발생한 가연가스가 연소한다.
② **화합발화** : 두 종류 이상의 물질이 혼합되거나 접촉하여 연소하는 현상이다.
③ **인화** : 물질이 스스로 발화하지 않고, 전기적 스파크나 불꽃 등 외부 화원에 의해 착화되어 연소한다.
④ **폭발** : 정지 상태의 물질이 급격히 팽창하면서 빛과 소리, 충격적 압력을 동반하고, 순간적으로 연소를 완료하는 현상이다.

2) 화학물질의 위험성

구분	내용
온도, 압력	높을수록 위험
인화점, 융점, 비점	낮을수록 위험
연소범위	범위가 넓고, 하한계가 낮을수록 위험
연소속도	빠를수록 위험
연소열	생성열이 클수록 위험
증발열, 표면장력	작을수록 위험

3) 화학화재의 원인 입증 절차

① 화재현장의 모든 자료를 수집해서 분석한다.
② 화재발생원인, 연소확대 등의 요인별로 가치를 부여한다.
③ 과학적으로 타당성을 입증한다.
④ 화재원인을 결정한다.

4) 화학물질의 화재조사 방법

① **자료수집**
　㉠ 현장에 남겨진 화학물질의 종류, 수량, 보관, 사용상태를 확인한다.
　㉡ 자연발화성 물질인지, 혼촉발화하였는지 확인한다.
　㉢ 화학물질의 발화 및 연소확대 용이성을 확인한다.

② 발화부 확인
    ㉠ 가연성 액체 또는 증기의 체류 가능성을 검토한다.
    ㉡ 발화지점의 손상정도와 탄화된 물질의 상관관계를 확인한다.
    ㉢ 착화원을 확인한다.

③ 원인판정
    ㉠ 타당성 검토를 거쳐 논리적 완성도를 높인다.
    ㉡ 착화물질과 착화에너지원의 관계를 확인한다.
    ㉢ 관계자에게 사실을 확인받고, 증거자료를 보완한다.

5) 자연발화

① 물과 습기 혹은 공기 중에서 물질이 발화온도보다 낮은 온도로 화학변화에 의해 자연 발열하고, 발생한 가열 가스, 또는 접촉하고 있는 가연물을 연소하는 현상이다.

② 자연발화에 영향을 주는 인자
    ㉠ 열축척 : 열 축적이 용이할수록 자연발화가 쉽다.
    ㉡ 열전도율 : 열전도율이 작을수록 자연발화가 쉽다.
    ㉢ 공기 유통 : 공기의 유통이 적을수록 자연발화가 쉽다.
    ㉣ 발열량 : 발열량이 클수록 자연발화가 쉽다.
    ㉤ 수분 : 수분은 촉매작용을 할 수 있다.

③ 자연발화의 형태
    ㉠ 분해열 : 니트로셀룰로우스, 셀룰로이드, 니트로글리세린 등의 질산에스테르제품
    ㉡ 산화열 : 불포화유가 포함된 천·휴지, 탈지면찌꺼기, 여과지 등의 기름침전물, 석탄, 황화광석, 황화소다, 고무류
    ㉢ 흡착열 : 활성탄, 환원니켈
    ㉣ 중합열 : 액화시안화수소, 초산비닐, 아크릴로니트릴, 이소프렌 등
    ㉤ 발효열 : 퇴비, 건초 등
    ㉥ 발열을 일으키는 물질자신이 발화하는 물질 : 금속나트륨, 금속칼륨, 리튬, 금속가루, 황린, 적린, 알킬알루미늄, 실란, 수소화인
    ㉦ 물질자신이 발열하고 접촉가연물을 발화시키는 물질 : 생석회, 표백분, 황산, 초산, 클로로술폰산
    ㉧ 반응의 결과 가연성가스가 발생해서 발화하는 물질 : 인화석회, 카바이드류

④ 자연발화의 조건
    ㉠ 주변의 온도가 높을 것
    ㉡ 열의 축적이 양호할 것
    ㉢ 표면적이 클 것
    ㉣ 산소의 공급이 적당할 것

ⓜ 반응물질과 수분이 적당할 것
ⓑ 열전도율이 작을 것

⑤ 자연발화의 방지대책
㉠ 주위 온도가 낮을 것
㉡ 열의 축적을 방지할 것
㉢ 습도가 높은 곳을 피할 것
㉣ 통풍이 원활할 것

6) 화학화재조사의 단계별 FLOW-CHART

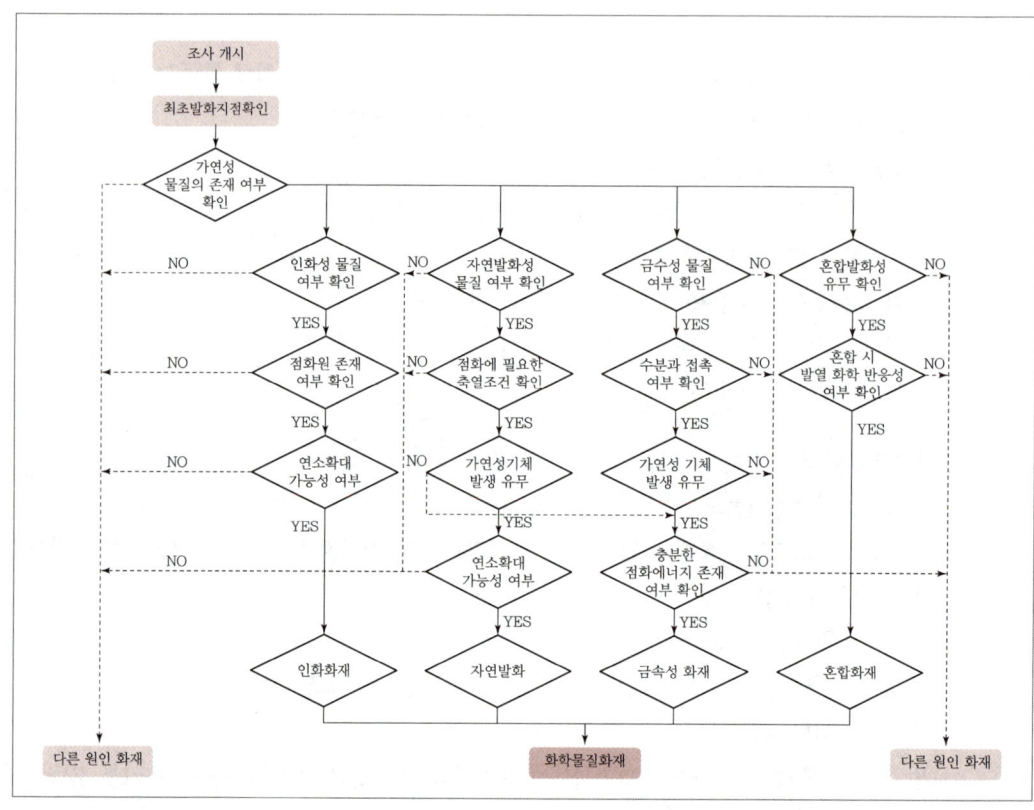

7) 화학화재의 종류

① 동·식물류
㉠ 유지의 주성분 : 글리세린($C_3H_8O_3$)과 지방산 에스테르
㉡ 요오드가 : 유지 100g의 불포화기를 포화하는 데 필요한 요오드의 그램 수
㉢ 불포화 지방산을 많이 갖는 지방일수록 요오드가가 크기 때문에 위험성이 증대된다.
㉣ 불포화 지방산을 많이 포함하는 것은 상온, 또는 잠열이 있는 상태에서 공기 중에서 산소에 의해 산화되어 반응열이 서서히 축적되어 발화한다.

ⓜ 아마인유, 임자유와 같은 건성유에 있는 2중 결합이 대기 중의 산소와 산화반응하며 발생하는 반응열은 자연발화의 위험성이 높다.

ⓗ 화재감식 유의사항
- 유지류를 병에 담아 두거나 유지류만을 모아 두었을 경우 유지류가 공기와의 접촉할 수 있는 면적이 비교적 작기 때문에 산화반응도 활발하지 못하다.
- 축열조건과 자연발화하는데 걸리는 시간을 확인한다.
- 튀김유 화재 시 폐유의 산화정도와 인화점을 확인한다.
- 출화 전에 특유의 냄새가 발생하므로 관계자에게 화재 전 냄새에 대한 질문을 한다.
- 자연발화 이외의 원인 배제를 규명한다.

② 기름걸레
ⓐ 동·식물유를 취급하던 걸레나 섬유류 등을 완전히 건조시키거나 기름을 제거하지 않았을 경우 적당하게 수분이 침투된 상태에서 축열이 이루어지면 잠열로 인하여 발화할 수 있다.
ⓑ 연소 초기에는 흰 연기를 조금 발생시키지만, 연기의 양이 증가하면서 주변의 물체를 탄화시키고 착화하게 된다.
ⓒ 화재감식 유의사항
- 발화물질로 보이는 섬유류와 걸레에 스며든 기름 종류를 확인한다.
- 자연발화한 기름걸레는 중심부로부터 연소된 흔적이 남기 때문에 내부로부터 탄화된 것인지 판정한다.
- 기름걸레 수납장소의 상태와 온도, 습도, 환기 등을 확인하고 기록한다.

③ 활성탄
ⓐ 대부분의 성분이 탄소이고 흡착성을 갖는다.
ⓑ 기체나 습기 흡수제, 탈색제로 사용된다.
ⓒ 분말상과 조립상이 있다.
ⓓ 활성탄이 흡착열을 축적하는 데 충분한 양이 존재하고 있는지 조사한다.
ⓔ 아역청탄 가루는 공기 중에서 자연발화 사례가 종종 있다.
ⓕ 탄화도 : 갈탄<아역청탄<역청탄<무연탄

④ 생석회
ⓐ 생석회(CaO)는 수분과 반응하게 되면 수산화칼슘으로 변하면서 발열반응이 이루어진다.

$$CaO + H_2O \rightarrow Ca(OH)_2 + 15.2 \text{kcal/mol}$$

ⓑ 생석회 자체는 연소를 하지 않지만, 주변의 가연물을 연소시킬 정도의 열을 발생한다.
ⓒ 생석회는 알칼리성으로 산성토양을 개량하는 효과가 있어 비료로 많이 사용되는데 농가에서 농사철을 앞두고 밭농사 등에 사용할 생석회를 쌓아두었다가 습기를 관리하지 못해 화재가 발생하는 경우가 종종 발생한다.
ⓓ 소량이면 열이 발산되어 발화하기가 어렵다.

⑤ 화학물질의 혼합발화 감식요령
  ㉠ 물질의 성질, 취급의 상황, 장소의 환경조건에 대하여 조사한다.
  ㉡ 혼합발화 물질은 단독 발화인지 혼합에 의한 발화인지를 각각 재현 실험을 실시하여 확인한다.
  ㉢ 혼합발화에 의한 화재는 혼합한 물질 자체가 연소하므로 증거가 소실되는 경우가 있다.
  ㉣ 화재가 난 곳에서 존재하는 물질에 대하여 성분, 성질, 형상, 양을 관계자의 진술과 문헌·자료 등을 기초로 조사한다.

4 화학물질 폭발조사감식 방법

(1) 화학물질 폭발조사 시 유의사항

1) 폭발현장조사

① **현장 설정** : 사고 현장에서 가장 원거리에서 발견된 파편 조각 거리의 1.5배로 현장을 설정한다.
② **자료 수집** : 관계자의 진술, 정비 기록, 운전 일지, 매뉴얼, 기상 정보, 과거 사고 기록 등 증거를 수집한다.
③ **현장 조사 유형 결정**
  ㉠ 현장 조사관은 나선형, 원형, 격자형 중에서 현장 조사 유형을 결정하고, 외곽 경계선에서 가장 충격을 받은 지역까지 조사한다.
  ㉡ 절차에 따라 증거를 식별, 기록하고, 사진 촬영과 위치 표시를 진행한다. 증거의 위치는 분필, 스프레이 페인트, 깃발, 말뚝 등을 사용하여 표시한 후 사진을 찍고 증거물 태그를 부착하여 안전한 장소로 이동시킨다.
  ㉢ 폭발 중심지에 대한 최종 위치 결정은 수집된 증거와 피해 범위를 분석하여 최종적으로 결정한다.
  ㉣ 화재 및 폭발 현장의 경우, 휘발성이 강한 화학물질이나 기타 위험 물질이 남아 있을 수 있으므로, 이러한 증거물은 우선적으로 수집하여 안전하게 보관한다.

(2) 물질에 따른 폭발조사감식

1) 가연성 가스 폭발

① **가스 종류 파악** : 현장에서 사용되거나 저장된 가연성 가스의 종류를 파악한다. 일반적으로 메탄, 프로판, 부탄, 수소 등이 포함되며, 각 가스의 성질에 따라 폭발의 특징이 달라질 수 있다.
② **가스 누출 원인 조사** : 가스가 어떻게 누출되었는지 조사한다. 배관의 손상, 밸브 결함, 부주의한 작업 등이 원인이 될 수 있으며, 누출 지점을 확인하고 원인을 규명한다.
③ **점화원 확인** : 가스가 폭발하려면 점화원이 필요하다. 전기 스파크, 열기구, 기계적 충격 등 다양한 원인이 될 수 있으므로, 현장에서 잠재적인 점화원을 식별하고 기록한다.
④ **폭발의 범위 및 피해 분석** : 폭발의 강도와 범위를 분석하여 피해 상황을 평가한다. 폭발의 충격파, 화염, 파편의 이동 경로 등을 고려하여 조사한다.

⑤ **증거물 수집 및 분석** : 가스 누출 지점, 배관 잔해, 밸브 조각, 점화 장치 등 관련 증거물을 수집하고, 실험실 분석을 통해 폭발 원인과 관련성을 조사한다.
⑥ **현장 재구성** : 수집된 증거와 분석 결과를 바탕으로 폭발이 발생한 경위를 재구성한다. 가스의 누출 경로, 점화 시점, 폭발의 진행 과정 등을 시각적으로 재현하여 사고 원인을 명확히 한다.

2) 분진폭발

① 가연성 고체의 미분이 일정 농도 이상 공기와 같은 조연성 가스에 분산되어 있을 때, 발화원에 의해 착화되면서 일어나는 현상이다.
② 금속, 플라스틱, 농산물, 석탄, 유황, 섬유질 등의 가연성 고체가 미세한 분말 상태로 공기 중에 부유하여 폭발 하한계 농도 이상으로 유지될 때, 착화원이 존재하면 가연성 혼합기와 동일한 폭발 현상이 나타난다.
③ 분진의 발화 · 폭발 조건
　㉠ 가연성 물질 : 금속, 플라스틱, 밀가루, 설탕, 전분, 석탄 등
　㉡ 미분 상태 : 200mesh(76μm) 이하
　㉢ 조연성 가스(공기) 중에서의 교반과 운동
　㉣ 점화원의 존재
④ 분진 폭발의 특성
　㉠ 연소 속도나 폭발 압력은 가스 폭발에 비해 작으나, 연소 시간이 길고 에너지가 크기 때문에 파괴력과 타는 정도가 크다.
　㉡ 폭발 시 입자가 연소되면서 비산하여, 접촉되는 가연물은 국부적으로 심한 탄화를 일으키며, 특히 인체에 닿으면 심한 화상을 입는다.
　㉢ 최초의 부분적인 폭발에 의해 폭풍이 주위의 분진을 날려 2차, 3차 폭발로 이어지면서 피해가 커질 수 있다.
　㉣ 가스에 비해 불완전한 연소가 발생하기 쉬워 탄소가 타서 없어지지 않으며, 연소 후의 가스 상에 일산화탄소가 다량 존재할 수 있어 가스에 의한 중독 위험성이 있다.
⑤ 폭발성 분진의 종류
　㉠ 탄소 제품 : 석탄, 목탄, 코크스, 활성탄
　㉡ 비료 : 생선가루, 혈분 등
　㉢ 식료품 : 전분, 설탕, 밀가루, 분유, 곡분, 건조효모 등
　㉣ 금속류 : Al, Mg, Zn, Fe, Ni, Si, Ti, V, Zr(지르코늄)
　㉤ 목질류 : 목분, 콜크분, 리그닌분, 종이가루 등
　㉥ 합성 약품류 : 염료 중간체, 각종 플라스틱, 합성 세제, 고무류 등

(3) 폭발원인 조사방법

1) 폭발 발생지점
① 분화구 형성 여부 확인 : 현장에서 폭발로 인해 분화구가 형성되었는지 여부를 결정하여 폭발의 강도와 중심지를 파악한다.
② 폭발 종류 식별 : 관련된 폭발의 종류를 식별하여, 가스폭발, 화학적 폭발, 분진폭발 등 어떤 형태의 폭발이 발생했는지 판단한다.

2) 연료원
① 연료 종류 식별 : 폭발 현장에서 사용된 연료의 종류를 식별하여, 폭발에 기여한 연료가 무엇인지 확인한다.
② 연료의 분포와 양 조사 : 현장에 남아 있는 연료의 흔적과 분포를 조사하여, 연료가 어떻게 폭발을 유발했는지 분석한다.

3) 발화원
① 점화원 탐색 : 폭발을 유발한 점화원(전기 스파크, 열원 등)을 현장에서 탐색하고, 발화 조건과 점화원 간의 연관성을 분석한다.
② 화재 손상 정도 평가 : 폭발 전후의 화재 손상 정도를 평가하며, 이 조사는 초기부터 실시하여 폭발과 화재의 관계를 파악한다.

4) 종합 분석
① 손상패턴 분석 : 폭발로 인해 손상된 구조물과 물체의 형태 및 규모를 관찰하고 분석하여, 폭발의 영향을 평가한다.
② 구조물 분석 : 손상된 구조물의 설계, 재료, 공정 등을 종합적으로 분석하여 폭발이 발생한 원인과 구조적 요인을 파악한다.
③ 열효과 상관분석 : 폭발로 인한 열 손상을 분석하여, 화학적 및 물리적 폭발의 원인을 명확히 한다.
④ 시간대(Time Line) 분석 : 수집된 정보를 바탕으로 사고 전후의 경위를 시간대별로 정리하여, 화재와 폭발의 선후 관계 및 인과관계를 분석한다.

5) 화재 및 폭발 사고조사 시 고려사항
① 폭발 중심부 식별 : 가스 폭발의 경우 폭심부가 명확할 수 있으나, 분진 폭발은 2차, 3차 폭발이 발생할 수 있어 폭심부가 명확하지 않을 가능성이 크다는 점을 고려한다.
② 화재 및 폭발 선후 관계 : 폭발로 인한 파편에 그을음이 부착된 경우, 이는 화재와 폭발의 선후 관계를 분석하는 데 중요한 단서가 된다.
③ 열변형 흔적 조사 : 비닐, 스티로폼 등 열에 쉽게 변형되는 물질의 열변형 흔적을 통해 폭발과 화재의 선후 관계를 파악할 수 있다.
④ 화학적 폭발과 물리적 폭발 구분 : 비닐, 스티로폼, 종이 등의 열변형 흔적만으로는 화학적 폭발과 물리적 폭발을 명확하게 구분할 수 없으며, 이를 구분하기 위해서는 더욱 정밀한 분석이 필요하다.

5 석유화학 제품의 특성 및 화재감식

(1) 석유화학 제품의 종류

1) 천연가스와 원유

① 천연가스와 원유의 생산
  ㉠ 석유화학 제품의 원료는 주로 석유와 천연가스이며, 오래전 바다나 호수에 서식하던 미생물이 지열, 박테리아, 금속 화합물의 촉매 작용 등을 통해 서서히 분해되어 형성되었다.
  ㉡ 원유는 여러 탄화수소가 혼합된 점성이 큰 검은색 액체로, 분별 증류법을 통해 유분을 얻는다.
  ㉢ 천연가스는 원유를 생산하면서 함께 얻거나, 별도의 가스정을 통해 생산된다.

② 원유 정제
  ㉠ 원유는 산유지에 따라 조성이 다르며, 일부는 색이 옅고 유동성이 있는 반면, 다른 일부는 걸쭉하고 타르와 같다.
  ㉡ 원유는 주로 알칸, 시클로알칸, 방향족 탄화수소로 이루어져 있으며, 이들 중 알칸은 파라핀, 시클로알칸은 나프텐으로 불린다.
  ㉢ 원유를 분별 증류하면 석유가스, 나프타(휘발유), 등유, 경유, 중유, 아스팔트 등이 생성되며, 이들은 다양한 화학물질로 전환된다.

[분별증류에 의해 얻어진 석유 제품의 끓는점과 탄소수]

유분	비점범위(℃)	탄소수	비고
경질 나프타	30~120	5~8	25%
중질 나프타	100~200	7~12	
등유	150~180	9~19	20%
경유	230~350	14~23	
찌꺼기유	300 이상	17 이상	55%

2) 석유의 정제 제품

① 액화석유가스(LPG)
  ㉠ 프로판, 프로필렌, 부탄, 부틸렌을 주성분으로 하는 액화된 것으로 연료용과 공업용으로 사용된다.
  ㉡ 상온, 상압에서는 기체지만 냉각 및 가압으로 쉽게 액화된다.
  ㉢ 가정용, 자동차용, 도시가스, 화학 원료 등으로 쓰인다.

② 가솔린(Gasoline)
  ㉠ 비중이 0.63~0.76, 비점범위가 30~225℃, 발열량은 12,000kcal/kg인 무색투명한 액상유분으로서 일명 휘발유라고도 한다.
  ㉡ 제조방법에 따라 직류가솔린, 분해가솔린, 개질가솔린, 중합가솔린, 합성가솔린으로 나눈다.
  ㉢ 용도에 따라 자동차 연료, 항공기 연료, 공업용 용제 및 석유화학원료로 분류한다.

③ 등유(Kerosene)
　㉠ 비점범위가 150~300℃의 유분으로 무색투명하며 비중이 0.79~0.85인 액체탄화수소이다.
　㉡ 석유 stove, jet연료, 용제 등으로 사용되며 수요의 대부분은 가정용이다.

④ 경유(Diesel fuel oil)
　㉠ 비점의 범위 200~350℃ 정도의 담황색, 담갈색의 유분(비중 : 0.81~0.88)이다.
　㉡ 대부분이 디젤기관용 연료, 대형 스토브용, 기계세척용에 사용된다.

⑤ 중유(Heavy oil)
　비중 0.90~1.0, 갈색 또는 흑갈색 액체로, A중유, B중유, C중유로 분류된다.

⑥ 윤활유(Lubricating oil)
　온도 변화에 따른 점도 변화가 적은 석유계 윤활유로, 다양한 기계류와 디젤 엔진, 항공기 윤활유로 사용된다.

⑦ 그리스(Grease)
　윤활제에 점도제를 첨가하여 만든 반고체 또는 고체 윤활제로, 윤활성과 밀봉성이 특징이다.

⑧ 파라핀 왁스(Paraffin wax)
　C^{20} 이상의 n-Paraffin을 주성분으로 하는 가연성 물질로, 양초, 파라핀 종이, 화장품, 의약품 등에 사용된다.

⑨ 아스팔트(Asphalt)
　석유의 분별증류 시 생성되는 찌꺼기유로, 흑색 고체 또는 반고체로 도로 포장 및 방수·방습제로 사용된다.

(2) 석유류의 연소특성

1) 인화성
석유류를 공기 중에서 가열했을 때 가연성의 증기가 발생되는 최저의 온도를 인화점이라 한다.

[석유류(인화성 액체)의 화재위험특성]

종류	인화점(℃)	발화점(℃)	연소범위(%)	증기밀도
아세톤	-20	465	2.5~12.8	2.0
벤젠	-11.1	498	1.2~7.8	2.8
에틸알코올	12.7	362	3.3~19	1.6
등유	37.8~72.2	210	0.7~5	1
경유	52.2~95.6	256	0.7~5	+1
휘발유	-42.8	280	1.4~7.6	3~4
헵탄	-3.9	204	1.05~6.7	3.5
헥산	-21.7	225	1.1~7.5	3.0
모터오일	148~232	260~371	-	-

2) 발화성

① 가연성 물질이 직접적인 점화원 없이 조연성 가스 속에서 가열에 의해 스스로 연소하는 현상을 발화라고 하며, 발화를 일으키는 최저의 온도를 발화점이라 한다.
② 발화점은 물질을 가열하는 용기의 재질, 표면 상태, 가열 속도 등에 의해 크게 영향을 받는데, 고압일 경우 발화점이 낮아지는 경향이 있다.

3) 증기비중

증기 비중이란 물질의 분자량을 공기의 분자량으로 나눈 값으로, 보통 1 이상이면 공기보다 무겁고 1 미만이면 공기보다 가볍다. 석유류의 증기는 공기보다 무겁다.

4) 비점

비점이 낮은 액체는 쉽게 기화해 공기와 혼합되어 폭발성 가스를 형성하므로 위험성이 높다. 예를 들어, 휘발유는 비점이 30~225℃로, 비점이 높은 등유보다 더 위험하다.

5) 유기용매

비점이 낮고 휘발성이 높아 화재 위험이 크며, 섬유, 전자산업, 석유정제 등 여러 산업에서 사용된다.

(3) 플라스틱 재료의 연소특성

1) 고분자물질(고체가연물)의 종류

① **천연고분자** : 자연계에서 생성되는 물질로, 천연고무, 셀룰로오스, 폴리펩티드, 석면 등이 포함된다.
② **합성고분자** : 인공적으로 저분자의 화합물을 축합 중합하여 만든 물질로, 합성수지, 합성고무, 합성섬유 등이 있다.
③ **열경화성수지** : 가열하면 경화반응이 진행되고, 용제와 열에 녹기 어렵게 되는 성질을 갖는다.
④ **열가소성수지** : 가열에 의해 연화하고, 가소성의 성질을 갖는다.

[열가소성·열경화성 수지의 종류]

구분	종류
열가소성수지	폴리염화비닐(PVC), 폴리스티렌(PS), 폴리에틸렌(PE), 폴리프로필렌(PP), 아크릴수지
열경화성수지	에폭시수지, 폴리에스터, 폴리우레탄, 페놀수지, 멜라민수지, 우레아수지 등

⑤ **열분해 특성** : 다수의 고분자 물질은 가열에 의해 열분해되며, 폴리에틸렌과 같이 고분자가 분해되어 모든 기체성 물질로 변하는 경우가 있고, 셀룰로오스와 폴리염화비닐처럼 상당한 양이 탄화되어 잔유물을 남기는 경우도 있다.

2) 연소과정

고분자 물질의 연소는 발염 연소, 무염 연소, 훈소 등 세 가지 형식이 있다.
① 고분자 물질은 가열로 인해 열분해가 일어나며, 가연성 기체가 방출된다.
② 가연성 기체는 공기와 혼합되어 착화원이 있으면 발염 연소가 발생한다.
③ 탄화 잔사는 산화되어 무염 연소를 일으키거나, 연소 공기가 부족하면 훈소를 유발한다.

3) 발화과정

① 가연성 혼합 기체와 탄화 잔유물에 불이 붙는 과정에서 유염 착화와 무염 착화가 발생한다.
② 가연성 혼합 기체는 착화원에 의해 인화 또는 발화한다.

[각종 고분자물질의 발화온도와 인화온도]

물질명	인화온도(℃)	발화온도(℃)	물질명	인화온도(℃)	발화온도(℃)
폴리에틸렌	341	349	아크릴(섬유)		560
폴리프로필렌		570	질산셀룰로오스	141	141
사불소화에틸렌		530	초산셀룰로오스	305	475
폴리염화비닐	391	454	에틸셀룰로오스	291	296
염화초산비닐	320~340	435~557	폴리아미드(나일론)	421	424
폴리염화비닐	532	532	나일론66(섬유)		532
폴리스틸렌	345~360	488~496	페놀수지(유리섬유적층)	520~540	571~580
폴리스틸렌(입상)	296	491	멜라민수지(유리섬유적층)	457~500	623~645
폴리스틸렌(발포체)	346	491	폴리에스테르수지(유리섬유적층)	346~399	483~488
스틸렌-아크릴로니트릴공중합체	366	454	실리콘수지(유리섬유적층)	490~527	550~564
스틸렌-메타아크릴산메틸공중합체	329	485	경질폴리우레탄	310	416
폴리메타아크릴산메틸	280~300	450~462	목재	260~300	400~450

4) 타서 퍼지는 과정

① 고분자물질은 발화 후 화염의 열에너지가 미연소 부분을 예열하며, 열분해를 통해 가연가스를 발생시켜 연소가 확산된다.
② 타 들어가는 속도는 화염에서 고체면으로의 열전달의 속도와 열분해에 따라 좌우된다.

5) 고체 폭발

① 고체 폭발은 가연물과 산화제가 긴밀히 혼합되고, 열 발생 속도가 확산 속도를 초과할 때 발생한다.
② 분진폭발은 공기와 잘 혼합하고 있는 부유상태의 형성이 필요하고 ㉠ 가연성, ㉡ 미분상태, ㉢ 연소성 가스(공기) 중에서의 교반과 유동, ㉣ 발화원의 존재 등의 조건을 만족해야만 분진폭발이 발생한다.

(4) 석유류의 분석기법

1) 가스크로마토그라프(GC ; Gas Chromatograph) 분석의 장점

① 물질이 유사한 여러 성분의 혼합계 분리에 매우 유효하다.
② 가스 상태로 분석하기 때문에 조작도 간단하고 시간도 빠르다.
③ 각 성분을 검출하여 그 양을 전기적인 신호로 기록계에 저장하고 도형적으로 기록함으로써 분석 결과가 객관적이다.

④ 가스크로마토그래프(GC) 구성요소

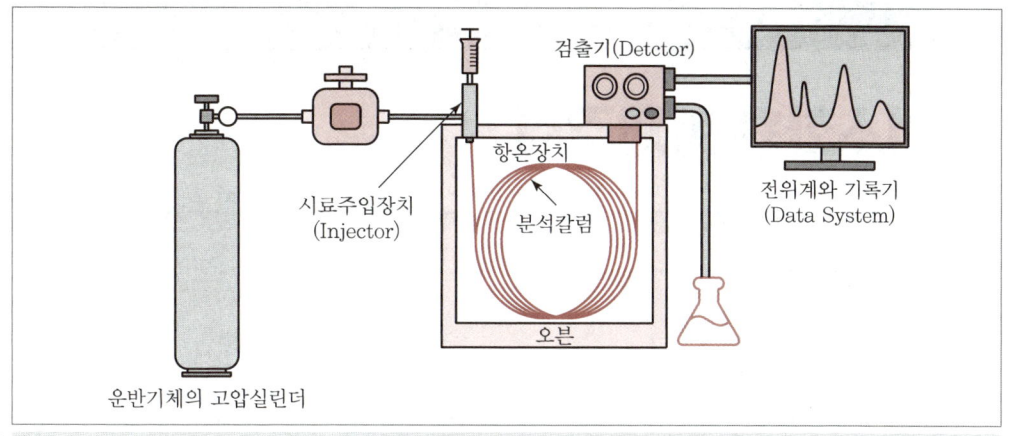

가스크로마토그래프(GC) 구성요소

㉠ 운반기체(Carrier Gas)의 고압실린더
㉡ 시료주입장치(Injector) : 시료를 주입하고 고온으로 기화시켜 분석칼럼으로 보내는 부분
㉢ 분석칼럼(Column) : 기화된 시료 성분을 고정상과의 상호작용으로 분리하는 관
㉣ 검출기(Detector) : 분석칼럼을 통과한 시료 성분을 감지하여 전기 신호로 변환하는 장치
㉤ 전위계와 기록기(Data System) : 검출기에서 검출한 신호를 전환시키고 기록
㉥ 항온 장치 : 분리관, 시료주입기, 검출기 등 각 부분 온도조절

2) 적외선(IR ; Infrared) 분광분석법

① 여러 파장의 빛이 시료를 통과할 때 특정 파장이 흡수되며, 이를 통해 시료의 분자 운동을 분석할 수 있다.
② 프리즘을 통해 빛을 분리하고, 특정 파장의 흡수 현상을 관찰하여 시료의 성분을 확인한다.

3) 석유류 화재 감식

① 석유류 화재는 기기 분석(GC, IR)을 통해 시료를 판별하며, 시료의 정확한 채취와 보관이 중요하다.
② 석유류 취급시설에 대한 화학적·물리적 지시과 위험물 취급에 대한 자료가 필요하나.
③ 석유류가 통상적으로 사용되지 않는 장소에서 발생한 화재는 현장에서 가연성가스를 채취하여 분석한다.
④ 기기분석(GC, IR) 판별하는 절차

> **암기법** 습침 여정 적가
>
> 감식물 **습**득(수거) → **침**지 → **여**과 → **정**제 → **적**외선 흡수 스펙트럼 분석 → **가**스 크로마토그래피법

CHAPTER 05 미소화원 화재감식

1. 미소화원의 이해

미소화원(微小火原)은 "극히 작은 불씨"가 화재의 원인이 되는 것을 의미하며, 경미한 작은 발화원을 총칭한다. 무염 연소의 발화 형태를 취하며, 훈소 화재, 심부 화재의 양상을 보인다.

(1) 미소화원과 유염화원 구분

1) 미소화원
① 불꽃이 없는 불씨로 아주 작은 화원이다(예 담뱃불티, 향불, 스파크, 불티 등).
② 무염 화원은 유염 화염보다 에너지량(열량)이 작다.
③ 무염 화원은 깊게 타고, 연소 범위는 좁다.

2) 유염화원
① 불이 붙어 있거나 보통 소화되기 전까지 화염을 발하여 연소한다(예 라이터불, 성냥불, 촛불 등).
② 유염 화원은 불꽃이 있어 가연물과 접촉 시 바로 착화한다.
③ 짧은 시간에 연소가 확대되며, 연소 흔적으로 깊게 탄 것은 드물지만 표면적으로 연소가 확대되는 경우가 많다.
④ 유염 화염을 협의로 해석할 때는 나화라고도 하며, 미소화원과 구분된다.

(2) 무염화원의 연소현상과 가연물 특성
① 장시간 화염과 접촉하여 발화부에 소훼물이 깊게 탄화되어 연소 형상이 식별된다.
② 발화원이 장시간 훈소하여 타기 쉬운 가연물까지의 연소 과정 사이에 타는 냄새가 발생한다.
③ 이불 등은 깊숙이 탄화되어 타 들어가 방바닥(마루, 침대, 돗자리 등)을 태운다.
④ 기둥, 벽 등의 일부가 타 떨어지거나, 타서 가늘어지며 두꺼운 나무판자에 구멍이 나는 경우도 있다.
⑤ 발화 지점이 소실되거나 진압 과정에서 훼손되어 물증 추적이 곤란하다.

(3) 미소화원 화재입증의 기본 요건

① 화재 현장에서 발화 장소의 소손 상태 확인
② 관계자의 진술 확보
③ 발화 전의 환경 조건 파악(풍속, 축열 조건, 온도, 가연물 등)

> **한번 더 클릭** 미소화원에 훈소 가능한 물질
>
> - 헐겁거나 부드러운 황마 · 면 등의 섬유
> - 화장지, 주방용 휴지 등 부드러운 종이
> - 골판지 상자
> - 톱밥, 대팻밥
> - 먼지(다양한 형태 식물, 동물, 미생물과 무기물 부스러기의 집합체, 진공청소기 쓰레기)

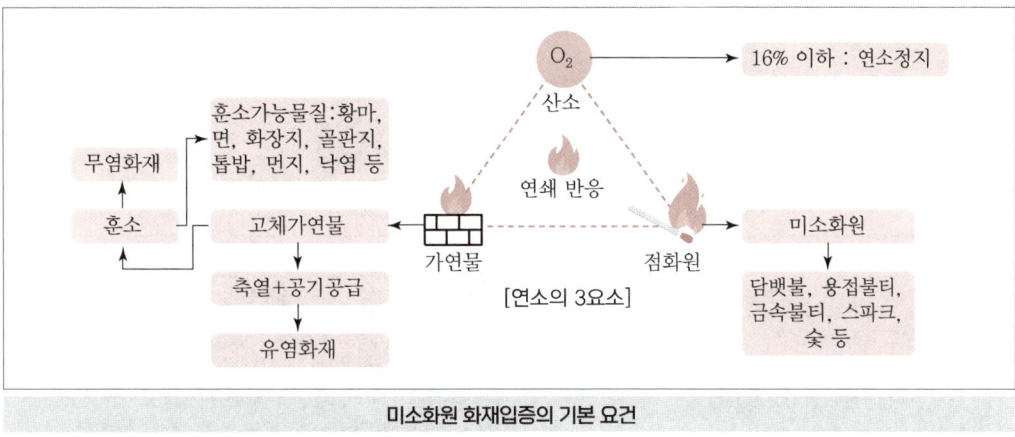

미소화원 화재입증의 기본 요건

(4) 미소화원에 의한 출화 증명

① 정확한 출화 지점의 판단
② 흡연 행위 유무 확인
③ 가연물 종류 확인(훈소 가능 물질인지 여부 확인)
④ 훈소의 지속과 발염 여부(축열 및 풍속 조건 확인)
⑤ 유염 화원과의 구분(다른 발화 요인의 배제)

2 무염화원

(1) 담뱃불

1) 담뱃불의 특징
① 담뱃불은 대표적인 무염화원이고, 담배의 연소는 잘 알려진 훈소의 형태이다.
② 이동이 가능한 점화원이다.
③ 흡연자는 화인을 제공할 수 있는 개연성이 있다.
④ 담배 완제품은 가연성 물질이지만 자연발화는 불가능하다.

2) 담뱃불의 일반사항

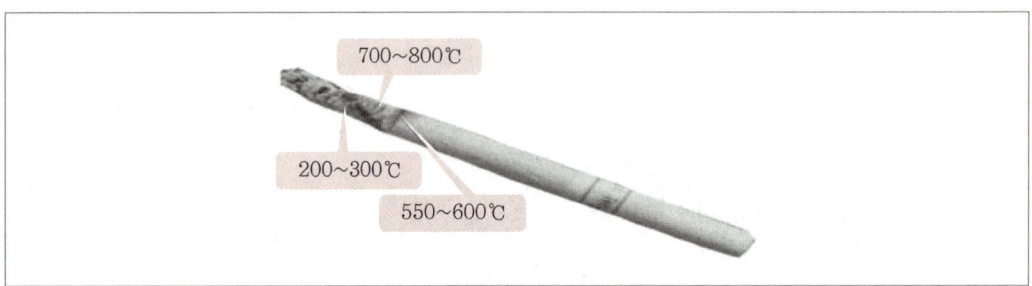

담뱃불 주요 온도	담뱃불 발화 가능성
• 표면온도 : 200~300℃ • 연소선단온도 : 550~600℃ • 중심부 평균온도 : 700~800℃ • 흡연 시 온도 : 840~850℃	• 풍속 1.5m/sec 최적조건 • 풍속 3m/sec 이상 시 꺼짐 • 산소농도 16% 이하 시 연소하지 않음 • 담배 1개비 수평 13~14분, 수직 11~12분 연소

3) 담뱃불의 착화 가능성(연소성의 환경 조성 조건 시)
① 가솔린, 도시가스, 고무 부스러기, 카펫, 스티로폼 : 착화 불가능
② 톱밥류, 마른 건초류, 구겨진 신문지, 방석, 이불, 의류 등 면제품 : 착화 가능

4) 담뱃불 화재현장의 주요 감식사항
담뱃불 화재로 판단될 경우, 담배꽁초 등 물적 증거와 흡연 행위를 밝혀내는 동시에 다른 발화원을 배제해야 하며, 재떨이, 담배꽁초, 점화물(성냥, 라이터 등)의 부수적인 물적 증거 발견에 노력한다.
① 흡연행위의 유무
② 흡연시간, 흡연 장소, 담배 종류, 점화용구
③ 착화할 수 있는 가연물의 존재와 재질
④ 일상적인 담배꽁초의 처리방법
⑤ 발화에 충분한 축열조건
⑥ 기상상태 확인(습도, 바람 등)

> **한번데클릭** 담뱃불 발화 메커니즘 순서
>
> 무염연소 → 열 축적 → 발화온도 도달 → 유염발화

(2) 모기향 불씨 및 선향

1) 모기향

피레트로이드계 화합물질인 트랜스 알레트린이라는 성분과 톱밥 분말을 점착제로 고결시켜 성형한 것이 모기향이다.

① 중량 : 13~14.5g/개
② 중심부 온도 : 약 700℃
③ 연소지속시간 : 무풍 시 7시간 30분 전후이고, 풍속 0.8~0.9m/s에서는 4시간 30분
④ 발화입증 : 설치상태 확인, 가연물의 접촉가능성 확인, 기타 발화원 부정 등

2) 선향

① 길이 : 140mm, 두께 : 2.2mm
② 표면온도 : 약 130℃
③ 화염 지속시간 : 둥근모양 25~30분, 각 진 모양 약 30~35분

3) 화재감식 주요사항

① 착화물이 선향으로 착화할 수 있는 재질인지 확인한다.
② 담배 등 다른 화원이 없는지 확인한다.
③ 출화 전에 사용된 위치를 파악한다.
④ 진술을 통해 사용했던 위치와 발굴된 용기의 위치를 비교하고, 동시에 주위 가연물의 상황을 파악한다.

(3) 불꽃(전기용접기, 가스절단기, 그라인더, 제면기, 분쇄기)

1) 전기용접기

① 전기 용접은 아크열 또는 전류의 저항열을 이용하여 두 물질을 접합한다.
② 아크 용접
  ㉠ 탄소 전극을 사용하는 탄소 아크 용접과 금속 전극을 사용하는 금속 아크 용접이 있다.
  ㉡ 불티 온도: 약 6,000℃

③ 가스 용접
  ㉠ 가스의 연소열로 용접부의 금속을 녹이는 용접법(예 산소-아세틸렌 용접)
  ㉡ 불티 온도 : 약 3,000℃

2) 용접불티 특성

① 작업 중 수천 개의 불티가 비산된다.
② 용접 불티는 수평 방향으로 최대 11m 정도까지 흩어진다.
③ 축열에 의해 상당 시간이 경과한 후 불꽃이 발생해 화재를 일으킬 수 있다.
④ 산소의 압력, 절단 속도, 절단기의 종류 및 방향, 풍속 등에 따라 불티의 양과 크기가 달라진다.
⑤ 발화원이 될 수 있는 불티의 직경은 0.2~3mm 정도이다.

3) 전기용접 화재 시 조사 요령

① 용접 입자는 매우 작고 눈에 띄기 어려우므로, 자석 등을 활용해 수집하고 연소된 장소 주변으로 비산된 범위를 확인한다.
② 용접 입자가 발견되었다고 해서 바로 용접 부주의로 인한 화재로 단정하지 말고, 다른 요인들을 배제해야 한다.
③ 타고 남은 고무 호스의 탄화 형태를 판단하여, 호스의 균열로 가스가 새어 나온 것인지, 아니면 용접 불꽃이 호스에 착화되어 가스 누출이 발생한 것인지를 판단한다.
④ 출화 장소 부근에서 용접 작업이 이루어졌다면 작업 위치와 출화 장소의 위치 관계를 파악하고, 출화 장소로 불꽃 등이 비산할 가능성을 검토한다.

4) 용접불티 입자 채취 유의사항

① 금속 입자는 파손되기 쉽고 녹이 빨리 발생하므로, 조기에 채취해야 한다.
② 채취 시 잔류물을 여과하거나 자석을 사용하며, 채취 위치를 측정하고 사진 촬영 후 불똥 입자를 선별한다.
③ 용접불티 크기는 직경 0.2~3mm 정도이고, 온도는 약 1,600~3,000℃로 모든 가연물을 착화시킬 수 있는 축열 조건을 갖는다.
④ 불똥입자는 작은 구슬 모양으로 굴러가기 쉽고, 비좁은 틈새로도 들어가므로 전혀 생각하지 못한 곳에서 채취되는 경우가 있다.

5) 그라인더

① 그라인더는 연삭 초석을 사용하여 회전 운동에 의해 가공물 표면을 연삭 또는 절단하는 기계이다.
② 불똥 입자는 직경 0.1~0.2mm 정도의 것이 많으며, 온도는 약 1,200~1,700℃이다.
③ 가연성 가스, 셀룰로이드 부스러기, 미세한 톱밥, 면먼지, 의류 등은 그라인더 불똥에 의해 쉽게 착화될 수 있다.
④ 상황에 따라 장시간 잠복이 가능하므로, 출화 시간과의 상관관계를 확인해야 한다.
⑤ 그라인더 불티 화재의 판정을 위해 비산 범위 내에서 출화가 발생했는지 확인이 필요하다.

6) 제면기/분쇄기

① 제면기의 기계 부품이 오랫동안 마찰하면 마찰열이 발생할 수 있으며, 쇳조각, 못 등이 혼합된 경우 불티로 인해 출화할 수 있다.
② 제면기에서 발생한 불티는 기기 자체나 밀가루 분진에 착화될 수 있다.
③ 분쇄기 내부 고속 회전 칼날에 쇳조각이나 못 등의 이물질이 혼합된 경우 불티로 인해 출화할 수 있다.
④ 감식 요령
　㉠ 기기 내부에 쇳조각, 못 등의 이물질이 혼입되었는지 확인한다.
　㉡ 기계 부품을 분해하여 마모나 과열 흔적을 확인한다.
　㉢ 밀가루 분진, 먼지 등의 분진 폭발 가능성을 확인한다.
　㉣ 기기의 전기적 요인, 윤활유 누유로 인한 착화 등의 타 요인의 가능성을 확인하고 배제한다.

3 유염화원

(1) 유염화원 종류 및 성상

1) 유염화원 정의
무염화원의 상대적 개념으로, 불이 붙어 있는 상태에서 소화되기 전까지 화염을 발하며 연소를 계속하는 화원의 총칭이다.

2) 유염화원의 종류
라이터불, 성냥불, 촛불, 가스레인지 불꽃 등

3) 유염화원의 성상
① 미소화원에 비해 훨씬 많은 에너지량(열량)을 가지고 있어, 가연물이 닿으면 바로 착화될 우려가 있다.
② 단시간에 연소가 확대되며, 연소 흔적으로 깊게 탄 것은 드물지만 표면적으로 연소가 확대되는 경우가 많다.
③ 발화 지점에 발화원으로서 증거를 남기기 어렵다. 그러나 라이터와 성냥은 간혹 발굴될 수 있다.

(2) 라이터 불꽃

1) 라이터 종류
① 기름 라이터 : 기름으로 주로 벤젠을 사용하며, 사용 시 기름 냄새와 그을음이 발생한다. 가스 라이터에 비해 화력이 강하고, 내풍성이 뛰어나다.
② 가스 라이터 : 부탄을 주성분으로 하며, 발화석 라이터, 전자 라이터, 배터리 라이터 등 다양한 종류가 있다.

2) 라이터의 발화위험성

① 잔염에 의한 발화 위험
② 연료 가스 돌출에 의한 발화 위험
③ 연료 가스 누출에 의한 발화 위험

3) 라이터불 화재감식 포인트

① 관계자 질문 사항
　㉠ 발견 동기, 화염의 색, 소리, 냄새 등
　㉡ 발견 당시의 상황
　㉢ 라이터 사용 상황

② 라이터 상황 조사
　㉠ 라이터 발견 위치 및 상태
　㉡ 이물질 혼입 여부
　㉢ 제조업체, 기종, 재질, 형상 등

③ 발화 지점 부근의 가연물 상황, 위치, 종류, 재질, 형상 등을 조사

(3) 성냥불

성냥개비의 두약에 함유된 염소산칼륨과 측약인 적린과의 마찰에 의해 발화하는 것으로 우리나라에서 제조되고 있는 성냥은 모두 안전성냥이다.

1) 성냥의 구조 및 성상

① 성냥의 구조
　㉠ 두약부
　　• 산화제 : 염소산칼륨 50%
　　• 연소제 : 유황 4~8%
　　• 조절제 : 발화를 안정시키기 위한 배합
　　• 접착제 : 아교 12~13%, 송진 2~3%
　　• 착색제 : 무기안료, 유기안료, 염료 5%
　㉡ 측약부
　　• 발화제 : 적린 40~50%
　　• 조제 : 황화안티몬 25%
　　• 접착제 : 초산비닐에멀젼 25~27%
　㉢ 손잡이

② 성냥의 성상
　㉠ 성냥의 발화구조는 성냥개비의 두약 부분과 용기의 측약 부분이 서로 마찰 시 먼저 측약 부분의 적린이 발화하고 그 발화에너지에 의해 두약 부분이 폭발적으로 연소하는 구조이다.
　㉡ 성냥 두약부는 머리 부분으로, 황과 염소산칼륨을 포함하고 있다. 황은 발화하기 쉬운 물질이며, 염소산칼륨은 산화제로 작용하여 성냥이 점화되는 데 도움을 준다.
　㉢ 성냥의 연소온도는 불꽃의 상태에 따라 다르지만, 발화한 시점에서 500℃, 정상연소 불꽃에서 1,500~1,800℃이며, 치화상태(맹렬한 연소상태)에서 최고온도는 두약 부분이 700℃이다.
　㉣ 성냥의 발화온도는 일반적으로 약 202~316℃이며, 제조사별로 크게 차이가 없어 일정하다.
　㉤ 일반적으로 성냥 1개비의 연소시간은 수직상 방향에서 평균 43초, 대각선상 방향에서 35초 정도가 소요되는 것으로 알려져 있다.
　㉥ 인풀제는 인산, 물, 정전 방지 용액(섬유 유연제)을 혼합한 화합물로, 성냥개비 머리에서 재가 떨어지지 않도록 해준다.

한번 더 클릭 성냥 구조

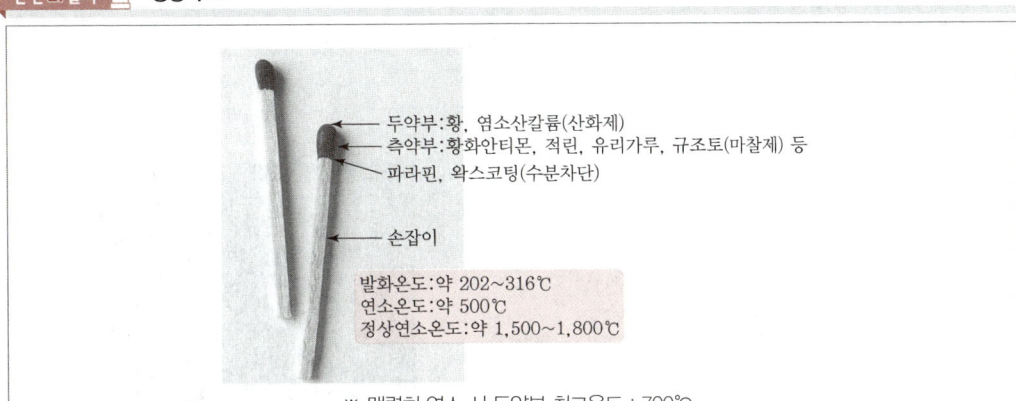

※ 맹렬히 연소 시 두약부 최고온도 : 700℃

2) 성냥의 발화 위험성
① 타다 남은 성냥개비에 의한 발화 위험
② 마찰에 의한 발화 위험
③ 가열에 의한 발화 위험

3) 성냥 감식사항
① 관계인에게 발견 당시 상황, 위치, 냄새 등에 대해 질문한다.
② 성냥의 보관 장소, 사용 장소, 사용 시간, 가연물 상황 등을 조사한다.
③ 발화 당시 건물 내 체류자의 동향을 파악한다.
④ 발화 당시 건물 주변 수상자나 아이들의 상황을 파악한다.
⑤ 발화 지점 부근의 가연물 상황, 위치, 종류, 재질, 형상 등을 조사한다.

(4) 양초

1) 양초의 성분
① 파라핀
② 경화납
③ 스테아린산
④ 등심

2) 양초의 성상과 연소특징
① 양초는 가솔린, 벤젠 등에 녹는다.
② 물과 친화성이 없고 전기 절연성이 우수하다.
③ 양초의 성분인 파라핀은 휘발성이 강하지 않으며, 착화가 상대적으로 쉬운 물질이다.
④ 양초의 연소는 증발 연소이며, 심지 없이 양초 자체만으로는 연소가 지속되지 않는다.
⑤ 양초의 연소 과정에서는 완전 연소되어 CO_2와 H_2O를 생성하고, 외부 고온 영역에서 소량의 탄소 매연입자가 발생한다.
⑥ 층류 불꽃으로서 약 50W의 열이 생성되고, 평균 불꽃온도 800~900℃, 외부 연소영역은 1,200~1,400℃ 정도이다.

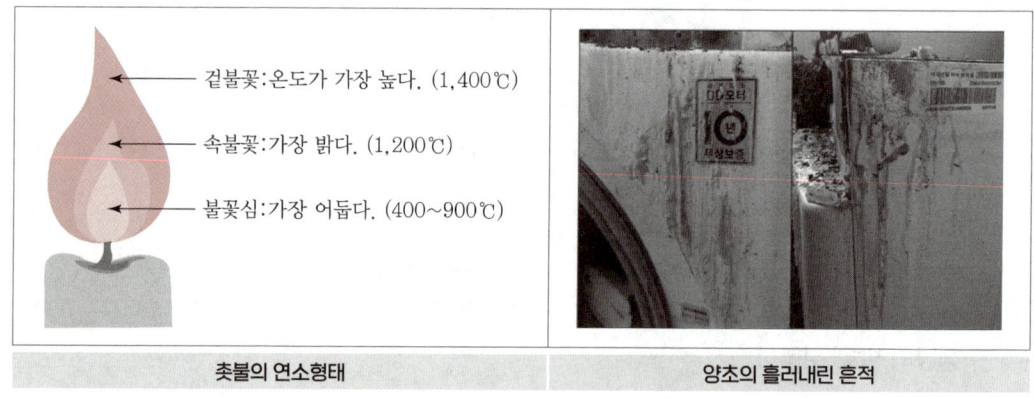

| 촛불의 연소형태 | 양초의 흘러내린 흔적 |

3) 양초의 감식요령
① 관계자의 평소 양초 사용 여부 확인
② 양초의 발견위치 및 상태에 관한 상황
③ 촛대의 종류, 재질, 형상에 관한 사항
④ 발화개소 부근의 가연물의 상황

CHAPTER 06 방화화재 감식

1. 방화의 이론적 배경

(1) 방화의 정의
① 국어사전 : 일부러 불을 붙여 화재를 일으키는 것, 불을 지름, 지른 불
② 형법 : 고의로 화재를 일으켜 가옥이나 기타 물건을 연소시키는 행위
③ NFPA 921 CODE : 발화하지 않아야 했을 화재로 인식된 상황에서 고의로 발생한 화재

(2) 방화심리와 형태의 이론

1) 방화의 심리

① 범죄학적 측면
  ㉠ 동기 분석 : 복수, 질투, 분노, 경제적 이득과 같은 동기에서 발생할 수 있다.
  ㉡ 범죄 유형 : 계획적 방화, 충동적 방화, 테러, 보험사기, 범죄은폐
  ㉢ 범죄 패턴 : 특정한 시간대와 장소를 반복적으로 선택하며, 이전 범죄와 연관된 패턴을 보이기도 한다.

② 정신의학적 연구
  ㉠ 정신적 장애 : 방화범 중 일부는 조현병, 반사회적 성격장애, 또는 충동조절장애와 같은 정신적 장애를 겪고 있다.
  ㉡ 심리적 결핍 : 유년기 애정결핍, 학대, 또는 심리적 트라우마가 방화 행동의 원인으로 작용할 수 있다.

③ 성심리학적 방화범의 분류
  ㉠ 구강기 방화범(출생~18개월)
   • 방화동기 : 어머니의 사랑 부족으로 인한 안정감 갈구한다.
   • 행동특성 : 불을 통해 따뜻함과 위안을 추구하며, 자기 몸에 불을 지르거나 충동적으로 방화한다.
   • 관련 습성 : 손톱물어뜯기, 음식 집착, 구강성 행동

ⓒ 항문기 방화범(18개월~3세)
- 방화동기 : 애정결핍으로 인한 분노와 복수심으로 방화한다.
- 행동특성 : 특정 대상에 대한 공격적 방화. 불을 통제 수단으로 학습한다.
- 관련 습성 : 동물 학대, 가학적 행동, 감정폭발

ⓒ 남근기 방화범
- 방화동기 : 성적 학대나 유기의 경험으로 인한 성적충동으로 방화한다.
- 행동특성 : 성적흥분과 충만감을 느끼며 방화. 불에 대한 성적충동과 자위행위를 한다.
- 관련 습성 : 관음증, 노출증, 자책감

ⓔ 잠복기 방화범
- 방화동기 : 애정결핍으로 인한 호기심과 관심 욕구로 방화한다.
- 행동특성 : 무차별적 방화, 쾌감이나 주의 끌기를 위한 방화, 반사회적 성향이 있다.
- 관련 습성 : 반항적 성격, 죄책감 결여

ⓜ 외음부기 방화범
- 방화동기 : 도전 의식과 소방에 대한 흥분감으로 방화한다.
- 행동특성 : 잘 아는 장소에 방화, 피해를 최소화하려 하고, 소방관의 역할에 쾌감을 갖는다.
- 관련 습성 : 의용소방대원 경험, 불을 붙인 후 진화 시도

> **한번 더 클릭 성심리학적 방화범의 분류**
> - 구강기 방화범 : 생후 18개월 동안 모성애를 받지 못한 경험으로 불을 통해 안전감을 받음
> - 항문기 방화범 : 생후 18개월에서 3살 시기에 부모(특히 아버지)의 애정의 결핍으로 특정인, 소유물 또는 동물에 방화함
> - 남근기 방화범 : 불을 보며 발기하고 성적충동으로 불을 지르나 후회하고 자책함
> - 잠복기 방화범 : 후회할 줄 모르고, 직접적인 동기도 불분명하며 별다른 감정이 없음
> - 외음부기 방화범 : 방화범 중 가장 발달된 성격의 소유자로 불을 내는 것은 화재진압활동과 직접적인 관련이 있음

2) 방화의 형태
① **단일방화** : 연속방화에 대응하는 개념이다.
② **연속방화** : 통상 동일인 또는 동일 집단이 2건 이상 방화를 행한 경우이다.
③ **연쇄방화** : 3번 이상의 불을 지르고 각 방화시기에 특이한 냉각기를 가지면서 방화를 저지른다.

3) 방화의 분류
① **계획적인 방화** : 사전 계획을 세워 범행하는 방화 유형이다.
  ㉠ 채무변제 등 이익 목적 달성의 경우
  ㉡ 정치적 목적에 의한 경우
  ㉢ 원한에 의한 경우

② 우발적인 방화 : 계획을 수립하지 않고 발작적으로 실행에 옮기는 방화 유형이다.
  ㉠ 정신이상 등에 의한 경우
  ㉡ 사회 등에 대한 불만의 발산
  ㉢ 원한에 의한 경우

> 원한에 의한 방화는 계획을 세울 수도 있고, 우발적일 수도 있다.

4) 방화 원인의 동기유형
① 경제적 이익 등을 동기로 한 방화
② 보험 사기성 방화
③ 범죄은폐를 위한 방화
④ 범죄 수단 목적으로 하는 방화
⑤ 선동적 목적을 달성하기 위한 방화
⑥ 보복 방화
  ㉠ 개인적 복수
  ㉡ 사회에 대한 복수
  ㉢ 집단에 대한 복수
  ㉣ 스릴을 추구하거나 장난을 위한 방화
⑦ 기타 유형 : 방화광, 마약, 알코올 중독자 등 정신이상자

2 방화원인의 감식 실무

(1) 연쇄방화의 조사

1) 정의
① 방화범이 3번 이상 불을 지르고 각 방화시기 사이에 특이한 냉각기(Cooling off period)를 가지면서 저지르는 방화를 연쇄방화라고 한다.
② 방화의 횟수와 성격 분류

형태	Single	Double	Triple	Mass	Spree	Serial
방화횟수	1	2	3	3회 이상	3회 이상	3회 이상
범행수	1	1	1	1	1	3번 이상
범행장소	1	1	1	1	3곳 이상	3곳 이상
냉각기	없음	없음	없음	없음	없음	있음

2) 현장조사 사항

① 연고감 조사
  ㉠ 의미 : 방화범이 피해자나 피해 건물에 대해 잘 알고 있는지를 조사한다.
  ㉡ 조사 포인트 : 범인이 건물 구조, 침입 경로, 도주로를 잘 알고 있다면, 범행이 연고감에 기반했을 가능성이 크다.
  ㉢ 조사 대상 : 친척, 이전 고용인, 거래 관계자 등 주변 인물

② 지리감 조사
  ㉠ 의미 : 범인이 지역이나 교통 상황에 익숙한지 여부를 조사한다.
  ㉡ 조사 포인트 : 범인의 이동경로, 교통수단, 지역에 자주 드나든 기록 등을 확인한다.
  ㉢ 조사 대상 : 해당 지역에 자주 방문한 기록이 있는 사람

③ 행적 조사
  ㉠ 의미 : 방화범의 방화 전후 행적을 추적한다.
  ㉡ 조사 포인트
    • 발생 시간 : 방화가 일어난 시간
    • 목격자 : 사건 당시 근처를 지나간 사람들(예 배달원, 아침운동자 등)
    • 음향조사 : 신발 소리, 차량 소리 등 소리와 관련된 증거 수집
    • 수상한 행동 : 정거장이나 정류장에서 수상한 행동을 보인 사람

④ 방화 행위자 조사
  ㉠ 의미 : 방화현장에서 목격된 범인의 식별 및 조사한다.
  ㉡ 조사 포인트 : 행위자의 성격, 알리바이, 직장 및 생활 관계를 조사한다.
  ㉢ 주의사항 : 방화 직후의 행동이 알리바이와 관련되므로 면밀한 조사한다.

⑤ 알리바이(현장 부재 증명) 조사
  ㉠ 의미 : 방화 당시 범인이 현장에 없었음을 증명한다.
  ㉡ 조사 포인트
    • 범행시간 : 방화가 일어난 정확한 시간
    • 이동시간 : 범인이 방화 전후에 이동한 시간을 측정한다.
    • 계획범행 여부 : 계획적 방화의 경우 알리바이 조작 가능성에 주의한다.

(2) 방화 화재의 특징

1) 일반적인 특징
① 방화범은 주로 단독으로 범행하며, 야간(21시~03시)에 많이 발생한다.
② 인화성 물질(예 휘발유, 석유, 시너 등), 라이터, 신문지 등의 가연물을 방화 매개체로 사용한다.
③ 피해 범위가 넓고, 주로 인명을 대상으로 하는 경우가 있다.
④ 계절이나 주기와 상관없이 발생하며, 인명피해를 동반하는 경우가 많다.

⑤ 방화범은 음주 후 실행하는 경우가 많다.
⑥ 행위자가 현장에서 발견되었을 때 극도의 흥분과 자제력 상실로 난폭성을 보인다.
⑦ 계획적이라기보다는 우발적으로 발생되는 경우가 많다.
⑧ 남성이 여성보다 방화를 실행하는 빈도가 높다.
⑨ 주택과 차량에서 주로 발생한다.

2) 방화원인 감식의 특수성

① 급격한 연소와 식별 곤란 : 인화성 물질 사용으로 연소 패턴 식별이 곤란한 경우가 많다.
② 촉진제 사용 : 촉진제를 사용하였을 때 유류(예 휘발유, 시너, 석유 등) 냄새와 사용용기, 물품이 존재할 수 있다.
③ 다수의 발화부 : 연소경로가 자연스럽지 못한 경우 발화지점이 여러 곳일 수 있다.
④ 보험사기성 방화 : 과다한 보험 가입 및 피해 과장하여 진술하는 경향이 있다.
⑤ 위장실화 : 발화 시간 조작과 완전연소로 증거 은폐 시도 등 위장실화가 증가하고 있다.

(3) 방화의 유형별 감식 특징

1) 자살방화 현장의 특징

① 유류(예 휘발유, 시너, 등유 등)와 사용한 용기 존재한다.
② 1회용 가스라이터, 성냥 등 주변에서 발견될 수 있다.
③ 흐트러진 옷가지 및 이불 등이 식별된다.
④ 소주병 등 음주한 흔적이 보인다.
⑤ 급격한 연소·확대로 연소의 방향성 식별이 곤란하다.
⑥ 연소면적이 넓고 탄화심도가 깊지 않다.
⑦ 사상자가 발견되고 피난흔적이 없는 편이며, 유서가 발견된다.
⑧ 방화 실행 전 자신의 신세 한탄 등 주변인과의 전화통화 사례가 많다.
⑨ 자살에 실패하였을 경우 실행동기 및 방법에 대하여 구체적으로 진술한다.
⑩ 우발적이기보다는 계획적으로 실행하는 경우가 많다.

2) 부부싸움으로 인한 방화의 특징

① 침구류, 가전제품, 창문, 현관문 등에서 파손 흔적이 여러 곳에서 발견된다.
② 용의자 및 상대방의 신체에 방화전 부상(예 창상 등) 흔적이 발견된다.
③ 유서가 발견되지 않는다.
④ 화재 인지 후 탈출을 시도한 흔적이 있다.
⑤ 안면부 및 팔과 다리부위에서 화상흔적이 발견된다.
⑥ 조사 시 극도로 흥분, 정신적 불안정하여 진술을 완강히 거부한다.
⑦ 도난물품이 확인되지 않는 경우가 많다.
⑧ 소주병 등 음주한 흔적 존재하는 경우가 많다.

3) 유류 촉진제를 이용한 방화

① 유류 방화의 확인사항 : 화재현장에 유류 존재 확인, 유류가 촉진제로 사용 여부 확인
② 수거장소 : 유류가 스며들 수 있는 곳이면서 연소 되지 않은 곳에서 유류 수거
③ 수거량 : 대략 200g~1kg 정도
④ 성분 분석 : 가스 크로마토그래피와 질량분광분석법을 이용하여 분석
⑤ 분석 결과 : 인화성 액체가 확인되면 방화 여부를 위한 확인 작업은 인화성 액체가 촉진제로 사용 여부 확인

4) 차량 방화

① 차량 방화 감식의 특징
  ㉠ 인화물질 사용 : 차량에 불을 붙이기 위해 촉진제(유류)나 주변의 가연물(신문지, 전단 등)이 사용되는 경우가 많다.
  ㉡ 연소물 이동 : 화재 진압 과정에서 연소물이 주변으로 이동할 수 있으므로 바닥에 남은 금속 및 연소물 상태를 정밀 조사해야 한다.

② 창문과 문짝의 개폐 여부 감식
  ㉠ 문짝의 개방 여부
    • 연소 상태 분석 : 문이 열린 상태에서 연소하였는지 여부를 화염 확장, 페인트 연소 범위, 연소물 위치로 판단한다.
    • 인위적 개입 여부 : 문이 열린 상태에서 연소된 경우, 사람의 개입 가능성이 높다.
  ㉡ 도어록(Door Lock)의 잠금 상태 분석 : 도어록이 잠겨 있었는지 여부를 확인, 연소 정도에 따라 도어록 내부를 분해해 정밀 감식한다.
  ㉢ 유리창의 상태
    • 유리창 위치 확인 : 연소 후 유리창의 잔해와 문짝 내부의 유리 가이드 홈을 통해 창문이 열려 있었는지 확인한다.
    • 내부 폭발 영향 : 창문이 닫힌 상태와 열린 상태는 내부 폭발 시 차량 변형에 영향을 미친다.

(4) 방화행위의 입증 및 기구

1) 방화행위의 입증

① 방화행위의 입증요소
  ㉠ 먼저 방화의 수단과 방법이 실현가능하여야 한다.
  ㉡ 방화 재료의 입수 경위가 밝혀져야 한다.
  ㉢ 방화를 한 장소 및 소훼물이 있어야 한다.
  ㉣ 방화의 수단이 가능한지 실증적으로 검토되어야 한다.
  ㉤ 실화일 수 없는 필요·충분한 이유가 존재하여야 한다.

② 방화판단 시 착안사항
　㉠ 발화부가 일반적으로 평상시 화기가 없는 장소로 여러 곳에서 발화된 흔적이 식별될 수 있다.
　㉡ 발화부 주변에서 유류성분의 물질이 검출되며, 외부에서 반입한 유류통이 발견되기도 한다.
　㉢ 강도와 절도 등이 관련된 방화 현장은 출입문, 창문 등이 개방된 상태로 식별되는 경우가 많다.
　㉣ 화재보험금을 노린 방화일 경우 고액, 여러종류, 중복으로 화재보험에 가입된 경우가 있다.
　㉤ 불이 난 건물의 관계자 주변에 원한을 가진 자의 존재가 의심되고, 발화 상황에 대한 진술이 부자연스럽고 진술 때마다 내용이 달라지는 등 진술에 일관성이 떨어지는 경우 방화를 의심할 수 있다.

③ 방화행위자의 특징
　㉠ 현장 주변에 나타남 : 방화 후 구경꾼 사이에 섞여 있거나 현장 주변에서 관찰될 수 있다.
　㉡ 신체 화상 : 얼굴, 손, 머리카락 등에 화상이나 그을린 흔적이 있을 수 있다.
　㉢ 이상 행동 : 옷에 기름이나 불에 탄 흔적이 있고, 소화활동에 과도한 흥미를 보일 수 있다.

2) 방화입증 기구

① 유류성분 감정 기구
　㉠ 가스 크로마토그래피 분석
　　이 방법은 감정기관에서 감정 시 사용되는 기기로 채집한 시료가 가스체라면 수 $m\ell$, 액체이면 0.05cc 정도를 가스 상태로 변환하여 운반가스를 사용해 분리관을 통해 각 성분을 검출하여 정성 분석과 정량 분석을 수행하는 방법이다.
　　• 가스 크로마토그래피 장점
　　　- 물질이 유사한 여러 성분의 혼합계를 분리하는 데 매우 유효하다.
　　　- 가스 상태로 분석하므로 조작이 간단하고 시간이 빠르다.
　　　- 각 성분을 검출하여 전기 신호로 기록하고 가스 크로마토그래피를 통해 도형적으로 기록하여 분석 결과를 객관적으로 보존할 수 있다.
　㉡ 석유류 검지관 분석
　　이 방법은 현장에서 화재조사관이 주로 감식하는 방법으로 가솔린, 등유 등 저비점 석유류를 대상으로 검지관 내부의 시약과 반응시켜 변색 여부를 검사한다.
　　• 경량 · 소형으로 휴대가 편리하다.
　　• 실황조사 시에 판별이 가능하고 출하원인 판정에 있어서 이를 크게 반영할 수 있다.

3. 방화의 실행과 수단

(1) 방화의 실행

1) 직접착화

① 착화방법
  ㉠ 직접 점화 : 신문, 의류, 이불 등에 라이터 등으로 직접 불을 붙인다.
  ㉡ 인화성 물질 사용 : 석유류를 뿌려 불을 붙이거나, 도화선과 화염병 등을 이용해 불을 던진다.
  ㉢ 원격 착화 : 출입문 밖에서 도화선(휘발유 묻은 긴 헝겊)을 이용해 불을 붙여 착화시킨다.

② 직접 착화 특이점
  ㉠ 의류 및 신체 손상 : 방화자의 의류, 머리카락, 체모가 그을리거나 불에 탈 수 있다.
  ㉡ 용기 처리 : 인화물질 용기를 불속에 숨기는 경우가 많다.
  ㉢ 신체 화상 위험 : 인화물질 착화 시 방화자도 화상을 입을 수 있다.
  ㉣ 창문 파손 : 내부에서 불을 낼 경우 창문을 열거나 깨고, 외부에서 할 경우 창문을 깨고 침입한다.

③ 직접 착화된 방화 원인의 감식 요점
  ㉠ 출입문 시건 여부 : 화재 당시 출입 여부를 확인해 내부 또는 외부 소행을 구별한다.
  ㉡ 경보장치 상태 : 경보장치의 작동 및 변형 여부를 확인해 화재 시점과의 인과관계를 파악한다.
  ㉢ 바닥 발굴 : 발화점이 바닥일 경우 세밀한 발굴 조사가 필요하다.
  ㉣ 첨가 가연물 확인 : 가연물의 존재와 위치 이동 여부를 관찰한다.
  ㉤ 인화물질 검지 : 기름띠 형성 여부를 확인하고, 증거물 밀봉 후 분석을 의뢰한다.
  ㉥ 신체 탄화흔 식별 : 방화자의 의류, 신발, 체모에서 탄화 흔적을 확인한다.
  ㉦ 독립적 발화지점 : 여러 곳에 착화된 경우 독립적인 발화 개소를 나타낼 수 있다.
  ㉧ 유리 파편 흔적 조사 : 유리조각의 비산 위치와 파단면을 통해 충격 방향을 확인한다. 리플마크(Ripple marks)에서 파괴 기점을 알아내면 유리의 외력 방향을 알 수 있다.

2) 지연착화

① 지연 착화의 방법
  ㉠ 촛불 사용 : 양초를 이용해 일정 시간이 지난 후 가연물에 접촉되도록 한다.
  ㉡ 전기발열체 이용 : 가연물을 전기발열체 위에 올려놓고 시간을 지연시켜 도피하거나 전기 사고로 위장한다.
  ㉢ 타이머 장치 : 시계나 타이머를 이용해 일정 시간 후 점화되도록 장치를 사용한다.

② 지연 착화의 특이점
  ㉠ 실화 위장 : 건물주나 고용된 사람이 실화로 위장하거나 도피 시간을 확보하기 위해 사용한다.
  ㉡ 출입문 상태 : 건물주가 방화한 경우 출입문이 잠겨 있을 수 있으며, 절도 후 방화 시에는 문이 열려 있는 경우가 많다.

③ 지연 착화된 방화 원인의 감식 요점
　㉠ 전원 통전 여부 : 전기기구의 플러그와 전기 단락 흔적으로 통전 여부를 확인한다.
　㉡ 스위치 상태 : 스위치가 작동된 상태였는지 확인하며, 변형된 스위치는 의심한다.
　㉢ 가연물 위치 : 가스 누출 여부, 전열기 근처에 덮여 있는 가연물을 확인한다.
　㉣ 양초 잔해 : 연소 중심부에 양초 잔해가 있는지 확인하고, 주변에 가연물 또는 인화물질이 있는지 확인한다.

3) 무인스위치 조작을 이용한 기구 착화

① 착화방법
　㉠ 원격장치 사용 : 원격으로 점화 스위치를 작동시켜 착화한다.
　㉡ 온도 감지 : 열감지 센서를 이용하여 높은 온도에 반응해 스위치를 작동시킨다.
　㉢ 광량 및 레이저 사용 : 어두워지거나 광선이 차단되면 스위치가 작동해 발화한다.

② 화재 특이점
　㉠ 스위치 회로 구성 : 기존 스위치단자나 배터리 전원을 연결하여 발화 회로를 구성한다.
　㉡ 가연물 접촉 : 스위치 작동 시 전열 기구에 가연물이 접촉되도록 한다.

③ 화재감식 포인트
　㉠ 발화원 조사 : 발화원이 될 만한 전열 기구와 그 출처를 조사한다.
　㉡ 회로망 확인 : 스위치와 전열 기구 간의 전선 회로를 추적한다.
　㉢ 배터리 확인 : 별도의 배터리나 건전지가 사용되었는지 확인하고 이를 보존한다.

4) 실화를 위장한 방화

① 위장실화의 착화 방법
　㉠ 전선 및 인화물질 사용 : 전선에 인화물질이나 가연물을 놓아 전기적 원인으로 착각하도록 한다.
　㉡ 가전제품 결함 조작 : 낡은 가전제품의 결함을 인위적으로 만들어 발화시킨다.

② 위장실화의 특이점
　㉠ 감식의 어려움 : 연소된 물품만으로는 방화 여부를 확인하기 어렵다.
　㉡ 발화 조건 조사 : 발화 여건, 확대 조건, 피해자의 방화 의도를 중요하게 고려한다.

③ 위장실화 가능 유형
　㉠ 알리바이 주장형 : 지연착화를 통해 알리바이를 만들어 혐의를 벗으려는 유형이다.
　㉡ 자기실수 인정형 : 발열기구를 이용해 실수로 인한 화재로 위장한다.
　㉢ 완전 면피형 : 가전제품을 이용해 방화를 완전한 실화로 위장한다.
　㉣ 증거 인멸형 : 증거를 완전히 제거하여 방화 입증을 어렵게 한다.

④ 위장실화의 원인 감식의 요점
  ㉠ 실화 인정 여부 : 관련자가 실화를 쉽게 인정하거나 설명하는 경우 의심한다.
  ㉡ 증거 인멸 : 현장이 심하게 훼손되거나 증거를 찾기 어려운 경우 주의한다.
  ㉢ 알리바이 강조 : 화재 시점에 명확한 알리바이를 강조하는 경우 의심한다.

(2) 방화의 수단

1) 방화 수단의 동기 및 방법

방화의 수단은 다양하며, 동기에 따라 일정한 경향을 보인다. 방화의 목표에 따라 방법이 달라지며, 일부는 완전한 소각을 목표로 단순한 방법을 선택하고, 다른 일부는 증거인멸이나 보험금 사취 등의 목적으로 방화 수단을 교묘하게 위장하거나 복잡한 방법을 사용한다.

① 방화수법 요인
  ㉠ 사물인식 : 사람마다 성격이 다르므로 현장 접근 방법과 도주로의 선택에서 차이가 나타난다.
  ㉡ 신체적 조건 : 신체적 차이가 행동능력에 영향을 미쳐 범죄수법에 차이를 만든다.
  ㉢ 지식경험 : 지식이나 경험이 범죄수법을 형성하는 요인이 된다.
  ㉣ 직업적 능력 : 전문적인 지식이나 직업적 경험이 방화 수법에 영향을 미친다.

② 방화행동 수법의 종류
  ㉠ 시간대 특성 : 방화행위자의 시간적 행동 습성을 분석할 수 있다.
  ㉡ 장소적(대상) 선택 : 방화의 대상이 되는 장소나 건물을 선택하는 방법이다.
  ㉢ 접근 수법 : 방화에 사용된 도구나 매개체를 이용해 방화 실행에 접근하는 방법이다.
  ㉣ 습벽 : 낙서, 절도 등의 일정한 습관이 발생한다.

방화원인의 판정

(1) 방화판정 3대 전제조건

① 발화부가 여러 곳인 경우(연소경로가 자연적이지 못한 경우)
② 이상 연소 잔해(가연물을 모아놓은 경우, 인화성 물질의 잔류)나 연소흔적(액상, 기상의 가연물 연소 흔적)이 발견되는 경우
③ 다른 발화원이 완전 배제되었을 경우

(2) 방화의 판정을 위한 10대 요건

① **여러 곳에서 발화(Multiple fires)** : 발화점이 2개소 이상일 경우, 이는 방화로 의심될 수 있다. 단, 최초 발화로 인한 전파가 아닌지 확인이 필요하다.

② **연소촉진물질의 존재(Presence of flammable accelerants)** : 화재현장에서 휘발유, 석유 등 연소촉진물질이 발견되면 방화로 의심된다.

③ **화재현장에 타 범죄 발생증거(Evidence of other crimes)** : 화재 장소 또는 인근에서 다른 범죄의 흔적이 있으면 방화로 판단할 수 있다.

④ **화재발생 위치(Location of the fire)** : 사고 화재가 발생할 가능성이 없는 위치에서 화재가 발생한 경우, 방화로 추정된다.

⑤ **사고화재원인 부존재(Absence of all accidental fire causes)** : 실화나 자연화재의 원인을 발견할 수 없는 경우, 방화로 추론할 수 있다.

⑥ **귀중품 반출 등(Contents out of place or contents not assemble)** : 화재 이전에 귀중품이 반출되거나 주요 비품이 이동된 흔적이 있으면 방화로 의심된다.

⑦ **수선 중의 화재(Fires during renovations)** : 건물 수리 중 발생한 화재는 방화 가능성이 크다. 특히, 가연물질을 이용한 화재 연장 도구 사용이 의심된다.

⑧ **화재 이전에 건물의 손상(Structural damage prior to fire)** : 화재 이전에 건물에 구멍이 뚫려 있거나 일부가 손상된 흔적이 있으면 방화로 의심할 수 있다.

⑨ **동일건물에서의 재차 화재(Second fire in structure)** : 같은 건물에서 두 번 이상 화재가 발생하면 방화로 판단된다. 단, 재발 화재가 아닌지 확인이 필요하다.

⑩ **휴일 또는 주말화재(Fire occurring on holidays or weekends)** : 휴일이나 주말에 발생한 화재는 방화로 의심될 수 있다. 이 시기에는 사람들이 외출 중이거나 통행이 적어 화재 발견이 늦어질 수 있다.

한번더클릭 방화판정을 위한 10대 요건

1. 여러 곳에서 발화
2. 연소촉진물질의 존재
3. 화재현장에 타 범죄 발생증거
4. 화재발생 위치
5. 사고화재원인 부존재
6. 귀중품 반출 등
7. 수선 중의 화재
8. 화재 이전에 건물의 손상
9. 동일건물에서의 재차 화재
10. 휴일 또는 주말화재

CHAPTER 07 차량화재 감식

1. 차량화재 조사 기본

(1) 조사장소의 선정 시 유의사항
① **안전성 확보** : 화재 조사 중 추가적인 사고가 발생하지 않도록, 고속도로 갓길보다는 안전한 장소로 이동하여 조사한다.
② **차량 접근성** : 차량을 쉽게 접근하고 이동시킬 수 있는 장소를 선택해야 한다.
③ **조사 환경** : 자동차정비공장과 같이 조사에 필요한 조명, 전기, 환기 등의 환경이 잘 갖춰진 장소를 선택하여 조사한다.
④ **외부 간섭 최소화** : 외부인의 접근이 제한된 장소로, 조사의 집중도가 떨어지지 않도록 한다.
⑤ **증거 보존** : 현장의 증거를 보호하고 보존할 수 있는 장소를 선택해야 한다.

(2) 차량조사 안전
① **차량 고정** : 언더바디 조사 시, 차량이 움직이지 않도록 유압 리프트나 잭을 사용하여 안전하게 고정해야 한다.
② **에어백 주의** : 전개되지 않은 에어백은 갑자기 작동하여 조사자에게 위험할 수 있고, 에어백 팽창제인 나트륨 아지드화물 같은 팽창제도 접촉이나 호흡 시 위험할 수 있어 조사 전에 에어백이 작동하지 않도록 조치를 취해야 한다.
③ **기타 위험 요소** : 연료 누출, 배터리 전기, 깨진 유리 등으로 인한 화재나 상해 위험이 있으므로 주의가 필요하다.

2. 차량화재 가연물 및 발화원

(1) 발화성 액체
① 차량에서 사용되는 발화성 액체는 변속기 오일, 파워스티어링 오일, 브레이크액, 냉각재, 윤활유 등이 있으며, 이러한 물질들이 차량 화재 시 최초의 가연물이 될 수 있다.
② 화재 발생 시, 이들 발화성 액체 물질은 연소를 확대하며, 화염 성장을 촉진할 수 있다.

③ 연료가 실제로 착화할 수 있는지 여부는 연료의 상태량, 물리적 상태, 점화원의 특성, 및 기타 요소들에 따라 달라질 수 있다.

④ 차량 화재의 착화성 액체 물성치

물질	인화점(℃)	자연 발화(℃)	폭발 범위		증기밀도 (공기=1)
			하한	상한	
휘발유	-45~-40	257~280	1.4	7.6	3~4
경유(연료유)	38~62	245~260	0.4	7	5~6
브레이크액	99~288	99~288	-	-	5~6
파워스티어링 오일	175~180	360~382	1	7	>1
윤활유	200~280	340~360	1	7	>1
기어 오일	150~270	382	1	7	>1
자동변속기 오일	150~280	330~382	1	7	>1
에틸렌글리콜(부동액)	110~127	398~410	3.2	15.3	2.1
프로필렌글리콜	93~107	371~421	2.6	12.5	2.6
메탄올(워셔액)	11~15	464~484	6	36	1.1

(2) 기체 가연물

① 자동차의 연료로 LPG와 CNG를 주로 사용하고, 최근에는 수소를 연료로 하는 차량이 생산되고 있다.
② 습식 납축전지 배터리는 충돌사고로 수소를 방출할 수도 있다.
③ 차량용 가스 연료의 물성치

물질	자발화 온도(℃)	폭발 범위		증기밀도 (공기=1)	최소점화에너지 (mJ)
		하한	상한		
수소	40~572	4.1	75	0.07	0.018
천연가스(메탄)	632~650	5	15	0.60	0.280
프로판 가스	450~493	2.1	9.5	1.56	0.250

(3) 고체 가연물

① **플라스틱의 연소 특성** : 대부분의 플라스틱은 점화원에 노출되면 쉽게 착화되며, 가연성 액체와 유사한 열방출률로 연소한다.
② **마찰열에 의한 점화** : 벨트, 베어링, 윤활유, 타이어 등의 마찰열은 가연성 물질을 점화할 수 있다.
③ **금속의 연소** : 차량에 사용되고 있는 고체 마그네슘은 발화하여 격렬하게 연소할 수 있다.
④ **용융된 금속의 오해** : 화재 당시 용융된 금속이 발견되더라도, 가속제로 가연성 액체가 사용되었다고 결론짓지 않아야 한다.
⑤ **합금의 녹는점** : 합금의 녹는점은 성분 금속보다 낮을 수 있다. 알루미늄이 녹아서 강판에 떨어질 수 있으며 강판을 녹인 원인이 될 수 있다.

(4) 점화원

일반적으로 차량 화재의 점화원은 전자 부속품과 배선 등의 아크, 배선과 부하, 그리고 화염 노출(open fire), 발연물질 등이 있다. 차량에서 특히 고려해야 할 점화원은 엔진 배기 시스템의 고온 표면이다. 배기 시스템은 배기매니폴드, 배기파이프, 촉매변환기, 머플러, 테일파이프로 구성되고, 고온 표면 점화원으로 브레이크, 베어링, 터보차저도 화재의 원인이 될 수 있다.

1) 노출 화염(Open Flames)
① 카뷰레터 차량에서 화염 노출의 대부분은 카뷰레터를 통한 역화에 의해 발생한다.
② 차량 실내에서 흡연을 위한 라이터불이나 성냥은 대시 보드, 시트 물질에 옮겨 붙어 화재를 발생시킬 수 있다.
③ 캠핑카는 파일럿 불꽃, 버너, 오븐, 워터 히터 등의 노출 화염으로 화재가 발생할 수 있다.

2) 전기적 발화원
① 배터리의 동력에 의해 발화 가능한 부품
　㉠ 주차 중인 차량 : 제너레이터(알터네이터), 시동 전동기, 분배 패널(정션 박스, 퓨즈 박스), 원격 시동기, 애프터 마켓용 액세서리, 시가 라이터, 파워 시트, 파워 윈도우, 파워 락, 라이트, 파워 사이드 미러, 점화 스위치
　㉡ 운행 중인 차량 : 모든 전기 장치 및 배선

② 배선 과부하
　㉠ 배선에 흐르는 전류가 도체의 안전 용량을 초과하면 과부하가 발생한다.
　㉡ 배선 뭉치(와이어링 하네스)는 열이 쉽게 방출되지 않아 회로에 이상이 생길 수 있다.
　㉢ 전동 시트 모터, 전동 윈도우 모터, 히터 등의 높은 전류 장치나 추가 액세서리가 배선에 과부하를 일으킬 수 있다.

③ 접속부의 고저항 발생
　㉠ 배선 끝단 또는 배선들 간의 접합부 연결이 차량 진동, 충격, 제조 결함 등의 문제로 느슨해지면 접속 부분에 높은 저항이 발생할 수 있다.
　㉡ 회로에 부하가 가해질 때 접속부가 느슨하면 간헐적으로 아크가 발생할 수 있다.

④ 전기적 단락과 아크 발생

⑤ 아크(탄소) 트래킹
　㉠ 차량의 트래킹은 절연 물질 표면이 도로상의 소금이나 기타 전도성 물질로 오염되었을 때 발생한다.
　㉡ 트래킹은 12V 전기장치에서 발생할 수 있다.

⑥ 램프 전구와 필라멘트
　㉠ 램프 전구 표면은 가연성 물질이 접촉되어 발화하기에 충분한 열을 발생시킬 수 있다.
　㉡ 헤드램프의 필라멘트는 1,400℃ 정도의 열을 발생시킨다.

⑦ 외부 전원 공급
　외부에서 전원을 공급받아 화재를 일으킬 수 있다.

3) 고온 표면

① 배기 매니폴드와 배기계통 부품은 고온으로 인해 가연성 액체를 증발시켜 착화시킬 수 있다. 특히 자동 변속기 오일, 엔진 오일, 브레이크 오일(DOT 3, 4)은 과열된 표면에 떨어지면 발화할 가능성이 있다.
② 엔진이 꺼진 후에도 고온의 매니폴드는 주변 공기 유동이 멈추기 때문에 열이 지속되어 유체가 발화될 수 있다. 이는 엔진 부품의 온도 변화와 열전달 방향에 따라 달라진다.
③ 촉매변환기는 정상 작동 시 700℃까지 온도가 올라가며, 연료나 점화 시스템의 이상으로 더 높은 온도에 도달할 수 있다. 촉매변환기의 외부 온도는 일반적으로 315℃에 달하며, 환기 부족 시 더 높아질 수 있다.
④ 휘발유는 고온 표면에 직접적으로 노출되면 발화하기 어렵지만, 아크나 불꽃에 노출되면 쉽게 착화된다. 이로 인해 고온 표면에서의 발화 위험성을 간과해서는 안 된다.
⑤ 고온 표면에 의한 액체 발화는 다양한 환경 요인과 물질의 특성에 영향을 받는다. 공기의 환기 상태, 습도, 온도, 그리고 액체의 물리적 특성 등이 발화에 중요한 역할을 한다.

4) 기계적인 불꽃

① 금속 대 금속 간의 접촉은 마찰 불꽃을 발생시킬 수 있다. 이는 주로 구동축, 베어링 등의 부품에서 발생하며, 마찰로 인한 열이 불꽃을 일으킬 수 있다.
② 금속 대 포장도로의 접촉 또한 불꽃을 생성할 수 있다. 이는 보통 손상된 구동축, 배기 시스템, 타이어의 파손으로 인해 휠 림이 도로와 접촉할 때 발생한다.
③ 차량의 속도에 따라 불꽃의 온도가 달라지며, 낮은 속도에서는 오렌지색 불꽃(약 800℃), 높은 속도에서는 백색 불꽃(약 1,200℃)이 발생한다. 이 불꽃은 특정 조건에서 점화원이 될 수 있다.
④ 알루미늄과 포장도로 간의 마찰은 불꽃을 발생시키지만, 알루미늄의 낮은 녹는점과 불꽃의 작은 에너지로 인해 대부분의 물질을 점화시키기 어렵다.

(5) 연기가 생성되는 물질

① 현대의 실내장식 직물과 재료는 화학적 특성 때문에 담뱃불에 의해 발화되기 어렵다.
② 담뱃불이 종이, 티슈 등과 같은 작은 부스러기를 연소시키거나 시트 재질에 직접적으로 화염에 노출되어야만 점화될 가능성이 있다.
③ 우레탄폼으로 된 시트는 착화되기 쉽고, 연소되면 차량 화재의 강도를 크게 높일 수 있다.

3 자동차의 구조 및 검사

(1) 자동차의 기본구조

1) 차체(Body)

자동차의 외형을 이루는 부분으로, 운전자와 승객을 보호하는 역할을 한다. 또한, 공기저항을 최소화하고 차량의 전체적인 디자인을 결정하는 요소이기도 하다. 차체에는 문, 창문, 트렁크, 보닛 등이 포함된다.

2) 샤시(Chassis)

샤시는 자동차의 골격에 해당하는 구조로, 엔진, 변속기, 서스펜션, 휠 및 타이어 등 주요 기계 부품들을 지지하고 연결하는 역할을 한다.

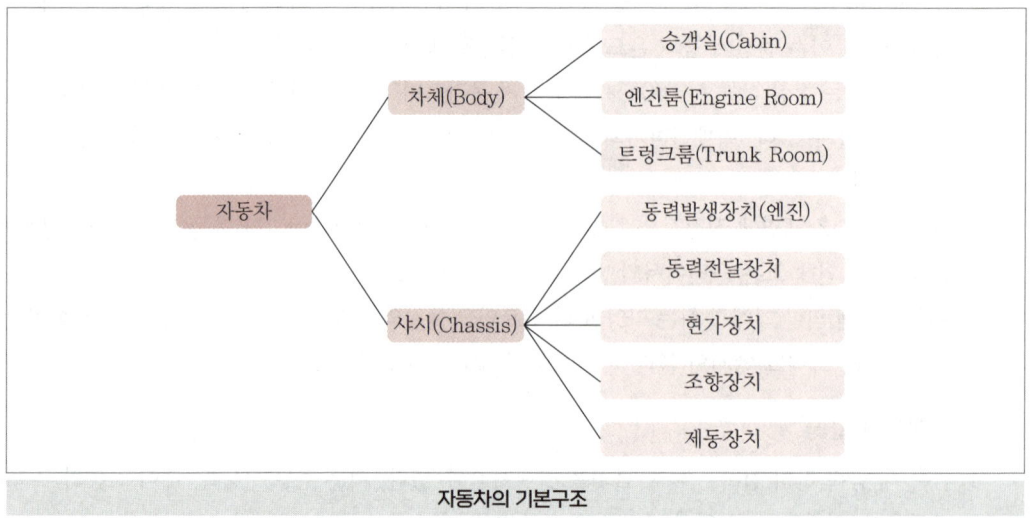

자동차의 기본구조

① 동력전달장치

㉠ 동력전달장치는 기관의 출력을 구동바퀴에 전달하는 장치이다.

㉡ 기관 → 클러치 → 변속기 → 추진축(앞기관 뒷바퀴 구동의 경우) → 종감속장치 및 차동기어장치 → 차축 → 구동바퀴의 순서로 동력이 전달된다.

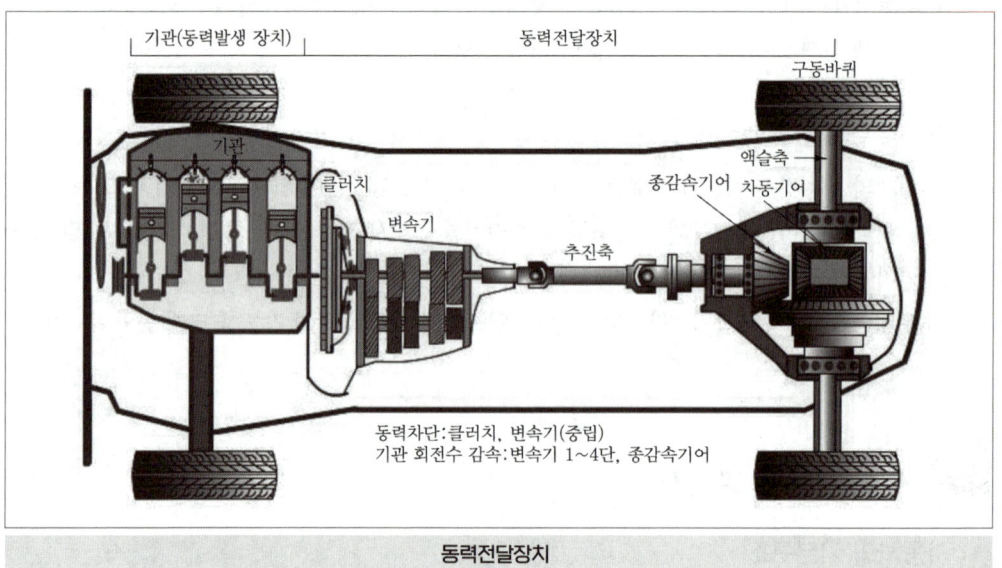

동력전달장치

② 조향장치
　㉠ 조향장치는 차량의 진행 방향을 조절하는 장치이다.
　㉡ 조향핸들을 돌려 앞바퀴를 움직이며, 파워스티어링은 유압을 이용해 조향을 더 쉽게 한다.

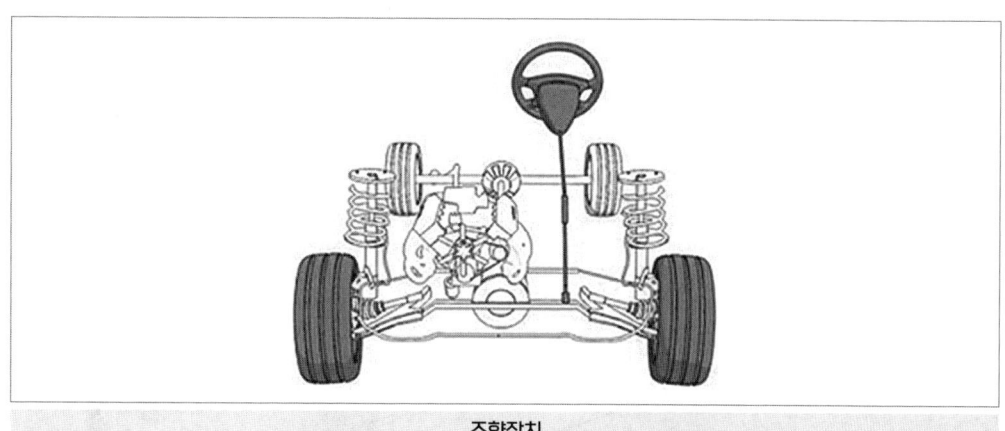

조향장치

③ 현가장치
　㉠ 현가장치는 노면 충격을 흡수하고 타이어를 안정적으로 접지시키는 역할을 한다.
　㉡ 주요 구성 요소로는 서스펜션암, 쇼크업소버, 스프링이 있으며, 승차감과 차량의 안정성에 큰 영향을 미친다.
　㉢ 스트럿, 더블 위시본, 전자제어 서스펜션 등 다양한 방식이 사용된다.

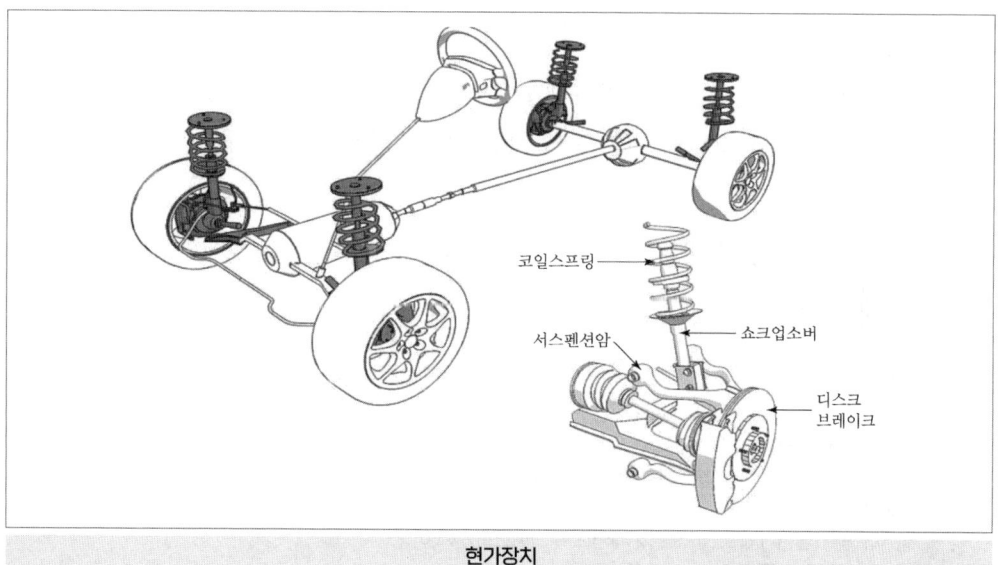

현가장치

④ 제동장치
  ㉠ 브레이크 페달을 통해 유압을 전달하여 차량의 속도를 줄이거나 정지시키는 역할을 한다.
  ㉡ 일반적으로 드럼 브레이크와 디스크 브레이크가 사용되며, 미끄러짐을 방지하는 ABS가 장착된다.
  ㉢ 주차 브레이크는 차량을 고정하거나 비상 상황에서 사용된다.

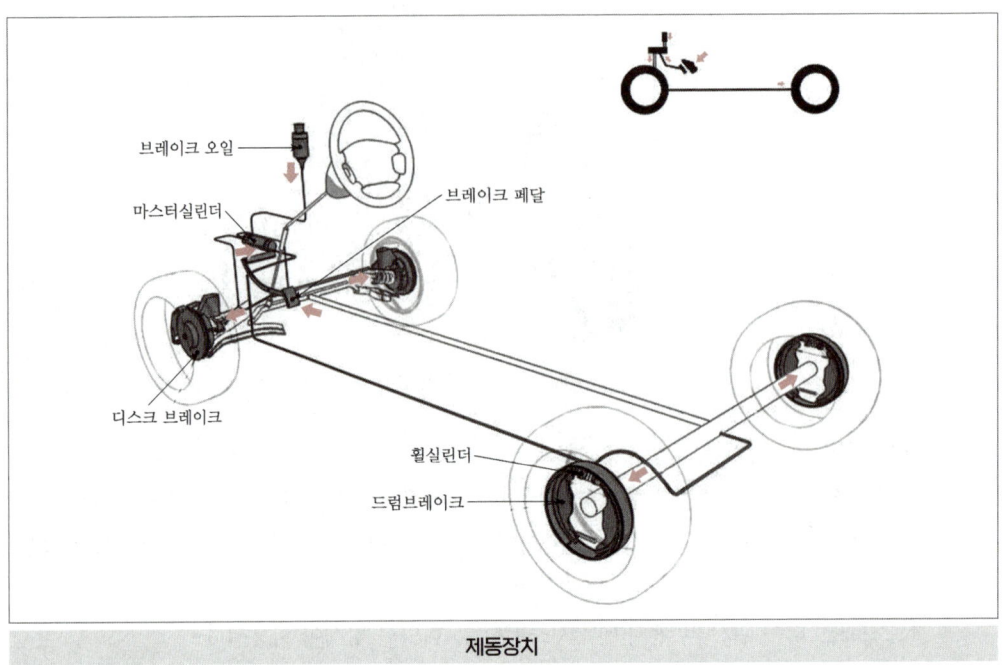

제동장치

⑤ 타이어와 바퀴
  ㉠ 타이어와 바퀴는 차량이 주행 중에 발생하는 다양한 힘을 견딜 수 있도록 설계된 구조이다.
  ㉡ 하중을 지탱하고, 충격을 흡수하며, 구동력과 제동력을 효과적으로 전달하는 역할을 한다.

⑥ 보조장치
  조명과 신호를 위한 등화류, 차량 속도 및 엔진 상태를 모니터링하는 계기류, 그리고 경음기, 와이퍼, 워셔 등이 있다.

- 자동차 본체의 주요장치
  연료장치, 점화장치, 윤활장치, 냉각장치, 배기장치
- 엔진 본체의 주요부품
  실린더 블록, 실린더 헤드, 피스톤, 커넥팅로드, 크랭크축, 플라이휠
- 전기장치의 주요부품
  축전지(배터리), 시동모터, 점화플러그, 점화코일, 발전기

(2) 자동차의 분류

1) 엔진 및 에너지원에 의한 분류

종류	특징
가솔린 엔진	• 연료-공기 혼합물을 점화 플러그로 점화하여 연소시키며, 주로 고속 회전에서 높은 출력을 낼 수 있다. • 질소산화물(NOx)과 일산화탄소(CO) 등의 배출가스를 발생시키며, 제어를 위한 삼원촉매장치가 장착된다. • 디젤보다 열효율이 낮고 경제성도 낮다.
디젤 엔진	• 연료를 고압으로 분사하여 압축된 공기와 혼합, 자발적으로 점화되는 방식으로, 높은 열효율을 제공한다. • 질소산화물(NOx)과 미세먼지(PM) 배출이 상대적으로 많아, 이를 저감하기 위한 SCR(선택적 촉매 환원)과 DPF(디젤 입자 필터) 기술이 필요하다. • 높은 압축비로 인해 저속에서도 강력한 토크를 발생시켜, 중장비나 상용차에서 널리 사용된다.
LPG 엔진	• 액화석유가스를 사용해 연소 온도가 낮아 엔진 부하가 적고, 소음과 진동이 감소한다. • 탄화수소와 일산화탄소의 배출량이 적어 환경 친화적이며, 대기오염을 줄이는 데 기여한다.
CNG 엔진	• 천연가스를 고압으로 압축하여 사용하는 엔진으로, 연료가 기체 상태여서 연소 시 미세먼지와 NOx 배출이 적다.
전기자동차	• 전기모터를 이용해 구동하며, 모터의 높은 효율 덕분에 내연기관 대비 동력 손실이 적다.
하이브리드 자동차	• 내연기관과 전기모터를 함께 사용하여 연비와 배출가스 저감 효과를 극대화한다.

2) 구동방식에 의한 분류

① FF CAR(FRONT ENGINE FRONT DRIVE CAR) : 엔진은 차량 앞에 장착되고 전륜이 구동되는 방식
② FR CAR(FRONT ENGINE REAR DRIVE CAR) : 엔진은 차량 앞에 장착되고 후륜이 구동되는 방식
③ RR CAR(REAR ENGINE REAR DRIVE CAR) : 엔진이 차량 뒤에 배치되고 후륜이 구동되는 방식
④ AW CAR(ALL WHEEL DRIVE CAR) : 전륜과 후륜이 모두 구동되는 방식

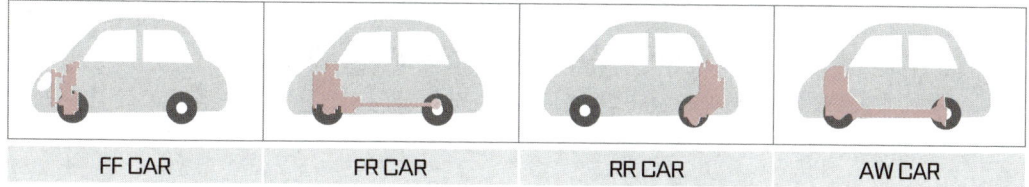

(3) 엔진의 구조

① **흡입행정(Intake Stroke)** : 피스톤이 상사점에서 하사점으로 내려가면서 실린더 내 압력이 낮아져 공기와 연료 혼합물이 흡입밸브를 통해 실린더로 들어온다.
② **압축행정(Compression Stroke)** : 피스톤이 다시 상승하면서 흡입된 혼합물을 압축하여 압력을 높인다. 이때 압축압력이 적절해야 연소가 효율적으로 이루어진다.
③ **동력행정(Power Stroke)** : 압축된 혼합물이 점화 플러그의 불꽃에 의해 폭발하며, 피스톤을 하강시켜 크랭크축을 회전시켜 기계적 에너지를 발생시킨다.
④ **배기행정(Exhaust Stroke)** : 피스톤이 다시 상승하면서 배기밸브가 열리고, 연소 후의 가스가 실린더 밖으로 배출된다.

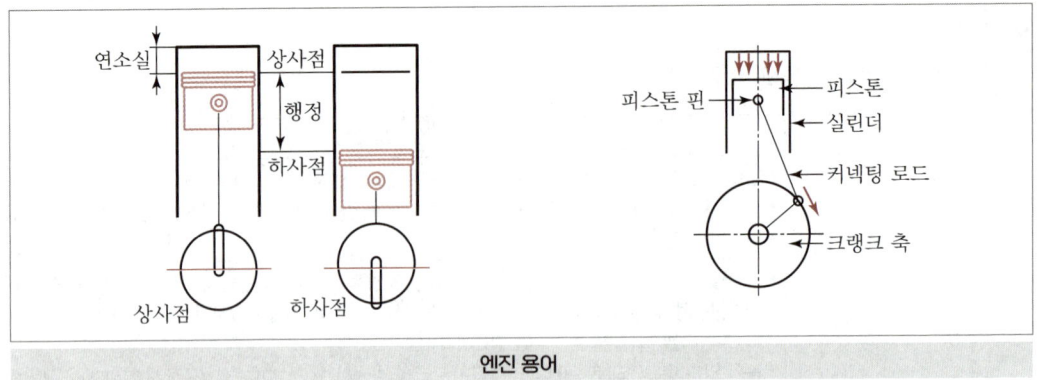

엔진 용어

(4) 자동차의 주요 부품

1) 엔진 본체의 주요 부품

① 실린더 블록

ㄱ. 엔진의 기초가 되는 부분으로 4~12개의 실린더를 포함한다.

ㄴ. 실린더는 피스톤이 왕복운동을 하는 원통형 구조로, 직경과 길이에 따라 엔진의 배기량이 결정된다.

② 실린더 헤드

ㄱ. 실린더 블록 위에 설치되며, 가스켓을 통해 블록과의 가스를 차단한다.

ㄴ. 연소실을 형성하고, 캠축, 밸브 개폐기구, 흡배기 매니폴드 및 점화 플러그가 장착되어 있다.

③ 피스톤 및 크랭크 기구

ㄱ. 피스톤 : 동력행정에서 고온, 고압의 가스를 받아 왕복운동하며, 크랭크축에 회전력을 전달한다. 알루미늄 합금으로 제작되어 고온과 압력, 마찰을 견딜 수 있다.

ㄴ. 커넥팅로드 : 피스톤과 크랭크축을 연결하며, 작은 끝은 피스톤 핀과 연결되고 큰 끝은 크랭크축과 연결된다.

2) 엔진부위 온도

구분	온도(℃)	구분	온도(℃)
연소실 가스	2,500	실린더 벽	150~370
연소실 벽	200~260	피스톤헤드 중심	290~300
배기밸브 헤드부	650~730	피스톤 헤드부	290~310
점화플러그 전극	450~875	피스톤 스커트부	90~200

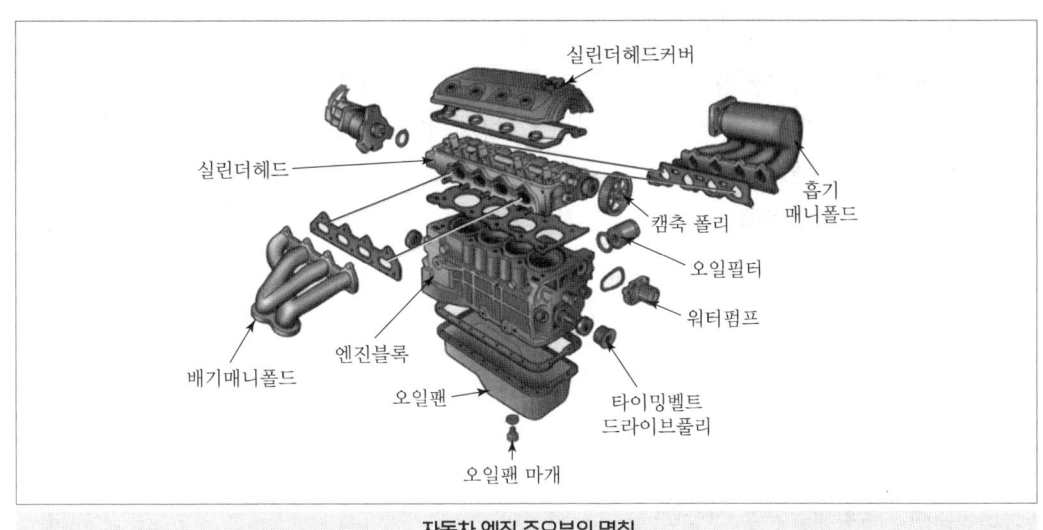

자동차 엔진 주요부위 명칭

3) 연료장치

① 진공/저압 카뷰레터 시스템
  ㉠ 진공 카뷰레터는 엔진의 흡입 진공을 이용하여 연료를 미세하게 분사하고 공기와 혼합하여 실린더로 전달한다.
  ㉡ 저압 카뷰레터는 구조가 간단하여 조정과 유지보수가 용이하나, 연료 분사의 정밀도가 낮아 현대의 고성능 엔진에서는 점점 사용이 줄어들고 있다.

② 고압 연료 분사 장치
  ㉠ 연료를 고압으로 분사하여 엔진의 연료 분사 노즐을 통해 연소실에 정밀하게 분무하는 시스템이다.
  ㉡ 연료의 미세 분무 및 균일한 혼합을 가능하게 하여 연료 효율과 출력 성능을 개선하며, 디젤 및 가솔린 엔진에서 널리 사용된다.

③ 디젤 연료 시스템
  ㉠ 디젤 연료 시스템은 고압 연료 펌프와 인젝터를 이용하여 연료를 높은 압력으로 분사하여 압축 점화한다.
  ㉡ 높은 열효율과 연비를 제공하며, 터보차저와 함께 사용되고 엔진 출력과 성능을 극대화한다.

④ 천연 가스와 프로판 연료 시스템
  ㉠ 고압의 천연 가스나 액화 프로판을 연료로 사용하며, 연료 공급과 연소 과정에서의 온도 조절을 통해 안정적이고 효율적인 연료 공급을 보장한다.
  ㉡ 낮은 배기가스 배출과 높은 연료 효율을 제공하며, 연료 공급 장치와 엔진 조정이 필요하다.

⑤ LPG 연료
  ㉠ 액화석유가스(LPG) 연료 시스템은 가스를 액화시켜 저장하고, 엔진에서 연료를 기화하여 혼합공기와 연소시키는 시스템이다.
  ㉡ LPG는 낮은 온도에서 연소되며, 배기가스가 청정하고 연료비가 경제적이다.

⑥ 터보차저
　㉠ 엔진 출력을 증가시키기 위해 터빈을 사용하여 공기 공급을 늘리는 장치이다.
　㉡ 터보차저는 배기가스를 이용해 터빈을 구동하며, 이 터빈이 압축기를 회전시켜 공기를 압축한다.
　㉢ 터보차저는 엔진에서 가장 높은 온도에서 작동하므로 오일 누유 시 착화 위험이 있으며, 이로 인해 촉매변환기 과열이나 엔진 연소 문제를 일으킬 수 있다.

4) 윤활, 냉각, 흡배기 장치

① 윤활장치
　㉠ 윤활장치는 오일펌프를 통해 엔진 내부의 부품에 오일을 압송하여 마찰을 줄이고 부품의 마모를 방지한다.
　㉡ 오일 순환 방식에는 전류식, 분류식, 복합식이 있으며, 가솔린 엔진에서는 전류식을, 디젤 엔진에서는 복합식을 주로 사용한다.

② 냉각장치
　㉠ 냉각장치는 엔진의 과열을 방지하고 적절한 작동 온도를 유지한다.
　㉡ 엔진의 온도가 80~90℃로 유지되도록 하여 부품의 강도를 유지하고 연료 효율을 개선하며, 온도가 너무 높거나 낮으면 엔진 성능과 수명에 영향을 미친다.

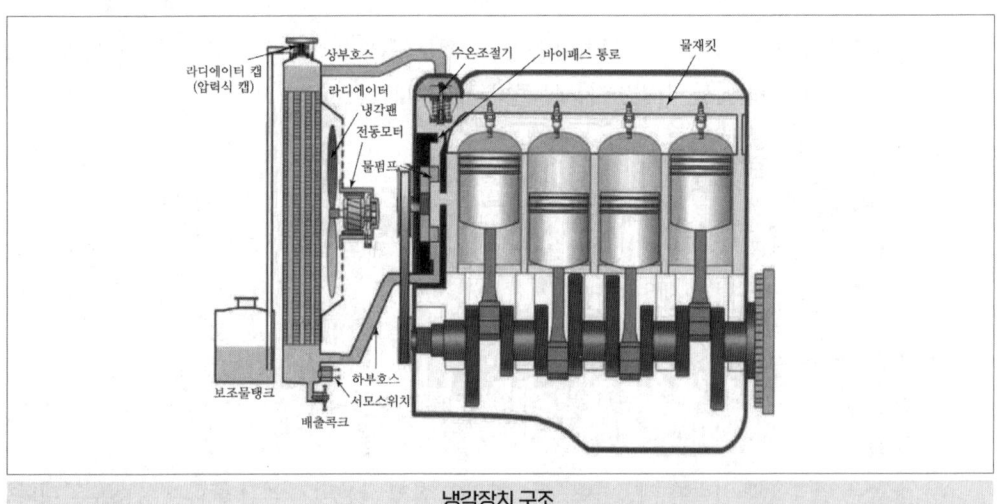

냉각장치 구조

③ 흡배기 장치
　㉠ 배기 시스템은 엔진에서 발생한 배기가스를 운반하고, 배기가스 제어 장치 역할을 한다.
　㉡ 주요 구성 요소로는 공기청정기, 인젝터, 흡기 매니폴드, 배기 매니폴드, 배기 파이프, 3원 촉매, 소음기 등이 포함된다.
　㉢ 배기 매니폴드는 엔진에 장착되어 각 실린더에서 배출된 배기가스가 모이는 지점이다. 입구 헤더 파이프에 장착된 산소 센서는 배기가스의 산소 함량을 측정하고, 이를 ECU로 보내어 연료량과 점화시기를 조절한다.

ⓔ 촉매 변환기는 배기가스의 유해 물질을 제거하는 장치로, 정상 운전 시 표면 온도는 316~538℃를 유지하지만, 엔진 부하가 증가하거나 비정상적인 상태에서는 이 온도를 초과할 수 있다. 촉매 변환기 표면에 가연성 물질이 닿을 경우 화재 위험이 발생할 수 있다.

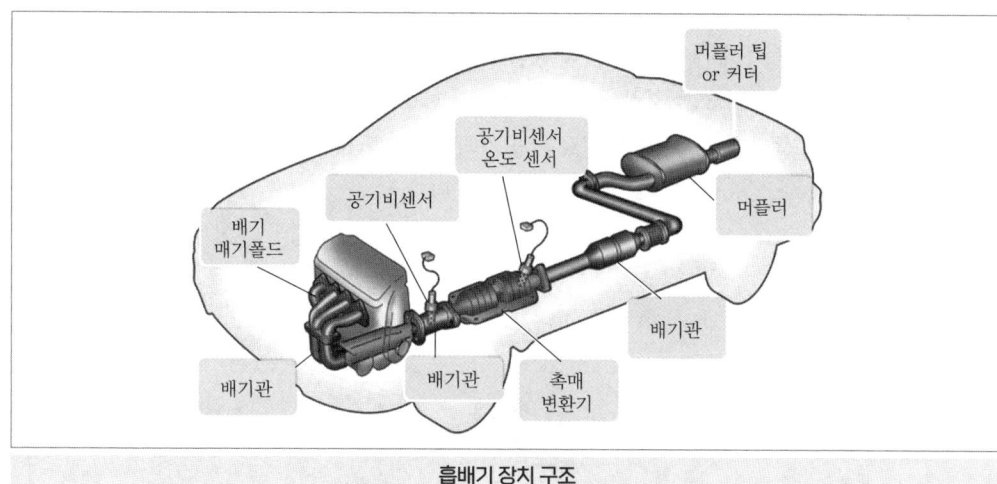

흡배기 장치 구조

5) 전기 계통

① 전기 시스템의 기본 구조

  ㉠ 차량은 주로 직류 12V 또는 24V를 사용하며, 음극은 접지된다. 에너지는 납축 배터리나 겔타입 배터리에 저장되고, 제너레이터(알터네이터)가 주행 중 전력을 생산한다.
  ㉡ 전기차와 하이브리드 전기차는 더 높은 전압을 사용하며, 교류 전력으로 구동 모터를 작동시킬 수 있다. 발전기는 엔진 속도에 비례하여 전력을 생성하고, 배터리는 엔진 정지 시 컴퓨터 메모리 유지 및 시동 전동기 작동에 사용된다.
  ㉢ 차량의 전기 시스템은 과전류 보호 장치가 장착된 폐쇄 시스템으로 되어 있으며, 손상된 배선은 화재 위험을 초래할 수 있다. 배선의 과열이나 단락은 화재 발생 원인이 되므로, 배선의 손상 여부는 신중하게 조사하고 기록해야 한다.

② 점화장치

  ㉠ 점화장치의 목적은 엔진의 연소실에서 공기와 연료의 혼합기체를 점화하여 연소를 일으키는 것이다.
  ㉡ 점화시의 전류 흐름 순서 : 점화스위치 → 배터리 → 시동모터 → 점화코일 → 배전기 → 고압케이블 → 스파크 플러그
  ㉢ 점화장치의 역할
  - 점화스위치 : 점화 시스템의 작동을 시작하는 스위치이다. 운전자가 점화 스위치를 ON으로 하면 전류가 점화 시스템으로 흐르기 시작한다.
  - 배터리 : 차량의 전기 시스템에 전력을 공급하는 장치로, 점화 시스템에 필요한 낮은 전압의 전기를 제공한다.
  - 시동모터 : 엔진을 회전시켜 점화 및 연료 분사를 시작하는 모터이다. 이 과정에서 배터리에서 전류를 받아 엔진의 회전을 돕는다.

- 점화코일 : 배터리에서 공급받은 낮은 전압을 점화 플러그에서 필요한 높은 전압으로 변환하는 장치이다. 이 높은 전압은 점화 플러그에서 스파크를 발생시키는 데 사용된다.
- 배전기 : 점화코일에서 생성된 높은 전압을 각 실린더의 점화 플러그로 순차적으로 분배하는 장치이다. 이를 통해 각 실린더에서 점화가 적시에 이루어지도록 한다.
- 고압케이블 : 배전기에서 각 점화 플러그로 높은 전압을 전달하는 케이블이다. 이 케이블은 전압 손실 없이 스파크 플러그까지 전류를 안전하게 전달한다.
- 스파크 플러그 : 스파크가 연료와 공기의 혼합기체를 점화시킨다. 연료가 점화되면 실린더 내에서 연소가 시작되고 엔진이 작동하게 된다.

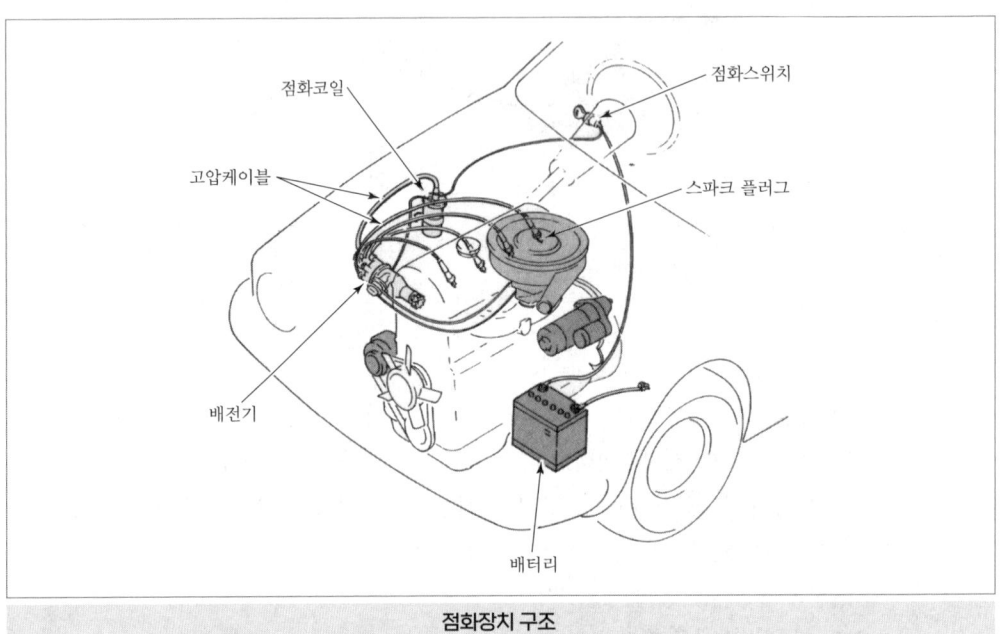

점화장치 구조

③ 발전기

㉠ 엔진의 기계적 에너지를 전기 에너지로 변환하는 장치이다. 엔진의 측면에 부착되어 있으며, 엔진 크랭크축의 풀리는 벨트를 통해 크랭크축 회전 속도의 2~3배 속도로 발전기를 회전시킨다.

㉡ 발전기 내부에는 전압 조정기가 장착되어 있어 발전기가 과도하게 높은 전압을 발생하지 않도록 조절한다. 발전기는 스테이터와 로터의 회전을 통해 3상 교류 전류를 생성하고, 이 교류 전류는 다이오드를 통해 직류로 변환되어 배터리에 충전된다.

(5) LPG 차량

1) LPG 차량의 구성품

① 봄베(LPG 탱크)
  ㉠ 액화석유가스를 저장하는 용기로, 차량의 후면에 설치되어 연료를 압축하여 저장한다.
  ㉡ LPG 봄베는 충전밸브(녹색), 기체 송출밸브(황색), 액체 송출밸브(적색)로 구성되어 있다.

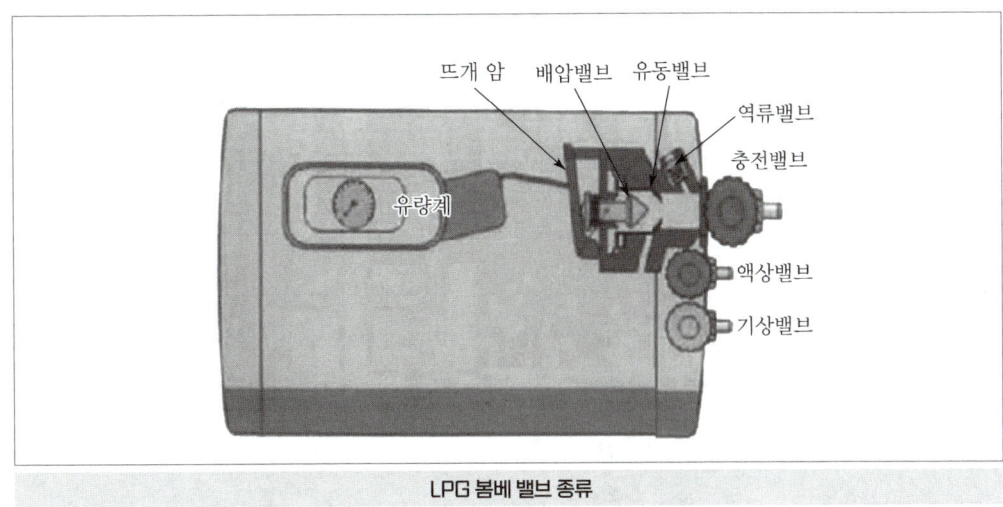

LPG 봄베 밸브 종류

② **연료필터** : LPG 연료에서 불순물과 이물질을 걸러내어 엔진의 효율성을 높이는 장치이다.
③ **액체 – 기체 솔레노이드 밸브** : 액체상태의 LPG를 기체상태로 변환하는 장치로, 전자적으로 연료의 흐름을 제어한다.
④ **베이퍼라이저(Vaporizer)** : 액체상태의 LPG를 기체상태로 변환하여 엔진에 공급하는 장치로, 연료의 온도와 압력을 조절하여 연료가 안정적으로 기화되도록 한다.
⑤ **가스 차단 밸브** : LPG 연료의 흐름을 차단하거나 제어하여 안전성을 유지하는 장치이다.

4 자동차 화재현장 기록

(1) 차량 확인

① **차량 모델 및 연식** : 차량의 모델, 제조사, 연식, 차량 식별 번호(VIN) 등을 확인한다. 차량 식별 번호(VIN)는 제작사, 생산 국가, 바디 형태, 엔진 형태, 생산년도, 조립공장, 제작일련번호와 같은 정보를 담고 있다.
② **소유자 정보** : 차량 소유자의 이름, 주소, 연락처를 기록한다.
③ **차량 상태** : 화재 전후의 차량 상태, 외관 손상, 주요 부품의 손실 등을 확인한다.

(2) 차량 화재현장 이력

① **화재 발생 시간** : 화재가 발생한 정확한 시간과 날짜를 기록한다.
② **화재 발생 위치** : 화재가 발생한 장소(예 도로, 주차장, 차고 등)를 상세히 기록한다.
③ **화재 발생 전 상황 조사** : 화재 조기 발견자와 운전자 진술을 통해 정비 이력, 화재 발생 직전 상황 등을 조사한다.
④ **주요 질문 및 확인사항**
　㉠ 마지막 주행 시간, 그때 주행거리, 차량 총 운행 거리
　㉡ 최근 차량 정비 기록부 및 리콜 정비 유무
　㉢ 차량 정상 운전 여부 확인(고장 여부 확인)
　㉣ 급유 시기 및 연료의 양
　㉤ 차량에 추가로 장착한 장비 확인

(3) 차량 세부사항

① **엔진 및 구동계** : 엔진 타입, 배기량, 연료 타입, 변속기 종류 등을 기록한다.
② **전기 시스템** : 배터리, 배선, 퓨즈박스 등 전기 시스템의 상태를 확인한다.
③ **내부 및 외부 손상** : 화재로 인한 차량 내부 및 외부의 손상 부위를 기록한다.

(4) 현장의 기록

① **도해 작성** : 화재 조사자는 화재 현장의 도해를 작성하여 차량 위치와 기준점과의 상대 거리를 명확히 나타낸다. 차량을 이동시키기 전의 위치를 정확하게 기록해야 한다.
② **현장 사진** : 화재 현장의 전체 사진을 촬영하여 주변 환경(예 건물, 고속도로, 초목, 다른 차량 등)과 흔적(예 타이어 자국, 발자국 등)을 기록한다. 또한, 소손 흔적이나 연료 방출 흔적 등 화재 전이를 해석하는 데 도움이 되는 요소를 촬영하여 기록한다.
③ **차량 상태 기록** : 차량의 외부와 내부, 상부와 하부를 포함한 모든 표면을 사진으로 기록한다. 손상된 부분뿐만 아니라 손상되지 않은 부분도 촬영하고, 실내는 전체를 한눈에 볼 수 있게 촬영한다. 바닥 사진을 찍어 내부 물품(예 점화 텀블러, 키 등)의 위치를 기록한다.
④ **화염 진행 경로** : 화염이 어디서 발생하고 어떻게 진행되었는지에 대한 증거를 촬영한다. 전소된 차량에서는 화염 경로 파악이 어려울 수 있다.
⑤ **적재 공간 기록** : 적재물의 형태와 양, 화재와 관련된 모든 사항을 주의 깊게 촬영하고 기록한다.
⑥ **이동 후 현장 기록** : 차량을 이동시킨 후 지면의 연소 형태, 도로 위 유리 파편, 기타 잔해물 등을 촬영하여 기록한다.

(5) 현장에서 옮겨진 차량에 대한 기록

① **현장 재조사** : 화재 현장에서 차량이 이동된 경우, 현장을 재방문하여 추가 촬영 및 조사를 실시한다.
② **배경 정보 수집** : 차량 조사 전에 화재 발생 시간과 장소, 손실된 날짜와 시간, 손실 위치, 운전자 및 승객 진술, 경찰 및 소방 보고서, 차량의 현재 위치와 이동 방법(예 견인차, 구난 자동차, 자력 이동 등) 등을 포함한 배경 정보를 최대한 수집한다.
③ **차량 상태 기록** : 차량의 상태를 기록하는 과정은 차량의 위치와 관계없이 동일하게 진행한다. 조사 지연이나 차량의 원거리 이동에 따른 부품 망실 및 손상 가능성에 유의한다.
④ **부품 및 화재 형태 조사** : 차량 부품과 화재 형태를 조사하며, 부품 해체 시 전동공구나 공압 공구가 필요할 수 있다. 지게차를 이용해 차량을 들어 올려 세밀한 조사를 준비한다.

5 기타사항

(1) 전소

① **차량 전소** : 전소는 차량의 70% 미만이 소실되었더라도 엔진 등 주요 구조물이 소실되면 전소 처리한다.
② **조사 시 주의사항** : 전소된 차량은 증거가 거의 남지 않아 화재 원인을 찾기가 어려울 수 있다. 남아 있는 잔해와 연소 패턴을 면밀히 분석해야 한다.
③ **원인 분석** : 전소의 경우, 초기 발화점이 소실될 가능성이 높아 차량 외부 및 주변 환경에서 추가 단서를 찾아야 한다.

(2) 차량 방화에 대한 특별 고려사항

① **다수 차량의 방화** : 다수 차량이 연쇄적으로 방화된 경우, 각 차량의 발화 지점을 중심으로 연소 확대 패턴을 분석한다.
② **독립 연소** : 특정 부위에서만 연소가 발생한 경우, 차량 자체 결함이 아닌 외부 요인에 의한 방화 가능성을 고려해야 한다.
③ **절도 은폐** : 차량 내부의 고가 장치가 도난당하고 방화로 은폐된 경우, 절도 흔적과 연소 잔해를 종합적으로 분석한다.
④ **연소매개체 사용 방화** : 인화성 액체나 가연성 가스를 사용한 방화는 폭발적 연소와 유리창 파손 등의 흔적을 남긴다.
⑤ **질식소화** : 밀폐된 차량 내부에서 산소가 소진되어 자연스럽게 소화된 경우, 환기 지배형 화재의 패턴을 분석한다.

(3) 중장비

① **중장비 사용 시 안전 고려** : 중장비를 사용하여 차량을 이동하거나 해체할 때는 안전을 최우선으로 고려한다.
② **잔해 보존** : 중장비를 사용하기 전, 중요한 증거가 손상되지 않도록 미리 충분한 기록과 사진 촬영을 해야 한다.
③ **장비 종류에 따른 주의사항** : 지게차, 크레인 등 각 장비의 특성에 따라 차량 해체 및 이동 시 주의사항이 다를 수 있으므로 숙지한다.
④ **현장 접근 제한** : 중장비 작업 중에는 현장 접근을 제한하여 안전사고를 예방한다.

(4) 견인 시 주의사항

① **견인 전 상태 기록** : 견인 전에 차량의 현재 상태를 상세히 기록하고 사진으로 남긴다.
② **손상 방지** : 견인 과정에서 추가적인 손상이 발생하지 않도록 주의하며, 특히 차량의 하부 및 중요한 증거가 있는 부분을 보호한다.
③ **견인 경로** : 차량이 견인되는 경로와 목적지를 명확히 기록하여 차량 이동 과정에서의 손실이나 손상을 방지한다.
④ **이동 후 점검** : 차량이 목적지에 도착한 후, 추가 손상이 없는지 확인하고 필요시 추가 기록을 한다.

CHAPTER 08 임야화재 감식

1 일반사항

(1) 임야화재 특성 및 분류

1) 임야화재 정의
화재조사 및 보고규정에 산림, 야산, 들판의 수목, 잡초, 경작물 등이 소손된 것으로 정의되어 있다.

2) 계절별 산불 현황
① 우리나라는 논·밭두렁을 태우는 건조한 봄(3월, 4월)에 임야화재가 가장 자주 발생한다.
② 발생시간은 14~16시 시간대에 집중되어 있다. 이 낮 시간대는 하루 중 기온이 가장 높고, 습도가 낮으며, 바람이 강해지는 시간대로 산불 발생에 좋은 조건의 시간대이다.

3) 임야화재 연소상태에 따른 분류
① **지표화(surface fire)** : 산림 내의 낙엽, 초본류 등 건조한 지피물과 풍도목이 연소하는 현상으로, 때때로 수관화나 수간화를 유발한다. 보통 연소 속도는 시간당 4km지만, 상향사면에서는 10km를 넘기도 한다.
② **수간화(stem fire)** : 나무줄기가 연소하는 현상으로, 지표화에서 발생하거나 고사목이 낙뢰로 인해 발화될 때 발생한다.
③ **수관화(crown fire)** : 지표화에서 발생한 불이 우죽의 밑가지나 수관부로 옮겨가며 산림 상층부를 태우는 현상으로, 강한 화세와 빠른 진행속도로 인해 피해가 크고 진화가 어렵다.
④ **지중화(ground fire)** : 임상이나 지중의 유기물, 낙엽이 두껍게 퇴적되어 부식된 이탄층이 연소하는 현상으로, 진화와 뒷불 정리가 어렵다.

> **산불의 종류**
> - 일반적인 분류 : 지표화, 수간화, 수관화, 지중화
> - 확산 형태에 따른 분류 : 지표화, 수간화, 수관화, 지중화, 비산화
> ※ 비산화는 연소단계에 따른 분류, 확산 형태에 따른 분류 시에는 포함되나 일반적으로 산불의 종류에는 포함되지 않음을 유의해야 한다.

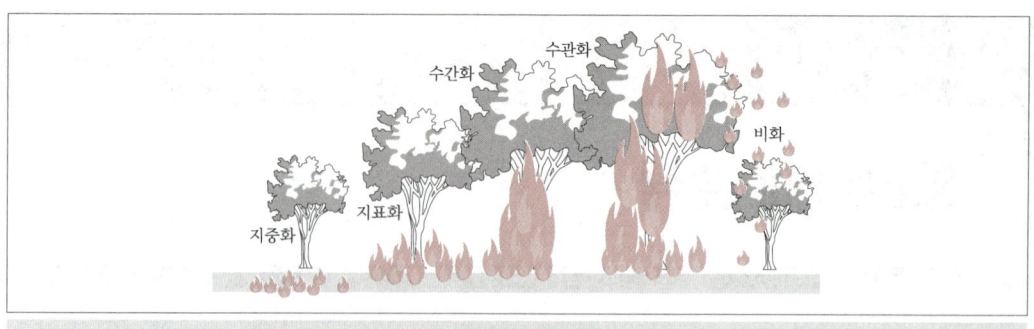

연소상태에 따른 분류

> **한번데클릭** 수관화
>
> ① 나무의 수관(상단 부분)에서 연소하는 형태로 화세가 강하고 큰 피해를 준다.
> ② 중심부의 화염온도는 800~1,200℃이고, 주변의 연기온도는 200~500℃이다.
> ③ 바람이 강할 때 연소속도는 평균 4~6km/h이고, 조건에 따라 7km/h 이상으로 증가할 수 있다.
> ④ 매우 강력한 열을 방출하여 수십 m의 상승기류를 발생시킨다.

4) 임야화재에서 화염진행 방향에 따른 분류

① 전진화재 : 불 머리, 전진하는 산불로 화세가 강하다.
② 후진화재 : 전진 산불의 반대편 산불로 주로 하향하는 것이 특징이다.
③ 횡진화재 : 산불이 주불방향과 90도 방향으로 확산된다.

전진성 산불(화두)	후진성 산불(화미)	횡진성 산불(화변)
• 산불의 화두 방향 • 산불이 빠르게 확산 • 화염의 영역이 넓음 • 거시지표가 명확히 존재 • 부산물에 많은 손상 • 화염 강도가 높음 • 수관화 구역이 많음	• 확산속도가 느림 • 경사지형에서 하향 방향 • 화염의 길이가 짧음 • 미시지표가 많이 발견 • 부산물 등에 손상이 적음 • 화염 강도가 낮음 • 지표화 지역이 많음	• 산불이 옆으로 확산 • 전진, 후진 성향도 있음 • 미시지표가 많이 발견 • 부산물 등에 손상이 적음 • 전진방향의 45~90° 사이로 퍼짐

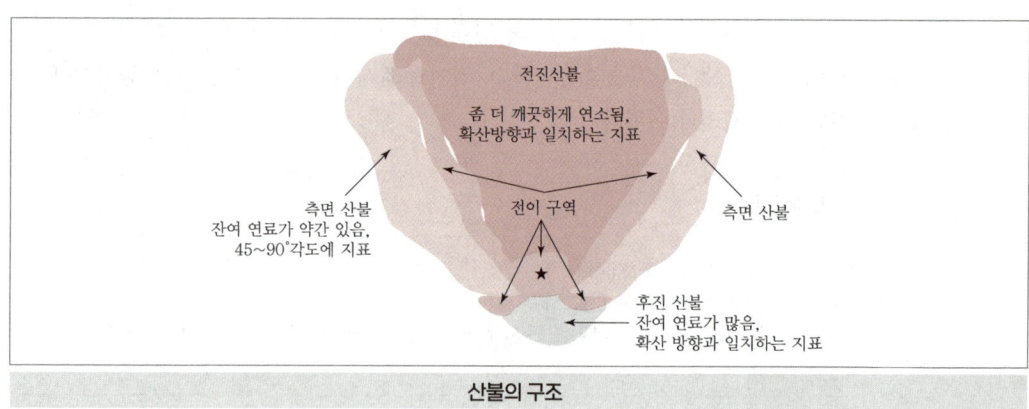

산불의 구조

5) 화재활동을 나타내는 깃발의 색상

① 전진화재 : 빨강(적색)

② 횡진화재 : 노랑(황색)

③ 후진화재 : 파랑(청색)

④ 물리적 증거 : 흰색

깃발의 색상 표시

(2) 화재확산에 영향을 끼치는 요인

1) 임야화재 확산의 3요소

암기법 확산 연기지

① **연**료 : 탈 수 있는 물질의 공급

② **기**상 : 바람, 습도, 온도, 강수 등

③ **지**형 : 고도, 경사, 경사향, 지세 등

2) 연료

① 임야화재의 가연물 특성

　㉠ 임상 유형에 따라 활엽수림, 침엽수림, 혼효림으로 구분된다.

　㉡ 일반적으로 소나무 침엽수림은 참나무와 같은 활엽수림에 비해 산불의 강도가 세고 연소 시간이 길어 산불에 취약하다.

　㉢ 산불 피해를 줄이기 위해 침엽수림을 혼효림으로 전환하는 것이 필요하다.

　㉣ 우리나라 인공림은 대부분 잣나무, 낙엽송 등 침엽수 단순림으로 조성되어 있어, 산불에 매우 취약하다.

② 임황(林況)과 산불과의 관계

　㉠ 한 종류의 나무로만 이루어진 숲이 산불위험성이 크다.

　㉡ 침엽수가 인화성물질을 함유하고 있어 산불위험성이 높다.

　㉢ 혼효림은 단순림보다 산불위험성이 낮다.

ⓔ 양수(햇빛을 많이 필요로 하는 나무)가 음수(그늘에서도 잘 자라는 나무)보다 더 건조한 환경을 만들기 쉬워 산불위험성이 높다.

> **한번 데 클릭** 👉 **산림 용어**
>
> - 활엽수림 : 활엽수(평평하고 넓은 잎이 달린 나무)로 이뤄진 산림
> - 침엽수림 : 침엽수(잎이 바늘 모양으로 된 나무)로 이뤄진 산림
> - 혼효림 : 여러 종류의 나무로 이루어진 산림
> - 동령림 : 수령이 거의 같은 임목으로 구성된 산림
> - 이령림 : 나이 차이가 많은 나무로 이루어진 산림
> - 단순림 : 한 종류의 나무로 이루어진 산림
> - 초본 : 풀
> - 관목 : 키가 작고 밑동 가지가 많은 나무
> - 벌목재 : 나무를 베어 놓은 목재
> - 교목부산물 : 8m가 넘는 나무 부산물

③ 임야화재 가연물의 수직적 위치에 따른 분류

㉠ 지중가연물 : 토탄, 분탄, 뿌리 등 지표면과 지하의 토양 사이에 존재하는 연료로 뿌리나 긴 나무처럼 땅의 연료는 땅속에서 타들어가면서 각각 다른 지역의 피표면에 발화를 일으킬 수 있다.

㉡ 지표가연물 : 낙엽더미, 풀, 쓰러진 통나무, 침엽수 더미 등과 같은 2m 이하의 지표에 모든 식물은 발화가 될 수 있다.

㉢ 공중가연물 : 임관 상부의 나뭇가지, 수관, 꺾인 가지, 이끼 및 키 큰 관목 등은 발화가 될 수 있다.

	공중(수관)가연물	나뭇가지, 수관, 꺾인 가지, 이끼 및 키 큰 관목 등
	지표가연물	낙엽더미, 풀, 쓰러진 통나무, 침엽수 더미 등
	지중가연물	토탄, 분탄, 나무뿌리

3) 기상

발화지역 판별 시 고려할 주요 요소는 바람의 속도와 방향인데, 화재 확산 속도와 직접적인 관계가 있다.

① 강우량의 영향

㉠ 강우량은 연료의 습도를 결정하는 중요한 요인이다.

㉡ 우리나라에서는 2월부터 5월까지 강우량이 적어 산불 위험이 가장 크다.

㉢ 강우량이 5mm 이하인 경우 1일, 10mm 이하인 경우 3일 후, 10mm 이상인 경우 4~5일 후에 산불이 발생할 정도로 건조해진다.

② 바람의 영향
　㉠ 바람은 산불 확산에 가장 큰 영향을 미치는 기상 요소이다.
　㉡ 바람은 연료의 수분을 증발시켜 건조하게 하고, 열을 전달하여 산불 위험을 증가시킨다.
　㉢ 바람은 산소를 공급하여 산불 확산 속도를 높이고 지속되도록 한다.
　㉣ 불씨를 이동시켜 산불을 확산시키고 비산화 가능성을 높인다.
　㉤ 풍속은 산불 확산 속도를, 풍향은 확산 방향을 결정하므로 산불 진화 계획 수립에 매우 중요하다.
　㉥ 낮에는 산 아래에서 산 위로, 밤에는 산 위에서 산 아래로 바람이 흐른다.
　㉦ 푄현상은 습한 공기가 산을 넘으면서 뜨겁고 건조한 바람으로 변하는 현상으로, 우리나라에서는 봄철 동해안 지역에서 대형 산불의 주요 원인으로 작용한다.

한번데클릭 바람의 종류

- 기상풍 : 대기의 압력차에 의해 고기압에서 저기압 방향으로 부는 바람
- 계곡풍 : 낮에 계곡부에서 산정방향으로 부는 바람
- 산바람 : 산정에서 계곡부 방향으로 부는 바람
- 화재풍 : 화재에 의해 발생하는 바람(상승하는 화염에 의해 공기를 동반하면서 발생)

한번데클릭 바람에 따른 연소상태(경사면이 아닌 평면 상태 조건)

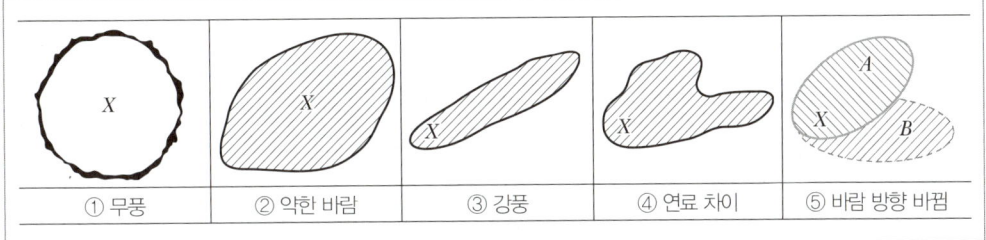

| ① 무풍 | ② 약한 바람 | ③ 강풍 | ④ 연료 차이 | ⑤ 바람 방향 바뀜 |

③ 습도의 영향

상대습도	산불발생 위험도
60% 이상	산불이 거의 발생하지 않는다.
50~60%	산불이 발생하나 연소 진행이 디디다.
40~50%	산불이 발생하기 쉽고 연소 진행이 빠르다.
40% 미만	산불이 매우 발생하기 쉽고 진화가 곤란하다.

4) 지형

지형은 산불 형태에 직접적인 영향을 미치며, 다른 요인들에 비해 변화가 적은 특징을 가진다.

① 경사
　㉠ 경사가 급할수록 복사열과 대류열로 인해 주변 연료가 빠르게 마르며, 산불 확산 속도가 더욱 증가한다.
　㉡ 급경사면에서의 상향사면 연소속도는 하향사면보다 16배 정도 빠르게 진행된다.

> **암기법** 급상 16배

② 사면

일반적으로 고온 건조한 남사면과 서사면이 산불에 취약하다.
- ㉠ 북사면 : 기온이 낮고 연료 습도가 높으며 눈이 가장 늦게 녹는다.
- ㉡ 동사면 : 하루 중 가장 일찍 따뜻해지고 오후에는 가장 먼저 식는다.
- ㉢ 남사면 : 마르고 가벼운 연료가 많고 평균기온이 높아 산불이 쉽게 발생하며 확산 속도가 빨라 취약하다.
- ㉣ 서사면 : 가장 늦게 따뜻해지며, 가벼운 연료가 많아 산불에 취약하다.

③ 고도

고도가 높을수록 산불 발생 위험이 줄어들고 산불 강도가 낮아진다.
- ㉠ 고도가 높을수록 강우량이 적고 평균기온이 낮아 눈이 잘 녹지 않는다.
- ㉡ 연료량은 고도가 높을수록 적으며, 이는 습도와 온도가 낮기 때문이다.

④ 지세

협곡이나 침니 지역은 산불 진화 시 매우 위험하므로 주의가 필요하다.
- ㉠ 협곡 : 굴뚝과 같은 역할을 해 연기가 많고, 대류열과 복사열에 의해 산불 확산 속도가 빨라져 진화가 어렵다.
- ㉡ 침니 : 연료가 건조하고 바람이 강해 산불 발생 시 매우 위험하다.

(3) 감식 지표의 종류

① 보호지표(Protection Indicator) : 산불 발생 시 고정되어 있는 연료나 불에 타지 않는 물질의 뒷면이 완전히 타지 않는 현상이다. 산불이 지나가는 방향을 유추할 수 있다.

② 초본 및 갈대지표(Grass Stem Indicator) : 산불의 형태에 따라 초본 및 갈대의 잔해의 모양이 달라지는 현상이다. 산불의 진행방향 및 강도를 유추할 수 있다.

③ 잎 굳음지표(Freezing Indicator) : 산불이 지표층을 태우며 확산할 때 잎의 수분을 빼앗겨 뻣뻣하게 굳어지는 현상으로 바람의 방향을 유추할 수 있는 거시지표이다.

④ 화흔각 지표(Angle of Char Indicator) : 화염이 연료를 직·간접적으로 태우거나 수분을 빼앗으며 남기는 흔적이다. 거시지표로 분류된다.

⑤ 깨짐지표(Spalling Indicator) : 산불 시 강한 열에 의해 바위나 돌의 일부분이 깨지면서 떨어져 나오는 현상이다. 산불이 지나간 방향과 강도를 유추하는데 중요한 지표이다.

⑥ 잎 말림지표(Curling Indicator) : 열이 다가오는 쪽으로 잎이 수축하면서 말리는 현상이다. 산불이 지나간 방향을 정확하게 유추하는 데 도움을 준다.

⑦ 그을음지표(Sooting Indicator) : 공기 중의 불완전 연소된 탄화수소와 식물의 지방 성분에 의해 흑색 탄소기반의 퇴적물(그을음)이 쌓이는 현상이다. 산불의 확산 방향을 예측하며 일반적으로 정확도가 높다.

⑧ 얼룩지표(Staining Indicator) : 휘발성 물질이 화염에 노출되어 녹았다가 다시 응축되는 것이 얼룩으로 남는 현상이다. 금속 캔과 바위에 주로 나타난다.
⑨ 흰재지표(White Ash Indicator) : 화염이 강한 완전연소가 진행되며 흰재가 남거나, 흰재가 바람에 날려 나무의 가지나 구조물에 쌓이는 현상이다. 이 지표를 통해 산불의 방향성과 화염의 강도를 유추할 수 있다.
⑩ 컵지표(Cupping Indicator) : 수분량이 적은 벌채목이나 고사목이 강한 화염을 받아 급속히 타면서 노출면이 깊게 패이고, 노출되지 않은 면이 뾰족한 형태를 보이는 지표이다.
⑪ V자 및 U자 지표(V or U Pattern Indicator) : 산불은 점차 단면적을 넓히며 확산되는데, 경사, 바람에 따라 V자 혹은 U자 패턴이 나타나게 되며, 이 지표를 활용해 최초 발화지를 유추할 수 있다.

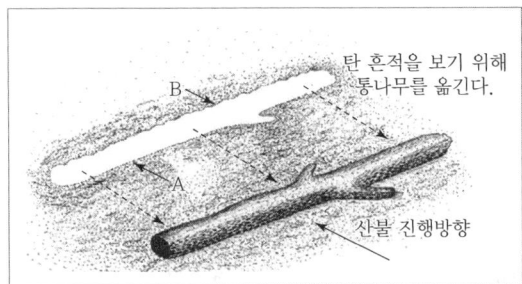
① 보호지표(Protection Indicator)

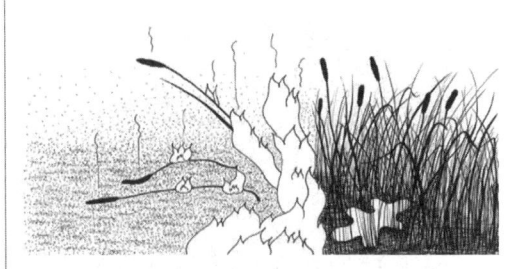
② 초본 및 갈대지표(Grass Stem Indicator)

③ 잎 굳음지표(Freezing Indicator)

④ 화흔각 지표(Angle of Char Indicator)

⑤ 깨짐지표(Spalling Indicator)

⑥ 잎 말림지표(Curling Indicator)

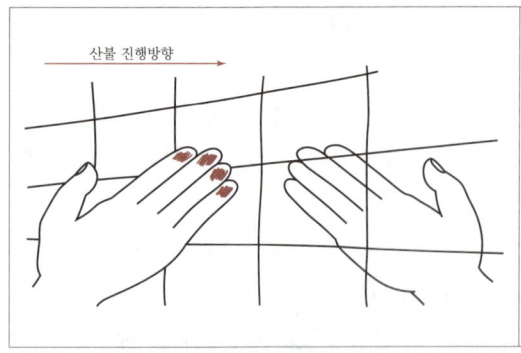

⑦ 그을음지표(Sooting Indicator)   ⑧ 얼룩지표(Staining Indicator)

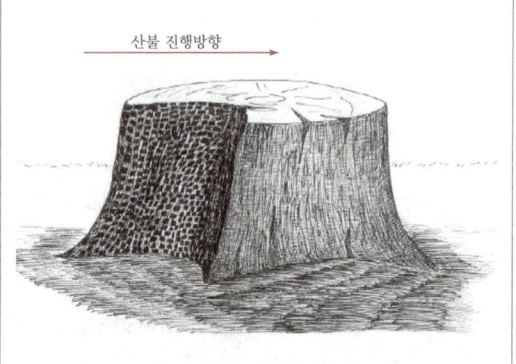

⑨ 흰재지표(White Ash Indicator)   ⑩ 컵지표(Cupping Indicator)

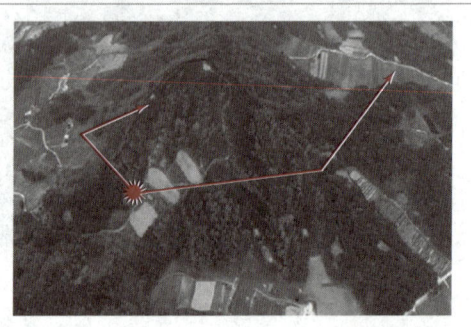

⑪ V자 및 U자 지표(V or U Pattern Indicator)

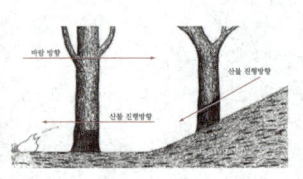

전진산불 시 임목의 화흔각은 경사면보다 가파르게 형성   후진산불 시 임목의 화흔각은 경사면과 평행, 임목의 측면쪽에 L자 형태의 꺾임 현상

산불 진행방향(풍향보다 불의 방향(전진, 후진)을 기준으로 판단)

(4) 안전에 대한 고려사항

1) 위험요소 및 안전준수 사항
① 산불 현장은 지형이 험하여 이동 간 위험성이 있어 항시 3명 이상 한 조를 이뤄 이동한다.
② 산불이 지나간 지역은 암석 등이 많이 노출되어 있어 발목까지 보호하는 등산화를 착용한다.
③ 곳곳에 남아 있는 불씨로 재발화 가능성이 있으므로 탈출경로를 다방면으로 확보한다.
④ 헬기의 공중살포에 의해 진화용수에 의해 몸이 젖을 것을 대비하여 여유 조사복을 지참한다.
⑤ 나무가 넘어지거나 가지가 부러지는 현상을 대비하여 헬멧을 반드시 착용한다.
⑥ 토양을 고정해 주는 뿌리가 고사되어 산사태 유발 가능성이 있으므로 조사관 간의 거리는 육안으로 확인 가능한 간격을 유지한다.
⑦ 산불지역은 직사광선을 많이 받아 열스트레스성 질병에 노출되므로 수분, 에너지 보충제를 지참한다.

2) 상황별 응급처치 방법
① 화상
  ㉠ 즉시 화상 부위를 찬물로 식힌다.
  ㉡ 옷이나 양말을 벗기지 말고 물을 끼얹어 냉각시킨 후 벗기거나 가위로 자른다.
  ㉢ 2도 화상이나 생긴 수포는 터뜨리지 않는다.
  ㉣ 찬 소금물을 주고 쇼크, 감염 및 탈수 예방에 노력한다.
  ㉤ 병원으로 이송 중에도 냉찜질 및 보온 유지에 노력한다.

② 일사병
  ㉠ 시원한 곳으로 옮겨 휴식시킨다.
  ㉡ 의복은 헐렁하게 하고, 물이나 식염수를 먹인다.

③ 열사병
  ㉠ 즉시 구급차를 부른다.
  ㉡ 서늘한 곳에서 의복을 헐렁하게 해 준다.
  ㉢ 사지를 문질러서 혈액순환을 도와준다.
  ㉣ 머리에 찬 물수건이나 얼음주머니를 대어 준다.
  ㉤ 의식이 회복되면 찬물, 식염수나 이온음료를 먹인다.

④ 열성경련
  ㉠ 염분 보충 없이 물만 먹일 경우 열성피로, 근육경련이 발생할 수 있어 물 1컵에 소금 1티스푼 비율로 염분을 섭취시킨다.
  ㉡ 서늘한 곳에서 경련이 발생한 근육을 힘있게 손으로 누르면 대개 경련이 멎는다.

2 임야화재 조사

(1) 발화위치 조사

1) 발화지점 추정
① 화재 진행방향을 역추적하여 최초 발화지점을 추정하고, 현장에서 수거한 탄화 잔유물을 분석해 발화 원인을 규명한다.
② 산불 발화지점 오류를 줄이기 위해, 목격자가 지목한 현장과 일치시키며 조사를 진행하여 정확성을 높인다.

2) 발굴 작업
① 산불 현장에는 발화원 외에도 불에 탄 물질이 퇴적되어, 일반적인 관찰로는 원인 식별이 어렵다.
② 현장의 퇴적물을 원상태로 되돌리는 발굴 작업을 통해 발화원을 찾아내고, 수거된 탄화 잔유물을 분석해 발화원과 연소물의 인과관계를 규명한다.

3) 탄화 잔유물 확인
① 미세한 불씨는 연소 과정에서 대부분 형체를 알아볼 수 없게 되므로, 발굴 과정에서 지피물과 퇴적층에 묻힌 경우가 많아 주의가 필요하다.
② 목향, 선향, 촛불 등은 원형 그대로 남아 있는 경우가 많고, 유류 발화원의 경우 용기가 내화성 재료로 되어 있어 찌꺼기로 남아 귀중한 단서를 제공한다.

4) 유류품 발굴 조사
① 발화지점이 도로, 등산로, 보행로 주변일 경우, 해당 주변에서 쓰레기, 인화성 물질, 모닥불, 초, 향불 등의 흔적을 발굴해 조사한다.
② 이러한 발굴 조사를 통해 발화 원인을 더 명확히 규명한다.

5) 흔적 조사
① 발화지점에서 발견된 족적, 차량 흔적 등은 즉시 촬영 후 증거물로 채취한다.
② 타다 남은 종이류나 그을린 유리 등은 사진 촬영 후 지문 감식을 의뢰한다.

6) 무인감시카메라 및 CCTV 적극 활용
① 최초 발화지점 추정과 발화원, 범인 유추에 중요한 자료로 활용하기 위해 무인감시카메라를 적극 활용한다.
② 대형 산불이나 방화성 산불 발생 시, 관할 경찰서에 협조를 요청해 CCTV 자료를 적극 활용한다.

7) 효과적인 산불 조사기법
① 루프 기법(나선법) : 비교적 작은 지역을 중심에서부터 나선형으로 바깥쪽으로 확장하며 조사하는 방법
② 좁은 길 기법(스트립 기법) : 크고 개방된 공간의 지역을 좁은 띠 모양의 구역(스트립)으로 나누어 체계적으로 조사하는 방법

③ 격자 기법 : 넓은 지역을 격자 형태로 나누어 빠짐없이 조사할 수 있는 체계적으로 조사하는 방법
※ 넓은 지역을 조사하는 것은 좁은 길 기법과 격자 기법이 동일하나, 개방된 공간에서의 산불 조사기법은 좁은 길 기법이다.

(2) 증거

① 산불 발화지점을 면밀히 조사한 후 성냥, 라이터, 향, 양초, 휘발성 기름통 등 발화물질을 조사한다.
② 출입자에 대한 기록, 더럽혀진 길 또는 철로 위 등 자동차 흔적이나 발자국 등 현장조사에 참여한 모든 사람들에게 현장 증거보존의 필요성을 숙지시킨다.
③ 개략적인 발화지점의 위치가 확인되면 이물질(담배꽁초 등) 반입 금지 및 증거물을 이동하거나 훼손되는 일이 없도록 출입을 철저히 차단한다.
④ 발화물질 발견 시 이동하지 않은 상태에서 사진 촬영 후 훼손되지 않도록 수거한 후 보관팩이나 보관상자에 담아 운반한다.
⑤ 발화지점 보존 후 정밀조사 실시, 발견된 어떤 것이라도 깃발을 이용해 표시, 귀중한 증거물 훼손이 불가피한 경우 사진 촬영 후 안전한 장소로 이동한다.

(3) 화재원인 판별

1) 입산자 실화

① 입산자 및 목격자 확보
② 무당 등 무속행위 여부 확인
③ 화상 또는 의복류를 태운 자 확인
④ 산불발생지역에서 황급히 이탈·도망하는 자 확인
⑤ 하산하지 않는 자 파악

2) 논·밭두렁 및 농산 폐기물 태우기

① 이장·반장 등의 협조를 받아 경작자 확인
② 농산폐기물(농약병, 비닐) 잔유물 수거
③ 농산폐기물 잔유물에 대한 감정 의뢰
④ 신고 전 현장에서 진화했던 사람 확인

3) 성묘 장례객 실화

① 성묘 장례객 인적사항 확인
② 인근 주민 상대 조사
③ 장례현장 동원 인부 파악
④ 화목의 출처 조사

4) 군사격 훈련

조명탄 사용, 사격장의 화약 불티 파악

5) 방화
고의적 행위, 급격한 연소, 2개소 이상 독립발화 형태 등을 파악

6) 낙뢰
천둥, 번개 등 자연적 현상 여부 파악

CHAPTER 09 선박, 항공기 화재감식

1 일반사항

(1) 선박 항공기 전문 용어

1) 선박 전문 용어

① 선체(Hull) : 선박의 주된 구조물로, 물속에 잠기는 부분
② 선수(Bow) : 선박의 앞부분으로, 물을 가르며 항해하는 부분
③ 선미(Stern) : 선박의 뒷부분
④ 갑판(Deck) : 선박의 상부 구조물로, 사람들이 걸을 수 있는 평평한 부분
⑤ 화물창(Hold) : 대형 선박에서 갑판 아래에 있는 구획실로 보통 화물용으로 사용
⑥ 기관실(Engine room) : 주기, 보조기관, 발전기, 보일러 등 선박에서 중요한 기계류들이 모여 있는 공간
⑦ 돛대(Mast) : 돛이나 깃발을 거는 높은 기둥
⑧ 거주 공간(Accommodation space) : 생활을 위한 공간
⑨ 고물보(Transom) : 선미가 네모난 보트의 선미 단면
⑩ 도레이드 환기(Dorade vent) : 갑판 아래로 공기를 흡입하는 배플이 설치되어 물이 들어오지 못하도록 하는 갑판 상자 환기
⑪ 방현재(Fender) : 선박이 부두에 정박하거나 다른 선박과 접촉할 때 충격을 완화하기 위해 사용하는 보호 장치
⑫ 해치(Hatch) : 보트의 갑판에 있는 방수커버로 덮인 출입구
⑬ 코퍼댐(Cofferdam) : 일반적으로 선박의 화물구역이나 기계실 등에서 화재나 침수 방지, 위험물 격리 등의 목적으로 사용
⑭ 선박(Vessel) : 수상 또는 수중에서 항해용으로 사용하거나 사용될 수 있는 것과 이동식 시추선·수상호텔 등 부유식 해상구조물
⑮ 만재흘수선(滿載吃水線) : 선박이 안전하게 항해할 수 있는 적재한도의 흘수선으로서 여객이나 화물을 승선하거나 싣고 안전하게 항해할 수 있는 최대한도를 나타내는 선
⑯ 추진기(Propeller) : 선박을 앞으로 나아가게 하는 회전식 장치
⑰ 키(Rudder) : 선미에 위치하며, 선박의 방향을 조종하는 장치

2) 항공기 전문 용어

① 기체(Airframe) : 날개, 동체, 꼬리날개, 착륙장치 등 항공기를 구성하는 구조부분
② 동체(Fuselage) : 항공기의 주된 구조물로, 승객과 화물을 싣는 공간을 포함하며 날개와 꼬리 부분을 연결
③ 조종석(Cockpit) : 항공기의 앞부분에 위치하며, 조종사들이 항공기를 조종하는 공간
④ 주익(Main wing) : 항공기의 주요 날개로, 양력을 발생시켜 항공기를 공중에 띄우는 역할
⑤ 꼬리날개(Tail wing) : 항공기의 꼬리 부분에 위치한 작은 날개로, 항공기의 안정성을 유지하는 역할
⑥ 수직꼬리날개(Vertical stabilizer) : 항공기의 꼬리 부분에 수직으로 위치한 날개로, 항공기의 방향을 안정적으로 유지
⑦ 랜딩 기어(Landing gear) : 항공기가 착륙하고 지상에서 이동할 때 사용하는 바퀴와 지지 구조물
⑧ 엔진(Engine) : 항공기를 추진하는 동력을 제공하는 장치로, 일반적으로 날개 밑이나 동체 양옆에 위치
⑨ 항법장치(Navigation system) : 항공기가 목적지까지 정확하게 비행할 수 있도록 도와주는 장치
⑩ 계기 패널(Instrument panel) : 조종석에 위치하며, 항공기의 상태와 비행 정보를 표시하는 계기들이 모여 있는 패널
⑪ 플랩(Flap) : 날개의 후면에 위치한 가동식 판으로, 양력과 항력을 조절하여 이착륙 시 항공기의 속도를 조절
⑫ 엘리베이터(Elevator) : 꼬리날개의 일부로, 항공기의 기수를 위아래로 움직여 고도를 조절하는 역할
⑬ 러더(Rudder) : 수직 꼬리날개의 일부로, 항공기의 좌우 방향을 조종하는 역할
⑭ 슬랫(Slat) : 날개 앞쪽에 위치한 가동식 장치로, 낮은 속도에서의 양력을 증가시키는 역할
⑮ 에일러론(Aileron) : 날개의 끝부분에 위치한 가동식 판으로, 항공기의 롤링(좌우 회전)을 조절하는 데 사용
⑯ 트림(Trim) : 조종사의 부담을 줄이기 위해 항공기의 균형을 맞추는 데 사용되는 장치

(2) 선박 항공기 조사 안전사항

1) 선박 조사 안전사항

① 조사관은 선박에 접근하기 전에 해당 공간에 폭발성 물질, 독성 가스(예 일산화탄소), 그리고 산소 부족 현상이 없는지 확인해야 한다.
② 자동 소화 설비가 설치된 구역에 들어가기 전에는 해당 설비가 꺼져 있거나 정상 작동 상태인지 확인해야 한다.
③ 유리섬유 강화플라스틱(FRP) 선박에서 화재가 발생할 경우, 유리섬유 유입자들이 연소된 수지와 결합해 호흡기에 자극을 줄 수 있다. 따라서, 위험 수준에 따라 적절한 호흡기 보호 장비를 포함한 개인 보호 장구를 착용해야 한다.
④ 선박 내 엔진 연료, 난방 연료, LP 가스 시스템(프로판 포함) 등의 연료는 조사 활동 중 누출될 수 있으므로, 이들 시스템의 상태를 점검하고 누출에 대비해야 한다.

⑤ 선박 내부에서 발생한 화재는 육상의 구조물처럼 구조적 손상을 초래할 수 있으며, 이는 갑판의 약화 또는 구조적 지지물의 붕괴를 일으킬 수 있다. 따라서 구조적 안전을 면밀히 점검하고 주의해야 한다.

2) 항공기 조사 안전사항

① 조사 전, 항공기와 관련된 잔해물, 연료, 화학물질 등 잠재적 위험요소를 평가해야 하고 팀원과 공유한다.
② 조사자는 헬멧, 장갑, 안전 안경, 고무 부츠 등 적절한 개인 보호 장비 착용하고, 필요시 화학 물질이나 연료의 노출로부터 보호하기 위해 추가적인 장비가 필요할 수 있다.
③ 항공기 잔해물은 구조적으로 불안정할 수 있으므로, 조사가 진행되는 동안 잔해물의 이동이나 추가 붕괴를 방지하기 위해 필요한 조치를 취해야 한다.
④ 항공기에는 전기 및 연료 시스템이 포함되어 있으므로, 전원 공급을 차단하고 연료를 안전하게 처리하는 방법을 알고 있어야 한다.

(3) 시스템 구분 및 기능

1) 선박시스템

① 연료 주입 시스템
  ㉠ 인보드, I/O 엔진의 연료 분사 시스템에는 스로틀 기기, 플리넘과 연료 레일 조립품, 충격(knock) 감지 센서, 엔진 제어 모듈 등이 포함된다.
  ㉡ 시스템의 설계는 엔진 제조사에 따라 다르다.
  ㉢ 조사관은 엔진의 일련번호를 기록하고 제조사에 연락하여 어느 시스템 디자인을 적용해야 하는지 확인한다.
  ㉣ 인보드(Inboard)
    • 배의 내부로 좀 더 배의 중심 쪽을 향한다.
    • 보트 내부에 장착된 엔진이다.
  ㉤ 인보드 아웃보드(I/O ; Inboard/Outboard)
    • 선내외기를 통해 배 내부에 장착된 엔진으로 구성된 추진 시스템이다.
    • 고물보에 부착된 아웃보드 모터의 하위 유닛과 비슷하다.
  ㉥ 아웃보드(Outboard)
    • 보트의 측면 쪽 또는 그 너머를 향한다.
    • 배의 선미에 장착된 착탈식 엔진이다.

② 디젤
  ㉠ 배는 12V 시스템으로 작동하지만, 엔진은 24V 점화 시스템이 필요한 경우가 있다.
  ㉡ 연소 시에는 엔진룸에 공기가 적절하게 순환될 수 있도록 해야 한다.

③ 조리 및 난방 연료 시스템
  액화 석유 가스(LPG), 압축 천연 가스(LNG), 알코올, 고체 연료 등이 쓰인다.

④ 배기시스템
　㉠ 건식 배기 시스템에서는 일반적으로 단열 덮개로 덮인 파이프를 통해 수직으로 추진가스 또는 보조 연소가스를 배출한다.
　㉡ 습식 배기 시스템에서는 해수를 엔진의 배기 엘보에 주입하여 배를 빠져나갈 때까지 배기와 같이 흐르게 한다.
　㉢ 물이 빠진 배기 시스템은 배기 시스템의 설치에 따라, 머플러의 배기 흐름에서 물을 제거하여 배기가스는 배의 바닥을 통해 내보내고 물은 고물보 쪽으로 보낸다.

⑤ 전기 시스템
　㉠ 배의 교류(AC)는 해안 전력, 발전기 또는 변전기에 의해 공급된다.
　㉡ 온보드 선박의 직류(DC) 시스템은 일반적으로 배터리에 의해 공급되며 조명, 통신 및 내비게이션 장비에 전력을 공급한다.

⑥ 엔진 냉각 시스템
　㉠ 인보드 및 I/O 선박의 액체 냉각수 시스템은 해수로 냉각되는 것과 폐쇄 냉각되는 것 두 가지로 나뉜다.
　㉡ 해수로 냉각하는 방식은 펌프로 해수를 끌어 올려 엔진을 통해 순환시킨 뒤 환기로 배출시킨다.
　㉢ 폐쇄 냉각방식은 열교환기 주변으로 해수를 순환시키고 배출시스템으로 내보낸다.

⑦ 변속기
　㉠ 기계적인 변속기는 일반적으로 인보드 엔진에는 없고, 아웃보드 및 I/O 추진 엔진은 기어 케이스에 있다.
　㉡ 유압작동 변속기에는 자체 오일과 냉각기가 있고, 윤활유는 일반적으로 SAE 90 weight이다.

2) 항공기시스템

① 연료 주입 시스템
　㉠ 항공기 연료 시스템은 연료 펌프, 연료 필터, 연료 조절 밸브, 연료 계량기, 연료 분사 장치 등을 포함한다.
　㉡ 연료 시스템 설계는 항공기 모델과 엔진 유형에 따라 다를 수 있다.
　㉢ 조사관은 항공기의 일련번호를 기록하고, 제조사에 연락하여 시스템 디자인을 확인해야 한다.

② 디젤 엔진(항공기)
　㉠ 항공기에는 일반적으로 디젤 엔진을 사용하지 않지만, 일부 특수 비행기나 기체에는 디젤 엔진이 장착될 수 있다.
　㉡ 엔진룸의 공기 순환과 냉각 시스템이 적절하게 작동하도록 해야 한다.

③ 배기 시스템
　㉠ 항공기의 배기 시스템은 일반적으로 엔진에서 발생하는 가스를 배출하는 시스템으로, 건식 배기 시스템이 사용된다.
　㉡ 엔진의 배기가스는 후방으로 배출되며, 배기 시스템의 설계는 항공기 모델에 따라 다를 수 있다.

④ 전기 시스템
　㉠ 항공기의 전기 시스템은 AC(교류)와 DC(직류)를 포함하며, 비행 중 전력 공급은 항공기 발전기와 배터리에 의해 이루어진다.
　㉡ 조명, 통신, 내비게이션 장비 등 항공기 내부의 전기 장비에 전력을 공급한다.

⑤ 계기장치
　㉠ 계기장치는 비행기의 비행 데이터를 측정하고 표시하는 장비들로 구성된다.
　㉡ 속도계, 고도계, 인디케이터, 자이로스코프, 항법 장비 등이 포함되고, 비행 중 비행 상태를 모니터링한다.

⑥ 항법통신장치
　㉠ 항법통신장치는 항공기의 비행경로를 계획하고 조정하며, 조종사와 지상 관제소 간의 통신을 담당하는 장비이다.
　㉡ 항법 장비(예 GPS, VOR, ILS 등)와 무선 통신 장비(예 라디오, 데이터 링크 등)가 포함된다.
　㉢ 항공기의 위치와 비행 정보를 정확하게 전달하고, 비행경로를 유지하는 데 필수적이다.

⑦ 유압장치
　㉠ 유압장치는 항공기의 다양한 기계적 기능을 제어하는 시스템으로, 비행 제어 surfaces(예 에일러론, 러더, 엘리베이터 등), 기어, 브레이크 시스템 등을 조작하는 데 사용된다.
　㉡ 유압 시스템은 압축된 유체를 사용하여 필요한 힘을 전달하며, 비행 중 정확한 조작과 제어를 가능하게 한다.

(4) 선박 외관 및 내부

1) 외관

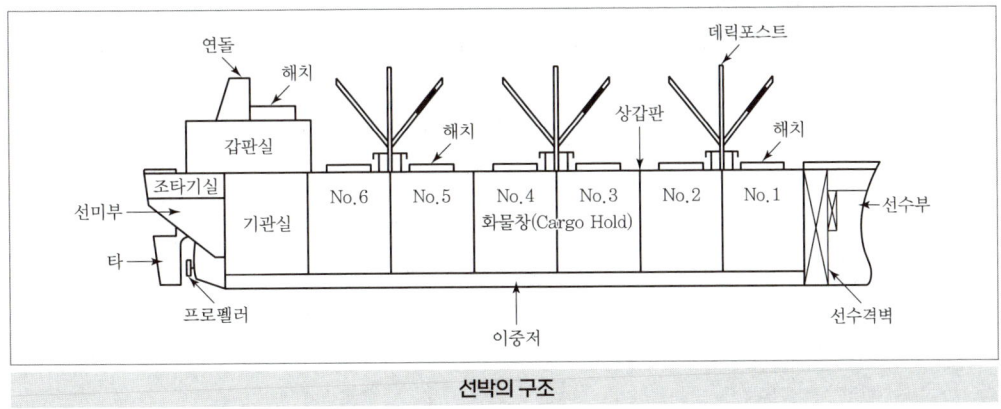

선박의 구조

① 선수부, 화물창, 기관실, 선미부로 크게 구분된다.
② 갑판은 일반적으로 선체 건조 물질과 동일하지만, 갑판에는 나무를 깔며 이로 인해 가연물 하중을 추가하게 된다.
③ 선체 건조는 나무, 강철, 알루미늄, 페로시멘트(ferrocement) 및 FRP 등의 일반자재를 사용한다.
④ 외관부속품은 통신 설비, 안테나, 내비게이션 장치, 탐색등, 항해등, 아우트리거(outrigger), 난간, 라인, 방현재(fender), 개인부유장비(PFD), 구명뗏목, 좌석 쿠션, 마스트, 활대, 돛과 같이 보트 외부에 있는 물품이나 장비를 말한다. 이들 중 일부는 가연성이 있을 수 있다.

2) 내부

① 내부는 일반적으로 FRP 물질 또는 원목, 외장용 합판과 같은 일반적인 건축자재로 만들어진다.
② 인테리어 마감재는 일반적으로 주거용 및 레저용 차량과 유사하다.
③ 침대 및 다른 종류의 가구에는 천 커버를 씌운 발포체가 많이 사용되며 주택에서 사용되는 것들과 유사하다.
④ 보트에 있는 엔진룸 및 기계실에는 추진 엔진 외에도 배터리, 보조 발전기 세트 변압기, 저장 탱크(연료, 물, 오수, 유압 유체), 배 바닥 펌프, AC/DC 전기설비 배선, 그리고 AC/DC 전기 패널 등이 있다.

> **한번 데 클릭 선박용 기자재의 특성**
> - 내진성, 내식성 : 해수의 충격과 부식성 환경에 강한 기자재를 사용해야 한다.
> - 유지보수 용이성 : 항해 중이라도 유지보수를 할 수 있는 용이성을 갖춰야 한다.
> - 선박은 파도와 같은 외부요인으로부터 선체운동에 대한 충분한 적응성이 있어야 한다.
> - 천장재, 내장재, 지지대(Grounds) · 통풍막이 및 방열재는 불연성재료의 것이어야 한다.

(5) 항공기 외관 및 내부

1) 외관

① 항공기는 일반적으로 동체, 날개, 꼬리, 엔진(또는 추진 시스템)으로 크게 구분된다.
② 외부 구조는 주로 알루미늄, 탄소 섬유 복합재, 티타늄 등과 같은 고강도 경량 자재로 만들어진다.
③ 항공기 외부에는 통신 장비, 레이더, 안테나, 항법 조명, 비행 기록 장치, 기체 보호 장비, 탈출 슬라이드, 비상 구명 장비 등이 포함된다.
④ 일부 장비는 화재 발생 시 가연성이 있을 수 있다.

> **한번더클릭** 항공기 외관의 구성

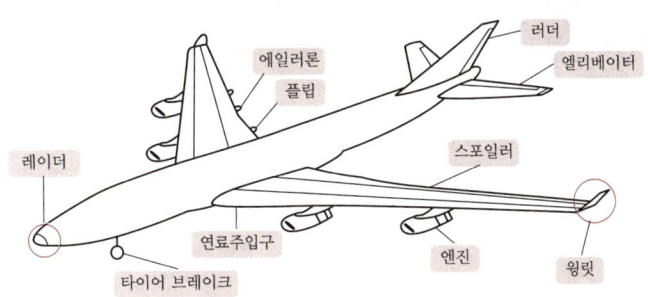

- 레이더 : 비행기 앞의 장애물과 상황을 조종사에게 알려주는 역할
- 에일러론 : 비행기를 좌우로 기울여 선회하는 역할
- 플랩 : 저속 비행 시 양력을 증가시키고 착륙 시 충격을 완화
- 러더 : 방향을 조절하여 이착륙 시 비행기의 방향을 유지하고 불균형을 보정
- 엘리베이터 : 비행기의 기수를 위아래로 움직여 상승과 하강을 조절
- 타이어브레이크 : 유압식 디스크 브레이크로 비행기를 정지
- 연료주입구 : 날개에 위치한 연료 탱크로 연료를 주입구
- 엔진 : 추력을 얻는 곳이고 주로 가스터빈 엔진을 사용
- 스포일러 : 감속기능을 담당하며 날개 위쪽에 세워져서 바람의 흐름을 막아 날개의 양력을 떨어뜨리는 역할
- 윙릿 : 날개 끝 부분에서의 양력을 높여주는 장치

2) 내부

① 내부는 일반적으로 경량 합금, 복합재료, 원목, 고급 플라스틱, 카펫 및 직물 등으로 구성된다.
② 항공기 내부 마감재는 주거용 및 고급 차량에서 사용되는 것과 유사한 고급 소재로 마감된다.
③ 비행 중 편안함을 제공하기 위해 천으로 덮인 발포체 및 기타 내장재가 사용되며, 주택에서 사용되는 것과 유사한 재질을 사용한다.
④ 항공기 내부에는 비행 제어 시스템, 엔진(또는 추진 시스템), 연료 탱크, 배터리, 전기 변환기, 공조 시스템, 그리고 다양한 전기 및 전자 장비가 포함된다.

(6) 추진 시스템

1) 전기 시스템

① 전기가 주요 추진원으로 사용되는 경우가 많지는 않지만, 많은 보트에는 배터리를 통해 전기적으로 작동하는 모터가 있다.
② 이 시스템에는 모터, 하나 이상의 배터리, 그리고 배터리에서 모터로 에너지를 공급하기 위해 사용되는 전기 도선이 포함된다.

2) 모터 추진 시스템이 있는 보트의 연료

① 연료 시스템
 ㉠ 보트에 있는 연료 시스템에는 엔진, 기구 및 전기 발전기를 위한 연료 시스템들이 포함된다.
 ㉡ 엔진 : 흔히 사용되는 엔진과 그 연료 시스템의 세 가지 종류는 자급식 또는 이동식 연료 탱크가 있는 아웃바운드 엔진, 인보드 가솔린 엔진, 그리고 인보드 디젤 엔진 등이다.

종류	특징
아웃보드 엔진 (아웃보드 모터)	• 아웃보드 엔진에는 2사이클 또는 4사이클 가솔린 엔진이 포함되며, 기화기나 연료분사 시스템이 장착되어 있다. • 2사이클 엔진은 연료와 오일 혼합물을 사용하며, 오일이 가솔린과 미리 혼합되거나 별도의 저장소에서 자동으로 혼합된다. • 4사이클 엔진은 자동차 엔진과 유사하며, 연료는 저압 연료 전달 시스템을 통해 펌프에 의해 엔진으로 전달된다.
인보드 가솔린 엔진	• 인보드 가솔린 엔진은 일반적으로 4사이클 엔진이며, 연료 시스템에는 내장형 연료 탱크, 연료 라인, 필터, 연료 펌프 등이 포함된다. • 연료 탱크는 환기되어야 하며, 여러 연료 탱크를 사용할 경우 연료 무게를 동등하게 분배하기 위해 배분 라인으로 연결된다. • 급유플레이트는 연료가 선체로 흘러나오는 것을 방지하며, 연료 탱크의 모든 부속품은 탱크 위쪽에 있어야 한다.
인보드 디젤 엔진	• 선내 디젤 엔진의 작동 원리는 자동차 디젤 시스템과 유사하며, 고압 연료 분사 시스템에 저압 반환 라인이 포함된다.

3) 전기발전기

전기 발전기는 보트에 있는 여러 가지 기기에 대한 전원을 공급하는데 사용될 수 있고, 일반적으로 보트의 연료 탱크와는 다른 연료 라인을 사용하여 동력을 얻는다.

4) 추진에 사용되는 기타 연료 시스템

대부분의 보트는 디젤이나 가솔린과 같은 기존의 연료로부터 동력을 얻지만, 증기를 통한 동력으로 추진되는 시스템에서 사용되는 연료(예 나무, 숯, 석탄, 파라핀)도 있다.

2 선박, 항공기 화재 조사

(1) 발화원

1) 선박 화재 발화원

① 노출화염
  ㉠ 기화기 사용 엔진에서 노출 화염을 가장 많이 만드는 원인은 비방호된 기화기를 통한 역화이다.
  ㉡ 배 안에서는 작동하는 버너 및 오븐이 노출 화염의 발화원이다.

② 전력원
  ㉠ 엔진이 작동하지 않을 때 보트의 전력원은 배터리, 인버터 또는 발전기 등이 있다.
  ㉡ 배터리 연결을 끄는 스위치가 없을 때에는, 점화 스위치가 꺼져 있고 엔진이 꺼져 있어도 여러 요소들이 배터리에 전기적으로 연결되어 있다.
  ㉢ 교류발전기, 점화 스위치, 인버터 및 직류 전원 시스템과 같은 이러한 회로와 요소들은 엔진이 꺼져있을 때에는 작동하지 않을 수 있다.
  ㉣ 배 바닥의 펌프는 일반적으로 항상 전기가 통하는 상태로 남아 있도록 설치된다.

ⓑ 엔진이 화재 당시에 구동하고 있었는지 확인해야 한다.
　　ⓗ 기타 단락 및 아크, 정전기 및 발화성 아크, 번개로 인한 발화 가능성을 조사하여야 한다.

③ 과부하 배선
　　㉠ 칸막이벽을 통해 절연재를 손상시키거나, 녹이거나 발화시킬 수 있는 정도까지 도선의 온도를 상승시킬 수 있다.
　　㉡ 과전류 회로 보호 장치가 활성화되지 않고도 발생할 수 있다.

④ 고온 표면
　　㉠ 고온 다기관과 접촉하는 엔진오일과 미션오일은 발화할 수 있다. 이러한 유체는 엔진이 꺼진 후에 엔진을 따라 흐르는 냉각수가 부족하여 발화할 수 있다.
　　㉡ 엔진이 꺼지면 냉각수는 흐름을 멈추고, 분무된 유체나 연료 증기가 발화할 만큼 다기관 온도가 상승할 수 있다.

⑤ 기계 부품
　　㉠ 풀리, 모터, 교류발전기 또는 펌프의 베어링 고장의 경우 가연성 물질이 이들 물체와 접촉하고 있거나 그 근처에 있을 때에는 화재가 발생할 수 있다.
　　㉡ 구동 풀리가 고장이 나거나 잠긴 상태에서 엔진이 계속 구동되면 벨트가 마찰로 인해 발화할 수 있다.

2) 항공기 화재 발화원

① 연료 누출
항공기 엔진에서 연료가 누출되거나 분무되어 뜨거운 엔진 부품과 접촉하면 발화할 수 있다. 연료 시스템의 손상이나 연결 불량으로 인해 연료가 외부로 유출될 수 있다.

② 전기 시스템 문제
항공기에는 복잡한 전기 시스템이 있으며, 전선의 손상, 단락, 전기 아크, 과부하 등으로 인해 화재가 발생할 수 있다.
　㉠ 배터리나 전기 부품에서 과부하로 인해 열이 발생하여 발화할 수 있다.
　㉡ 배선 손상으로 인한 단락이 전기 아크를 발생시켜 화재로 이어질 수 있다.

③ 과열된 엔진 부품
　㉠ 배기 파이프나 터보차저 등 고온 부품이 위험 요소이다.
　㉡ 윤활유나 연료가 고온 부품과 접촉하여 발화할 수 있다.

④ 정전기 및 번개
정전기, 번개는 항공기 외부나 내부에서 화재가 발생할 수 있다.

⑤ 기계적 마찰

항공기 기계 부품에서 발생하는 과도한 마찰로 인해 높은 온도가 발생하며, 이로 인해 주변의 윤활유나 연료가 발화할 수 있다.

(2) 선박, 항공기 화재현장 기록

1) 선박
① 선박화재의 현장기록에 대한 요건은 일반적으로 구조물과 차량에 대한 것과 유사하다.
② 선박화재의 현장기록은 가능한 한 선박이 현장의 제 위치에 있을 때 조사되어야 한다.
③ 화재가 발생한 선박이 현 위치에서 손상되었는지, 화재 이후 위치가 바뀌었는지 확인하여야 한다.
④ 선박화재의 현장기록은 폐기물처리장, 수리시설, 정박지, 소형 선박수리소 등에서 일부를 기록해야 하는 경우가 있다.

2) 항공기
① 화재가 발생한 항공기의 위치가 화재 당시의 위치와 동일한지, 혹은 화재 이후에 이동되었는지 확인한다.
② 항공기 구조물, 엔진, 연료 시스템 등 주요 구성요소의 상태를 기록한다. 이때, 손상의 범위와 위치를 정확히 파악한다.
③ 화재의 발생 원인으로 작용할 수 있는 전기 시스템, 유압 시스템, 연료계통 등의 상태를 조사한다.

(3) 선박의 화재예방 검사 항목
① 배터리 단자의 단락 여부
② 연료유탱크의 누유 여부
③ 전선의 절연저항 측정

(4) 항공기 화재방지 계통

1) 항공기의 열전대 화재경고장치 배선방식
① 감지 회로(detector circuit)
② 알람 회로(alarm circuit)
③ 시험 회로(test circuit)

2) 항공기 화재감지장치(fire detection system)의 특징
① 화재가 계속되는 동안 계속 지시해야 한다.
② 화재가 다시 발생하는 경우 다시 정확히 지시해야 한다.
③ 화재가 소화되었을 때 정확히 알려주어야 한다.
④ 조종실에서 감지기장치를 시험 시 소요되는 전력은 적어야 한다.
⑤ 허위 경고 발생이 없이 신속하고 정확하게 화재 위치를 알려줘야 한다.
⑥ 취급에서 노출에 견딜 수 있도록 견고해야 한다.

3) 항공기 객실 내 연기감지기

① 이온화(Ionization) 방식 : 이온밀도 변화를 감지하는 방식
② 광전(Photoelectric) 방식 : 광학센서가 탄화수소화염으로부터의 특정방사선 방출을 감지하는 방식

4) 터빈엔진(turbine engine) 항공기에 적용된 화재감지 방법

① 조종사에 의한 관찰
② 승객(passenger)에 의한 관찰
③ 연기감지기(smoke detector)

5) 항공기 소화기 장치의 일상정비 항목

① 배출관의 누출시험
② 소화기 용기의 검사와 보급
③ 카트리지의 장·탈장과 재장착

6) 항공기 화재발생 시 기능 차단 시스템

① 오일 차단
② 연료 차단
③ 유압 차단

7) 항공기의 부위별 화재 위험

① **동체** : 착륙기어 등의 문제로 동체가 활주로에 닿으면 강력한 마찰열로 불꽃이 발생할 수 있으나 화재로 연결될 가능성은 작다.
② **날개** : 부력 역할을 하는 기본 기능 외에도 연료통과 엔진이 탑재되어 화재의 위험성이 높은 편에 속한다.
③ **엔진** : 연소 계통의 온도가 높고 연료가 작용하므로 화재의 위험성이 높은 편에 속한다.
④ **연료통** : 날개 내부에 탑재되어 있으므로 비상착륙이 예상될 때는 화재 위험을 줄이기 위해 연료를 소비하거나 버려야 한다.

8) 항공기 화재의 특징

① 항공기 화재조사 시 공간협소성, 고밀집성 등 다양한 특성을 고려해야 한다.
② 항공기가 단시간에 화재에 둘러싸이고 주변 일대의 가연성 물질에 급격히 전파된다.
③ 상공에서 항공기 화재가 발생한 경우 추락하여 지상까지 화재가 확산될 가능성이 크다.
④ 항공기 인화성이 높은 연료를 대량으로 탑재하고 있어 추락사고가 발생하면 폭발적으로 연소할 수 있다.

출제예상문제 1회

01 화재 발생 시 조사해야 할 내용으로 가장 거리가 먼 것은?
① 최초 착화물 ② 발화 요인
③ 화재 진압 방법 ④ 발화열원

해설
화재 조사에서는 최초 착화물, 발화 요인, 발화열원 등 화재의 원인을 규명하기 위한 요소들이 중요하다. 그러나 '화재 진압 방법'은 화재가 발생한 후의 대응 방법으로, 화재 원인 조사와는 직접적인 관련이 없다.

02 화재조사 시 다수의 데이터를 분석하여 발화지점의 규명 등에 대한 가설을 만들어가는 추론 방식은?
① 연역적 추론 ② 귀납적 추론
③ 주관적 추론 ④ 객관적 추론

해설
화재조사 시 CCTV, 인터뷰, 사진 등의 데이터를 분석하여 화재 확산, 발화점의 규명, 화재 원인 등에 대한 가설을 만들어 내는 과정을 귀납적 추론이라 한다.

03 화재 초기 가연물로 적합하지 않은 것은?
① 휴지 ② 석고보드
③ 전선의 피복 ④ 넝마

해설
석고보드는 불연재로 가연물이 아니다. 반면, 전선 피복, 휴지, 넝마는 가연성 물질로 화재 초기 가연물이 될 수 있다.

04 서로 밀착되어 있는 물체가 떨어지거나 벗겨져 떨어질 때 전하분리가 일어나 정전기가 발생하는 현상은?
① 박리대전 ② 유동대전
③ 마찰대전 ④ 분출대전

해설
① 박리대전 : 밀착된 물체가 박리 되었을 때 전하분리가 일어나 정전기가 발생하는 현상
② 유동대전 : 파이프 등의 수송관 중을 액체가 흐를 때 정전기를 발생하는 현상
③ 마찰대전 : 물체가 접촉했을 때 마찰에 의해 전하분리가 생겨 정전기가 발생하는 현상
④ 분출대전 : 분체, 액체, 기체가 단면적이 작은 개구부에서 분출할 때 마찰이 일어나 정전기가 발생하는 현상

05 비닐코드(0.75mm²/30본) 0.25mm 한 가닥 용단전류는? (단, α는 재료정수로 구리는 80이다.)
① 9.8A ② 9.9A
③ 10.0A ④ 10.1A

해설
$$I_S = \alpha d^{\frac{3}{2}} [A]$$
$$= 80 \times 0.25^{\frac{3}{2}} = 10[A]$$
여기서, I_S : 용단전류, α : 재료정수, d : 전선 직경

정답 | 01 ③ 02 ② 03 ② 04 ① 05 ③

06 다음 중 60Hz, 25H 코일의 유도성 리액턴스 값으로 옳은 것은?

① 9,424Ω ② 9,524Ω
③ 9,624Ω ④ 9,724Ω

해설
유도성 리액턴스는 주파수와 코일의 인덕턴스에 따라 결정된다.
$X_L = 2\pi f L$
여기서 f : 주파수(Hz), L : 코일의 인덕턴스(H)
$\therefore X_L = 2\pi \times 60 \times 25 = 9,424\Omega$

07 수소의 연소범위로 맞는 것은?

① 2.1~9.5 ② 1.8~8.4
③ 4~75   ④ 2.5~81

해설
① 프로판 : 2.1~9.5
② 부탄 : 1.8~8.4
③ 수소 : 4~75
④ 아세틸렌 : 2.5~81

08 가스계량기의 측정원리에 의한 분류 중 가스가 통과할 때 임펠러가 회전하여 그 회전속도를 통해 유량을 측정하는 계량기로 대형빌딩, 산업체에서 사용하는 가스계량기 형태는?

① 터빈형
② 드럼(drum)형
③ 회전식(루트식)
④ 막식(다이어프램식)

해설
터빈형 계량기는 가스가 통과할 때 임펠러가 회전하여 그 회전속도를 통해 유량을 측정하는 계량기로, 대형빌딩, 산업체, 중앙난방 등에서 500m³/h 이상의 용량으로 주로 사용된다.
② 드럼형은 주로 실험실에서 가스 부피 측정 시 사용된다.
③ 회전식(루트식)은 실측식 계량기로 대형식당, 빌딩 등에서 65~455m³/h의 유량을 측정한다.
④ 막식(다이어프램식)은 가정용과 영업용으로 사용되며, 계량막의 왕복운동에 의해 유량을 측정한다.

09 화학물질에 관한 화재조사요령으로 옳은 것은?

① 모노실란은 연소 후 노란색 불꽃이 생성되며 수산화나트륨의 생성 여부를 조사한다.
② 니트로셀룰로오스는 연소 시 보라색 불꽃이 생성되므로 화재 초기 목격자의 진술을 확보한다.
③ 나트륨은 물과 반응하여 강염기를 생성하므로 출화 부위에 남아 있는 물이 염기성을 띠는지 조사한다.
④ 알칼리금속은 저장 용기의 파손, 부식 등의 보관 상태를 조사하여 알코올의 증발 여부를 판단한다.

해설
나트륨은 물과 반응하여 수산화나트륨(NaOH)을 생성하며, 이는 강한 염기성을 띤다. 출화 부위에 남아 있는 물이 염기성을 띠는지 조사하는 것은 나트륨 화재조사에서 적절한 방법이다.
① 모노실란은 완전연소 시 이산화실리콘(SiO_2)을 생성하며, 수산화나트륨과는 관련이 없다.
② 니트로셀룰로오스는 화약의 주성분이며, 연소 시 보라색 불꽃이 발생하지 않는다.
④ 알칼리금속의 연소는 불꽃의 색깔이 다를 수 있지만, 알코올의 증발 여부와는 직접적인 관련이 없다.

10 유염화원과 미소화원의 특성에 관한 설명 중 옳지 않은 것은?

① 유염화원은 에너지량이 크고, 연소 확대가 빠르다.
② 미소화원은 불꽃이 없어, 가연물과 접촉하더라도 바로 착화되지 않을 수 있다.
③ 유염화원의 연소흔적은 깊고, 연소범위가 좁은 경향이 있다.
④ 미소화원은 연소범위가 좁고, 깊게 타는 경향을 보인다.

해설
유염화원은 에너지가 크고 빠르게 연소를 확산시킨다. 이로 인해 연소흔적은 얕지만, 넓은 범위로 확산되는 경향이 있다. 반면, 미소화원은 불꽃이 없어 연소범위가 좁고 깊게 타는 특성을 가진다.

11 양초의 주요 성분이 아닌 것은?

① 페놀   ② 스테아린산
③ 경화납   ④ 파라핀

해설
페놀은 방부제나 소독제의 주요 성분이다.

정답 | 06 ① 07 ③ 08 ① 09 ③ 10 ③ 11 ①

12 방화의 특징으로 옳지 않은 것은?

① 낙뢰로 인해 2개 이상의 독립된 발화개소가 식별된 경우
② 방화범은 증거를 남기지 않기 위해 불을 지른 후 현장을 빠르게 떠나는 경우가 많음
③ 용도별로는 주택 및 차량에 대한 방화가 많음
④ 휘발유, 시너 등을 사용하는 경우가 많아 화재확산이 매우 빠름

해설
낙뢰로 인해 발생한 화재는 2개 이상의 독립된 발화개소가 식별되더라도 1개의 화재로 처리하고, 낙뢰로 인한 화재는 자연적인 요인이다.

13 의도적 지연 착화의 설명으로 틀린 것은?

① 촛불을 사용하여 양초가 다 타고난 다음 가연물에 접촉하도록 한다.
② 전기발열체에 가연물을 올려놓아 위험으로부터 도피할 시간을 획득하거나 전기 실화 화재로 위장한다.
③ 시계나 타이머를 이용하여 원하는 시간에 작동시킬 수 있다.
④ 지연 착화 시 방화범이 유증기에 화상을 입고 현장에 즉시 발각될 위험이 크다.

해설
지연 착화는 실화로 위장하거나 방화범이 도피 시간을 확보하기 위한 수단이다. 유증기에 의해 방화범이 즉시 발각되는 경우는 드물며, 도피 시간을 충분히 확보할 수 있는 방식으로 실행된다.

14 다음 중 차량의 시동 점화 시 전류 흐름 순서를 바르게 나열한 것은?

① 점화스위치 → 시동모터 → 배터리 → 점화코일 → 배터리 → 고압케이블 → 스파크 플러그
② 점화스위치 → 배터리 → 시동모터 → 배전기 → 점화코일 → 고압케이블 → 스파크 플러그
③ 점화스위치 → 시동모터 → 배터리 → 점화코일 → 배전기 → 고압케이블 → 스파크 플러그
④ 점화스위치 → 배터리 → 시동모터 → 점화코일 → 배전기 → 고압케이블 → 스파크 플러그

해설
점화 시 전류 흐름 순서
점화스위치 → 배터리 → 시동모터 → 점화코일 → 배전기 → 고압케이블 → 스파크 플러그

15 자동차 화재의 특성에 대한 설명으로 옳지 않은 것은?

① 차량 화재의 조사는 차량의 구조와 시스템을 이해해야만 정확한 화재조사가 이뤄질 수 있다.
② 차량 화재는 대체로 전소되어 발화지점 및 발화원인이 조사가 쉽지 않다.
③ 차량 화재는 연료, 시트 등 화재비중이 높고, 외기와 밀폐된 상태인 환기 지배형의 화재특성을 보인다.
④ 개방된 공간에 존치되는 환경적인 특수성으로 인해 사회적인 불만을 가진 사람 등이 불특정한 방법으로 방화를 할 수 있다.

해설
차량 화재는 연료, 시트 등 화재하중이 높고, 옥외 화재가 많아 연료 지배형의 화재특성을 보인다.

16 LPG 차량의 구성품과 그 구성품의 설명이 옳지 않은 것은?

① 베이퍼라이저 : 액체 LPG 연료를 감압하고 기체 상태로 변환하는 장치이다.
② 가스차단밸브 : 급감속 시 연료공급을 차단하는 역할을 한다.
③ 액체·기체 솔레노이드밸브 : 액체 및 기체 연료를 공급 및 차단하는 역할을 한다.
④ 카뷰레터 : LPG 차량에서 공기와 LPG 연료를 혼합하는 기화기이다.

해설
카뷰레터(carburetor)는 가솔린 차량에서 공기와 가솔린을 혼합하는 기화기로, LPG 차량의 구성품이 아니다.

정답 | 12 ① 13 ④ 14 ④ 15 ③ 16 ④

17 임야화재 시 수관화의 특징으로 옳지 않은 것은?

① 중심부의 화염온도는 800~1,200℃이다.
② 주변의 연기온도는 1,100℃이다.
③ 바람이 강할 때 연소속도는 평균 4~6km/h이고, 조건에 따라 7km/h 이상으로 증가할 수 있다.
④ 임야화재 연소 중에 수십 m의 상승기류가 발생한다.

🛢 해설
주변의 연기온도는 200~500℃이다.

18 임야화재 가연물의 수직적 위치에 따른 분류가 아닌 것은?

① 지상가연물　　② 지중가연물
③ 공중가연물　　④ 지표가연물

🛢 해설
지상가연물은 지중가연물과 지표가연물을 포괄하는 용어이고, 임야화재 가연물의 수직적 위치 분류는 지중가연물, 지표가연물, 공중(수관)가연물로 분류한다.

19 임야화재의 확산에 영향을 미치는 3요소가 아닌 것은?

① 지형　　② 연료
③ 기후　　④ 점화원

🛢 해설
점화원은 연소의 3요소이고, 연료, 기후, 지형은 확산의 3요소이다.

20 전기의 사용 및 안전에 관한 설명으로 틀린 것은?

① 전기기기는 공업표준규격 표시와 형식 승인을 받은 전기용품을 사용하고, 전기기술기준에 따라 설치해야 한다.
② 습한 상태에서는 감전의 위험이 높아 전기 사용을 금한다.
③ 기계 기구류의 점검이나 보수는 반드시 전원을 차단한 후 실시해야 한다.
④ 콘센트는 사용전압의 제한이 없어 용량을 고려하지 않아도 된다.

🛢 해설
콘센트 사용 시에는 반드시 사용 전압을 확인하고, 과부하가 걸리지 않도록 용량을 고려해야 한다.

21 접촉불량(접촉저항의 증가)과 관련된 설명으로 옳지 않은 것은?

① 전기설비의 약점은 전선 이음부나 스위치, 콘센트 등의 접점 부분에서 주로 나타난다.
② 나사 연결이 견고하지 않거나 단자 접속이 헐거워지면, 화재 위험이 줄어든다.
③ 접속부가 헐거워지면 과열로 발화되기 전에 차단기 등의 안전장치가 작동하지 않을 위험이 있다.
④ 접촉저항 증가로 인한 화재는 대부분 한쪽 극의 도체 접속부에서 발생한다.

🛢 해설
접점이 헐거워질 경우 화재 위험이 증가하며, 나사 연결이나 단자 접속이 견고하지 않으면 전기적 불꽃 방전으로 인해 발화 위험이 커진다.

22 접촉불량 조사 시 착안 사항으로 옳지 않은 것은?

① 연소된 부분에 접속부가 포함되어 있는지 확인해야 한다.
② 전원부 통전상태를 우선하고, 부하회로의 통전 상태는 확인할 필요가 없다.
③ 접속부의 용융면은 한쪽 면이 강하고, 다른 쪽은 상대적으로 약한 경우가 많다.
④ 용융된 면은 충전부 측이며 1차측인 경우가 많으므로 양방향의 소손 상태를 확인해야 한다.

🛢 해설
부하회로의 통전 상태는 접촉불량으로 인한 화재 발생 가능성을 확인하기 위한 중요한 조사 사항이다.

정답 | 17 ② 18 ① 19 ④ 20 ④ 21 ② 22 ②

23 선박용 기관을 회전속도로 구분하는 방법은?

① 터빈기관, 디젤기관, 가솔린기관
② 2행정기관, 4행정기관
③ 고속기관, 중속기관, 저속기관
④ 왕복기관, 회전기관

🍺 해설
회전속도로 구분할 때는 고속기관, 중속기관, 저속기관으로 나눈다.

24 터빈엔진(turbine engine)이 장착된 항공기에서 화재를 감지하는 방법이 아닌 것은?

① 조종사에 의한 관찰
② 승객에 의한 관찰
③ 연기감지기(smoke detector)
④ 기압계(altimeter)

🍺 해설
항공기에서 화재 감지는 조종사나 승객의 관찰, 연기감지기 등을 통해 이루어진다. 기압계는 항공기의 고도를 측정하는 장치로, 화재 감지와는 관련이 없다.

25 열전달 방식과 관련이 없는 것은?

① 대류   ② 복사
③ 전도   ④ 굴뚝효과

🍺 해설
대류, 복사, 전도는 열이 전달되는 방식이며, 굴뚝효과는 공기의 흐름에 따른 현상이다.

26 통전입증의 일반적인 순서로 옳은 것은?

① 전력량계 → 누전차단기, 배선용차단기 → 개폐기 → 스위치 → 전선 접속기구 → 부하기기
② 부하기기 → 전선 접속기구 → 스위치 → 개폐기 → 배선용차단기, 누전차단기 → 전력량계
③ 전선 접속기구 → 부하기기 → 배선용차단기, 누전차단기 → 개폐기 → 스위치 → 전력량계
④ 배선용차단기, 누전차단기 → 부하기기 → 전선 접속기구 → 스위치 → 개폐기 → 전력량계

🍺 해설
통전입증의 일반적인 순서
부하기기 → 전선 접속기구 → 스위치 → 개폐기 → 배선용차단기, 누전차단기 → 전력량계

27 전기적 스파크, 불꽃 등의 외부 화원에 의해 착화하여서 연소하는 현상은?

① 인화   ② 화합발화
③ 자연발화   ④ 폭발

🍺 해설
① 인화 : 전기적 스파크, 불꽃 등의 외부 화원에 의해 착화되어 연소하는 현상
② 화합발화 : 두 종류 이상의 물질이 혼합 또는 접촉하여 화학적으로 반응하며 연소하는 현상
③ 자연발화 : 물질이 습기, 공기 등의 화학적 반응에 의해 자연적으로 발열하고, 이로 인해 스스로 연소하는 현상
④ 폭발 : 물질이 급격하게 팽창하면서 빛과 소리, 충격적 압력을 동반해 순간적으로 연소하는 현상

28 화재 시 화염(분해가스)이 수직 방향으로 빠르게 상승하고, 수평 및 하방향으로는 완만하게 진행되는 대류 영향에 따른 진행 비율로 옳은 것은?

① 수평 : 1, 상방향 : 20, 하방향 : 0.3
② 수평 : 1, 상방향 : 20, 하방향 : 30
③ 수평 : 1, 상방향 : 0.2, 하방향 : 0.3
④ 수평 : 1, 상방향 : 30, 하방향 : 50

🍺 해설
대류에 의한 화재 확산에서 화염은 상방향으로 빠르게 상승하고, 수평 방향으로는 완만하게, 하방향으로는 매우 느리게 진행된다. 이 진행 비율은 수평 : 1, 상방향 : 20, 하방향 : 0.3이 일반적이다.

정답 | 23 ③ 24 ④ 25 ④ 26 ② 27 ① 28 ①

29 식물성 기름 중 자연발화성이 가장 낮은 것은?

① 대두유 ② 옥수수기름
③ 참기름 ④ 올리브유

해설
식물성 기름은 요오드가가 낮을수록 자연발화성이 감소하고, 클수록 자연발화성이 증가한다.
① 대두유 : 124~133
② 옥수수기름 : 111~131
③ 참기름 : 103~112
④ 올리브유 : 75~88

30 전 처리한 시료를 운반가스(carrier gas)에 의하여 분리관(column) 내에 전개시켜 분리되는 각 성분의 크로마토그램을 이용하여 목적성분을 정성(定性) 및 정량(定量)분석하는 기기는?

① X선 회절분석 ② 가스 크로마토그래피
③ 적외선분광분석 ④ 자외선-가시광선분석

해설
가스 크로마토그래피에 대한 설명이다.

정답 | 29 ④ 30 ②

출제예상문제 2회

01 미소화원에 대한 설명으로 옳지 않은 것은?
① 미소화원은 연소시간이 짧은 것도 포함하는 광의적인 의미로 받아들여지고 있다.
② 미소화원의 극히 작은 불씨라는 의미는 불씨가 작은 개념만 해당한다.
③ 미소화원을 화재 원인으로 접할 수 있는 경우는 담뱃불, 용접불티, 금속불티, 스파크(Sparks) 등을 들 수 있다.
④ 미소화원(微小火原)은 "극히 작은 불씨"가 화재 원인이 되는 것을 의미한다.

해설
극히 작은 불씨라는 의미는 불씨가 작은 개념보다는 일반적으로 연소되는 과정이 불꽃을 수반하지 않는 벌건 불씨를 의미한다.

02 다음 훈소단계 내용 중 괄호 안의 산소농도로 옳은 것은?

> 플래시오버 이후 정상 연소단계 이후에는 활용할 수 있는 가연물이 소비되고 불꽃 연소가 점점 더 약해질 것이다. 만약 화재 동안 산소농도가 (ⓐ)로 떨어지면 연소되지 않는 가연물이 있을 경우에도 불꽃연소는 감소할 것이고, 산소농도가 (ⓑ)에서는 완전히 중지할 수 있다.

① ⓐ 16% 이하, ⓑ 5% 이하
② ⓐ 16% 미만, ⓑ 5% 미만
③ ⓐ 21% 이하, ⓑ 6% 이하
④ ⓐ 21% 미만, ⓑ 6% 미만

해설
화재 동안 산소농도가 16% 이하로 떨어지면 연소되지 않는 가연물이 있을 경우에도 불꽃연소는 감소할 것이고 산소농도가 5% 이하에서는 완전히 중지될 수 있다.

03 다음 중 화재의 발화 원인에 해당하지 않는 것은?
① 실화
② 방화
③ 자연재해
④ 자연발화

해설
국가화재 분류체계에 따르면, 화재 원인별 분류는 방화, 실화, 자연발화, 원인미상으로 나누어진다. 자연재해는 화재의 발화 원인으로 분류되지 않는다.

04 정전기 방전의 종류와 설명이 올바르지 않은 것은?
① 코로나 방전 : 고전압 전선 근처에서 푸르스름한 빛이 보이는 현상이다.
② 브러시 방전 : 고전압 전선이 대지와 가까운 곳에서 발생하는 방전이다.
③ 불꽃방전 : 전자기기 플러그를 뺄 때 발생하는 작은 불꽃이 이에 해당한다.
④ 전파브러시 방전 : 대전된 부도체와 접지체가 가까이 있을 때, 물체 표면을 따라 발생하는 방전 현상이다.

해설
전파브러시 방전은 대전된 부도체에 접지체가 접근할 때, 대전 물체와 접지체 사이에서 방전과 동시에 부도체 표면을 따라 발생하는 현상이다.

정답 | 01 ② 02 ① 03 ③ 04 ④

05 다음 중 전기화재의 발생 원인으로 옳지 않은 것은?

① 전기적 조건의 변화로 발생한 줄열이 발화원이 된 화재
② 전기절연재의 절연파괴로 인한 화재
③ 전기기기의 기능 이상 및 고장으로 발생한 화재
④ 전기다리미의 고온표면에 의해 발생한 화재

해설
전기다리미 고온표면에 의해 발생한 화재는 기계적 요인으로 발생된 화재이다.

06 다음 중 지락(Ground Fault)의 원인에 해당하지 않는 것은?

① 과전류 보호장치의 작동 실패로 인한 지락
② 기계적 충격이나 절연펑크에 의한 물리적 손상
③ 극심한 과도전압 충격이나 정상 전압에 의한 열화
④ 절연체의 경년열화

해설
지락은 주로 절연체의 열화, 기계적 충격, 과도전압 등에 의해 발생하지만, 과전류 보호장치의 작동 실패는 지락 자체의 원인 이라기보다는 보호 장치가 작동하지 않아 지락 사고가 더 커질 수 있는 요인에 해당한다.

07 퓨즈의 용단 상태에 따른 설명으로 옳지 않은 것은?

① 단락에 의해 퓨즈가 용융되었을 때는 퓨즈 몸체 전체가 녹아서 둥근 형태로 비산되어 케이스 등에 부착된다.
② 100~300% 과부하 시 퓨즈의 중앙 부분이 용단된다.
③ 접촉 불량으로 용단된 경우 양쪽 끝 부분에 검게 변색된 흔적이 나타난다.
④ 외부 화염에 의해 용융된 경우 퓨즈의 중앙이 규칙적으로 용단된다.

해설
외부 화염에 의해 용융된 경우 퓨즈의 중앙이 불규칙적으로 용단된다.

08 다음 중 가연성 가스에 해당하지 않는 것은?

① 수소
② 암모니아
③ 산소
④ 액화석유가스

해설
산소는 가연성 가스가 아닌 조연성 가스로, 다른 물질의 연소를 돕는 역할을 한다.

09 다음 물질 중 반도체와 관계없는 것은?

① 은(Ag)
② 탄소(C)
③ 산화구리(Cu_2O)
④ 니크롬선(Nichrome wire)

해설
은(Ag)은 구리(Cu), 알루미늄(Al)과 함께 대표적인 도체로, 반도체와는 무관하다.
② 탄소(C) : 다이아몬드 구조에서는 절연체, 흑연이나 그래핀 구조에서는 도체, 탄소 나노튜브 등은 반도체 성질을 나타낸다.
③ 산화구리(Cu_2O) : 화합물 반도체의 대표 예로, 광센서·태양전지 재료로 사용된다.
④ 니크롬선(Nichrome wire) : 전기저항이 큰 합금 도체로 발열체에 사용된다. 반도체로 분류되지는 않지만, 은(Ag)과 달리 단순 도체로서의 대표성은 낮다.

10 초저온 가스 용기의 안전장치로 적합한 밸브는?

① 스프링식 안전밸브
② 파열판식 안전밸브
③ 가용전(가용합금식) 안전밸브
④ 스프링식과 파열판식의 2중 안전밸브

해설
초저온 가스 용기에는 스프링식과 파열판식의 2중 안전밸브가 사용되어 안전을 강화한다.

11 가스 종류에 따른 용기 외면 도색이 옳지 않은 것은?

① 아세틸렌 – 황색   ② 암모니아 – 청색
③ 염소 – 갈색   ④ 수소 – 주황색

해설
암모니아 용기는 백색으로 도색되며, 청색은 탄산가스 용기의 색상이다.

12 어떤 화재에서 발열량이 1MW에 도달하는데 걸리는 시간이 150초라면, 화재성장률은 몇 W/s²이며, 이 화재는 미국방화협회(NFPA)에서 정한 화재성장 분류로 올바른 것은? (단, t^2 화재성장모드를 이용한다.)

① 34.4W/s², 중간(medium)
② 34.4W/s², 빠름(fast)
③ 44.4W/s², 중간(medium)
④ 44.4W/s², 빠름(fast)

해설
t^2 화재 모델 식

$Q(t) = \alpha t^2$ [$Q(t)$: 발열량(W), α : 화재성장률(W/s²), t : 시간(s)]
$1,000,000(W) = \alpha \times (150)^2$
$\alpha = \dfrac{1,000,000}{22,500} = 44.4(W/s^2)$

참고
t^2 화재의 분류(NFPA)

성장모드	발열량이 1MW에 도달 시간(s)	화재성장률(W/s²)
slow (느림)	600	2.8
medium (중간)	300	11.1
fast (빠름)	150	44.4
ultrafast (매우 빠름)	75	177.8

13 S자형 유체의 흐름을 조절하는 데 사용되는 밸브는?

① 볼 밸브   ② 게이트 밸브
③ 체크 밸브   ④ 글로브 밸브

해설
글로브 밸브는 S자형 유체의 흐름을 조절하는 데 사용된다.
① 볼 밸브 : 볼이 회전하여 유체의 흐름을 제어하거나 차단한다.
② 게이트 밸브 : 대규모 플랜트나 큰 배관의 유체 흐름을 차단 또는 열어준다.
③ 체크 밸브 : 유체의 흐름을 방해하지 않도록 설계한 역류 방지 밸브이다.

14 화학적 폭발에 대한 설명 중 옳은 것은?

① 산소농도가 낮을수록 폭발 위력이 크다.
② 압력이 높을수록 폭발의 위력이 적다.
③ 입자가 작을수록 표면적이 증가하여 폭발의 위력이 크다.
④ 혼합비율이 화학양론비에 가까울수록 위력이 적다.

해설
연료 입자가 작으면 표면적이 커져 산화반응이 빨라지고 폭발 위력이 증가한다.
① 산소농도가 높을수록 연료와의 반응이 활발해져 폭발 위력이 커진다.
② 압력이 높으면 반응속도가 빨라져 폭발 위력이 커진다.
④ 혼합비율이 화학양론비(연료와 산화제가 완벽히 반응하는 비율)에 가까울수록 폭발 위력이 커진다.
※ 폭발 위력은 산소농도↑, 압력↑, 입자 크기↓, 혼합비율은 화학양론비일수록 커진다.

15 염기의 특성에 대한 설명으로 옳지 않은 것은?

① 염기는 물에 녹아 수산화 이온(OH⁻)을 방출한다.
② 염기성 용액은 pH 값이 7보다 높다.
③ 염기는 일반적으로 신맛을 내며, 금속과 반응해 수소 기체를 발생시킬 수 있다.
④ 수산화나트륨(NaOH), 수산화칼륨(KOH), 암모니아(NH_3)는 대표적인 염기이다.

해설
염기는 일반적으로 쓴맛을 내며, 미끄러운 느낌을 가진다.

정답 | 11 ② 12 ④ 13 ④ 14 ③ 15 ③

16 자연발화에 대한 설명으로 옳지 않은 것은?

① 자연발화는 물질이 발화온도보다 낮은 온도에서 화학적 변화로 인해 발열한다.
② 자연발화는 물질 자체가 연소하거나 발생한 가연가스가 연소하는 현상이다.
③ 자연발화는 두 종류 이상의 물질이 혼합되어 연소하는 현상이다.
④ 물과 습기 또는 공기 중에서 발열하여 발생하는 화재이다.

해설
두 종류 이상의 물질이 혼합되어 연소하는 현상은 화합발화에 해당한다.

17 다음 중 반응의 결과 가연성 가스를 발생시켜 발화하는 물질은?

① 생석회 ② 카바이드류
③ 황린   ④ 금속나트륨

해설
인화석회와 카바이드류는 반응의 결과로 가연성 가스를 발생시키며, 이로 인해 발화할 수 있다.

18 유지류 화재 시 화재감식의 유의사항으로 옳지 않은 것은?

① 유지류를 병에 담아 두었을 경우 산화반응이 활발하지 않다.
② 튀김유 화재 시 폐유의 산화정도와 인화점을 확인해야 한다.
③ 유지류가 공기와 접촉하는 면적이 클수록 산화반응이 활발해진다.
④ 출화 전 냄새는 유지류 화재와 관계가 없기 때문에 신경 쓰지 않아도 된다.

해설
유지류 화재의 경우 출화 전에 특유의 냄새가 발생할 수 있으므로, 화재 전 냄새에 대해 관계자에게 확인하는 것이 중요하다.

19 다음 중 열가소성수지에 해당하는 것은?

① 에폭시수지   ② 폴리염화비닐(PVC)
③ 폴리에스터   ④ 멜라민수지

해설
폴리염화비닐(PVC)는 열가소성수지로, 가열하면 녹고 냉각하면 다시 굳는 특성을 가진다.

20 담뱃불에 대한 설명으로 옳지 않은 것은?

① 담뱃불은 대표적인 무염화원이며, 훈소의 형태로 연소한다.
② 흡연자는 담뱃불로 인한 화인을 제공할 수 있는 개연성이 있다.
③ 담배는 가연성 물질이며 자연발화도 가능하다.
④ 담뱃불은 이동 가능한 점화원이다.

해설
담배는 가연성 물질이지만 자연발화는 불가능하다.

21 다음 발화원인 중 미소화원이 아닌 것은?

① 가스레인지 불꽃   ② 용접불티
③ 절삭불티   ④ 담뱃불

해설
담뱃불, 용접불티, 절삭불티, 모기향 등은 미소화원이다.

22 방화에 대한 설명으로 옳지 않은 것은?

① 방화는 고의로 화재를 일으켜 가옥이나 기타의 물건을 연소시키는 행위를 말한다.
② 방화는 주로 다수의 인원에 의해 이루어지며, 낮 시간대에 빈번하게 발생한다.
③ 방화의 동기에는 복수, 질투, 분노, 경제적 이득 등이 포함될 수 있다.
④ 방화는 범죄은폐, 보험사기와 같은 목적에서 발생할 수 있다.

해설
방화는 주로 단독 범행이 많고, 야간에 은밀한 곳에서 이루어져 발각이 어려운 경우가 많다.

정답 | 16 ③ 17 ② 18 ④ 19 ② 20 ③ 21 ① 22 ②

23 다음 중 방화의 동기별 유형에서 방화로 분류되지 않는 것은?

① 보험사기 등 경제적 이득
② 정치적 목적에 의한 방화
③ 사회에 대한 불만의 발산
④ 피로로 인한 과실

해설
피로로 인한 과실은 방화가 아닌 실화에 해당한다.

24 유류 촉진제를 이용한 방화 감식에서 중요한 사항으로 옳지 않은 것은?

① 유류 촉진제가 스며든 곳에서 유류를 수거해야 한다.
② 수거된 유류의 양은 대략 200g~1kg 정도면 충분하다.
③ 성분 분석은 가스 크로마토그래피와 질량분광분석법을 사용하여 이루어진다.
④ 방화 여부는 촉진제가 사용된 양에 따라 결정된다.

해설
방화 여부는 촉진제의 양이 아닌 여러 증거를 종합적으로 판단해야 한다. 단순히 촉진제의 양만으로 결정되지 않는다.

25 차량화재 조사 시 조사장소의 선정에 대한 설명으로 옳지 않은 것은?

① 차량을 쉽게 접근하고 이동시킬 수 있는 장소를 선택해야 한다.
② 외부인의 접근이 제한된 장소를 선택하여 조사의 집중도를 유지해야 한다.
③ 고속도로는 갓길에서 화재조사를 진행하는 것이 안전하다.
④ 증거를 보호하고 보존할 수 있는 장소를 선택해야 한다.

해설
고속도로 갓길은 차량들이 빠르게 이동하는 위험한 장소로, 추가 사고가 발생할 가능성이 높다. 초기 조사만 진행하고, 안전한 장소로 차량을 이동시킨 후 본격적인 조사를 진행하는 것이 원칙이다.

26 LPG 차량엔진의 구성부품 중 봄베에 부착된 충전밸브, 기체 송출밸브 및 액체 송출밸브의 색상을 순서대로 바르게 나열한 것은?

① 황색, 녹색, 적색
② 황색, 적색, 녹색
③ 녹색, 적색, 황색
④ 녹색, 황색, 적색

해설
LPG 봄베는 충전밸브(녹색), 기체 송출밸브(황색), 액체 송출밸브(적색)로 구성되어 있다.

27 임야화재 중 지중화에 대한 설명으로 옳지 않은 것은?

① 지중화는 낙엽이 두껍게 퇴적된 이탄층이 연소하는 현상이다.
② 지중화는 진화와 뒷불 정리가 매우 어렵다.
③ 지중화는 강한 바람에 의해 빠르게 확산되는 것이 특징이다.
④ 지중의 유기물과 낙엽이 연소하며 임상 아래로 불이 번진다.

해설
지중화는 주로 땅속에서 유기물이나 이탄층이 연소하는 화재로, 확산 속도가 빠르지 않고 바람의 영향을 크게 받지 않는다.

28 선박 전문 용어에 대한 설명으로 옳지 않은 것은?

① 선체(Hull)는 선박의 주된 구조물로, 물속에 잠기는 부분을 말한다.
② 갑판(Deck)은 선박의 상부 구조물로, 사람들이 걸을 수 있는 평평한 부분을 의미한다.
③ 키(Rudder)는 선박의 방향을 조종하는 장치로, 선박의 선수 부분에 위치한다.
④ 추진기(Propeller)는 선박을 앞으로 나아가게 하는 회전식 장치이다.

해설
키(Rudder)는 선박의 방향을 조종하는 장치로, 선미에 위치한다.

정답 | 23 ④ 24 ④ 25 ③ 26 ④ 27 ③ 28 ③

29 선박용 기자재의 특성에 대한 설명으로 옳은 것은?

① 천장재와 내장재는 경량화를 위해 가연성 재료로 사용하는 것이 일반적이다.
② 해수의 충격과 부식성 환경에 약한 기자재를 사용해야 비용이 절감된다.
③ 선박용 기자재는 외부 요인에 의해 발생하는 선체 운동에 적응할 수 있어야 한다.
④ 항해 중에는 유지보수가 어려우므로 항구에 정박한 상태에서만 유지보수를 할 수 있다.

해설
선박은 파도와 같은 외부 요인으로 인해 선체운동이 발생하므로, 이에 적응할 수 있는 기자재가 필요하다.

30 항공기 화재 발생 시 차단해야 할 기능에 해당하지 않는 것은?

① 오일
② 연료
③ 유압
④ 통신 시스템

해설
항공기 화재 발생 시 오일, 연료, 유압과 같은 가연성 물질은 차단해야 하지만, 통신 시스템은 차단할 필요가 없다.

정답 | 29 ③ 30 ④

출제예상문제 3회

01 화재조사 현장에서 사용되는 용어의 설명이다. 옳지 않은 것은?

① 신문지가 누렇게 변해가는 것도 일종의 산화반응으로 반응이 느리고 빛이 없어 연소라 할 수 없다.
② 유염화재는 부분의 가연물이 연소할 때 불꽃이 존재하며 성냥, 라이터 등을 들 수 있다.
③ 무염화재는 숯, 담뱃불과 같이 통상 연기가 발생하고 벌건 불꽃을 내며 연소한다.
④ 자연발화는 물질을 점화시키기 위해 충분한 열이 발생하는 내부 생화학 반응에 의한 물질 연소이다.

해설
무염화재는 숯, 담뱃불과 같이 통상 연기가 발생하고 발광(벌건 불씨)하는 불꽃이 없는 연소이다.

02 전기적 조건의 변화로 발생한 줄열이 발화원이 된 화재 사항으로 옳지 않은 것은?

① 지락
② 국부적인 저항치의 증가
③ 단락
④ 트래킹 현상

해설
트래킹 현상은 전기절연재의 절연파괴로 인한 전기 화재로 분류된다.

03 무염연소는 불꽃이 없는 반응으로 불꽃이 발생하지 않을 조건으로 옳지 않은 것은?

① 가연성 증기나 분해물의 생성이 비교적 느려야 한다.
② 생성된 가스나 분해물이 연소 조건에 이르지 않아야 한다.
③ 느린 연소반응이 발생하기 위해서는 공기공급량이 비교적 적어야 한다.
④ 불꽃이 발생하지 않도록 가연성 증기나 분해물 생성이 불꽃반응 조건에 충족해야 한다.

해설
불꽃이 발생되지 않도록 가연성 증기나 분해물 생성이 불꽃반응 조건에 미달되어야 한다.

04 누전화재의 3요소에 해당하지 않는 것은?

① 누전점
② 접지점
③ 발화점
④ 절연체 파괴점

해설
누전화재의 3요소는 누전점, 접지점, 발화점이다. 절연체 파괴점은 누전의 원인이 될 수 있지만, 누전화재의 3요소로는 포함되지 않는다.

정답 | 01 ③ 02 ④ 03 ④ 04 ④

05 열에 의해 소손된 전구의 감식 방법에 대한 설명으로 옳지 않은 것은?

① 내부가 불활성 가스로 충전된 전구는 연화된 부분이 부풀어 오르거나 외부로 터져 나가는 형태로 변한다.
② 내부가 진공 상태인 전구는 외부 압력에 의해 내부로 함몰되는 형태로 변한다.
③ 전선에 매달려 있는 전구는 전구의 부푼 방향을 통해 화재 진행 방향의 지표로 사용할 수 있다.
④ 전구 필라멘트의 산화 여부 및 전구 내벽에 부착된 필라멘트 증기로 On/Off 상태를 확인할 수 있다.

🗑 **해설**
전선에 매달려 있는 전구는 화재로 인해 원 위치에서 이동되었기 때문에 화재 당시의 방향을 신뢰할 수 없어 화재 진행 방향의 지표로 사용할 수 없다.

06 과전류에 의한 전선의 변화에 대한 설명으로 옳지 않은 것은?

① 통전 전류가 클수록 짧은 시간에 용단된다.
② 용융된 부분과 용융되지 않은 부분의 경계선이 명확하지 않다.
③ 회로 전체 배선에 과열된 흔적이 관찰된다.
④ 용융되지 않은 전선의 표면은 산화작용에 의해 변색되지 않고, 구부려도 표면이 박리되지 않는다.

🗑 **해설**
용융되지 않은 전선의 표면은 산화작용에 의해 변색되고, 구부리면 표면의 일부가 박리되어 떨어질 수 있다.

07 다음 중 불연성 가스는?

① 수소
② 암모니아
③ 아세틸렌
④ 이산화탄소

🗑 **해설**
수소, 암모니아, 아세틸렌은 가연성 가스로 분류되며, 이산화탄소는 불연성 가스에 해당한다.

08 섭씨온도 25°C는 화씨온도로 몇 °F인가?

① 45°F
② 68°F
③ 77°F
④ 98°F

🗑 **해설**
섭씨온도와 화씨온도의 환산값
$$°F = \frac{9}{5}°C + 32$$
$$°F = \left(\frac{9}{5} \times 25\right) + 32 = 77°F$$

09 가스레인지에 의한 사고조사 FLOW-CHART에서 가스누출로 화재가 발생하는 원인으로 옳지 않은 것은?

① 점화불량
② 볼의 결함
③ 소화안전장치 불량
④ 배관 누출

🗑 **해설**
가스레인지에서 가스누출로 화재가 발생하는 원인은 점화불량, 과열, 노후, 점화지연, 소화안전장치 불량, 배관누출이 있다. 볼의 결함은 호스콕(퓨즈콕) 사고조사 시 확인사항이다.

10 유기화합물에 대한 설명으로 옳지 않은 것은?

① 유기화합물은 주로 탄소-탄소, 탄소-수소의 공유결합으로 이루어져 있다.
② 유기화합물은 주로 물에 잘 용해되며, 연소 시 CO_2와 H_2O를 생성한다.
③ 유기화합물의 반응 속도는 느리고, 대부분 비전해질이다.
④ 유기화합물의 성분원소는 주로 C, H, O이며, P, S, N, Cl 등의 비금속 원소를 포함한다.

🗑 **해설**
유기화합물은 물에 잘 용해되지 않고, 주로 유기용매에 잘 용해된다.

정답 | 05 ③ 06 ④ 07 ④ 08 ③ 09 ② 10 ②

11 석유류의 화재로 추정되는 화재현장에서 수집된 시료를 기기분석(GC, IR)으로 판별하는 절차로 옳은 것은?

> ㉠ 감식물 습득
> ㉡ 침지
> ㉢ 여과
> ㉣ 정제
> ㉤ 가스 크로마토그래피법
> ㉥ 적외선 흡수 스펙트럼 분석

① ㉠→㉡→㉢→㉣→㉤→㉥
② ㉠→㉡→㉢→㉣→㉥→㉤
③ ㉠→㉢→㉡→㉣→㉤→㉥
④ ㉠→㉢→㉡→㉣→㉥→㉤

해설

기기분석(GC, IR) 판별 절차

감식물 습득(수거) → 침지 → 여과 → 정제 → 적외선 흡수 스펙트럼 분석 → 가스 크로마토그래피법

12 형태학적 접근법에 대한 설명으로 옳지 않은 것은?

① 시스템의 구조와 형태를 분석하여 문제를 해결하는 방법이다.
② 물질의 변형, 파괴 패턴, 구조적 변화를 연구하여 화재 원인이나 성격을 분석한다.
③ 개별적인 사례나 관찰된 데이터를 바탕으로 일반적인 결론을 도출하는 방법이다.
④ 화재로 인해 금속재료가 변형된 형태를 분석하여, 고온에 의한 변형인지 기계적 손상인지 판별할 수 있다.

해설

개별적인 사례나 데이터를 바탕으로 결론을 도출하는 방법은 귀납법에 해당하며, 형태학적 접근법과는 다르다.

13 화학물질 화재조사에서 발화부 확인에 대한 설명으로 옳지 않은 것은?

① 가연성 액체 또는 증기의 체류 가능성을 검토한다.
② 발화지점의 손상정도와 탄화된 물질의 상관관계를 확인한다.
③ 최초 착화열원을 확인한다.
④ 발화지점의 모든 화학물질을 안전을 위해 물리적 방법으로 제거한 후에 조사를 시작한다.

해설

발화지점의 모든 화학물질을 제거하는 것이 아니라, 현장의 화학물질을 조사하고, 손상 정도를 분석하는 것이 중요하다.

14 다음 중 자연발화의 형태에 해당하지 않는 것은?

① 흡착열 – 활성탄
② 중합열 – 초산비닐
③ 분해열 – 니트로글리세린
④ 발효열 – 석탄

해설

석탄은 산화열로 인해 발화할 수 있으며, 발효열과는 관련이 없다.

15 생석회(CaO)의 특성에 대한 설명으로 옳지 않은 것은?

① 생석회는 수분과 반응하여 수산화칼슘($Ca(OH)_2$)으로 변하면서 발열한다.
② 생석회 자체는 연소하지 않지만 주변의 가연물을 연소시킬 수 있는 열을 발생시킨다.
③ 생석회는 알칼리성으로 산성토양 개량에 사용되며, 비료로 많이 쓰인다.
④ 생석회는 수분과 반응하여 화재를 직접적으로 발생시키는 연소 물질이다.

해설

생석회는 직접적인 연소 물질이 아니며, 수분과 반응하여 열을 발생시키지만 그 열이 주변의 가연물을 연소시킬 수 있다.

정답 | 11 ② 12 ③ 13 ④ 14 ④ 15 ④

16 혼촉(혼합발화)에 의한 화재 조사 시 고려해야 할 사항으로 옳지 않은 것은?

① 혼합된 물질이 연소하면서 발화원이 소실되는 경우가 많으므로 관계자의 진술을 바탕으로 판단한다.
② 화재현장에서 발견된 물질의 성분, 성질, 형상, 양 등을 조사한다.
③ 화재 발생 장소의 환경 조건은 발화 원인과 관련이 없어 특별히 조사할 필요가 없다.
④ 재현 실험을 통해 단독 발화인지 혼합 발화인지를 검사할 수 있다.

해설
화재 발생 장소의 환경 조건은 발화 원인과 밀접한 관련이 있어 이를 반드시 조사해야 한다.

17 분진폭발의 조건으로 옳지 않은 것은?

① 가연성 고체가 미세한 분말상태로 공기 중에 부유해 있어야 한다.
② 분진의 크기는 200mesh(76μm) 이하의 미분상태여야 한다.
③ 점화원이 없어도 충분한 농도에서 분진폭발이 발생할 수 있다.
④ 지연성 가스(공기) 중에서 교반과 운동이 있어야 한다.

해설
점화원이 존재해야 분진폭발이 발생할 수 있으며, 점화원이 없으면 폭발하지 않는다.

18 담뱃불의 온도에 대한 설명으로 옳지 않은 것은?

① 담뱃불의 적열상태 중심부 연소 최고 온도는 850~900℃이다.
② 담뱃불의 표면 온도는 200~300℃이다.
③ 흡인 시 온도는 840~850℃로, 표면 온도보다 낮다.
④ 연소선단의 온도는 560~600℃이다.

해설
흡인 시 온도는 200~300℃인 표면 온도보다 높은 840~850℃를 기록한다.

19 양초의 지연착화 가능성을 높이는 요인으로 적절한 것은?

① 양초가 얇을 경우
② 양초가 두꺼울 경우
③ 양초가 바람에 노출된 경우
④ 양초가 빠르게 타는 경우

해설
두꺼운 양초는 지연착화될 가능성이 높아질 수 있다.

20 방화범의 심리에 대한 설명으로 옳지 않은 것은?

① 방화범 중 일부는 조현병, 반사회적 성격장애와 같은 정신적 장애를 겪고 있다.
② 방화는 복수나 경제적 이득과 같은 동기에서 발생할 수 있다.
③ 방화범은 특정 시간대와 장소를 반복적으로 선택하는 패턴을 보이기도 한다.
④ 방화범은 대부분 계획적 범죄를 저지르며, 충동적인 방화는 드물다.

해설
방화범은 충동적 방화를 저지르기도 하며, 계획적 방화뿐만 아니라 다양한 유형의 범죄 형태를 보인다.

21 다음 중 우발적인 방화에 해당하는 것은?

① 채무변제를 위한 방화
② 정치적 목적에 의한 방화
③ 정신이상에 의한 방화
④ 보험사기 등 이익 목적 방화

해설
정신이상에 의한 방화는 계획 없이 발작적으로 실행에 옮겨지는 우발적인 방화에 해당한다.

정답 | 16 ③ 17 ③ 18 ③ 19 ② 20 ④ 21 ③

22 차량 방화 감식에서 고려해야 할 사항으로 옳지 않은 것은?

① 차량 방화 시 인화물질이 사용될 가능성이 높다.
② 차량 내부의 연소물 이동은 화재 진압 과정에서 발생할 수 있다.
③ 창문과 도어록의 상태를 통해 방화 여부를 판단할 수 있다.
④ 차량 방화 시 연료, 오일류 등 가연성 액체 연소상황은 방화 판단에 중요하지 않다.

📖 **해설**
차량 방화 감식에서 차량 자체의 연료, 오일류 등이 연소했더라도, 차량 자체 연료인지 외부에서 가져온 연료인지 구분해서 조사한다.

23 다음 중 방화 판정의 3대 전제조건으로 옳지 않은 것은?

① 발화부가 여러 곳일 때, 연소 경로가 자연스럽지 않은 경우
② 연소 잔해나 인화성 물질의 잔류가 발견되는 경우
③ 다른 발화원이 배제된 경우
④ 발화 현장에서 다량의 물이 사용된 경우

📖 **해설**
방화 판정의 3대 전제조건은 발화부가 여러 곳, 이상 연소 잔해 및 인화성 물질의 잔류 발견, 다른 발화원의 배제이다. 물 사용은 방화 여부와 직접적으로 관련되지 않는다.

24 차량화재 특성 중 연료와 환기 요소에 대한 설명으로 옳은 것은?

① 화재하중이 높은 연료지배형 화재
② 화재하중이 낮은 연료지배형 화재
③ 화재하중이 높은 환기지배형 화재
④ 화재하중이 낮은 환기지배형 화재

📖 **해설**
차량화재는 연료, 오일, 시트 등 화재하중이 높지만, 연료가 공기보다는 적다. 따라서, 화재하중이 높은 연료지배형 화재 특성이 있다.

25 차량화재 가연물 중 발화성 액체에 대한 설명으로 옳지 않은 것은?

① 차량에 사용되는 발화성 액체에는 엔진오일, 파워 스티어링 오일, 브레이크액 등이 있다.
② 교통사고 시 누유된 발화성 액체는 고온의 배기관이나 스파크로 인해 점화될 수 있다.
③ 차량의 발화성 액체는 차량 시스템의 충돌로는 발화원과 접촉할 가능성은 없다.
④ 연료의 상태나 물리적 특성에 따라 발화 가능성이 달라질 수 있다.

📖 **해설**
차량 시스템의 충돌로 인해 누유된 발화성 액체는 고온의 배기관, 스파크 등의 점화원과 접촉할 수 있으며, 실제 발화가 일어난다.

26 디젤 연료 시스템에 대한 설명으로 옳지 않은 것은?

① 디젤 연료 시스템은 고압 연료 펌프와 인젝터를 이용하여 연료를 높은 압력으로 분사한다.
② 디젤 엔진은 높은 열효율과 연비를 제공하며, 터보차저와 함께 사용되어 엔진 성능을 극대화한다.
③ 디젤 엔진은 연료 효율이 낮고, 터보차저와 함께 사용할 수 없다.
④ 디젤 엔진은 압축 점화 방식을 사용하여 연료를 점화한다.

📖 **해설**
디젤 엔진은 높은 연료 효율을 제공하며, 터보차저와 함께 사용되어 성능을 극대화할 수 있다.

정답 | 22 ④ 23 ④ 24 ① 25 ③ 26 ③

27 임야화재에서 후진화재에 대한 설명으로 옳지 않은 것은?

① 후진화재는 전진화재와 반대 방향으로 진행되는 산불이다.
② 후진화재는 주로 하향으로 불이 번지며, 화세가 약한 편이다.
③ 후진화재는 산불이 주로 상향 방향으로 빠르게 번지며, 피해가 크다.
④ 후진화재는 주로 산불의 반대편에서 발생하는 불이다.

📖 해설
후진화재는 상향이 아닌 주로 하향으로 진행하며, 화세가 약한 편이다.

28 임황(林況)과 산불과의 관계에 대한 설명으로 옳지 않은 것은?

① 침엽수는 활엽수에 비해 산불 위험성이 높다.
② 혼효림은 단순림보다 산불 위험성이 낮다.
③ 양수는 음수보다 더 건조한 환경을 만들어 산불 위험성이 높다.
④ 음수는 양수보다 산불 위험성이 더 높다.

📖 해설
양수는 햇빛을 많이 필요로 하기 때문에 음수보다 더 건조한 환경을 만들기 쉬워 산불 위험성이 높다.

29 항공기 객실 내 연기감지기에서 광전(Photoelectric) 방식을 설명하는 것으로 옳은 것은?

① 이온밀도 변화를 감지하는 방식이다.
② 광학센서를 통해 연기로 인한 특정 방사선을 감지하는 방식이다.
③ 일산화탄소 농도를 감지하여 작동하는 방식이다.
④ 화염을 감지하는 방식이다.

📖 해설
광전(Photoelectric) 방식의 연기감지기는 연기에서 발생하는 특정 방사선을 감지하는 방식으로, 항공기 객실 내에서 사용된다.

30 선박의 거주실 배치도에 포함되지 않는 곳은?

① 선실 구역   ② 항해통신설비 구역
③ 하역 조종실   ④ 기관실

📖 해설
선박의 거주실 배치도에는 선실 구역, 하역 조종실, 항해통신설비 구역 등이 포함되지만, 기관실은 거주 구역이 아니므로 배치도에 포함되지 않는다.

정답 | 27 ③ 28 ④ 29 ② 30 ④

출제예상문제 4회

01 무염 화원의 종류에 해당하지 않는 것은?
① 자연발화 ② 담뱃불
③ 성냥 ④ 금속고온체

🗐 해설
무염화원은 라이터나 성냥과 같이 불꽃이 최초 시작된 것을 제외하고 불꽃이 없는 상태에서 화재발생을 일으킨 것을 말한다. 불꽃이 없는 것은 담뱃불, 자연발화, 기계적인 스파크, 금속고온체 등을 들 수 있다.

02 화재조사과정에서 자료 조사사항으로 옳지 않은 것은?
① 목격자의 진술청취
② 건물의 구조
③ 분전반 차단기구의 동작상태
④ 출동 소방차량의 정비 상태

🗐 해설
화재사건 조사 과정에서는 목격자의 진술, 건물의 구조, 분전반 차단기구의 동작상태와 같은 요소가 중요하다. 반면, 출동 소방차량의 정비상태는 화재 원인 조사와는 직접적으로 관련이 없다.

03 담배꽁초에 의한 무염연소가 쉽게 시작되는 물질로 옳지 않은 것은?
① 헐겁거나 부드러운 황마·면 등의 섬유
② 화장지, 주방용 휴지 등 부드러운 종이
③ 얇은 플라스틱 상자
④ 동물, 미생물과 무기물 부스러기의 집합체

🗐 해설
플라스틱 상자는 얇더라도 담배꽁초에 의해 쉽게 점화되지 않는다.

04 부부 싸움 및 불륜으로 인한 방화의 일반적인 특징으로 적절하지 않은 것은?
① 보통 싸움이 선행되므로 가전제품 등에서 파손된 흔적이 발견된다.
② 유서가 발견되는 경우가 많다.
③ 방화행위자, 상대방 신체에 방화 전 부상흔적이 발견된다.
④ 탈출을 시도한 흔적이 발견되기도 한다.

🗐 해설
부부 싸움 및 불륜으로 인한 방화 사건에서는 싸움으로 인한 파손 흔적, 방화 행위자나 상대방의 신체에 부상 흔적, 탈출을 시도한 흔적이 발견되는 경우가 많다. 그러나 유서가 발견되는 경우는 자살방화와 연관성이 크다.

05 누전차단기의 기능 및 감식 방법에 대한 설명으로 옳지 않은 것은?
① 누전차단기는 감전 사고 및 지락에 의한 화재 사고를 예방한다.
② 누전차단기의 외형이 탄화되어 부하측과 전원측을 구별할 수 없을 때는 회로시험기로 저항을 측정하여 켜짐(저항 ∞)과 꺼짐(저항 0Ω)상태를 확인한다.
③ X-Ray 촬영을 통해 누전차단기의 내부 상태를 분해하지 않고도 확인할 수 있다.
④ 누전차단기는 습기가 많은 장소나 옥외, 인체 접촉이 용이한 곳에 설치된다.

🗐 해설
누전차단기의 외형이 탄화되어 부하측과 전원측을 구별할 수 없을 때는 회로시험기로 저항을 측정하여 켜짐(저항 0Ω)과 꺼짐(저항 ∞)상태를 확인한다.

정답 | 01 ③ 02 ④ 03 ③ 04 ② 05 ②

06 냉장고의 원리에 대한 설명으로 옳지 않은 것은?

① 비점이 낮은 냉매가스는 압축기에서 압축되고, 압축된 냉매가스는 파이프를 통해 냉각기로 보내진다.
② 냉각기에서 액체 상태의 냉매가스가 기화되면서 주위의 열을 빼앗아 냉각 효과를 낸다.
③ 응축기는 냉매가스를 기체 상태로 유지하며 냉각 효과를 극대화한다.
④ 냉각기에는 서리제거 히터가 설치되어 서모스위치와 타임스위치를 통해 서리를 녹인다.

🛢 **해설**
응축기는 냉매가스를 기체가 아닌 액체 상태로 만들며, 액화된 냉매는 다시 압축기로 보내져 순환이 반복된다.

07 화씨온도 68°F는 섭씨온도로 환산하면 몇 ℃인가?

① 10℃   ② 15℃
③ 20℃   ④ 25℃

🛢 **해설**
섭씨온도와 화씨온도의 환산값
$$℃ = \frac{5}{9}(°F - 32)$$
$$℃ = \frac{5}{9}(68 - 32) = 20℃$$

08 메탄(CH_4)의 비중은 공기의 비중을 기준으로 얼마인가? (단, 공기의 평균 분자량은 29로 가정한다.)

① 0.55   ② 0.65
③ 0.75   ④ 0.85

🛢 **해설**
메탄(CH_4)의 비중 = $\frac{가스의\ 무게}{공기의\ 무게} = \frac{16g}{29g} = 0.55$, 공기보다 가볍다.

09 다음 중 염소, 아세틸렌, 산화에틸렌 용기의 안전장치에 적합한 안전밸브는?

① 스프링식 안전밸브
② 파열판식 안전밸브
③ 가용전(가용합금식) 안전밸브
④ 스프링식과 파열판식의 2중 안전밸브

🛢 **해설**
염소, 아세틸렌, 산화에틸렌 용기에는 가용전(가용합금식) 안전밸브가 적합하다.

10 역화(Flash Back) 현상의 원인으로 옳지 않은 것은?

① 염공이 부식되어 커진 경우
② 노즐구경이 너무 작은 경우
③ 콕이 충분히 열리지 않았을 때
④ 가스 압력이 지나치게 높은 경우

🛢 **해설**
가스 압력이 낮을 때 역화가 발생하며, 가스 압력이 지나치게 높을 때는 역화가 발생하지 않는다.

11 프로판가스의 내용적 50L 용기에 얼마의 충전량(kg)을 초과할 수 없는가? (단, 충전상수는 2.35이다.)

① 약 18   ② 약 19.4
③ 약 20.2   ④ 약 21.3

🛢 **해설**
용기의 저장량(충전량)
$$W = \frac{V_2}{C}$$
여기서, W : 저장능력[kg], V_2 : 용기의 내용적[ℓ],
C : 가스의 충전정수(액화프로판 2.35)
$W = 50/2.35 = 21.28$
∴ 21.3kg을 초과할 수 없다.

정답 | 06 ③　07 ③　08 ①　09 ③　10 ④　11 ④

12 대규모 플랜트나 큰 배관의 유체 흐름을 차단하거나 열어주는 데 사용되는 밸브는?

① 볼 밸브
② 게이트 밸브
③ 체크 밸브
④ 글로브 밸브

🛢 해설
게이트 밸브는 대규모 플랜트나 큰 배관에서 유체의 흐름을 차단하거나 열어주는 데 사용된다.
① 볼 밸브 : 볼이 회전하여 유체의 흐름을 제어하거나 차단한다.
③ 체크 밸브 : 유체의 흐름을 방해하지 않도록 설계한 역류 방지 밸브이다.
④ 글로브 밸브 : S자형 유체의 흐름을 조절하는 데 사용된다.

13 산의 특성에 대한 설명으로 옳지 않은 것은?

① 산은 물에 녹아 수소 이온(H^+)을 방출한다.
② 산성 용액은 pH 값이 7보다 낮다.
③ 산은 일반적으로 쓴맛을 내며, 미끄러운 느낌을 가진다.
④ 염산(HCl), 황산(H_2SO_4), 아세트산(CH_3COOH) 등은 대표적인 산이다.

🛢 해설
산은 일반적으로 신맛을 내며, 금속과 반응해 수소 기체를 발생시킬 수 있다.

14 제2류 위험물에 대한 설명으로 옳지 않은 것은?

① 가연성고체로서 비교적 낮은 온도에서 착화하기 쉽다.
② 금속분류인 철분, 마그네슘은 물과 반응하여 수소(H_2)가스를 발생한다.
③ 제2류 위험물은 물보다 가벼우며 물에 잘 녹는다.
④ 산소와의 결합이 용이하고 산화되기 쉽다.

🛢 해설
제2류 위험물은 물보다 무겁고 물에 녹지 않는다.

15 두 종류 이상의 물질이 혼합되거나 접촉하여 연소하는 현상은 무엇인가?

① 자연발화
② 화합발화
③ 인화
④ 폭발

🛢 해설
화합발화는 두 종류 이상의 물질이 혼합되거나 접촉하여 발생하는 연소 현상을 말한다.

16 자연발화의 방지대책으로 옳지 않은 것은?

① 주위 온도가 낮을 것
② 열의 축적을 방지할 것
③ 습도가 높은 곳에서 보관할 것
④ 통풍이 원활하지 않도록 할 것

🛢 해설
자연발화를 방지하기 위해서는 통풍이 원활해야 하며, 통풍이 부족할 경우 열이 축적되어 자연발화의 위험이 커질 수 있다.

17 불포화 지방산을 많이 포함하여 자연발화의 위험성이 높은 유지류는?

① 동유
② 참기름
③ 아마인유
④ 동백기름

🛢 해설
아마인유와 임자유와 같은 건성유는 불포화 지방산을 많이 포함하고 있어, 공기 중에서 산화반응으로 인해 자연발화의 위험성이 높다.

18 혼촉 발화 조사 시 목격자로부터 참고해야 할 사항으로 적절한 것은?

① 물질의 화학적 성질
② 화염과 연기의 색, 냄새, 강도
③ 발화 장소에서의 습도
④ 현장에서의 잔류 물질

🛢 해설
목격자로부터 화재 초기 화염과 연기의 색, 냄새, 강도와 같은 정보는 화재 원인 분석에 중요한 참고 자료가 된다.

정답 | 12 ② 13 ③ 14 ③ 15 ② 16 ④ 17 ③ 18 ②

19 분진폭발의 특성에 대한 설명으로 옳지 않은 것은?

① 분진폭발은 가스폭발에 비해 연소속도나 폭발압력은 작지만, 연소시간이 길고 에너지가 커서 파괴력이 크다.
② 최초의 폭발로 인해 날아간 분진이 2차, 3차 폭발로 이어져 피해가 커질 수 있다.
③ 분진폭발은 불완전 연소가 쉽지 않으며, 일산화탄소가 거의 발생하지 않는다.
④ 폭발 시 발생한 분진이 인체에 닿으면 심각한 화상을 입을 수 있다.

🛢 **해설**
분진폭발은 불완전 연소가 일어나기 쉬워 일산화탄소가 다량 발생할 수 있으며, 이는 가스 중독의 위험성을 증가시킨다.

20 화재 및 폭발 사고조사 시 고려해야 할 사항으로 옳지 않은 것은?

① 가스폭발의 경우 폭심부가 명확할 수 있지만, 분진폭발은 2차, 3차 폭발로 인해 폭심부가 명확하지 않을 수 있다.
② 화재 및 폭발의 선후 관계는 폭발 파편에 부착된 그을음을 통해 분석할 수 있다.
③ 비닐, 스티로폼 등의 열변형 흔적을 통해 화학적 폭발과 물리적 폭발을 명확하게 구분할 수 있다.
④ 비닐, 스티로폼 등의 열변형 흔적은 폭발과 화재의 선후 관계를 파악하는 데 도움이 될 수 있다.

🛢 **해설**
비닐, 스티로폼 등의 열변형 흔적만으로는 화학적 폭발과 물리적 폭발을 명확하게 구분할 수 없으며, 더 정밀한 분석이 필요하다.

21 담뱃불의 착화 가능성에 대한 설명으로 옳은 것은?

① 가솔린, 스티로폼 등은 담뱃불로 착화 가능하다.
② 마른 건초류, 톱밥류, 신문지 등은 담뱃불로 착화 가능하다.
③ 담뱃불은 모든 가연성 물질을 착화시킬 수 있다.
④ 담뱃불은 연소 시간에 관계없이 착화력이 일정하다.

🛢 **해설**
담뱃불은 마른 건초류, 톱밥류, 신문지 등의 가연물에 착화 가능하다.

22 생후 18개월에서 3세 사이의 애정결핍으로 인해 분노와 복수심을 느끼며 방화를 저지르는 방화범의 유형은?

① 구강기 방화범
② 남근기 방화범
③ 항문기 방화범
④ 외음부기 방화범

🛢 **해설**
항문기 방화범은 애정결핍으로 인한 분노와 복수심으로 방화를 저지르며, 동물 학대와 같은 가학적 행동을 보일 수 있다.

23 방화원인 감식에서 촉진제 사용과 관련된 설명으로 옳지 않은 것은?

① 촉진제로 사용된 유류는 화재현장에서 냄새나 용기 등을 통해 확인할 수 있다.
② 촉진제를 사용한 화재현장은 연소 패턴이 매우 명확하게 남아 있다.
③ 촉진제는 유류, 시너, 아세톤 등이 있으며, 이러한 물질이 화재를 촉진하는 데 사용된다.
④ 촉진제가 사용된 화재현장에서는 연소되지 않은 부분에서 유류를 수거하여 분석할 수 있다.

🛢 **해설**
촉진제를 사용한 화재현장은 연소 패턴이 불명확할 수 있으며, 급격한 연소로 인해 식별이 어려운 경우가 많다.

정답 | 19 ③ 20 ③ 21 ② 22 ③ 23 ②

24 차량 화재 조사에서 고온 표면에 의한 발화 위험에 대한 설명으로 옳지 않은 것은?

① 배기 매니폴드와 배기계통 부품은 고온으로 인해 가연성 액체를 증발시켜 착화시킬 수 있다.
② 엔진이 꺼진 후에도 고온의 매니폴드는 주변 공기 유동이 멈추기 때문에 열이 지속되어 유체가 발화할 가능성이 있다.
③ 촉매변환기는 정상 작동 시 700℃까지 온도가 올라가며, 환기 부족 시 더 높아질 수 있다.
④ 휘발유는 고온 표면에 노출되면 다른 발화원이 필요 없이 쉽게 착화된다.

해설
휘발유는 고온 표면에 직접적으로 노출되면 발화가 어렵지만, 아크나 불꽃과 같은 다른 점화원에 의해 쉽게 착화될 수 있다.

25 차량 화재 조사에서 전기적 발화원에 대한 설명으로 옳은 것은?

① 차량 배선에 과부하가 걸려도 와이어링 하네스는 열을 잘 방출하므로 화재의 위험이 낮다.
② 차량이 주차 중일 때는 전기 장치에서 발화될 가능성이 없다.
③ 전기 장치 접속부가 느슨해지면 높은 저항이 발생하여 아크가 형성될 수 있다.
④ 트래킹 현상은 24V 이상의 전기 시스템에서만 발생한다.

해설
차량의 전기 장치 접속부가 느슨해질 경우, 높은 저항이 발생하여 간헐적으로 아크가 발생할 수 있다. 이는 화재의 위험을 높인다.

26 차량 방화에 대한 특별 고려사항으로 옳지 않은 것은?

① 다수 차량이 연쇄적으로 방화된 경우, 각 차량의 발화 지점을 중심으로 연소 확대 패턴을 분석한다.
② 차량 내부의 고가 장치가 도난당하고 방화로 은폐된 경우, 절도 흔적과 연소 잔해를 종합적으로 분석한다.
③ 촉매 컨버터 과열로 차량 화재가 발생한 경우, 방화 가능성을 먼저 고려한다.
④ 인화성 액체나 가연성 가스를 사용한 방화는 폭발적 연소와 유리창 파손 등의 흔적을 남긴다.

해설
촉매 컨버터 과열로 인한 차량 화재는 방화보다는 차량 결함이나 실화 가능성이 더 높다.

27 수관화에 대한 설명으로 옳은 것은?

① 수관화는 산림의 지표면에서만 연소가 이루어지는 현상이다.
② 수관화는 나무 줄기에서 불이 번지는 현상으로, 수간화와 혼동되기 쉽다.
③ 수관화는 산림 상층부의 나뭇가지와 잎이 빠르게 연소하며, 피해가 크고 진화가 어렵다.
④ 수관화는 낙엽과 지피물만 연소하며, 산림 상층부로 불이 옮겨가지는 않는다.

해설
수관화는 산림 상층부의 나뭇가지와 잎이 연소하는 현상으로, 빠른 진행 속도와 강한 화세로 인해 큰 피해를 주며 진화가 매우 어렵다.

28 임야화재 확산의 3요소에 해당하지 않는 것은?

① 연료　　② 기상
③ 지형　　④ 소방 인력

해설
임야화재 확산의 3요소는 연료, 기상, 지형이다. 소방 인력은 화재 진압에 중요한 요소지만, 화재 확산의 3요소에는 해당하지 않는다.

정답 | 24 ④　25 ③　26 ③　27 ③　28 ④

29 임야화재의 가연물에 대한 설명으로 옳지 않은 것은?

① 소나무 침엽수림은 활엽수림에 비해 산불의 강도가 세고 연소 시간이 길다.
② 산불 피해를 줄이기 위해 침엽수 단순림을 혼효림으로 전환하는 것이 필요하다.
③ 공중가연물은 낙엽더미와 풀 등 지표에 가까운 식물을 의미한다.
④ 우리나라 인공림은 대부분 침엽수 단순림으로 산불에 취약하다.

해설
공중가연물은 나무의 수관, 나뭇가지 등 임관 상부에 위치한 가연물을 의미한다. 낙엽더미와 풀은 지표가연물에 해당한다.

30 선박 화재 발화원에 대한 설명으로 옳지 않은 것은?

① 엔진이 작동하지 않을 때에도 배터리와 인버터는 전력원으로 작동할 수 있다.
② 과부하 배선은 도선의 온도를 상승시켜 칸막이벽을 발화시킬 수 있다.
③ 보트의 배기 시스템은 자동차의 배기 시스템처럼 물로 냉각되지 않는다.
④ 베어링 고장 시 가연성 물질이 접촉하면 화재가 발생할 수 있다.

해설
보트의 배기 시스템은 자동차와 달리 배기 파이프와 호스가 물로 냉각된다.

정답 | 29 ③ 30 ③

출제예상문제 5회

01 훈소화재 감식기법에 대한 설명으로 옳지 않은 것은?

① 화재현장에서 연소반응이 시작부터 종결부까지 훈소로 진행된다면 화재현장이 대부분 일부분에 국한되고 현장 변형이 많지 않아 발화지점 판정부터 훈소화재 원인 판정이 그리 어렵지 않을 수도 있다.
② 화재현장에 여러 변수로 인해 훈소에서 갑자기 불꽃으로 전이된다면 화재가 갑작스럽게 증가될 수 있고 여러 변수들로 인해 정확한 발화지점 판정과 훈소화재 원인에 대한 증거입증 등 상당한 어려움이 예상된다.
③ 훈소화재는 상대적으로 산소 소모가 적어 산소가 들어오는 입구를 완전히 막아도 훈소 화재는 원활하게 진행된다.
④ 화재현장이 불꽃 화재였다면 훈소 화재원에 의해서 불꽃 화재로 전이에 염두에 두고 정확한 발화지점 판정를 선행해야 한다.

해설
훈소화재는 산소가 부족한 환경에서 진행될 수 있으나, 산소농도가 5% 미만에서는 훈소 화재 또한 완전히 중지된다.

02 반단선에 대한 설명 중 옳은 것은?

① 접속부의 용융개소는 한 쪽이 강하고, 다른 쪽은 명백히 약한 경우
② 소손개소에 접속부가 포함되고, 그 부분을 기점으로 하여 확대된 소손 상황
③ 대전류가 흐르는 큰 부하를 갖고 있는 기기 등에 연결되어 있는 경우
④ 전선이나 코드가 10% 이상 단선되어 통전로인 단면적이 감소된 상태

해설
반단선은 전선이나 코드가 부분적으로 끊어져 10% 이상 단선된 상태를 말하며, 이로 인해 통전 경로의 단면적이 감소하여 전기적 저항이 증가하고 발열 등의 위험이 커진다.

03 담뱃불 훈소화재 감식기법에 대한 설명으로 옳지 않은 것은?

① 담뱃불은 전형적인 훈소화재 점화원이며 우리 주변에서 쉽게 화재발생을 확인할 수 있다.
② 담배 불씨는 목재나 두꺼운 종이를 연소시킬 수 있지만, 갑작스럽게 돌풍이 불어 산소공급이 많아지면 자연소화될 수 있다.
③ 담뱃불은 훈소반응이 잘 될 수 있는 조건을 가지고 있고 담뱃불 주변에 어떤 가연물이 있는지가 매우 중요하다.
④ 발화원인으로서 담뱃불이 의심될 때, 담뱃불이 놓인 주변에 훈소 가능 물질의 존재 여부는 중요하다.

해설
담배 불씨는 소량의 산소 공급으로도 연소가 유지되는 특성을 가지기 때문에, 갑작스러운 산소 공급 증가가 자연소화를 유발하지 않는다. 오히려 산소 공급이 증가하면 연소가 더 활발해질 수 있다.

정답 | 01 ③ 02 ④ 03 ②

04 범죄은폐를 목적으로 한 방화의 설명 중 가장 적절한 것은?

① 돈이 궁한 자가 최근에 거액의 보험을 가입 후 방화
② 사체, 증거물이 있는 장소, 서류, 장부 등에 방화
③ 개인적인 감정을 해소하려는 방화
④ 사회로부터 배신을 당했다고 느낌으로써의 방화

🔍 해설
범죄은폐를 목적으로 한 방화는 주로 사체, 증거물이 남아 있는 장소나 서류, 장부 등을 파괴하기 위해 이루어진다. ①은 보험금을 노린 방화, ③과 ④은 개인적, 사회적 불만으로 인한 방화이다.

05 냉·온수기 발화 원인에 대한 조사 항목으로 옳지 않은 것은?

① 압축기 내부 모터 코일의 층간 단락 여부
② 모터 기동장치 스위치의 결함 및 단락 여부
③ 서모스탯의 이상발열로 인한 트래킹 여부
④ 압축기 기동릴레이가 접촉불량에 의한 단락 여부

🔍 해설
압축기 기동릴레이는 접촉불량이 아닌 경년열화에 의한 트래킹 여부를 조사해야 한다.

06 전선, 배선, 케이블의 구분에 대한 설명으로 옳지 않은 것은?

① 전선은 강전류 전기의 전송에 사용하는 전기도체를 말하며, 절연물로 피복된 전기도체를 포함한다.
② 배선은 전기사용장소에 고정하여 설치된 전선을 의미한다.
③ 케이블은 통신용 케이블을 포함한 모든 종류의 케이블을 의미한다.
④ 배선은 기계기구 내에 설치된 전선, 소세력 회로의 전선을 포함하지 않는다.

🔍 해설
케이블이라 함은 통신용케이블 이외의 케이블 및 캡타이어케이블을 말한다.

07 메탄가스에 대한 설명으로 옳지 않은 것은?

① 메탄가스는 무색, 무취의 가연성 가스이다.
② 메탄의 화학식은 CH_4이다.
③ 메탄가스는 공기보다 무겁다.
④ 메탄가스는 자연적으로 발생하는 기체로, 주로 천연가스에서 발견된다.

🔍 해설
메탄(CH_4)의 비중 = $\dfrac{\text{가스의 무게}}{\text{공기의 무게}} = \dfrac{16g}{29g} = 0.55$, 공기보다 가볍다.

08 다음 중 LPG 용기의 색상으로 올바른 것은?

① 주황색　　② 녹색
③ 회색　　　④ 백색

🔍 해설
LPG 용기는 회색으로 도색된다.

09 압력조정기 가스 사고조사 FLOW-CHART에서 가스누출로 화재가 발생하는 원인으로 옳지 않은 것은?

① 용접부 핀홀　② 결함
③ 용기교체 미숙　④ 외부 충격

🔍 해설
압력조정기에서 가스누출로 화재가 발생하는 원인은 결함, 화재발생, 용기교체 미숙, 외부충격이다. 용접부 핀홀은 가스 용기 사고조사 시 확인사항이다.

10 탄화칼슘이 물과 반응할 때 생성되는 가연성 기체는?

① CH_4　　② C_2H_2
③ C_2H_4　　④ C_2H_8

🔍 해설
탄화칼슘과 물이 반응하여 아세틸렌가스가 발생하고, 이때 반응열에 의해 아세틸렌가스가 착화 후 폭발한다.
탄화칼슘과 물의 반응식
$CaC_2 + 2H_2O \rightarrow Ca(OH)_2 + C_2H_2 \uparrow$

정답 | 04 ②　05 ④　06 ③　07 ③　08 ③　09 ①　10 ②

11 흡입 시 폐에 흡수되어 헤모글로빈과 결합하여 산소 결핍으로 질식사를 유발하는 연소 생성물은?

① 불화수소(HF) ② 염화수소(HCl)
③ 시안화수소(HCN) ④ 일산화탄소(CO)

🛢 **해설**
일산화탄소(CO)는 폐에 흡입된 후 헤모글로빈과 결합하여 산소 결핍을 유발해 질식을 일으킨다.
① 불화수소(HF) : 불소를 함유한 물질이 연소할 때 발생하며, 유리나 모래를 부식시키는 성질이 있다.
② 염화수소(HCl) : 염소가 포함된 수지류가 연소할 때 발생하며, 눈과 호흡기에 영향을 준다.
③ 시안화수소(HCN) : 질소 성분이 포함된 물질의 불완전 연소로 발생하며, 맹독성 가스로 작용한다.

12 리프팅(Lifting) 현상의 원인으로 옳지 않은 것은?

① 염공에 먼지 등이 부착되어 염공이 작아진 경우
② 가스 공급압력이 지나치게 낮을 경우
③ 노즐구경이 지나치게 클 경우
④ 공기조절기를 지나치게 열었을 경우

🛢 **해설**
가스 공급압력이 높을 때 리프팅 현상이 발생하며, 낮을 때는 발생하지 않는다.

13 성냥 용기의 측약에 사용되는 발화제 물질은?

① 적린 ② 염화은
③ 황화안티몬 ④ 염소산칼륨

🛢 **해설**
적린은 높은 발화 온도와 강한 연소력을 가지고 있어, 성냥을 켜는 데 적합한 물질이다.

14 유염연소에 해당하는 것으로만 나열한 것은?

① 가스레인지불, 성냥불
② 담뱃불, 모기향
③ 용접불티, 모닥불
④ 모닥불, 용접불티

🛢 **해설**
가스레인지불, 모닥불, 성냥불은 유염연소 열원이고, 담뱃불, 용접불티, 모기향은 대표적인 무염연소 열원이다.

15 철분에 대한 설명으로 옳지 않은 것은?

① 철분은 철의 분말로, 53마이크로미터의 표준체를 통과하는 것이 50중량퍼센트 미만인 것은 제외된다.
② 철분은 산과 반응하여 수소가스를 발생시킬 수 있다.
③ 철분은 제2류 위험물로서 가연성고체에 해당한다.
④ 철분은 물과 반응하여 이산화탄소를 발생시킨다.

🛢 **해설**
철분은 물과 반응하여 수소(H_2) 가스를 발생시키며, 이산화탄소는 발생하지 않는다.

16 연역법에 대한 설명으로 옳지 않은 것은?

① 일반적인 원리나 법칙에서 출발하여 특정한 결론을 도출하는 방법이다.
② 사고 지점에서 시작하여 사고 이전 상태를 검사하는 방법이다.
③ 여러 화재사례나 증거를 수집하고 이를 바탕으로 가설을 수립하는 방법이다.
④ 전기 배선의 단락이 화재를 일으킬 수 있다는 이론을 바탕으로, 화재현장에서 전기 배선의 손상 흔적을 찾아 단락이 원인일 가능성을 분석할 수 있다.

🛢 **해설**
여러 화재사례나 증거를 수집하고 이를 바탕으로 가설을 수립하는 방법은 귀납법에 해당한다.

17 물질이 스스로 발화하지 않고, 외부 화원에 의해 착화되어 연소하는 현상은 무엇인가?

① 자연발화 ② 화합발화
③ 인화 ④ 폭발

🛢 **해설**
인화는 외부의 불꽃이나 스파크와 같은 화원에 의해 물질이 착화되어 연소하는 현상이다.

정답 | 11 ④ 12 ② 13 ① 14 ① 15 ④ 16 ③ 17 ③

18 자연발화의 조건에 대한 설명으로 옳지 않은 것은?

① 주변 온도가 높을 것
② 열의 축적이 양호할 것
③ 표면적이 작을 것
④ 산소의 공급이 적당할 것

해설
자연발화가 일어나기 쉬운 조건은 표면적이 클 것이며, 표면적이 작으면 열이 축적되기 어려워 자연발화가 일어나기 어렵다.

19 생석회(CaO)의 발화 위험성과 관련하여 옳지 않은 설명은?

① 생석회는 습기를 관리하지 못하면 화재의 원인이 될 수 있다.
② 생석회는 소량 쌓여도 발화할 가능성이 높다.
③ 생석회는 수분과 반응하여 발열하며, 대량일수록 발화 위험성이 커진다.
④ 농사철을 앞두고 밭에 사용할 생석회를 쌓아두는 경우 습기 관리가 중요하다.

해설
생석회를 소량으로 쌓아두면 열 발산이 적어 발화하기 어렵다. 대량으로 쌓아둘 경우 습기와 반응하여 발화 위험성이 커질 수 있다.

20 종합 분석에 포함되는 내용으로 옳지 않은 것은?

① 손상패턴 분석을 통해 폭발로 인한 구조물과 물체의 형태 및 규모를 평가한다.
② 구조물 분석을 통해 손상된 구조물의 설계와 재료 등을 분석하여 폭발의 구조적 요인을 파악한다.
③ 열효과 상관분석을 통해 화재 발생 시간을 추정할 수 있다.
④ 시간대(Time Line) 분석을 통해 사고 전후의 경위를 정리하고, 화재와 폭발의 인과관계를 분석한다.

해설
열효과 상관분석은 화재 발생 시간을 추정하는 것이 아니라, 폭발로 인한 열 손상을 분석하여 화학적 및 물리적 폭발의 원인을 파악하는 데 사용된다.

21 다음 중 열경화성수지에 해당하는 것은?

① 폴리에틸렌(PE)
② 폴리프로필렌(PP)
③ 아크릴수지
④ 에폭시수지

해설
에폭시수지는 열경화성수지로, 가열 후 경화되면 다시 녹지 않는 특성을 가진다.

22 담뱃불 화재현장에서의 주요 감식사항으로 옳지 않은 것은?

① 발화 증거품 발굴에 집중해야 한다.
② 흡연행위가 있었다는 인적행위에 대한 조사는 불필요하다.
③ 흡연행위와 착화물 간의 타당성을 입증해야 한다.
④ 담뱃불에 의해 착화될 수 있는 가연물을 밝혀 둔다.

해설
흡연행위에 대한 선행조사는 담뱃불 화재 감식에서 매우 중요한 과정이다.

23 소방관의 소방활동과 관련된 흥분감을 느끼며, 불을 붙인 후 진화하려는 시도를 보이는 방화범의 유형은?

① 구강기 방화범
② 항문기 방화범
③ 외음부기 방화범
④ 잠복기 방화범

해설
외음부기 방화범은 소방 활동과 관련된 흥분감을 느끼며, 방화를 저지른 후 진화하려는 시도를 보일 수 있다.

24 방화범의 일반적인 특징으로 옳지 않은 것은?

① 방화범은 단독 범행이 많고 주로 야간에 발생한다.
② 방화범은 피해 범위를 넓히기 위해 주로 인명을 대상으로 한다.
③ 방화범은 주로 계획적 범행을 저지르며, 우발적인 방화는 거의 없다.
④ 방화는 여성보다 남성에 의해 실행되는 빈도가 높다.

해설
방화는 계획적일 수도 있지만, 우발적으로 발생하는 경우가 많다. 이는 방화범의 심리적 불안정이나 충동적 성향에서 기인한다.

정답 | 18 ③ 19 ② 20 ③ 21 ④ 22 ② 23 ③ 24 ③

25 차량 화재 시 기계적인 불꽃에 대한 설명으로 옳지 않은 것은?

① 금속 대 금속 간의 접촉으로 마찰 불꽃이 발생할 수 있다.
② 차량의 속도에 따라 불꽃의 온도가 달라지며, 낮은 속도에서는 약 800℃, 높은 속도에서는 약 1,200℃의 불꽃이 발생할 수 있다.
③ 알루미늄과 포장도로 간의 마찰로 발생하는 불꽃은 높은 온도로 대부분의 물질을 점화시킬 수 있다.
④ 손상된 구동축이 포장도로와 접촉할 때 불꽃이 발생할 수 있다.

해설
알루미늄과 포장도로의 마찰로 인해 발생하는 불꽃은 에너지가 작아 대부분의 물질을 점화시키기 어렵다.

26 차량화재 시, 금속은 수열온도에 따라 변색된다. 다음 중 낮은 온도에서부터 높은 온도로 옳게 나열된 것은?

① 황색 → 백색 → 분홍색 → 청색
② 분홍색 → 황색 → 백색 → 청색
③ 분홍색 → 황색 → 청색 → 백색
④ 황색 → 청색 → 분홍색 → 백색

해설
금속은 수열온도에 따라 변색 차이가 있어 발화부 판정 시 참고한다.

참고

자동차 금속표면 수열 온도에 따른 변색 특징

수열 온도(℃)	변색
230	황색
320	청색
870	분홍색
1,200	백색

27 임야화재활동을 나타내는 깃발 색상의 연결이 옳지 않은 것은?

① 전진화재 : 빨강
② 후진화재 : 노랑
③ 횡진화재 : 녹색
④ 물리적 증거 : 흰색

해설
횡진화재를 나타내는 깃발의 색상은 파란색이다.

28 기상이 임야화재에 미치는 영향에 대한 설명으로 옳은 것은?

① 강우량은 연료의 습도를 증가시키므로 산불 발생 위험을 낮춘다.
② 푄현상은 차가운 바람이 산을 넘으며 건조해져 산불 발생 위험을 줄인다.
③ 바람은 산소를 공급하여 산불의 확산 속도와 지속성을 높인다.
④ 강우량이 많을수록 연료의 습도가 낮아져 산불 발생 가능성이 높아진다.

해설
바람은 산소를 공급하여 산불의 확산 속도를 높이고, 불씨를 이동시켜 산불을 확산시킬 수 있다.

29 선박 내부의 구성 요소에 해당하지 않는 것은?

① 침대 및 가구
② 엔진룸에 있는 배터리 및 보조 발전기
③ 통신 설비와 안테나
④ 연료와 물을 저장하는 탱크

해설
통신 설비와 안테나는 선박 외관 부속품이다.

정답 | 25 ③ 26 ④ 27 ③ 28 ③ 29 ③

30 선박화재의 현장 기록에 대한 설명으로 옳지 않은 것은?

① 선박화재의 현장기록은 일반적으로 구조물과 차량 화재 기록 요건과 유사하다.
② 화재가 발생한 선박은 화재 후 위치가 바뀌었더라도 조사에 큰 영향을 미치지 않는다.
③ 선박화재의 현장기록은 선박이 제 위치에 있을 때 조사되는 것이 이상적이다.
④ 선박화재현장기록은 때때로 폐기물처리장, 수리시설, 정박지 등에서 기록해야 할 경우가 있다.

해설
화재가 발생한 선박의 위치가 바뀌었다면, 화재 원인과 손상 정도를 분석하는 데 큰 영향을 미칠 수 있으므로 이를 확인하는 것이 중요하다.

정답 | 30 ②

Fire Investigaton &

화재감식평가기사 · 산업기사 필기

PART 03

증거물 관리 및 법과학

CHAPTER 01_ 증거의 종류
CHAPTER 02_ 증거물 수집·운송·저장·보관·검사
CHAPTER 03_ 촬영·녹화·녹음
CHAPTER 04_ 화재와 법과학
■ 출제예상문제(1회~4회)

CHAPTER 01 증거의 종류

1 물적 증거의 형태

(1) 물적 증거의 개념

① 특정한 사실이나 결과에 대해 입증 여부를 가능하게 하는 물리적인 물건 등을 말한다.
② 화재현장의 물적 증거물이란 발화 원인, 발화 위치, 확산 등에 직접적 영향을 주는 것들이다.

> **증거물의 역할**
>
> - 시간적 증거
> - 접촉 증거
> - 방향적 증거
> - 행위적 증거

> **시간적 증거의 예**
>
> 바닥의 유리창 파편 바닥면으로 그을음이 없는 경우, 화재 발생 이전에 인위적으로 유리창이 파손되었음을 시간적으로 추정할 수 있다.

(2) 가연성 액체, 액체용기

1) 액체 및 고체 증거물의 수집 시 고려해야 할 사항

① 탄화수소계 물질은 대부분 물보다 비중이 낮아 물 위로 부유한다.
② 금속 캔에는 2/3 이상 채우지 않는다.
③ 대부분의 액체 위험물은 용매작용을 한다.
④ 아세톤은 물과 쉽게 섞인다.

2) 인화성액체(촉진제) 조사방법

① 탐지견은 인화성액체를 감지하는 데 도움을 줄 수 있다.
② 인화성액체의 확인을 위해 대조시료를 채취한다.
③ 일반적으로 가솔린, 등유, 경유, 시너 등이 촉진제로 사용된다.
④ 화재현장에서 인화성액체가 발견되더라도, 방화 외의 다른 발화요인 가능성을 배제하지 않는다.

⑤ 유류 성분이 주변 가연물로부터 추출된 것이 아니라는 것을 입증하기 위해 유류 성분을 수집할 때 주변에 있는 바닥재나 플라스틱 등 비교샘플을 함께 수집한다.

(3) 깨진유리, 강제 개방 흔적

1) 유리 표면 충격과 열에 의한 금(크랙)과 파단면 비교

유리 파손흔은 힘에 의한 충격과 열에 의한 열팽창 파손흔으로 구분한다.

구분	금(크랙) 형태	파단면 형태
유리 표면 충격 파손	유리 표면 충격에 의한 동심원 파단면과 방사형 파단면의 리플마크	방사형 파단면의 리플마크
유리 수열 파손	열에 의한 유리의 파손흔	열에 의한 유리 파단면

① 유리 표면 충격 파손
　㉠ 파단면에는 커브형태 곡선이 연속해서 만들어진다.
　㉡ 거미줄과 같은 방사형태의 파손과 동 심원형태의 파손이 일어난다.
　㉢ 표면에는 리플마크가 쉽게 식별된다.

② 유리 수열 파손
　길고 구불구불한 불규칙한 형태의 금이 가면서 깨진다.

2) 충격과 폭발 충격파에 의한 유리 파손흔 비교

구분	일반 충격 유리 파손흔	폭발 충격파 유리 파손흔
파괴 기점	한 곳	압력파에 의한 유리창 전면
파단 형태	단독적 파손 형태, 방사상 형태	평행선 형태

① 폭발에 의하여 유리가 파손된 경우, 균열이 평행선에 가까운 모습을 보인다.
② 파손되어 바닥에 쏟아진 유리창의 내측에 그을음이 부착되어 있지 않다면, 화재발생 이전에 창문이 깨졌다는 것을 의미한다.

③ 화재와 폭발이 일어난 현장에서 멀리까지 비산된 유리창의 파편에 그을음이 부착되어 있다면, 화재가 먼저 일어나 이로 인해 폭발이 발생한 것으로 볼 수 있다.

3) 힘으로 구분하는 유리창 파손의 원인

구분	외력	열
유리 파손 원인 분류	• 내부충격 • 외부충격 • 내부파괴력	내부응력

① 열팽창에 의해 유리 내부 단면에 응력이 가해지기 때문이다.
② 열에 의해 유리는 수열면과 비수열면(유리의 중앙과 모서리, 화재실 내측면과 외측) 사이의 온도차에 의해 발생하는 응력으로 파열된다.

4) 강화유리 파손흔 특성

① 강화유리
  ㉠ 고온의 열처리를 한 뒤에 급속히 냉각한 유리이다.
  ㉡ 고강도, 우수한 내열성으로 안전성이 요구되는 부분에 주로 사용된다.

② 강화유리 파손흔 특성
강화유리는 화재나 폭발로 인하여 수많은 입방체모양의 크랙과 파편이 생성될 수 있다.

(4) 방화나 폭발장치 조각

[화재현장에서 방화를 의심하는 방화도구 증거 구분 및 세부항목]

구분	연료	용기	점화장치
세부 항목	• 인화성액체 • 폭약 • 가연성 가스 • 점화가능 • 고체 • 일반가연물 • 미상 • 기타	• 유리병 • 유류통 • 플라스틱병 • 박스 • 컵 • 압력용기 • 캔 • 미상 • 기타	• 심지 • 기계장치 • 시한 · 지연장치 • 촛불 • 리모콘 • 담배 • 화학약품 • 전기부품 • 성냥, 라이터 • 미상 • 기타

(5) 전기 구성요소

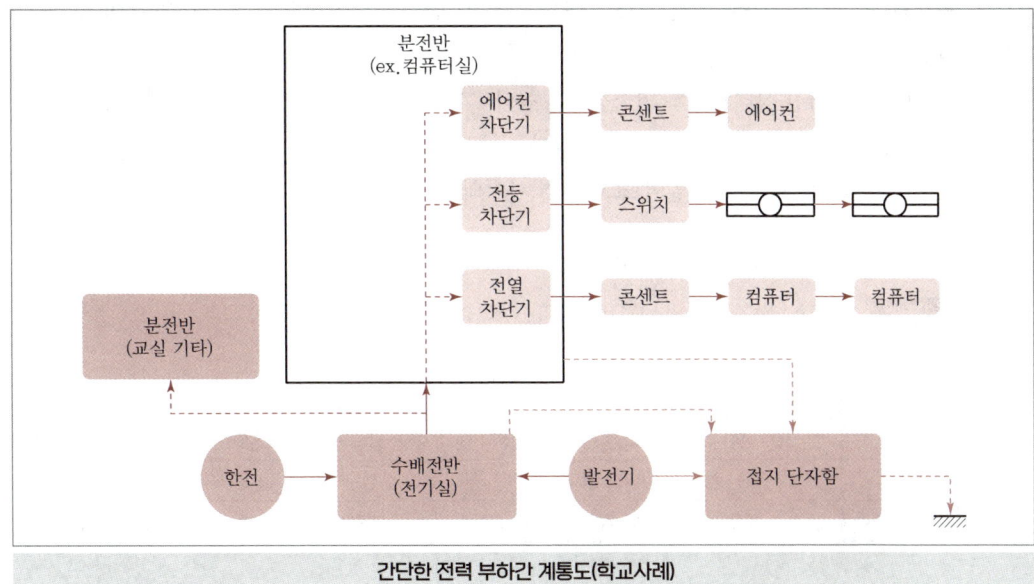

간단한 전력 부하간 계통도(학교사례)

① 한전 전원 공급에서부터 우리 생활에 사용되는 전기제품까지의 경로를 살펴보면 발전기, 배전반, 변압기, 분전반, 전로, 스위치, 부하(예 전등, 콘센트 등), 접지 등으로 구분할 수 있다.
② 부하부분(예 에어컨, 컴퓨터, 냉온수기 등), 배선, 분전반 및 스위치 등이 발화원이 될 수 있으며, 이를 물적 증거로 수집할 수 있다.

(6) 탄화된 나무, 종이나 서류, 금속물질, 섬유와 직물 등

1) 탄화된 나무

① 목재의 균열흔(Char blister)
목재의 균열은 가뭄 때 건조된 논바닥이 갈라지는 것과 같이 목재의 건조상태에 따라 골이 깊고 넓어지는 것이 관찰되는 연소흔을 말한다.

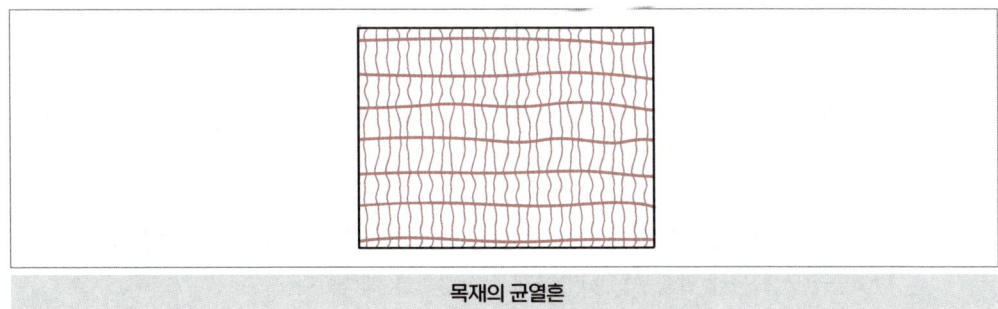

목재의 균열흔

② 목재의 연소강도에 따른 탄화흔 식별방법

목재의 탄화흔은 발화부의 연소강도가 높을수록 그 탄화면은 거칠고 균열 사이의 폭이 넓고 깊게 관찰된다.

㉠ 탄화면이 거친 상태일수록 연소강도는 높다.

㉡ 홈의 폭이 넓게 될수록 연소강도는 높다.

㉢ 발화부와 가까울수록 균열이 크고 균열 사이의 골이 깊다.

③ 노출온도 조건에 따른 목재의 균열흔

> **암기법** 완강열 친구일 → 완소흔 강소흔 열소흔 7 9 1

구분	노출온도(℃)	탄화형태
완소흔	700~800	갈라진 틈의 폭이 넓지 않고, 골이 얕으며, 부푼 모양이 삼각형 또는 사각형의 형태
강소흔	900	나무가 갈라져서 파인 골의 깊이가 깊은 편이며, 골의 테두리 모양은 각이 없는 반원형
열소흔	1,100	홈의 깊이가 가장 깊고, 홈의 폭이 넓으며, 부푼 형태는 구형에 가깝도록 볼록

④ 탄화심도

㉠ 탄화심도는 종종 화재의 지속시간을 측정하는 데 사용된다.

㉡ 탄화심도는 탄화 블리스터(Blister)의 중앙에서 측정된다.

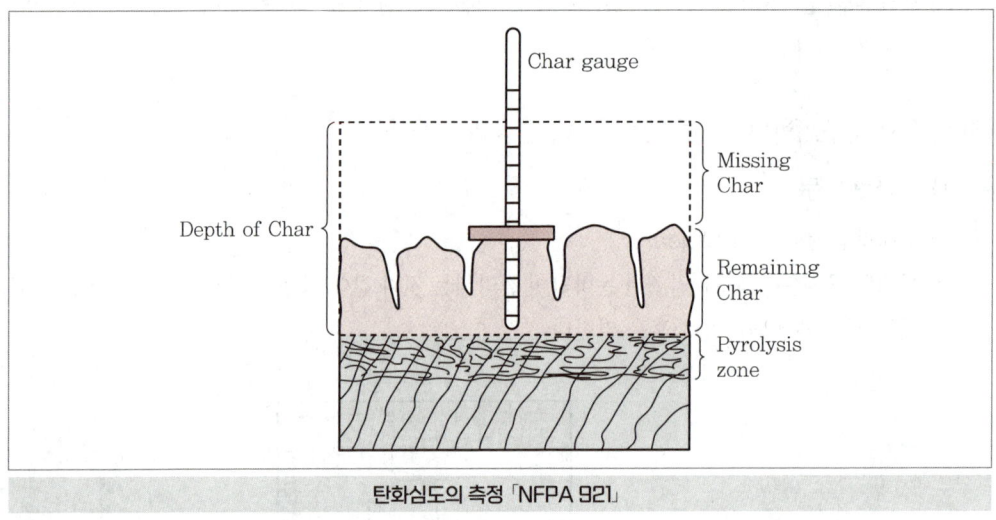

탄화심도의 측정 「NFPA 921」

⑤ 탄화등심도

㉠ 화재현장의 연소강도별 탄화심도가 동등한 부분을 연결하여 마치 지도처럼 묘사한 것이다.

㉡ 탄화등심도를 통해 발화부로부터 화재 확산경로를 예측한다.

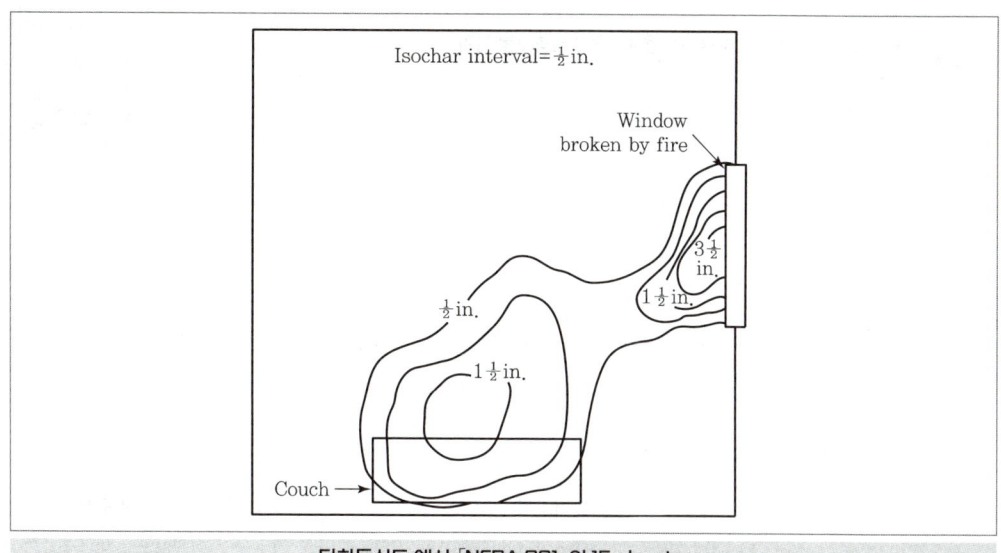

탄화등심도 예시 「NFPA 921」의 15 chapter

2) 종이나 서류

① 종이는 펄프, 목재가 주성분으로 연소가 손쉽다.
② 종이, 서류가 적재되어 있는 장소에서는 내부 축열이 용이하기 때문에 훈소의 특성을 보인다.

3) 금속물질

[각 물질별 용융점]

금속명칭	용융점(℃)	금속명칭	용융점(℃)
수은	39	금	1,063
주석	232	구리	1,083
납	327	니켈	1,455
아연	420	스테인리스	1,520
마그네슘	650	철	1,530
알루미늄	660	티탄	1,800
은	960	몰리브덴	2,620
황동	900~1,000	텅스텐	3,400

한번데클릭 시험에 자주 나오는 각 금속의 용융점이 높은 것부터 낮은 것의 순서 2가지

암기법 텅크마아주, 수(스)동막(마)아

- 텅스텐 → 크롬 → 마그네슘 → 아연 → 주석
- 텅스텐 → 스테인리스 → 동 → 마그네슘 → 아연

 **1,000℃, 1,500℃ 용융점으로 금속구분 암기**

> **암기법** 천 황은구금, 천오백 니스철
>
> • 약 1,000℃ 용융점 : 황동, 은, 구리, 금
> • 약 1,500℃ 용융점 : 니켈, 스테인리스, 철

4) 플라스틱, 섬유와 직물

플라스틱, 합성섬유 등은 수많은 분자로 이루어진 고분자화합물이며, 이러한 합성수지는 열에 의한 반응 형태로 인하여 열가소성 수지, 열경화성 수지로 분류될 수 있다.

① 고분자화합물의 열에 의한 반응 및 종류

구분	열가소성 수지	열경화성 수지
열에 의한 반응	가소성을 띠며 소성변형되어 액체형태로 되며, 냉각하여 재성형 가능	단단히 굳는 경화현상으로 재용융 또는 재성형 불가
종류	• 테프론 • 폴리에틸렌 • 폴리아크릴로니트릴 • 폴리카보네이트 • 폴리염화비닐	• 멜라민 수지 • 에폭시 • 페놀계 수지

② 플라스틱 증거물

　㉠ 열가소성 물질은 용해되고 흘러서 화재 확대의 원인이 된다.
　㉡ 보통의 폴리우레탄은 열경화성 물질로 탄화물질을 형성한다.
　㉢ 탄화수소계의 기본적인 고체 가연물인 플라스틱의 대부분은 열가소성이다.
　㉣ PVC와 같은 열가소성 물질은 가열되면 용융, 변형, 그리고 드롭다운 패턴이 형성된다.

2 정보

(1) 관계자 진술과 증거확보

1) 화재현장에서 관계인의 진술 및 증거확보 요령

① 사건 · 사고의 증거자료는 증거로서의 가치가 확보되어야 한다.
② 화재패턴은 가연물의 배치와 관계없이 관계인의 진술과 불일치 · 모순될 수 있다.
③ 화재감식에서 수거된 물증이 증거능력을 가지기 위해서는 확보, 수집단계부터 사건종료까지 보관관리가 적절하여야 한다.
④ 수집이나 보관이 잘못되어 중요한 단서가 유실되거나 변질되면 법적 증거로서의 가치를 잃게 될 수 있다.

2) 화재관련자들로부터의 정보수집
① 목격자로부터 목격경위, 목격위치, 목격상황에 대하여 청취하여야 한다.
② 소방관계자로부터 출동당시의 화세 및 확산경로에 대한 정보를 수집하여야 한다.
③ 사상자로부터 사상 시 위치·행동, 원인 등의 정보를 수집하여야 한다.
④ 관리자로부터 건물의 구조, 발화범위 내의 물건, 화기시설 등에 대하여 질문하여야 한다.

3) 화재조사관이 관계자 진술을 확보하고자 할 때 유의사항
① 인터뷰하는 동안 입수한 정보의 질을 평가해야 한다.
② 인터뷰의 목적은 유용하고 정확한 정보를 수집하기 위함이다.
③ 인터뷰는 화재가 완전히 진압된 뒤 신속히 진행한다.
④ 증인은 사고에 대한 직접적인 목격자가 아니라도 화재에 대한 정보를 제공할 수 있다.

(2) 법정 증언

화재조사한 사건은 그 화재로 인한 인명, 재산피해로 인하여 민·형사상 법정 소송으로 전개될 수 있으며 화재조사관은 법정에 증인으로 참여하여 증언을 하게 될 수 있다.

1) 법정 증언의 자세
① 차분한 마음상태를 유지한다.
② 사실적이고 객관적으로 답변한다.
③ 사투리, 속어 등의 단어를 피한다.
④ 질문의 의도를 파악하고 사실, 근거에 의거하여 답변한다.

2) 전문증거
① 직접 체험한 사람의 진술이 서면이나 타인의 진술이라는 매개를 통하여 법원에 전달되는 경우
② 자신이 직접 인지한 사실이나 다른 사람이 말한 것에 대한 증거로서 다른 사람의 신뢰성에 의존하는 증거(예 관계자 진술, 감정인 소견, 증언)

(3) 사진 및 비디오의 증거인정 범위
① 법정에 제출되는 사진에 촬영된 화재 현장 원본성 보장을 위해 발굴 전과 발굴 후 등을 촬영한 사진 및 비디오
② 화재조사관, 관계인, 목격자 등이 직접 촬영한 사진 및 비디오
③ 현장의 객관성을 입증하기 위해 광각 등이 왜곡, 과장되지 않은 사진 및 비디오

(4) 증거 보고서

화재조사 관련 법령에 의해 작성된 보고서, 수집 및 분석한 증거물 등의 문서는 법정에 증거로서 제출될 수 있으므로 화재조사관은 객관적이고 전문적인 보고서 작성에 신중하여야 한다.

CHAPTER 02 증거물 수집·운송·저장·보관·검사

1 화재현장 및 물적 증거의 보존

(1) 물리적 증거로서의 화재패턴

1) V패턴
① 물질의 연소에서 가장 빈번하게 형성되는 패턴이다.
② 화염, 고온화재의 가스로부터 대류열 또는 복사열의 연기에 의해 생성된다.
③ 화재효과의 가장자리를 나타내는 경계선이다.

2) 폴다운 패턴(드롭다운 패턴)
① 벽면에 부착된 포스터, 커튼, 수건걸이 등 이들 가연물이 발화지점과 멀리 떨어진 상태에서 화염에 노출되면 가연물이 바닥에 낙하하여 2차 발화할 수 있다.
② 화재조사현장에서 발화지점이 여러 개라는 특이점을 발견하고 방화의 특징으로 오해하는 경우도 있다.

3) 포어 패턴(pour pattern)
인화성 액체가연물이 바닥에 쏟아졌을 때 쏟아진 부분과 쏟아지지 않은 부분의 탄화경계 흔적을 말한다.

4) 엘리게이터 탄화 패턴
연소가 지속되어 더 많은 휘발성 물질이 목재로부터 분출될 때 탄화표면이 형성되면서 탄화층이 심화되고 균열과 크랙이 발생하여 형성되는 패턴이다.

5) 열 그림자 패턴
① 어떤 물체가 복사열, 대류열, 또는 직접 화염접촉을 차단하여 형성되는 패턴이다.
② 여기서 열 에너지의 이동을 차단하는 물체는 고체, 액체일 수도 있고 가연성 또는 불연성 물질일 수도 있다.
③ 열 에너지를 흡수하거나 반사하는 모든 물체는 열 그림자 패턴의 형성을 유발할 수 있다.

6) 보호구역 패턴
① 보호구역은 어떤 물체에 가려져 연소생성물이 축적되지 못한 결과로 인해 형성된다. 이때 연소생성물의 축적을 방해하는 물체는 고체 또는 액체, 가연성, 불연성 물질이 될 수 있다.

② 보호구역은 화재조사요원의 화재현장 재구성에 유용한 기법으로 발화원 판정 중에 발화이전 상태(pre-fire locations)에 물체의 위치를 표시함으로써 가능하다.

시신에 의해 만들어진 보호구역 「NFPA 921」의 15 chapter

7) 환기 패턴
발화구획실과 외기 또는 공기유입구 등에 의한 공기유동로에 따라 환기 패턴이 발생한다.

8) 백화현상
① 화재현장에 있는 벽면이나 철판 등에 발생하는 현상이다.
② 그을음이 부착되었다가 열에 의해 연소한 흔적이다.
③ 직접적으로 화염과 접하거나 강력한 복사열에 노출되게 되면 대부분 연소되어 비가연성 표면(예 벽면, 금속 등)이 노출되어 관찰되는 것을 백화현상, 백화연소흔이라고 한다.

> **한번데클릭** 가연성 액체가 살포된 수평재에서 발견되는 패턴
>
> - 포어 패턴
> - 스플래쉬 패턴
> - 도넛 패턴

(2) 인공증거물(Artifact Evidence)

1) 인공증거물 정의
인공증거물이란 최초 발화물질, 발화원, 화재 점화 요인이나 전이와 관련된 어떤 방식의 구성 요소에 잔류하여 나타나는 것을 말한다.

2) 인공증거물 종류

① 발화원
② 화재의 발화에 관련된 물품
③ 표면에 화재패턴이 남아있는 물품
④ 화재 확산에 관련된 부속물의 잔재

> **한번 더 클릭** 가연성 액체가 살포된 수평재에서 발견되는 패턴
>
> **Chapter16 물적 증거「NFPA 921 CODE」인공증거물(Artifact Evidence)**
>
> **16.3.1.3 화재현장의 증거**
> 화재현장의 증거는 전통적인 법과학 증거(예 무기, bodily fluids, 발자국 등)와 같은 범죄가 배경이 될 수도 있고 방화와 관련된 증거, 품목, 또는 연소기구나 용기와 같은 인위적인 가공물(artifact)로 제한될 수 있다. 화재현장과 주변에서의 잠재적인 증거에는 물리적 구조물, 내용물, 인위적 가공물 그리고 발화된 물질이나 화재형태(fire pattern)가 나타난 물질이 포함될 수 있다.
>
> **16.3.3 인위적인 가공물(artifact) 증거**
> 인위적인 가공물은 최초 발화물질, 발화원 또는 기타 품목 또는 화재 점화, 전개나 전이와 관련된 어떤 방식의 구성 요소(component)에 잔류하여 나타날 수 있다. 인위적인 가공물은 화재형태가 나타나는 품목이 될 수도 있는데 이러한 경우에는 인위적 가공물을 품목 그 자체가 아닌 화재형태를 함유하고 있는 그 형태 그대로 보존해야 한다.

(3) 증거보호

① 관계지역을 폴리스라인 테이프로 격리한다.
② 해당지역의 정밀조사를 위하여 방수포로 덮어 놓는다.
③ 직접 분사 기구의 사용은 증거 손상을 최소화한다.
④ 추가 조사가 필요한 지역에 증거를 나타내는 숫자 표시나 경고표지를 사용할 수 있다.

(4) 화재현장 보존을 위한 조치

1) 제8조 화재현장 보존 등「소방의 화재조사에 관한 법률」

① 소방관서장은 화재조사를 위하여 필요한 범위에서 화재현장 보존조치를 하거나 화재현장과 그 인근 지역을 통제구역으로 설정할 수 있다. 다만, 방화(放火) 또는 실화(失火)의 혐의로 수사의 대상이 된 경우에는 관할 경찰·해양경찰서장이 통제구역을 설정한다.
② 누구든지 소방관서장 또는 경찰서장의 허가 없이 통제구역에 출입하여서는 아니 된다.
③ 화재현장 보존조치를 하거나 통제구역을 설정한 경우 누구든지 소방관서장 또는 경찰서장의 허가 없이 화재현장에 있는 물건 등을 이동시키거나 변경·훼손하여서는 아니 된다. 다만, 공공의 이익에 중대한 영향을 미친다고 판단되거나 인명구조 등 긴급한 사유가 있는 경우에는 그러하지 아니하다.
④ 화재현장 보존조치, 통제구역의 설정 및 출입 등에 필요한 사항은 대통령령으로 정한다.

2) 화재현장 보존을 위한 소방대원의 역할 및 주의사항

① 잔화를 정리하는 동안 남아있는 증거물이 훼손될 수 있으므로 주의하여야 한다.
② 화재현장에 있는 설비, 기구 또는 시설의 손잡이를 돌리거나 작동 스위치를 켜는 것을 자제하여야 한다.

③ 화재현장에서 휘발유나 경유로 작동되는 도구 및 설비를 사용하는 것은 자제하는 것이 좋다.
④ 사망이 확인된 사체는 현장보존을 위해 그 위치를 변경하여서는 안 된다.
⑤ 잔불정리 시에 필요 이상으로 물건을 옮기거나 쓰러뜨리지 않도록 한다.
⑥ 화재진압과정에서 수압은 증거물 파손 예방을 고려하여 조절한다.
⑦ 부득이하게 파괴되거나 변경되었을 때는 그 내용을 기록해 추후에라도 화재조사관에게 전달하여야 한다.

(5) 소화활동 인력의 역할 및 책임

1) 화재 진압 작업 시 증거물 보존을 위한 주의사항

① 소방 호스의 사용은 물리적 증거를 옮기거나 손상시킬 수 있으니 주의한다.
② 동력절단기 사용을 위한 연료주입은 화재현장 진입 전 외부에서 실시한다.
③ 잔불을 정리하거나 복원 작업을 할 때 증거를 불필요하게 훼손하지 않도록 한다.
④ 화재패턴이 남아 있을 가능성이 있어 화재조사관이 바닥을 살펴봐야 하는 경우 소화 시 화재패턴에 최소한의 영향만 주도록 한다.
⑤ 잔불 정리를 위해 현장 물건을 과도하게 변형하거나 이동되지 않도록 한다.
⑥ 발화원 등의 연소잔해가 있는 방향에는 직수 소화에 의한 증거물 파괴를 피한다.
⑦ 현장진입을 위해 개방하고자 하는 출입문이나 창문에서 파괴흔적 발견 시 화재조사관에게 알려야 한다.

2 물적 증거의 오염

(1) 증거물보관 용기의 오염

① 새 증거물 보관용기는 기존에 사용되었던 용기와 오염지역에서 떨어진 곳에 보관하여야 한다.
② 수집장소에서 증거물을 담을 때에만 용기를 개봉하고 증거물을 담은 후에는 실험실에서 조사할 때까지 계속 봉인되어 있어야 한다.

(2) 증거수집과정에서의 오염

1) 증거물이 오염될 수 있는 원인

① 탄화된 물체와의 이질적 혼합
② 수집과정에서 조사자의 부주의
③ 수집용기의 재사용
④ 수집용기의 밀봉조치 미흡

2) 증거수집과정에서 오염 예방방법

① 액체 및 고체 촉진제는 화재조사관의 장갑에 흡수될 수도 있다.
② 물리적 증거물에 대한 대부분의 오염은 수집하는 과정에서 발생한다.
③ 액체나 고체 촉진제 증거물 수집 시 일회용 비닐장갑을 착용해야 한다.
④ 증거물의 오염을 최소화하기 위해 증거 보관용기와 그 마개를 이용해 수집할 수 있다.
⑤ 증거물 수집용기의 금속 뚜껑을 수집 도구로 활용한다.
⑥ 상호 교차 오염을 방지하기 위해 화재조사관은 액체나 고체 촉진제 중 증거물을 수집할 때 일회용 비닐장갑을 착용하고 작업하는 것이 효과적이다.
⑦ 면장갑 대신 일회용 비닐장갑을 이용한다.
⑧ 빗자루, 부삽 등 증거수집도구는 오염이 되지 않도록 조치한 후에 사용한다.
⑨ 정확한 증거물의 수집을 위하여 무수(無水)성 또는 기타 형태의 클리너를 사용한다.

3 증거물 수집 방법

(1) 물리적 증거 수집과 보전

1) 물리적 증거물 수집방법 결정요인

① **휘발성** : 액체 및 기체 증거물은 쉽게 증발될 수 있으므로 물리적 증거물이 증발되는 정도를 고려하여 증거물 수집방법을 결정한다.
② **파손성** : 물리적 증거물이 부서지거나, 손상되거나 변하는 정도 등 증거물의 파손성을 고려하여 증거물 수집방법을 결정한다.
③ **물리적 상태** : 물리적 증거물의 상태가 고체, 액체, 또는 기체인지 물리적 상태를 반드시 확인하여 증거물 수집방법을 결정한다.
④ **물리적 특성** : 물리적 증거물의 위치, 탄화 및 용융의 변형 정도, 상변화, 열에 의한 구조물의 영향 등 물리적 특성을 파악하여 증거물 수집방법을 결정한다.

2) 증거물의 수집에 관한 고려사항

① 고체 표본을 수집할 때 용기의 2/3 이상을 채워서는 안 된다.
② 등유와 같은 탄화수소계 액체 위험물은 비수용성으로서 물과 혼합되지 않는다.
③ 경우와 같이 흔히 사용되는 화재 촉진제 증기는 탄소량이 커서 공기보다 더 무겁다.
④ 화재 촉진제로 사용되는 휘발유와 같은 인화성 액체는 상온에서 자연발화하지 않는다.

3) 증거물의 수집 기본원칙

① 맨손으로 만지지 말고 일회용 장갑을 착용하여 오염을 최소화한다.
② 증거물에 부착된 오염물질을 강제로 털어 내거나 떼어 내려고 하지 않도록 한다.
③ 증거물 수집은 가능한 한 빨리 수거하도록 한다.

④ 다른 곳에서 발견된 동일한 물질은 별도의 용기에 넣어 수거한다.
⑤ 가급적 증거물 전체를 수집 또는 채취한다.
⑥ 채취된 증거물의 물질이 상이할 때에는 서로 섞이지 않도록 분리하여 채취, 보관한다.
⑦ 감정의뢰서에 증거물을 수집, 채취한 경과와 사건개요를 기술한다.

4) 증거물 수집 세트 「화재조사 기자재 사용 매뉴얼, 인천소방본부」

증거물 밀봉테이프, 비닐증거물 보호봉투, 메탈용기, 투명용기, 플라스틱용기, 식별 라벨, 식별 태그, 필기도구, 발굴도구(돋보기, 핀셋, 고무망치 등) 발굴에 필요한 장갑, 기체채취기(검지펌프, 일반 검지관), 주사기 등

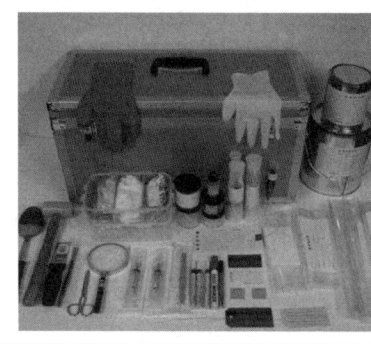

증거물 수집 세트

5) 증거물 보관용기의 종류 「화재조사 기자재 사용 매뉴얼, 인천소방본부」

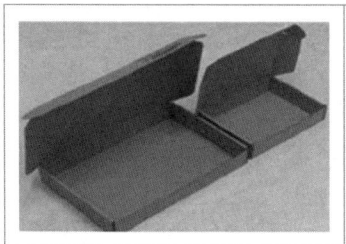

종이상자

금속캔

유리병

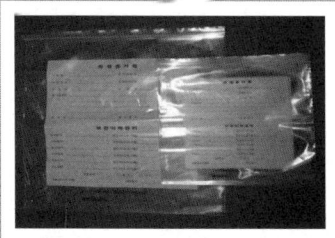

비닐봉지

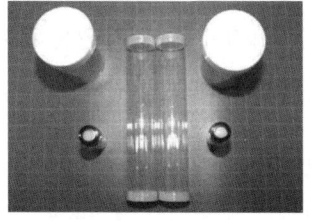

플라스틱용기

종이봉투

6) 증거물 보관용기의 장·단점 「화재조사 기자재 사용 매뉴얼, 인천소방본부」

구분	장점	단점
종이상자	• 전선류 등 부피가 큰 시료를 담을 수가 있다. • 대·중·소에 따라 구분 사용이 가능하다. • 금속캔, 유리병 등 포장용도로 사용할 수 있다.	• 기밀성과 습기에 약하여 찢어지거나 파손 우려가 있다. • 이로 인해 증거물을 쉽게 오염시킬 수 있다.
금속캔	• 쉽게 구할 수 있고 가격이 저렴하다. • 투과성이 없고 내구성이 좋으며 사용이 편리하다. • 휘발성액체의 증발을 막을 수 있다.	• 투과성이 없어 안의 내용물을 볼 수 없다. • 산화하여 녹이 생길 우려가 있다. • 휘발성액체 저장 시 증기압으로 마개가 열릴 수 있다. • 증기 공간 확보를 위해 2/3 이상 채우지 않도록 한다.
유리병	• 쉽게 구할 수 있고 가격이 저렴하다. • 용기를 열지 않아도 내용물을 볼 수 있다. • 휘발성액체의 증발을 막을 수 있다. • 장기간 저장 시 증거물의 악화를 줄일 수 있다.	• 깨지기 쉽다. • 용기의 크기 제한으로 대량저장이 어렵다. • 마개는 접착제나 고무패킹은 없도록 하고 2/3 이상 채우지 않도록 한다.
비닐봉지	• 모양과 크기가 다양하고 가격이 저렴하다. • 봉지를 열지 않아도 내용물을 볼 수 있다. • 보관이 편리하다.	• 손상되기 쉽고 오염을 일으킬 수 있다. • 탄화수소와 알코올 등 액체 증거물은 담기가 곤란하다. • 액체 시료를 담을 경우 찢겨짐, 구멍 등으로 표본손실이나 견본 상자의 용기 내 교차 오염을 일으킬 수 있다.
특수증거물 수집가방	• 액체와 고체 증거물을 구분하여 수집할 수 있는 특수 가방으로 보관·이동이 편리하다. • 액체촉진제의 증발 및 오염방지 능력이 우수하다.	• 파손되기 쉽고, 봉인이 어려운 경향이 있으며 물증 자체의 오염을 야기시킬 수 있다.
일반플라스틱 용기	• 모양과 크기가 다양하고 가격이 저렴하다. • 봉지를 열지 않아도 내용물을 볼 수 있다. • 보관이 편리하다.	• 탄화수소와 아세톤 등 액체 증거물은 담기가 곤란하다. • 액체 시료를 담을 경우 구멍 등으로 표본손실이나 견본 상자의 용기 내 교차 오염을 일으킬 수 있다.

7) 유리병 특징

① 가격이 저렴하고 쉽게 구할 수 있는 장점이 있다.
② 액체와 고체 촉진제를 장기간 보관할 수 있다.
③ 유리병은 액체와 고체 촉진제 증거물을 수집하는 데 이용된다.
④ 많은 양의 촉진제 증거물을 수집할 때는 고무로 봉인하지 않는 것이 중요하다.

8) [별표 1] 제4조 제2항 증거물의 수집방법 및 용기의 결정사항 「화재증거물수집관리규칙」

① 정상적인 내부압력을 견딜 수 있어야 한다.
② 녹슨 것은 폐기해야 한다.
③ 코르크 마개를 휘발성 액체 수집용기에 사용하지 않는다.
④ 휘발성 물질은 그에 맞는 용기를 선정해야 한다.

(2) 법의학적 물리적 증거물의 수집

① 손가락, 지문, 피, 타액 등 체액
② 머리카락 및 섬유
③ 신발자국, 흙 및 모래
④ 나무 및 톱밥

⑤ 유리, 페인트, 금속
⑥ 필적, 의심되는 문서

(3) 촉진제 테스트를 위한 증거 수집

1) 액체 연소촉진제(Accelerant) 일반적 특징
① 발열량이 크다.
② 보통 물보다 비중이 낮아 가볍다.
③ 다공성 물질에 흡수가 용이하여 지속성·잔류성을 가진다.
④ 물에 잘 녹지 않는 비수용성이 다수이다(수용성 알코올 제외).
⑤ 액상 또는 기상으로 발견할 수 있다.

2) 액체 연소촉진제의 물리적 증거 수집 시 고려사항
① 흡수성 물질(밀가루 등)은 실험실로 옮겨서 추출하는 것이 좋다.
② 액체 연소촉진제는 다공성 물질 안에 갇혔을 때 다공성 물질 안에 존재할 가능성이 높으므로 주의 깊게 확인한다.
③ 액체 연소촉진제는 대부분 구조부, 내부 마감재 및 기타 화재 잔해에 쉽게 흡수됨으로 물질 내부에 흡수되었는지 확인한다.
④ 액체 연소촉진제는 대부분 물보다 비중이 낮아 기름띠로 이를 확인할 수 있으나, 물에 잘 녹는 수용성 알코올의 경우 예외이다.
⑤ 액체 표본 채취 시 살균한 거즈패드를 사용할 수 있다.
⑥ 액체촉진제는 다공성 물질 안에 갇혔을 때 지속성이 매우 높다.
⑦ 휘발성이 있는 유류 증거물 등은 수집과 동시에 밀폐된 용기에 담아 밀봉하여야 하며, 가능하면 증발을 줄이기 위해 차가운 곳에 보관해야 한다.

3) 화학흡착제법
① 액체 연소 촉진제가 콘크리트 바닥과 같은 다공성 물질에 갇혀 있는 경우 화학적으로 채취하는 방법이다.
② 다음의 재료들을 이용해 증거물을 수집한다.
  ㉠ 베이킹파우더가 들어 있지 않은 밀가루를 붙여 채취한다.
  ㉡ 석회를 표면에 발라 채취한다.
  ㉢ 규조토를 20~30분 동안 표면에 발라 채취한다.

(4) 전기설비 구성부품의 수집
① 전기 제품의 경우, 중요 부품, 전원 케이블 및 연료 공급 배관 등 구성품들을 포함한다.
② 전선은 가급적 남아 있는 피복까지 검사할 수 있도록 길게 수집하도록 한다.

③ 전기 제품에 대한 분해조사 또는 수집과 이송은 증거물의 발견 당시 상태를 유지하도록 최선을 다해야 한다.
④ 전기설비나 구성부품의 수집 전에 전원의 차단 여부를 확인해야 하며 증거물이 발견된 상태 그대로 보존하여야 한다.
⑤ 제품 내 전기적 특이점이 발견된다면 상태 그대로 보존해 수거한다.
⑥ 전기기기를 전체적으로 제거하는 것이 불가능한 경우 제자리에 안전하게 놓는 것이 좋다.

> **한번더클릭 슬리빙(sleeving)**
> 과부하로 인한 줄열 상승으로 인해 전선 케이블 피복이 용융되어 도선이 노출되는 현상을 말한다.

(5) 전기 기기 또는 소형 전기 제품의 수집

[냉온수기 자동온도 조절장치의 서모스탯]

냉온수기 자동온도 조절장치에서 바이메탈 서모스탯의 내측 가동접점 부분과 고정접점 단자 사이에서 발생된 트래킹에 의한 전기적인 발열 및 용융 등으로 인한 발화가 빈번히 관찰된다.

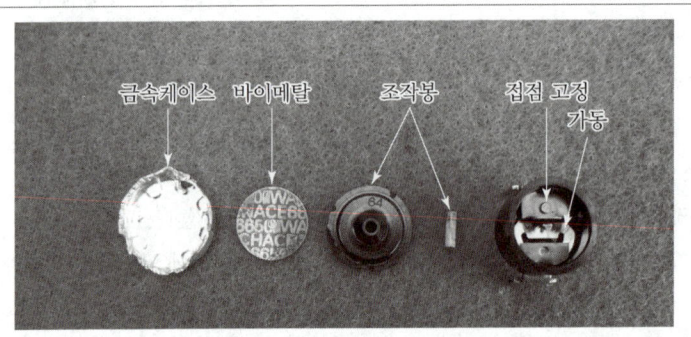

냉온수기에 사용하는 서모스탯 「중앙소방학교」

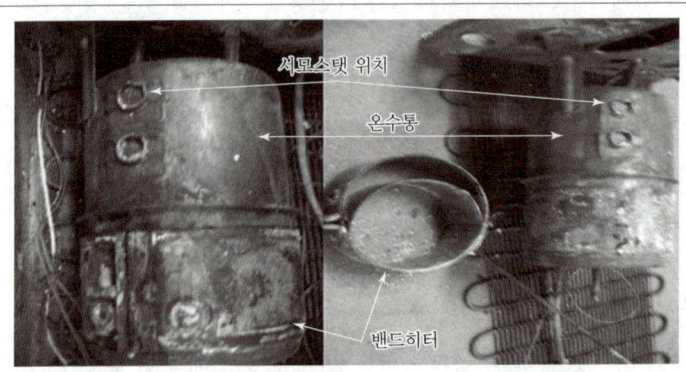

온수통과 서모스탯 및 밴드히터 소손상황 「중앙소방학교」

 ## 증거 보관 용기

(1) 액체 및 고체 촉진제 증거물 보관 용기

액체시료를 채울 때에는 검사 또는 검증과정에서 시료 채취를 용이하게 하기 위하여 금속캔 용적의 2/3 이상을 채워서는 안 된다.

1) 액체 및 고체 촉진제 증거물 보관 용기 종류

수집용기	증거물 상태
비닐팩	고체
종이상자	고체
유리병	고체, 액체
금속캔	고체, 액체

금속캔 시료 용기

2) 가연성액체 증거 보관 용기 구비조건

① 가연성액체 증거를 온전하게 보존해야 한다.
② 가연성액체 증거의 오염과 변화를 예방해야 한다.
③ 가연성액체 증거의 기화를 막기 위해 밀봉하여야 한다.
④ 가연성액체 증거의 물리적 상태, 특징, 파괴성, 휘발성을 고려하여 선택한다.

물적 증거의 수송 및 보관

(1) 직접 운반

화재현장의 증거물을 연구소나 감정기관으로 보내기 위하여 화재조사관이 인편송부나 탁송절차를 거치는데 현행 탁송규정상 우편 취급이 부적절하다고 인정되는 물건은 직접 운반한다.

> **한번데클릭** 제2조 우편금지물품의 종류 「우편금지물품의 내용에 관한 고시」에서 화재조사 관련 대표 물질
>
> 1. 폭발성 물질
> 2. 발화성 물질
> 3. 가연성 물질
> 4. 인화성 물질
> 5. 유독성 물질
> 6. 강산류 및 강산화성 물질

(2) 발송
① 증거물이 원형을 보존하도록 한다.
② 화재조사관의 이름, 증거물의 상세목록 등이 기록된 실험실 검사 및 테스트를 위한 문서를 동봉한다.
③ 신뢰성이 높은 우편서비스로 보내도록 한다.
④ 수집된 증거물이 다수일 경우 개별 포장한다. 특히 인화성 물질의 경우 엄수한다.

(3) 증거물의 보관
① 휘발성 증거물을 다룰 때 극한 온도의 영향으로부터 보호되어야 한다.
② 휘발성 증거물을 보관할 때에는 냉장보관하는 것이 좋다.
③ 증거물 보관실은 서늘하고 통풍이 원활하며 햇빛에 증거물이 변형되지 않는 곳이 좋다.
④ 물리적 증거물의 운반은 화재조사관이 직접 운반하는 것이 원칙이다.

6 물적 증거의 검사 및 테스트

(1) 테스트 방법

1) 가스 크로마토그래피법(Gas chromatography)
① 가스 크로마토그래피 정의
  ㉠ 인화성액체 등의 정확한 온도별 탄화수소 판별 및 함량 성분을 분석 하는 과정이다.
  ㉡ 낮은 온도에서부터 점차적으로 온도를 올리면서 시간에 따라 시료로부터 검출되는 탄화수소의 함량을 그래프로 나타낸 것이다.
  ㉢ "GC-MS(Gas Chromatography-Mass Spectrometry)"라 함은 복잡한 혼합성분을 GC로 분리하고 MS를 통해 모든 이온을 감지하여 얻어진 TIC(Total Ion Chromatogram)로 각각의 성분에 대해 정성·정량분석하는 장비이다.

② 가스 크로마토그래피법 수행 절차

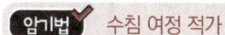 수침 여정 적가

감식물 습득(수거) → 침지 → 여과 → 정제 → 적외선 흡수 스펙트럼 분석 → 가스 크로마토그래피법

③ 가스 크로마토그래피 구성요소

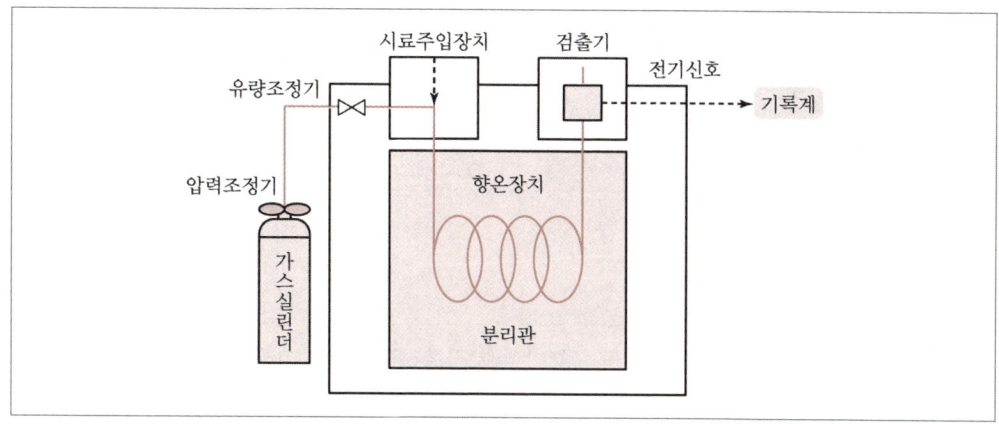

㉠ 압력조정기와 유량조정기가 부착된 운반기체(Carrier Gas)의 고압실린더
㉡ 시료주입장치(Injector)
㉢ 분석칼럼(Analytical Column)
㉣ 검출기(Detector) : 분리관에서 분리한 성분을 검출
㉤ 전위계와 기록기(Data System) : 검출기에서 검출한 신호를 전환시키고 기록
㉥ 항온 장치 : 분리관, 시료주입기, 검출기 등 각 부분 온도조절

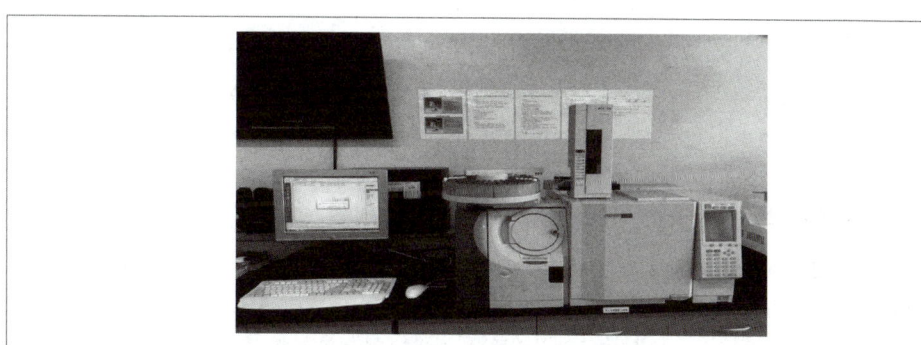

GCMS(동일시마즈 GCMS-QP2010)

④ 가스 크로마토그래피 분석이 어렵거나 불가능한 물질
㉠ 분자량이 적지만 휘발되지 않는 물질 : 무기금속, 금속, 소금
㉡ 재반응성이 크거나 불안정한 물질 : 불산, 오존, 질소산화물(NOx)
㉢ 흡착력이 매우 큰 물질 : 분석 시 흡착이나 재반응이 잘 일어나는 물질로 주로 카르복실기, 히드록실기, 아미노기, 유황

⑤ 가솔린(Gasoline)을 GC-MS로 분석할 경우 검출되는 성분 BTX

벤젠, 톨루엔, 크실렌은 휘발유에 혼합되거나 용매로써 사용되는 대표적 물질이며, 이들 화학성분은 석유화학공업 중에 BTX공업의 머리글자에 해당된다.

[분별증류에 의해 얻어진 석유 제품의 끓는점과 탄소수]

유분	비점범위(℃)	탄소수
경질 나프타	30~120	5~8
중질 나프타	100~200	7~12
등유	150~180	9~19
경유	230~350	14~23
찌꺼기유	300 이상	17 이상

※ 휘발유(나프타)는 비점이 낮고 탄소수가 적다.

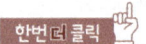 톨루엔

- 특이한 냄새가 나는 무색액체로 물에는 녹지 않지만 에테르 등 유기용매와 임의의 비율로 혼합하는 물질로 메틸벤젠이라고 불리며 방화촉진제로 사용이 가능한 물질이다.
- 톨루엔은 방향족 화합물로서 벤젠고리에 메틸기가 있어 메틸벤젠이라 한다.
- 톨루엔의 구조는 다음과 같다.

2) 질량분광계(MS ; Mass Spectrometry)

① 가스 크로마토그래피법을 통해 분리된 각 원소들에 대한 상세한 분석을 수행하는 장비이다.
② 진공조건에서 시료를 이온화하여 분자 질량, 분자량, 분자구조를 분석하는 장비이다.
③ 질량분석 작동 절차

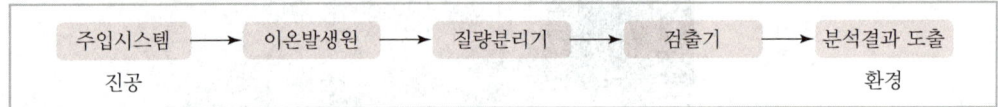

3) 원자흡광분석(AA ; Atomic Absorption)

시료 원자의 광원 파장을 흡수하는 방법으로 금속·반금속·비금속원소, 세라믹류 또는 흙과 같은 휘발성이 아닌 물질에 있는 개별 원소들을 구분한다.

4) 적외선 분광광도계(IR ; Infrared Spectrophotometer)

기체, 액체, 고체 등 유기물에 IR 빔을 조사하는 에너지교환 현상을 이용하여 스펙트럼으로 분석한다.

5) 엑스레이 형광분석(XRF ; X-Ray Fluorescence Spectrometer)

① 정의
  ㉠ 여기 상태의 전자가 방출하는 빛을 측정하여 유기물 및 무기물에서의 특정 원소를 정성·정량 분석하는 방법이다.
  ㉡ 물질의 원소 조성을 측정하기 위한 신속한 비파괴적 분석방법이다.

② 분석 원리 FLOW
  ㉠ 연속 X-ray로 분석 시료(모든 종류의 고체류, 분말류, 용액류 및 대기 중 부유물 등)를 여기(excitation)한다.
  ㉡ 시료 구성 원소들에서 발생한 원소 특유의 파장을 갖는 X-ray를 측정한다.
  ㉢ 측정되어 나온 원소별 특성 파장을 이용하여 시료를 구성하는 원소 규명한다(정성분석).
  ㉣ 원소 파장 위치에서 강도를 측정함으로서 원소함량을 정확하게 분석한다(정량분석).

6) 주사전자현미경(SEM ; Scanning Electron Microscope)

주사전자현미경은 고체상태에서 작은 크기의 미세 조직과 형상을 관찰할 때 널리 쓰이는 현미경이다.

7) 인화점 시험방법의 종류 및 적용기준

인화점 종류	시험방법	적용기준	적용유종
밀폐식 인화점	태그 밀폐식 (Tag Closed Cup)	점성이 낮고 인화점이 93℃ 이하인 시료 ※ 적용제외 시료 • 40℃의 동점도가 5.5mm²/s 이상인 시료 • 시험 조건에서 기름막이 생기는 시료 • 현탁 물질을 함유하는 시료	원유, 가솔린, 등유, 항공 터빈 연료유
	신속 평형법	인화점이 110℃ 이하인 시료	원유, 등유, 경유, 중유, 항공 터빈 연료유
	펜스키 마텐스 밀폐식 (Pensky-Martens)	밀폐식 인화점의 측정이 필요한 시료 및 태그 밀폐식 인화점 시험방법을 적용할 수 없는 시료 ※ 인화성 액체, 부유물을 가진 액체, 시험 조건에서 표면 막을 형성하기 쉬운 액체, 40~370℃의 온도범위를 가지는 기타 액체의 인화점을 시험하는 방법	원유, 경유, 중유, 전기 절연유, 방청유, 절삭유제
개방식 인화점	클리브랜드 개방식 (Cleveland Open Cup)	인화점이 80℃ 이상인 시료. 다만, 원유 및 연료유는 제외	석유 아스팔트, 유동 파라핀, 에어 필터유, 석유 왁스, 방청유, 전기 절연유, 열처리유, 절삭유제, 각종 윤활유

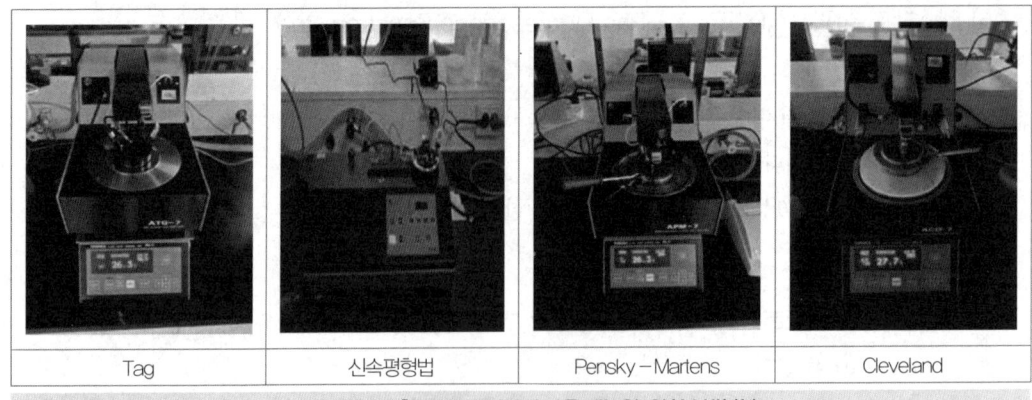

| Tag | 신속평형법 | Pensky-Martens | Cleveland |

인화점시험기기 「화재조사 기자재 사용 매뉴얼, 인천소방본부」

① 클리브랜드 개방식 연소점 측정 방법

인화점 측정 후 다시 매분 5.5±0.5℃의 비율로 가열을 계속하여 2℃ 상승할 때마다 인화점 측정과 똑같이 불꽃을 움직여서 시료를 5초 동안 계속 연소했을 때 처음 온도계의 눈금을 측정 연소점으로 기록한다.

② 클리브랜드 개방식 인화점 측정 시 주의사항

㉠ 외풍이 없고 수평하며 안정된 실험대에 설치하여야 한다.
㉡ 다른 목적의 시험기에서 적어도 20cm 이상 떨어진 곳에 설치해야 한다.
㉢ 높은 온도와 높은 습도가 있는 곳, 직사광선에 노출된 곳, 환기가 잘 안 되거나 먼지가 많은 곳, 주위의 온도가 급변하는 곳에는 설치를 피하여야 한다.
㉣ 전기적인 위험한 충격을 예방하기 위하여 반드시 접지선을 연결하여야 한다.
㉤ 가스파이프에 접지하면 안 되고 반드시 접지선은 다음 중 한 가지 방법으로 연결하여야 한다.
  • 전원 출력 단자의 접지극
  • 지면에 적어도 65cm 이상 깊이로 묻혀있는 동선
  • 전기적 접지로 사용되는 상수도 파이프
㉥ 장비에 전압을 인가하기 전에 사용전압을 확인한다(220V, 60Hz, 5A).
㉦ AC 전원 플러그를 전원 콘센트에 끼우고 사고를 예방하기 위해 접지를 확인한다.
㉧ 가스공급 시 최고의 가스압은 9.8kPa 보다 낮아야 한다.
㉨ 가스 공급라인(LP 가스 혹은 도시가스)과 장비 후면부 가스 입구(Inlet)에 단단히 연결하고 호스 밴드로 양쪽 끝을 단단하게 고정한다.
㉩ 가스공급을 인가한 후 반드시 비누거품 혹은 누출 시험액(Leakage test liquid)으로 가스의 누출 여부를 확인한다.

화재현장의 증거물 분석 및 재구성

(1) 증거와 자료의 재검토

① 화재현장에서 발견된 증거물과 분석 결과를 통해 시간순 등으로 재구성하여 합리적인지 재검토해야 한다.
② 발화점을 추정함에 있어 연소패턴, 연소확대 경로, 관계자 및 목격자의 진술 간에 모순이 발견된 경우 모든 가설을 증거 중심으로 재검토한다.

> **한번 더 클릭** 화재현장에서 수집된 증거의 해석 사례
>
> • 화재현장에서 발견된 소사체에서 생활반응이 있을 경우 피해자는 화재 당시 생존한 상태였다는 것을 알 수 있다.
> • 깨져 바닥에 쏟아진 유리창의 내측에 그을음이 부착되어 있지 않다면 화재발생 이전에 창문이 먼저 깨졌다는 것을 의미한다.
> • 화재현장 내부의 전기배선 끝단이 합리적인 이유 없이 절단된 경우 현장조사를 방해하기 위한 행위로 추정해볼 수 있다.
> • 타이어 흔적 위로 족적이 찍혀 있다면 이러한 증거는 차량이 지나간 후에 누군가 걸어갔다는 것을 증명해 주는 역할을 한다.

(2) 증거물 분석 및 재구성 방법 구분

구분	정의
마인드 매핑	각 증거물이 주는 정보를 연관되는 것들끼리 연결해 놓는 것
타임라인	사건들을 각 순서에 맞게 배열하고, 시간의 흐름에 맞게 배열하는 작업으로 증거의 시간적 역할을 통해 구분하고 재구성하는 방법
PERT 차트	Program Evaluation and Review Technique(프로그램 평가 및 검토 기법), 증거들의 조합으로 이루어진 이벤트들을 타임라인 위에 나열한 것

1) 마인드 매핑

① 각 증거물이 주는 정보를 연관되는 것들끼리 연결해 놓는 방법이다.
② 증거와 정보의 조합을 말한다.

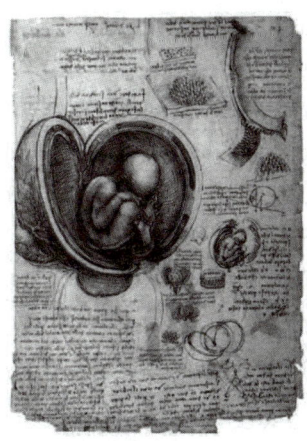

레오나르도 다빈치의 마인드맵

2) 타임라인

① 타임라인의 정의
- ㉠ 사건들을 각 순서에 맞게 배열하고, 시간의 흐름에 맞게 배열하는 작업으로 증거의 시간적 역할을 통해 구분하고 재구성하는 방법이다.
- ㉡ 화재발생 전·후에 이루어진 사람의 행동이나 기계적인 작동 상황 등을 시간의 흐름 순으로 전개 하여 사건을 분석하는 기법이다.

② 타임라인(Time Line) 작성 구성요소
- ㉠ 실제시간(Hard Time), 절대적시간 : 신고가 접수된 시간, 알람의 설정과 작동(화재발생)시간, 완 전소화시간
- ㉡ 상대적시간(Relative Time) : 목격된 지속시간
- ㉢ 추정시간(Soft Time)

③ 타임라인 절대적 시간의 예시
- ㉠ 목격자가 화재를 발견한 시간
- ㉡ 목격자의 신고 시간
- ㉢ 소방대 도착시간부터 완전 진화 시간
- ㉣ CCTV, 소방시설 중 수신기 등 기기에 기록된 시간

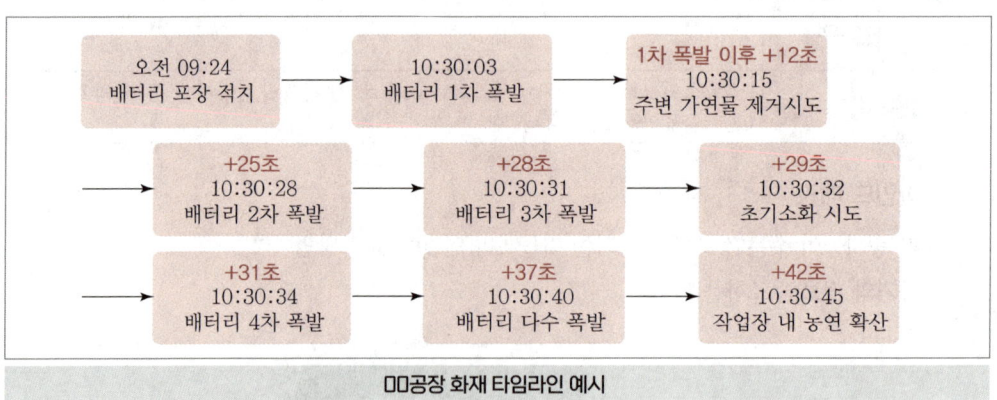

○○공장 화재 타임라인 예시

3) PERT 차트(Program Evaluation and Review Technique, 프로그램 평가 및 검토 기법)

증거들의 조합으로 이루어진 이벤트들을 타임라인 위에 나열한 것이다.

 **브레인스토밍(Brainstorming)**

집단적 창의적 발상 기법으로 집단에 소속된 인원들이 자발적으로 자연스럽게 제시된 아이디어 목록을 통해서 특정한 문제에 대한 해답을 찾고자 노력하는 학습 도구이자 회의 기법이다.

(3) 검증

화재현장 증거물 분석과 주어진 정보를 통한 재검토만으로 결론 도출이 어려운 경우 실제적이고도 과학적인 검증 방법이 요구될 수 있다.

[과학적 검증방법]
① 축소 모델 화재 실험
② FDS 화재 시뮬레이션, 피난 시뮬레이션

CHAPTER 03 촬영·녹화·녹음

1 사진촬영

(1) 화재조사를 위한 사진촬영의 중요성
① 사실의 묘사성
② 진술, 증거의 신뢰성
③ 기억의 환기성
④ 전달의 신속성

(2) 현장사진 촬영의 필요성
① 화재현장을 사진, 영상 등으로 상세히 기록하면 지속적으로 기억의 환기가 가능하므로 장기간 현장 보존이 불필요해진다.
② 사진을 보는 사람이 실제적인 감각으로 느끼게 함으로서 그때의 상황을 충분히 전달할 수 있는 것이 중요하다.
③ 현장조사 시 실수로 빠트렸거나 수집이 불가능했던 많은 정보와 사실들을 사진을 통해 얻을 수 있다.
④ 화재현장의 소손상황, 감식·감정의 대상이 되는 관계물건 등의 상황을 정확하게 기록하는 수단으로서 사진과 영상이 중요하다.

2 촬영 시 주의사항

(1) 촬영의 기본

1) 촬영의 기본 방법
① 피사체를 확대하여 촬영할 경우 주변의 가구, 기둥 등을 넣어서 촬영한다.
② 현장사진 및 비디오 촬영할 때는 연소확대 경로 및 증거물 기록에 대한 번호표와 화살표를 표시 후에 촬영하여야 한다.
③ 피사체는 그 위치와 주변에 관련된 여러 가지 상황이 나타날 수 있도록 원거리, 중거리, 단거리에서 촬영한다.

④ 피사체의 크기를 명확하게 하고자 할 경우에는 눈금자 또는 동전 등을 옆에 놓고 촬영하여도 무방하다.
⑤ 어두운 곳에서는 스트로보(Strobo)를 이용하여 촬영한다.
⑥ 촬영하는 목적을 충분히 이해하고 나서 촬영한다.
⑦ 좁은 방에서 많은 물건을 사진 1매로 찍고자 할 때에는 일반적으로 광각렌즈를 사용한다.
⑧ 증거물을 촬영할 때에는 그 소재와 상태가 명백히 나타나도록 하며, 필요에 따라 구분이 용이하게 번호표 등을 넣어 촬영한다.
⑨ 최초 도착하였을 때의 원상태를 그대로 촬영하고, 화재조사의 진행순서에 따라 촬영한다.
⑩ 화재와 연관성이 크다고 판단되는 증거물, 피해물품 등은 면밀히 관찰 후 자세히 촬영한다.

2) 화재증거물 사진의 촬영 유의사항
① 화재증거물은 오물을 제거하고 나서 찍는다.
② 피사계 심도 조절은 카메라 조리개(노출도), 렌즈 초점거리 및 카메라와 피사체와의 거리를 활용한다.
③ 접사 촬영이 필요할 경우 매크로렌즈(접사용) 및 링스트로보 등을 활용한다.
④ 피사계 심도는 어느 정해진 시간 동안에 초점이 맞는 가장 멀리 있는 사물과 가장 가까이 있는 사물의 거리이다.

3) 증거물과 서류를 작성할 때 현장 감정사진 작성방법
① 사진을 촬영한 일시를 기재한다.
② 사진 촬영한 방위를 표기한다.
③ 화재현장 증거물 및 감정사진을 첨부하고 하단에 제목과 설명을 기재한다.
④ 형사사건 및 재판상 증거자료로 활용될 수 있으므로 주의를 기울여 촬영한다.

(2) 초점과 빛

1) 피사계 심도(Depth of field)
① 피사계 심도 정의
  ㉠ 촬영 피사체가 허용 수준의 선명도를 보이는 카메라와의 거리 범위 또는 초점이 맞는 범위, 초점거리라고도 할 수 있다.
  ㉡ 피사계 심도 조절은 카메라 조리개(노출도), 렌즈 초점거리 및 카메라와 피사체와의 거리를 활용한다.

② 카메라 렌즈의 조리개와 피사계의 심도의 관계

조리개(노출도)	심도(초점거리)
크다(넓다)	얕다(짧다)
작다(좁다)	깊다(멀다)

조리개를 조일수록 피사계 심도는 깊어진다.

조리개에 따른 심도 차이(바바라 런던, 「사진학 개론」)

 **카메라 렌즈의 조리개 용도**

렌즈를 통해 들어오는 빛의 양, 노출도를 조절하는 역할

③ 피사계 심도 조절 방법
　㉠ 피사계 심도를 얕게 하는 방법으로 렌즈구경을 개방한다.
　㉡ 피사계 심도를 얕게 하는 방법으로 초점거리가 더 긴 렌즈를 사용한다.
　㉢ 피사계 심도를 깊게 하는 방법으로 촬영거리를 멀게 한다.
　㉣ 피사계 심도를 깊게 하는 방법으로 초점거리가 더 짧은 렌즈를 사용한다.

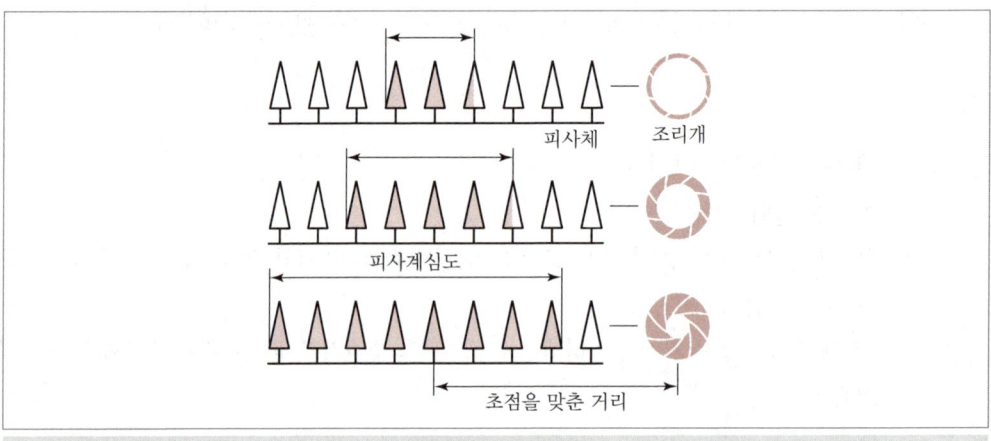

피사계 심도 조절방법

④ 파사계 심도와 영향을 주는 요소
　㉠ 피사계 심도가 깊어지면 상세하게 보는데 걸리는 시간이 길어진다.
　㉡ 초점거리가 주어진 렌즈에서는 f-stop이 클수록 피사계 심도가 깊어질 것이다.
　㉢ 피사계 심도는 촬영하는 사물까지의 거리, 렌즈 구경 및 사용하는 렌즈의 초점거리에 따라 달라진다.
　㉣ 피사계 심도는 어느 정해진 시간 동안에 초점이 맞는 가장 멀리 있는 사물과 가장 가까이 있는 사물의 거리이다.

2) ISO 감도

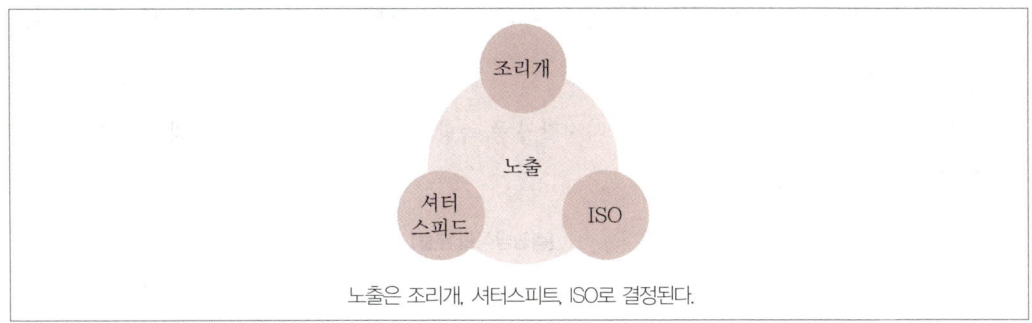

노출은 조리개, 셔터스피트, ISO로 결정된다.

① ISO 감도의 정의
- ㉠ 디지털카메라의 이미지 센서 혹은 필름 카메라의 필름이 빛에 민감한 정도를 말한다.
- ㉡ ISO 감도가 낮을 경우 노이즈도 적고, 높을 경우 어두움과 흔들리는 환경에 뛰어나다.
- ㉢ 사진의 노출을 결정하는 조리개, 셔터 속도만으로 충분한 빛을 확보하기 어려울 때 기동성을 높이기 위해 주로 조정한다.

② ISO 조절기능

디지털카메라가 받아들인 빛을 증폭하여 감도를 높이거나 낮춰주는 기능이다.

③ ISO 감도를 높일 경우
- ㉠ 야간 촬영 또는 실내 촬영 시에 ISO 감도를 높여줌으로써, 조리개의 크기 또는 셔터 속도의 제약을 조금 벗어나서 밝은 사진을 얻을 수 있다.
- ㉡ 하지만, ISO 감도가 높을 수록 사진을 구성하는 입자의 크기가 커지기 때문에, 화질이 조금 더 거칠게 보이며 사진에 잡티가 나타나는 이른바 '노이즈(noise)' 현상이 나타날 수 있다.

3) 카메라의 기능

① 줌 기능
- ㉠ 디지털 줌에서는 디지털 시그널 과정에 의해 CCD에 보여지는 디지털 이미지를 확대하기 때문에 이미지 화질이 손상된다.
- ㉡ 광학 줌에서는 광학 렌즈를 앞뒤로 움직여 초점이 조절되고, 이미지는 물리적으로 확대되기 때문에 화질의 손상이 없다.

② EV 쉬프트
- ㉠ Exposure Value Shift, Light Value라고도 한다.
- ㉡ 셔터스피드와 조리개값을 조합하여 촬영 시 빛의 양을 수치화한 EV를 조절하는 기능이다. 조리개가 한번 조여지거나 셔터 속도가 빨라질 때마다 EV 수치를 증가시키는 관계이다.
- ㉢ 노출보정의 목적은 주된 피사체와 배경의 광량 차이로 인해 주된 피사체가 어둡게 나오거나 반대로 노출 초과되는 것을 방지하는 것이다.

③ 화이트 밸런스

촬영 환경의 조명 색이 미치는 영향을 보정하여 흰색 물체를 하얗게 보이도록 하는 기능이다.

4) 측광방식

'측광'은 빛의 양을 계측한다는 뜻이다. 사진촬영 중 측광방식은 촬영 대상 피사체의 밝고 어두움의 양을 측정하는 방법을 말한다.

[측광방식의 분류]

구분	정의	적용 측광 범위
평가(다분할, 멀티) 측광	화면 전체를 4~64 또는 그 이상 부분으로 나누어 측광하는 방식	전체 화면 평균값
중앙부중점 평균 측광	화면의 중심부를 70% 정도 변두리쪽은 30% 비중으로 측광하여 평균을 내는 측광 방식	중앙부(평균값+α가산값)
부분 측광	무조건 중앙부만 측광해서 노출을 결정하는 방식	중앙부 8~9.5%
스팟(Spot) 측광	• 피사체가 어두울 경우 아주 작은 범위(중앙부의 2.5~4%)를 측광하는 방식 • 역광 및 접사촬영에 주로 사용	중앙부 2.5~4%

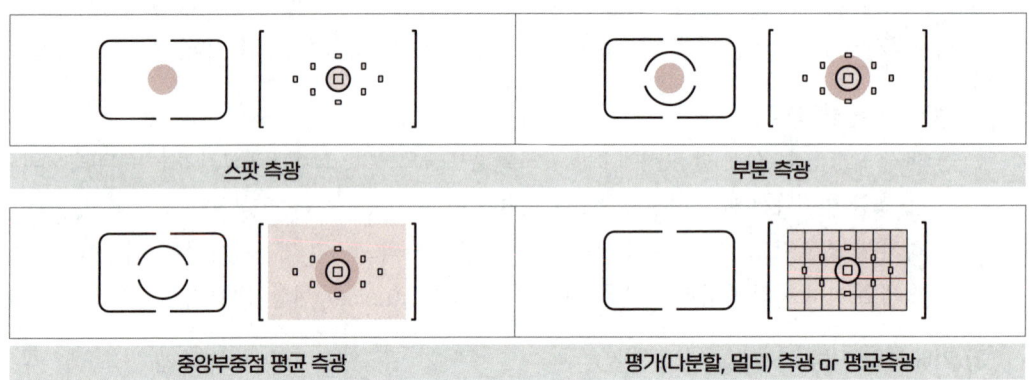

한번더클릭 조명이 없는 건물 내부 어두운 곳에서 촬영 시 카메라 설정 요령

- ISO는 최대, 조리개 수치는 작게 설정
- 스트로보에서 TTL을 선택하여 연속으로 플래시가 가능하도록 설정

5) 사진 촬영 용어

① 닷징(dodging) : 인화 시 사진의 일부가 너무 어두워, 어두운 부분을 부분적으로 밝게 만들고 싶을 때 확대기의 빛을 선택적으로 막는 기법이다.

② 버닝(Burning In) : 닷징과 반대로, 주 노출이 끝난 뒤 추가적인 노출이 필요한 특별한 부분에 빛을 더해 주는 것이다. 노출이 더 가해진 곳은 인화지 상에 더 검게 되는 기법이다.

③ 비네팅(vignette, vignetting) : 사진 및 광학에서 화상의 중심부에 비해 주변부로 갈수록 화상의 명도 또는 채도가 감소하는 현상이다.

④ 브라케팅(bracketing) : 노출에 대한 약간의 오차를 두고 촬영하는 방법. 즉, 노출 과부족을 현상 후에 선택할 수 있게 똑같은 조건에서 노출만을 변화시켜 여러 장 찍는 것을 말한다. 또한, 똑같은 조건, 똑같은 노출로 두 장 촬영하여 한 장만 먼저 현상해 보고 그 결과대로 나머지 한 장은 현상시간을 조절해 원하는 농도로 얻는 기법이다.

(3) 촬영대상의 처리 방법
① 광각렌즈를 이용한 화각 조절
② 스트로보를 이용한 광량 조절
③ 표식을 통한 위치 표기
④ 삼각대 활용

(4) 렌즈의 선택

1) 광각렌즈의 특징
① 표준렌즈보다 초점거리가 짧고, 화각이 넓은 특징을 가지고 있다.
② 좁은 실내에서 많은 물건을 1매로 촬영할 때 용이하다.

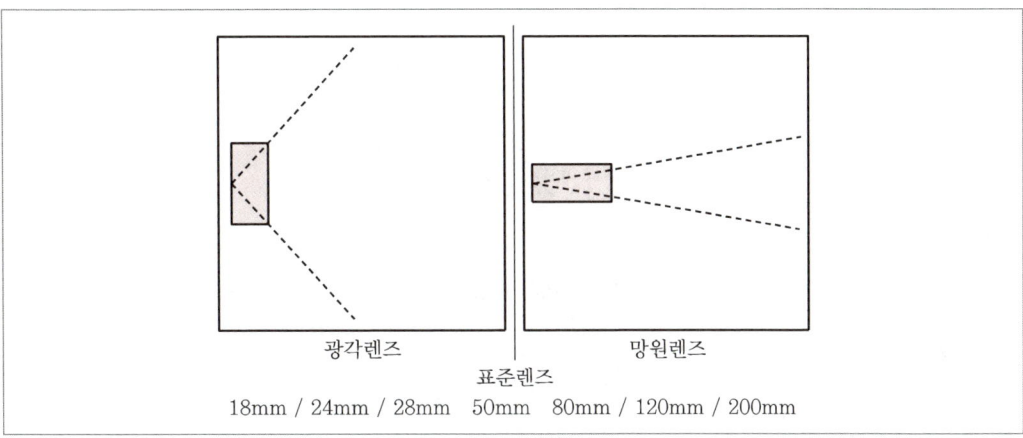

광각렌즈, 표준렌즈와 망원렌즈의 초점거리와 화각 비교

2) 렌즈 선택 시 유의사항
① 줌렌즈는 물고기 눈처럼 둥글게 튀어 나와서 어안렌즈(Fish-eye Lens)라고 불린다.
② 좁은 공간에서 넓은 화각을 원할 때는 광각렌즈를 사용한다.
③ 망원렌즈는 멀리 있는 피사체 촬영 시 편리하다.
④ 표준렌즈는 50도 안팎의 화각으로 원근감, 화상의 크기 등이 육안에 가장 가깝다.

3 주요촬영 대상

(1) 촬영 위치

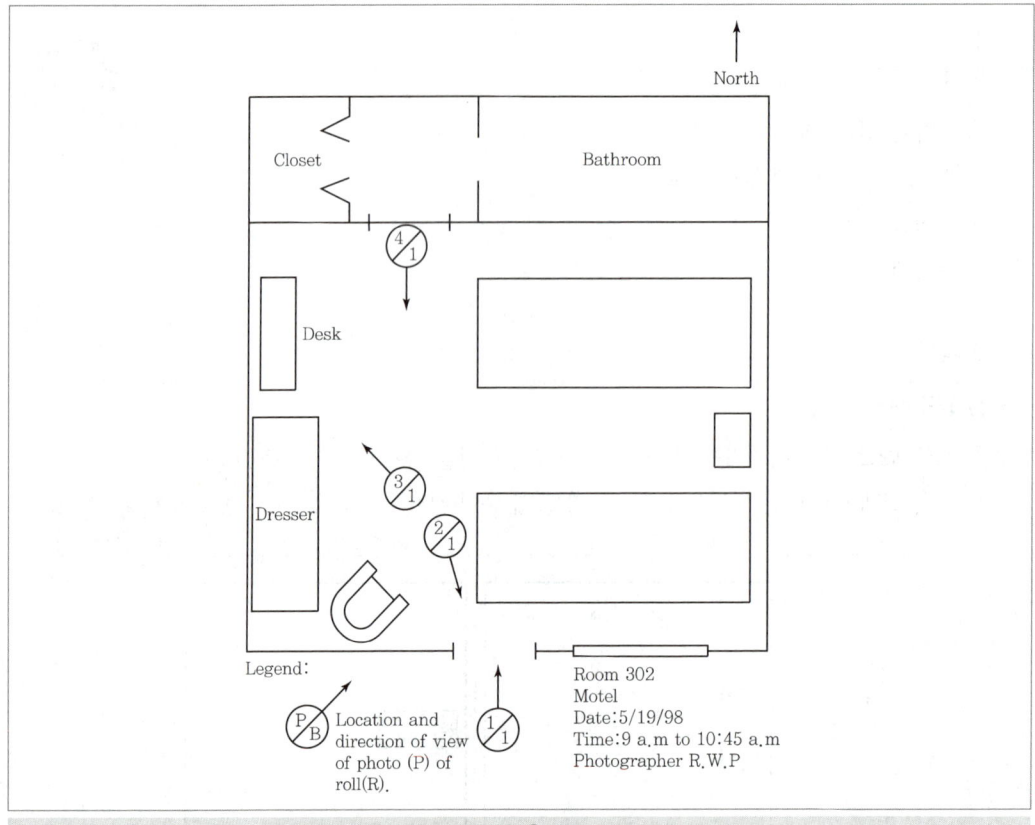

촬영자의 위치 표기 다이어그램 「NFPA 921」의 15 chapter

1) 화재현장 촬영 시의 유의사항

① 각 방위별로 출화의 방향성에 착안하여 구조물의 형태를 확인하여 촬영한다.
② 발화건물과 인접 도로 및 주변 건물과 경계선을 파악하여 촬영한다.
③ 높은 곳에서 전체적으로 연소 확대 상황을 관찰하면서 촬영한다.
④ 발화대상물 이외 부분도 촬영하여야 발화부 및 발화지점을 배제하는 근거로 활용할 수 있다.
⑤ 촬영 이동 경로는 화재건물 외부에서 내부로, 연소강도가 약한 곳에서 강한 곳 순으로 한다.
⑥ 방화자가 존재할 수 있으므로 군중 속의 사람을 촬영할 수 있다.

 **Chapter22 Incendiary Fires(방화성 화재) 22.4.9.3.3 「NFPA 921 CODE」**

> 방화자는 일반적으로 화재가 발생하는 동안 현장에 머물러 있으며 화재에 대응하는 위치에 참가하거나, 화재와 진압활동을 지켜본다.

2) 화재현장 사진촬영 요령

① 소손현장의 전경을 촬영한다.
② 발굴 전의 발화지점 부근을 촬영한다.
③ 복원 후의 상황을 촬영한다.

3) 현장의 외경촬영

① 건물의 경우 화재 건물과 인접 건물, 도로와의 관계가 나타날 수 있도록 높은 곳에서 촬영한다.
② 인접 건물로 화재가 확산되었을 경우, 확산경로가 나타날 수 있도록 촬영한다.
③ 건물의 4방향이 나타날 수 있도록 곳곳에서 촬영한다.
④ 건물의 창문이나 출입문 등 개구부 및 지붕으로 보이는 그을음, 백화연소흔적, 도괴된 형태 등 화재패턴에 대하여 촬영한다.
⑤ 내부로 들어가기 전 창문이나 출입문이 강제로 개방된 흔적이 있는지 검사 후 그 내용을 촬영한다.

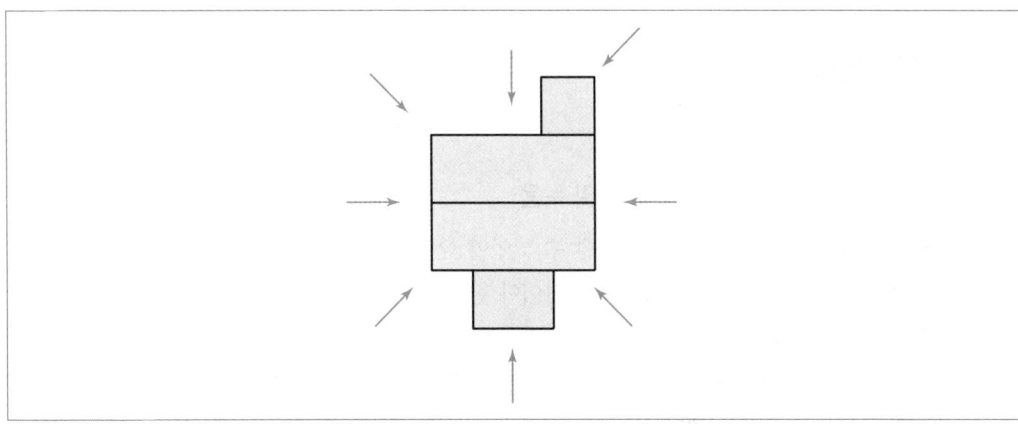

건물 외부 방위·코너별 사진 촬영 방향 「NFPA 921」의 15 chapter

4) 현장 내부의 촬영

① 발화대상물 이외 부분도 촬영하여야 발화부 및 발화지점을 배제하는 근거로 활용할 수 있다.
② 사진을 통해 내부의 구조, 각 벽면 및 천정, 바닥이 모두 나타날 수 있도록 촬영한다.
③ 눈금지를 사용하여 촬영할 때는 눈금자가 화면에 평행하거나 수직이 되도록 촬영한다.
④ 발화부로부터 주변으로 확산된 경로의 특징이 잘 나타나도록 근접 촬영한다.

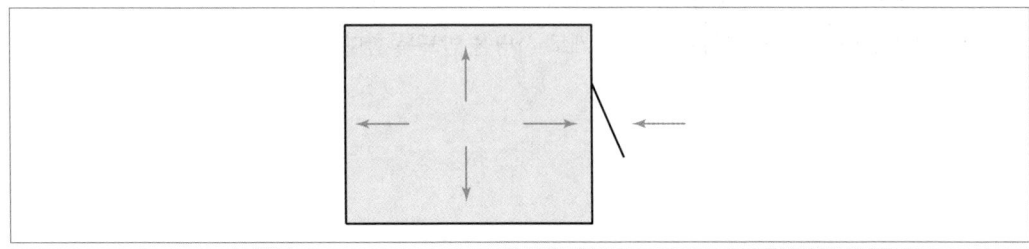

건물 외부 방위·코너별 사진 촬영 방향 「NFPA 921」의 15 chapter

5) 화재현장의 사진촬영 기법
① 발화지점을 중심으로 연소 확산된 상황을 촬영한다.
② 화재대상물과 주위의 위치관계를 알 수 있도록 촬영한다.
③ 외부 촬영 시 먼 곳에서 화재대상물 전면을 담아낼 수 있는 위치에서 촬영한다.

(2) 촬영 대상물

[화재현장 주요 촬영대상]
① 소방용 설비들의 사용 및 작동 상황
② 발화원으로 추정된 감식 및 감정대상물
③ 화재로 인한 사망자의 위치

4 질문의 녹음

(1) 질문 녹음 방법

1) 화재현장에서 관계자에 대한 질문 및 녹음
① 질문은 질문기록서에 기록하고 녹음할 수 있어야 한다.
② 모든 녹음은 관련법령에 적합하게 수집하여야 한다.
③ 질문을 기록하는 다른 방법으로 비디오촬영을 선택할 수 있다.
④ 피질문자를 배려하여 충분히 안정된 상태에서 진술할 수 있는 장소를 선택한다.
⑤ 임의진술 확보를 위해 이해관계자들을 서로 분리하여 질문을 진행한다.
⑥ 피질문자의 이해관계에 의하여 허위진술을 하는 경우가 있음을 염두에 둔다.
⑦ 녹음된 진술내용은 진술조서에 첨부하여 입증자료로 사용할 수 있다.
⑧ 관계자의 진술은 화재발생 직후에 실시하는 것이 좋다.
⑨ 사전에 녹음사실을 알리고 임의적 진술을 확보한다.
⑩ 질문기록서에 따라 질문한다.
⑪ 녹취가 필요한 경우 피질문자의 동의가 필요하다.
⑫ 피질문자가 18세 미만의 청소년, 정신장애자 등에 대한 질문을 하는 경우는 친권자 등을 반드시 입회시켜야 하며 진술자는 물론 입회자에게도 서명을 받도록 한다.

2) 관계자에게 질문할 경우 유의해야 하는 사항

① 질문자는 자기신분을 밝힌다.
② 피질문자에 대한 선입견을 배제한다.
③ 관계자에는 초기소화자, 피난자, 출동한 소방관도 포함된다.
④ 유도질문이나 상대방의 감정을 도발하는 질문을 하지 않는다.

> **한번 데 클릭** 비디오카메라 특징
>
> - 목격자, 소유자 거주인, 혐의자와의 면담에서 사용할 수 있다.
> - 비디오카메라의 장점은 보는 각도를 점차 이동하며 화재현장을 나타내는 것이다.
> - 가장 큰 장점으로 점진적으로 시각의 움직임에 의해 화재현장을 보여주는 능력이 있다.

CHAPTER 04 화재와 법과학

1 화재와 법과학 개요

(1) 국내 화재사 현황

① 2013~2022년간 화재로 인한 사망 인명피해 유형은 연기·유독가스를 흡입하고 화상까지 입은 경우가 40%로 가장 많았고, 연기·유독가스 흡입이 25%, 화상 9% 순이였다.
② 부상은 화상이 46%로 가장 많았고, 연기·유독가스 흡입 31%, 연기와 유독가스를 흡입하고 화상까지 입은 경우가 7% 순으로 발생하였다.

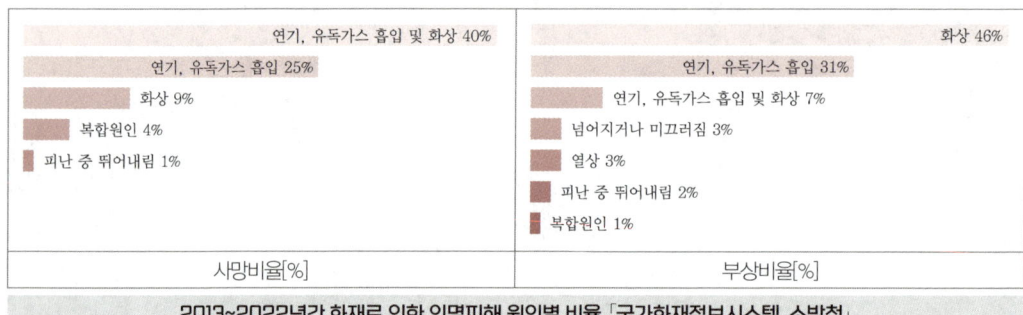

2013~2022년간 화재로 인한 인명피해 원인별 비율 「국가화재정보시스템, 소방청」

(2) 포렌식

① 범죄 수사에 사용되는 과학적 과정을 의미한다.
② 포렌식 증거를 찾는다는 것은 과학적 이해를 바탕으로 범죄의 증거를 해결하거나 발견하다는 의미이다.
③ 법의학, 법병리학, 치의학, 독성학, 법과학 등 법의학에는 여러 가지 하위 범주이다.

(3) 법의학

1) 법의학 개요

① 사망 또는 상해의 원인을 규명하기 위해 피해자를 검사하거나 평가하여 의학적 지식을 법적 문제에 적용하는 의학의 한 전문 분야이다.
② 법의학 병리학은 법의학에서 가장 일반적인 분야 중 하나로, 사망이 예상치 못했거나 갑작스럽거나 의문스러운 상황에서 사망 원인을 규명하기 위해 시체를 검시하는 분야이다.

③ 법의학자는 사망과 관련된 모든 사실을 분석하여 사망이 어떻게 발생했는지 해석하고, 사망 이유와 시간을 파악하며, 사망이 자연사인지 의도된 것인지 판단한다.
④ 법의학 병리학자는 부검을 진행하는 동안 시신의 외부와 내부를 검사하여 사망을 초래했을 수 있는 외상이나 질병의 증거 규명하고 실험실에서 추가 검사를 위해 조직 샘플 및 기타 자료를 채취한다.

2) 범죄 수사에서의 법의학
① 물리적 증거의 조사 및 분석이 포함된다.
② 생물학적 증거(DNA 또는 혈액), 미량 증거(섬유 또는 머리카락), 물리적 증거(무기 또는 지문) 등 다양한 증거가 포함된다.

3) 법의학적 물리적 증거물의 종류
① 피, 타액과 같은 체액
② 손가락 및 손바닥 지문
③ 머리카락, 섬유 및 신발자국

(4) 인명피해조사에서 화재로 인한 직접 원인 사망유형 「화재피해액 산정 매뉴얼」

① **소사** : 화염에 의해 불에 타서 사망하거나 그와 동시에 연소 중에 만들어지는 일산화탄소·매연 등 가스와의 양면(兩面)작용으로 인해 사망한 것
② **화상사** : 화재 속에서 화염에 의해 화상을 입은 후, 그 상황에서 2차적인 조건에 의해 사망한 것
③ **질식사**
　㉠ 외질식사(外窒息死) : 화재 시 발생되는 연기에 숨이 막혀 구토가 발생하고, 토하는 음식물이 기도를 막아 사망한 것
　㉡ 내질식사(內窒息死) : 화재 시 일산화탄소 등 물질에 의해 생성되는 독성가스의 영향으로 혈관을 막는 등 피의 흐름을 막아 조직이 산소 부족으로 사망한 것
④ **쇼크사** : 화재에 따른 현상에 의해 신경을 자극해서 정신 또는 신체가 충격을 받아 사망한 것
⑤ **일산화탄소 중독사** : 화재 시 사람이 들이마신 일산화탄소가 혈액속에서 산소를 운반하는 헤모글로빈을 감소시켜 근육과 내장, 세포조직 등이 호흡의 곤란 상태를 일으켜 사망한 것

2 생활반응

(1) 생활반응의 정의
① 시신에서 발견되는 상해, 기타 흔적이 생전 또는 사후에 발생했는지 여부를 확인하는 법의학적 용어를 말한다.
② 쉽게 말해 살아있을 때 생길 수 있는 반응을 말한다.

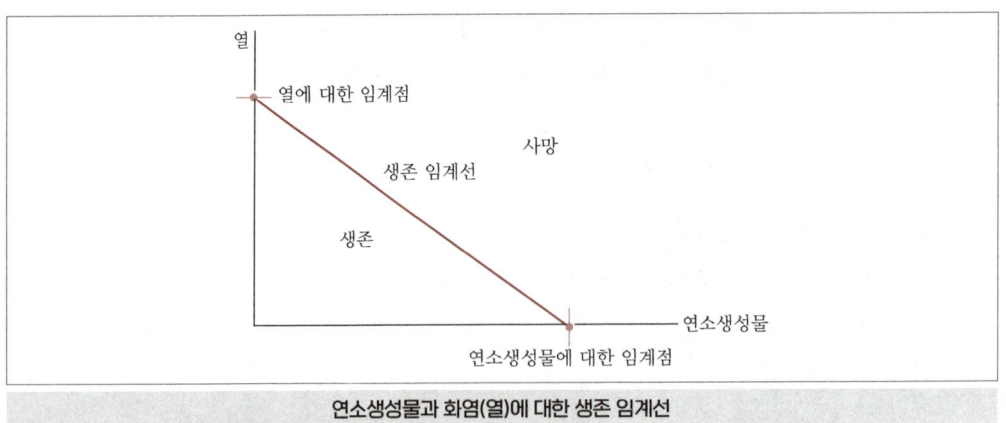

연소생성물과 화염(열)에 대한 생존 임계선

③ 생체의 생활반응과 비교한 사체의 반응
  ㉠ 생체의 혈액은 외부의 힘에 의해 혈관이 파괴되면 용솟음치듯 내뿜으며 출혈하지만, 사체는 파괴된 혈관 부근에서 혈액이 흘러나오는 정도로 끝난다.
  ㉡ 생체가 둔기에 맞으면 피부가 파괴되지 않아도 피부 아래의 모세혈관이 파괴되면서 피부조직 안으로 출혈해서 피가 굳는 응혈현상이 생기는 것에 반해, 사체는 응혈현상이 없다.
  ㉢ 생체는 열기에 대한 생활반응으로 수포, 홍반 등이 관찰되지만, 사망 이후에는 열기에 노출되어도 그러한 반응이 관찰되지 않는다.
  ㉣ 살아있던 사람이 익사하거나 불에 타 죽는 경우 입에서 하얗고 빽빽한 점액성의 거품이 부풀어 오르고, 죽은 사람을 물에 넣거나 태울 때에는 이러한 증상이 나타나지 않는다.

(2) 화재사의 생활반응 종류

선홍색 시반, 그을음(매(煤))의 흡입 흔적, 화상, 혈중 일산화탄소 농도

1) 시반

① 사후에 혈액이 중력의 작용으로 몸의 저부에 있는 모세혈관 내로 침강하여 외표피층에 착색이 되어 나타나는 현상이다.
② 시반은 사후 1~2시간에 옅은 자줏빛 반점으로 시작하여 15~24시간이 경과하면서 짙은 자주빛으로 나타난다.
③ 시반은 사망 이후 나타나는 현상이다.
④ 시반은 24시간이 경과하면서 짙은 자줏빛을 띠게 된다.
⑤ 시반은 중력에 의해 몸의 가장 낮은 신체 부위에 발생한다.

2) 선홍색 시반

일산화탄소 헤모글로빈(COHb)에 의해 신체 전반이 선홍색으로 혈액침하가 발생할 경우 나타나는 현상이다.

3) 일산화탄소 중독

① 일산화탄소의 신체 중독, 질식 과정
- ㉠ 일산화탄소는 헤모글로빈과 결합하는 능력이 산소보다 약 200배 이상 높아서 헤모글로빈이 산소 대신 일산화탄소와 더 많이 결합하여 세포에 산소를 공급할 수 없어 일산화탄소 중독에 이른다. 이때 체내 산소공급을 막아 산소를 필요로 하는 장기(특히 뇌, 심장, 근육 등)가 심각하게 손상되어 사망할 수 있다.
- ㉡ 체내에 산소를 공급하는 적혈구의 헤모글로빈과 결합하여 산소의 결합을 막으므로 결국 질식에 이르게 된다.

② 일산화탄소 중독으로 사망한 시체 소견
- ㉠ 선홍색 시반이 나타난다.
- ㉡ 질식사의 일반적 소견이 나타난다.
- ㉢ 유동성 혈액, 조직의 울혈이 나타난다.

[혈중 일산화탄소 헤모글로빈(COHb) 수치에 따른 증상 「질병관리청」]

구분	COHb수치[%]	증상
경증	30 미만	경미한 두통, 현기증, 피로, 졸음, 권태감, 흉통, 메스꺼움 및 구토
중증도	30~40	심한 두통, 현기증, 피로, 졸음, 권태감, 흉통, 메스꺼움 및 구토, 혼란, 빠른 심박수
중증	40 이상	진홍색 피부, 혼수, 저혈압, 모세혈관 혈액순환 불량, 무의식, 실신, 발작, 경련, 심폐 기능 부전, 혼수 및 심정지, 사망

[공기 중 일산화탄소 농도에 따른 증상 「질병관리청」]

일산화탄소 농도	COHb수치[%]	징후 및 증상
35ppm	<10	지속적으로 노출되면 6~8시간 이내에 두통과 현기증
100ppm	>10	2~3시간 후 약간의 두통
200ppm	20	2~3시간 이내에 약간의 두통, 판단력 상실
400ppm	25	1~2시간 이내의 전두통
800ppm	30	45분 이내에 현기증, 메스꺼움 및 경련, 2시간 이내에 무감각
1,600ppm	40	20분 이내에 두통, 빈맥, 현기증 및 메스꺼움, 2시간 이내에 사망
3,200ppm	50	5~10분 이내에 두통, 현기증, 메스꺼움, 30분 이내에 사망
6,400ppm	60	1~2분 안에 두통과 현기증, 경련, 호흡 정지 및 20분 이내에 사망
12,800ppm	>70	3분 이내 사망

4) 그을음

① 비강, 구강, 기도, 폐 등의 호흡기에서 발견되는 그을음은 화재 당시 생존해 있었음을 나타내는 증거가 될 수 있다.
② 눈가의 주름 사이에 그을음이 부착되지 않은 것은 화재 당시 생존한 상태였다는 증거가 될 수 있다.

(3) 국소적 생활반응, 전신적 생활반응

1) 생활반응의 구분

국소적 생활반응	전신적 생활반응
• 출혈 및 응혈 • 창구의 개대 및 창연의 외번 • 치유기전 • 화상 • 국소적 빈혈 • 압박성 울혈 • 흡인과 연하	• 전신적 빈혈 • 속발성 염증 • 색전증 • 외래물질의 분포 및 배설

2) 용어 정의

① **발적종창** : 살아있는 사람이 상처를 입으면 그 상처 부위에 동맥혈이 증가하여 충혈되고 빨간 부스럼이 생기는 생활반응이다.
② **창상개구** : 피부가 찢기거나 떨어져 나가거나 구멍이 나면서 일어나는 상해이다.
③ **미세포말** : 미세한 포말(froth)로 구성된 백색의 포말괴가 비강 및 구강에서 마치 버섯모양으로 유출되는 현상이다.
④ **화상수포** : 생존 시 열기에 대한 생활반응으로 수포, 홍반 등이 관찰된다.
⑤ **둔상** : 무딘손상으로써 뭉툭한 물체와의 충돌로 인하여 인체가 손상되는 상처를 말한다. 폭발의 효과 중 파편과의 충돌로 인하여 발생할 수 있다.

3 화상사

(1) 위험도 및 사망기전

1) 화상심도 결정요인

열의 강도, 열 노출시간, 피부의 예민도, 체표면의 열배출 능력

2) 화상의 위험도

① 어린이는 같은 정도의 범위라도 어른보다 더 위험하다.
② 신체의 화상 체표면적에 따라 중증도를 구분한다.
③ 노인은 회복이 지연되거나 합병증이 일어나기 쉽다.
④ 주요 장기에 질환이 있는 경우 정상인보다 위험하다.

3) 화상의 체표면적 및 중증도 구분

한번더클릭 9의 법칙(화상 넓이 확인 방법)

신체 각 부분이 차지하는 체표면적을 9의 배수로 구분하여 화상면적을 쉽게 계산하는 방법이다. 손바닥 면적을 전체 신체 표면적의 1%로 본다.

① 9의 법칙에 의한 성인 및 영아 체표면적(단위 : %)

구분	머리	좌우측팔 각각	앞뒤측 몸통 각각	성기 (외음부)	좌우측 다리 각각
성인	9	9	18	1	18
소아 · 영아	18	9	18	1	13.5

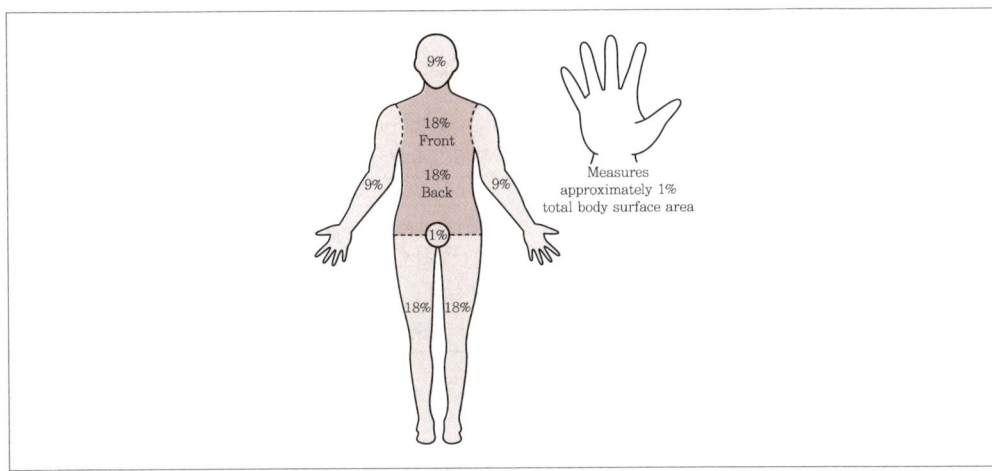

② 성인의 중증도 분류

구분	분류 방법
중증	• 흡인화상이나 골절을 동반한 화상 • 손, 발, 회음부, 얼굴화상 • 체표면적 10% 이상의 3도 화상인 모든 환자 • 체표면적 25% 이상의 2도 화상인 10세 이상 50세 이하의 환자 • 체표면적 20% 이상의 2도 화상인 10세 미만, 50세 이후의 환자 • 영아, 노인, 과거력이 있는 화상환자 • 원통형 화상, 전기화상
중등도	• 체표면적 2% 이상, 10% 미만의 3도 화상인 모든 화상 • 체표면적 15% 이상, 25% 미만의 2도 화상인 10세 이상 50세 이하의 환자 • 체표면적 10% 이상, 20% 미만의 2도 화상인 10세 미만, 50세 이후의 환자
경증	• 체표면적 2% 미만의 3도 화상인 모든 환자 • 체표면적 15% 미만의 2도 화상인 10세 이상 50세 이하의 환자 • 체표면적 10% 미만의 2도 화상인 10세 미만, 50세 이후의 환자

③ 소아의 중증도 분류

구분	분류 방법
중증	전층 화상과 체표면의 20% 이상의 부분층 화상
중등도	체표면의 10~20%의 부분층 화상
경증	체표면의 10% 미만의 부분층 화상

4) 화상 깊이에 따른 증상별 특징

 일싸 홍수괴탄

화상 단계	증상	증상의 특징
1도	홍반	• 표피화상 • 피부의 바깥층(표피)에 화상을 입은 경우 • 피부는 붉게 발적(홍반)이 일어나고 약간의 부기가 있는 느낌이 있으며 누르거나 만지면 통증이 생기고 화끈거리는 통증
2도	수포	• 부분층화상, 국부적화상 • 표피와 함께 진피까지 손상된 화상을 말하며 열에 의한 손상이 많은 경우 • 피부에 물집(수포)이 잡히기 시작하고 피부가 부어오르며 심한 통증
3도	괴사, 가피	• 전층화상 • 모든 피부층이 손상되고 그 밑의 피하지방 및 근육층까지 손상된 심각한 상태 • 피부는 회색빛 혹은 숯처럼 검게 그을린 모습으로 보이며 모세혈관이 모두 파괴된 상태(괴사)이기 때문에 진물이 나오지 않아 건조한 상태
4도	탄화	• 3도 화상 증상을 포함하여 피부가 탄화된 형태까지 보이는 경우

화상의 정의 「질병관리청」

불, 뜨거운 물이나 액체, 화학 물질, 전기 등에 의해 피부 및 연부 조직(물렁 조직)이 손상된 상태를 의미한다.

5) 3도 화상의 주요특징

① 신경섬유가 파괴되어 통증이 없거나 미약할 수 있다.
② 피하지방을 포함한 피부의 전층이 손상된 경우로 심한 경우 근육, 뼈, 내부 장기도 포함되는 경우가 있다.
③ 부스럼 딱지 또는 생체 내의 피부조직이나 세포가 죽는 응고성 괴사에 빠지므로 괴사성 화상이라고도 한다.

6) 기도 화상 또는 흡입 화상(Inhalation injury)

① 가열된 가스, 증기, 뜨거운 액체 혹은 유독한 불완전 산화물의 흡인으로 정의된다.
② 폐기능 부전 및 호흡기감염으로 이어져 호흡장애를 초래한다.

7) 화상사의 사망기전

① **원발성 쇼크** : 광범위하게 발생하는 고열의 격렬한 자극에 의하여 반사적으로 심정지를 초래하는 경우이다.
② **속발성 쇼크** : 화상성 쇼크라고도 하며 화상을 입고 나서 상당시간 경과한 후에 증상이 발현되어 2~3일 후에 사망하게 되는 경우이다.
③ **합병증** : 피부 침범 면적이 넓은 2도 이상의 화상에서는 체액 손실로 인해 저혈압, 간기능 이상, 콩팥 기능 이상, 쇼크 등 합병증이 동반할 수 있으며, 이차 감염으로 인한 패혈증 등으로 진행하여 심한 경우 사망한다.

> **한번더클릭 화상(scalding Burn) 종류**
>
> - 열 화상(Thermal burn)
>   - 열탕화상(습열화상, Moist heat)
>   - 접촉화상(Contact burns)
> - 화학물질에 의한 화상(Chemical burn)
> - 전기로 인한 화상(Electric burn)
> - 방사선에 의한 화상(radiation burn)

(2) 사체소견 및 진단

1) 사망자 부검을 위해 사용하는 장비

① X선 촬영기
② 컴퓨터 단층 촬영기(CT)
③ 자기공명영상장비(MRI)

2) 화재사 사체의 생활반응 사체소견

① 기도, 폐 등의 호흡기에서 발견되는 그을음은 화재 당시 생존해 있었음을 나타내는 증거가 될 수 있다.
② 일산화탄소를 흡입으로 인하여 사망하면 선홍색의 시반이 나타나며, 화재 당시 생존해 있었음에 대한 증거가 될 수 있다.
③ 원발성 쇼크로 급격히 사망한 경우 전형적인 화재자의 소견을 보이지 않을 수도 있다.
④ 손바닥이나 발바닥에서 보이는 과도한 그을음은 화재당시 피해자가 활동한 것을 의미한다.
⑤ 분신자살자는 혈중 일산화탄소 농도가 전혀 나오지 않는 경우도 있다.
⑥ 흡연자의 경우, 평소에도 비흡연자보다 높은 수준의 일산화탄소 농도가 나타난다.
⑦ 사망에 이르는 혈중 일산화탄소의 농도는 10~80%까지 개개인마다 차이가 있다.

 **화재사**

(1) 화재사체와 탄화사체의 구분
① **화재사체** : 화상으로 사망하였건 질식으로 사망하였건 간에 화재로 인하여 사망한 사체를 말한다.
② **탄화사체** : 화재사체이든 다른 원인으로 사망한 사체이든, 탄화된 사체를 지칭하며, 소사체라고도 한다(외부에서 사망한 사체를 화재현장에 유기하여 탄화된 경우에도 탄화사체라고 한다).

(2) 화재로 인한 사망 특징
① 폐부종과 염증은 자극적인 가스에 노출되었음을 나타내는 증거이다.
② 화재현장의 희생자는 주로 일산화탄소 중독에 의해 사망한다.
③ 사후에 혈액이 중력의 작용으로 몸의 저부에 있는 모세혈관 내로 침강하여 외표피층에 착색이 되어 나타나는 현상을 시반이라고 한다.
④ **질식사** : 화재 시 발생한 일산화탄소 등 유독가스가 혈액의 산소공급을 막아 조직의 산소 결핍으로 사망한다.

(3) 화재와 관련된 사망자 분석 방법
① 피는 열의 영향으로 귀, 코, 입에서 스며나올 수 있다.
② 화재로 인한 희생자는 필요한 경우, 사망시간을 추정할 수 있다.
③ 화재로 인한 희생자는 모두 일산화탄소 포화상태를 측정해야 한다.
④ 사체 외부에서 발견된 피는 사망하기 전에 신체적 외상을 입었다는 것을 나타낸다.

(4) 신체의 소실

[인간 사체 탄화 소요 시간]

구분	연소온도(℃)	탄화 소요 시간(시)	비고
성인	1,000	1.5~2	단, 의복에 의해 연소 촉진되는 경우를 유의할 것
신생아	500	2	

(5) 다른 병리학적 발견물

1) 사후경직(강직)
① Nysten법칙에 따라 사후경직은 계절별로 차이가 있으나 약 12~24시간 정도에 최고조에 이르며 이후 완해된다.
② 위 법칙에 따라 서서히 완해되면서 2~3일을 경직 잔존 최대시간으로 본다.

2) 화재사 사후의 변화

구분	세부 특징
투사형(권투) 자세	• 사망 이후에 열이 계속적으로 가해지면 근육이 응고되어 수축하는 열경직 현상이다. • 골격근에서 신근보다 굴근의 열경직이 더 많이 일어나기 때문에 대부분의 관절은 절반 정도 굽힌 채 고정된다.

장갑상 및 양말상 탈락	• 손과 발의 피부는 화재에 의해 손상을 입으면 마치 장갑과 양말을 벗는 것처럼 손, 발톱을 포함하여 피부가 크게 벗겨질 때가 있다.
	• 주의사항
	  - 화상에 의한 생활반응의 하나인 수포로 오인될 수 있다.
	  - 화재 이전 사망한 사체에서도 열기에 노출되면 동일한 현상이 관찰된다.

피부의 균열 및 파열	• 피부에 계속적으로 열이 가해지면 피부와 피하조직이 균열 또는 파열되어 베인 상처, 찢긴 상처와 비슷한 모습이다. • 피부 아래의 근육이나 장기가 노출된다.

탄화	• 인간의 사체 또한 열을 계속해서 받게 되면 탄화가 진행된다.
	• 대체로 팔, 다리관절이 몸통으로부터 떨어져 조각사체로 관찰된다.
	• 사체 탄화 소요 시간
	  - 성인이 1,000℃에서 약 1.5~2.5시간, 신생아는 500℃에서 약 2시간 소요된다.
	  - 탄화 소요시간 가속요소 : 사체가 옷을 입고 있는 경우 심지역할을 한다.
	• 주의사항
	  - 브래지어, 팬티, 바지, 양말, 신발 등과 같이 피부에 밀착되어 착용된 경우에는 화염으로부터 보호되어 탄화되지 않는 경우가 있다.
	  - 화재가 발생하기 전에 손목과 발목이 묶여 있거나 끈 등으로 목이 조여진 경우에는 손목, 발목, 목에서 선택적으로 연소되지 않은 상태가 식별될 수 있다.
	  - 목(경부)의 경우에는 옷깃 등에 보호되어 목이 졸린 끈자국으로 오인될 수 있다.

연소가스에 의한 중독

(1) 중독성 연소생성물의 종류

① 아크롤레인(CH_2CHCHO)
  ㉠ 알데하이드기의 $R-CHO$ 분자식이 한 종류이다.
  ㉡ 석유제품, 유지류, 나무, 종이 등이 탈 때 생성될 수 있으며 연소생성물 중 허용농도는 0.1ppm인 맹독성 가스이다.

② **시안화수소** : 질소성분을 가지고 있는 합성수지, 동물의 털, 인조견 등의 섬유가 불완전연소할 때 발생하며, 0.3% 농도에서 즉시 사망할 수 있는 맹독성 가스이다.

③ **암모니아**(NH_3)
  ㉠ 허용농도 : 25ppm
  ㉡ 위험성 : 연소가스 중 고농도의 이것은 눈에 접촉되면 점막을 심하게 자극하여 결막부종 및 각막혼탁을 초래하고 시력장애의 후유증을 남기는 경우가 있으며, 흡입하면 폐수종을 일으키거나 호흡정지를 일으키는 경우도 있다.

ⓒ 용도 : 주로 냉동시설의 냉매로 많이 쓰이고 있으므로 냉동창고 화재 시 누출 가능성이 큰 가스이다.

④ **포스겐** : PVC 등 염소성분의 용제가 포함된 화재 시 발생하며 맹독성이다.
⑤ **염화수소** : 염화비닐 등 염소함유 수지류 연소 시 발생하고 금속에 대한 강한 부식성으로 건물 철골이 손상될 수 있다. 호흡기에 장애를 준다.

[유해 연소가스의 분자식 및 허용농도]

생성물질	분자식	허용농도(ppm)
아크롤레인	CH_2CHCHO	0.1
포스겐	$COCl_2$	0.1
염소	Cl	1
불화수소	HF	3
이산화황(아황산가스)	SO_2	5
염화수소	HCl	5
시안화수소	HCN	10
황화수소	H_2S	10
암모니아	NH_3	25
일산화탄소	CO	50
이산화탄소	CO_2	5,000

(2) 산소농도에 따른 생리학적 증상

[산소농도에 따른 생체 영향(OSHA & NIOSH, 2006)]

산소농도(%)	생리학적 증상
23.5 이상	폭발성 기체, 과 산소 효과
19.5~23.5	정상 호흡, 부작용 없음
15~19.5	피로, 피곤, 작업 능력 감소, 지구력 소실
12~15	맥박과 호흡률 증가, 협동 운동 장애, 행동의 부조화, 판단력 약화
10~12	맥박이 빨라지며 직무수행 불가, 판단력 저하, 협동 운동 소실, 입술이 파랗게 변함
8~10	정신력 쇠약, 실신, 구토, 의식소실, 창백해진 얼굴
6~8	8분 노출의 경우 50~100%, 6분 노출의 경우 25~50% 사망할 수 있으며 4~5분 노출의 경우 치료 후 회복 가능
4~6	40초 내로 혼수상태, 행동 조절 불가, 경련, 혼수, 호흡정지, 사망

출제예상문제 1회

01 물적 증거물의 역할로 가장 거리가 먼 것은?

① 시간적 증거 ② 접촉 증거
③ 방향적 증거 ④ 전문 증거

해설
직접 체험한 사람의 진술이 서면이나 타인의 진술이라는 매개를 통하여 법원에 전달되는 경우에 해당하여 전문 증거에 속한다.

02 다음 액체 및 고체 증거물의 수집 시 고려해야 할 사항으로 다음 빈칸에 알맞은 것은?

금속 캔에는 (　　) 이상 채우지 않는다.

① 1/2 ② 2/3
③ 4/5 ④ 3/5

해설
금속 캔에는 2/3 이상 채우지 않는다.

03 다음 인화성액체(촉진제) 조사방법 중에 틀린 것은?

① 탐지견은 인화성액체를 감지하는 데 도움을 줄 수 있다.
② 인화성액체의 확인을 위해 대조시료를 채취한다.
③ 일반적으로 가솔린, 등유, 경유, 시너 등이 촉진제로 사용된다.
④ 화재현장에서 인화성액체가 발견되면, 방화 외의 다른 발화요인 가능성을 배제한다.

해설
화재현장에서 인화성액체가 발견되더라도, 방화 외의 다른 발화요인 가능성을 배제하지 않는다.

04 다음 중 열에 의하여 파손된 유리의 설명으로 옳은 것은?

① 파단면에는 커브형태 곡선이 연속해서 만들어진다.
② 거미줄과 같은 방사형태의 파손과 동 심원형태의 파손이 일어난다.
③ 표면에는 리플마크가 쉽게 식별된다.
④ 길고 구불구불한 불규칙한 형태의 금이 가면서 깨진다.

해설
열에 의하여 파손된 유리는 길고 구불구불한 불규칙한 형태의 금이 가는 것을 관찰할 수 있다.

05 다음 중 폭발의 충격파에 의한 유리 파손흔의 설명으로 바르게 짝지어진 것은?

| ㉠ 유리창 전면 파손 |
| ㉡ 평행선 형태 크랙 |
| ㉢ 유리창 한곳 파손 |
| ㉣ 방사상 형태 크랙 |

① ㉠, ㉡ ② ㉡, ㉢
③ ㉢, ㉣ ④ ㉠, ㉣

해설
폭발의 충격파에 의한 유리 파손흔에서는 전면적 파괴와 평행선 형태의 크랙이 관찰된다.

정답 | 01 ④ 02 ② 03 ④ 04 ④ 05 ①

06 다음 중 화재현장에서 방화를 의심하는 방화도구 증거 중 연료 항목에 속하지 않는 것은?

① 인화성액체 ② 폭약
③ 고체 ④ 촛불

🛢 해설
촛불은 점화장치에 해당한다.

07 전기구성요소에서 부하부분에 해당되지 않는 것은?

① 에어컨 ② 컴퓨터
③ 냉온수기 ④ 분전반

🛢 해설
분전반은 전력 분배 장치다.

08 목재의 탄화흔을 통해 연소강도를 추정하는 방법으로 옳은 것은?

① 탄화면이 거친 상태일수록 연소는 약하다.
② 홈의 폭이 넓을수록 연소는 약하다.
③ 홈의 깊이가 깊을수록 강한 연소에 의한 것으로 볼 수 있다.
④ 발화부와 가까울수록 균열이 작고 균열 사이의 골이 깊지 않다.

🛢 해설
목재의 탄화흔 식별방법
목재의 탄화흔은 발화부의 연소강도가 높을수록 그 탄화면은 거칠고 균열 사이의 폭이 넓고 깊게 관찰된다.
① 탄화면이 거친 상태일수록 연소강도는 높다.
② 홈의 폭이 넓게 될수록 연소강도는 높다.
④ 발화부와 가까울수록 균열이 크고 균열 사이의 골이 깊다.

09 다음 목재의 탄화흔이 낮은 노출온도에서 높은 노출온도 순으로 올바르게 나열된 것은?

① 강소흔 → 완소흔 → 열소흔
② 강소흔 → 강소흔 → 완소흔
③ 완소흔 → 강소흔 → 열소흔
④ 완소흔 → 열소흔 → 강소흔

🛢 해설
완소흔 → 강소흔 → 열소흔 순으로 높은 노출온도에 의한 탄화 형태를 관찰 할 수 있다.

10 다음 중 목재의 탄화흔과 노출온도[℃]를 올바르게 짝지은 것은?

① 완소흔 : 1,100 ② 열소흔 : 1,100
③ 강소흔 : 600 ④ 완소흔 : 900

🛢 해설
노출온도 조건에 따른 목재의 균열흔

암기법 완강열 친구일 → 완소흔 강소흔 열소흔 7 9 1

구분	노출온도(℃)	탄화형태
완소흔	700~800	갈라진 틈의 폭이 넓지 않고, 골이 얕으며, 부푼 모양이 삼각형 또는 사각형의 형태
강소흔	900	나무가 갈라져서 파인 골의 깊이가 깊은 편이며, 골의 테두리 모양은 각이 없는 반원형
열소흔	1,100	홈의 깊이가 가장 깊고, 홈의 폭이 넓으며, 부푼 형태는 구형에 가깝도록 볼록

11 용융점이 낮은 것에서 높은 순서로 옳게 나열된 것은?

① 텅스텐 → 크롬 → 마그네슘 → 아연 → 주석
② 텅스텐 → 스테인리스 → 동 → 마그네슘 → 아연
③ 주석 → 아연 → 마그네슘 → 크롬 → 텅스텐
④ 아연 → 주석 → 크롬 → 마그네슘 → 텅스텐

🛢 해설
주석 → 아연 → 마그네슘 → 크롬 → 텅스텐

정답 | 06 ④ 07 ④ 08 ③ 09 ③ 10 ② 11 ③

> **참고**
>
> **각 물질별 융융점**
>
> | 금속명칭 | 융융점(℃) | 금속명칭 | 융융점(℃) |
> |---|---|---|---|
> | 수은 | 39 | 금 | 1,063 |
> | 주석 | 232 | 구리 | 1,083 |
> | 납 | 327 | 니켈 | 1,455 |
> | 아연 | 420 | 스테인리스 | 1,520 |
> | 마그네슘 | 650 | 철 | 1,530 |
> | 알루미늄 | 660 | 티탄 | 1,800 |
> | 은 | 960 | 몰리브덴 | 2,620 |
> | 황동 | 900~1,000 | 텅스텐 | 3,400 |

12 약 1,000℃ 용융점에 해당되지 않는 것은?

① 은 ② 금
③ 구리 ④ 철

해설
약 1,000℃ 용융점의 금속은 은, 황동, 금, 구리가 속한다.

13 플라스틱 증거물 중에 열에 의해 단단히 굳어 재용융 또는 재성형이 불가한 물질이 아닌 것은?

① 멜라민수지 ② 에폭시
③ 페놀계 수지 ④ 테프론

해설
①~③은 열경화성 수지, 테프론은 열가소성 수지이다.

14 플라스틱 증거물의 특징이 아닌 것은?

① 열경화성 물질은 용해되고 흘러서 화재 확대의 원인이 된다.
② 보통의 폴리우레탄은 열경화성 물질로 탄화물질을 형성한다.
③ 탄화수소계의 기본적인 고체 가연물인 플라스틱의 대부분은 열가소성이다.
④ PVC와 같은 열가소성 물질은 가열되면 용융, 변형, 그리고 드롭다운 패턴이 형성된다.

해설
열가소성 물질은 용해되고 흘러서 화재 확대의 원인이 된다.

15 화재현장에서 관계인의 진술 및 증거확보에 있어 옳은 것은?

① 사건·사고의 증거자료는 증거로서의 가치가 없다.
② 화재패턴은 가연물의 배치와 관계없이 관계인의 진술과 불일치·모순되어선 안 된다.
③ 화재감식에서 수거된 물증이 증거능력을 가지기 위해서는 확보, 수집단계부터 사건종료까지 보관관리가 적절하여야 한다.
④ 수집이나 보관이 잘못되어 중요한 단서가 유실되거나 변질되더라도 법적 증거로서의 가치는 변하지 않는다.

해설
① 사건·사고의 증거자료는 증거로서의 가치가 확보되어야 한다.
② 화재패턴은 가연물의 배치와 관계없이 관계인의 진술과 불일치·모순될 수 있다.
④ 수집이나 보관이 잘못되어 중요한 단서가 유실되거나 변질되면 법적 증거로서의 가치를 잃게 될 수 있다.

16 화재관련자들로부터의 정보수집 방법이 틀린 것은?

① 목격자로부터 목격경위, 목격위치, 목격상황에 대하여 청취하여야 한다.
② 소방관계자로부터 출동당시의 화세 및 확산경로에 대한 정보를 수집하여야 한다.
③ 사상자로부터 건물의 구조, 발화범위 내의 물건, 화기시설 등에 대하여 질문하여야 한다.
④ 관리자로부터 건물의 구조, 발화범위 내의 물건, 화기시설 등에 대하여 질문하여야 한다.

해설
사상자로부터 사상 시 위치·행동, 원인 등의 정보를 수집하여야 한다.

정답 | 12 ④ 13 ④ 14 ① 15 ③ 16 ③

17 물적 증거의 종류에 해당하는 것은?
① 관계자 진술　　② 감정인 소견
③ 유류 용기　　　④ 증언

해설
①, ②, ④는 직접 체험한 사람의 진술이 서면이나 타인의 진술이라는 매개를 통하여 법원에 전달되는 경우에 해당하여 전문증거에 속한다.

18 다음 패턴과 설명이 바르게 짝지어진 것은?
① 드롭다운 패턴 : 벽면에 부착된 포스터, 커튼, 수건걸이 등 이들 가연물이 발화지점과 멀리 떨어진 상태에서 화염에 노출되면 가연물이 바닥에 낙하하여 2차 발화할 수 있다.
② 포어 패턴 : 연소가 지속되어 더 많은 휘발성 물질이 목재로부터 분출될 때 탄화표면이 형성되면서 탄화층이 심화되고 균열과 크랙이 발생하여 형성되는 패턴이다
③ 열 그림자 패턴 : 어떤 물체에 가려져 연소생성물이 축적되지 못한 결과로 인해 형성된다. 이때 연소생성물의 축적을 방해하는 물체는 고체 또는 액체, 가연성, 불연성 물질이 될 수 있다.
④ 보호구역 패턴 : 물질의 연소에서 가장 빈번하게 형성되는 패턴으로서 화염, 고온화재의 가스로부터 대류열 또는 복사열의 연기에 의해 생성되며 화재효과의 가장자리를 나타내는 경계선이다.

해설
② 엘리게이터 탄화 패턴
③ 보호구역 패턴
④ V패턴

19 다음에서 설명하는 패턴은 무엇인가?

> 연소가 지속되어 더 많은 휘발성 물질이 목재로부터 분출될 때 탄화표면이 형성되면서 탄화층이 심화되고 균열과 크랙이 발생하여 형성되는 패턴이다.

① 열 그림자 패턴　　② 폴다운 패턴
③ 환기 패턴　　　　④ 엘리게이터 탄화 패턴

해설
엘리게이터 탄화 패턴을 말한다.

20 백화현상에 대하여 틀린 것은?
① 화재현장에 있는 벽면이나 철판 등에 발생하는 현상
② 그을음이 부착되었다가 열에 의해 연소한 흔적
③ 직접적으로 화염과 접하거나 강력한 복사열에 노출되게 되면 대부분 연소되어 비가연성 표면(예 벽면, 금속 등)이 노출되어 관찰되는 것
④ 어떤 물체가 복사열, 대류열, 또는 직접 화염접촉을 차단하여 형성되는 현상

해설
어떤 물체가 복사열, 대류열, 또는 직접 화염접촉을 차단하여 형성되는 현상은 열 그림자 패턴이다.

21 화재현장 보존 등 「소방의 화재조사에 관한 법률」에 관한 사항 중 틀린 것은?
① 소방관서장은 화재조사를 위하여 필요한 범위에서 화재현장 보존조치를 하거나 화재현장과 그 인근지역을 통제구역으로 설정할 수 있다.
② 누구든지 소방관서장 또는 경찰서장의 허가 없이 통제구역에 출입하여서는 아니 된다.
③ 화재현장 보존조치를 하거나 통제구역을 설정한 경우 누구든지 소방관서장 또는 경찰서장의 허가 없이 화재현장에 있는 물건 등을 이동시키거나 변경·훼손하여서는 아니 된다.
④ 화재현장 보존조치, 통제구역의 설정 및 출입 등에 필요한 사항은 소방관서장이 정한다.

해설
화재현장 보존조치, 통제구역의 설정 및 출입 등에 필요한 사항은 대통령령으로 정한다.

정답 | 17 ③　18 ①　19 ④　20 ④　21 ④

22 화재현장 보존을 위한 소방대원의 역할 및 주의사항으로 틀린 것은?

① 화재진압을 위해서 수압을 조절할 필요는 없다.
② 화재현장에 있는 설비, 기구 또는 시설의 손잡이를 돌리거나 작동 스위치를 켜는 것을 자제하여야 한다.
③ 화재현장에서 휘발유나 경유로 작동되는 도구 및 설비를 사용하는 것은 자제하는 것이 좋다.
④ 사망이 확인된 사체는 현장보존을 위해 그 위치를 변경하여서는 안 된다.

해설
화재진압과정에서 수압은 증거물 파손 예방을 고려하여 조절한다.

23 증거물이 오염될 수 있는 원인이 아닌 것은?

① 탄화된 물체와의 이질적 혼합
② 수집과정에서 조사자의 부주의
③ 수집용기의 재사용
④ 수집용기의 마개를 이용한 수집

해설
증거물의 오염을 최소화하기 위해 증거 보관용기와 그 마개를 이용해 수집할 수 있다.

24 증거수집과정에서 오염 예방방법이 아닌 것은?

① 증거물 수집용기의 금속 뚜껑을 수집 도구로 활용한다.
② 무수(無水)성 클리너를 사용해선 안 된다.
③ 빗자루, 부삽 등 증거수집도구는 오염이 되지 않도록 조치한 후에 사용한다.
④ 면장갑 대신 일회용 비닐장갑을 이용한다.

해설
정확한 증거물의 수집을 위하여 무수(無水)성 또는 기타 형태의 클리너를 사용한다.

25 물리적 증거물 수집방법 결정요인과 거리가 먼 것은?

① 휘발성   ② 효율성
③ 물리적 상태   ④ 물리적 특성

해설
효율성이 아닌 파손성이 포함되어야 한다.

26 증거물의 수집에 관한 고려사항으로 맞는 것은?

① 고체 표본을 수집할 때 용기의 1/3 이상을 채워서는 안 된다.
② 등유와 같은 탄화수소계 액체 위험물은 비수용성으로서 물과 혼합되지 않는다.
③ 경우와 같이 흔히 사용되는 화재 촉진제 증기는 탄소량이 적어서 공기보다 가볍다.
④ 화재 촉진제로 사용되는 휘발유와 같은 인화성 액체는 상온에서 자연발화한다.

해설
① 고체 표본을 수집할 때 용기의 2/3 이상을 채워서는 안 된다.
③ 경우와 같이 흔히 사용되는 화재 촉진제 증기는 탄소량이 커서 공기보다 더 무겁다.
④ 화재 촉진제로 사용되는 휘발유와 같은 인화성 액체는 상온에서 자연발화하지 않는다.

27 다음과 같은 장단점이 있는 증거물 보관용기는?

장점	단점
• 쉽게 구할 수 있고 가격이 저렴하다. • 투과성이 없고 내구성이 좋으며 사용이 편리하다. • 휘발성액체의 증발을 막을 수 있다.	• 투과성이 없어 안의 내용물을 볼 수 없다. • 산화하여 녹이 생길 우려가 있다. • 휘발성액체 저장 시 증기압으로 마개가 열릴 수 있다. • 증기 공간 확보를 위해 2/3 이상 채우지 않도록 한다.

① 종이상자   ② 유리병
③ 금속캔   ④ 비닐봉지

해설
금속캔은 투과성이 없고 녹이 생길 우려가 있다.

정답 | 22 ① 23 ④ 24 ② 25 ② 26 ② 27 ③

28 증거물 보관용기 중 유리병의 특징이 아닌 것은?

① 가격이 저렴하고 쉽게 구할 수 있는 장점이 있다.
② 액체와 고체 촉진제를 장기간 보관할 수 있다.
③ 유리병은 액체와 고체 촉진제 증거물을 수집하는 데 이용된다.
④ 많은 양의 촉진제 증거물을 수집할 때는 고무로 봉인해야 한다.

해설
많은 양의 촉진제 증거물을 수집할 때는 고무로 봉인하지 않는 것이 중요하다.

29 액체 연소촉진제의 일반적 특징이 아닌 것은?

① 발열량이 크다.
② 보통 물보다 비중이 높아 무겁다.
③ 다공성 물질에 흡수가 용이하여 지속성·잔류성을 가진다.
④ 물에 잘 녹지 않는 비수용성이 다수이다(수용성 알코올 제외).

해설
보통 물보다 비중이 낮아 가볍다.

30 액체촉진제가 콘크리트 바닥과 같은 다공성 물질에 갇혀 있는 경우 채취방법으로 틀린 것은?

① 물을 부어 액체촉진제를 떠오르게 하여 채취한다.
② 베이킹파우더가 들어 있지 않은 밀가루를 붙여 채취한다.
③ 석회를 표면에 발라 채취한다.
④ 규조토를 20~30분 동안 표면에 발라 채취한다.

해설
물을 붓는 경우 액체촉진제의 농도가 과하게 희석되거나 훼손되는 등 증거수집이 어려워질 수 있다.

> **참고**
>
> **화학흡착제법**
> - 액체 연소 촉진제가 콘크리트 바닥과 같은 다공성 물질에 갇혀 있는 경우 화학적으로 채취하는 방법이다.
> - 다음의 재료들을 이용해 증거물을 수집한다.
>   - 베이킹파우더가 들어있지 않은 밀가루를 붙여 채취한다.
>   - 석회를 표면에 발라 채취한다.
>   - 규조토를 20~30분 동안 표면에 발라 채취한다.

정답 | 28 ④ 29 ② 30 ①

출제예상문제 2회

01 화재현장의 전기 제품 증거물을 수집하는 데 있어 올바른 구성품으로만 짝지은 것은?

> ㉠ 중요 부품
> ㉡ 전원 케이블
> ㉢ 연료 공급 배관

① ㉠, ㉡
② ㉠, ㉡, ㉢
③ ㉠, ㉢
④ ㉡, ㉢

해설
전기 제품의 경우, 중요 부품, 전원 케이블 및 연료 공급 배관 등의 구성품들을 포함한다.

02 전기 관련 물적 증거물 수집방법으로 틀린 것은?

① 전선은 현장 보존을 위해 가능한 짧게 수집한다.
② 전기 제품에 대한 분해조사 또는 수집과 이송은 증거물의 발견 당시 상태를 유지하도록 최선을 다해야 한다.
③ 전기설비나 구성부품의 수집 전에 전원의 차단여부를 확인해야 하며 증거물이 발견된 상태 그대로 보존하여야 한다.
④ 제품 내 전기적 특이점이 발견된다면 상태 그대로 보존해 수거한다.

해설
전선은 가급적 남아 있는 피복까지 검사할 수 있도록 길게 수집하도록 한다.

03 화재현장에서 증거물 수집 시 유리병에 보관할 수 있는 증거물 상태는?

> ㉠ 고체
> ㉡ 액체
> ㉢ 기체

① ㉠
② ㉡
③ ㉠, ㉢
④ ㉠, ㉡

해설
유리병에는 고체, 액체상태의 증거물 수집이 가능하다.

04 화재현장에서 증거물 수집 시 증거물의 상태와 수집용기의 연결이 잘못된 것은?

① 비닐팩 – 액체
② 종이상자 – 고체
③ 유리병 – 고체, 액체
④ 금속캔 – 고체, 액체

해설
비닐팩에는 고체상태의 증거물만 수집 가능하다.

05 화재현장에서 채취한 증거물의 감정기관 이송 시 우편법상의 금지 물품이 아닌 것은?

① 전자기기
② 폭발성 물질
③ 발화성 물질
④ 인화성 물질

해설
제2조 우편금지물품의 종류 「우편금지물품의 내용에 관한 고시」에서 화재조사 관련 대표 물질
1. 폭발성 물질
2. 발화성 물질
3. 가연성 물질
4. 인화성 물질
5. 유독성 물질
6. 강산류 및 강산화성 물질

정답 | 01 ② 02 ① 03 ④ 04 ① 05 ①

06 화재현장에서 채취한 증거물의 감정기관 이송 시 우편법상의 금지 물품이 아닌 것은?

① 헤어스프레이 ② 모기약 스프레이
③ 성냥 ④ 조명기구

🛢 해설
①, ②는 가연성 물질이며, ③은 발화성 물질로 제2조 우편금지 물품의 종류 「우편금지물품의 내용에 관한 고시」에서 분류한다.

07 우편금지물품의 종류 「우편금지물품의 내용에 관한 고시」에서 대기압하에서 인화점이 몇 ℃ 이하의 가연성 액체를 인화성 물질로 분류하는가?

① 50 ② 60
③ 65 ④ 90

🛢 해설
대기압(1기압) 하에서 인화점이 65℃ 이하의 가연성 액체를 인화성 물질로 분류하고 있다.

08 석유류 화재로 추정되는 화재현장으로부터 수집된 시료를 기기분석을 통하여 판별하는 절차가 옳은 것은?

① 수거 → 정제 → 여과 → 침지 → 적외선 흡수 스펙트럼 분석 → 가스 크로마토그래피법
② 수거 → 여과 → 침지 → 정제 → 적외선 흡수 스펙트럼 분석 → 가스 크로마토그래피법
③ 수거 → 침지 → 여과 → 정제 → 적외선 흡수 스펙트럼 분석 → 가스 크로마토그래피법
④ 수거 → 침지 → 정제 → 여과 → 적외선 흡수 스펙트럼 분석 → 가스 크로마토그래피법

🛢 해설
인화성 액체 등의 정확한 성분 분석을 하는 과정을 가스 크로마토그래피법이라 한다.

암기법 수침 여정 적가

감식물 습득(수거) → 침지 → 여과 → 정제 → 적외선 흡수 스펙트럼 분석 → 가스 크로마토그래피법

09 가스 크로마토그래피로 분석할 수 있는 물질은 약 몇 ℃ 이하에서 기화(vaporizing) 할 수 있어야 하는가?

① 96 ② 250
③ 360 ④ 400

🛢 해설
가스 크로마토그래피로 분석이 가능한 물질
- 400℃ 이하에서 기화(vaporizing)할 수 있는 물질
- 기화 온도에서 분해되지 않는 물질
- 기화 온도에서 분해되더라도 분해된 물질이 정량적으로 생성되는 화합물

10 가스 크로마토그래피 분석이 어렵거나 불가능한 물질이 아닌 것은?

① 불산 ② 오존
③ 벤젠 ④ 유황

🛢 해설
가스 크로마토그래피 분석이 어렵거나 불가능한 물질
- 분자량이 적지만 휘발되지 않는 물질 : 무기금속, 금속, 소금
- 재반응성이 크거나 불안정한 물질 : 불산, 오존, 질소산화물(NOx)
- 흡착력이 매우 큰 물질 : 분석 시 흡착이나 재반응이 잘 일어나는 물질들로 주로 카르복실기, 히드록실기, 아미노기, 유황

11 가솔린(Gasoline)을 GC-MS로 분석할 경우 검출되는 성분이 아닌 것은?

① 톨루엔 ② 크실렌
③ 알킬벤젠 ④ 멜라민

🛢 해설
벤젠, 톨루엔, 크실렌은 휘발유에 혼합되거나 용매로써 사용되는 대표적 물질이며 이들 화학성분은 석유화학공업 중에 BTX 공업의 머리글자에 해당된다.

정답 | 06 ④ 07 ③ 08 ③ 09 ④ 10 ③ 11 ④

12 석유 제품의 끓는점과 탄소수가 낮은 것부터 높은 것까지 순서대로 바르게 나열한 것은?

① 경질 나프타 → 중질 나프타 → 등유 → 경유 → 찌꺼기유
② 중질 나프타 → 경질 나프타 → 등유 → 경유 → 찌꺼기유
③ 등유 → 경유 → 경질 나프타 → 중질 나프타 → 찌꺼기유
④ 경유 → 등유 → 경질 나프타 → 중질 나프타 → 찌꺼기유

📖 해설
휘발유(나프타)는 비점이 낮고 탄소수가 적다.

분별증류에 의해 얻어진 석유 제품의 끓는점과 탄소수

유분	비점범위(°C)	탄소수
경질 나프타	30~120	5~8
중질 나프타	100~200	7~12
등유	150~180	9~19
경유	230~350	14~23
찌꺼기유	300 이상	17 이상

13 질량분광계(MS)의 질량분석 작동 절차를 바르게 나열한 것은?

① 주입시스템 → 질량분리기 → 이온발생원 → 검출기 → 분석결과 도출
② 주입시스템 → 질량집진기 → 이온발생원 → 검출기 → 분석결과 도출
③ 주입시스템 → 이온발생원 → 질량분리기 → 검출기 → 분석결과 도출
④ 주입시스템 → 질량집진기 → 적외선주사 → 검출기 → 분석결과 도출

📖 해설
질량분석 작동 절차

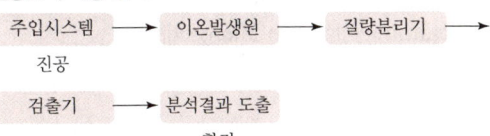

14 다음의 물리적 증거물 분석방법에 대한 설명으로 옳은 것은?

> 금속, 세라믹류 또는 흙과 같은 휘발성이 아닌 물질에 있는 개별 원소들을 구분한다.

① 원자흡광분석
② 가스 크로마토그래피
③ 적외선 분광광도계
④ 엑스레이 형광분석

📖 해설
원자흡광분석에 대한 설명으로 시료 원자의 광원 파장을 흡수하는 방법으로 금속·반금속·비금속원소 분석한다.
② 가스 크로마토그래피 : 인화성 액체 등의 온도별 탄화수소 판별 및 함량 분석
③ 적외선 분광광도계 : 기체, 액체, 고체 등 유기물에 IR 빔을 이용하여 스펙트럼으로 분석
④ 엑스레이 형광분석 : 여기 상태의 전자가 방출하는 빛을 측정하여 유기물 및 무기물에서의 특정 원소를 정성·정량 분석

15 다음의 물리적 증거물 분석방법에 대한 설명으로 옳은 것은?

> 여기 상태의 전자가 방출하는 빛을 측정하여 유기물 및 무기물에서의 특정 원소를 정성·정량 분석한다.

① 원자흡광분석   ② 가스 크로마토그래피
③ 적외선 분광광도계   ④ 엑스레이 형광분석

📖 해설
엑스레이 형광분석에 대한 설명으로 여기 상태의 전자가 방출하는 빛을 측정하여 유기물 및 무기물에서의 특정 원소를 정성·정량 분석한다.
① 원자흡광분석 : 시료 원자의 광원 파장을 흡수하는 방법으로 금속·반금속·비금속원소 분석
② 가스 크로마토그래피 : 인화성 액체 등의 온도별 탄화수소 판별 및 함량 분석
③ 적외선 분광광도계 : 기체, 액체, 고체 등 유기물에 IR 빔을 이용하여 스펙트럼으로 분석

정답 | 12 ① 13 ③ 14 ① 15 ④

16 물적 증거의 테스트 방법 중 금속, 세라믹류 또는 흙과 같은 휘발성이 아닌 물질에 있는 개별 원소들을 구분하는 방법은?

① 가스 크로마토그래피(GC)
② 원자흡광분석(AA)
③ 적외선분광광도계(IR)
④ 엑스레이 형광분석(X-ray Fluorescence)

💡 **해설**
원자흡광분석(AA)은 시료 원자의 광원 파장을 흡수하는 방법으로 금속·반금속·비금속원소, 세라믹류 또는 흙과 같은 휘발성이 아닌 물질에 있는 개별 원소들을 구분한다.

17 석유제품 촉진제에 대하여 화재잔해 표본에서 추출한 발화성 액체 잔여물에 대한 성분을 분석할 수 있는 시험방법은?

① TEM(Transmission Electron Microscope)
② SEM(Scanning Electron Microscope)
③ GFT(Gas Flammable Test)
④ GC(Gas Chromatography)

💡 **해설**
① 투과전자현미경 또는 투과전자현미경법(TEM) : 매우 얇은 시료에 전자빔을 투과시켜 이미지를 형성하는 현미경 또는 해당 기술
② 주사전자현미경법(SEM) : 전자 빔을 주사하여 시료 표면을 관찰하는 기술
③ 인화성 가스 테스트(GFT) : 연소범위 여부 확인하는 방법

18 물적 증거의 테스트 장치 중 연료 기름, 윤활유, 테스트 상황에서 표면 판막을 형성하는 경향이 있는 고체 및 액체의 부유고형물(Suspended Solids) 및 기타 액체의 인화점을 측정할 수 있는 것은?

① 태그 밀폐식 테스터
② 클리브랜드 개방식 테스터
③ 펜스키 마텐스 밀폐식 테스터
④ 세타플래시 밀폐식 테스터

💡 **해설**
연료유, 윤활유를 측정할 수 있는 것은 펜스키 마텐스 밀폐식 테스터이다.

19 유류 증거물의 인화점 시험방법 중 클리브랜드 개방식은 시료가 몇 ℃인 인화점을 적용기준으로 하는가?

① 93℃ 이하
② 93℃ 이상
③ 80℃ 이하
④ 80℃ 이상

💡 **해설**
클리브랜드 개방식은 인화점이 80℃ 이상인 시료를 적용기준으로 한다.

20 유류 증거물의 인화점 시험방법으로서 주로 인화점이 93℃ 이하인 시료를 측정하는 데 사용되는 것으로 옳은 것은?

① 태그 밀폐식
② 원자흡광분석
③ 클리브랜드 개방식
④ 펜스키 마텐스 밀폐식

💡 **해설**
③ 클리브랜드 개방식 : 인화점이 80℃ 이상인 시료. 다만 원유 및 연료유는 제외
④ 펜스키 마텐스 밀폐식 : 밀폐식 인화점의 측정이 필요한 시료 및 태그 밀폐식 인화점 시험방법을 적용할 수 없는 시료

21 유류 증거물의 인화점 시험방법 중 클리브랜드 개방식 방법으로 적용할 수 없는 유종은?

① 석유 아스팔트
② 원유
③ 유동 파라핀
④ 윤활유

💡 **해설**
클리브랜드 개방식은 인화점이 80℃ 이상인 시료를 적용기준으로 한다. 다만, 원유 및 연료유는 제외한다.

22 인화점 측정을 위한 장비가 아닌 것은?

① Pensky-Martens
② Tag Closed Cup
③ Cleveland Open Cup
④ Scanning Electron Microscope

💡 **해설**
Scanning Electron Microscope는 주사전자현미경으로써 고체 상태에서 작은 크기의 미세 조직과 형상을 관찰할 때 널리 쓰이는 현미경이다.

정답 | 16 ② 17 ④ 18 ③ 19 ④ 20 ① 21 ② 22 ④

23 인화성 액체, 부유물을 가진 액체, 시험 조건에서 표면 막을 형성하기 쉬운 액체, 40~370℃의 온도범위를 가지는 기타 액체의 인화점을 시험하는 방법은?

① 태그 개방컵 테스트
② 태그 밀폐컵 테스트
③ 클리브랜드 개방컵 테스트
④ 펜스키 마텐스 밀폐컵 테스트

해설
밀폐식 인화점의 측정이 필요한 시료 및 태그 밀폐식 인화점 시험방법을 적용할 수 없는 시료에 펜스키 마텐스 밀폐컵 테스트를 적용한다.

24 화재발생 전·후에 이루어진 사람의 행동이나 기계적인 작동 상황 등을 시간의 흐름 순으로 전개하여 사건을 분석하는 기법은?

① 검증
② 타임라인
③ PERT 차트
④ 마인드 매핑(Mind mapping)

해설
타임라인은 화재사건에 관련된 것을 시간적인 순서로 나타낸 것이다.

25 증거물 분석 및 재구성 방법 중에 증거들의 조합으로 이루어진 이벤트들을 타임라인 위에 나열하는 방법은 무엇인가?

① Brainstorming
② Time Line
③ Mind mapping
④ Program Evaluation and Review Technique

해설
증거들의 조합으로 이루어진 이벤트들을 타임라인 위에 나열한 것은 PERT(Program Evaluation and Review Technique) 차트이다.

26 화재현장에서 수집된 증거의 해석으로 틀린 것은?

① 화재현장에서 발견된 소사체에서 생활반응이 있을 경우 피해자는 화재 이전 사망한 상태였다는 것을 알 수 있다.
② 깨져 바닥에 쏟아진 유리창의 내측에 그을음이 부착되어 있지 않다면 화재발생 이전에 창문이 먼저 깨졌다는 것을 의미한다.
③ 화재현장 내부의 전기배선 끝단이 합리적인 이유 없이 절단된 경우 현장조사를 방해하기 위한 행위로 추정해볼 수 있다.
④ 타이어 흔적 위로 족적이 찍혀 있다면 이러한 증거는 차량이 지나간 후에 누군가 걸어갔다는 것을 증명해주는 역할을 한다.

해설
화재현장에서 발견된 소사체에서 생활반응이 있을 경우 피해자는 화재 당시 생존한 상태였다는 것을 알 수 있다.

27 타임라인에서 상대적시간에 포함되는 것은?

① 알람의 설정과 작동시간
② 목격자에 의해서 발견된 시간
③ 완전소화시간
④ 목격된 지속시간

해설
타임라인(Time Line) 작성 구성요소
- 실제시간(Hard Time), 절대적시간 : 신고가 접수된 시간, 알람의 설정과 작동(화재발생)시간, 완전소화시간
- 상대적시간(Relative Time) : 목격된 지속시간
- 추정시간(Soft Time)

28 타임라인을 작성할 때 주요 구성요소와 거리가 먼 것은?

① 실제시간
② 이동시간
③ 상대적시간
④ 추정시간

해설
이동시간은 주요 구성요소와 거리가 멀다.

정답 | 23 ④ 24 ② 25 ④ 26 ① 27 ④ 28 ②

29 화재현장 증거물 분석과 주어진 정보를 통한 재검토만으로 결론 도출이 어려운 경우 실제적이고도 과학적인 검증 방법과 거리가 먼 것은?

① 축소 모델 화재 실험
② 화재 시뮬레이션
③ 피난 시뮬레이션
④ 마인드 매핑

해설
마인드 매핑은 각 증거물이 주는 정보를 연관되는 것들끼리 연결해놓는 것을 말한다.

30 타임라인과 마인드 매핑에 대한 설명으로 옳지 않은 것은?

① 상대적시간은 추정을 근거로 한다.
② 타임라인은 증거와 정보의 조합이고, 마인드 매핑은 사건이 일어난 시간의 재구성이다.
③ 타임라인의 정확성은 가설의 신뢰도를 높여 준다.
④ 마인드 매핑은 수집된 정보를 바탕으로 객관적 사실을 조합하는 과정이다.

해설
마인드 매핑은 증거와 정보의 조합이고, 타임라인은 사건이 일어난 시간의 재구성이다.

정답 | 29 ④ 30 ②

출제예상문제 3회

01 화재조사를 위한 사진촬영의 중요성에 해당하지 않는 것은?
① 사실의 묘사성
② 진술의 신뢰성
③ 기억의 환기성
④ 증거의 조작성

해설
사진촬영은 조작되지 않는 객관적 사실을 묘사하기 위함이다.

02 화재조사현장 사진촬영의 필요성과 가장 거리가 먼 것은?
① 현장조사 시 실수로 빠트린 정보와 사실들을 얻을 수 있다.
② 사진을 보는 사람이 실제적인 감각으로 느끼게 할 수 있다.
③ 촬영한 사진은 글로 자세한 설명을 해야만 알 수 있다.
④ 사진을 통해 화재현장의 소손상황, 감식 · 감정 대상의 물건 등을 정확하게 기록할 수 있다.

해설
화재조사현장의 상세하게 촬영된 사진은 글보다도 있는 사실을 세부적으로 묘사한다.

03 현장사진촬영의 필요성에 대한 설명 중 옳지 않은 것은?
① 기록과 사진, 영상 모두 한계가 있으므로 문제가 해결될 때까지 현장을 보존하는 것이 가장 중요하다.
② 사진을 보는 사람이 실제적인 감각으로 느끼게 함으로써 그때의 상황을 충분히 전달할 수 있는 것이 중요하다.
③ 현장조사 시 실수로 빠트렸거나 수집이 불가능했던 많은 정보와 사실들을 사진을 통해 얻을 수 있다.
④ 화재현장의 소손상황, 감식 · 감정의 대상이 되는 관계물건 등의 상황을 정확하게 기록하는 수단으로서 사진과 영상이 중요하다.

해설
화재현장을 사진, 영상 등으로 상세히 기록하면 지속적으로 기억의 환기가 가능하므로 장기간 현장 보존이 불필요해진다.

04 화재조사를 위한 사진촬영에 대한 설명으로 옳지 않은 것은?
① 피사체를 확대하여 촬영할 경우 주변의 가구, 기둥 등을 넣어서 촬영한다.
② 필요할 경우에는 원 또는 화살표 등의 표식을 넣어 촬영한다.
③ 피사체 이외의 물건은 절대 들어가면 안 된다.
④ 피사체의 크기를 명확하게 하고자 할 경우에는 눈금자 또는 동전 등을 옆에 놓고 촬영하여도 무방하다.

해설
피사체는 그 위치와 주변에 관련된 여러 가지 상황이 나타날 수 있도록 원거리, 중거리, 단거리에서 촬영한다.

정답 | 01 ④ 02 ③ 03 ① 04 ③

05 화재현장 사진 및 비디오촬영 시 유의사항으로 틀린 것은?

① 화재조사요원은 규모가 작은 화재는 사진촬영 등을 생략할 수 있다.
② 최초 도착하였을 때의 원상태를 그대로 촬영하여야 한다.
③ 소재와 상태가 명백히 나타나도록 하고 필요에 따라 구분이 용이하게 번호표 등을 넣어 촬영한다.
④ 연소확대 경로 및 증거물 기록에 대한 번호표와 화살표를 표시한 후에 촬영하여야 한다.

해설
화재조사관은 화재발생 사실을 인지하는 즉시 화재조사를 개시하여야 하며 규모와 무관하다.

06 사진촬영 시 증거물의 크기를 명확하게 할 필요가 있을 때 사용되는 표식으로 맞는 것은?

① 눈금자
② 번호표
③ 통제선
④ 스트로보

해설
피사체의 크기를 명확하게 하고자 할 경우에는 눈금자 또는 동전 등을 옆에 놓고 촬영하여도 무방하다.

07 화재현장의 사진촬영방법으로 가장 옳은 것은?

① 어두운 실내 촬영 시 스트로보나 플래시를 사용한다.
② 군중 또는 인물사진 등의 사진은 절대로 촬영하지 않는다.
③ 발화지점과 인접한 영역에 있는 방이라도 손상이 없으면 촬영하지 않는다.
④ 증거로서 가치가 있는 물건은 현장보다는 연구실로 가지고 가서 촬영한다.

해설
어두운 곳이나 태양에 의한 직사광선을 받지 않도록 스트로보를 이용하여 촬영한다.

08 화재증거물 사진의 촬영 및 유의사항에 관한 설명으로 틀린 것은?

① 화재증거물은 오물을 제거하고 나서 찍는다.
② 접사로 촬영하는 경우 셔터스피드를 이용해 피사계 심도를 조절한다.
③ 접사 촬영이 필요할 경우 매크로렌즈(접사용) 및 링스트로보 등을 활용한다.
④ 피사계 심도는 어느 정해진 시간 동안에 초점이 맞는 가장 멀리 있는 사물과 가장 가까이 있는 사물의 거리이다.

해설
피사계 심도의 조절은 카메라 조리개(노출도), 렌즈 초점거리 및 카메라와 피사체와의 거리를 활용한다.

09 화재감식을 위한 사진촬영 시 유의사항 중 틀린 것은?

① 작은 물건을 촬영할 때에는 표식을 사용한다.
② 촬영하는 목적을 충분히 이해하고 나서 촬영한다.
③ 화재감식 현장에서 사용한 장비가 사진에 나오도록 촬영한다.
④ 좁은 방에서 많은 물건을 사진 1매로 찍고자 할 때에는 일반적으로 광각렌즈를 사용한다.

해설
화재감식 현장에서 사용한 장비는 사진에 나올 필요가 없다. 대신 증거물 등을 촬영함에 있어서는 그 길이, 폭 등을 명백히 하기 위하여 측정용 자 또는 대조도구를 사용하여 촬영할 수 있다.

10 화재현장의 촬영에 관한 설명 중 틀린 것은?

① 작은 물건을 촬영할 때에는 표식을 사용한다.
② 어두운 곳에서는 스트로보(Strobo)를 이용하여 촬영한다.
③ 좁은 방에서는 광각렌즈보다 표준렌즈를 사용한다.
④ 촬영의 목적을 분명하게 이해한 뒤 촬영에 임한다.

해설
좁은 방에서 많은 물건을 사진 1매로 찍고자 할 때에는 일반적으로 광각렌즈를 사용한다.

정답 | 05 ① 06 ① 07 ① 08 ② 09 ③ 10 ③

11 카메라에 내장된 노출계의 측광방식에 대한 설명 중 틀린 것은?

① 평균측광은 파인더의 화면 전체의 노출값을 다 참고해서 노출을 측정하는 방식이다.
② 중앙부중점 측광은 화면의 중심부를 70% 정도, 변두리 쪽은 30% 정도 비중으로 측광하여 평균을 내는 방식으로 주 피사체를 중심부에 놓고 찍는 것을 전제로 하는 측광방식이다.
③ 스팟측광은 화면의 일부만을 측광하는 방식으로 주 피사체의 정확한 노출을 측광할 수 있어 역광 촬영이나 콘트라스트가 강한 장면의 촬영 시에 사용된다.
④ 다분할 측광은 화면을 여러 개로 분할하여 각각 측정하여 평균치를 내는 방식으로 너무 강한 빛이나 약한 빛이 측광되면 제외시켜 버리고 나머지 것으로 평균을 내는 방식이다.

🛢 해설
스팟측광은 피사체가 어두울 경우 아주 작은 범위(중앙부의 2.5~4%)를 측광하는 방식으로 역광 및 접사촬영에 주로 사용된다.

12 「화재증거물수집규칙」상 현장사진 및 비디오촬영 시 유의사항으로 틀린 것은?

① 최초 현장도착 시 원상태를 그대로 촬영한다.
② 현장사진 및 비디오 촬영 시 소실이 심한 부분을 중심으로 촬영한다.
③ 화재와 연관성이 크다고 판단되는 증거물, 피해물품 등은 면밀히 관찰 후 자세히 촬영한다.
④ 현장사진 및 비디오 촬영할 때는 연소확대 경로 및 증거물 기록에 대한 번호표와 화실표를 표시 후에 촬영하여야 한다.

🛢 해설
최초 도착하였을 때의 원상태를 그대로 촬영하고, 화재조사의 진행순서에 따라 촬영한다.

13 화재증거물 사진 촬영 시 피사계의 심도를 깊게 하기 위한 방법으로 가장 옳은 것은?

① 렌즈의 조리개를 좁힌다.
② 렌즈의 조리개를 넓힌다.
③ 카메라의 셔터 스피드를 길게 한다.
④ 카메라의 셔터 스피드를 짧게 한다.

🛢 해설
카메라 렌즈의 조리개와 피사계의 심도의 관계

조리개(노출도)	심도(초점거리)
크다(넓다)	얕다(짧다)
작다(좁다)	깊다(멀다)

14 카메라 촬영에 있어 피사계심도 조절 방법으로 틀린 것은?

① 피사계심도를 얕게 하는 방법으로 렌즈구경을 개방한다.
② 피사계심도를 깊게 하는 방법으로 촬영거리를 가깝게 한다.
③ 피사계심도를 얕게 하는 방법으로 초점거리가 더 긴 렌즈를 사용한다.
④ 피사계심도를 깊게 하는 방법으로 초점거리가 더 짧은 렌즈를 사용한다.

🛢 해설
피사계심도를 깊게 하는 방법으로 촬영거리를 멀게 한다.

15 파사계 심도(Depth of field)에 대한 설명으로 틀린 것은?

① 피사계 심도가 깊어지면 상세하게 보는데 걸리는 시간이 단축된다.
② 초점거리가 주어진 렌즈에서는 f-stop이 클수록 피사계 심도가 깊어질 것이다.
③ 피사계 심도는 촬영하는 사물까지의 거리, 렌즈 구경 및 사용하는 렌즈의 초점 거리에 따라 달라진다.
④ 피사계 심도는 어느 정해진 시간 동안에 초점이 맞는 가장 멀리 있는 사물과 가장 가까이 있는 사물의 거리이다.

정답 | 11 ③ 12 ② 13 ① 14 ② 15 ①

🖉 **해설**
피사계 심도가 깊어지면 상세하게 보는데 걸리는 시간이 길어진다.

16 디지털카메라의 고유 기능으로 받아들인 빛을 증폭하여 감도를 높이거나 낮춰주는 기능은?

① 줌 기능 ② EV 쉬프트
③ ISO 조절기능 ④ 화이트 밸런스

🖉 **해설**
① 줌 기능 : 디지털 줌에서는 디지털 시그널 과정에 의해 CCD에 보여지는 디지털 이미지를 확대하는 기능
② EV 쉬프트 : 셔터스피드와 조리개 값을 조합하여 촬영 시 빛의 양을 수치화한 EV를 조절하는 기능
④ 화이트 밸런스 : 촬영 환경의 조명 색이 미치는 영향을 보정하여 흰색 물체를 하얗게 보이도록 하는 기능

17 디지털카메라의 기능에서 셔터스피드와 조리개 값을 조합하여 촬영 시 빛의 양을 조절하는 기능은?

① 줌 기능 ② EV 쉬프트
③ ISO 조절기능 ④ 화이트 밸런스

🖉 **해설**
① 줌 기능 : 디지털 줌에서는 디지털 시그널 과정에 의해 CCD에 보여지는 디지털 이미지를 확대하는 기능
③ ISO 조절기능 : 디지털카메라의 고유 기능으로 받아들인 빛을 증폭하여 감도를 높이거나 낮춰주는 기능
④ 화이트 밸런스 : 촬영 환경의 조명 색이 미치는 영향을 보정하여 흰색 물체를 하얗게 보이도록 하는 기능

18 화면의 중심부를 70% 정도 변두리쪽은 30% 비중으로 측광하여 평균을 내는 측광 방식은?

① 평균 측광 ② 중앙부중점 측광
③ 스팟 측광 ④ 다분할 측광

🖉 **해설**
중앙부중점 측광을 설명하고 있다.

19 화면 전체를 4~64 또는 그 이상 부분으로 나누어 측광하는 방식은?

① 평균 측광 ② 중앙부중점 측광
③ 스팟 측광 ④ 다분할 측광

🖉 **해설**
전체 화면 평균값을 이용하는 것으로 평가(다분할, 멀티) 측광을 설명하고 있다.

20 피사체가 어두울 경우 아주 작은 범위(중앙부의 2.5~4%)를 측광하는 방식은?

① 평균 측광 ② 중앙부중점 측광
③ 스팟 측광 ④ 다분할 측광

🖉 **해설**
역광 및 접사촬영에 주로 사용하는 스팟 측광을 설명하고 있다.

21 다음 빈칸에 알맞은 것은?

> 조명이 없는 건물 내부 어두운 곳에서 촬영 시 카메라는 ISO는 (   ), 조리개 수치는 (   ) 설정한다.

① 최소, 크게 ② 최대, 작게
③ 최대, 크게 ④ 최소, 작게

🖉 **해설**
조명이 없는 건물 내부 어두운 곳에서 촬영 시 카메라의 ISO는 최대, 조리개 수치는 작게 설정한다.

22 화재현장 촬영 시 사용되는 카메라의 기능 중 노출 측정이 어렵거나 측정치가 정확하지 않을 때 노출을 여러 단계로 두는 것은?

① 닷징(Dodging) ② 버닝(Burning In)
③ 비네팅(Vignetting) ④ 브라케팅(Bracketing)

🖉 **해설**
① 닷징(dodging) : 인화 시 사진의 일부가 너무 어두워서 어두운 부분을 부분적으로 밝게 만들고 싶을 때 확대기의 빛을 선택적으로 막는 기법
② 버닝(Burning In) : 닷징과 반대로, 주 노출이 끝난 뒤 추가적인 노출이 필요한 특별한 부분에 빛을 더해 주는 것

정답 | 16 ③ 17 ② 18 ② 19 ④ 20 ③ 21 ② 22 ④

③ 비네팅(vignette, vignetting) : 사진 및 광학에서 화상의 중심부에 비해 주변부로 갈수록 화상의 명도 또는 채도가 감소하는 현상

23 사진 및 광학에서 화상의 중심부에 비해 주변부로 갈수록 화상의 명도 또는 채도가 감소하는 현상은 무엇인가?

① 닷징(Dodging)
② 버닝(Burning In)
③ 비네팅(Vignetting)
④ 브라케팅(Bracketing)

해설
① 닷징(dodging) : 인화 시 사진의 일부가 너무 어두워서 어두운 부분을 부분적으로 밝게 만들고 싶을 때 확대기의 빛을 선택적으로 막는 기법
② 버닝(Burning In) : 닷징과 반대로, 주 노출이 끝난 뒤 추가적인 노출이 필요한 특별한 부분에 빛을 더해 주는 것
④ 브라케팅(bracketing) : 노출에 대한 약간의 오차를 두고 촬영하는 방법

24 좁은 실내에서 많은 물건을 촬영할 때 유용한 렌즈로 옳은 것은?

① 광각렌즈
② 표준렌즈
③ 망원렌즈
④ 줌렌즈

해설
광각렌즈의 특징
- 표준렌즈보다 초점거리가 짧고, 화각이 넓은 특징을 가지고 있다.
- 좁은 방에서 많은 물건을 1매로 촬영할 때 용이하다.

25 표준렌즈에 대한 설명으로 옳은 것은?

① 과장이 거의 없다.
② 객관적 표현이 우수하고 일그러짐이 있다.
③ 피사체가 작게 찍히고 피사계 심도가 깊다.
④ 사람의 눈에 가장 가깝고 180도 이상 화각을 촬영할 수 있다.

해설
표준렌즈는 광각이나 망원렌즈보다 과장이 적다.

26 다음 중 화재현장을 효과적으로 촬영하기 위한 렌즈에 대한 설명으로 옳지 않은 것은?

① 줌렌즈는 물고기 눈처럼 둥글게 튀어 나와서 피시아이(Fish Eye)라고 불린다.
② 좁은 공간에서 넓은 화각을 원할 때는 광각렌즈를 사용한다.
③ 망원렌즈는 멀리 있는 피사체 촬영 시 편리하다.
④ 표준렌즈는 50도 안팎의 화각으로 원근감, 화상의 크기 등이 육안에 가장 가깝다.

해설
줌렌즈는 어안렌즈(Fish-eye Lens)라고 한다.

27 화재현장 촬영 시의 유의사항으로 옳지 않은 것은?

① 각 방위별로 출화의 방향성에 착안하여 구조물의 형태를 확인하여 촬영한다.
② 발화건물과 인접 도로 및 주변 건물과 경계선을 파악하여 촬영한다.
③ 높은 곳에서 전체적으로 연소 확대 상황을 관찰하면서 촬영한다.
④ 너무 많은 사진 자료는 혼란을 야기하므로 사진 촬영은 발화대상물에만 초점을 맞추어 촬영한다.

해설
발화대상물 이외 부분도 촬영하여야 발화부 및 발화지점을 배제하는 근거로 활용할 수 있다.

28 화재현장 사진 촬영에 대한 설명으로 틀린 것은?

① 가능하다면 진행되고 있는 화재를 촬영한다.
② 건물은 가능한 여러 각도와 외부 각도에서 많은 사진을 찍어야 한다.
③ 현재 현장의 위치를 확실히 하기 위해 외부 사진을 촬영해 두어야 한다.
④ 군중 속의 사람을 촬영하는 것은 인권침해의 우려가 있어 촬영해서는 안 된다.

해설
방화자가 존재할 수 있으므로 군중 속의 사람을 촬영할 수 있다.

정답 | 23 ③ 24 ① 25 ① 26 ① 27 ④ 28 ④

29 사진촬영을 위해 현장 전체를 파악할 수 있는 선정 위치로 옳은 것은?

① 발화가 개시된 건물 정면
② 발화지점 내부
③ 발화지역 주변의 높은 곳
④ 화염이 강하게 출화한 곳

📖 **해설**
현장의 외경촬영
- 건물의 경우 화재건물과 인접 건물, 도로와의 관계가 나타날 수 있도록 높은 곳에서 촬영한다.
- 인접 건물로 화재가 확산되었을 경우, 확산경로가 나타날 수 있도록 촬영한다.
- 건물의 4방향이 나타날 수 있도록 곳곳에서 촬영한다.
- 건물의 창문이나 출입문 등 개구부 및 지붕으로 보이는 그을음, 백화연소흔적, 도괴된 형태 등 화재패턴에 대하여 촬영한다.
- 내부로 들어가기 전 창문이나 출입문이 강제로 개방된 흔적이 있는지 검사 후 그 내용을 촬영한다.

30 화재현장에서 관계자에 대한 질문 및 녹음에 관한 설명으로 옳지 않은 것은?

① 피질문자를 배려하여 충분히 안정된 상태에서 진술할 수 있는 장소를 선택한다.
② 화재현장에서 질문할 경우에는 이해관계인들을 모두 참석시킨 후에 진행해야 한다.
③ 피질문자의 이해관계에 의하여 허위진술을 하는 경우가 있음을 염두에 둔다.
④ 녹음된 진술내용은 진술조서에 첨부하여 입증자료로 사용할 수 있다.

📖 **해설**
임의진술 확보를 위해 이해관계자들을 서로 분리하여 질문을 진행한다.

정답 | 29 ③ 30 ②

출제예상문제 4회

01 대부분의 화재에서 중요한 사인이며 특히 주택에서 대형화재가 발생한 경우 희생자의 주요 혹은 단독적인 사인이 되는 것은?

① 출혈성 쇼크
② 일산화탄소 중독
③ 열에 의한 손상
④ 불소에 의한 독성

해설
다음 통계와 같이 연기·유독가스에 의한 사망이 가장 많으므로 연기 내에 포함된 일산화탄소 중독이 주요 사인이 된다.
- 2013~2022년간 화재로 인한 인명피해 유형은 사망은 연기·유독가스를 흡입하고 화상까지 입은 경우가 40%로 가장 많았고, 연기·유독가스 흡입이 25%, 화상 9% 순이였다.
- 부상은 화상이 46%로 가장 많았고, 연기·유독가스 흡입 31%, 연기와 유독가스를 흡입하고 화상까지 입은 경우가 7% 순으로 발생하였다.

02 최근 대부분의 화재에서 부상의 유형을 높은 순에서 낮은 순으로 바르게 나열한 것은?

① 화상 → 연기·유독가스 흡입 → 연기·유독가스 흡입 및 화상
② 연기·유독가스 흡입 및 화상 → 연기·유독가스 흡입 → 화상
③ 연기·유독가스 흡입 → 화상 → 연기·유독가스 흡입 및 화상
④ 연기·유독가스 흡입 및 화상 → 화상 → 연기·유독가스 흡입

해설
- 2013~2022년간 화재로 인한 인명피해 유형은 사망은 연기·유독가스를 흡입하고 화상까지 입은 경우가 40%로 가장 많았고, 연기·유독가스 흡입이 25%, 화상 9% 순이였다.
- 부상은 화상이 46%로 가장 많았고, 연기·유독가스 흡입 31%, 연기와 유독가스를 흡입하고 화상까지 입은 경우가 7% 순으로 발생하였다.

03 법의학적 물리적 증거물의 종류가 아닌 것은?

① 발화기기 내 단락흔
② 피, 타액과 같은 체액
③ 손가락 및 손바닥 지문
④ 머리카락, 섬유 및 신발 자국

해설
법의학적 물리적 증거물은 생물학적 증거(DNA 또는 혈액), 미량 증거(섬유 또는 머리카락), 물리적 증거(무기 또는 지문) 등이 포함된다.

04 화염에 의해 불에 타서 사망하거나 그와 동시에 연소 중에 만들어지는 일산화탄소·매연 등 가스와의 양면(兩面)작용으로 인해 사망한 것은?

① 화상사
② 소사
③ 외식질사
④ 쇼크사

해설
인명피해조사에서 화재로 인한 직접 원인 사망 유형 「화재피해액 산정 매뉴얼」
- 화상사 : 화재 속에서 화염에 의해 화상을 입은 후, 그 상황에서 2차적인 조건에 의해 사망한 것
- 질식사
  - 외질식사(外窒息死) : 화재 시 발생되는 연기에 숨이 막혀 구토가 발생하고, 토하는 음식물이 기도를 막아 사망한 것
  - 내질식사(內窒息死) : 화재 시 일산화탄소 등 물질에 의해 생성되는 독성가스의 영향으로 혈관을 막는 등 피의 흐름을 막아 조직이 산소 부족으로 사망한 것
- 쇼크사 : 화재에 따른 현상에 의해 신경을 자극해서 정신 또는 신체가 충격을 받아 사망한 것
- 일산화탄소중독사 : 화재 시 사람이 들이마신 일산화탄소가 혈액속에서 산소를 운반하는 헤모글로빈을 감소시켜 근육과 내장·세포조직 등이 호흡의 곤란 상태를 일으켜 사망한 것

정답 | 01 ② 02 ① 03 ① 04 ②

05 화재 시 일산화탄소 등 물질에 의해 생성되는 독성가스의 영향으로 혈관을 막는 등 피의 흐름을 막아 조직이 산소 부족으로 사망한 것은 어떠한 사망유형으로 정의하는가?

① 쇼크사　　　　　② 외식질사
③ 내식질사　　　　④ 일산화탄소중독사

🛢 해설
관련 매뉴얼 4번 해설 참조

06 생체의 생활반응과 비교한 사체의 반응에 관한 설명으로 틀린 것은?

① 생체의 혈액은 외부의 힘에 의해 혈관이 파괴되면 용솟음치듯 내뿜으며 출혈하지만, 사체는 파괴된 혈관 부근에서 혈액이 흘러나오는 정도로 끝난다.
② 생체가 둔기에 맞으면 피부가 파괴되지 않아도 피부 아래의 모세혈관이 파괴되면서 피부조직 안으로 출혈해서 피가 굳는 응혈현상이 생기는 것에 반해, 사체는 응혈현상이 없다.
③ 생체가 열기를 받으면 물집이 생기나 사체는 물집이 잠시 생겼다 사라지면서 충혈되고 빨간 부스럼이 생긴다.
④ 살아있던 사람이 익사하거나 불에 타 죽는 경우 입에서 하얗고 빽빽한 점액성의 거품이 부풀어 오르고, 죽은 사람을 물에 넣거나 태울 때에는 이러한 증상이 나타나지 않는다.

🛢 해설
생체는 열기에 대한 생활반응으로 수포, 홍반 등이 관찰되지만, 사망 이후에는 열기에 노출되어도 그러한 반응이 관찰되지 않는다.

07 일산화탄소와 헤모글로빈이 결합한 것을 무엇이라고 하는가?

① COHG　　　　　② COHM
③ CAHb　　　　　④ COHb

🛢 해설
일산화탄소는 폐에서 혈액 속의 헤모글로빈과 결합하여 일산화탄소 – 헤모글로빈(COHb ; carboxy – hemoglobin)을 형성한다.

08 시반에 관한 설명으로 옳은 것은?

① 시반은 사망시간을 나타내는 지표로 사용된다.
② 시반은 시신의 사망 전 이동 여부를 나타낸다.
③ 시반은 3~4시간 후에 더 이상 진행되지 않는다.
④ 시반은 우리 몸의 가장 높은 신체 부위에 발생한다.

🛢 해설
시반은 사후 1~2시간에 옅은 자줏빛 반점으로 시작하여 15~24시간이 경과하면서 짙은 자주빛으로 나타난다.
② 시반은 사망 이후 나타나는 현상이다.
③ 시반은 24시간이 경과하면서 짙은 자줏빛을 띠게 된다.
④ 시반은 몸의 가장 낮은 신체 부위에 발생한다.

09 화재로 인한 시체에 대한 설명으로 틀린 것은?

① 인체는 70% 이상이 수분으로 이루어져 있어 화재 시 연소되지 않는다.
② 화재로 인해 사망한 시체에서는 시반이 발견된다.
③ 손바닥에 과다한 그을음이 부착된 것은 화재 시 생존해 있었음을 나타내는 것이다.
④ 시체의 호흡기 계통에서 그을음이 발견되는 것은 화재 시 생존해 있었다는 것이다.

🛢 해설
인간의 사체 또한 열을 계속해서 받게 되면 탄화가 진행된다.

10 다음 빈칸에 알맞은 것은?

> 일산화탄소는 헤모글로빈과 결합하는 능력이 산소보다 약 (　) 배 이상 높아서 헤모글로빈이 산소 대신 일산화탄소와 더 많이 결합하여 세포에 산소를 공급할 수 없어 일산화탄소 중독에 이른다.

① 2　　　　　② 5
③ 10　　　　　④ 200

🛢 해설
일산화탄소는 헤모글로빈과 결합하는 능력이 산소보다 약 200배 이상 높아서 헤모글로빈이 산소 대신 일산화탄소와 더 많이 결합하여 세포에 산소를 공급할 수 없어 일산화탄소 중독에 이른다.

정답 | 05 ③　06 ③　07 ④　08 ①　09 ①　10 ④

11 일산화탄소 중독에 의해 사망한 경우 시반의 색깔로 맞는 것은?

① 암적색 ② 선홍색
③ 담황색 ④ 담자색

🔍 **해설**
선홍색 시반
일산화탄소 헤모글로빈(COHb)에 의해 신체 전반이 선홍색으로 혈액침하가 발생할 경우 나타나는 현상이다.

12 화재로 인하여 사망에 이른 사체에 관한 설명으로 가장 거리가 먼 것은?

① 일산화탄소가 헤모글로빈과 결합함으로써 체내 산소의 공급이 차단되어 사망한다.
② 일산화탄소를 흡입으로 인하여 사망하면 암전색의 시반이 나타난다.
③ 기도, 폐 등의 호흡기에서 발견되는 그을음은 화재 당시 생존해 있었음을 나타내는 증거가 될 수 있다.
④ 일산화탄소를 흡입한 것으로 화재 당시 생존해 있었음에 대한 증거가 될 수 있다.

🔍 **해설**
선홍색 시반
일산화탄소 헤모글로빈(COHb)에 의해 신체 전반이 선홍색으로 혈액침하가 발생할 경우 나타나는 현상이다.

일산화탄소 중독
- 일산화탄소는 헤모글로빈과 결합하는 능력이 산소보다 약 200배 이상 높아서 헤모글로빈이 산소 대신 일산화탄소와 더 많이 결합하여 세포에 산소를 공급할 수 없어 일산화탄소 중독에 이른다.
- 체내 산소공급을 막아 산소를 필요로 하는 장기(특히 뇌, 심장, 근육 등)가 심각하게 손상되어 사망할 수 있다.

13 「질병관리청」에 따르면 일산화탄소 헤모글로빈(COHb) 수치가 몇 % 이상일 때 "중증"으로 분류하는가?

① 30 ② 40
③ 60 ④ 70

🔍 **해설**
「질병관리청」에 따르면 중 일산화탄소 헤모글로빈(COHb) 수치가 40% 이상일 때 "중증"으로 분류한다.

14 「질병관리청」에 의한 일산화탄소 헤모글로빈(COHb) 수치별 증상의 정도를 나타내는 것이 아닌 것은?

① 하증 ② 경증
③ 중증 ④ 중증도

🔍 **해설**
경증, 중증도, 중증의 순으로 증상의 정도를 구분하고 있다.

15 「질병관리청」에 따른 공기 중 일산화탄소 농도에 따른 증상의 다음 빈칸에 알맞은 것은?

일산화탄소 농도	COHb수치 [%]	징후 및 증상
1,600ppm	40	20분 이내에 두통, 빈맥, 현기증 및 메스꺼움, ( )시간 이내에 사망

① 1 ② 2
③ 5 ④ 10

🔍 **해설**
공기 중 일산화탄소 농도가 1,600ppm이고 COHb 수준이 40%일 때, 20분 이내에 두통, 빈맥, 현기증 및 메스꺼움, 2시간 이내에 사망한다.

16 화재현장에서 발견된 사망한 사체에 관한 설명으로 틀린 것은?

① 일산화탄소를 흡입한 것으로 화재 당시 생존해 있었음에 대한 증거가 될 수 있다.
② 눈가의 주름 사이에 그을음이 부착되지 않은 것은 화재 당시 사망한 상태였다는 증거가 될 수 있다.
③ 일산화탄소가 헤모글로빈과 결합함으로써 체내 산소의 공급이 차단되어 사망했을 가능성이 있다.
④ 기도, 폐 등의 호흡기에서 발견되는 그을음은 화재 당시 생존해 있었음을 나타내는 증거가 될 수 있다.

🔍 **해설**
눈가의 주름 사이에 그을음이 부착되지 않은 것은 화재 당시 생존한 상태였다는 증거가 될 수 있다.

정답 | 11 ② 12 ② 13 ② 14 ① 15 ② 16 ②

17 연소생성물 중 알데하이드형태의 화합물인 맹독성 물질은?

① 시안화수소 ② 포스겐
③ 염화수소 ④ 아크롤레인

해설
①~④ 화합물 전부 독성 물질이지만 알데하이드기의 분자식 구조를 가진 화합물은 아크롤레인이다.

18 전신적 생활반응에서 나타나는 현상은?

① 출혈과 응혈 ② 국소적 빈혈
③ 수포 ④ 선홍색 시반

해설
선홍색 시반은 일산화탄소 헤모글로빈에 의해 신체 전반이 선홍색으로 혈액침하가 발생할 경우 나타나는 현상이다.

19 국소적 생활반응에 해당하는 것은?

① 출혈 및 응혈 ② 속발성 염증
③ 색전증 ④ 외래물질의 분포

해설
국소적 생활반응이란 생전에 신체 내·외부로부터 가해진 신체 일부분에서 관찰되는 반응이다. ②~④는 전신적 생활반응이다.

20 살아있는 사람이 상처를 입으면 그 상처 부위에 동맥혈이 증가하여 충혈되고 빨간 부스럼이 생기는 생활반응은?

① 창상개구 ② 발적종창
③ 미세포말 ④ 화상수포

해설
① 창상개구: 피부가 찢기거나 떨어져 나가거나 구멍이 나면서 일어나는 상해
③ 미세포말: 미세한 포말(froth)로 구성된 백색의 포말괴가 비강 및 구강에서 마치 버섯모양으로 유출되는 현상
④ 화상수포: 생존 시 열기에 대한 생활반응으로 수포, 홍반 등이 관찰됨

21 외부에서 신체에 열이 가해지는 경우 열에 의한 손상의 범위를 결정하는 사항이 아닌 것은?

① 가연물의 크기
② 가해진 온도
③ 열이 가해진 시간
④ 과다한 열을 배출하는 체표면의 능력

해설
화상심도 결정요인
열의 강도, 열 노출시간, 피부의 예민도, 체표면의 열배출 능력

22 9의 법칙은 체 각 부분이 차지하는 체표면적을 9의 배수로 구분하여 화상면적을 쉽게 계산하는 방법이다. 그 기준이 되는 손바닥 면적을 전체 신체 표면적의 몇 %로 보는가?

① 1 ② 2
③ 5 ④ 10

해설
손바닥 면적을 전체 신체 표면적의 1%로 본다.

23 다음은 9의 법칙에 의한 영아의 화상 체표면적[%]을 나타낸 표다. 다음 빈칸의 수치는?

구분	머리	좌우측팔 각각	앞뒤측 몸통 각각	성기(외음부)	좌우측 다리 각각
소아·영아	( )	9	( )	1	13.5

① 9 ② 18
③ 24 ④ 30

해설
9의 법칙에 의한 성인 및 영아 체표면적(단위: %)

구분	머리	좌우측팔 각각	앞뒤측 몸통 각각	성기(외음부)	좌우측 다리 각각
성인	9	9	18	1	18
소아·영아	18	9	18	1	13.5

정답 | 17 ④ 18 ④ 19 ① 20 ② 21 ① 22 ① 23 ②

24 성인이 흡인화상이나 골절을 동반한 화상을 입었다. 어떠한 중증도로 구분하는가?

① 하중   ② 경중
③ 중증   ④ 중증도

🛢 해설
중증에 속한다. 하중의 분류는 없다.

25 표피와 함께 진피까지 손상된 화상을 말하며 열에 의한 손상이 많은 증상의 특징은 몇 도의 화상단계로 보는가?

① 1   ② 2
③ 3   ④ 4

🛢 해설
수포증상이 있는 2도 화상 단계로 본다.

26 화상사의 사망기전으로 가장 거리가 먼 것은?

① 합병증   ② 기계적 폐색
③ 속발성 쇼크   ④ 원발성 쇼크

🛢 해설
기계적 폐색이란 어떠한 원인으로 물리적인 공간 점유로 장내 강 속 장내용물의 통과장애가 발생하는 형태를 말한다.

27 사망자 부검을 위해 사용하는 장비로 가장 거리가 먼 것은?

① X선 촬영기
② 컴퓨터 단층 촬영기(CT)
③ 적외선 분광광도계
④ 자기공명영상장비(MRI)

🛢 해설
③은 기체, 액체 등의 유기물을 분석하는 장비이다.

적외선 분광광도계(IR)
기체, 액체, 고체 등 유기물에 IR 빔을 조사하는 에너지교환 현상을 이용하여 스펙트럼으로 분석

28 화재사의 소견이 아닌 것은?

① 투사형자세가 되었다.
② 매가 기도 내에 부착되었다.
③ 십이지장 내에서 매가 발견되었다.
④ 상기도의 점막에서 충혈, 종창 등 열에 의한 변화가 일어났다.

🛢 해설
투사형자세는 사망 이후에 열이 계속적으로 가해지면 근육이 응고되어 수축되는 열경직 현상이다.

29 화재 당시 살아있었음을 나타내는 생활반응으로 맞는 것은?

① 시반이 없다.
② 머리가 그을렸다.
③ 기도에 매연이 부착되었다.
④ 피부가 진피까지 탄화되었다.

🛢 해설
기도에 그을음의 흡입 흔적이 있는 경우 화재 당시 살아있었음을 나타내는 생활반응으로 판단할 수 있다.

30 연소로 인한 산소가 소비되어 산소농도 저하에 따른 인체에 미치는 영향에 대한 설명으로 옳은 것은?

① 저체온 상태 및 청색증이 나타나는 산소농도는 12~16%이다.
② 경련, 의식불명이 나타나는 산소농도는 9~14%이다.
③ 혼수상태, 호흡부진, 호흡정지가 나타나는 산소농도는 9~14%이다.
④ 맥박 및 호흡수 증가, 세밀한 근력이용 작업이 불가한 상태의 산소농도는 12~16%이다.

🛢 해설
① 산소농도 12~16%에서 맥박과 호흡률 증가, 협동 운동 장애, 행동의 부조화, 판단력 약화
② 산소농도는 9~14%에서 정신력 쇠약, 실신, 구토, 의식소실, 창백해진 얼굴
③ 혼수상태, 호흡부진, 호흡정지가 나타나는 산소농도는 4~6%이다.

정답 | 24 ③ 25 ② 26 ② 27 ③ 28 ① 29 ④ 30 ④

Fire Investigaton &

화재감식평가기사 · 산업기사 필기

PART 04

화재조사 보고 및 피해평가

CHAPTER 01_ 화재조사 서류작성(화재조사 및 보고규정)
CHAPTER 02_ 화재피해액산정
- 출제예상문제(1회~4회)

CHAPTER 01 화재조사 서류작성(화재조사 및 보고규정)

1 일반사항

(1) 화재조사 서류의 구성 및 양식

1) 화재조사서류의 의의
① 소방기관이 전문적이고 공평한 입장에서 작성하는 것이다.
② 화재조사서류는 공문서로서 정보공개대상으로 사용된다.
③ 사법기관 등의 유효한 증거자료로 활용될 수 있다.
④ 축적된 조사 데이터는 분석·유형화하여 시민에 대한 예방지도나 소방관계법령 등의 소방행정 제시의 기초자료로 활용된다.

2) 화재현장조사서 작성 방법
① 입회인의 설명내용과 조사원의 관찰·확인 사실은 별도로 구분하여 작성한다.
② 현장조사서에는 주관적 판단이나 조사자가 의도하는 결론으로 유도하지 않는다.
③ 작성자는 현장조사를 직접 행한 자로 한정하고 다른 사람이 대신하여 작성하는 것은 인정되지 않는다.
④ 현장조사서의 기재는 조사자의 의사나 판단이 개입되지 않도록 현장상황이나 소손물건 등을 객관적으로 가능한 있는 그대로 표현하는 것이 좋다.
⑤ 현장조사는 법률행위적 행정조사로서 권한을 가진 상대방의 승낙을 득하고 입회하는 임의조사이다.
⑥ 대규모 건물화재 등에서 현장조사를 분담하여 실시한 경우 분담한 자들 각각이 해당 개별 장소의 현장조사서를 작성한다.
⑦ 현장조사서에는 객관적 사실을 기재한다.

3) 화재조사의 종류 및 조사의 범위
① 화재원인조사

종류	조사범위
발화원인 조사	화재가 발생한 과정, 화재가 발생한 지점 및 불이 붙기 시작한 물질
발견·통보 및 초기 소화상황 조사	화재의 발견·통보 및 초기소화 등 일련의 과정
연소상황 조사	화재의 연소경로 및 확대원인 등의 상황
피난상황 조사	피난경로, 피난상의 장애요인 등의 상황
소방시설 등 조사	소방시설의 사용 또는 작동 등의 상황

② 화재피해조사

종류	조사범위
인명피해조사	• 소방활동 중 발생한 사망자 및 부상자 • 그 밖에 화재로 인한 사망자 및 부상자
재산피해조사	• 열에 의한 탄화, 용융, 파손 등의 피해 • 소화활동 중 사용된 물로 인한 피해 • 그 밖에 연기, 물품반출, 화재로 인한 폭발 등에 의한 피해

> **한번더클릭** 화재에 의한 재산피해 사례
>
> • 가구가 열로 탄화되었다.
> • 옷감이 소화용수로 젖어 사용하지 못하게 되었다.
> • 도자기가 반출되던 중 표면이 파손되었다.

4) 화재조사 법령 서류 종류 및 작성 주체에 따른 구분

화재조사자가 작성해야 하는 서류	화재현장 선착대 선임자	관계인(소유자, 점유자, 관리자) 등이 작성해야 하는 서류

• 화재발생종합 보고서
• 화재현황조사서 및 첨부
  – 화재유형별 조사서
    1. 건축·구조물 화재
    2. 자동차·철도차량
    3. 위험물·가스제조소 등 화재
    4. 선박·항공기 화재
    5. 임야화재
  – 화재조사서(인명피해, 재산피해)
  – 방화·방화의심 조사서
  – 소방시설 등 활용 조사서
  – 화재현장 조사서
	• 화재현장출동보고서	• 재산피해 신고서
		• 화재사후조사의뢰서

(2) 화재조사서류 작성상의 유의사항

① 화재조사서류는 모든 소실 화재가 포함된다.
② 화재조사서류 작성을 통해 소방행정에 필요한 정보자료를 취득한다.
③ 화재조사 결과를 기록하여 문서화한다.
④ 화재조사서류는 사법기관에 증거자료로 활용 가능하다.
⑤ 간결·명료하게 알기 쉬운 문장으로 작성한다.
⑥ 오자·탈자 등이 없는 문서로 작성한다.
⑦ 기재항목이 빠지지 않도록 필요한 서류를 첨부한다.
⑧ 부동산은 재산피해 금액을 천원 단위로 기재한다.
⑨ 재산피해는 부동산과 동산으로 구분하여 기재한다.
⑩ 인명구조는 구조와 유도대피로 구분하여 기재한다.
⑪ 건축물의 소실정도는 전소, 반소, 부분소 3종류로 구분한다.

화재발생 종합보고서(체크리스트)

(1) 화재현황조사서

[별지 4] 화재현황조사서「화재조사 및 보고규정」

화재현황조사서

화재번호 ☐☐☐☐ 년 ☐☐ 월 ☐☐☐☐ 연번

☐ 수정

❶ 소방관서
① _____ 소방서 _____ 119안전센터 _____ 119지역대

❷ 화재발생 및 출동
발생일시 ☐☐☐☐ 년 ☐☐ 월 ☐☐ 일 ☐☐ 시 ☐☐ 분 ☐ 요일

	년 월 일 시 분		년 월 일 시 분
① 접 수	☐☐☐☐ ☐☐ ☐☐ ☐☐ ☐☐	② 출 동	☐☐☐☐ ☐☐ ☐☐ ☐☐ ☐☐
③ 도 착		④ 초 진	
⑤ 잔불정리		⑥ 완 진	
⑦ 철 수		⑧ 재발화감시	

❸ 화재발생장소 및 유형
① 주 소 _____ 시·도 _____ 시·군 _____ 구 _____ 읍·면·동·리(로) _____ 번지 _____ 마을
② 대 상 _____ / _____
　　　대상(도로)명　　건물층수(지하/지상)　　발화층　　발화지점
③ 유 형 ☐ 건축·구조물 ☐ 자동차·철도차량 ☐ 위험물·가스제조소 등
　　　　☐ 선박·항공기 ☐ 임야 ☐ 기타
④ 거 리 소방서 ☐☐.☐ km, 119안전센터 ☐☐.☐ km, 119지역대 ☐☐.☐ km

❹ 화재원인
① 발화열원
☐ 작동기기 ☐ 담뱃불, 라이터불 ☐ 마찰, 전도, 복사 ☐ 불꽃, 불티 ☐ 폭발물, 폭죽
☐ 화학적 발화열 ☐ 자연적 발화열 ☐ 기타 ☐ 미상
　　　　　　　　　　　→ 소분류 ☐☐☐☐☐

② 발화요인 (○ 판단　○ 추정)
☐ 전기적 요인 ☐ 기계적 요인 ☐ 제품결함 ☐ 가스누출(폭발) ☐ 화학적 요인 ☐ 교통사고
☐ 부주의 ☐ 자연적 요인 ☐ 방화(○ 방화 ○ 방화의심) ☐ 기타 ☐ 미상
　　　　　　　　　　　→ 소분류 ☐☐☐☐☐

③ 최초착화물
- ☐ 가구 ☐ 침구, 직물류 ☐ 종이, 목재, 건초 등 ☐ 합성수지 ☐ 간판, 차양막 등
- ☐ 식품 ☐ 전기, 전자 ☐ 위험물 등 ☐ 가연성 가스 ☐ 자동차, 철도차량, 선박, 항공기
- ☐ 쓰레기류 ☐ 기타 ☐ 미상

→ 소분류 ☐☐☐☐☐

④ 발화개요
_____
_____
_____

5 발화관련 기기 ☐ 해당없음

① 발화관련 기기
- ☐ 계절용기기 ☐ 생활기기 ☐ 주방기기 ☐ 영상·음향기기 ☐ 사무기기 ☐ 조명, 간판
- ☐ 배선, 배선기구 ☐ 전기설비 ☐ 산업장비 ☐ 농업용 장비 ☐ 의료장비 ☐ 상업장비
- ☐ 차량·선박부품 ☐ 드론 ☐ 기타 ☐ 미상

→ 소분류 ☐☐☐☐☐

② 제품 및 동력원
- 제 품 회사명 [_____] 제품명 [_____] 제품번호 [_____] 제조일 [____] 년 [__] 월 [__] 일
  - ☐ 확인불가능
- 동력원 ☐ 전기 ☐ 가스 ☐ 유류 ☐ 고체 ☐ 기타 → 소분류 ☐☐☐☐☐

6 연소확대

① 연소확대물 ☐ 해당없음
- ☐ 가구 ☐ 침구, 직물류 ☐ 종이, 목재, 건초 등 ☐ 합성수지 ☐ 간판, 차양막 등 ☐ 식품 ☐ 전기, 전자 ☐ 위험물 등
- ☐ 가연성 가스 ☐ 자동차, 철도차량, 선박, 항공기 ☐ 쓰레기류
- ☐ 기타 ☐ 미상

→ 소분류 ☐☐☐☐☐

② 연소확대 사유(★ 복수선택 가능) ☐ 해당없음
- ☐ 화재인지·신고 지연   ☐ 가연성물질의 급격한 연소   ☐ 현장진입 지연(불법주차)
- ☐ 현장도착 지연(교통혼잡)   ☐ 원거리 소방서   ☐ 방화구획 기능 불충분
- ☐ 덕트·샤프트의 연통 역할   ☐ 인접건물과의 이격거리 협소 ☐ 목조건물의 밀집 등
- ☐ 기상(건조, 강풍 등)   ☐ 기타   ☐ 미상

7 피해 및 인명구조

(인명피해) 총계 ☐☐☐ 명
① 인명피해 사망 ☐☐☐ 명 부상 ☐☐☐ 명   ② 이재민 ☐☐☐ 세대 ☐☐☐ 명

(재산피해) 총계 ☐☐☐,☐☐☐,☐☐☐ 천원(예상피해액 ☐☐☐,☐☐☐,☐☐☐ 천원)
① 부 동 산 ☐☐☐,☐☐☐,☐☐☐ 천원   ② 동산 ☐☐☐,☐☐☐,☐☐☐ 천원
③ 소실면적 ☐☐☐,☐☐☐ m²
④ 소실동(대)수 · 건축·구조물 ☐☐☐ 동   · 차량 등 ☐☐☐ 대
⑤ 소실정도   · 건축물 ☐☐ 동, ☐☐ 동, ☐☐ 동   · 차량 등 ☐☐ 대, ☐☐ 대, ☐☐ 대
                       전소   반소   부분소   전소   반소   부분소

(인명구조) ① 구조 ☐☐☐ 명   ② 유도대피 ☐☐☐ 명

8 관계자

① 소유자 성명 [　　　] 연령 [　　]세 □남 □여 전화 [　　　　　]
② 점유(운전)자 성명 [　　　] 연령 [　　]세 □남 □여 전화 [　　　　　]
③ 소방안전관리자 성명 [　　　] 연령 [　　]세 □남 □여 전화 [　　　　　]
　(위험물안전관리자)

9 동원인력

□ 긴급구조통제단 가동된 화재　□ 대응1단계　□ 대응2단계　□ 대응3단계

① 인원 [　　]명 [　] [　] [　] [　] [　] [　] [　] [　]
　　　　　　　총계　소방　의소대　경찰　일반직　군인　유관기관　기타

• 전문위원　□ 화재합동조사단 운영
　　　　[　]명 [　] [　] [　] [　] [　] [　] [　] [　]
　　　　　　총계　소방　전기(전자)　기계　건축　가스　화학　자동차　기타

② 장비 [　　]대 [　] [　] [　] [　] [　] [　] [　] [　]
　　　　　　총계　펌프　물탱크　고가(굴절)　화학　구조　구급　헬기　선박　기타

③ 사용 소방용수　소화전 [　.　.　.　]　　급수탑 [　.　.　]
　　　　　　　　　저수조 [　.　.　.　]　　기 타 [　.　.　]

④ 재발화감시 [　　]명　□ 해당없음

10 보험가입

□ 해당없음　□ 화재보험의무가입대상(특수건물)

① 가입회사 [　　　　　]
② 보험금액 [　　.　　.　　] 천원
　• 부동산 [　　.　　.　　] 천원　• 동산 [　　.　　.　　] 천원
③ 계약기간 [　　.　　] ~ [　　.　　]
　　　　　　년　　월　　　년　　월

11 기상상황

① 날 씨 [　　　]　　② 온 도 [　　]℃
③ 습 도 [　　]%　　④ 풍 향 [　　]
⑤ 풍 속 [　　]m/s　⑥ 기상특보 [　　]

12 첨부서류

① 화재유형별조사서
　□ 1.1 건축·구조물 화재　□ 1.2 자동차·철도차량 화재　□ 1.3 위험물·가스제조소 등 화재
　□ 1.4 선박·항공기 화재　□ 1.5 임야화재　□ 1.6 기타화재(첨부없음)
② 화재조사서
　□ 2.1 인명피해　□ 2.2 재산피해
③ □ 방화·방화의심 조사서　④ □ 소방방화시설 활용 조사서　⑤ □ 화재현장 조사서

13 작성자

소 속	계 급	성 명	비 고

1) 화재현황조사서의 기입항목 정리

① 소방관서
② 화재발생 및 출동
③ 화재발생장소 및 유형
④ 화재원인
⑤ 발화관련 기기
⑥ 연소확대
⑦ 피해 및 인명구조
⑧ 관계자
⑨ 동원인력
⑩ 보험가입
⑪ 기상상황
⑫ 첨부서류
⑬ 작성자

2) 화재현황 조사서의 첨부서류 & 화재원인 항목

첨부서류	화재원인
암기법 유인재 방소현	**암기법** 열요착개
① 화재유형별 조사서 ② 화재조사서(인명피해, 재산피해) ③ 방화·방화의심 조사서 ④ 소방방화시설 활용 조사서 ⑤ 화재현장 조사서	① 발화열원 ② 발화요인 ③ 최초착화물 ④ 발화개요

3) 화재현황조사서의 발화열원과 발화요인 항목 비교

발화열원	발화요인
암기법 작담마 폭불화자	**암기법** 전기가 화제교부 자방기
• 작동기기 • 담뱃불, 라이터불 • 마찰, 전도, 복사 • 폭발물, 폭죽 • 불꽃, 불티 • 화학적 발화열 • 자연적 발화열 • 기타 • 미상	• 전기적 요인 • 기계적 요인 • 가스누출(폭발) • 화학적 요인 • 제품결함 • 교통사고 • 부주의 • 자연적 요인 • 방화 • 기타 • 미상

4) 경미한 화재

경미한 화재를 '즉소화재(재산피해 50만 원 이하)'로 하여 별도로 통계 관리하던 것을 폐지하였다.

5) 건축·구조물의 소실정도

암기법 전반부 출석해

① 전소 : 건물의 70% 이상(입체면적에 대한 비율)이 소실되었거나 또는 그 미만이라도 잔존부분을 보수하여도 재사용이 불가능한 것

② 반소 : 건물의 30% 이상 70% 미만이 소실된 것
③ 부분소 : 제1호, 제2호에 해당하지 아니하는 것
   자동차·철도차량·선박·항공기 등의 소실정도는 건축·구조물 규정을 준용한다.

6) 소실면적 산정
건물(수손 및 기타 파손 포함)의 소실면적 산정은 소실 바닥면적으로 산정한다.

(2) 화재유형별조사서(건축·구조물, 자동차·철도, 위험물·가스제조소, 선박·항공기, 임야화재)

 화재유형별조사서 서식 종류

 건자위 선임

1. 건축·구조물 화재
2. 자동차·철도차량
3. 위험물·가스제조소 등 화재
4. 선박·항공기 화재
5. 임야화재

1) 화재유형별조사서(건축·구조물화재)「화재조사 및 보고규정」

[별지 제6호서식](신설 2006.12.27. 개정 2010.7.7.)

화재유형별조사서(건축·구조물화재)

건축·구조물 현황 ☐ 수정

■ 건축·구조물 현황

① 건물구조
　　☐☐☐ ☐☐☐☐☐식 ☐☐☐ ☐☐☐☐☐조 ☐☐☐ ☐☐☐☐☐즙 / ☐☐☐동

② 층 수　지상 ☐☐☐층　지하 ☐☐☐층

③ 면 적　연면적 ☐☐☐,☐☐☐,☐☐☐ m²　바닥면적 ☐☐☐,☐☐☐,☐☐☐ m²

■ 건물상태
☐ 사용중　　☐ 철거중　　☐ 공 가
☐ 공사중 → ☐ 신축　☐ 증축　☐ 개축　☐ 기타

■ 장소

① 시설용도　☐ 소방안전관리대상　☐ 다중이용업　☐ 중요화재
　　　　　　☐ 화재예방강화지구　☐ 화재안전 중점관리대상　　■ 특정소방대상물

시설용도		특정소방대상물	
☐ 주거시설 →	○ 단독주택　○ 공동주택　○ 기타주택	☐ 공동주택	
☐ 교육시설 →	○ 학교　○ 연구, 학원	☐ 근린생활시설	
		☐ 문화 및 집회시설	
☐ 판매, 업무시설 →	○ 판매　○ 공공기관　○ 일반업무　○ 숙박시설	☐ 종교시설	☐ 판매시설
	○ 청소년시설판매　○ 군사시설　○ 교정시설	☐ 운수시설	☐ 의료시설
		☐ 교육연구시설	
☐ 집합시설 →	○ 관람장　○ 공연장　○ 종교　○ 전시장	☐ 노유자시설	☐ 수련시설
	○ 운동시설	☐ 운동시설	☐ 업무시설
		☐ 숙박시설	☐ 위락시설
☐ 의료,복지시설 →	○ 건강　○ 의료　○ 노유자	☐ 공장	☐ 창고시설
☐ 산업시설 →	○ 공장시설　○ 창고　○ 작업장　○ 발전시설	☐ 위험물 저장 및 처리 시설	
	○ 지중시설　○ 동식물시설　○ 위생시설	☐ 항공기 및 자동차 관련 시설	
		☐ 동물 및 식물 관련 시설	
☐ 운수자동차시설 →	○ 자동차시설　○ 항공시설　○ 항만시설	☐ 자원순환 관련 시설	
	○ 역사,터미널	☐ 교정 및 군사시설	
		☐ 방송통신시설	☐ 발전시설
☐ 문화재시설 →	○ 문화재	☐ 묘지 관련 시설	
☐ 생활서비스 →	○ 위락　○ 오락　○ 음식점　○ 일반서비스	☐ 관광휴게시설	☐ 장례시설
		☐ 지하가	☐ 지하구
☐ 기타 건축물 →	○ 기타 건축물	☐ 문화재	☐ 복합건축물

　→ 소분류 ☐☐☐☐☐☐☐☐☐

■ 부속용도　☐ 해당없음
☐ 후생복리　☐ 교육복지　☐ 업무　☐ 일반생활　☐ 기타
　→ 소분류 ☐☐☐☐☐☐☐☐☐

② 발화지점　　　　　　　　　　　　　　　　　　　　　　　　　　　　　☐ 미상
☐ 구조　☐ 기능　☐ 설비, 저장　☐ 생활공간　☐ 출구　☐ 공정시설　☐ 기타
　→ 소분류 ☐☐☐☐☐☐☐☐☐

③ 발화층수 ☐지상 ☐☐☐층 / ☐지하 ☐☐☐층　　④ 소실면적 ☐☐☐,☐☐☐,☐☐☐ m²

⑤ 연소확대 범위
　☐ 발화지점만 연소　　　☐ 발화층만 연소　　　☐ 다수층 연소
　☐ 발화건물 전체 연소　　☐ 인근 건물 등으로 연소

2) 화재유형별조사서(자동차·철도차량화재) 「화재조사 및 보고규정」

[별지 제6-2호서식]

화재유형별조사서(자동차·철도차량화재)

□ 자동차·철도차량 □ 수정

1 구분

① 자동차
- □ 승용자동차
  - ○ 5인승 이하 ○ 6인승 ○ 7인승~10인승 이하
- □ 승합자동차 □ 화물자동차
  - ○ 버스 ○ 소형 승합차
  - ○ 캠핑용 자동차 또는 캠핑용 트레일러
    - ○ EV(Electric Vehicle) ○ HEV(Hybrid Vehicle)
    - ○ PHEV(Plug-in HEV) ○ FCEV(Full Cell EV)
  - ○ 친환경자동차 ○ 기타
- □ 특수자동차 □ 오토바이
- ■ 장소 □ 고속도로 □ 일반도로 □ 주차장
  □ 공지 □ 터널 □ 기타

② 농업기계
- □ 트랙터 □ 경운기 □ 기타

③ 건설기계
- □ 굴삭기 □ 덤프트럭 □ 기타

④ 군용차량
- □ 군용차량 □ 기타

⑤ 철도차량
- □ 전동차 □ 기관차 □ 기타
- ■ 철도구분 □ 국철 □ 지하철 □ KTX □ 기타

2 형식

① 제조회사 [   ]
② 차량번호 [   ]
③ 연 식 [   ]년
④ 차 량 명 [   ]

3 발화지점

□ 미상

① 자동차·농업·건설·군용차량
- □ 앞좌석 □ 뒷자석
- □ 엔진룸 □ 트렁크
- □ 바 퀴 □ 적재함
- □ 연료탱크 □ 기타

② 철도차량
- □ 객실(좌석) □ 기관실
- □ 바 퀴 □ 연료탱크
- □ 화물실 □ 화장실
- □ 객차연결통로 □ 기타

4 참고사항

_____
_____
_____
_____

한번더클릭 자동차·철도차량 화재유형별 조사서의 형식란 기입사항 4가지

암기법 제연번명

- 제조회사
- 연식
- 차량번호
- 차량명

3) 화재유형별조사서(위험물 · 가스제조소 등 화재)「화재조사 및 보고규정」

[별지 제6-3호서식](신설 2006.12.27.)

화재유형별조사서(위험물 · 가스제조소 등 화재)

☐ 위험물 · 가스제조소 등 화재 　　　　　　　　　　　　　　　　　　　　　　☐ 수정

1 대 상　　☐ 건축물　　　　　☐ 시설물(탱크)　　　　　☐ 차 량

① 구 조 　[　][　][　][　]식 [　][　][　][　]조 [　][　][　][　]즙 [　][　][　]동
② 층 수　지상 [　][　][　]층　지하 [　][　][　]층
③ 면 적　연면적 [　][　][　],[　][　][　],[　][　][　]m² 바닥면적 [　][　][　],[　][　][　],[　][　][　]m²

2 제조소 등의 구분

① <u>위험물 제조소 등</u>
　☐ 제 조 소　　　　☐ 옥내저장소　　　☐ 옥외탱크저장소　　☐ 옥내탱크저장소
　☐ 지하탱크저장소　☐ 간이탱크저장소　☐ 이동탱크저장소　　☐ 옥외저장소
　☐ 암반탱크저장소　☐ 주유취급소　　　☐ 판매취급소　　　　☐ 이송취급소
　☐ 일반취급소　　　☐ 기 타

② <u>가스 제조소 등</u>
　☐ 고압가스제조시설　　☐ 고압가스저장시설　　☐ 액화산소를 소비하는 시설
　☐ 액화석유가스제조시설 ☐ 액화석유가스저장시설 ☐ 가스공급시설　　☐ 기 타

③ 완공 년·월·일 [　][　][　][　],[　][　],[　][　]　　④ 차량번호 [　　　　　　　　　]
　　　　　　　　　년　　　월　일
⑤ 허가품명 [　　　　　]류, [　　　　]　　⑥ 허가량 [　　　　　　　　]

3 발화지점　　　　　　　　　　　　　　　　　　　　　　　　　　　　☐ 미상

① 위험물 취급시설
　☐ 주입구　　☐ 펌 프　　　☐ 탱크 본체　☐ 작업실　　☐ 보관실
　☐ 반응기　　☐ 고정주유설비 ☐ 토출구　　 ☐ 차 량　　 ☐ 기 타

② 부속시설
　☐ 사무실　　☐ 점 포　　　☐ 식당·휴게소 ☐ 전시장　　☐ 정비소
　☐ 세차기　　☐ 대기실/주거시설 ☐ 외 부　　 ☐ 기 타

4 화재경위
　☐ 제조소 등 내부에서 (☐ 발화, ☐ 폭발)하여 당해 제조소 등 내부에서 그친 경우
　☐ 제조소 등 내부에서 (☐ 발화, ☐ 폭발)하여 당해 제조소 등 외부로 확대된 경우
　☐ 제조소 등 외부에서 (☐ 발화, ☐ 폭발)하여 당해 제조소 등으로 전이된 경우
　☐ 제조소 등의 위험물이 누출되어 제조소 등 외부에서 (☐ 발화, ☐ 폭발)한 경우

5 참고사항

_____
_____
_____
_____

※「위험물안전관리법」에서 "제조소 등"은 제조소 · 저장소 및 취급소를 말한다.

4) 화재유형별조사서(선박·항공기화재)「화재조사 및 보고규정」

[별지 제6-4호서식](신설 2006.12.27.)

화재유형별조사서(선박·항공기화재)

☐ 선박·항공기 화재 　　　　　　　　　　　　　　　　　　　　　☐ 수정

❶ 구 분

① 선 박
- ☐ 유람선　　☐ 여객선
- ☐ 화물선　　☐ 유조선
- ☐ 바지선　　☐ 어 선
- ☐ 수상 레저기구(보트 등)
- ☐ 함정(군함 등)
- ☐ 특수작업선(해양관측선 등)
- ☐ 기 타

② 항공기
- ☐ 비행기　　☐ 회전익항공기(헬리콥터)
- ☐ 비행선　　☐ 활공기(글라이더)
- ☐ 경비행기　☐ 기 타

❷ 형 식

① 제조회사 [　　　　　]
② 연 식 [　　　]년
③ 톤 수 [　　].[　　]톤
④ 기종/명칭 [　　　　　]
⑤ 수용인원 [　　]명

❸ 발화지점　　　　　　　　　　　　　　　　　　　　　　　　　☐ 미상

① 기기 작동실
- ☐ 기관실　　☐ 전기실
- ☐ 갑 판　　☐ 조타실(조정실)
- ☐ 취사실　　☐ 엔 진
- ☐ 기계실　　☐ 기 타

② 부속시설
- ☐ 계 단　　☐ 식 당
- ☐ 사무실　　☐ 화장실
- ☐ 화물실　　☐ 무대부
- ☐ 객 실　　☐ 기 타

❹ 참고사항

_____
_____
_____
_____

5) 화재유형별조사서(임야화재) 「화재조사 및 보고규정」

[별지 제6-5호서식](신설 2006.12.27. 개정 2020.4.13.)

화재유형별조사서(임야화재)

☐ 임야화재 　　　　　　　　　　　　　　　　　　　　　　　　　　　　　　　　　☐ 수정

❶ 구 분
① 산　불　☐ 제조소　　　　☐ 공유림　　　　　　☐ 사유림
　　　　　　(☐ 국립공원　☐ 도립공원　☐ 시·군립공원　☐ 자연휴양림　☐ 해당없음)
② 들　불　☐ 숲　☐ 들판　☐ 논밭두렁　☐ 과수원　☐ 목초지　☐ 묘지　☐ 군·경사격장　☐ 기타

❷ 방·실화자　　　　　　　　　　　　　　　　　　　　　　　　　　　　　　　　☐ 미상
① 성　명　[　　　　　]　　　　　③ 성　별　☐ 남　☐ 여
② 연　령　[　｜　｜　]세

❸ 발화지점　　　　　　　　　　　　　　　　　　　　　　　　　　　　　　　　　☐ 미상
☐ 산정상　　　☐ 산중턱　　　☐ 산아래　　　☐ 평지

❹ 화재경위
① 구　분
　　☐ 입산자 실화　→　☐ 담뱃불　☐ 모닥불　☐ 취사행위　☐ 기타
　　☐ 논·밭두렁으로부터 확대　　☐ 쓰레기 소각장에서 확대　　☐ 성표객으로부터 화재
　　☐ 건물로부터 확대　　　　　　☐ 자동차로부터 확대　　　　☐ 축사, 비닐하우스로부터 확대
　　☐ 군·경사격장으로부터 확대　☐ 기　타　　　　　　　　　☐ 미　상

② 발생개요
_____
_____

❺ 피해사항
① 산림피해면적 [　｜　｜　].[　｜　｜　] m²　② 건　물 [　｜　｜　] 동　③ 기　타 [　｜　｜　]

❻ 발견(신고) 사항　　　　　　　　　　　　　　　　　　　　　　　　　　　　　☐ 미상
① 일　시 [　｜　｜　｜　].[　｜　].[　｜　].[　｜　].[　｜　]
　　　　　　　년　　　　월　　　일　　　시　　　분
② 인적사항　성명 [　　　　　]　연령 [　　　　　]세　성별 ☐ 남　☐ 여

❼ 참고사항
_____
_____
_____
_____

(3) 화재피해조사서(인명·재산피해)

1) 화재피해조사서(인명피해)「화재조사 및 보고규정」

[별지 제7호서식](신설 2006.12.27., 개정 2020.4.13.)

화재피해조사서(인명피해)

☐ 인명피해 　　　　　　　　　　　　　　　　　☐ 수정　연 번 ☐☐☐☐

❶ 사 상 자　☐ 소방공무원　　　☐ 외국인(국가)
　① 인적사항　성명 [　　　]　　연령 [☐☐☐] 세　성별 ☐ 남 ☐ 여
　② 주　소　[　　][　　][　　][　　][　　　　　]
　　　　　　　 시도　　시군구　 읍면동　 번지　　대상명(APT 0동000호)

❷ 사상정도　☐ 사망　　☐ 중상　　☐ 경상

❸ 사상시 위치·행동
　① 발 화 층 [　　　　　　　　]
　　(건축구조물, 위험물·가스제조소 등 화재시)　☐ 지상　　☐ 지하 　층
　② 사상위치 [　　　　　　　　]
　　(건축구조물, 위험물·가스제조소 등 화재시)　☐ 지상　　☐ 지하 [☐☐] 층
　③ 사상시 행동　☐ 피난 중　　☐ 구조요청 중　☐ 화재진압 중　☐ 화재현장 재진입
　　　　　　　　 ☐ 행동불가능　☐ 비이성적 행동　☐ 기타　　　☐ 미상

❹ 사상원인
　☐ 연기·유독가스 흡입　☐ 연기, 유독가스 흡입 및 화상　☐ 화상　☐ 넘어지거나 미끄러짐
　☐ 건물붕괴　☐ 피난 중 뛰어내림　☐ 갇힘　☐ 복합원인　☐ 기타　☐ 미상

❺ 사상 전 상태(★ 복수선택 가능)
　① 인적　　　　　　　　　　　　　　　② 물적
　　☐ 수면중　　　　☐ 음주상태　　　　☐ 출구잠김　　　☐ 출구 장애물
　　☐ 약물복용 상태　☐ 정신장애　　　　☐ 출구위치 미인지　☐ 연기(화염)로 피난불가
　　☐ 지체장애　　　☐ 관리자부재　　　☐ 출구 혼잡　　　☐ 방범창(문)
　　☐ 해당없음　　　　　　　　　　　　☐ 차량충돌, 전복　☐ 기타　　☐ 미상

❻ 사상부위 및 외상
　① 인적　　　　　　　　　　② 외상　　　　　　　　③ 화상정도
　　☐ 머리　☐ 목과 어깨　　　☐ 찰과상　☐ 열상　　　☐ 1도화상
　　☐ 가슴　☐ 복부　　　　　☐ 타박상　☐ 염좌　　　☐ 2도화상
　　☐ 척추　☐ 팔　　　　　　☐ 탈구　　☐ 골절　　　☐ 3도화상
　　☐ 다리　☐ 다수 부위　　　☐ 기타　　☐ 미상　　　☐ 기도화상
　　☐ 내과계　☐ 얼굴
　　☐ 기타　☐ 미상

❼ 사상자(취약) 정보　① 연령별　☐ 유아　☐ 어린이　☐ 노인(O독거노인)
　② 장애 여부　　　　　　　　③ 사상자 조치사항　　　　　　④ 사상자 발견위치
　　☐ 신장　☐ 지적　☐ 자폐성　☐ 기도개방　☐ 기도삽관　☐ 호흡조절　☐ 침대　☐ 방안　☐ 방문앞
　　☐ 정신　☐ 치매　☐ 뇌병변　☐ 출혈조절　☐ 화상치료　☐ 심폐소생술　☐ 현관앞　☐ 복도　☐ 옥상
　　☐ 지체　☐ 청각　☐ 시각　　☐ 충격방지　☐ 제세동기(AED) 사용　☐ 옥외　☐ 비상계단
　　☐ 호흡기　☐ 기타　　　　　☐ 약물치료　☐ 산소공급　☐ 척추고정　☐ 추락　☐ 기타
　　　　　　　　　　　　　　　 ☐ 흡입조치　☐ 기타

> **한번데클릭** 화재피해조사서(인명피해) 기재사항

> **암기법** 자정 위원 전부 취약
> - 사상자
> - 사상정도
> - 사상 시 위치 · 행동
> - 사상원인
> - 사상 전 상태
> - 사상부위 및 외상
> - 사상자(취약) 정보

2) 화재피해조사서(재산피해)「화재조사 및 보고규정」

[별지 제7-2호서식](신설 2006.12.27, 개정 2007.3.22, 개정 2009.7.7.)

화재피해조사서(재산피해)

대상명 :

1 건물 피해산정 (신축단가×소실면적×[1-(0.8×경과연수/내용연수)]×손해율   □ 수정

구분	용도	구조	소실면적(m²)	신축단가(m²당, 원)	경과연수	내용연수	잔가율(%)	손해율(%)	피해액(천 원)
건물	용도1								
	용도2								
	※ 산출과정을 서술									

2 부대설비 피해산정 (단위당 표준단가×피해단위×[1-(0.8×경과연수/내용연수)]×손해율 또는
(신축단가×소실면적×설비종류별 재설비 비율×[1-(0.8×경과연수/내용연수)]×손해율

구분	설비종류	소실면적 또는 소실단위	단가(단위당, 원)	재설비비	경과연수	내용연수	잔가율(%)	손해율(%)	피해액(천 원)
부대설비	설비1								
	설비2								
	※ 산출과정을 서술									

3 영업시설 피해산정 (m²당 표준단가×소실면적×[1-(0.9×경과연수/내용연수)]×손해율

구분	업종	소실면적(m²)	단가(m²당, 원)	재시설비	경과연수	내용연수	잔가율(%)	손해율(%)	피해액(천 원)
영업시설									
	※ 산출과정을 서술									

4 가재도구 피해산정 (재구입비×[1-(0.8×경과연수/내용연수)]×손해율

구분	품명	규격·형식	재구입비	수량	경과연수	내용연수	잔가율(%)	손해율(%)	피해액(천 원)
가재도구	품명1								
	품명2								
	※ 산출과정을 서술									

5 집기비품 피해산정 (m^2당 표준단가×소실면적×[1−(0.9×경과연수/내용연수)]×손해율, 또는 (재구입비×[1−(0.9×경과연수/내용연수)]× 손해율

구분	품명	규격·형식	재구입비	수량	경과연수	내용연수	잔가율(%)	손해율(%)	피해액(천 원)
집기비품	품명1								
	품명2								
	※ 산출과정을 서술								

6 가재도구 간이평가 피해산정

[(주택종류별·상태별 기준액×가중치)+(주택면적별 기준액×가중치)+(거주인원별 기준액×가중치)+(주택가격(m^2당)별 기준액×가중치)]×손해율

암기법 가재는 종멸인가 일상 의식

구분	주택종류		주택면적		거주인원		주택가격(m^2당)		손해율(%)	피해액(천 원)
	기준액(천 원)	가중치	기준액(천 원)	가중치	기준액(천 원)	가중치	기준액(천 원)	가중치		
가재도구		10%		30%		20%		40%		
	※ 산출과정을 서술									

7 기타 피해산정(기타 물품별 피해산정방식을 적용)

구분	품명	규격·형식	단가(단위당, 원)	재구입비	수량	경과연수	내용연수	잔가율(%)	손해율(%)	피해액(천 원)
기타	품명1									
	품명2									
	※ 산출과정을 서술									

8 잔존물 제거비

잔존물제거	산정대상 피해액	원 (항목별 대상피해액 합산과정 서술)	잔존물 제거비용 (산정대상피해액×10%)	원

9 총 피해액

구분	부동산	원	총 피해액	원
	동산	원		

별첨 : 산정근거로 활용한 회계장부 등 관계서류

(4) 방화 · 방화의심 조사서 「화재조사 및 보고규정」

방화 · 방화의심 조사서

□ 수정

1 구 분 □ 방화   □ 방화의심(추정)

2 방화동기
- □ 단순 우발적   □ 불만해소   □ 가정불화   □ 정신이상   □ 싸움
- □ 비관자살   □ 보험사기   □ 보복(손해목적) □ 범죄은폐   □ 사회적 반감
- □ 채권 채무   □ 시위   □ 기타   □ 미상

3 방화도구
- ① 연 료: □ 인화성액체 □ 가연성 가스 □ 점화가능 고체 □ 일반가연물
           □ 폭약   □ 기타   □ 미상
- ② 용 기: □ 유리병   □ 플라스틱병   □ 컵   □ 압력용기   □ 캔
           □ 유류통   □ 박스   □ 기타   □ 미상
- ③ 점화장치: □ 심지   □ 촛불   □ 담배   □ 전기부품
             □ 기계장치 □ 리모콘   □ 화학약품   □ 성냥, 라이터
             □ 시한 · 지연장치 □ 기타   □ 미상

4 방화의심 사유
- □ 외부침입 흔적 존재   □ 유류사용 흔적   □ 범죄은폐
- □ 거액의 보험가입   □ 2지점 이상의 발화점 □ 연소현상 특이(급격 연소)
- □ 기타

5 도착 시 초기상황
- ① 화재상황: □ 화재초기 □ 성장기   □ 최성기   □ 말기
- ② 초기정보: □ 창문이 열려 있음 □ 창문이 잠겨 있음 □ 현관문이 열려 있음
             □ 현관문이 잠겨 있음 □ 소방서 강제 진입 □ 소방서 도착 전 강제진입 흔적
             □ 보안시스템 작동   □ 보안시스템 미작동 □ 기타

6 방화연료 및 용기 □ 현장주변에서 획득 □ 현장에서 획득 □ 미확인

7 방화자 □ 미상
- ① 인적사항 성명 [   ] 연령 [   ]세 성별 □ 남 □ 여
- ② 주 소 [시도] [시군구] [읍면동] [번지] [대상명(APT 0동 000호)]

한번 더 클릭 방화·방화의심 조사서 주요 기재사항

암기법 동도사도 용자

- 방화**동**기
- 방화**도**구
- 방화의심 **사**유
- **도**착 시 초기상황
- 방화연료 및 **용**기
- 방화**자**

(5) 소방시설 등 활용조사서 「화재조사 및 보고규정」

[별지 제9호서식](신설 2006.12.27. 개정 2020.4.13.)

소방시설 등 활용조사서

□ 수정

1 소화시설

① □ 소화기구
- □ 사용   □ 미사용   →   □ 소화약제 미충전   □ 소화약제 부족   □ 고장
                              □ 사용법 미숙지   □ 노후   □ 기타
- □ 미상
- 종 류 [| | | |]

② □ 옥내소화전
- □ 사용   □ 미사용   →   □ 전원차단   □ 방수압력 미달   □ 기구 미비치
                              □ 설비불량   □ 사용법 미숙지   □ 기타
- □ 미상

③ □ 스프링클러 설비, 간이스프링클러, 물분무등 소화설비
- 작동 및 효과성   □ 효과적 작동   □ 소규모 화재로 미작동
                   □ 미작동 또는 효과없음   □ 미상
- 종 류 [| | | |]

④ □ 옥외소화전
- □ 사용 □ 미사용/효과미비 → □ 전원차단   □ 방수압력 미달   □ 기구 미비치
                                  □ 설비불량   □ 사용법 미숙지   □ 기타
- □ 미상

2 경보설비

① □ 비상경보설비소화기구
- □ 경보   □ 미사용   →   □ 수신기 전원차단   □ 음향장치 고장
                              □ 발신기 누름 버튼 고장   □ 사용법 미숙지   □ 기타
- □ 미상

② □ 비상방송설비
- □ 방송   □ 미방송   →   □ 전원차단   □ 음향장치 고장
                              □ 기타
- □ 미상

③ □ 누전경보기
- □ 작동   □ 미작동   □ 미상

④ □ 자동화재탐지설비
- □ 작동   →   □ 거주자 대응   □ 거주자 대응 실패
                □ 거주자 없음   □ 미상
- □ 미작동   →   □ 수신기 고장   □ 전원차단
                  □ 설비불량   □ 회로불량
                  □ 감지기불량   □ 기타   □ 미상
- □ 소규모화재로 미작동
- 감지기 종류 [| | | |]

⑤ □ 단독경보형감지기
- □ 작동   □ 미작동   →   □ 건전지 방전   □ 건전지 없음
                              □ 전원차단   □ 기타

⑥ □ 가스누설경보기
　　• □ 경보　　□ 미경보　　⟶　□ 전원차단　　□ 기기불량　　□ 기타
　　　□ 미상

③ 피난설비
① □ 피난기구
　　• □ 사용　□ 미상　□ 미사용　⟶　□ 거치대 미비　□ 사용법 미숙지
　　　　　　　　　　　　　　　　　　□ 탈출공간 미확보　□ 기타
　　　□ 사용 필요없음
　　• 종 류　□ 피난사다리　□ 완강기(간이완강기 포함)　□ 구조대, 공기안전매트　□ 피난밧줄

② □ 유도등
　　• □ 작동　　□ 미작동　⟶　□ 전원차단　　□ 전구불량
　　　　　　　　　　　　　　　　□ 충전지불량　□ 기타
　　　□ 미상
　　• 종류　|　|　|　|　|　　　　　　　|

③ □ 비상조명등
　　• □ 작동　　□ 미작동　⟶　□ 전원차단　　□ 전구불량
　　　　　　　　　　　　　　　　□ 기타
　　　□ 미상

④ 소화용수설비
① □ 사용　　□ 미사용　　□ 미상　　② 종류　□ 소화전　□ 소화수조 / 저수조　□ 급수탑

⑤ 소화활동설비
① □ 제연설비
　　• 작동 및 효과성　□ 작동　□ 작동하였으나 효과 없음　|　|　|　|　|
　　　　　　　　　　　□ 소규모 화재로 미작동　□ 미작동　|　|　|　|　|　　　　　　　　□ 미상

② □ 연결송수관설비
　　• □ 사용　　□ 미사용　⟶　□ 송수구불량　□ 배관불량
　　　　　　　　　　　　　　　　□ 시설노후　　□ 기타
　　　□ 사용필요없음　□ 미상

③ □ 연결살수설비
　　• □ 사용　　□ 미사용　⟶　□ 송수구불량　□ 헤드불량　□ 배관불량
　　　　　　　　　　　　　　　　□ 시설노후　　□ 기타
　　　□ 사용필요없음　□ 미상

④ □ 비상콘센트설비
　　• □ 사용　　□ 미사용　⟶　□ 송수구불량　□ 배관불량
　　　　　　　　　　　　　　　　□ 시설노후　　□ 기타
　　　□ 사용필요없음　□ 미상

⑤ □ 무선통신보조설비
⑥ □ 연소방지설비

⑥ 초기소화활동　　　　　　　　　　　　　　　　　　　　　　　　　　　　□ 해당없음
□ 소화기사용　　□ 옥내·옥외소화전사용　　□ 피난방송 및 대피유도　　□ 양동이, 모래사용
□ 기타　　　　　□ 미상

```
┌─────────────────────────────────────────────────────────────────┐
│ ❼ 방화설비                                                       │
│   ① □ 방화셔터   □ 작동(닫힘)  □ 미작동(열림)  |  |  |  |    □ 미상 │
│   ② □ 방화문     □ 정상       □ 비정상        |  |  |  |    □ 미상 │
│   ③ □ 방화구획                                                   │
│                                                                 │
│ ❽ 참고사항                                                       │
│                                                                 │
└─────────────────────────────────────────────────────────────────┘
```

> **한번데클릭** 소방시설 등 활용조사서의 작성항목

> **암기법** 소경피소소 초방
>
> - **소**화시설
> - **경**보설비
> - **피**난설비
> - **소**화용수설비
> - **소**화활동설비
> - **초**기소화활동
> - **방**화설비

(6) 화재현장조사서 「화재조사 및 보고규정」

```
[별지 제5호서식]

                    화재현장조사서

□ 화재발생 개요

   암기법   일장구 인재

   ○ 일    시 : 2000. 00. 00. 00 : 00분경(완진 00 : 25)
   ○ 장    소 :
   ○ 대상물구조 :
   ○ 인명피해 :        명(사망   , 부상   ), ※ 인명구조    명
   ○ 재산피해 :        천원(부동산   , 동산        )

□ 화재조사 개요

   ○ 조사일시 :            ~              (        회)
   ○ 조 사 자 :        명
   ○ 화재원인
     〈개 요〉

□ 동원인력

   ○ 인    원 :        명(소방 , 경찰 , 전기 , 가스 , 보험 , 기타 )
   ○ 장    비 :        대(펌프 , 탱크 , 화학 , 고가 , 구조 , 구급 , 기타 )
```

□ 화재건물 현황

> **암기법** 건보소화

  ○ 건축물 현황
  ○ 보험가입 현황
  ○ 소방시설 및 위험물 현황
  ○ 화재발생 전 상황

□ 화재현장 활동상황

> **암기법** 식(신)초 진구

  ○ 신고 및 초기조치(필요시 시간대별 조치사항 및 녹취록 작성)
  ○ 화재진압 활동(필요시 화재진압작전도 작성)
  ○ 인명구조 활동(필요시 인명구조 활동내역 작성)

□ 현장관찰
  ○ 건물 위치도
  ○ 건물 배치도
  ○ 건물 외부상황(사진)
  ○ 건물 내부상황(사진)

□ 발화지점 판정
  ○ 관계자 진술
  ○ 발화지점 및 연소확대 경로

□ 화재원인 검토

> **암기법** 토끼가 전방 연인

  • 기계적 요인
  • 가스누출
  • 전기적 요인
  • 방화 가능성(연소상황, 원인추적 등에 관한 사진, 설명)
  • 연소확대 사유
  • 인적 부주의 등

□ 화재감식 · 감정결과
  ○ 조사결과

□ 결   론
  ○ 현장조사결과 : 발화요인, 발화열원, 최초착화물, 발화관련기기, 연소확대물, 연소확대사유 등 작성

□ 문제점 및 대책
  ○

□ 기   타
  ○

화재 현장조사서 작성(서술식)

(1) 보고서 작성요령

1) 화재현장조사서 작성 시 유의사항

① 발화지점 및 화재원인 판정은 객관적인 증거자료(사진, 기타서류 등)를 첨부할 수 있다.
② 화재조사자는 객관적 입장에서 관계자 진술을 전부 기록한다.
③ 필요한 경우 감식·감정결과통지서, 전기배선도, 연구자료, 재현실험결과, 참고문헌 등 참고자료를 첨부할 수 있다.
④ 필요한 경우 예상되는 상황 및 관련 조치 사항 등도 기록할 수 있다.

2) 화재 현장조사서 도면작성요령

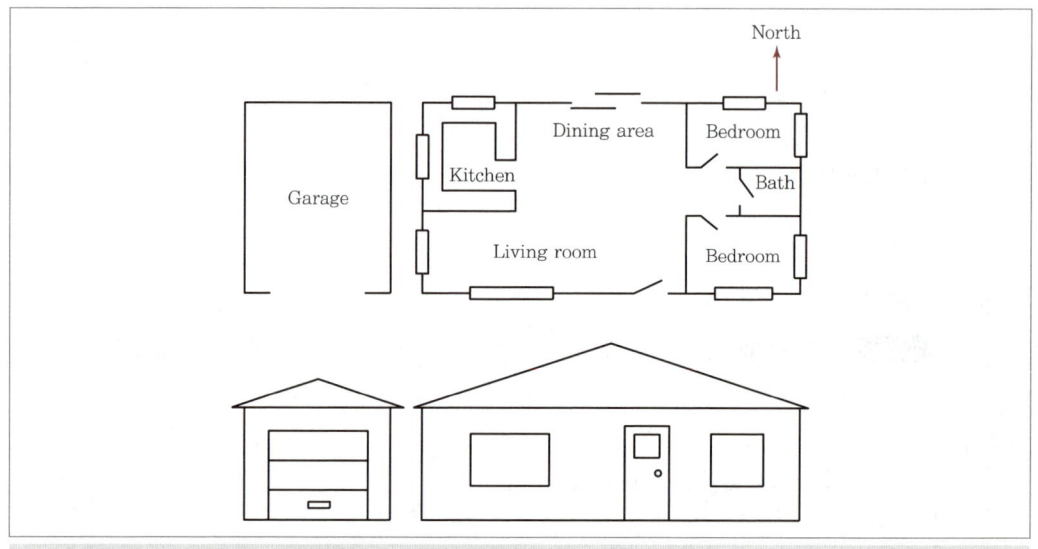

방위가 표기된 평면도와 정면도 「NFPA 921」

① 조사서 도면 작성 항목
  ㉠ 현장의 위치
  ㉡ 건물의 배치(발화건물을 중심으로 한 건물배치)
  ㉢ 소손건물의 각층 평면도(실 배치를 중심으로)
  ㉣ 발화실의 평면도(수용물의 개요를 중심으로)
  ㉤ 발화지점의 평면도(증거물건의 위치 등, 실측거리 기재)
  ㉥ 발화지점의 입면도
  ㉦ 사진촬영위치도(다른 도면과 병용하는 것도 가능)

② 화재현장조사서 도면 작성 방법
  ㉠ 도면상에서 방위상 북을 위쪽으로 하고, 표준화된 기호를 사용한다.
  ㉡ 도면의 표제는 'A건물 평면도', '주방 평면도' 등 객관적으로 표현한다.

ⓒ 도면작성에 있어서는 방의 배치와 출입구, 개구부의 상황을 위주로 한다.
ⓓ 거리측정은 기둥의 중심에서 다른 기둥의 중심까지로 기준점을 통일한다.
ⓔ 도면(평면도, 입체도)은 측정치를 기준으로 하여 축척에 맞춰서 작성한다.

③ 도면작성 시 유의사항

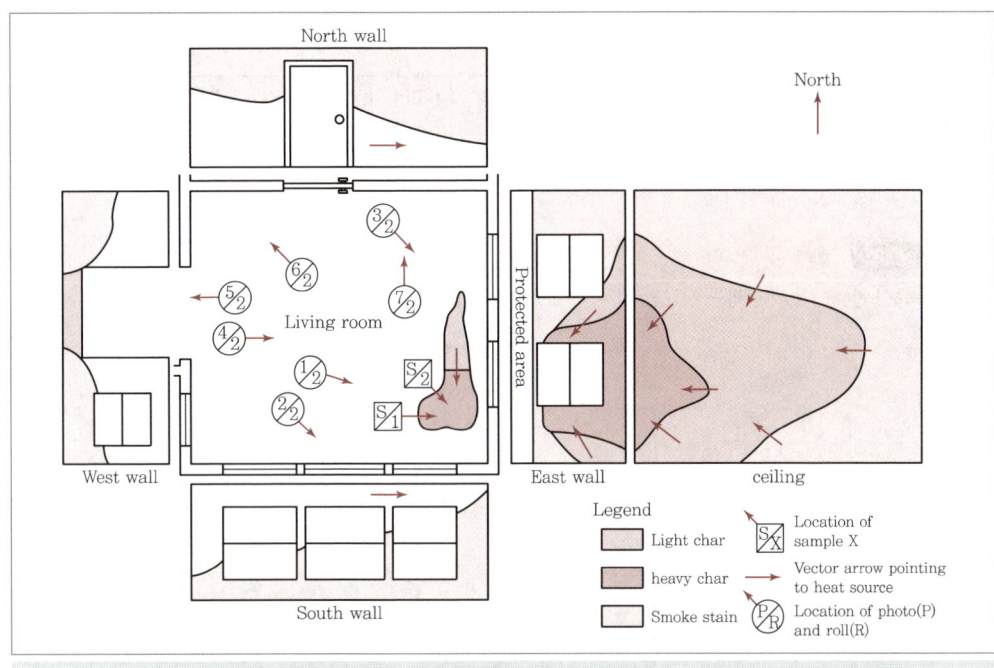

폭발 사고 현장에서 손상 패턴, 파편(증거 등) 샘플 위치 표기 및 촬영 위치 표기 다이어그램 「NFPA 921」

ⓐ 도면의 위치 : 도면은 원칙적으로 지도와 같은 형태로 「북」을 위쪽으로 작성한다. 방위가 정확하게 나타나지 않은 도면은 문장 이해에 혼란을 준다.
ⓑ 도면의 축척 : 축척을 무시하고 단순히 ○평의 방이라고 기재한 도면은 자료로서의 가치성이 적으므로 현장조사에 기초하여 정확한 축척으로 작성하여야 한다.
ⓒ 도면의 기호 : 도면은 누가 보아도 이해가 되도록 작성하여야 한다. 제도기호 등의 표준화된 기호로 작성하는 것이 기본이며 필요에 따라서는 문자도 삽입하여 알기 쉬운 도면을 작성한다.
ⓓ 도면의 표제 : 발화건물 평면도, 발화지점 평면도와 같은 표현은 삼가고, 'A건물 평면도', '주방 평면도' 등으로 표현한다.

(2) 화재원인 검토

[화재현장조사서 작성 시 발화원인 판정의 방법]
① 재현실험의 데이터나 각종 문헌 등을 인용한다.
② 제조물 관련 화재의 경우, 물리적 증거물에 기초하여 객관적 증명이 가능하도록 한다.
③ 난해한 전문용어나 어려운 이론을 열거하는 것은 피하고 논리적 표현을 사용한다.
④ 질문조사서 등의 서류로부터 사실인용과 합리적·과학적인 논리전개가 중심이 된다.

(3) 화재원인분석 및 결론도출

[결론 도출을 위한 귀납적·연역적 추론]

가설 개발을 위한 귀납적 추론	가설 검증을 위한 연역적 추론
개별적 사실을 바탕으로 원칙이나 법칙을 유도하여 결론에 도달하는 방식	대전제를 제시하고 결론에 도달하는 방식
사실 → 사실 → 결론	대전제 → 소전제 → 결론
• 소크라테스도, 공자도, 이성계도 죽었다. – 사실 • 소크라테스, 공자, 이성계는 사람이다. – 사실 • 그러므로 모든 사람은 죽는다. – 결과	• 모든 사람은 죽는다. – 대전제 • 소크라테스는 사람이다. – 소전제 • 그러므로 소크라테스는 죽는다. – 결론

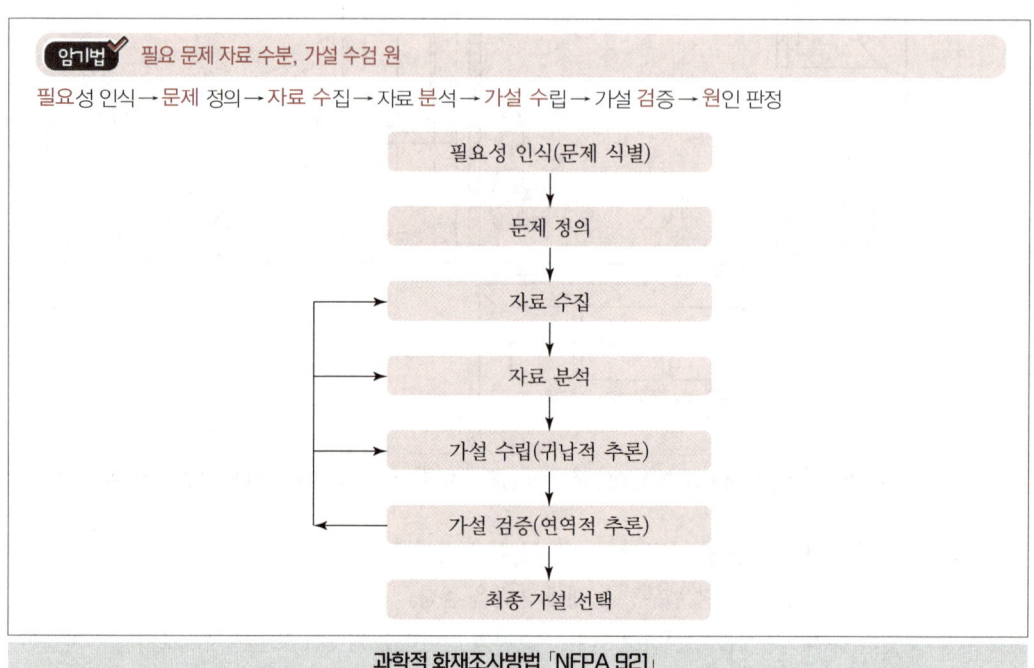

암기법 필요 문제 자료 수분, 가설 수검 원

필요성 인식 → 문제 정의 → 자료 수집 → 자료 분석 → 가설 수립 → 가설 검증 → 원인 판정

과학적 화재조사방법 「NFPA 921」

1) 과학적인 화재조사방법

체계적 접근법을 사용하면 이전의 결론에 대한 재평가를 필요로 하는 새로운 사실 사실을 종종 발견할 수 있다. 몇몇의 예외를 제외하고 화재조사에 대한 적절한 방법론은, 먼저 발화지점을 결정한 다음 발화를 유발한 환경, 조건 또는 매체, 가연물, 산화제 모두를 포함하여 이루어져야 한다.

① 필요성 인식(문제 확인)

㉠ 과학적인 화재조사의 첫 번째 단계는 해결할 문제가 있다는 것을 깨닫는 것이다.
㉡ 필요성 인식은 화재 발생의 원인과 문제점을 인식하는 단계로 향후 유사한 화재를 예방하기 위해 발화지점과 원인을 조사해야 하는 의무가 생기는 시점이다.
㉢ 조사자가 제기할 필요가 있는 문제의 정확한 성질은 화재조사가 이루어지는 동안 조사자가 수행해야 할 임무의 책임과 역할에 달려있다.

② 문제 정의
　㉠ 화재가 발생한 사실에 대해 어떤 방식으로 그 원인 및 문제를 해결할 수 있는지 결정해야 한다. 이 경우, 발화지점과 원인에 대한 적절한 조사가 수행되어야 한다.
　㉡ 문제 정의는 화재 현장 검사와 기타 방법(즉, 과거에 수행된 사고 조사에 대한 검토, 목격자 또는 기타 전문가의 자문 및 과학적 조사 결과 등)에 의하여 수집된 데이터를 종합하여 수행된다.

③ 자료 수집
　화재원인과 관련된 문제 정의에 대한 해답을 찾을 수 있는 현장정보를 수집하기 시작하여야 한다.
　㉠ 화재패턴과 같은 물리적 증거확인
　㉡ 감정·실험을 위한 증거물 수집
　㉢ 선행 연구의 결과물
　㉣ 목격자 진술 등 관계인으로부터 확보한 진술
　㉤ 사진촬영, 도면, 메모를 통한 현장기록
　㉥ 소방과 경찰의 현장관련 공식 보고서
　㉦ 이전 유사 화재의 증거서류나 결과물 등

④ 자료 분석
　㉠ 과학적 방법에서는 수집된 모든 자료가 분석단계를 거쳐야 한다.
　㉡ 이는 최종 가설을 만들기 전에 수행되어야 하는 필수적 단계로서 관련 지식·훈련·경험 및 전문성이 있는 자가 실시한 객관적이고 타당한 분석 결과를 토대로 한다.
　㉢ 조사관이 자료의 의미를 정확하게 이해할 수 있는 전문지식이 부족한 경우에는 전문가의 도움이 요구되기도 한다.
　㉣ 자료가 제공하는 의미를 이해하게 되면, 조사관은 추측이 아닌 증거를 기반으로 한 가설을 세울 수 있다.

⑤ 가설 개발(귀납적 추론)
　㉠ 이 단계에서는 분석한 자료를 바탕으로 이러한 현상이 화재 패턴의 특성인지 여부, 그리고 화재 확산, 발화지점의 규명, 발화 순서, 발화요인, 발화열원, 최초 착화물, 화재 또는 폭발 사고에 대한 책임이나 피해의 원인 등에 대하여 귀납적 추론을 통해 여러 가설을 만들어야 한다.
　㉡ 가설은 오로지 관찰을 통해 수집한 경험적 데이터만을 토대로 해서 수립한 후 조사관의 지식·훈련·경험 및 전문성을 토대로 화재 발생 원인에 대하여 타당성 있는 설명이 가능하여야 한다.
　㉢ 만약에 여러 개의 가설 중 과학적인 방법을 활용하여도 타당성을 잃거나 설명이 되지 않으면서 또 다른 가설을 확인하여야 하므로 그 가설은 '불명'으로 분류해야 한다.

⑥ 가설 검증(연역적 추론)
　㉠ 사용 가능한 가설은 과학적이고 객관적이어야 하며 타당성에 대한 설명이 가능하여야만 한다.
　㉡ 가설은 일반적 사실로부터 구체적 사실을 이끌어 내는 연역적 추론의 형식으로 검증되어야 하며, 이때 조사관은 본인의 가설을 특정 사건에 대한 현상과 관련된 과학적 지식뿐만 아니라 알려진 모든 사실과 비교되어야 한다.
　㉢ 가설은 실험을 통해서 물리적으로 검증될 수도 있고, 과학적 원리를 적용하여 분석적으로 검증될 수도 있다.
　㉣ 다른 사람의 연구 결과를 근거로 할 때에는, 환경과 조건이 충분히 비슷한지, 연구 결과가 타당성이 있는지 확인하여야 한다.
　㉤ 연역법을 통한 최종적인 결론은 해당 가설에 논리적인 근거를 갖게 하거나 증거나 자료에 의해 다른 가설에 대하여 반박 가능한 논리가 개발되기도 한다.
　㉥ 가설이 증명되지 못한 경우에는 해당 가설을 버리고 다른 가설을 세워서 검증해야 한다. 여기에는 새 데이터 수집이나 기존 데이터에 대한 재분석이 필요할 수도 있다.

⑦ 최종 가설의 선택
　㉠ 여러 가설 중 가장 유력한 가설이 사실규명과 과학적 원리에 부합될 때까지 충분히 검증단계를 거쳤다면 화재의 원인과 그 문제점에 대한 최종 가설을 선택하여야 한다.
　㉡ 최종 가설이란 반드시 과학적 방법으로 합리적이고 타당성을 갖추어 문제점에 대하여 철저히 규명된 것이어야 한다. 다만, 연역적 추론에 의한 검증 단계를 통과한 가설이 없는 경우에는 이 문제를 미결된 것으로 보아야 할 수도 있다.

 **기타 서류 작성**

(1) 화재현장출동보고서 「화재조사 및 보고규정」

[별지 제2호서식](개정 2009.7.7.)

화재현장출동보고서

화재번호	년 2009	-	월 05	-	연번 0157	발생일시 : 년 월 일 시 분 초 요일
						출동시간 : 시 분 초 도착시간 : 시 분 초

❶ 출동대원 및 응답자 (○○ 안전센터)
① 출동대원 : (부)센터장 ○○○외 ○○명 … 선착대 지휘관 및 출동대원 기재
② 응 답 자 : (부)센터장 ○○○, 대원2 ○○○ … 상황에 대해서 진술한 대원 기재
③ 확 인 자 : 직위 _____ 계급 _____ 성명 _____(서명)

❷ 현장도착 시 발견사항
【연기와 화염을 본 위치와 발생장소 등 전체적인 현장상황을 서술 식으로 기재】
_____

① 화염 및 연기	□ 화염만 발견	□ 연기만 발견	■ 화염과 연기 발견	□ 없음	
② 화염색	□ 붉은색	■ 주황색	□ 노란색	□ 파란색	□ 기타( )
③ 연기색	□ 검정색	□ 짙은 회색	■ 회색	□ 흰색	□ 기타( )
④ 화염의 크기	□ 작음 (키높이 이하)	□ 보통임 (키높이 이상)	■ 큼 (건물1층 정도)	□ 매우 큼 (건물1층 이상)	
⑤ 연기분출량	□ 적음 (발화지점주변)	■ 보통임 (발화지점식야방해)	□ 많음 (발화지점식별곤란)	□ 매우 많음 (대상물식별곤란)	
⑥ 특이한 냄새	■ 있음	□ 없음			

【만약 있다면 냄새가 난 장소 또는 지점과 냄새를 비교하여 유사한 냄새를 자세히 기술】
_____

❸ 도착하여 처음 실행한 일의 지점 및 유형
□ 화재진압 □ 환기 □ 구조 □ 구급 □ 안전장비의 설치 □ 기타( )

【작업 실행내용을 자세히 기재】
개 요 ⇒ 해당항목에 대하여 건물의 어느 곳으로 진입하여 어느 부분에서 어떤 방법으로 어떠한
장비를 사용하고 어떤 식으로 작업을 하였으며, 그 밖의 상황을 자세히 기술
_____

① 도착시 가장 연소가 심했던 지점 : _____

② 화재의 연소확대 상황 【외부와 내부 구분】 / 외부연소상황 □ 있음 □ 없음
예시) 외부 : 아파트 5층 거실 창문을 통하여 6층 베란다로 연소 확대 중이었음
내부 : 작은방에서 열려진 방문으로 불길이 천장을 통하여 거실로 연소 확대되던 상황임

4 출입문 상태 및 소방대 건물 진입방법
- ■ 개방됨   □ 강제개방   □ 기타 다른 요소(출입문 없음, 파괴됨 등)

【진입지점, 출입문의 상태 및 개방여부, 출입문과 창문 등 개방지점 및 방법·도구 등을 상세히 기술】
① 소방대의 건물 진입방법   예시) 출동당시 아파트 현관문(방화문)이 잠긴 채 틈사이로 검은 연기가 나오고 있었으며, 도끼를 이용하여 손잡이를 절단 후 문을 개방함
(예시) 출입문은 알루미늄 틀에 창문이 있는 구조로서 유리가 중간이 깨져있었고, 손잡이에 설치된 열쇠는 잠겨있지 않은 상태로 손으로 당겨서 개방하였고 연기의 배출을 위해 작은방 창문을 파괴함

5 소방대 이외의 강제적인 진입흔적
- □ 발견됨   ■ 발견되지 않음   □ 기타 요소(   )

(예시) 출입문은 셔터와 강화유리로 된 구조로서, 열쇠가 잘린 채 셔터가 반쯤 열려있고, 강화유리 문이 누군가에 의해 파괴된 상태임
(예시) 출입문이 잠겨있어 손잡이 열쇠를 파괴하고 내부로 진입한바 거실 창문이 반쯤 열려있었고 방범창이 하단이 잘려져 있던 상태임

6 화재 장소에서 사용된 장비
- ■ 자체설비사용   □ 소방장비사용   □ 모두사용 ‖ 소방 설비   □ 작동됨   □ 작동 안됨   □ 확인 못함

① 사용된 자체설비 :
② 사용된 소방장비 :
③ 도착시 작동 중이던 소방 설비 :

7 출동로상의 발견사항

【진입도로, 교통상황, 정체사유 등 기재】

8 기타 화재와 관련된 사항

9 화재사진 및 동영상

예시) 최초도착 시 화재발생 사진 1부. 최초도착 시 화재발생 동영상 1부.

※ 필요시 진압작전도 및 발견사항 상세도 기입

한번 더 클릭 화재현장출동보고서 기재항목 [별지 제2호서식] 「화재조사 및 보고규정」

암기법 출발 일출 강장로 기사

- **출**동대원 및 응답자
- 현장도착 시 **발**견사항
- 도착하여 처음 실행한 **일**의 지점 및 유형
- **출**입문 상태 및 소방대 건물 진입방법
- 소방대 이외의 **강**제적인 진입 흔적
- 화재장소에서 사용된 **장**비
- 출동**로**상의 발견사항
- **기**타 화재와 관련된 사항
- 화재**사**진 및 동영상

(2) 질문기록서 「화재조사 및 보고규정」

질문기록서

화재번호(20-00)	20 . . . 소　속 : ○○소방서(소방본부) 계급·성명 :　　　○○○(서명)
① 화재발생 일시 및 장소	년　　월　　일　　시 ○○시 ○○구 ○○동　번지　○○건물
② 질문일시	20 . . .　: 부터 ~ 20 . . .　: 까지
③ 질문장소	
④ 답변자 **암기법** 성주 전직	○ 성명 : ○○○ (인)　　　　주소 : ○ 전화번호 :　　　　　　　　직업 :
⑤ 화재대상과의 관계	○ 최초신고자, 초기소화자, 발견자, 건물관계자 등
⑥ 언제	○ 시간은(시계로, 컴퓨터, TV로)
⑦ 어디서	○ 위치(몇 층, 방 안에서 …)
⑧ 무엇을 하고 있을 때	○ 누구와, 무엇을 하고 있다가
⑨ 어떻게 해서 알게 되었는가?	○ 소리(어떤), 냄새, 연기, 말(누구)
⑩ 그때 현상은 어떠 했는가?	○ 어디에서 보고, 어디의(부근의), 무엇이, 어떻게(불꽃의 높이, 범위, 연기색), 누구였던 가, 또한 불타고 있지 않았다.
⑪ 그래서 어떻게 했는가?	○ 사람에게 알렸다(어디의 누구에게), 통보하였다(어디로, 전화로), 피난하였다(누구와, 무엇을 이용하여, 어떻게, 도중에 상황은), 소화하였다(어디의, 무엇을, 어떻게 하여, 어디로, 누가 있었는가, 연소는 어떠했는가), 그후 어떻게 하였다.
⑫ 기타 참고사항	○ 이웃주민 ○○○씨가 창문에서 연기가 분출하는 것을 발견하고 창문쪽에서 실내를 보 니 장식장에서 불꽃이 발생하고 있었다.

※ 기타 화재 중 쓰레기, 모닥불, 가로등, 전봇대 화재 및 임야 화재의 경우 질문기록서 작성을 생략할 수 있음

한번더 클릭

질문기록서상 작성 생략이 가능한 기타 화재의 종류

암기법 쓰모가 전임

- 쓰레기 화재
- 모닥불 화재
- 가로등 화재
- 전봇대 화재
- 임야화재

(3) 재산피해신고서 「화재조사 및 보고규정」

[별지 제12호서식]

재산피해신고서

년 월 일

○○소방서장 귀하

주　소 :
소유자 :
신고자 :　　　　　　　연락처 :

☐ **부동산**

1	피해년월일	년　월　일		
	피해 장소			
2	피해건물과 신고자와의 관계	(소유자, 점유자, 관리자)		
3	건축매입년월일		재건축 또는 재매입 금액	
	추정, 기록, 기억		추정, 기록, 기억, 불명	
	년　월	3.3m^2(평)당 금액	총 금액	
4	취득후의 경과			
	수선 개축	년 월	수선·개축한 부분	수선·개축에 필요한 금액
		년 월		
	증축	년 월	증축의 개요	증축 면적(m^2)	필요한 금액
		년 월			
5	피해전의 피해내역			
	건물의 용도	지붕	외벽	층수	연면적(m^2)
	주거 세대수	세대	거주인원	명	
6	건물·수용물 이외의 피해상황			
	피해 물건명	피해의 종류	수량 또는 면적	경과연수
		소실·수손·기타		년
		소실·수손·기타		년
7	화재보험 계약			
	계약회사명	계약년월	보험금액(천원)	

☐ **동 산**

피해년월일		피해물건과 신고자와의 관계			(소유자·점유자·관리자)		
피해 장소		시(군)　구(읍·면)　동(리)　번지　호					
품명 수량	피해액	피해의 종별	품명	수량	피해액	피해의 종별	

CHAPTER 02 화재피해액산정

1 화재피해액 산정과 관련된 용어 정의

용어	정의	
재구입비	화재 당시의 피해물과 같거나 비슷한 것을 재건축(설계 감리비를 포함한다) 또는 재취득하는 데 필요한 금액	
내용연수	고정자산을 경제적으로 사용할 수 있는 연수	
	물리적 내용연수	경제적 내용연수
	고정자산을 정상적인 방법으로 관리했을 경우 기술적으로 이용 가능할 것으로 예측되는 기간	• 고정자산의 사용가치 및 교환가치 등을 고려한 경제적 이용 가능한 기간 • 물리적 내용연수에 비해 경제적 내용연수가 더 짧은 것이 보통
손해율	피해물의 종류, 손상 상태 및 정도에 따라 피해금액을 적정화시키는 일정한 비율	

잔가율	• 화재 당시에 피해물의 재구입비에 대한 현재가의 비율
	• 잔가율 계산법 「화재피해액 산정 매뉴얼」
	   − 현재가(시가) = 재구입비 − 감가수정액 = 재구입비 × 잔가율
	   − 잔가율 = $\dfrac{재구입비 - 감가수정액}{재구입비}$ = 100% − 감가수정율 = $1 - (1 - 최종잔가율) \times \dfrac{경과연수}{내용연수}$
	
	한번데 클릭
	내용연수가 40년인 일반 공장에서 준공 후 15년이 지나서 화재가 발생하였을 때 잔가율(%)은?
	잔가율 = 1 − (1 − 최종잔가율) × 경과연수/내용연수 = 1 − (1 − 최종잔가율) × 15/40
	
	한번데 클릭 제18조 제3항 화재피해금액 산정 「화재조사 및 보고규정」
	건물 등 자산에 대한 최종잔가율은 건물·부대설비·구축물·가재도구는 20%로 하며, 그 이외의 자산은 10%로 정한다.	

최종잔가율	최종 잔가재 피해물의 내용연수가 다한 경우 잔존하는 가치의 재구입비에 대한 비율	

2 화재피해액 산정 규정

(1) 화재피해액 산정 대상

「화재피해액 산정기준」에서의 화재로 인한 피해액 산정 대상은 경제적 가치가 있는 재산 등의 직접적 손실에 국한한다.

1) 건물
① 사람이 들어 살거나, 일을 하거나, 물건을 넣어 두기 위하여 지은 집을 통틀어 이르는 말이다.
② 화재피해액 산정 매뉴얼에서의 건물 정의 : 건물이란 토지에 정착하는 공작물 중 지붕과 기둥 또는 지붕과 벽이 있는 것으로서 주거, 작업, 집회, 영업, 오락, 저장 등의 용도를 위하여 인공적으로 축조된 건조물을 말한다.

> **한번데 클릭 건물의 화재피해액 포함 산정범위**
>
> - 독립된 건물 : 건물의 외벽, 기둥, 보, 지붕(지붕틀 포함)의 어느 부분 하나라도 다른 건물과 이어지지 않고 모두 독립된 건물
> - 부속물 : 건물에 부속된 칸막이, 대문, 담, 곳간 및 이와 비슷한 것
> - 부착물 : 간판, 네온사인, 안테나, 선전탑, 차양 및 이와 비슷한 것

2) 부대설비
건축물 따위에서 전기, 통신, 난방 장치와 같이 보조적으로 이어진 설비를 말한다.
예 배수 설비, 난방 설비, 공기 조화 설비, 전기 설비, 가스 설비, 소화 설비, 주방 설비 등

3) 구축물(structure)
둑이나 축대 따위와 같이 쌓아 올려 만든 시설물 개념으로 인공으로 축조된 건축물 중 건물로 분류할 수 없는 것을 말한다.
예 이동식 화장실, 버스 정류장, 발전 및 송배전용 건조물, 정원, 선전탑 등

> **한번데 클릭 구조물(structure, construction)**
>
> 일정한 설계에 따라 여러 가지 재료를 얽어서 만든 물건을 말한다.
> **예** 건물, 다리, 축대, 터널 등

4) 영업시설
영리를 목적으로 하는 사업 또는 행위를 하기 위해 도구, 기계, 장치를 설치한 설비를 말한다.

5) 잔존물 제거
화재가 발생한 결과 발생되는 여러 가지의 못쓰게 되어 버리거나 남은 물건을 처리하는 행위를 말한다.

6) 기계장치 및 선박·항공기

① 기계장치
  ㉠ 도구를 짜 맞추어 이에 동력을 응용함으로써 일정한 운동을 전하여 작업을 행하게 하는 물건을 말한다.
  ㉡ 역학기계, 전기기계, 열기관 등이 있다.

② 선박
  ㉠ 사람이나 짐 따위를 싣고 물 위로 떠다니도록 나무나 쇠 따위로 만든 물건을 말한다.
  ㉡ 모양과 쓰임에 따라 보트, 나룻배, 기선, 군함, 화물선, 유조선 따위로 나눈다.
  ㉢ 「해상법」에서는 상행위를 할 목적으로 물 위를 항해하는 구조물로 명칭, 국적, 선적항 따위를 가지며 본래는 동산이지만 부동산에 준하는 취급을 받는다.

③ 항공기
  ㉠ 사람이나 물건을 싣고 공중을 비행할 수 있는 탈것을 통틀어 이르는 말이다.
  ㉡ 기구, 비행선, 글라이더, 비행기, 헬리콥터 따위를 말하며, 미사일이나 우주 로켓 등의 비상체는 포함하지 않는다.

> **한번 더 클릭** 차량 및 운반구의 피해액 산정에서 선박의 정의
>
> - 선박이라는 것은 독행기능을 가지는 범선, 기선 및 입선 및 독행기능을 가지지 않는 주거선, 창고선, 거룻배(등록, 엔진등재의 유무는 관계없다) 등을 말하나 미취항의 것으로 육상에 있는 것은 선박이 아니다.
> - 수리 등을 위해 육상에 일시적으로 있는 선박이나 독행기능을 가지는 선박에 의해 끌어진 물건에 화재가 발생했을 경우에도 선박화재에 속한다.

7) 공구 및 기구
① 공구 : 물건을 만들거나 고치는 데에 쓰이는 기구나 도구
② 기구 : 구조나 조작 따위가 간단한 기계

8) 집기비품
집 안이나 사무실에서 쓰는 온갖 기구로 늘 일정하게 갖추어 두고 쓰는 물품을 말한다.

9) 가재도구
집안 살림에 쓰는 여러 물건을 일컫는 말이다.

10) 차량, 동물, 식물
동물 및 식물이라 함은 영리 또는 애완을 목적으로 기르고 있는 각종 가축류와 관상 수, 분재, 산림수목, 과수목 등 사회에서 거래되거나 재산적 가치를 인정할 수 있는 것을 말한다. 다만, 화분은 가재도구 또는 영업용 집기비품으로 분류하고, 정원은 구축물로 분류한다.

11) 재고자산

기업이 가지고 있는 유동 자산으로 판매 또는 생산을 목적으로 가지고 있는 재화(원료, 재료, 반제품, 재공품, 제품 따위)를 말한다.

> **한번더클릭 재고자산의 정의**
>
> - 재고자산이라 함은 상품, 저장품, 제품, 반제품, 재공품, 원재료, 부재료, 부산물 등을 말한다.
> - 상품은 판매를 목적으로 한 경제적 가치를 지닌 동산으로서 포장용품, 경품, 견본, 전시품, 진열품 등을 포함하며, 저장품은 구입 후 사용하지 않고 보관중인 소모품 등을 말하고, 제품은 판매를 목적으로 제조한 생산품이며, 반제품은 자가제조한 중간제품을 말한다.
> - 이들 재고자산은 구입비용이 화재로 인한 피해액이 되며, 구입비에는 운반비 등 구입경비를 포함하고, 판매 및 일반관리비의 미실현 이익 내지 미실현 비용은 포함하지 않으므로, 같은 재고자산이라 하더라도 생산업자, 도매상, 소매상, 소비자 등 유통단계에 따라 가격차가 발생하게 된다. 재고자산은 구입비용 자체가 피해액이 되므로 감가공제는 하지 않는다.

12) 회화(그림)

골동품, 미술공예품, 귀금속 및 보석류를 일컫는 말이다.

13) 임야의 입목

땅 위에 서있는 산 나무로 산림의 기본 부분을 이루는 큰 키 나무들이 해당된다.

(2) 피해액 산정 방법 「화재피해액 산정 매뉴얼」

1) 화재피해 조사 및 피해액 산정 순서

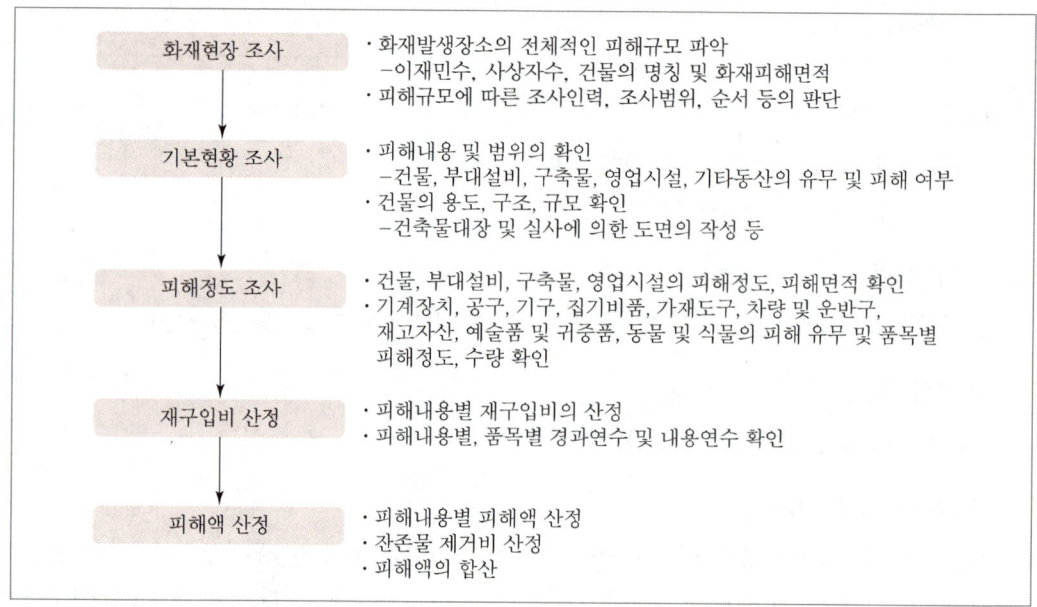

2) 건물 등의 피해액

> 건물 등의 피해액 = 건물 피해액 + 부대설비 피해액 + 구축물 피해액 + 영업시설 피해액
> + 잔존물 또는 폐기물 등의 제거 및 처리비

3) 손해 · 피해액 산정방법 원칙

암기법 복매수 재차장

복성식평가법	• 사고로 인한 피해액을 산정하는 방법 • **재**건축 또는 재취득하는 데 소요되는 비용에서 사용기간의 감가수정액을 공제하는 방법으로 부분의 물적 피해액 산정에 널리 사용
매매사례비교법	• 당해 피해물의 시중매매사례가 충분하여 유사매매 사례를 비교하여 산정하는 방법으로서 **차**량, 예술품, 귀중품, 귀금속 등의 피해액 산정에 사용
수익환원법	• 피해물로 인해 **장**래에 얻을 수익액에서 당해 수익을 얻기 위해 지출되는 제반 비용을 공제하는 방법에 의하는 방법 • 유실수 등에 있어 수확기간에 있는 경우에 사용 • 단, 유실수의 육성기간에 있는 경우에는 복성식평가법을 사용

3 대상별 피해액 산정기준

(1) 화재피해금액 산정기준「화재조사 및 보고규정」

[별표 2] 화재피해금액 산정기준요약표

산정대상	화재피해금액 산정기준		비고
건물	**암기법** 신소 일마쩜팔 경내손 신축단가(m²당)×소실면적×[1 – (0.8×경과연수/내용연수)]×손해율		신축단가 : 한국감정원 '건물신축단가표'
부대설비	**암기법** 신소설 일마쩜팔 경내손 • 건물신축단가×소실면적×설비종류별 재설비 비율×[1 – (0.8×경과연수/내용연수)]×손해율 • 부대설비 피해금액을 실질적·구체적 방식에 의할 경우 : 단위(면적·개소 등)당 표준단가×피해단위×[1 – (0.8×경과연수/내용연수)]×손해율		건물표준단가 및 부대설비 단위당 표준단가 : 한국감정원 '건물신축단가표'
구축물	회계장부에 의한 피해액의 산정방식	소실단위의 회계장부상 구축물가액×손해율	구축물의 단위당 표준단가 : 매뉴얼 인용
	원시건축비에 의한 방식	소실단위의 원시건축비×물가상승율×[1 – (0.8×경과연수/내용연수)]×손해율	
	구축물가액 또는 원시건축비의 가액이 확인되지 않는 경우	단위(m, m², m³)당 표준 단가×소실단위×[1 – (0.8×경과연수/내용연수)]×손해율	

영업시설	• m²당 표준단가×소실면적×[1-(0.9×경과연수/내용연수)]×손해율 **암기법** 팔건(0.8, 건물) 영구(0.9)영업 • 산정기준 중 0.8의 요율은 건물, 0.9는 영업시설에 적용한다.	업종별 m²당 표준단가 : 매뉴얼 인용
잔존물 제거	화재피해금액×10%	
기계장치 및 선박·항공기	• 감정평가서 또는 회계장부상 현재가액×손해율 • 감정평가서 또는 회계장부상 현재가액이 확인되지 않아 실질적·구체적 방법에 의해 피해금액을 산정 하는 경우 : 재구입비×[1-(0.9×경과연수/내용연수)]×손해율	실질적·구체적 방법에 의한 재구입비 : 조사자가 확인·조사한 가격
공구 및 기구	• 회계장부상 현재가액×손해율 • 회계장부상 현재가액이 확인되지 않아 실질적·구체적 방법에 의해 피해금액을 산정하는 경우 : 재구입비×[1-(0.9×경과연수/내용연수)]×손해율	실질적·구체적 방법에 의한 재구입비 : 물가 정보지 가격
집기비품	• 회계장부상 현재가액×손해율 • 회계장부상 현재가액이 확인되지 않는 경우 : m²당 표준단가×소실면적×[1-(0.9×경과연수/내용연수)]×손해율 • 실질적·구체적 방법에 의해 피해금액을 산정하는 경우 : 재구입비×[1-(0.9×경과연수/내용연수)]×손해율	집기비품의 m²당 표준단가 : 매뉴얼 인용 실질적·구체적 방법에 의한 재구입비 : 물가정보지 가격
가재도구	• (주택종류별·상태별 기준액×가중치)+(주택면적별 기준액×가중치)+(거주인원별 기준액×가중치)+(주택가격(m²당)별 기준액×가중치) • 실질적·구체적 방법에 의해 피해금액을 가재도구 개별품목별로 산정하는 경우 : 재구입비×[1-(0.8×경과연수/내용연수)]×손해율	가재도구의 항목별 기준액 및 가중치 : 매뉴얼 실질적·구체적 방법에 의한 재구입비 : 물가정보지 가격
차량, 동물, 식물	• 전부손해의 경우 : 시중매매가격 • 전부손해가 아닌 경우 : 수리비 및 치료비	
재고자산	• 회계장부상 현재가액×손해율 • 회계장부상 현재가액이 확인되지 않는 경우 : 연간매출액÷재고자산회전율×손해율	재고자산회전율 : 한국은행 '기업경영분석' 인용
회화(그림), 골동품, 미술공예품, 귀금속 및 보석류	• 전부손해의 경우 : 감정가격 • 전부손해가 아닌 경우 : 원상복구에 소요되는 비용	
임야의 입목	• 소실 전의 입목가격-소실한 입목의 잔존가격 • 피해산정이 곤란할 경우 : 소실면적 등 피해 규모만 산정 가능	
기타	피해당시 현재가를 재구입비로 하여 피해금액 산정	

[적용요령]

1. 피해물의 경과연수가 불분명한 경우에 그 자산의 구조, 재질 또는 관계인등의 진술 기타 관계자료 등을 토대로 객관적인 판단을 하여 경과연수를 정한다.
2. 공구 및 기구·집기비품·가재도구를 일괄하여 재구입비를 산정하는 경우 개별 품목의 경과연수에 의한 잔가율이 50%를 초과하더라도 50%로 수정할 수 있으며, 중고구입기계장치 및 집기비품으로서 그 제작연도를 알 수 없는 경우에는 그 상태에 따라 신품가액의 30% 내지 50%를 잔가율로 정할 수 있다.
3. 화재피해금액 산정매뉴얼은 본 규정에 저촉되지 아니하는 범위에서 적용하여 화재피해금액을 산정한다.

한번 더 클릭 전부손해 여부에 따른 화재피해금액 산정기준 비교

구분	전부손해의 경우	전부손해가 아닌 경우 (부분 소손)
암기법 차동식 매 수 치료 차량, 동물, 식물	시중매매가격	수리비 및 치료비
암기법 해(회)골 공포(보) 감정 복구 회화(그림), 골동품, 미술공예품, 귀금속 및 보석류	감정가격	원상복구에 소요되는 비용

(2) 화재피해금액 산정기준 「화재피해액 산정 매뉴얼」

1) 건물의 경과연수

① 건물준공일 또는 사용일로부터 사고 당시까지 경과한 연수를 계산하여 기재하되, 연 미만 기간은 버린다.
② 연 단위로 산정하는 것이 불합리한 결과를 초래하는 경우에는 월 단위까지 반영할 수 있다. 이 경우 월 미만 기간은 버린다.
③ 단, 개수 또는 보수한 경우에 있어서는 경과연수를 다음과 같이 적용한다.

암기법 50살부터 최초저축해서, 80세에 보수를 합산 평균했는데, 이상하게 보수가 작다.

재설치비의 50% 미만 개·보수한 경우	최초 설치연도를 기준으로 경과연수를 산정
재설치비의 50~80% 개·보수한 경우	최초 설치연도를 기준으로 한 경과연수와 개·보수한 때를 기준으로 한 경과연수를 합산하고 평균하여 경과연수를 산정
재설치비의 80% 이상 개·보수한 경우	개·보수한 때를 기준으로 하여 경과연수를 산정

※ 부대설비, 구축물, 영업시설의 일부를 개수 또는 보수한 경우에 있어서는 경과연수 기준은 건물과 동일하다.

2) 현재시가를 정하는 방법

현재 시가 산정 방법	적용 대상
구입 시의 가격	재고자산, 즉 원재료, 부재료, 제품, 반제품, 저장품, 부산물 등
구입 시의 가격에서 사용기간 감가액을 뺀 가격	항공기 및 선박 등
재구입 가격	상품 등

(3) 특수한 경우의 피해액 산정 우선 적용사항 「화재피해액 산정 매뉴얼」

특수한 경우의 구분		피해액 산정기준 방법
건물에 있어 문화재의 경우		감정가=현재가
모델하우스(가설건물) 등의 경우		최종잔가율은 20%이며, 내용연수 및 경과연수는 연 단위까지 산정
철거건물의 경우		재건축비 $\times \left[0.2 + \left(0.8 \times \dfrac{\text{잔여내용연수}}{\text{내용연수}} \right) \right]$
중고구입기계 장치 및 집기비품	제작 연도를 알 수 없는 경우	신품가액의 30~50%를 재구입비로 한다.
	시장거래가격이 신품가격보다 높을 경우	신품가액=재구입비
	시장거래가격이 신품가액에서 감가수정을 한 금액보다 낮을 경우	중고기계장치의 시장거래가격=재구입비
공구·기구, 집기비품, 가재도구를 일괄하여 피해액을 산정할 경우		재구입비의 50%
재고자산의 상품 중 견본품, 전시품, 진열품		구입가의 50~80%

1) 특수한 경우 중 문화재에 대한 피해액 산정

① 문화재보호법 및 전통건조물보존법 등에 의해 문화재로 지정되었거나 보존 대상 건물인 경우에는 해당 건물의 현재가치가 재건축비 및 내용연수와 경과연수 등에 의해 결정되지 아니하므로(오히려 내용연수가 오래되어 보존가치가 높을수록 현재 가치 또한 높아지게 됨) 화재로 인한 피해액 산정에 있어 일반적인 건물의 경우와 같이 적용할 수 없다.

② 문화재로 지정되었거나 보존가치가 높은 건물의 경우에는 전문가(문화재 관계자 등)의 감정에 의한 가격을 현재가로 하며, 내용연수 및 경과연수 등에 의한 감가액의 공제 없이 현재가를 화재로 인한 피해액으로 한다.

2) 특수한 경우 중 철거건물에 대한 피해액 산정

퇴거 또는 철거가 예정된 건물에 있어서는 철거 예정일 이후의 사용·수익은 불가능한 것으로 보아야 하므로, 사고일로부터 철거일까지 기간을 잔여내용연수로 보아 잔여내용연수 기간의 감가율에 최종잔가율 20%를 합한 비율을 당해 건물의 잔가율로 하여 피해액을 산정한다.

$$\text{철거건물의 피해액} = \text{재건축비} \times \left[0.2 + \left(0.8 \times \dfrac{\text{잔여내용연수}}{\text{내용연수}} \right) \right]$$

3) 특수한 경우 중 모델하우스 등에 대한 피해액 산정 「화재피해액 산정 매뉴얼」

모델하우스 또는 가설건물 등 일정기간 존치하는 건물에 있어서는 실제 존치할 기간을 내용연수로 하여 피해액을 산정한다. 이 경우 존치기간 종료일 현재의 최종잔가율은 20%이며, 내용연수 및 경과연수는 연 단위까지 산정한다.

4) 특수한 경우 중 복합구조 건물에 대한 피해액 산정

화재피해액 산정 대상 건물이 구조, 건축시기, 용도가 서로 다른 경우 각각의 연면적에 대한 내용연수와 경과연수를 고려한 잔가율을 산정한 후 합산평균한 잔가율을 적용하여 피해액을 산정한다. 다만, 복합구조, 용도, 증축 또는 개축한 부분이 건물 전체 연면적(증축 및 개축한 부분 포함한 면적)의 20% 이하인 경우에는 주된 건물의 잔가율을 적용한다.

(4) 세부 산정기준

1) 구축물 피해액 산정기준

방식	적용 방식	피해액 산정
회계장부에 의한 피해액의 산정 방식	• 구축물은 그 종류가 다양할 뿐만 아니라 구조, 규모, 재료, 질, 시공방법 등이 일률적이지 아니하여 실질·구체적 방식에 의한 피해액 산정이 쉽지 않으므로, 구축물의 사고 당시 현재가액이 회계장부에 의해 확인 가능한 경우에는 회계장부상의 구축물가액에 손해정도에 따른 손해율을 곱한 금액을 해당 구축물의 피해액으로 산정한다. • 다만, 회계장부상 구축물의 현재가액을 화재피해액을 산정하는 경우, 회계장부상 구축물의 현재가액에는 사용손모 또는 경과연수에 대응한 감가공제가 이미 이루어진 상태이므로, 다시 감가공제를 하지 않는다.	구축물의 피해액 = 소실단위(길이·면적·체적)의 현재가액 × 손해율 = 소실단위의 회계장부상 구축물가액 × 손해율
원시건축비에 의한 방식	구축물은 그 종류, 구조, 용도, 규모, 재료, 질, 시공방법 등이 다양하므로 일률적으로 재건축비를 산정하기 어려운 면이 있으나, 대규모 구축물의 경우 설계도 및 시방서 등에 의해 최초건축비의 확인이 가능하므로 최초건축비에 경과연수별 물가상승률을 곱하여 재건축비를 구한 후 사용손모 및 경과연수에 대응한 감가공제하는 방식에 의해 구축물의 화재로 인한 피해액을 산정할 수 있다.	구축물의 피해액 = 소실단위(길이·면적·체적)의 재건축비 × 잔가율 × 손해율 = 소실단위의 원시건축비 × 물가상승율 × [1 − (0.8 × 경과연수/내용연수)] × 손해율
간이평가방식	구축물의 재건축비 표준단가표의 단위당 표준단가에 소실단위를 곱한 금액을 피해액으로 간이평가방법으로 산정	구축물의 피해액 = 소실단위(길이·면적·체적)의 재건축비 × 잔가율 × 손해율 = 단위(m, m², m³)당 표준 단가 × 소실단위 × [1 − (0.8 × 경과연수/내용연수)] × 손해율
수리비에 의한 방식	• 구축물의 피해액 산정에 있어 구축물의 수리가 가능하고 그 수리·복원비가 입증되는 경우에는 수리·복원에 소요되는 금액에서 사용손모 및 경과연수에 대응한 감가공제를 한 금액으로 한다. 다만 수리·복원비가 구축물 재건축비의 20% 미만인 경우에는 감가공제를 하지 아니한다. • 구축물 수리비는 관련 전문업자의 견적서를 토대로 하되, 2곳 이상의 업체로부터 받은 견적금액을 평균하여 재건축비용으로 산정하며, 해당 수리비에 잔존물 또는 폐기물 등의 제거 및 처리비가 포함되었는지 수리비 내역을 살펴 중복하여 반영되지 않도록 하여야 한다.	구축물의 피해액 = 수리비 × [1 − (0.8 × 경과연수/내용연수)]

2) 기계장치 피해액 산정기준

방식	적용 방식	피해액 산정

실질적·구체적 방식	피해 대상 기계와 동일하거나 유사한 기계의 재구입비에서 사용손모 또는 경과연수에 대응한 감가공제를 한 금액으로 하는 방식	기계장치의 피해액
		= 재구입비 × 잔가율 × 손해율
		= 재구입비 × $\left[1-\left(0.9\times\dfrac{경과연수}{내용연수}\right)\right]$ × 손해율
		
		※ 개별 기계장치의 재구입비 확인이 곤란한 경우 추정방식
		• 시중거래가격 파악에 의한 재구입비
		• 추정방식에 의한 재구입비
		  − 유사품에 의한 추정
		  − 단위능력당 가격에 의한 추정

감정평가서에 의한 피해액 산정 방식	감정평가서 등이 있는 경우	기계장치의 피해액 = 감정평가서상의 현재가액 × 손해율
회계장부에 의한 피해액 산정	일정 규모 이상의 사업장으로서 감정평가서는 존재하지 않으나 당해 기계장치에 대해 회계장부에 의한 현재가액이 확인되는 경우	기계장치의 피해액 = 회계장부상의 현재가액 × 손해율
수리비에 의한 방식	기계장치의 수리가 가능하고 수리비가 확인되는 경우	기계장치의 피해액 = 수리비 × $\left[1-\left(0.9\times\dfrac{경과연수}{내용연수}\right)\right]$

3) 집기비품 피해액 산정기준

방식	적용 방식	피해액 산정
실질적·구체적 방식	집기비품의 품목이 적거나 고가인 집기비품이 포함되어 있어 집기비품의 개별성이 인정되어야 하는 때에는 개개의 물품별로 화재로 인한 피해액을 산정하는 방식	집기비품의 피해액 = 재구입비 × 잔가율 × 손해율 = 재구입비 × $\left[1-\left(0.9\times\dfrac{경과연수}{내용연수}\right)\right]$ × 손해율
간이 평가방식	집기비품의 전체에 대하여 총체적·개괄적 재구입비를 산정하여 사용손모 및 경과연수에 대응한 감가공제식에 의해 피해액을 산정하는 방식	집기비품의 피해액 = 재구입비 × 잔가율 × 손해율 = m^2당표준단가 × 소실면적 × $\left[1-\left(0.9\times\dfrac{경과연수}{내용연수}\right)\right]$ × 손해율
회계장부에 의한 피해액 산정	일정 규모 이상의 사업체로서 집기비품에 대하여 회계장부에 의한 현재가액이 확인되는 경우	집기비품의 피해액 = 회계장부상의 현재가액 × 손해율
수리비에 의한 방식	집기비품의 수리가 가능하고 수리비가 확인되는 경우	집기비품의 피해액 = 수리비 × $\left[1-\left(0.9\times\dfrac{경과연수}{내용연수}\right)\right]$

4) 자동차의 피해액 산정기준

① 화재로 인한 자동차의 피해액 산정은 피해 대상 자동차와 동일하거나 유사한 자동차의 시중매매가격을 피해액으로 한다.
② 중고자동차의 시중매매가격은 피해 대상 자동차와 차종, 형식, 연식, 주행거리, 상태 등이 동일하거나 유사한 자동차의 시중매매거래가격 중, '중'의 가격을 기준으로 하며, 이는 중고자동차매매협회에 조회하거나 보험개발원에서 제공하고 있는 열린 자료실 차량기준액을 확인하여 정한다.

> 자동차의 피해액 = 시중매매가격(동일하거나 유사한 자동차의 중등도 가격)

③ 자동차가 부분 소손되어 수리가 가능한 경우에는 수리에 소요되는 금액을 자동차의 피해액으로 한다. 이때 특별한 경우를 제외하고는 감가공제는 하지 아니한다.

> 자동차의 부분 소손 시 피해액 = 수리비

④ 자동차의 수리비는 자동차수리업소의 견적서를 참고하여 산정한다.

5) 잔존물제거비의 산정기준

화재로 인한 건물, 부대설비, 영업시설, 기계장치, 공구 · 기구, 집기비품, 가재도구 등의 잔존물 내지 유해물 또는 폐기물을 제거하거나 처리하는 비용은 화재피해액의 10% 범위 내에서 인정된 금액으로 산정한다.

> 잔존물제거비 = 화재피해액 × 10%

6) 기타 운반구의 피해액 산정기준

항공기, 선박, 철도차량, 특수작업용차량, 시중매매가격이 확인되지 아니하는 자동차에 대해서는 다음에 따라 피해액 산정한다.
① 감정평가서가 있는 경우 감정평가서상의 현재가액에 손해율을 곱한 금액을 화재로 인한 피해액을 산정한다.
② 감정평가서가 없는 경우 회계장부상의 현재가액에 손해율을 곱한 금액을 화재로 인한 피해액을 산정한다.
③ 감정평가서와 회계장부 모두 없는 경우에는 제조회사, 판매회사, 조합 또는 협회 등에 조회하여 구입가격 또는 시중거래가격을 확인하여 피해액을 산정한다.
④ 다만, 수리가 가능한 경우에는 수리비에 감가공제를 한 금액을 피해액으로 산정한다.

7) 예술품 및 귀중품의 피해액 산정기준

① 예술품 및 귀중품에 대해서는 공인감정기관에서 인정하는 금액을 화재로 인한 피해액으로 산정한다. 그러므로 복수의 전문가(전문점, 학자, 감정인 등)의 감정을 받거나 감정서 등의 금액을 피해액으로 인정하며, 감가공제는 하지 아니한다.

② 예술품 및 귀중품에 대해 그 가치를 손상하지 아니하고 원상태의 복원이 가능한 경우에는 원상회복에 소요되는 비용을 화재로 인한 피해액으로 한다.

> 예술품 및 귀중품의 피해액 = 감정서의 감정가액 = 전문가의 감정가액잔존물제거비 = 화재피해액 × 10%

(4) 손해율 「화재피해액 산정 매뉴얼」

1) 건물의 소손 정도에 따른 손해율

화재로 인한 피해정도	손해율(%)
주요구조체의 재사용이 불가능한 경우	90, 100
주요구조체는 재사용 가능하나 기타 부분의 재사용이 불가능한 경우(공동주택, 호텔, 병원)	65
주요구조체는 재사용 가능하나 기타 부분의 재사용이 불가능한 경우(일반주택, 사무실, 점포)	60
주요구조체는 재사용 가능하나 기타 부분의 재사용이 불가능한 경우(공장, 창고)	55
천장, 벽, 바닥 등 내부마감재 등이 소실된 경우	40
천장, 벽, 바닥 등 내부마감재 등이 소실된 경우(공장 · 창고)	35
지붕, 외벽 등 외부마감재 등이 소실된 경우(나무구조 및 단열패널(판넬)조 건물의 공장 및 창고)	25, 30
지붕, 외벽 등 외부마감재 등이 소실된 경우	20
화재로 인한 수손 시 또는 그을음만 입은 경우	5, 10

2) 부대설비의 소손 정도에 따른 손해율

화재로 인한 피해정도	손해율(%)
주요구조체의 거의 재사용이 불가능한 경우	100
손해 정도가 상당히 심한 경우	60
손해 정도가 다소 심한 경우	40
손해 정도가 보통인 경우	20
손해 정도가 경미한 경우	10

3) 영업시설의 손해율

화재로 인한 피해정도	손해율(%)
불에 타거나 변형되고 그을음과 수침 정도가 심한 경우	100
손상 정도가 다소 심하여 상당부분 교체 내지 수리가 필요한 경우	60
시설의 일부를 교체 또는 수리하거나 도장 내지 도배가 필요한 경우	40
부분적인 소손 및 오염의 경우	20
세척 내지 청소만 필요한 경우	10

4) 공구·기구, 집기비품, 가재도구의 소손 정도에 따른 손해율

> **암기법** 공기 오다보수 빼고상식

화재로 인한 피해정도	손해율(%)
50% 이상 소손 되고 그을음 및 수침오염 정도가 심한 경우	100
손해 정도가 다소 심한 경우	50
손해 정도가 보통인 경우	30
오염·수침손의 경우	10

5) 기계장치의 소손 정도에 따른 손해율

화재로 인한 피해정도	손해율(%)
Frame 및 주요부품이 소손 되고 굴곡·변형되어 수리가 불가능한 경우	100
Frame 및 주요부품을 수리하여 재사용 가능하나 소손 정도가 심한 경우	50~60
화염의 영향을 받아 주요부품이 아닌 일반 부품 교체와 그을음 및 수침오염 정도가 심하여 전반적으로 overhaul이 필요한 경우	30~40
화염의 영향을 다소 적게 받았으나 그을음 및 수침오염 정도가 심하여 일부 부품교체와 분해조립이 필요한 경우	10~20
그을음 및 수침오염 정도가 경미한 경우	5

> **한번 더 클릭** 산정대상별 손해율 100%로 볼 수 있는 화재피해 정도 비교

산정대상	손해율 100%로 볼 수 있는 화재로 인한 피해정도
건물	주요구조체의 재사용이 불가능한 경우
부대설비	주요구조체의 재사용이 거의 불가능하게 된 경우
공구·기구	50% 이상 소손 되고 그을음 및 수침오염 정도가 심한 경우
집기비품	50% 이상 소손되거나, 수침오염 정도가 심한 경우
가재도구	50% 이상 소손 되고 수침오염 정도가 심한 경우
기계장치	Frame 및 주요부품이 소손 되고 굴곡·변형되어 수리가 불가능한 경우

출제예상문제 1회

01 화재조사서류의 의의에 대한 설명으로 틀린 것은?
① 소방기관이 전문적이고 공평한 입장에서 작성하는 것이다.
② 화재조사서류는 대외비로서 정보가 누설되어서는 안 된다.
③ 사법기관 등의 유효한 증거자료로 활용될 수 있다.
④ 축적된 조사 데이터는 분석·유형화하여 시민에 대한 예방지도나 소방관계법령 등의 소방행정 제시의 기초자료로 활용된다.

해설
화재조사서류는 공문서로서 정보공개대상으로 사용된다.

02 화재유형별 조사서에 포함되지 않는 것은? (단, 화재조사 및 보고규정을 적용한다.)
① 건축·구조물 화재
② 자동차·철도차량
③ 위험물·가스제조소 등 화재
④ 화재위험경계지구 화재

해설
화재유형별조사서 서식

암기법 건자위 선임

1. 건축·구조물 화재
2. 자동차·철도차량
3. 위험물·가스제조소 등 화재
4. 선박·항공기 화재
5. 임야화재

03 「화재조사 및 보고규정」상 화재현황조사서에 기입해야 할 항목 중 틀린 것은?
① 기상상황
② 소방시설 현황
③ 피해 및 인명구조
④ 화재발생 일시 및 장소

해설
소방시설 현황은 소방시설 등 활용조사서의 기입항목이다.

04 「화재조사 및 보고규정」상 화재조사에 첨부되는 서류가 아닌 것은?
① 화재현황조사서 ② 화재현장조사서
③ 화재유형별 조사서 ④ 건축관계인 조사서

해설
「화재조사 및 보고규정」상 화재현황조사서의 첨부서류

암기법 유인재 방소현

- 화재유형별 조사서
- 화재조사서(인명피해, 재산피해)
- 방화·방화의심 조사서
- 소방방화시설 활용 조사서
- 화재현장 조사서

05 「화재조사 및 보고규정」상 화재현황조사서의 발화열원의 분류 항목에 포함되는 것은?
① 부주의
② 전기적 요인
③ 화학적 발화열
④ 가스누출(폭발)

정답 | 01 ② 02 ④ 03 ② 04 ④ 05 ③

📖 **해설**
화재현황조사서의 발화열원 항목 「화재조사 및 보고규정」

암기법 작담마 폭불화자

- 작동기기
- 담뱃불, 라이터불
- 마찰, 전도, 복사
- 폭발물, 폭죽
- 불꽃, 불티
- 화학적 발화열
- 자연적 발화열
- 기타
- 미상

06 「화재조사 및 보고규정」상 화재현황조사서의 발화요인의 분류 항목에 포함되는 것은?

① 담뱃불, 라이터불 ② 작동기기
③ 불꽃, 불티 ④ 교통사고

📖 **해설**
화재현황조사서의 발화요인 항목 「화재조사 및 보고규정」

암기법 전기가 화제교부 자방기

- 전기적 요인
- 기계적 요인
- 가스누출(폭발)
- 화학적 요인
- 제품결함
- 교통사고
- 부주의
- 자연적 요인
- 방화
- 기타
- 미상

07 「화재조사 및 보고규정」에 따른 다음의 빈칸에 알맞은 수치는?

전소란 건물의 ( )% 이상(입체면적에 대한 비율)이 소실되었거나 또는 그 미만이라도 잔존부분을 보수하여도 재사용이 불가능한 것을 말한다.

① 50 ② 70
③ 90 ④ 100

📖 **해설**
제16조 건축·구조물의 소실정도 「화재조사 및 보고규정」

암기법 전반부 출석해

1. **전**소 : 건물의 **70**% 이상(입체면적에 대한 비율)이 소실되었거나 또는 그 미만이라도 잔존부분을 보수하여도 재사용이 불가능한 것
2. **반**소 : 건물의 30% 이상 70% 미만이 소실된 것
3. **부**분소 : 제1호, 제2호에 해당하지 아니하는 것

08 화재유형별 조사서(건축·구조물 화재)의 특정소방대상물의 분류항목이 아닌 것은?

① 지하구
② 초고층시설
③ 근린생활시설
④ 문화집회 및 운동시설

📖 **해설**
초고층시설은 특정소방대상물의 분류항목에 해당되지 않는다.

09 화재유형별 조사서(건축·구조물 화재)의 시설용도 분류항목에서 집합시설에 해당되지 않는 것은?

① 관람장 ② 작업장
③ 공연장 ④ 종교

📖 **해설**
작업장은 산업시설에 속한다.

10 자동차·철도차량 화재유형별 조사서의 형식란에 기입사항이 아닌 것은?

① 제조회사
② 연식
③ 차량명
④ 사용 연료(휘발유, 경유, 전기, 하이브리드)

📖 **해설**
자동차·철도차량 화재유형별 조사서의 형식란 기입사항 4가지

암기법 제연번명

- 제조회사
- 연식
- 차량번호
- 차량명

정답 | 06 ④ 07 ② 08 ② 09 ② 10 ④

11 「화재조사 및 보고규정」상 화재유형별 조사서 서식 중 철도차량 발화지점에 해당되지 않는 것은?

① 객실(좌석) ② 바퀴
③ 화장실 ④ 엔진룸

🛢 해설
엔진룸은 자동차 · 농업 · 건설 · 군용차량 발화지점에 해당한다.

12 자동차 · 철도차량 화재유형별 조사서의 자동차 확인란 중에 친환경자동차 체크항목에 속하지 않는 것은?

① EV ② HEV
③ CDV ④ PHEV

🛢 해설
EV(Electric Vehicle), HEV(Hybrid Vehicle), PHEV(Plug-in HEV), FCEV(Full Cell EV)의 4가지 항목이 있다.

13 화재유형별 조사서(위험물 · 가스제조소 등 화재)의 위험물 제조소 등의 항목이 아닌 것은?

① 고압가스 저장시설 ② 옥내탱크 저장소
③ 판매 취급소 ④ 주유 취급소

🛢 해설
「위험물안전관리법」에서 '제조소 등'이라 함은 제조소 · 저장소 및 취급소를 말한다.

14 위험물 · 가스제조소 등 화재유형별조사서에서 위험물 취급시설의 발화지점 체크항목에 속하지 않는 것은?

① 배관 ② 주입구
③ 작업실 ④ 반응기

🛢 해설
배관은 해당 항목에 속하지 않는다.

15 선박 · 항공기 화재유형별 조사서의 형식란에 기입사항이 아닌 것은?

① 톤수 ② 연식
③ 길이/높이 ④ 수용인원

🛢 해설
선박 · 항공기 화재유형별 조사서의 형식란 기입사항 5가지
• 제조회사
• 연식
• 톤수
• 기종/명칭
• 수용인원

16 선박 · 항공기 화재유형별 조사서에서 발화지점은 기기작동실과 부속시설로 분류된다. 다음 중 부속시설에 해당되는 것은?

① 기관실 ② 갑판
③ 취사실 ④ 화물실

🛢 해설
화물실은 부속시설에 속한다.

17 화재유형별조사서(임야화재)의 작성에 대한 설명으로 틀린 것은?

① 논밭 두렁의 화재는 들불에 속한다.
② 묘지에서 발생한 화재는 들불에 속한다.
③ 피해사항 중 산림피해면적은 헥타르(ha)로 기재한다.
④ 산불화재 시 소유 주체에 따라 국유림, 공유림, 사유림으로 구분한다.

🛢 해설
피해사항 중 산림피해면적은 m²로 기재한다.

정답 | 11 ④ 12 ③ 13 ① 14 ① 15 ③ 16 ④ 17 ③

18 화재피해조사서(인명피해) 「화재조사 및 보고규정」 작성 시 유의사항으로 옳은 것은?

① 2주 이상 입원치료를 필요로 하는 부상은 중상으로 기재한다.
② 화재현장에서 부상을 당한 후 72시간 이내에 사망한 경우에는 당해 화재로 인한 사망으로 본다.
③ 화재현장에서 부상을 당했으나 입원치료를 필요로 하지 않는 경우 부상으로 기재하지 않는다.
④ 4주 이하의 입원치료를 필요로 하는 부상은 경상으로 기재한다.

해설
제13조, 제14조 사상자 및 부상자 분류 「화재조사 및 보고규정」

분류		정의
사상자		화재현장에서 사망한 사람과 부상을 당한 사람
화재사 판정 기준		화재현장에서 부상을 당한 후 72시간 이내에 사망한 경우
부상자 (의사진단기초)	중상	3주 이상의 입원치료를 필요로 하는 부상
	경상	• 중상 이외의 부상(입원치료를 필요로 하지 않는 것도 포함) • 병원치료가 불필요한 단순 연기 흡입자는 제외

19 화재피해조사서(인명) 작성 시 기재사항이 아닌 것은?

① 사상부위
② 사상시 위치·행동
③ 사상 전 상태
④ 사상자 가족 인적사항

해설
사상자 가족 인적사항은 해당되지 않는다.

참고
화재피해조사서(인명피해) 기재사항
암기법 자정 위원 전부 취약
- 사상자
- 사상정도
- 사상시 위치·행동
- 사상원인
- 사상 전 상태
- 사상부위 및 외상
- 사상자(취약) 정보

20 가재도구 화재피해액 산정기준의 간이평가방식 중 주택가격(m²당)가중치는?

① 10% ② 20%
③ 30% ④ 40%

해설
[별지 제7 – 2호서식] 화재피해조사서(재산피해) 「화재조사 및 보고규정」

6 가재도구 간이평가 피해산정
[(주택종류별·상태별 기준액×가중치)+(주택면적별 기준액×가중치)+(거주인원별 기준액×가중치)+(주택가격(m²당)별 기준액×가중치)]×손해율

암기법 가재는 종멸인가 일상 의식

구분	주택종류		주택면적		거주인원		주택가격(m²당)		손해율(%)	피해액(천원)
	기준액(천원)	가중치	기준액(천원)	가중치	기준액(천원)	가중치	기준액(천원)	가중치		
가재도구		10%		30%		20%		40%		

※ 산출과정을 서술

21 화재피해조사서(재산피해) 「화재조사 및 보고규정」에서 건물 피해산정 방법은?

① 신축단가×소실면적×[1−(0.8×경과연수/내용연수)]×손해율
② 단위당 표준단가×피해단위×[1−(0.8×경과연수/내용연수)]×손해율
③ 신축단가×소실면적×설비종류별 재설비 비율×[1−(0.8×경과연수/내용연수)]×손해율
④ m²당 표준단가×소실면적×[1−(0.9×경과연수/내용연수)]×손해율

해설
②, ③은 부대설비 피해산정방법, ④는 영업시설 피해산정방법에 해당한다.

정답 | 18 ② 19 ④ 20 ④ 21 ①

22 방화·방화의심 조사서 작성 시 기재항목이 아닌 것은?

① 방화도구　　② 방화동기
③ 초기소화활동　④ 도착 시 초기상황

> **해설**
> ③은 소방시설 등 활용조사서 작성 시 기재항목이다.

23 「화재조사 및 보고규정」상 방화·방화의심 조사서 작성 시 기재항목으로 적합하지 않은 것은?

① 방화도구
② 방화의심 사유
③ 도착 시 초기상황
④ 방화자의 인상착의 및 직업

> **해설**
> **방화·방화의심 조사서 주요 기재사항**
>
> 　암기법　동도사도 용자
>
> - 방화동기
> - 방화도구
> - 방화의심 사유
> - 도착 시 초기상황
> - 방화연료 및 용기
> - 방화자

24 「화재조사 및 보고규정」상 방화·방화의심 조사서 작성 시 방화의심 사유 기재 항목에 해당하지 않는 것은?

① 외부침입 흔적 존재　② 소방시설의 미작동
③ 거액의 보험가입　　④ 급격 연소

> **해설**
> 소방시설의 미작동은 해당 항목에 없다.

25 「화재조사 및 보고규정」상 소방시설 등 활용조사서의 작성항목으로 명시되지 않은 것은?

① 경보설비　　② 전기설비
③ 소화시설　　④ 방화설비

> **해설**
> **소방시설 등 활용조사서의 작성항목**
>
> 　암기법　소경피소소 초방
>
> - 소화시설
> - 경보설비
> - 피난설비
> - 소화용수설비
> - 소화활동설비
> - 초기소화활동
> - 방화설비

26 「화재조사 및 보고규정상」 소방시설 등 활용조사서의 소화활동설비의 종류에 속하지 않는 것은?

① 제연설비　　　② 연결송수관설비
③ 비상콘센트설비　④ 옥외소화전설비

> **해설**
> 옥외소화전설비는 소화시설에 포함된다.

27 「화재조사 및 보고규정」상 화재현장조사서 작성 시 화재원인 검토항목이 아닌 것은? (단, 임야화재, 기타화재, 피해액이 없는 화재는 제외한다.)

① 조사결과　　② 방화 가능성
③ 인적 부주의　④ 전기적 요인

> **해설**
> **화재현장조사서의 화재원인 검토 항목**
>
> 　암기법　토끼가 전방 연인
>
> - 기계적 요인
> - 가스누출
> - 전기적 요인
> - 방화 가능성(연소상황, 원인추적 등에 관한 사진, 설명)
> - 연소확대 사유
> - 인적 부주의 등

정답 | 22 ③　23 ④　24 ②　25 ②　26 ④　27 ①

28 화재현장 조사서 화재건물 현황의 기재사항이 아닌 것은?

① 건축물 현황
② 보험가입 현황
③ 화재발생 후 상황
④ 소방시설 및 위험물 현황

해설
화재현장조사서의 화재건물 현황 작성항목「화재조사 및 보고규정」

암기법 건보소화

- 건축물 현황
- 보험가입 현황
- 소방시설 및 위험물 현황
- 화재발생 전 상황

---

29 화재증거물 검증에 관한 설명으로 옳은 것은?

① 검증하는 단계는 모든 가설을 검증하여, 모든 가설이 사실과 과학적 원리에 부합할 때까지 계속되어야 한다.
② 연역적 추론에 의한 검증 단계를 통과한 가설이 없는 경우에는 이 문제를 해결된 것으로 간주하여야 한다.
③ 화재원인 재현실험을 통해서 물리적으로 검증될 수도 있고, 사고실험에서 과학적 원리를 적용하여 분석적으로 검증될 수도 있다.
④ 증거가 증명될 수 있는 경우라도 다른 방법으로 반드시 검증하여야 하며, 여기에는 새로운 증거물 수집이나 기존 증기물에 대한 재분식이 필요할 수도 있다.

해설
①, ② 최종 가설이란 반드시 과학적 방법으로 합리적이고 타당성을 갖추어 문제점에 대하여 철저히 규명된 것이어야 한다. 다만, 연역적 추론에 의한 검증 단계를 통과한 가설이 없는 경우에는 이 문제를 미결된 것으로 보아야 할 수도 있다.
④ 가설이 증명되지 못한 경우에는 해당 가설을 버리고 다른 가설을 세워서 검증해야 한다. 여기에는 새 데이터 수집이나 기존 데이터에 대한 재분석이 필요할 수도 있다.

---

30 다음 중「화재조사 및 보고규정」에 따른 화재현장출동보고서의 기재사항으로 옳은 것을 모두 고른 것은?

㉠ 화재현장 활동상황
㉡ 현장도착 시 발견상황
㉢ 피해 및 인명구조
㉣ 화재장소에서 사용된 장비
㉤ 예상되는 사항 및 조치
㉥ 소방대 이외의 강제적인 진입 흔적

① ㉠, ㉢, ㉤
② ㉡, ㉢, ㉣
③ ㉢, ㉣, ㉤
④ ㉡, ㉣, ㉥

해설
화재현장출동보고서 기재항목 [별지 제2호서식]「화재조사 및 보고규정」

암기법 출발 일출 강장로 기사

- **출**동대원 및 응답자
- 현장도착 시 **발**견사항
- 도착하여 처음 실행한 **일**의 지점 및 유형
- **출**입문 상태 및 소방대 건물 진입방법
- 소방대 이외의 **강**제적인 진입 흔적
- 화재장소에서 사용된 **장**비
- 출동**로**상의 발견사항
- **기**타 화재와 관련된 사항
- 화재**사**진 및 동영상

정답 | 28 ③ 29 ③ 30 ④

출제예상문제 2회

01 「화재조사 및 보고규정」상 용어 정의로 옳은 것은?

① 최종잔가율은 화재 당시에 피해물의 재구입비에 대한 현재가의 비율을 말한다.
② 잔가율은 피해물의 경제적 내용연수가 끝난 경우 잔존하는 가치의 재구입비에 대한 비율을 말한다.
③ 손해율은 피해물의 종류, 손상 상태 및 정도에 따라 피해액을 적정화시키는 일정한 비율을 말한다.
④ 구입비는 화재 당시의 피해물과 같거나 비슷한 것을 재건축(설계감리비를 제외한다) 또는 재취득하는 데 필요한 금액을 말한다.

해설
「화재조사 및 보고규정」 용어 정의

용어	정의
재구입비	화재 당시의 피해물과 같거나 비슷한 것을 재건축(설계 감리비를 포함한다) 또는 재취득하는 데 필요한 금액
내용연수	고정자산을 경제적으로 사용할 수 있는 연수
손해율	피해물의 종류, 손상 상태 및 정도에 따라 피해금액을 적정화시키는 일정한 비율
잔가율	화재 당시에 피해물의 재구입비에 대한 현재가의 비율
최종잔가율	**암기법** 최종 잔가재 피해물의 내용연수가 다한 경우 잔존하는 가치의 재구입비에 대한 비율

02 내용연수에 대한 설명으로 가장 거리가 먼 것은?

① 내용연수란 고정자산 등을 사용할 수 있는 기간을 말한다.
② 내용연수는 물리적 내용연수와 경제적 내용연수로 구분된다.
③ 화재피해액 산정에 있어서 보통 경제적 내용연수를 적용하게 된다.
④ 경제적 내용연수에 비해 물리적 내용연수가 더 짧은 것이 보통이다.

해설
내용연수란 고정자산을 경제적으로 사용할 수 있는 연수를 말한다.

내용연수의 구분

물리적 내용연수	경제적 내용연수
고정자산을 정상적인 방법으로 관리했을 경우 기술적으로 이용 가능할 것으로 예측되는 기간	• 고정자산의 사용가치 및 교환가치 등을 고려한 경제적 이용 가능한 기간 • 물리적 내용연수에 비해 경제적 내용연수가 더 짧은 것이 보통

정답 | 01 ③ 02 ④

03 화재피해액 산정 시 소손 정도에 따른 손해율 적용에서 전부손해(손해율 100%)로 볼 수 있는 것은?

① 공동주택의 주요 구조체는 재사용이 가능하나 기타 부분의 재사용이 불가능한 경우
② 부대설비의 손해 정도가 다소 심한 경우
③ 전동공구가 50% 이상 소손 되고, 그을음 및 수침오염 정도가 심한 경우
④ 가재도구가 오염, 수침손을 입은 경우

🔍 **해설**

100% 손해율에 해당되는 경우

대상	100% 손해율 기준
건물	주요 구조체의 재사용이 불가능한 경우
부대설비 · 영업시설	불에 타거나 변형되고 그을음과 수침 정도가 심한 경우
기계장치	Frame 및 주요부품이 소손 되고 굴곡 · 변형되어 수리가 불가능한 경우
공구 · 기구	50% 이상 소손 되고, 그을음 및 수침 오염 정도가 심한 경우
집기비품 · 가재도구	50% 이상 소손 되고, 수침오염 정도가 심한 경우

04 잔가율 및 현재가를 구하는 공식으로 틀린 것은?

① 현재가 = 재구입비 − 잔가율
② 잔가율 = 100% − 감가수정율
③ 잔가율 = (재구입비 − 감가수정액)/재구입비
④ 잔가율 = 1 − (1 − 최종잔가율) × (경과연수/내용연수)

🔍 **해설**

현재가(시가) = 재구입비 × 잔가율

- **현재가(시가)**「화재피해액 산정 매뉴얼」

  > 현재가(시가) = 재구입비 − 감가수정액

- **잔가율**「화재피해액 산정 매뉴얼」

  > 현재가(시가) = 재구입비 × 잔가율
  >
  > 잔가율 = $\dfrac{재구입비 - 감가수정액}{재구입비}$
  >
  > = 100% − 감가수정율
  >
  > = $1 - (1 - 최종잔가율) \times \dfrac{경과연수}{내용연수}$

05 내용연수가 40년인 일반 공장에서 준공 후 15년이 지나서 화재가 발생하였을 때 잔가율(%)은?

① 20
② 30
③ 50
④ 70

🔍 **해설**

잔가율 = 1 − (1 − 최종잔가율) × 경과연수/내용연수
= 1 − (1 − 최종잔가율) × 15/40
= 1 − (1 − 0.2) × 15/40 = 0.7

> **참고**
> 제18조 제3항 화재피해금액 산정 「화재조사 및 보고규정」
> 건물 등 자산에 대한 최종잔가율은 건물 · 부대설비 · 구축물 · 가재도구는 20%로 하며, 그 이외의 자산은 10%로 정한다.

06 건물에 포함하여 화재피해액을 산정하는 것은?

① 칸막이
② 구축물
③ 영업시설
④ 부대설비

🔍 **해설**

건물의 화재피해액 포함 산정범위「화재피해액 산정 매뉴얼」

- 독립된 건물 : 건물의 외벽, 기둥, 보, 지붕(지붕틀 포함)의 어느 부분 하나라도 다른 건물과 이어지지 않고 모두 독립된 건물
- 부속물 : 건물에 부속된 칸막이, 대문, 담, 곳간 및 이와 비슷한 것
- 부착물 : 간판, 네온사인, 안테나, 선전탑, 차양 및 이와 비슷한 것

07 화재피해액 산정 시 건물에 포함하여 피해액을 산정하는 것은?

① 건물의 소화설비
② 건물의 가스설비
③ 건물의 승강기설비
④ 건물에 부착된 간판

🔍 **해설**

관련 매뉴얼 6번 해설 참조

정답 | 03 ③　04 ①　05 ④　06 ①　07 ④

08 건물 피해액 산정기준으로 틀린 것은?

① 소실면적의 재건축비는 소실면적에 신축 단가를 곱한 금액으로 한다.
② 건물 등의 피해액 산정에는 폐기물 처리 비용도 포함된다.
③ 지붕, 외벽 등 외부마감재 등이 소실된 경우의 손해율은 20%로 한다.
④ 건물의 내용연수 산정은 한국감정원 건물 신축단가표에 의한 내용연수를 따른다.

🛢 해설
화재피해액 산정에 있어 해당 건물의 용도, 구조 및 마감재 등을 기준하여 작성된 대한손해보험협회의 「보험가액 및 손해액의 평가기준」을 참고로 작성된 건물신축단가표의 내용연수에 따라 기재한다.

> **참고**
> **건물 등의 피해액 산정**
> 건물 등의 피해액 = 건물 피해액 + 부대설비 피해액 + 구축물 피해액 + 영업시설 피해액 + 잔존물 또는 폐기물 등의 제거 및 처리비

09 화재피해액 산정대상에서 선박화재로 볼 수 없는 것은?

① 육상에 있는 미취항의 범선에서 발생한 화재
② 독행 기능을 가지지 않는 거룻배에서 발생한 화재
③ 수리 등을 위해 육상에 일시적으로 있는 선박에서 발생한 화재
④ 독행 기능을 가지는 선박에 의해 끌어진 물건에 발생한 화재

🛢 해설
차량 및 운반구의 피해액 산정에서 선박의 정의 「화재피해액 산정 매뉴얼」
- 선박이라는 것은 독행기능을 가지는 범선, 기선 및 입선 및 독행기능을 가지지 않는 주거선, 창고선, 거룻배(등록, 엔진등재의 유무는 관계없다) 등을 말하나 미취항의 것으로 육상에 있는 것은 선박이 아니다.
- 수리 등을 위해 육상에 일시적으로 있는 선박이나 독행기능을 가지는 선박에 의해 끌어진 물건에 화재가 발생했을 경우에도 선박화재에 속한다.

10 재고자산의 화재피해액 산정에 관한 사항으로 맞는 것은?

① 판매 및 일반관리비의 미실현 이익 내지 미실현 비용을 포함한다.
② 재고자산 중 반제품은 구입 후 사용하지 않고 보관 중인 소모품을 의미한다.
③ 재고자산은 구입비용 자체가 피해액이 되므로 감가공제는 하지 않는다.
④ 재고자산의 구입비에는 운반비 등 구입경비와 판매비용은 포함하지 않는다.

🛢 해설
① 판매 및 일반관리비의 미실현 이익 내지 미실현 비용은 포함하지 않는다.
② 재고자산 중 반제품은 자가제조한 중간제품을 말한다.
④ 재고자산의 구입비에는 운반비 등 구입경비를 포함한다.

11 「화재조사 및 보고규정」상 화재피해 조사 및 피해액 산정순서로 옳은 것은?

① 화재현장 조사 → 피해정도 조사 → 기본현황 조사 → 재구입비 산정 → 피해액 산정
② 화재현장 조사 → 기본현황 조사 → 피해정도 조사 → 재구입비 산정 → 피해액 산정
③ 기본현황 조사 → 피해정도 조사 → 화재현장조사 → 재구입비 산정 → 피해액 산정
④ 기본현황 조사 → 피해정도 조사 → 재구입비 산정 → 피해액 산정 → 화재현장조사

🛢 해설
화재피해 조사 및 피해액 산정 순서 「화재피해액 산정 매뉴얼」
화재현장 조사 → 기본현황 조사 → 피해정도 조사 → 재구입비 산정 → 피해액 산정

12 재건축 또는 재취득에 소요되는 비용에서 사용기간의 감가수정액을 공제하는 방법으로 피해액을 산정하는 방식은?

① 수익환원법
② 단성식평가법
③ 복성식평가법
④ 피해사례분석법

정답 | 08 ④ 09 ① 10 ③ 11 ② 12 ③

해설
손해·피해액 산정방법 원칙 「화재피해액 산정 매뉴얼」

암기법 복매수 재차장

복성식평가법	• 사고로 인한 피해액을 산정하는 방법 • 재건축 또는 재취득하는 데 소요되는 비용에서 사용기간의 감가수정액을 공제하는 방법으로 부분의 물적 피해액 산정에 널리 사용
매매사례비교법	• 당해 피해물의 시중매매사례가 충분하여 유사매매 사례를 비교하여 산정하는 방법으로서 차량, 예술품, 귀중품, 귀금속 등의 피해액 산정에 사용
수익환원법	• 피해물로 인해 장래에 얻을 수익액에서 당해 수익을 얻기 위해 지출되는 제반 비용을 공제하는 방법에 의하는 방법 • 유실수 등에 있어 수확기간에 있는 경우에 사용 • 단, 유실수의 육성기간에 있는 경우에는 복성식평가법을 사용

13 피해물로 인해 장래에 얻을 수익액에서 당해 수익을 얻기 위해 지출되는 제반 비용을 공제하는 방법에 의하는 손해액 산정방법으로 옳은 것은?

① 정액법 ② 수익환원법
③ 복성식 평가법 ④ 매매사례비교법

해설
관련 매뉴얼 12번 해설 참조

14 화재피해액 산정에 있어서 피해액을 산정하는 방법에 관한 설명으로 옳은 것은?

① 유실수 등에 있어 수확기간에 있는 경우에는 매매사례비교법으로 산정한다.
② 차량, 예술품, 귀중품, 귀금속 등의 피해액산정에는 복성식평가법을 사용한다.
③ 유실수의 육성기간에 있는 경우에는 복성식평가법을 사용한다.
④ 사고로 인한 피해액을 산정하는 방법으로 수익환원법을 사용한다.

해설
관련 매뉴얼 12번 해설 참조

15 지은지 10년된 아파트에서 화재가 발생하여 100m^2가 소실되었다. 화재피해액은 약 얼마인가? (단, 내용연수 50년, 신축단가 670천 원/m^2, 손해율 40%이다.)

① 21,862천 원 ② 22,512천 원
③ 26,661천 원 ④ 28,891천 원

해설
건물 화재피해액
= 신축단가(m^2당)×소실면적×[1 − (0.8×경과연수/내용연수)]×손해율
= 670천 원/m^2×100m^2×[1 − (0.8×10/50)] ×0.4
= 22,512천 원

참고
[별표 2] 화재피해금액 산정기준요약표 중 건축, 부대설비 「화재조사 및 보고규정」

산정대상	화재피해금액 산정기준
건물	**암기법** 신소 일마쩜팔 경내손 신축단가(m^2당)×소실면적×[1 − (0.8×경과연수/내용연수)]×손해율
부대설비	**암기법** 신소 일마쩜팔 경내손 건물신축단가×소실면적×설비종류별 재설비 비율×[1 − (0.8×경과연수/내용연수)]×손해율

16 다음 화재가 발생한 건물의 화재피해액은?

• 손해율 : 80% • 소실면적 : 100m^2
• 경과연수 : 20년 • 내용연수 : 40년
• 건물 신축단가 : 100만 원

① 10,000천 원 ② 30,000천 원
③ 50,000천 원 ④ 48,000천 원

해설
건물 화재피해액
= 신축단가(m^2당)×소실면적×[1 − (0.8×경과연수/내용연수)]×손해율
= 1,000,000×100m^2×[1 − (0.8×20/40)]×0.8
= 48,000천 원

정답 | 13 ② 14 ③ 15 ② 16 ④

17 「화재조사 및 보고규정」상 부대설비의 화재피해액 산정기준으로 옳은 것은?

① 건물신축단가×소실면적×설비종류별 재설비 비율×[1-(0.8×경과연수/내용연수)]
② 건물신축단가×소실면적×설비종류별 재설비 비율×[1-(0.8×경과연수/내용연수)]×손해율
③ 건물신축단가×소실면적×설비종류별 재설비 비율×[1-(0.9×경과연수/내용연수)]
④ 건물신축단가×소실면적×설비종류별 재설비 비율×[1-(0.9×경과연수/내용연수)]×손해율

해설
관련 규정 15번 해설 참조

18 구축물의 피해액 산정에 있어서 최초건축비에 경과연수별 물가상승률을 곱하여 재건축비를 구한 후 사용손모 및 경과연수에 대응한 감가공제하는 방식은?

① 간이평가방식
② 회계장부에 의한 피해액의 산정방식
③ 수리비에 의한 방식
④ 원시건축비에 의한 방식

해설
구축물의 경우, [구축물의 재건축비 표준단가]를 활용한 간이평가방식, 회계장부에 의한 피해액 산정 방식, 최초건축비 확인이 가능한 경우의 원시건축비에 의한 방식, 그리고 수리비에 의한 방식이 있다.

19 구축물의 피해액 산정에 있어서 구축물의 재건축비 표준단가표의 단위당 표준단가에 소실단위를 곱한 금액을 피해액으로 평가하는 방식은?

① 간이평가방식
② 회계장부에 의한 피해액의 산정방식
③ 수리비에 의한 방식
④ 원시건축비에 의한 방식

해설
간이평가방식은 구축물의 재건축비 표준단가표의 단위당 표준단가에 소실단위를 곱한 금액을 피해액으로 간이평가방법으로 산정한다.

20 산정 대상별 화재피해액 산정기준으로 옳은 것은?

① 잔존물 제거 : 화재피해금액×20%
② 영업시설 : m^2당 표준단가×소실면적×[1-(0.9×경과연수/내용연수)]×손해율
③ 건물 : 신축단가(m^2당)×소실면적×[1-(0.9×경과연수/내용연수)]×손해율
④ 부대설비 : 건물신축단가×소실면적×설비종류별 재설비 비율×[1-(0.9×경과연수/내용연수)]×손해율

해설

암기법 팔건(0.8, 건물) 영구(0.9)영업

산정기준 중 0.8의 요율은 건물, 0.9는 영업시설에 적용한다.
① 잔존물 제거 : 화재피해금액×10%
→ 20%가 아닌 10%다.
③ 건물 : 신축단가(m^2당)×소실면적×[1-(0.8×경과연수/내용연수)]×손해율
→ 건물 산출요율은 0.9가 아닌 0.80이다.
④ 부대설비 : 건물신축단가×소실면적×설비종류별 재설비 비율×[1-(0.8×경과연수/내용연수)]×손해율
→ 부대설비 산출요율은 0.9가 아닌 0.80이다.

21 화재피해액 산정 방법으로 틀린 것은?

① 잔존물제거 : 화재피해액×20%
② 재고자산 : 회계장부상 현재가액×손해율
③ 구축물 : 회계장부상 구축물가액×손해율
④ 기타 : 피해당시의 현재가를 재구입비로 하여 피해액을 산정

해설
[별표 2] 화재피해금액 산정기준 「화재조사 및 보고규정」
잔존물 제거 : 화재피해액×10%

정답 | 17 ② 18 ④ 19 ① 20 ② 21 ①

22 항공기, 선박, 철도차량, 특수작업용차량, 시중매매가격이 확인되지 아니하는 자동차에 대한 피해에 산정기준 중 틀린 것은?

① 수리가 가능한 경우에는 수리비를 피해액으로 한다.
② 감정평가서가 없는 경우 회계장부상의 현재가액에 손해율을 곱한 금액을 화재로 인한 피해액으로 한다.
③ 감정평가서가 있는 경우 감정평가서상의 현재가액에 손해율을 곱한 금액을 화재로 인한 피해액으로 한다.
④ 감정평가서와 회계장부 모두 없는 경우에는 제조회사, 판매회사, 조합 또는 협회 등에 조회하여 구입가격 또는 시중거래가격을 확인하여 피해액을 산정한다.

해설
수리가 가능한 경우에는 수리비에 감가공제를 한 금액을 피해액으로 한다.

23 화재피해액 산정 시 유의사항으로 틀린 것은?

① 모델하우스에 대한 최종잔가율은 20%이다.
② 문화재로 지정되었거나 보존가치가 높은 건물의 경우 전문가의 감정에 의한 가격을 현재가로 한다.
③ 집기비품, 가재도구를 일괄하여 피해액을 산정할 경우 재구입비의 60%를 피해액으로 한다.
④ 중고구입기계장치 및 집기비품의 제작년도를 알 수 없는 경우 신품가액의 30~50%를 재구입비로 하여 피해액을 산정한다.

해설
공구 및 기구·집기비품·가재도구를 일괄하여 재구입비를 산정하는 경우 개별 품목의 경과연수에 의한 잔가율이 50%를 초과하더라도 50%로 수정할 수 있다.

24 피해액 산정 대상의 주택 종류·상태, 거주인원, 면적, 단위당 가격별 기준액에 가중치를 고려하여 피해액을 산정할 수 있는 것은?

① 건물
② 부대설비
③ 영업시설
④ 가재도구

해설
가재도구의 화재 피해액 산정기준
(주택 종류별·상태별 기준액×가중치)+(주택면적별 기준액×가중치)+(거주인원별 기준액×가중치)+(주택가격(m²당)별 기준액×가중치)

25 화재피해액 산정기준에서 전부손해의 경우 감정가격으로 하며, 전부손해가 아닌 경우에는 원상복구에 소요되는 비용으로 산정되는 대상은?

① 차량
② 식물
③ 회화
④ 가재도구

해설
전부손해 여부에 따른 화재피해금액 산정기준 비교

암기법 차동식 매 수 치료

- 차량, 동물, 식물
  - 전부손해의 경우 : 시중매매가격
  - 전부손해가 아닌 경우(부분 소손) : 수리비 및 치료비

암기법 해(회)골 공포(보) 감정 복구

- 회화(그림), 골동품, 미술공예품, 귀금속 및 보석류
  - 전부손해의 경우 : 감정가격
  - 전부손해가 아닌 경우(부분 소손) : 원상복구에 소요되는 비용

26 화재피해액의 산정대상 중 산정기준이 다른 대상은?

① 동물
② 식물
③ 차량
④ 임야의 입목

해설
①~③은 시중매매가격, ④는 잔존가격을 산정기준으로 한다.

참고
차량, 동물, 식물과 임야의 입목 화재피해액 비교

산정대상	화재피해금액 산정기준
차량, 동물, 식물	• 전부손해의 경우 : 시중매매가격 • 전부손해가 아닌 경우 : 수리비 및 치료비
임야의 입목	• 소실 전의 입목가격 : 소실한 입목의 잔존가격 • 피해산정이 곤란할 경우 : 소실면적 등 피해 규모만 산정 가능

정답 | 22 ① 23 ③ 24 ④ 25 ③ 26 ④

27 화재피해금액 산정기준「화재조사 및 보고규정」에 따른 다음 빈칸에 알맞은 것은?

> 공구 및 기구·집기비품·가재도구를 일괄하여 재구입비를 산정하는 경우 개별 품목의 경과연수에 의한 잔가율이 (　)%를 초과하더라도 (　)%로 수정할 수 있다.

① 80, 50　　② 40, 30
③ 50, 50　　④ 60, 50

🔍 **해설**
공구 및 기구·집기비품·가재도구를 일괄하여 재구입비를 산정하는 경우 개별 품목의 경과연수에 의한 잔가율이 50%를 초과하더라도 50%로 수정할 수 있다.

28 화재피해금액 산정기준「화재조사 및 보고규정」에 따라 피해액 산정요소 중 실질적·구체적 재구입비 선정 방법이 다른 하나는?

① 기계장치 및 선박·항공기
② 공구 및 기구
③ 집기비품
④ 가재도구

🔍 **해설**
①는 재구입비를 조사자가 확인·조사한 가격을 기준으로 하며, ②~④는 물가정보지 가격을 기준으로 한다.

29 다음은 건물의 경과연수를 산정하는 것에 있어 개·보수한 경우의 방법이다. 빈칸에 알맞은 것은?

구분	산정 방법
재설치비의 (㉠)% 미만 개·보수한 경우	최초 설치연도를 기준으로 경과연수를 산정
재설치비의 (㉠)~(㉡)% 개·보수한 경우	최초 설치연도를 기준으로 한 경과연수와 개·보수한 때를 기준으로 한 경과연수를 합산하고 평균하여 경과연수를 산정
재설치비의 (㉡)% 이상 개·보수한 경우	개·보수한 때를 기준으로 하여 경과연수를 산정

① ㉠ 30, ㉡ 50　　② ㉠ 35, ㉡ 45
③ ㉠ 50, ㉡ 80　　④ ㉠ 45, ㉡ 80

🔍 **해설**
건물을 개수 또는 보수한 경우 경과연수 구분은 재설치비의 50, 80%를 기준으로 한다.

30 화재피해액 산정에 있어서 상품 등의 현재시가를 정하는 방법은?

① 구입 시 가격
② 재구입 가격
③ 구입 시 가격에서 사용기간 감가액을 뺀 가격
④ 재구입 가격에서 사용기간 감가액을 뺀 가격

🔍 **해설**
상품 등 현재시가 = 재구입 가격

참고

현재의 시가를 정하는 방법「화재피해액 산정 매뉴얼」

현재 시가 산정 방법	적용 대상
구입 시의 가격	재고자산, 즉 원재료, 부재료, 제품, 반제품, 저장품, 부산물 등
구입 시의 가격에서 사용기간 감가액을 뺀 가격	항공기 및 선박 등
재구입 가격	상품 등
재구입 가격에서 사용기간 감가액을 뺀 가격	건물, 구축물, 영업시설, 기계장치 공구·기구, 차량 및 운반구, 집기비품, 가재도구 등

정답 | 27 ③　28 ①　29 ③　30 ②

출제예상문제 3회

01 화재피해액 산정에 있어서 건물, 구축물, 영업시설 등의 현재시가를 정하는 방법은?

① 구입 시 가격
② 재구입 가격
③ 구입 시 가격에서 사용기간 감가액을 뺀 가격
④ 재구입 가격에서 사용기간 감가액을 뺀 가격

해설
현재시가를 정하는 방법「화재피해액 산정 매뉴얼」

현재 시가 산정 방법	적용 대상
구입 시의 가격	재고자산 즉 원재료, 부재료, 제품, 반제품, 저장품, 부산물 등
구입 시의 가격에서 사용기간 감가액을 뺀 가격	항공기 및 선박 등
재구입 가격	상품 등
재구입 가격에서 사용기간 감가액을 뺀 가격	건물, 구축물, 영업시설, 기계장치, 공구·기구, 차량 및 운반구, 집기비품, 가재도구 등

02 화재피해액 산정 시 특수한 경우의 피해액 산정 우선 적용사항으로 옳은 것은?

① 중고집기비품의 시장거래가격이 신품가격보다 높을 경우 시장거래가격을 재구입비로 하여 피해액을 산정한다.
② 건물에 있어 문화재와 철거건물 및 모델하우스의 경우 별도의 피해액 산정기준에 의한다.
③ 중고구입기계장치의 제작년도를 알 수 없는 경우 시장거래가격의 90%를 재구입비로 하여 피해액을 산정한다.
④ 재고자산의 상품 중 견본품, 전시품, 진열품에 대해서는 구입가의 90%를 피해액으로 한다.

해설
특수한 경우의 피해액 산정 우선 적용사항「화재피해액 산정 매뉴얼」
건물에 있어 문화재의 경우 감정가를 현재가로 보며 모델하우스 등의 경우 최종잔가율은 20%이며, 내용연수 및 경과연수는 연 단위까지 피해액으로 산정한다.
① 중고집기비품의 시장거래가격이 신품가격보다 높을 경우 신품가액을 재구입비로 하여 피해액을 산정한다.
③ 중고구입기계장치의 제작년도를 알 수 없는 경우 신품가액의 30~50%를 재구입비로 하여 피해액을 산정한다.
④ 재고자산의 상품 중 견본품, 전시품, 진열품에 대해서는 구입가의 50~80%를 피해액으로 한다.

03 철거건물에 대한 화재피해액을 산정하는 계산식은?

① 재건축비 × [0.1 + (0.8 × 잔여내용연수/내용연수)]
② 재건축비 × [0.1 + (0.9 × 잔여내용연수/내용연수)]
③ 재건축비 × [0.2 + (0.8 × 잔여내용연수/내용연수)]
④ 재건축비 × [0.2 + (0.9 × 잔여내용연수/내용연수)] × 손해율

해설
특수한 경우의 피해액 산정 우선 적용사항「화재피해액 산정 매뉴얼」, 철거건물의 피해액

철거건물의 피해액 = 재건축비 × $\left[0.2 + \left(0.8 \times \dfrac{\text{잔여내용연수}}{\text{내용연수}}\right)\right]$

정답 | 01 ④ 02 ② 03 ③

04 특수한 경우의 피해액 산정 우선 적용사항 기준 중 틀린 것은?

① 중고구입기계장치 및 집기비품의 제작년도를 알 수 없는 경우 신품가액의 30~50%를 재구입비로 하여 피해액을 산정한다.
② 중고기계장치 및 중고집기비품의 시장거래가격이 신품가격보다 높을 경우 신품가액을 재구입비로 하여 피해액을 산정한다.
③ 공구 및 기구, 집기비품, 가재도구를 일괄하여 피해액을 산정할 경우 재구입비의 50%를 피해액으로 한다.
④ 재고자산의 상품 중 견본품, 전시품, 진열품에 대해서는 구입가의 30~50%를 피해액으로 한다.

해설
재고자산의 상품 중 견본품, 전시품, 진열품에 대해서는 구입가의 50~80%를 피해액으로 한다.

05 특수한 경우의 화재 피해액 산정 시 우선 적용사항으로 옳은 것은?

① 공구·기구, 집기비품, 가재도구를 일괄하여 피해액을 산정할 경우 재구입비의 30%를 피해액으로 한다.
② 중고집기비품의 시장거래가격이 신품가격보다 높을 경우 신품가격을 재구입비로 하여 피해액을 산정한다.
③ 중고구입기계장치의 제작년도를 알 수 없는 경우 신품가액의 60%를 재구입비로 하여 피해액을 산정한다.
④ 중고집기비품의 시장거래가격이 신품가액에서 감가수정을 한 금액보다 높을 경우 중고기계장치의 시장거래가격을 재구입비로 하여 피해액을 산정한다.

해설
① 공구·기구, 집기비품, 가재도구를 일괄하여 피해액을 산정할 경우 재구입비의 50%를 피해액으로 한다.
③ 중고구입기계장치의 제작년도를 알 수 없는 경우 신품가액의 30~50%를 재구입비로 하여 피해액을 산정한다.
④ 중고집기비품의 시장거래가격이 신품가액에서 감가수정을 한 금액보다 낮을 경우 중고기계장치의 시장거래가격을 재구입비로 하여 피해액을 산정한다.

06 화재로 인한 기계장치의 피해액 산정기준에 해당하지 않는 것은?

① 감정평가서에 의한 피해액 산정
② 간이평가방식
③ 실질적·구체적 방식
④ 수리비에 의한 방식

해설
기계장치 피해액 산정기준 「화재피해액 산정 매뉴얼」
실질적·구체적 방식, 감정평가서에 의한 피해액 산정 방식, 회계장부에 의한 피해액 산정, 수리비에 의한 방식이 있다.

07 화재로 인한 집기비품의 피해액 산정기준에 해당하지 않는 것은?

① 감정평가서에 의한 피해액 산정
② 간이평가방식
③ 실질적·구체적 방식
④ 수리비에 의한 방식

해설
집기비품 피해액 산정기준 「화재피해액 산정 매뉴얼」
실질적·구체적 방식, 간이평가 방식, 회계장부에 의한 피해액 산정, 수리비에 의한 방식이 있다.

08 집기비품의 피해액 산정에 관한 설명 중 옳은 것은?

① 간이 평가방식은 m^2당 표준단가×소실 면적×[1−(0.8×경과연수/내용연수)]×손해율이다.
② 실질적·구체적 방식은 집기비품의 개별성이 인정되어야 하는 때에 적용한다.
③ 집기비품의 수침오염 정도가 심한 경우 손해율은 50%이다.
④ 실질적·구체적 방식은 재구입비×[1−(0.9×내용연수/경과연수)]×손해율이다.

해설
① 간이 평가방식은 m^2당 표준단가×소실 면적×[1−(0.9×경과연수/내용연수)]×손해율이다.
③ 집기비품의 50% 이상 소손되거나, 수침오염 정도가 심한 경우 손해율은 100%이다.
④ 실질적·구체적 방식은 재구입비×[1−(0.9×경과연수/내용연수)]×손해율이다.

정답 | 04 ④ 05 ② 06 ② 07 ① 08 ②

09 화재로 인한 자동차의 피해액 산정기준으로 틀린 것은?

① 자동차의 수리비는 자동차 수리업소의 견적서를 참고하여 산정한다.
② 피해 대상 자동차와 동일하거나 유사한 자동차의 시중매매가격을 피해액으로 한다.
③ 부분 소손되어 수리가 가능한 경우에는 수리에 소요되는 금액을 자동차의 피해액으로 한다.
④ 부분 소손되어 수리가 가능한 모든 경우에는 피해액에 대하여 감가공제한다.

🛈 해설
자동차의 피해액 산정기준 「화재피해액 산정 매뉴얼」

> 자동차의 피해액 = 시중매매가격
> (동일하거나 유사한 자동차의 중고도 가격)

- 자동차가 부분소손 되어 수리가 가능한 경우에는 수리에 소요되는 금액을 자동차의 피해액으로 한다. 이때 특별한 경우를 제외하고는 감가공제는 하지 아니한다.

> 자동차의 부분소손 시 피해액 = 수리비

- 자동차의 수리비는 자동차수리업소의 견적서를 참고하여 산정한다.

---

10 항공기, 선박, 철도차량, 특수작업용차량, 시중매매가격이 확인되지 아니하는 자동차에 대한 피해액 산정기준 중 틀린 것은?

① 감정평가서가 있는 경우 감정평가서상의 현재가액에 손해율을 곱한 금액을 화재로 인한 피해액으로 한다.
② 감정평가서가 없는 경우 회계장부상의 현재가액에 손해율을 곱한 금액을 화재로 인한 피해액으로 한다.
③ 감정평가서와 회계장부 모두 없는 경우에는 제조회사, 판매회사, 조합 또는 협회 등에 조회하여 구입가격 또는 시중거래가격을 확인하여 피해액을 산정한다.
④ 수리가 가능한 경우에는 수리비를 피해액으로 한다.

🛈 해설
기타 운반구의 피해액 산정기준 「화재피해액 산정 매뉴얼」
수리가 가능한 경우에는 수리비에 감가공제를 한 금액을 피해액으로 산정한다.

---

11 예술품 및 귀중품의 화재피해액 산정기준 중 틀린 것은?

① 감가공제를 하지 아니한다.
② 복수 전문가의 감정을 받거나 감정서 등의 금액을 피해액으로 인정한다.
③ 공인감정기관에서 인정하는 금액을 화재로 인한 피해액으로 산정한다.
④ 예술품 및 귀중품에 대한 그 가치를 손상하지 아니하고 원상태의 복원이 가능한 경우에는 피해액을 인정하지 아니한다.

🛈 해설
예술품 및 귀중품의 피해액 산정기준 「화재피해액 산정 매뉴얼」
예술품 및 귀중품에 대해 그 가치를 손상하지 아니하고 원상태의 복원이 가능한 경우에는 원상회복에 소요되는 비용을 화재로 인한 피해액으로 한다.

---

12 화재로 인하여 공장·창고를 제외한 건물의 천장·벽·바닥 등 내부 마감재 및 건물 내 영업시설물 등이 소실된 경우 손해율은? (단, 건물의 용도, 건물구조, 손상상태 및 정도에 따른 가감은 제외한다.)

① 10%   ② 20%
③ 40%   ④ 60%

🛈 해설
건물의 소손 정도에 따른 손해율 「화재피해액 산정 매뉴얼」

화재로 인한 피해정도	손해율(%)
주요구조체의 재사용이 불가능한 경우	90, 100
주요구조체는 재사용 가능하나 기타 부분의 재사용이 불가능한 경우(공동주택, 호텔, 병원)	65
주요구조체는 재사용 가능하나 기타 부분의 재사용이 불가능한 경우(일반주택, 사무실, 점포)	60
주요구조체는 재사용 가능하나 기타 부분의 재사용이 불가능한 경우(공장, 창고)	55
천장, 벽, 바닥 등 내부마감재 등이 소실된 경우	40
천장, 벽, 바닥 등 내부마감재 등이 소실된 경우 (공장·창고)	35
지붕, 외벽 등 외부마감재 등이 소실된 경우(나무구조 및 단열패널(판넬)조 건물의 공장 및 창고)	25, 30
지붕, 외벽 등 외부마감재 등이 소실된 경우	20
화재로 인한 수손 시 또는 그을음만 입은 경우	5, 10

정답 | 09 ④ 10 ④ 11 ④ 12 ③

13 「화재피해액 산정 매뉴얼」에 따른 부대설비의 소손정도에 따른 손해율이 옳은 것은?

화재로 인한 피해정도	손해율(%)			
	①	②	③	④
주요구조체의 재사용이 거의 불가능하게 된 경우	100	100	100	100
손해 정도가 상당히 심한 경우	90	80	70	60
손해 정도가 다소 심한 경우	80	70	50	40
손해 정도가 보통적인 경우	50	50	30	20
손해 정도가 경미한 경우	30	20	10	10

🔍 **해설**
부대설비의 소손 정도에 따른 손해율「화재피해액 산정 매뉴얼」에 따라 ④와 같다. 영업시설의 유사하게 단계별 손해율 수치가 동일하다.

14 화재피해액 산정에 있어 상당부분 교체 내지 수리가 필요한 경우의 손해율로 맞는 것은?

① 20%   ② 40%
③ 60%   ④ 80%

🔍 **해설**
'상당부분 교체 내지 수리'는 영업시설의 손해율 중에 60%로 적용된다.

15 화재피해액산정 매뉴얼에 따른 손해율 30%에 해당하는 피해 정도는?

① 오염·수침손의 경우
② 손해정도가 보통인 경우
③ 손해정도가 다소 심한 경우
④ 50% 이상 소손되거나, 수침오염 정도가 심한 경우

🔍 **해설**
공구·기구의 소손 정도에 따른 손해율「화재피해액 산정 매뉴얼」

암기법 공기(공구·기구) 오다보수 빼고 상식

화재로 인한 피해정도	손해율(%)
50% 이상 소손 되고 그을음 및 수침오염 정도가 심한 경우	100
손해정도가 다소 심한 경우	50
손해정도가 보통인 경우	30
오염·수침손의 경우	10

16 화재피해액 산정 시 가재도구의 소손 정도에 따른 손해율로 ( )에 알맞은 기준은?

화재로 인한 피해정도	손해율(%)
손해 정도가 보통인 경우	(ㄱ)
50% 이상 소손되거나, 수침오염 정도가 심한 경우	(ㄴ)

① ㄱ: 10, ㄴ: 50   ② ㄱ: 10, ㄴ: 100
③ ㄱ: 30, ㄴ: 50   ④ ㄱ: 30, ㄴ: 100

🔍 **해설**
가재도구의 소손 정도에 따른 손해율「화재피해액 산정 매뉴얼」

화재로 인한 피해정도	손해율(%)
50% 이상 소손 되고 그을음 및 수침오염 정도가 심한 경우	100
손해정도가 다소 심한 경우	50
손해정도가 보통인 경우	30
오염·수침손의 경우	10

17 「화재피해액 산정 매뉴얼」에 따른 다음 기계장치의 소손정도의 손해율은?

> 화염의 영향을 받아 주요부품이 아닌 일반 부품 교체와 그을음 및 수침오염 정도가 심하여 전반적으로 overhaul이 필요한 경우

① 20~30%   ② 10~30%
③ 30~40%   ④ 40~50%

🔍 **해설**
문제의 overhaul은 분해하여 정비한 후 재조립하는 작업을 지칭한다.

18 화재피해액 산정 시 소손 정도에 따른 손해율 적용에서 전부손해(손해율 100%)로 볼 수 있는 것은?

① 공동주택의 주요구조체는 재사용 가능하나 기타 부분의 재사용이 불가능한 경우
② 부대설비의 손해 정도가 다소 심한 경우
③ 공구·기구가 50% 이상 소손 되고 그을음 및 수침오염 정도가 심한 경우
④ 가재도구가 오염, 수침손을 입은 경우

정답 | 13 ④   14 ③   15 ②   16 ④   17 ③   18 ③

해설
산정대상별 손해율 100%로 볼 수 있는 화재피해 정도 비교

산정대상	손해율 100%로 볼 수 있는 화재로 인한 피해 정도
건물	주요구조체의 재사용이 불가능한 경우
부대설비	주요구조체의 재사용이 거의 불가능하게 된 경우
공구·기구	50% 이상 소손 되고 그을음 및 수침오염 정도가 심한 경우
집기비품	50% 이상 소손되거나, 수침오염 정도가 심한 경우
가재도구	50% 이상 소손 되고 수침오염 정도가 심한 경우

19 다음 빈칸의 직책은? (단,「화재조사 및 보고규정」을 적용한다.)

> 「소방의 화재조사에 관한 법률」(이하 "법"이라 한다) 제5조 제1항에 따라 (   )은 화재발생 사실을 인지하는 즉시 화재조사 (이하 "조사"라 한다)를 시작해야 한다.

① 소방관서장 ② 경찰서장
③ 지역자치단체의 장 ④ 화재조사관

해설
제3조 화재조사의 개시 및 원칙「화재조사 및 보고규정」
화재조사관은 화재발생 사실을 인지하는 즉시 화재조사를 시작해야 한다

20 다음 중「화재조사 및 보고규정」에서 정하고 있는 용어 정의에 대한 내용으로 옳지 않은 것은?

① 감식이란 화재원인의 판정을 위하여 전문적인 지식, 기술 및 경험을 활용하여 주로 시각에 의한 종합적인 판단으로 사실관계를 명확하게 규명하는 것을 말한다.
② 발화지점이란 발화의 최초원인이 된 불꽃 또는 열을 말한다.
③ 발화요인이란 발화열원에 의하여 발화로 이어진 연소현상에 영향을 준 인적·물적·자연적인 요인을 말한다.
④ 내용연수란 고정자산을 경제적으로 사용할 수 있는 연수를 말한다.

해설
'발화열원'이란 발화의 최초원인이 된 불꽃 또는 열을 말한다.

21 「화재조사 및 보고규정」상 용어의 정의로 틀린 것은?

① 발화지점 : 열원과 가연물이 상호작용하여 화재가 시작된 지점
② 연소확대물 : 연소가 확대되는 데 있어 결정적 영향을 미친 가연물
③ 화재현장 : 화재가 발생하여 소방대 및 관계자 등에 의해 소화활동이 행하여지고 있는 장소
④ 감식 : 화재와 관계되는 모든 현상에 대하여 필요한 실험을 행하고 그 결과를 근거로 화재원인을 밝히는 자료를 얻는 것

해설
제2조 정의「화재조사 및 보고규정」
1. '감식'이란 화재원인의 판정을 위하여 전문적인 지식, 기술 및 경험을 활용하여 주로 시각에 의한 종합적인 판단으로 구체적인 사실관계를 명확하게 규명하는 것을 말한다.
2. '감정'이란 화재와 관계되는 물건의 형상, 구조, 재질, 성분, 성질 등 이와 관련된 모든 현상에 대하여 과학적 방법에 의한 필요한 실험을 행하고 그 결과를 근거로 화재원인을 밝히는 자료를 얻는 것을 말한다.

22 「화재조사 및 보고규정」상 화재현장에 출동한 소방대원 중 119안전센터 등의 선임자가 작성·입력하는 보고서는?

① 질문기록서 ② 화재피해 조사서
③ 화재현장 조사서 ④ 화재현장출동 보고서

해설
제5조 화재출동대원 협조「화재조사 및 보고규정」
- 화재현장에 출동하는 소방대원은 조사에 도움이 되는 사항을 확인하고, 화재현장에서도 소방활동 중에 파악한 정보를 조사관에게 알려주어야 한다.
- 화재현장의 선착대 선임자는 철수 후 지체 없이 국가화재정보시스템에 화재현장출동보고서를 작성·입력해야 한다.

정답 | 19 ④ 20 ② 21 ④ 22 ④

23 화재현장을 목격한 관계자에게 질문할 때의 유의사항으로 옳은 것은?

① 정확한 화재원인을 파악하기 위해서는 유도질문도 인정된다.
② 관계자가 최초에 연소하였다고 진술한 부분이 바로 발화지점이다.
③ 관계자에게 질문할 경우는 이해관계가 있는 제3자가 참석하여야 한다.
④ 관계자에 대한 질문은 발화건물 및 화재 발생의 원인 등을 추정하는 데 필요한 정보로 활용한다.

해설
① 관계인 등에게 질문을 할 때에는 희망하는 진술내용을 얻기 위하여 상대방에게 암시하는 등의 방법으로 유도해서는 아니 된다.
② 질문기록서에 따라 화재 목격 현상을 객관적으로 진술받는다.
③ 관계인 등에게 질문을 할 때는 시기, 장소 등을 고려하여 진술하는 사람으로부터 임의진술을 얻도록 해야 하며 진술의 자유 또는 신체의 자유를 침해하여 임의성을 의심할 만한 방법을 취해서는 아니 된다.

24 다음 중 「화재조사 및 보고규정」상 화재현황조사서의 첨부서류로 적합하지 않은 것은?

① 화재유형별 조사서
② 화재피해조사서
③ 화재현장 조사서
④ 질문기록서

해설
「화재조사 및 보고규정」상 화재현황조사서의 첨부서류 중 질문기록서는 필수 첨부서류로 해당되지 않는다.

참고
화재현황조사서의 첨부서류 항목 「화재조사 및 보고규정」
암기법 유인재 방소현
- 화재유형별 조사서
- 화재조사서(인명피해, 재산피해)
- 방화 · 방화의심 조사서
- 소방방화시설 활용 조사서
- 화재현장 조사서

25 화재건수 결정에 대한 설명으로 옳은 것은?

① 지진, 낙뢰 등 자연현상에 의한 다발화재는 2건의 화재로 한다.
② 발화점이 2개소 이상 있는 동일 누전점에 의한 화재는 2건의 화재로 한다.
③ 1건의 화재란 1개의 발화점으로부터 확대된 것으로 발화부터 진화까지를 말한다.
④ 동일범이 아닌 각기 다른 사람에 의한 방화, 불장난은 동일 대상물에서 발화하면 1건의 화재로 한다.

해설
제10조 화재건수 결정 판단 기준 「화재조사 및 보고규정」

화재 조건 및 상황		판단
동일대상물 내에 동일범이 아닌 각기 다른 사람에 의한 방화, 불장난		각각 별건의 화재로 판단
동일 대상물내 발화점이 2개소 다음의 화재 • 누전점이 동일한 누전에 의한 화재 • 지진, 낙뢰 등 자연현상에 의한 다발화재		1건의 화재로 판단
둘 이상의 관할구역에 걸친 화재	발화지점이 한 곳인 경우	발화지점이 속한 소방서에서 1건
	발화지점 확인이 어려운 경우	화재피해금액이 큰 관할구역 소방서에서 1건

26 화재건수 결정에 대한 설명으로 틀린 것은? (단, 「화재조사 및 보고규정」을 적용한다.)

① 동일범이 아닌 각기 다른 사람에 의한 방화는 동일 대상물에서 발화했더라도 각각 별건의 화재로 한다.
② 동일 소방대상물에서 누전점이 동일한 누전에 의한 발화점이 2개소 이상인 화재는 2건의 화재로 한다.
③ 화재범위가 2개소 이상의 관할구역에 걸친 화재에 대해서는 발화 소방대상물의 소재지를 관할하는 소방서에서 1건의 화재로 한다.
④ 동일 소방대상물에서 지진에 의한 다발화재로 발화점이 2개소 있는 화재는 1건의 화재로 한다.

해설
관련 규정 25번 해설 참조

정답 | 23 ④ 24 ④ 25 ③ 26 ②

27 「화재조사 및 보고규정」상 사상자 및 부상정도에 관한 설명으로 틀린 것은?

① 병원치료를 필요로 하지 않고 단순하게 연기를 흡입한 사람은 경상에서 제외한다.
② 3주 이상 입원치료를 필요로 하는 부상은 중상으로 기재한다.
③ 화재현장에서 부상을 당한 후 입원치료를 필요로 하지 않는 경우 부상으로 기재하지 않는다.
④ 화재현장에서 부상을 당한 후 정확히 72시간 이내에 사망하였다면 이는 사망으로 보고서에 기재하여야 한다.

해설
제13조, 제14조 사상자 및 부상자 분류 「화재조사 및 보고규정」

분류		정의
사상자		화재현장에서 사망한 사람과 부상을 당한 사람
화재사 판정 기준		화재현장에서 부상을 당한 후 72시간 이내에 사망한 경우
부상자 (의사진단기초)	중상	3주 이상의 입원치료를 필요로 하는 부상
	경상	• 중상 이외의 부상(입원치료를 필요로 하지 않는 것도 포함) • 병원치료가 불필요한 단순 연기 흡입자는 제외

28 화재피해조사서 작성 시 유의사항으로 옳은 것은?

① 2주 이상 입원치료를 필요로 하는 부상은 중상으로 기재한다.
② 화재현장에서 부상을 당한 후 72시간 이내에 사망한 경우에는 당해 화재로 인한 사망으로 본다.
③ 화재현장에서 부상을 당했으나 입원치료를 필요로 하지 않는 경우 부상으로 기재하지 않는다.
④ 4주 이하의 입원치료를 필요로 하는 부상은 경상으로 기재한다.

해설
관련 규정 27번 해설 참조

29 「화재조사 및 보고규정」에 따른 다음의 빈칸에 알맞은 수치는?

> 반소란 건물의 (㉠)% 이상 (㉡)% 미만이 소실된 것을 말한다.

① ㉠ : 20 ㉡ : 70
② ㉠ : 30 ㉡ : 70
③ ㉠ : 40 ㉡ : 80
④ ㉠ : 50 ㉡ : 90

해설
제16조 건축·구조물의 소실정도 「화재조사 및 보고규정」

암기법 전반부 출석해

1. **전**소 : 건물의 **70**% 이상(입체면적에 대한 비율)이 소실되었거나 또는 그 미만이라도 잔존부분을 보수하여도 재사용이 불가능한 것
2. **반**소 : 건물의 **30**% 이상 **70**% 미만이 소실된 것
3. **부**분소 : 제1호, 제2호에 **해**당하지 아니하는 것

30 난로의 과열로 화재가 발생하여 바닥 12m^2, 1면의 벽 8m^2가 오염되거나 그을리는 피해가 발생하였다. 소실면적은 몇 m^2인가?

① 5
② 10
③ 12
④ 20

해설
규정에 의해 소실면적은 바닥만 해당된다.
제17조 소실면적 산정 「화재조사 및 보고규정」
건물(수손 및 기타 파손 포함)의 소실면적 산정은 소실 바닥면적으로 산정한다.

정답 | 27 ③ 28 ② 29 ② 30 ③

출제예상문제 4회

01 「화재조사 및 보고규정」에 따른 다음의 빈칸에 알맞은 수치는?

> 건물 등 자산에 대한 최종잔가율은 건물 · 부대설비 · 구축물 · 가재도구는 (㉠)%로 하며, 그 이외의 자산은 (㉡)%로 정한다.

① ㉠ : 30, ㉡ : 10
② ㉠ : 20, ㉡ : 10
③ ㉠ : 30, ㉡ : 20
④ ㉠ : 40, ㉡ : 20

해설
제18조 제3항 화재피해금액 산정 「화재조사 및 보고규정」

암기법 부대에서 구축한 건물에 가재가 있다.

건물 등 자산에 대한 최종잔가율은 부대설비 · 구축물 · 건물 · 가재도구는 20%로 하며, 그 이외의 자산은 10%로 정한다.

02 세대주, 건물의 소실면적 및 화재피해액의 산정에 관한 설명이 옳은 것은? (단, 「화재조사 및 보고규정」을 적용한다.)

① 소실면적의 산정은 소실 연면적을 기준으로 한다.
② 화재피해 범위가 건물의 6면 중 2면 이하인 경우에는 6면 중의 피해면적의 합에 5분의 1을 더한 값을 소실면적으로 한다.
③ 건물 등 자산에 대한 잔가율은 건물 · 부대설비 · 가재도구는 20%로 하며, 그 이외의 자산은 10%로 정한다.
④ 세대수의 산정은 하나의 가구를 구성하여 살고 있는 독신자로서 자신의 주거에 사용되는 건물에 대하여 재산권을 행사할 수 있는 사람을 1세대로 한다.

해설
①, ② 건물(수손 및 기타 파손 포함)의 소실면적 산정은 소실 바닥면적으로 산정한다.
③ 건물 등 자산에 대한 최종잔가율은 건물 · 부대설비 · 가재도구는 20%로 하며, 그 이외의 자산은 10%로 정한다.

03 「화재조사 및 보고규정」상 화재합동조사단을 운영 및 종료에서 소방본부장이 구성하여 운영하는 원칙은?

① 사상자가 20명 이상이거나 2개 시 · 군 · 구 이상에 발생한 화재
② 사망자가 5명 이상이거나 사상자가 10명 이상 또는 재산피해액이 100억 원 이상 발생한 화재
③ 사상자가 30명 이상이거나 2개 시 · 도 이상에 걸쳐 발생한 화재(임야화재는 제외한다)
④ 재산피해가 200억 원 이상인 화재

해설
제20조 화재합동조사단 운영 및 종료 「화재조사 및 보고규정」
• 소방관서장 화재합동조사단을 구성 · 운영 원칙

암기법 청본서 325 둘둘 10백

1. 소방청장 : 사상자가 30명 이상이거나 2개 시 · 도 이상에 걸쳐 발생한 화재(임야화재는 제외)
2. 소방본부장 : 사상자가 20명 이상이거나 2개 시 · 군 · 구 이상에 발생한 화재
3. 소방서장 : 사망자가 5명 이상이거나 사상자가 10명 이상 또는 재산피해액이 100억 원 이상 발생한 화재

정답 | 01 ② 02 ④ 03 ①

04 「화재조사 및 보고규정」상 화재합동조사단 운영 및 종료에서 소방서장이 구성하여 운영하는 원칙 내용 중 다음 빈칸에 알맞은 것은?

> 사망자가 5명 이상이거나 사상자가 ( )명 이상 또는 재산피해액이 100억 원 이상 발생한 화재

① 5
② 10
③ 20
④ 30

해설

제20조 화재합동조사단 운영 및 종료「화재조사 및 보고규정」
• 소방관서장 화재합동조사단을 구성·운영 원칙

암기법 청본서 325 둘둘 10백

1. 소방청장 : 사상자가 30명 이상이거나 2개 시·도 이상에 걸쳐 발생한 화재(임야화재는 제외)
2. 소방본부장 : 사상자가 20명 이상이거나 2개 시·군·구 이상에 발생한 화재
3. 소방서장 : 사망자가 5명 이상이거나 사상자가 10명 이상 또는 재산피해액이 100억 원 이상 발생한 화재

05 다음의 화재조사와 관련된 설명 중 옳은 것은?

① 소방관서장은 전문성에 기반하는 화재조사를 위하여 화재조사전담부서를 설치·운영하여야 한다.
② 소방본부장은 대형화재가 발생하면 조사 본부를 설치·운영할 수 있다. 이 경우 소방서 조사요원은 소방본부 조사업무를 지원하여야 한다.
③ 동일범이 아닌 각기 다른 사람에 의한 방화, 불장난은 동일 대상물에서 발화하는 경우 1개의 화재로 본다.
④ 발화열원에 의해 붙이 붙고 이 물질을 통해 세어하기 힘든 화세로 발전한 가연물을 발화물이라 한다.

해설

② 소방관서장은 사상자가 많거나 사회적 이목을 끄는 화재 등 대통령령으로 정하는 대형화재 등이 발생한 경우 종합적이고 정밀한 화재조사를 위하여 유관기관 및 관계 전문가를 포함한 화재합동조사단을 구성·운영할 수 있다.
③ 동일범이 아닌 각기 다른 사람에 의한 방화는 동일 대상물에서 발생했더라도 각각 별건의 화재로 보아 각각 보고서를 작성한다.
④ 최초착화물이란 발화열원에 의해 불이 붙은 최초의 가연물을 말한다.

참고

사상자가 많거나 사회적 이목을 끄는 화재 등 대통령령으로 정하는 대형화재「소방의 화재조사에 관한 법률 시행령」
1. 사망자가 5명 이상 발생한 화재
2. 화재로 인한 사회적·경제적 영향이 광범위하다고 소방관서장이 인정하는 화재

06 「화재조사 및 보고규정」상 정당한 사유가 있는 경우에는 소방관서장에게 사전 보고를 한 후 필요한 기간만큼 조사 보고일을 연장할 수 있는 경우로 틀린 것은?

① 화재감식 필요가 있는 경우
② 화재감정기관 등에 감정을 의뢰한 경우
③ 추가 화재현장조사 등이 필요한 경우
④ 수사기관의 범죄수사가 진행 중인 경우

해설

조사 보고일 연장 가능한 경우

암기법 추수감

• **추**가 화재현장조사 등이 필요한 경우
• **수**사기관의 범죄수사가 진행 중인 경우
• 화재감정기관 등에 **감**정을 의뢰한 경우

07 「화재조사 및 보고규정」상 화재조사 결과보고에 관한 사항으로 ( )에 알맞은 내용은?

> 종합상황실장이 상급 종합상황실에 지체 없이 보고해야 하는 화재는 화재발생 종합보고서 내지 화재현장조사서 중 해당 서식과 질문기록서, 화재현장출동보고서 서식을 작성하고, 화재 인지로부터 (㉠)일 이내에 본부장에게 보고하고 기록·유지하여야 한다.
> 추가 화재현장조사 등이 필요한 경우로 기한을 연장한 경우 그 사유가 해소된 날로부터 (㉡)일 이내에 조사결과를 보고하고 기록·유지하여야 한다.

① ㉠ 15, ㉡ 30
② ㉠ 15, ㉡ 50
③ ㉠ 30, ㉡ 10
④ ㉠ 30, ㉡ 30

정답 | 04 ② 05 ① 06 ① 07 ③

해설
제22조 조사 보고 「화재조사 및 보고규정」
② 조사의 최종 결과보고는 다음 각 호에 따른다.
  1. <u>「소방기본법 시행규칙」 제3조 제2항 제1호에 해당하는 화재 : 별지 제1호서식 내지 제11호서식까지 작성하여 화재발생일로부터 30일 이내에 보고해야 한다.</u>
④ 제3항에 따라 조사 보고일을 연장한 경우 그 사유가 해소된 날부터 10일 이내에 소방관서장에게 조사결과를 보고해야 한다.

08 치외법권지역에 대한 화재조사보고서 작성에 대한 설명으로 가장 옳은 것은?

① 화재현장출동보고서, 질문기록서, 화재 발생 종합보고서를 반드시 작성하여야 한다.
② 화재현황조사서만 작성한다.
③ 치외법권지역은 조사권을 행사할 수 없으므로 보고서를 작성하지 않아도 된다.
④ 치외법권지역에서 조사권을 행사할 수 없는 경우는 조사 가능한 내용만 조사하여 해당 서류를 작성한다.

해설
제22조 조사 보고 「화재조사 및 보고규정」
치외법권지역 등 조사권을 행사할 수 없는 경우는 조사 가능한 내용만 조사하여 각 호의 조사 서식 중 해당 서류를 작성·보고한다.

제49조 제2항 조사서류 작성 「화재조사 및 보고규정」
치외법권지역 등 조사권을 행사할 수 없는 경우는 조사 가능한 내용만 조사하여 별지 제3호 내지 별지 제3-12호 서식 중 해당서류를 작성한다.

09 「화재조사 및 보고규정」에 따른 화재발생 종합보고서의 보존 기간으로 옳은 것은?

① 영구보존 ② 10년
③ 5년 ④ 3년

해설
소방본부장 및 소방서장은 조사결과 서류를 국가화재정보시스템에 입력·관리해야 하며 영구보존방법에 따라 보존해야 한다.

10 「화재조사 및 보고규정」상의 화재 사후조사에 관한 내용 중 옳은 것은?

① 소방대가 출동하지 아니한 화재장소의 화재증명원 발급요청이 있는 경우에도 즉시 발급할 수 있다.
② 사후조사는 발화장소 및 발화지점 등 현장이 보존되어 있는 경우에만 조사할 수 있다.
③ 사후조사의 경우에도 화재현장출동보고서를 반드시 작성하여야 한다.
④ 화재증명원의 발급 시 재산피해 및 인명 피해에 대하여 기재하지 않는다.

해설
① 소방관서장은 화재피해자로부터 소방대가 출동하지 아니한 (미신고) 화재장소의 화재증명원 발급신청이 있는 경우 조사관이 <u>사후조사</u>를 실시하게 할 수 있다.
③ 화재현장출동보고서 작성은 생략할 수 있다.
④ 화재증명원 발급 시 인명피해 및 재산피해 내역을 기재한다. 다만, 조사가 진행 중인 경우에는 '조사 중'으로 기재한다.

11 아파트 502호에서 화재가 최초 발생하여 602호와 702호에 연소 확대되었다. 화재현장에 출동한 화재조사관은 502호, 602호, 702호에 발생한 재산피해를 조사하여 피해액을 산정하였다. 하지만 며칠 뒤 아파트와 인접한 단독주택 소유자가 아파트 화재로 인해 주택 외벽과 창문 등에 피해를 입었다며 소방기관의 피해조사내용에 이의를 제기하였다. 이때 해당 단독주택 소유자가 소방기관에 제출하여야 하는 서류는?

① 화재피해 조사서 ② 화재증명원
③ 재산피해 신고서 ④ 화재증명원 신청서

해설
재산소실에 따라 소유자가 작성·제출하는 서류는 재산피해 신고서다.

정답 | 08 ④ 09 ① 10 ② 11 ③

12 건물의 동수 산정기준으로 틀린 것은?

① 주요구조부가 하나로 연결되어 있는 것은 같은 동으로 본다. 다만, 건널복도 등으로 2 이상의 동이 연결되어 있는 것은 그 부분을 절반으로 분리하여 각 동으로 본다.
② 건물의 외벽을 이용하여 실을 만들어 헛간, 목욕탕, 작업실, 사무실 및 기타 건물 용도로 사용하고 있는 것은 주건물과 같은 동으로 본다.
③ 목조 또는 내화조 건물의 경우 격벽으로 방화구획이 되어 있는 경우도 다른 동으로 본다.
④ 독립된 건물과 건물 사이에 차광막, 비막이 등의 덮개를 설치하고 그 밑을 통로 등으로 사용하는 경우는 다른 동으로 한다.

🔍 **해설**
목조 또는 내화조 건물의 경우 격벽으로 방화구획이 되어 있는 경우도 1개동으로 본다.

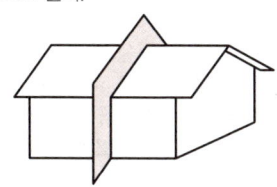

13 「화재조사 및 보고규정」상 화재피해 건물의 동수 산정방법으로 옳은 것은?

① 주요구조부가 하나로 연결되어 있는 것과 건널 복도 등으로 2 이상의 동에 연결되어 있는 것은 같은 동으로 한다.
② 독립된 건물과 건물 사이에 차광막, 비막이 등의 덮개를 설치하고 그 밑을 통로 등으로 사용하는 경우는 다른 동으로 한다.
③ 건물의 외벽을 이용하여 실을 만들어 헛간, 목욕탕, 작업실, 사무실 및 기타 건물 용도로 사용하고 있는 것은 주건물과 다른 동으로 본다.
④ 목조 또는 내화조 건물의 경우 격벽으로 방화구획이 되어 있는 경우 다른 동으로 한다.

🔍 **해설**
① 주요구조부가 하나로 연결되어 있는 것과 건널 복도 등으로 2 이상의 동에 연결되어 있는 것은 다른 동으로 한다.
③ 건물의 외벽을 이용하여 실을 만들어 헛간 목욕탕 작업실 사무실 및 기타 건물 용도로 사용하고 있는 것은 주 건물과 같은 동으로 본다.
④ 목조 또는 내화조 건물의 경우 격벽으로 방화구획이 되어 있는 경우 같은 동으로 한다.

14 「화재조사 및 보고규정」상 다음의 경우 각각 건물간 동수 산정방법이 옳은 것은?

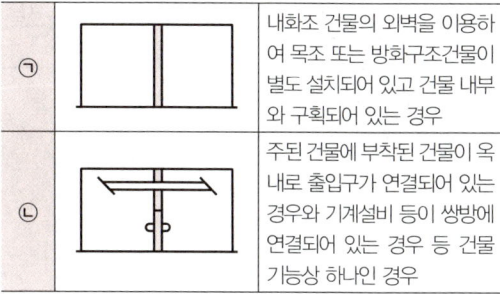

| ㉠ | 내화조 건물의 외벽을 이용하여 목조 또는 방화구조건물이 별도 설치되어 있고 건물 내부와 구획되어 있는 경우 |
| ㉡ | 주된 건물에 부착된 건물이 옥내로 출입구가 연결되어 있는 경우와 기계설비 등이 쌍방에 연결되어 있는 경우 등 건물 기능상 하나인 경우 |

① ㉠ : 다른 동, ㉡ : 같은 동
② ㉠ : 다른 동, ㉡ : 다른 동
③ ㉠ : 같은 동, ㉡ : 같은 동
④ ㉠ : 같은 동, ㉡ : 다른 동

🔍 **해설**
화재피해 건물의 동수 산정방법 「화재조사 및 보고규정」 참조

15 「화재조사 및 보고규정」상 다음의 경우 각각 건물간 동수 산정방법이 옳은 것은?

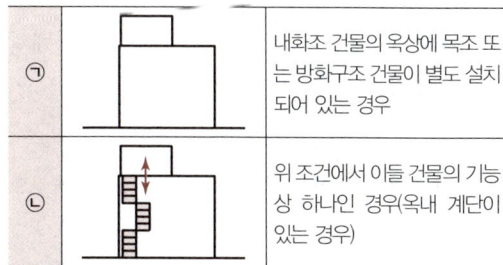

| ㉠ | 내화조 건물의 옥상에 목조 또는 방화구조 건물이 별도 설치되어 있는 경우 |
| ㉡ | 위 조건에서 이들 건물의 기능상 하나인 경우(옥내 계단이 있는 경우) |

① ㉠ : 다른 동, ㉡ : 다른 동
② ㉠ : 다른 동, ㉡ : 같은 동
③ ㉠ : 같은 동, ㉡ : 같은 동
④ ㉠ : 같은 동, ㉡ : 다른 동

정답 | 12 ③ 13 ② 14 ① 15 ②

💡 **해설**
화재피해 건물의 동수 산정방법 「화재조사 및 보고규정」 참조

16 「화재조사 및 보고규정」상 다음의 경우 각각 건물간 동수 산정방법이 옳은 것은?

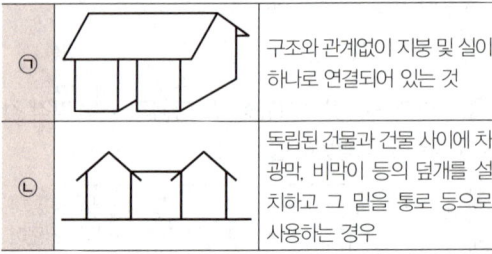

| ㉠ | 구조와 관계없이 지붕 및 실이 하나로 연결되어 있는 것 |
| ㉡ | 독립된 건물과 건물 사이에 차광막, 비막이 등의 덮개를 설치하고 그 밑을 통로 등으로 사용하는 경우 |

① ㉠ : 다른 동, ㉡ : 다른 동
② ㉠ : 다른 동, ㉡ : 같은 동
③ ㉠ : 같은 동, ㉡ : 같은 동
④ ㉠ : 같은 동, ㉡ : 다른 동

💡 **해설**
화재피해 건물의 동수 산정방법 「화재조사 및 보고규정」 참조

17 다음 중 「화재증거물수집관리규칙」상 증거물의 정의로 옳은 것은?

① 화재와 관련 있는 가연물 및 개연성이 있는 모든 개체를 말한다.
② 화재와 관련 있는 물건 및 필연성이 있는 모든 개체를 말한다.
③ 화재와 관련 있는 가연물 및 필연성이 있는 모든 개체를 말한다.
④ 화재와 관련 있는 물건 및 개연성이 있는 모든 개체를 말한다.

💡 **해설**
제2조 정의 「화재증거물수집관리규칙」에 따른 증거물에 대한 정의이다.

18 「화재증거물수집관리규칙」상의 용어 정의로 옳은 것은?

① 증거물이란 화재와 관련 있는 물건 및 개연성이 있는 모든 개체를 말한다.
② 현장기록이란 화재현장에서 증거물 수집에서부터 폐기까지 증거물 원본성 보장을 위한 증거물 관리 및 이송과 관련된 과정을 말한다.
③ 증거물 수집이란 화재조사현장과 관련된 사람, 물건, 기타 주변상황 증거물 등을 촬영한 사진, 영상물 및 녹음자료, 현장에서 작성된 정보 등을 말한다.
④ 현장사진이란 화재현장에서 화재조사 현장과 관련된 사람, 물건 그 밖의 주변 상황 증거물을 촬영하거나 조사의 과정을 촬영한 것을 말한다.

💡 **해설**
② '현장기록'이란 화재조사현장과 관련된 사람, 물건, 기타 주변상황, 증거물 등을 촬영한 사진, 영상물 및 녹음자료, 현장에서 작성된 정보 등을 말한다.
③ '증거물 수집'이란 화재증거물을 획득하고 해당 물건을 분석하여 사건과 관련된 화재증거를 추출하는 과정을 말한다.
④ '현장사진'이란 화재조사현장과 관련된 사람, 물건, 기타 상황, 증거물 등을 촬영한 사진을 말한다.

19 「화재증거물수집관리규칙」에 포함되는 내용이 아닌 것은?

① 증거물의 포장
② 증거물 감정 절차
③ 증거물의 상황기록
④ 개인정보 보호

💡 **해설**
증거물 감정 절차는 포함되지 않는다.

정답 | 16 ④ 17 ④ 18 ① 19 ②

20 「화재증거물수집관리규칙」상 화재증거물 수집에 관한 내용으로 명시되지 않은 것은?

① 증거서류를 수집함에 있어서 보조적으로 원본을 영치한다.
② 증거물 수집 목적이 인화성 액체 성분 분석인 경우에는 인화성 액체 성분의 증발을 막기 위한 조치를 행하여야 한다.
③ 증거물의 소손 또는 소실 정도가 심하여 증거물의 일부분 또는 전체가 유실될 우려가 있는 경우는 증거물을 밀봉하여야 한다.
④ 증거물이 파손될 우려가 있는 경우에 충격금지 및 취급방법에 대한 주의사항을 증거물의 포장 외측에 적절하게 표기하여야 한다.

🔦 해설
제4조 증거물의 수집 「화재증거물수집관리규칙」
① 증거서류를 수집함에 있어서 원본 영치를 원칙으로 하고, 사본을 수집할 경우 원본과 대조한 다음 원본대조필을 하여야 한다. 다만, 원본대조를 할 수 없을 경우 제출자에게 원본과 같음을 확인 후 서명 날인을 받아서 영치하여야 한다.

21 증거물의 수집에 대한 설명으로 틀린 것은?

① 원본대조를 할 수 없을 경우 제출자에게 원본과 같음을 확인한 후 서명 날인을 받아서 영치하여야 한다.
② 사본을 수집할 경우 원본과 대조한 다음 원본대조필을 하여야 한다.
③ 물리적 증거물 수집은 증거물의 증거능력을 유지ㆍ보존할 수 있도록 행한다.
④ 증거서류를 수집함에 있어서 사본 영치를 원칙으로 한다.

🔦 해설
관련 규칙 20번 해설 참조

22 물리적 증거물 수집ㆍ유지ㆍ보존방법으로 틀린 것은?

① 증거물을 수집할 때에는 휘발성이 낮은 것에서 높은 순서로 진행해야 한다.
② 증거물의 소손 또는 소실 정도가 심하여 증거물의 일부분 또는 전체가 유실될 우려가 있는 경우에는 증거물을 밀봉하여야 한다.
③ 증거물이 파손될 우려가 있는 경우에는 충격금지 및 취급방법에 대한 주의사항을 증거물의 포장 외측에 적절하게 표기하여야 한다.
④ 증거물 수집과정에서는 증거물의 수집자, 수집일자, 상황 등에 대하여 기록을 남겨야 한다.

🔦 해설
휘발성이 높은 물질일수록 시간이 지나면 증거 수집 작업이 어려워진다. 증거물을 수집할 때에는 휘발성이 높은 것에서 낮은 순서로 진행해야 한다.

23 「화재증거물수집관리규칙」상 증거물 수집 및 이송에 대한 설명으로 틀린 것은?

① 증거서류를 수집할 때에는 원본 영치를 원칙으로 하며 사본을 수집할 경우 원본과 대조한 다음 원본대조필을 하여야 한다.
② 증거물이 파손될 우려가 있는 경우에 충격금지 및 취급방법에 대한 주의사항을 증거물의 포장 외측에 적절하게 표기하여야 한다.
③ 입수한 증거물을 이송할 때에는 상세 정보를 해당 서식에 따라 작성하고 보호상자를 사용하여 개별 포장함을 원칙으로 한다.
④ 증거물 수집과정에서는 증거물의 수집자, 수집일자, 상황 등에 대하여 기록을 남겨야 하며 기록은 반드시 일반용 표지 또는 태그를 사용하는 것을 원칙으로 한다.

🔦 해설
증거물 수집과정에서는 증거물의 수집자, 수집 일자, 상황 등에 대하여 기록을 남겨야 하며 기록은 가능한 법과학자용 표지 또는 태그를 사용하는 것을 원칙으로 한다.

정답 | 20 ① 21 ④ 22 ① 23 ④

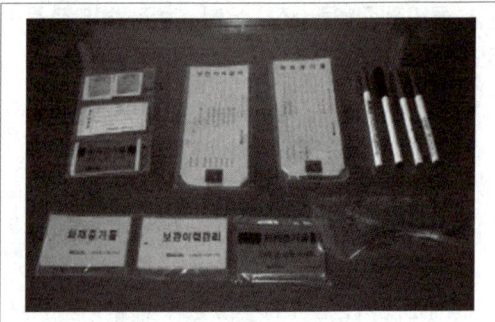

현장에 사용하는 태그 종류 및 형태

24 「화재증거물수집관리규칙」상 증거물의 보관·이동에 관한 사항 중 틀린 것은?

① 증거물은 화재증거 수집의 목적달성 후에는 5년간 소방서장이 보관하여야 한다.
② 증거물의 보관 및 이동은 장소 및 방법, 책임자 등이 지정된 상태에서 행해져야 한다.
③ 증거물의 보관은 전용실 또는 전용함 등 변형이나 파손될 우려가 없는 장소에 보관해야 한다.
④ 증거물은 수집 단계부터 검사 및 감정이 완료되어 반환 또는 폐기되는 전 과정에 있어서 화재조사자 또는 이와 동일한 자격 및 권한을 가진 자의 책임하에 행해져야 한다.

해설
제6조 제6항 증거물 보관·이동 「화재증거물수집관리규칙」
증거물은 화재증거 수집의 목적달성 후에는 관계인에게 반환하여야 한다. 다만, 관계인의 승낙이 있을 때에는 폐기할 수 있다.

25 「화재증거물수집관리규칙」상 증거물 보관 및 이동에 관한 설명으로 틀린 것은?

① 증거물의 보관은 파손될 우려가 없는 장소에 보관해야 한다.
② 증거물의 보관 및 이송은 장소, 방법, 책임자 등이 지정된 상태에서 행해져야 한다.
③ 증거물은 어떠한 경우라도 폐기할 수 없으며, 화재증거수집의 목적달성 후에는 관계인에게 반환하여야 한다.
④ 증거물 보관 시 화재조사의 관계없는 자의 접근은 엄격히 통제되어야 하며, 보관관리 이력을 작성하여야 한다.

해설
관련 규칙 24번 해설 참조

26 물리적 증거물의 수송 및 보관에 관한 내용 중 틀린 것은?

① 휘발성 증거물을 다룰 때 극한 온도의 영향으로부터 보호되어야 한다.
② 휘발성 증거물을 보관할 때에는 냉장보관하는 것이 좋다.
③ 증거물 보관실은 따뜻하고 햇빛이 잘 드는 곳이 좋다.
④ 물리적 증거물의 운반은 화재조사관이 직접 운반하는 것이 원칙이다.

해설
증거물 보관실은 서늘하고 통풍이 원활하며 햇빛에 증거물이 변형되지 않는 곳이 좋다.

27 「화재증거물수집관리규칙」상 증거물에 대한 유의사항으로 틀린 것은?

① 명확한 증거물 수집을 위해서는 화재피해자의 추가 피해도 감수해야 한다.
② 화재증거물은 기술적, 절차적인 수단을 통해 진정성, 무결성이 보존되어야 한다.
③ 화재증거물을 획득할 때에는 증거물이 훼손되지 않도록 적절한 장비를 사용하여야 한다.
④ 최종적으로 법정에 제출되는 화재증거물의 원본성이 보장되어야 한다.

해설
화재조사에 필요한 증거 수집은 화재피해자의 피해를 최소화하도록 하여야 한다.

정답 | 24 ① 25 ③ 26 ③ 27 ①

28 「화재증거물수집관리규칙」상 증거물 시료용기 중 주석 도금캔의 사용 횟수로 옳은 것은?

① 1회
② 5회
③ 파손될 때까지
④ 적절히 세척할 경우 제한

해설
주석 도금캔(CAN)은 1회 사용 후 반드시 폐기한다.

29 액체증거물 수집에 대한 설명으로 틀린 것은?

① 액체 탄화수소물의 밀봉을 위해서 고무로 만들어진 링이나 혹은 고무마개를 지니고 있는 병을 사용하여야 한다.
② 적은 양의 액체는 피펫 혹은 깨끗한 흡수섬유, 거즈 혹은 탈지면에 흡수시키고 적절한 밀폐용기에 그것을 밀봉할 수 있다.
③ 의심스러운 가연성 액체가 콘크리트에서 발견된다면 습식 브러시로 쓸어 담거나 흡수성 재질을 펼쳐 흡수시킨다.
④ 흡수제는 별도의 캔에 밀봉되어 보관되어야 한다.

해설
증거물 시료용기의 마개 관련 규정
- 코르크마개, 고무(클로로프렌 고무는 제외), 마분지, 합성 코르크마개 또는 플라스틱 물질(PTFE는 제외)은 시료와 직접 접촉되어서는 안 된다.
- 만일 이런 물질들을 시료 용기의 밀폐에 사용할 때에는 알루미늄이나 주석 호일로 감싸야 한다.
- 양철 용기는 돌려막는 스크루 뚜껑만 아니라 밀어 막는 금속 마개를 갖추어야 한다.
- 유리 마개는 병의 목 부분에 공기가 새지 않도록 단단히 막아야 한다.

> **참고**
> **증거물 시료용기 마개의 시료 직접 접촉 금지 규정**
> **암기법** 코골(고)지마 하(합)품(플라스틱) 안되
> 코르크마개, 고무(클로로프렌 고무는 제외), 마분지, 합성 코르크마개 또는 플라스틱 물질(PTFE는 제외)은 시료와 직접 접촉되어서는 안 된다.

30 「화재증거물수집관리규칙」에서 규정하고 있는 증거물 시료용기가 아닌 것은?

① 유리병
② 양철 캔
③ 주석도금 캔
④ 폴리에틸렌 플라스틱병

해설
규정된 시료용기는 ①~③의 3가지다.

증거물 시료용기 3가지

암기법 양주유

- 양철캔
- 주석도금캔
- 유리병

정답 | 28 ① 29 ① 30 ④

Fire Investigaton &

화재감식평가기사 · 산업기사 필기

화재조사 관계법규

CHAPTER 01_ 소방관계법령
CHAPTER 02_ 관련규정
CHAPTER 03_ 화재조사 관련 기타법률
CHAPTER 04_ 화재수사 실무 관련 규정
CHAPTER 05_ 화재 민사분쟁 관련 법규
CHAPTER 06_ 화재분쟁의 소송 외적 해결 관련 법규
- 출제예상문제(1회~4회)

CHAPTER 01 소방관계법령

※ 수험자분 입장에서 읽히기 쉽도록 법령의 원문을 단순화하거나 직관적으로 표현하였고, 기출 중심으로 발췌·요약했으며, 빈출은 밑줄표시로 강조하였습니다. 원문은 법제처에서 확인하시기 바랍니다. 기사 기준으로 화재조사 및 보고규정과 그외 일부는 4과목에 해당될 수 있으므로 유의하셔서 학습하기 바랍니다.

법령상 함축어 용어 의미

소방관서장	경찰서장	관계인
소방청장, 소방본부장, 소방서장 **암기법** 청본서	관할 경찰서장 또는 해양경찰서장	소유자, 관리인, 점유자 **암기법** 소관점

1. 소방기본법령

(1) 「소방기본법」

1) 소방용수시설의 종류
소화전·급수탑·저수조

2) 소방활동구역의 설정

① 소방	소방대장은 화재, 재난·재해, 그 밖의 위급한 상황이 발생한 현장에 소방활동구역을 정하여 소방활동에 필요한 사람으로서 대통령령으로 정하는 사람 외에는 그 구역에 출입하는 것을 제한할 수 있다.
② 경찰	경찰공무원은 소방대가 소방활동구역에 있지 아니하거나 소방대장의 요청이 있을 때에는 출입제한조치를 할 수 있다

3) 소방활동 종사 명령

① 종사명령	• 소방본부장, 소방서장 또는 소방대장은 화재, 재난·재해, 그 밖의 위급한 상황이 발생한 현장에서 소방활동을 위하여 필요할 때에는 그 관할구역에 사는 사람 또는 그 현장에 있는 사람으로 하여금 사람을 구출하는 일 또는 불을 끄거나 불이 번지지 아니하도록 하는 일을 하게 할 수 있다. • 이 경우 소방본부장, 소방서장 또는 소방대장은 소방활동에 필요한 보호장구를 지급하는 등 안전을 위한 조치를 하여야 한다.	
② 종사자 비용지급	소방활동에 종사한 사람은 시·도지사로부터 소방활동의 비용을 지급받을 수 있다.	
	지급 받을 수 없는 경우	다만, 다음 각 호의 어느 하나에 해당하는 사람의 경우에는 그러하지 아니하다. • 소방대상물에 화재, 재난·재해, 그 밖의 위급한 상황이 발생한 경우 그 관계인 • 고의 또는 과실로 화재 또는 구조·구급 활동이 필요한 상황을 발생시킨 사람 • 화재 또는 구조·구급 현장에서 물건을 가져간 사람

4) 강제처분

① 대상	소방본부장, 소방서장 또는 소방대장은 사람을 구출하거나 불이 번지는 것을 막기 위하여 필요할 때에는 화재가 발생하거나 불이 번질 우려가 있는 소방대상물 및 토지를 일시적으로 사용하거나 그 사용의 제한 또는 소방활동에 필요한 처분을 할 수 있다.
② 대상 외	소방본부장, 소방서장 또는 소방대장은 사람을 구출하거나 불이 번지는 것을 막기 위하여 긴급하다고 인정할 때에는 제1항에 따른 소방대상물 또는 토지 외의 소방대상물과 토지에 대하여 제1항에 따른 처분을 할 수 있다.
③ 방해물 제거·이동	소방본부장, 소방서장 또는 소방대장은 소방활동을 위하여 긴급하게 출동할 때에는 소방자동차의 통행과 소방활동에 방해가 되는 주차 또는 정차된 차량 및 물건 등을 제거하거나 이동시킬 수 있다.
④ 기관 협조	소방본부장, 소방서장 또는 소방대장은 제3항에 따른 소방활동에 방해가 되는 주차 또는 정차된 차량의 제거나 이동을 위하여 관할 지방자치단체 등 관련 기관에 견인차량과 인력 등에 대한 지원을 요청할 수 있고, 요청을 받은 관련 기관의 장은 정당한 사유가 없으면 이에 협조하여야 한다.
⑤ 비용 지급	시·도지사는 제4항에 따라 견인차량과 인력 등을 지원한 자에게 시·도의 조례로 정하는 바에 따라 비용을 지급할 수 있다.

> **한번데클릭** ①항과 ②항의 구분 방법
>
> • ①항은 화재발생건물에 인접하여 직접적 영향을 주는 장소를 대상으로 한다.
> • ②항은 ①항보다 더 넓은 지역적 의미를 함의한다.

> **한번데클릭** 강제처분 방해 및 거부자 벌칙 정리
>
> | 사용·제한·처분 대상 구분 | 강제처분 방해 및 거부자 벌칙 |
> |---|---|
> | 사람 구출, 화재확산방지 위한 소방대상물 및 토지 | 3년 이하의 징역 또는 3천만 원 이하의 벌금 |
> | 사람 구출, 화재확산방지 위한 긴급 인정 소방대상물 및 토지 외 | 300만 원 이하의 벌금 |
> | 긴급 출동시 소방차 통행 위한 방해 차량 및 물건 | |

5) 소방용수시설 또는 비상소화장치의 사용금지

① 정당한 사유 없이 소방용수시설 또는 비상소화장치를 사용하는 행위
② 정당한 사유 없이 손상·파괴, 철거 또는 그 밖의 방법으로 소방용수시설 또는 비상소화장치의 효용을 해치는 행위
③ 소방용수시설 또는 비상소화장치의 정당한 사용을 방해하는 행위

6)「소방기본법」의 벌칙 및 과태료

구분	행위		처벌
벌칙	출동 소방대 방해	1. 다음 각 목의 어느 하나에 해당하는 행위를 한 사람 　가. 위력(威力)을 사용하여 출동한 소방대의 화재진압·인명구조 또는 구급활동을 방해하는 행위 　나. 소방대가 화재진압·인명구조 또는 구급활동을 위하여 현장에 출동하거나 현장에 출입하는 것을 고의로 방해하는 행위 　다. 출동한 소방대원에게 폭행 또는 협박을 행사하여 화재진압·인명구조 또는 구급활동을 방해하는 행위 　라. 출동한 소방대의 소방장비를 파손하거나 그 효용을 해하여 화재진압·인명구조 또는 구급활동을 방해하는 행위	5년 이하의 징역 또는 5천만 원 이하의 벌금
	소방차 방해	2. 소방자동차의 출동을 방해한 사람	
	업무 방해	3. 사람을 구출하는 일 또는 불을 끄거나 불이 번지지 아니하도록 하는 일을 방해한 사람	
	소방용수 사용 방해	4. 정당한 사유 없이 소방용수시설 또는 비상소화장치를 사용하거나 소방용수시설 또는 비상소화장치의 효용을 해치거나 그 정당한 사용을 방해한 사람	
과태료		1. 화재 또는 구조·구급이 필요한 상황을 거짓으로 알린 사람 2. 정당한 사유 없이 화재, 재난·재해, 그 밖의 위급한 상황을 소방본부, 소방서 또는 관계 행정기관에 알리지 아니한 관계인	500만 원 이하의 과태료
		1. 소방자동차의 출동에 지장을 준 자 2. 소방활동구역을 출입한 사람 3. 한국소방안전원 또는 이와 유사한 명칭을 사용한 자 **암기법** 활명차 200만 원 활동구역 명칭 차 200만 원	200만 원 이하의 과태료
		전용구역에 차를 주차하거나 전용구역에의 진입을 가로막는 등의 방해행위를 한 자 ※ 과태료 부과·징수 주체 : 시·도지사, 소방본부장 또는 소방서장	100만 원 이하의 과태료 대상

(2)「소방기본법 시행령」

1) 소방자동차 전용구역 설치 대상

① 세대수가 100세대 이상인 아파트
② 3층 이상의 기숙사

2) 소방자동차 전용구역의 설치 기준 · 방법

① 소방자동차가 접근하기 쉽고 소방활동이 원활하게 수행될 수 있도록 각 동별 전면 또는 후면에 소방자동차 전용구역을 1개소 이상 설치해야 한다. 다만, 하나의 전용구역에서 여러 동에 접근하여 소방활동이 가능한 경우로서 소방청장이 정하는 경우에는 각 동별로 설치하지 않을 수 있다.

② 전용구역의 설치 방법

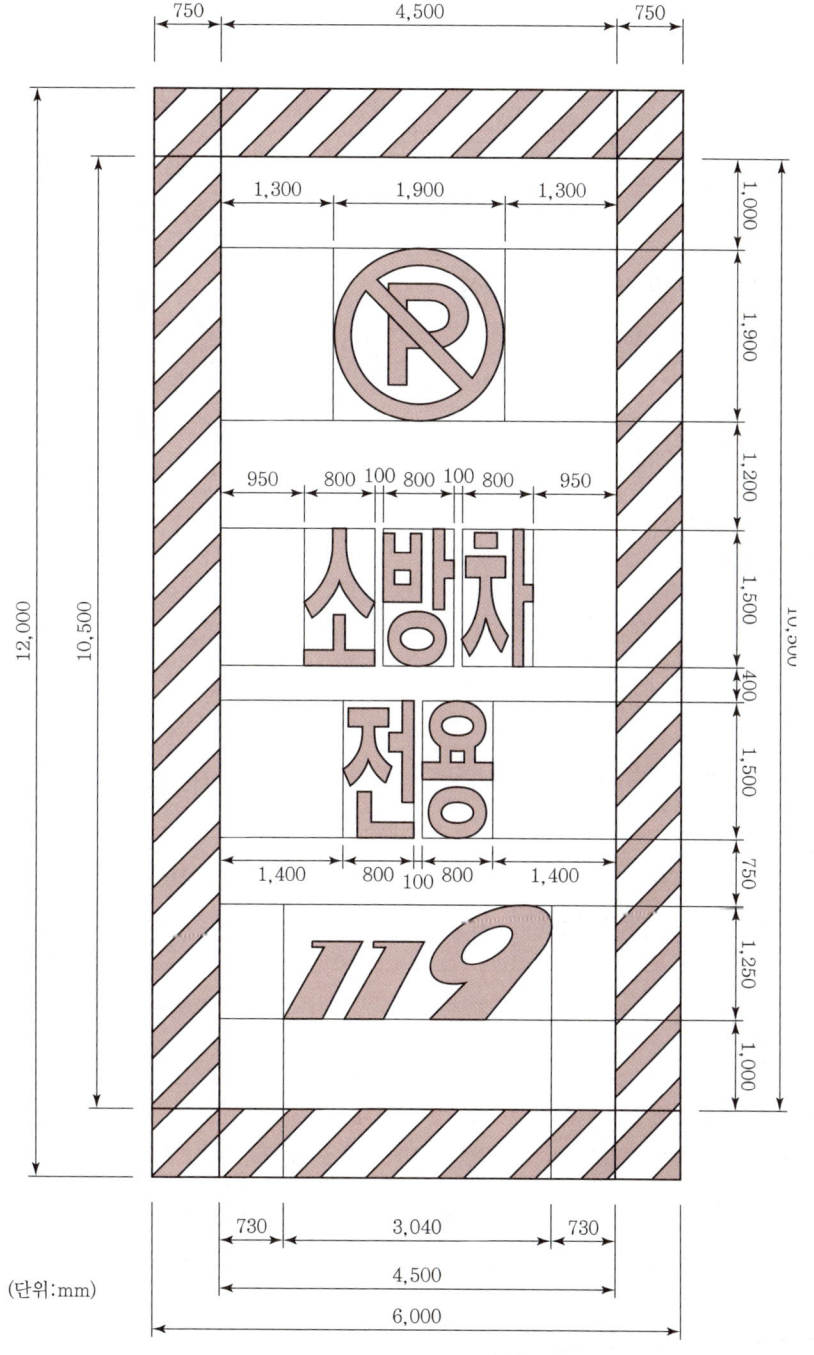

(단위:mm)

구분	표시 기준
노면표지의 외곽선	빗금무늬로 표시하되, 빗금은 두께를 30센티미터로 하여 50센티미터 간격으로 표시
노면표지의 도료	색채는 황색을 기본으로 하되, 문자(P, 소방차 전용)는 백색으로 표시

3) 소방자동차 전용구역 방해행위의 기준

① 전용구역에 물건 등을 쌓거나 주차하는 행위
② 전용구역의 앞면, 뒷면 또는 양 측면에 물건 등을 쌓거나 주차하는 행위
③ 전용구역 진입로에 물건 등을 쌓거나 주차하여 전용구역으로의 진입을 가로막는 행위
④ 전용구역 노면표지를 지우거나 훼손하는 행위
⑤ 그 밖의 방법으로 소방자동차가 전용구역에 주차하는 것을 방해하거나 전용구역으로 진입하는 것을 방해하는 행위

4) 손실보상심의위원회의 설치 및 구성

구분	내용
① 설치배경	소방청장등은 손실보상청구 사건을 심사·의결하기 위하여 필요한 경우 각각 손실보상심의위원회를 구성·운영
② 구성인원	위원장 1명을 포함하여 5명 이상 7명 이하의 위원으로 구성
③ 위원 자격	• 소속 소방공무원 • 판사·검사 또는 변호사로 5년 이상 근무한 사람 • 학교에서 법학 또는 행정학을 가르치는 부교수 이상으로 5년 이상 재직한 사람 • 손해사정사 • 소방안전 또는 의학 분야에 관한 학식과 경험이 풍부한 사람
④ 위원 임기	2년
⑤ 간사 1명	소속 소방공무원 중에서 소방청장등이 지명

5) 「소방기본법 시행령」의 과태료

① 일반기준

구분	내용
위반행위의 횟수에 따른 과태료의 가중된 부과기준	최근 1년간 같은 위반행위로 과태료 부과처분을 받은 경우에 적용
가중된 부과처분을 하는 경우 가중처분의 적용 차수	위반행위 전 부과처분 차수의 다음 차수로 적용
과태료 (2분의 1 범위내) 감면의 경우	• 위반행위가 사소한 부주의나 오류로 인한 것으로 인정되는 경우 • 위반행위자가 법 위반상태를 시정하거나 해소하기 위하여 노력한 사실이 인정되는 경우 • 위반행위자가 화재 등 재난으로 재산에 현저한 손실을 입거나 사업 여건의 악화로 그 사업이 중대한 위기에 처하는 등 사정이 있는 경우 • 그 밖에 위반행위의 정도, 위반행위의 동기와 그 결과 등을 고려하여 감경할 필요가 있다고 인정되는 경우

② 개별기준

위반행위	과태료 금액(만 원)		
	1회	2회	3회 이상
한국119청소년단 또는 이와 유사한 명칭을 사용한 경우	100	150	200
화재 또는 구조·구급이 필요한 상황을 거짓으로 알린 경우	200	400	500
정당한 사유 없이 화재, 재난·재해, 그 밖의 위급한 상황을 소방본부, 소방서 또는 관계 행정기관에 알리지 않은 경우	500		
소방자동차의 출동에 지장을 준 경우	100		
전용구역에 차를 주차하거나 전용구역에의 진입을 가로막는 등의 방해행위를 한 경우	50	100	100
소방활동구역을 출입한 경우	100		
한국소방안전원 또는 이와 유사한 명칭을 사용한 경우	200		

(3) 「소방기본법 시행규칙」

1) 종합상황실의 실장의 업무 및 기록·관리 사항

구분	업무 및 기록·관리 사항
접수	화재, 재난·재해 그 밖에 구조·구급이 필요한 상황(재난상황)의 발생의 신고접수
수습	접수된 재난상황을 검토하여 가까운 소방서에 인력 및 장비의 동원을 요청하는 등의 사고수습
요청	하급소방기관에 대한 출동지령 또는 동급 이상의 소방기관 및 유관기관에 대한 지원요청
전파	재난상황의 전파 및 보고
파악	재난상황이 발생한 현장에 대한 지휘 및 피해현황의 파악
제공	재난상황의 수습에 필요한 정보수집 및 제공

2) 종합상황실 즉시보고 및 조사 서류 작성·보고 기한의 대상 화재 구분

구분	서류작성·보고 기한	대상 화재
종합상황실 즉시보고 대상	30일 이내	종합상황실의 실장은 다음 각 호의 어느 하나에 해당하는 상황이 발생하는 때에는 그 사실을 지체 없이 서면·팩스 또는 컴퓨터통신 등으로 소방서의 종합상황실의 경우는 소방본부의 종합상황실에, 소방본부의 종합상황실의 경우는 소방청의 종합상황실에 각각 보고해야 한다. 1. 다음 각목의 1에 해당하는 화재 　가. 사망자가 5인 이상 발생하거나 사상자가 10인 이상 발생한 화재 　나. 이재민이 100인 이상 발생한 화재 　다. 재산피해액이 50억 원 이상 발생한 화재 　라. 관공서·학교·정부미 도정공장·문화재·지하철 또는 지하구의 화재 　마. 관광호텔, 11층 이상인 건축물, 지하상가, 시장, 백화점, 지정수량의 3천배 이상의 위험물의 제조소·저장소·취급소, 층수가 5층 이상이거나 객실이 30실 이상인 숙박시설, 층수가 5층 이상이거나 병상이 30개 이상인 종합병원·정신병원·한방병원·요양소, 연면적 1만5천제곱미터 이상인 공장 또는 화재경계지구에서 발생한 화재 　바. 철도차량, 항구에 매어둔 총 톤수가 1천톤 이상인 선박, 항공기, 발전소 또는 변전소에서 발생한 화재 　사. 가스 및 화약류의 폭발에 의한 화재 　아. 다중이용업소의 화재 2. 통제단장의 현장지휘가 필요한 재난상황 3. 언론에 보도된 재난상황 4. 그 밖에 소방청장이 정하는 재난상황
그 외	15일 이내	위에 해당되지 않는 화재

> **한번더클릭**
>
> **30일 이내 조사 서류 작성·보고 기한 대상 중 '라' 항목**
>
> [암기법] 문학관 정지
>
> **문**화재, **학**교, **관**공서, 정부미 도정공장, **지**하철 또는 지하구
>
> **조사 보고일 연장 가능한 경우**
>
> [암기법] 추수감
>
> - **추**가 화재현장조사 등이 필요한 경우
> - **수**사기관의 범죄수사가 진행 중인 경우
> - 화재**감**정기관 등에 감정을 의뢰한 경우
> ※ 종합상황실의 서류작성·보고 기한을 일반화재는 15일 이내, 중대한 화재는 30일 이내로 구분하는 것이 포인트다. 이 구분방법은 화재조사보고서에 동일하게 적용한다.

3) 종합상황실 운영방법

종합상황실 근무자의 근무방법 등 종합상황실의 운영에 관하여 필요한 사항은 종합상황실을 설치하는 소방청장, 소방본부장 또는 소방서장이 각각 정한다.

(4) 「화재의 예방 및 안전관리에 관한 법률」

1) 화재의 예방조치 등 기준

구분		내용
① 화재예방강화지구 위반행위		누구든지 화재예방강화지구 및 이에 준하는 대통령령으로 정하는 장소에서는 다음 각 호의 어느 하나에 해당하는 행위를 하여서는 아니 된다. 다만, 행정안전부령으로 정하는 바에 따라 안전조치를 한 경우에는 그러하지 아니한다. 1. 모닥불, 흡연 등 화기의 취급 2. 풍등 등 소형열기구 날리기 3. 용접·용단 등 불꽃을 발생시키는 행위 4. 그 밖에 대통령령으로 정하는 화재 발생 위험이 있는 행위
② 화재의 예방조치 명령	명령 조치	소방관서장은 화재 발생 위험이 크거나 소화 활동에 지장을 줄 수 있다고 인정되는 행위나 물건에 대하여 행위 당사자나 그 물건의 소유자, 관리자 또는 점유자에게 다음 각 호의 명령을 할 수 있다. 1. 위 항 각 호(화기취급 등)의 어느 하나에 해당하는 행위의 금지 또는 제한 2. 목재, 플라스틱 등 가연성이 큰 물건의 제거, 이격, 적재 금지 등 3. 소방차량의 통행이나 소화 활동에 지장을 줄 수 있는 물건의 이동
	직접 조치	위의 제2호 및 제3호에 해당하는 물건의 소유자, 관리자 또는 점유자를 알 수 없는 경우 소속 공무원으로 하여금 그 물건을 옮기거나 보관하는 등 필요한 조치를 하게 할 수 있다.

> **한번더클릭** 화재예방강화지구에 준하는 대통령령으로 정하는 장소
>
> - 제조소 등
> - 고압가스 저장소
> - 액화석유가스 저장소·판매소
> - 수소연료공급시설 및 수소연료사용시설
> - 화약류를 저장하는 장소

2) 「화재의 예방 및 안전관리에 관한 법률」의 벌칙

구분	위반행위	처벌
① 명령 위반 등	• 화재안전조사 결과 보완 등 조치명령을 정당한 사유 없이 위반한 자 • 소방안전관리자 선임 등 명령을 정당한 사유 없이 위반한 자 • 화재예방안전진단 결과에 따른 보수·보강 등의 조치명령을 정당한 사유 없이 위반한 자 • 거짓이나 그 밖의 부정한 방법으로 화재예방안전진단기관으로 지정을 받은 자	3년 이하의 징역 또는 3천만 원 이하의 벌금
② 업무방해, 누설 및 불법대여 등	• 화재안전조사 업무 중 관계인의 정당한 업무를 방해하거나, 조사업무를 수행하면서 취득한 자료나 알게 된 비밀을 다른 사람 또는 기관에게 제공 또는 누설하거나 목적 외의 용도로 사용한 자 • 소방안전관리자 자격증을 다른 사람에게 빌려 주거나 빌리거나 이를 알선한 자 • 소방안전원 등의 진단기관으로부터 화재예방안전진단을 받지 아니한 자	1년 이하의 징역 또는 1천만 원 이하의 벌금
③ 조사거부, 미이행, 미선임, 법령 미조치 등	• 화재안전조사를 정당한 사유 없이 거부·방해 또는 기피한 자 • 화재의 예방조치 명령을 정당한 사유 없이 따르지 아니하거나 방해한 자 • 소방안전관리자, 총괄소방안전관리자 또는 소방안전관리보조자를 선임하지 아니한 자 • 소방시설·피난시설·방화시설 및 방화구획 등이 법령에 위반된 것을 발견하였음에도 필요한 조치를 할 것을 요구하지 아니한 소방안전관리자 • 화재예방 조치요구를 한 소방안전관리자에게 불이익한 처우를 한 관계인 • 화재예방안전진단 업무를 수행하면서 알게 된 비밀을 이 법에서 정한 목적 외의 용도로 사용하거나 다른 사람 또는 기관에 제공하거나 누설한 자	300만 원 이하의 벌금

(5) 「화재의 예방 및 안전관리에 관한 법률 시행령」

- 특수가연물에서 가연성 고체류의 정의
  - 인화점이 섭씨 40도 이상 100도 미만인 것
  - 인화점이 섭씨 100도 이상 200도 미만이고 연소열량이 1그램당 8킬로칼로리 이상인 것
  - 인화점이 섭씨 200도 이상이고 연소열량이 1그램당 8킬로칼로리 이상인 것으로서 녹는점이 100도 미만인 것
  - 1기압과 섭씨 20도 초과 40도 이하에서 액상인 것으로서 인화점이 섭씨 70도 이상 섭씨 200도 미만이거나 나목 또는 다목에 해당하는 것

2 화재조사법령

(1) 「소방의 화재조사에 관한 법률」

1) 「소방의 화재조사에 관한 법률」에서 용어의 정의

No	용어	정의
1	화재	사람의 의도에 반하거나 고의 또는 과실에 의하여 발생하는 연소 현상으로서 소화할 필요가 있는 현상 또는 사람의 의도에 반하여 발생하거나 확대된 화학적 폭발현상
2	화재조사	소방청장, 소방본부장 또는 소방서장이 화재원인, 피해상황, 대응활동 등을 파악하기 위하여 자료의 수집, 관계인등에 대한 질문, 현장 확인, 감식, 감정 및 실험 등을 하는 일련의 행위
3	화재조사관	화재조사에 전문성을 인정받아 화재조사를 수행하는 소방공무원
4	관계인등	화재가 발생한 소방대상물의 소유자·관리자 또는 점유자 및 다음 각 목의 사람 가. 화재 현장을 발견하고 신고한 사람 나. 화재 현장을 목격한 사람 다. 소화활동을 행하거나 인명구조활동(유도대피 포함)에 관계된 사람 라. 화재를 발생시키거나 화재발생과 관계된 사람 **암기법** (운동할때) 발목활발 (하게 움직여) • 발견 • 목격 • (소방)활동 • (화재)발생

2) 화재조사의 실시

① 화재조사 착수시기	소방관서장은 화재발생 사실을 알게 된 때에는 지체 없이 화재조사를 하여야 한다. 이 경우 수사기관의 범죄수사에 지장을 주어서는 아니 된다.
② 화재조사 실시사항	소방관서장은 화재조사를 하는 경우 다음에 대하여 조사하여야 한다. 1. 화재원인에 관한 사항 2. 화재로 인한 인명·재산피해상황 3. 대응활동에 관한 사항 4. 소방시설 등의 설치·관리 및 작동 여부에 관한 사항 5. 화재발생건축물과 구조물, 화재유형별 화재위험성 등에 관한 사항 6. 그 밖에 대통령령으로 정하는 사항(화재안전조사의 실시 결과에 대한 사항) **암기법** 원시 대피건 • (화재)원인 • (소방)시설 • 대응 • (인명·재산)피해 • (화재발생)건축물
③ 대상 및 절차	화재조사의 대상 및 절차 등에 필요한 사항은 대통령령(시행령)으로 정한다.

3) 화재조사전담부서의 설치 · 운영 등

① 설치 · 운영 주체	소방관서장
② 화재조사전담부서 수행업무	• 화재조사의 실시 및 조사결과 분석 · 관리 • 화재조사 관련 기술개발과 화재조사관의 역량증진 • 화재조사에 필요한 시설 · 장비의 관리 · 운영 • 그 밖의 화재조사에 관하여 필요한 업무
③ 화재조사 업무 수행자	화재조사관
④ 화재조사관 자격	소방청장이 실시하는 화재조사에 관한 시험에 합격한 소방공무원 등 화재조사에 관한 전문적인 자격을 가진 소방공무원
⑤ 구성 · 운영 등	전담부서의 구성 · 운영, 화재조사관의 구체적인 자격기준 및 교육훈련 등에 필요한 사항은 대통령령으로 정한다.

4) 화재현장 보존 등

① 통제구역 설정	소방관서장 주체	소방관서장은 화재조사를 위하여 필요한 범위에서 화재현장 보존조치를 하거나 화재현장과 그 인근 지역을 통제구역으로 설정할 수 있다.
	경찰 · 해양경찰서장 주체	다만, 방화(放火) 또는 실화(失火)의 혐의로 수사의 대상이 된 경우에는 관할 경찰 · 해양경찰서장이 통제구역을 설정한다.
② 출입금지		누구든지 소방관서장 또는 경찰서장의 허가 없이 통제구역에 출입하여서는 아니 된다.
③ 훼손금지	원칙	화재현장 보존조치를 하거나 통제구역을 설정한 경우 누구든지 소방관서장 또는 경찰서장의 허가 없이 화재현장에 있는 물건 등을 이동시키거나 변경 · 훼손하여서는 아니 된다.
	예외	다만, 공공의 이익에 중대한 영향을 미친다고 판단되거나 인명구조 등 긴급한 사유가 있는 경우에는 그러하지 아니하다.

5) 출입 · 조사 등

① 출입 · 조사	소방관서장은 화재조사를 위하여 필요한 경우에 관계인에게 보고 또는 자료 제출을 명하거나 화재조사관으로 하여금 해당 장소에 출입하여 화재조사를 하게 하거나 관계인 등에게 질문하게 할 수 있다.
② 증표	화재조사관은 그 권한을 표시하는 증표를 지니고 이를 관계인 등에게 보여주어야 한다.
③ 업무방해 · 비밀누설	화재조사관은 관계인의 정당한 업무를 방해하거나 화재조사를 수행하면서 알게 된 비밀을 다른 용도로 사용하거나 다른 사람에게 누설하여서는 아니 된다.

6) 화재조사 증거물 수집 등

① 소방관서장은 화재조사를 위하여 필요한 경우 증거물을 수집하여 검사 · 시험 · 분석 등을 할 수 있다. 다만, 범죄수사와 관련된 증거물인 경우에는 수사기관의 장과 협의하여 수집할 수 있다.
② 소방관서장은 수사기관의 장이 방화 또는 실화의 혐의가 있어서 이미 피의자를 체포하였거나 증거물을 압수하였을 때에 화재조사를 위하여 필요한 경우에는 범죄수사에 지장을 주지 아니하는 범위에서 그 피의자 또는 압수된 증거물에 대한 조사를 할 수 있다. 이 경우 수사기관의 장은 소방관서장의 신속한 화재조사를 위하여 특별한 사유가 없으면 조사에 협조하여야 한다.
③ 제1항에 따른 증거물 수집의 범위, 방법 및 절차 등에 필요한 사항은 대통령령으로 정한다.

7) 소방공무원과 경찰공무원의 협력 등

① 상호협력 원칙	소방·경찰공무원은 다음의 사항에 대하여 서로 협력하여야 한다. • 화재현장의 출입·보존 및 통제에 관한 사항 • 화재조사에 필요한 증거물의 수집 및 보존에 관한 사항 • 관계인 등에 대한 진술 확보에 관한 사항 • 그 밖에 화재조사에 필요한 사항
② 방화·실화의 경우	소방관서장은 방화 또는 실화의 혐의가 있다고 인정되면 지체 없이 경찰서장에게 그 사실을 알리고 필요한 증거를 수집·보존하는 등 그 범죄수사에 협력하여야 한다.

8) 관계 기관 등의 협조

① 소방관서장, 중앙행정기관의 장, 지방자치단체의 장, 보험회사, 그 밖의 관련 기관·단체의 장은 화재조사에 필요한 사항에 대하여 서로 협력하여야 한다.

② 소방관서장은 화재원인 규명 및 피해액 산출 등을 위하여 필요한 경우에는 금융감독원, 관계 보험회사 등에 「개인정보 보호법」 제2조 제1호에 따른 개인정보를 포함한 보험가입 정보 등을 요청할 수 있다. 이 경우 정보 제공을 요청받은 기관은 정당한 사유가 없으면 이를 거부할 수 없다.

9) 소방의 화재조사에 관한 법률의 300만 원 이하의 벌금

- 허가 없이 화재현장에 있는 물건 등을 이동시키거나 변경·훼손한 사람
- 정당한 사유 없이 화재조사관의 출입 또는 조사를 거부·방해 또는 기피한 사람
- 관계인의 정당한 업무를 방해하거나 화재조사를 수행하면서 알게 된 비밀을 다른 용도로 사용하거나 다른 사람에게 누설한 사람
- 정당한 사유 없이 증거물 수집을 거부·방해 또는 기피한 사람

> **암기법** 물 출 업비 증

(2) 「소방의 화재조사에 관한 법률 시행령」

1) 화재조사의 대상

① 소방대상물에서 발생한 화재
② 그 밖에 소방관서장이 화재조사가 필요하다고 인정하는 화재

> **한번더 클릭**
>
> **소방대상물의 정의**
> 건축물, 차량, 선박(항구에 매어둔 선박만 해당), 선박 건조 구조물, 산림, 그 밖의 인공 구조물 또는 물건
>
> **선박과 선박의 종류별 용어 정의**
>
> | 용어 | 정의 |
> |---|---|
> | 선박 | 수상 또는 수중에서 항행용으로 사용하거나 사용할 수 있는 배 종류 |
> | 기선 | 기관을 사용하여 추진하는 선박과 수면비행선박 |
> | 범선 | 돛을 사용하여 추진하는 선박 |
> | 부선 | 자력항행능력이 없어 다른 선박에 의하여 끌리거나 밀려서 항행되는 선박 |

> **한번더클릭** 화재조사 실시대상

> **암기법** 건차선산인그
> - 건축물
> - 차량
> - 선박, 선박 건조 구조물
> - 산림
> - 인공 구조물 또는 물건
> - 그 밖에 소방관서장이 화재조사가 필요하다고 인정하는 화재

2) 화재조사의 내용·절차

① 대통령령으로 정하는 조사	화재안전조사의 실시 결과에 관한 사항(화재의 예방 및 안전관리에 관한 법률 7조)
② 화재조사 실시 절차	1. 현장출동 중 조사 : 화재발생 접수, 출동 중 화재상황 파악 등
	2. 화재현장 조사 : 화재의 발화(發火)원인, 연소상황 및 피해상황 조사 등
	3. 정밀조사 : 감식·감정, 화재원인 판정 등
	4. 화재조사 결과 보고
③ 협조	소방관서장은 화재조사를 하는 경우 산불 조사 등 다른 법률에 따른 화재 관련 조사가 원활히 수행될 수 있도록 협조해야 한다.

> **한번더클릭** 법령에서 화재조사 실시 절차

> **암기법** 출현 정결
> 출동 → 현장 → 정밀 → 결과

3) 화재조사전담부서의 구성·운영
① 소방관서장은 화재조사전담부서에 화재조사관을 <u>2명</u> 이상 배치해야 한다.
② 전담부서에는 화재조사를 위한 감식·감정 장비 등 <u>행정안전부령</u>으로 정하는 장비와 시설을 갖추어 두어야 한다.

4) 화재조사관의 자격기준
① 소방청장이 실시하는 화재조사에 관한 시험에 합격한 소방공무원
② 화재감식평가 분야의 기사 또는 산업기사 자격을 취득한 소방공무원

5) 화재합동조사단의 구성·운영

구분	내용
① 구성 요건	"사상자가 많거나 사회적 이목을 끄는 화재 등 대통령령으로 정하는 대형화재"가 발생한 다음의 경우 1. 사망자가 5명 이상 발생한 화재 2. 화재로 인한 사회적·경제적 영향이 광범위하다고 소방관서장이 인정하는 화재
② 단원	단원은 다음 각 호의 어느 하나에 해당하는 사람 중에서 소방관서장이 임명하거나 위촉한다. 1. 화재조사관 2. 학교 또는 이에 준하는 교육기관에서 화재조사, 소방 또는 안전관리 등 관련 분야 조교수 이상의 직에 3년 이상 재직한 사람 3. 화재조사 업무에 관한 경력이 3년 이상인 소방공무원 4. 국가기술자격의 직무분야 중 안전관리 분야에서 산업기사 이상의 자격을 취득한 사람 5. 그 밖에 건축·안전 분야 또는 화재조사에 관한 학식과 경험이 풍부한 사람
③ 단장	단장은 단원 중에서 소방관서장이 지명하거나 위촉하는 사람이 된다.
④ 파견요청	소방관서장은 화재합동조사단 운영을 위하여 관계 행정기관 또는 기관·단체의 장에게 소속 공무원 또는 소속 임직원의 파견을 요청할 수 있다.
⑤ 결과 보고	화재합동조사단은 소방관서장에게 화재합동조사단 결과보고 사항이 포함된 화재조사 결과를 보고해야 한다.

구분	경력 요구	소방관	비고
화재조사관	×	○	—
조교수 이상	3년	×	관련분야 학교·교육기관
소방공무원	3년	○	화재조사업무 경력자
산업기사	×	×	안전관리 분야
학식·경험자	×	×	건축·안전 분야 또는 화재조사 분야

한번 더 클릭 화재합동조사단 결과보고 사항

암기법 운개실 원문

- 화재합동조사단 <u>운영</u> 개요
- 화재조사 <u>개요</u>
- 화재조사에 관한 사항(법률 5조의 화재조사 <u>실시</u> 사항을 말한다)
- 다수의 인명피해가 발생한 경우 그 <u>원인</u>
- 현행 제도의 <u>문제점</u> 및 개선 방안
- 그 밖에 소방관서장이 필요하다고 인정하는 사항

6) 화재현장 보존조치 통지·해제

구분	내용
통지	소방관서장이나 경찰서장은 화재현장 보존조치를 하거나 통제구역을 설정하는 경우 다음 각 호의 사항을 화재가 발생한 소방대상물의 관계인에게 알리고 해당 사항이 포함된 표지를 설치해야 한다. 1. 화재현장 보존조치나 통제구역 설정의 <u>이유 및 주체</u> 2. 화재현장 보존조치나 통제구역 설정의 <u>범위</u> 3. 화재현장 보존조치나 통제구역 설정의 <u>기간</u>
해제	다음의 경우에는 화재현장 보존조치나 통제구역의 설정을 지체 없이 해제해야 한다. 1. 화재조사가 완료된 경우 2. 화재현장 보존조치나 통제구역의 설정이 해당 화재조사와 관련이 없다고 인정되는 경우

7) 화재조사에 관한 법률, 시행령 위반행위 과태료 정리

위반행위	과태료 금액(만 원)			부과 · 징수권자	
	1회	2회	3회	소방관서장	경찰서장
허가 없이 화재현장 통제구역에 출입한 사람	100	150	200	○	
방화(放火) 또는 실화(失火)의 혐의로 수사의 대상이 된 경우 경찰서장이 설정한 통제구역을 허가 없이 출입한 사람					○
화재조사를 위한 보고 또는 자료 제출을 하지 아니하거나 거짓으로 보고 또는 자료를 제출한 사람				○	
화재조사에 정당한 사유 없이 출석을 거부하거나 질문에 대하여 거짓으로 진술한 사람				○	

(3) 「소방의 화재조사에 관한 법률 시행규칙」

1) 화재조사 결과의 보고

① 화재조사전담부서가 화재조사를 완료한 경우에는 화재조사 결과를 소방관서장에게 보고해야 한다.
② 보고는 소방청장이 정하는 화재발생종합보고서에 따른다.

2) 화재조사에 관한 시험

① 시험공고	소방청장이 자격시험을 실시하는 경우에는 시험의 과목 · 일시 · 장소 및 응시 자격 · 절차 등을 시험 실시 30일 전까지 소방청의 인터넷 홈페이지에 공고해야 한다.
② 응시자격자	• 화재조사관 양성을 위한 전문교육을 이수한 소방공무원 • 국립과학수사연구원 또는 소방청장이 인정하는 외국의 화재조사 관련 기관에서 8주 이상 화재조사에 관한 전문교육을 이수한 소방공무원

3) 화재조사에 관한 교육훈련

① 전문교육		**암기법** 이시감정 화재조사관 양성을 위한 전문교육의 내용 1. 화재조사 이론과 실습 2. 화재조사 시설 및 장비의 사용에 관한 사항 3. 주요 · 특이 화재조사, 감식 · 감정에 관한 사항 4. 화재조사 관련 정책 및 법령에 관한 사항 5. 그 밖에 소방청장이 화재조사 관련 전문능력의 배양을 위해 필요하다고 인정하는 사항
② 의무 보수교육	기한	전담부서에 배치된 화재조사관은 의무 보수교육을 2년마다 받아야 한다. 다만, 전담부서에 배치된 후 처음 받는 의무 보수교육은 배치 후 1년 이내에 받아야 한다.
	미 이수자	보수교육을 이수할 때까지 화재조사 업무를 수행 불가

4) 화재조사 전담부서에 갖추어야 할 장비와 시설

구분	기자재명 및 시설규모
발굴용구(8종)	공구세트, 전동 드릴, 전동 그라인더(절삭·연마기), 전동 드라이버, 이동용 진공청소기, 휴대용 열풍기, 에어컴프레서(공기압축기), 전동 절단기
기록용 기기(13종)	디지털카메라(DSLR)세트, 비디오카메라세트, TV, 적외선거리측정기, 디지털온도·습도측정시스템, 디지털풍향풍속기록계, 정밀저울, 버니어캘리퍼스(아들자가 달려 두께나 지름을 재는 기구), 웨어러블캠, 3D스캐너, 3D카메라(AR), 3D캐드시스템, 드론
감식기기(16종)	절연저항계, 멀티테스터기, 클램프미터, 정전기측정장치, 누설전류계, 검전기, 복합가스측정기, 가스(유증)검지기, 확대경, 산업용실체현미경, 적외선열상카메라, 접지저항계, 휴대용디지털현미경, 디지털탄화심도계, 슈미트해머(콘크리트 반발 경도 측정기구), 내시경현미경
감정용 기기(21종)	가스크로마토그래피, 고속카메라세트, 화재시뮬레이션시스템, X선 촬영기, 금속현미경, 시편(試片)절단기, 시편성형기, 시편연마기, 접점저항계, 직류전압전류계, 교류전압전류계, 오실로스코프(변화가 심한 전기 현상의 파형을 눈으로 관찰하는 장치), 주사전자현미경, 인화점측정기, 발화점측정기, 미량융점측정기, 온도기록계, 폭발압력측정기세트, 전압조정기(직류, 교류), 적외선 분광광도계, 전기단락흔실험장치(1차 용융흔(鎔融痕), 2차 용융흔(鎔融痕), 3차 용융흔(鎔融痕) 측정 가능)
조명기기(5종)	이동용 발전기, 이동용 조명기, 휴대용 랜턴, 헤드랜턴, 전원공급장치(500A 이상)
안전장비(8종)	보호용 작업복, 보호용 장갑, 안전화, 안전모(무전송수신기 내장), 마스크(방진마스크, 방독마스크), 보안경, 안전고리, 화재조사 조끼
증거 수집 장비(6종)	증거물수집기구세트(판셋류, 가위류 등), 증거물보관세트(상자, 봉투, 밀폐용기, 증거수집용 캔 등), 증거물 표지세트(번호, 스티커, 삼각형 표지 등), 증거물 태그 세트(대, 중, 소), 증거물보관장치, 디지털증거물저장장치
화재조사 차량(2종)	화재조사 전용차량, 화재조사 첨단 분석차량(비파괴 검사기, 산업용 실체현미경 등 탑재)
보조장비(6종)	노트북컴퓨터, 전선 릴, 이동용 에어컴프레서, 접이식 사다리, 화재조사 전용 의복(활동복, 방한복), 화재조사용 가방
화재조사 분석실	화재조사 분석실의 구성장비를 유효하게 보존·사용할 수 있고, 환기 시설 및 수도·배관시설이 있는 30제곱미터(㎡) 이상의 실(室)  분석(3)실
화재조사 분석실 구성장비(10종)	증거물보관함, 시료보관함, 실험작업대, 바이스(가공물 고정을 위한 기구), 개수대, 초음파세척기, 실험용 기구류(비커, 피펫, 유리병 등), 건조기, 항온항습기, 오토 데시케이터(물질 건조, 흡습성 시료 보존을 위한 유리 보존기)

> **한번 더 클릭**
>
> **감식기기 등의 요약 포인트**
> - 대다수의 감식기기의 특징은 전기적 점화원 측정 기기로 구성되어 있다.
> - 그 외 감식기기는 발화원을 추정하거나 가연물을 측정 확인하는 기기가 다수다.
> - 기록용 기기는 주로 화재 현장의 물리적 구조, 상태를 나타내는데 사용되는 기기로 주로 구성되었다.
>
> **적외선열화상카메라**
> 비접촉식으로 대상물체의 온도 분포도를 보여주는 장비로 적외선(Infrared Detector)으로부터 감지되는 주파수 반응을 전기적 신호로 만든 후 이를 화상 시스템으로 나타내어 주는 장비

5) 화재증명원의 신청 및 발급

화재와 관련된 이해관계인 또는 화재발생 내용 입증이 필요한 사람이 화재를 증명하는 서류

제 호		
화 재 증 명 원		
신 청 인	성 명 (법인명 또는 기관명)	
	주 소	
화재발생 개 요	일 시	
	장소 및 명칭	
	원 인	
화재피해 대 상	소 재 지	
	소유자 · 관리자	
	명 칭	
	구조 및 규모	
피해내용	동 산	
	부 동 산	
	인명피해	
사 용 목 적		

위 사실을 증명합니다.

년   월   일

소방청장 · ○○ 소방본부장 · 소방서장   [직인]

210mm×297mm[백상지(150g/㎡)]

CHAPTER 02 관련규정

1 소방관련 규정

(1) 「화재조사 및 보고규정」

1) 「화재조사 및 보고규정」 용어의 정의

No.	용어	정의
1	감식	화재원인의 판정을 위하여 전문적인 지식, 기술 및 경험을 활용하여 주로 시각에 의한 종합적인 판단으로 구체적인 사실관계를 명확하게 규명하는 것
2	감정	화재와 관계되는 물건의 형상, 구조, 재질, 성분, 성질 등 이와 관련된 모든 현상에 대하여 과학적 방법에 의한 필요한 실험을 행하고 그 결과를 근거로 화재원인을 밝히는 자료를 얻는 것
3	발화	열원에 의하여 가연물질에 지속적으로 불이 붙는 현상
4	발화열원	발화의 최초 원인이 된 불꽃 또는 열
5	발화지점	열원과 가연물이 상호작용하여 화재가 시작된 지점
6	발화장소	화재가 발생한 장소
7	최초착화물	발화열원에 의해 불이 붙은 최초의 가연물
8	발화요인	발화열원에 의하여 발화로 이어진 연소현상에 영향을 준 인적·물적·자연적인 요인
9	발화관련 기기	발화에 관련된 불꽃 또는 열을 발생시킨 기기 또는 장치나 제품
10	동력원	발화관련 기기나 제품을 작동 또는 연소시킬 때 사용되어진 연료 또는 에너지
11	연소확대물	연소가 확대되는데 있어 결정적 영향을 미친 가연물
12	재구입비	화재 당시의 피해물과 같거나 비슷한 것을 재건축(설계 감리비를 포함한다) 또는 재취득하는데 필요한 금액
13	내용연수	고정자산을 경제적으로 사용할 수 있는 연수
14	손해율	피해물의 종류, 손상 상태 및 정도에 따라 피해금액을 적정화시키는 일정한 비율
15	잔가율	화재 당시에 피해물의 재구입비에 대한 현재가의 비율
16	최종잔가율	피해물의 내용연수가 다한 경우 잔존하는 가치의 재구입비에 대한 비율
17	화재현장	화재가 발생하여 소방대 및 관계인 등에 의해 소화활동이 행하여지고 있거나 행하여진 장소
18	접수	119 종합상황실(상황실)에서 유·무선 전화 또는 다매체를 통하여 화재 등의 신고를 받는 것
19	출동	화재를 접수하고 상황실로부터 출동지령을 받아 소방대가 차고 등에서 출발하는 것
20	도착	출동지령을 받고 출동한 소방대가 현장에 도착하는 것
21	선착대	화재현장에 가장 먼저 도착한 소방대
22	초진	소방대의 소화활동으로 화재확대의 위험이 현저하게 줄어들거나 없어진 상태

No.	용어	정의
24	완진	소방대에 의한 소화활동의 필요성이 사라진 것
25	철수	진화가 끝난 후, 소방대가 화재현장에서 복귀하는 것
26	재발화감시	화재를 진화한 후 화재가 재발되지 않도록 감시조를 편성하여 일정 시간 동안 감시하는 것

2) 화재조사의 개시 및 원칙

① 화재발생 사실을 인지하는 즉시 화재조사를 시작
② 조사관을 근무 교대조별로 2인 이상 배치하고, 장비·시설을 기준 이상으로 확보하여 조사업무를 수행
③ 조사는 물적 증거를 바탕으로 과학적인 방법을 통해 합리적인 사실의 규명을 원칙

3) 화재조사관의 책무

① 조사관은 조사에 필요한 전문적 지식과 기술의 습득에 노력하여 조사업무를 능률적이고 효율적으로 수행해야 한다.
② 조사관은 그 직무를 이용하여 관계인 등의 민사분쟁에 개입해서는 아니 된다.

4) 화재출동대원 협조

① 화재현장에 출동하는 소방대원은 조사에 도움이 되는 사항을 확인하고, 화재현장에서도 소방활동 중에 파악한 정보를 조사관에게 알려주어야 한다.
② 화재현장의 선착대 선임자는 철수 후 지체 없이 국가화재정보시스템에 화재현장출동보고서를 작성·입력해야 한다.

5) 관계인 등 진술

① 관계인 등에게 질문을 할 때에는 시기, 장소 등을 고려하여 진술하는 사람으로부터 임의진술을 얻도록 해야 하며 진술의 자유 또는 신체의 자유를 침해하여 임의성을 의심할 만한 방법을 취해서는 아니 된다.
② 관계인 등에게 질문을 할 때에는 희망하는 진술내용을 얻기 위하여 상대방에게 암시하는 등의 방법으로 유도해서는 아니 된다.
③ 획득한 진술이 소문 등에 의한 사항인 경우 그 사실을 직접 경험한 관계인 등의 진술을 얻도록 해야 한다.
④ 관계인 등에 대한 질문 사항은 질문기록서에 작성하여 그 증거를 확보한다.

6) 화재 유형 구분

암기법 건자위 선임

유형	정의
건축·구조물 화재	건축물, 구조물 또는 그 수용물이 소손된 것
자동차·철도차량 화재	자동차, 철도차량 및 피견인 차량 또는 그 적재물이 소손된 것
위험물·가스제조소 등 화재	위험물제조소등, 가스제조·저장·취급시설 등이 소손된 것
선박·항공기	선박, 항공기 또는 그 적재물이 소손된 것
임야화재	산림, 야산, 들판의 수목, 잡초, 경작물 등이 소손된 것

7) 화재건수 결정 판단 기준

화재 조건 및 상황		판단
동일대상물내에 동일범이 아닌 각기 다른 사람에 의한 방화, 불장난		각각 별건의 화재로 판단
동일 대상물내 발화점이 2개소 이상 다음의 화재 • 누전점이 동일한 누전에 의한 화재 • 지진, 낙뢰 등 자연현상에 의한 다발화재		1건의 화재로 판단
둘 이상의 관할구역에 걸친 화재	발화지점이 한 곳인 경우	발화지점이 속한 소방서에서 1건
	발화지점 확인이 어려운 경우	화재피해금액이 큰 관할구역 소방서에서 1건

8) 사상자 및 부상자 분류

분류		정의
사상자		화재현장에서 사망한 사람과 부상을 당한 사람
화재사 판정 기준		화재현장에서 부상을 당한 후 72시간 이내에 사망한 경우
부상자 (의사진단기초)	중상	3주 이상의 입원치료를 필요로 하는 부상
	경상	• 중상 이외의 부상(입원치료를 필요로 하지 않는 것도 포함) • 병원치료가 불필요한 단순 연기 흡입자는 제외

9) 건축·구조물(자동차·철도차량, 선박·항공기 포함)의 소실정도

구분	정의
전소	건물의 70% 이상(입체면적에 대한 비율)이 소실되었거나 또는 그 미만이라도 잔존부분을 보수하여도 재사용이 불가능한 것
반소	건물의 30% 이상 70% 미만이 소실된 것
부분소	위에 해당하지 아니하는 것

> **암기법** 전반부 출석해

10) 소실면적 산정

건물의 소실면적 산정은 소실 바닥면적으로 산정(수손 및 기타 파손면적도 동일 방법)

11) 화재피해금액 산정방식

① 실질적·구체적 방식

　화재피해금액은 화재 당시의 피해물과 동일한 구조, 용도, 질, 규모를 재건축 또는 재구입하는 데 소요되는 가액에서 경과연수 등에 따른 감가공제를 하고 현재가액을 산정한다. 다만, 회계장부상 현재가액이 입증된 경우에는 그에 따른다.

② 간이평가방식

　실질적·구체적 방식으로는 정확한 피해물품을 확인하기 곤란한 경우에 적용한다.

③ 최종잔가율

건물 · 부대설비 · 구축물 · 가재도구는 20%로 하며, 그 이외의 자산은 10%

> **암기법** 부대에서 구축한 건물에 가재 있다.

④ 내용연수

매뉴얼에서 정한 바에 따른다.

⑤ 재산피해신고
- 관계인은 화재피해금액 산정에 이의가 있는 경우 관할 소방관서장에게 재산피해신고를 할 수 있다.
- 신고서를 접수한 관할 소방관서장은 화재피해금액을 재산정해야 한다.

12) 세대수 산정

세대수는 거주와 생계를 함께 하고 있는 사람들의 집단 또는 하나의 가구를 구성하여 살고 있는 독신자로서 자신의 주거에 사용되는 건물에 대하여 재산권을 행사할 수 있는 사람을 1세대로 산정한다.

13) 화재합동조사단 운영 및 종료

구분	내용					
① 주체 및 규모	소방관서장 화재합동조사단 구성 · 운영 원칙					
	주체	화재규모	사망 [명]	사상 [명]	2개시	재산 피해 [억 원]
	소방청장	사상자가 30명 이상이거나 2개 시 · 도 이상에 걸쳐 발생한 화재(임야화재는 제외)		30	○	
	소방본부장	사상자가 20명 이상이거나 2개 시 · 군 · 구 이상에 발생한 화재		20	○	
	소방서장	사망자가 5명 이상이거나 사상자가 10명 이상 또는 재산피해액이 100억 원 이상 발생한 화재	5	10		100
	암기법 청본서 325 둘둘 10백					
② 그외 대상	• 사상자가 많거나 사회적 이목을 끄는 화재 등 대통령령으로 정하는 대형화재 　– 사망자가 5명 이상 발생한 화재 　– 화재로 인한 사회적 · 경제적 영향이 광범위하다고 소방관서장이 인정하는 화재 • 종합상황실 기준에서 구분하는 중대한 화재					
③ 임명 · 위촉 인원	단장 1명, 단원 4명 이상					
④ 정보수집	화재합동조사단원은 화재현장 지휘자 및 조사관, 출동 소방대원과 협력하여 조사와 관련된 정보를 수집할 수 있다.					
⑤ 해산시기	소방관서장은 화재합동조사단의 조사가 완료되었거나, 계속 유지할 필요가 없는 경우 업무를 종료하고 해산시킬 수 있다.					

14) 조사 최종 결과보고 및 보고 기한

보고 기한	대상 화재	작성 및 보고 서식
즉시 (조사관이 조사를 시작한 때)	모든 화재	1. 화재 · 구조 · 구급상황보고서
30일 이내	중대한 화재 (예 사망자가 5인 이상 발생하거나 사상자가 10인 이상 발생한 화재등)	2. 화재현장출동보고서 3. 화재발생종합보고서 4. 화재현황조사서 5. 화재현장조사서 6. 화재현장조사서(임야화재, 기타화재) 7. 화재유형별조사서(건축 · 구조물화재) 8. 화재유형별조사서(자동차 · 철도차량화재) 9. 화재유형별조사서(위험물 · 가스제조소 등 화재) 10. 화재유형별조사서(선박 · 항공기화재)
15일 이내	위에 해당되지 않는 화재	11. 화재유형별조사서(임야화재)
보고일 연장	• 조사 보고일 연장 가능한 경우 　-**추**가 화재현장조사 등이 필요한 경우 　-**수**사기관의 범죄수사가 진행 중인 경우 　-화재**감**정기관 등에 감정을 의뢰한 경우 　　[암기법] **추수감** • 조사 보고일을 연장한 경우 　그 사유가 해소된 날부터 10일 이내에 소방관서장에게 조사결과를 보고	

한번더클릭 조사보고 관련 기타사항

- 치외법권지역 등 조사권을 행사할 수 없는 경우
  조사 가능한 내용만 조사하여 위 서식 중 해당 서류를 작성 · 보고
- 조사결과 서류보존
  국가화재정보시스템에 입력 · 관리해야 하며 영구보존방법에 따라 보존
- 화재조사보고 기한과 종합상황실 서류작성 보고기한
  위의 조사보고 기한 구분방법은 소방기본법에서 나오는 종합상황실의 서류작성 · 보고 기한의 구분방법과 동일하다.

15) 화재증명원의 발급

① 신청	소방관서장은 화재증명원을 발급받으려는 자가 발급신청을 하면 화재증명원을 발급해야 한다. 이 경우 통합전자민원창구로 신청하면 전자민원문서로 발급해야 한다.	
② 사후조사	소방관서장은 화재피해자로부터 소방대가 출동하지 아니한 화재장소의 화재증명원 발급신청이 있는 경우 조사관으로 하여금 사후 조사를 실시하게 할 수 있다. 이 경우 민원인이 제출한 사후조사 의뢰서의 내용에 따라 발화장소 및 발화지점의 현장이 보존되어 있는 경우에만 조사를 하며, 화재현장출동보고서 작성은 생략할 수 있다.	
③ 기재사항	화재증명원 발급 시 인명피해 및 재산피해 내역을 기재한다. 다만, 조사가 진행 중인 경우에는 '조사 중'으로 기재한다.	
④ 피해금액	재산피해내역 중 피해금액은 기재하지 아니하며 피해물건만 종류별로 구분하여 기재한다. 다만, 민원인의 요구가 있는 경우에는 피해금액을 기재하여 발급할 수 있다.	
⑤ 관할여부	화재증명원 발급신청을 받은 소방관서장은 발화장소 관할 지역과 관계없이 발화장소 관할 소방서로부터 화재사실을 확인받아 화재증명원을 발급할 수 있다.	

16) 화재피해 건물의 동수 산정방법

구분	기준	비고
1동(같은 동)으로 보는 경우	주요구조부가 하나로 연결되어 있는 것	
	건물의 외벽을 이용하여 실을 만들어 헛간, 목욕탕, 작업실, 사무실 및 기타 건물 용도로 사용하고 있는 것	
	구조와 관계없이 지붕 및 실이 하나로 연결되어 있는 것	
	목조 또는 내화조 건물의 경우 격벽으로 방화구획이 되어 있는 경우	
서로 다른 동으로 보는 경우	건널 복도 등으로 2 이상의 동에 연결되어 있는 것(연결구조를 1/2로 분리한 구분점 기준)	
	독립된 건물과 건물 사이에 차광막, 비막이 등의 덮개를 설치하고 그 밑을 통로 등으로 사용하는 경우	예 작업장과 작업장 사이에 조명유리 등으로 비막이를 설치하여 지붕과 지붕이 연결되어 있는 경우 별개의 동
	내화조 건물의 옥상에 목조 또는 방화구조 건물이 별도 설치되어 있는 경우 단, 이들 건물의 기능상 하나인 경우(옥내 계단이 있는 경우)는 같은 동	(다른 동) / (같은 동)
	내화조 건물의 외벽을 이용하여 목조 또는 방화구조건물이 별도 설치되어 있고 건물 내부와 구획되어 있는 경우 단, 주된 건물에 부착된 건물이 옥내로 출입구가 연결되어 있는 경우와 기계설비 등이 쌍방에 연결되어 있는 경우 등 건물 기능상 하나인 경우는 같은 동	(다른 동) / (같은 동)

(2) 「화재증거물수집관리규칙」

1) 「화재증거물수집관리규칙」의 용어 정의

용어	정의
증거물	화재와 관련 있는 물건 및 개연성이 있는 모든 개체
증거물 수집	화재증거물을 획득하고 해당 물건을 분석하여 사건과 관련된 화재증거를 추출하는 과정
현장기록	화재조사현장과 관련된 사람, 물건, 기타 주변상황, 증거물 등을 촬영한 사진, 영상물 및 녹음자료, 현장에서 작성된 정보 등
현장사진	화재조사현장과 관련된 사람, 물건, 기타 상황, 증거물 등을 촬영한 사진
현장비디오	화재현장에서 화재조사현장과 관련된 사람, 물건, 그 밖의 주변 상황, 증거물을 촬영하거나 조사의 과정을 촬영한 것

2) 증거물의 상황기록

① 화재조사관은 증거물의 채취, 채집 행위 등을 하기 전에는 증거물 및 증거물 주위의 상황(연소상황 또는 설치상황을 말한다) 등에 대한 도면 또는 사진 기록을 남겨야 하며, 증거물을 수집한 후에도 기록을 남겨야 한다.

② 발화원인의 판정에 관계가 있는 개체 또는 부분에 대해서는 증거물과 이격되어 있거나 연소되지 않은 상황이라도 기록을 남겨야 한다.

3) 증거물의 수집

① 증거서류를 수집함에 있어서 원본 영치를 원칙으로 하고, 사본을 수집할 경우 원본과 대조한 다음 원본대조필을 하여야 한다. 다만, 원본대조를 할 수 없을 경우 제출자에게 원본과 같음을 확인 후 서명 날인을 받아서 영치하여야 한다.

② 물리적 증거물 수집(고체, 액체, 기체 형상의 물질이 포집되는 것을 말한다)은 증거물의 증거능력을 유지·보존할 수 있도록 행하며, 이를 위하여 전용 증거물 수집장비를 이용한다.

4) 증거물의 수집 상세 방법

① 현장 수거(채취)물은 다음 서식에 그 목록을 작성하여야 한다.

현장 수거(채취)물 목록

연번	수거(채취)물	수량	수거(채취)장소	채취자	채취시간	감정기관	최종결과
1							

관리자(인계자) :   (인)
년 월 일 인수자 :   (인)

암기법 물량장자 시감결

② 증거물의 수집 장비는 증거물의 종류 및 형태에 따라, 적절한 구조의 것이어야 하며, 증거물 수집 시 시료용기는 다음 표에 따른다.

[증거물 시료용기 표]

구분	용기 내용
공통사항	• 장비와 용기를 포함한 모든 장치는 원래의 목적과 채취할 시료에 적합하여야 한다. • 시료용기는 시료의 저장과 이동에 사용되는 용기로 적당한 마개를 가지고 있어야 한다. • 시료용기는 취급할 제품에 의한 용매의 작용에 투과성이 없고 내성을 갖는 재질로 되어 있어야 하며, 정상적인 내부 압력에 견딜 수 있고 시료채취에 필요한 충분한 강도를 가져야 한다.
유리병	• 유리병은 유리 또는 폴리테트라플루오로에틸렌(PTFE)로 된 마개나 내유성의 내부판이 부착된 플라스틱이나 금속의 스크루 마개를 가지고 있어야 한다. • 코르크 마개는 휘발성 액체에 사용하여서는 안 된다. 만일 제품이 빛에 민감하다면 짙은 색깔의 시료병을 사용한다. • 세척 방법은 병의 상태나 이전의 내용물, 시료의 특성 및 시험하고자 하는 방법에 따라 달라진다.
주석 도금 캔(CAN)	• 캔은 사용직전에 검사하여야 하고 새거나 녹슨 경우 폐기한다. • 주석 도금캔(CAN)은 1회 사용 후 반드시 폐기한다.
양철 캔(CAN)	• 양철 캔은 적합한 양철판으로 만들어야 하며, 프레스를 한 이음매 또는 외부 표면에 용매로 송진 용제를 사용하여 납땜을 한 이음매가 있어야 한다. • 양철 캔은 기름에 견딜 수 있는 디스크를 가진 스크루 마개 또는 누르는 금속 마개로 밀폐될 수 있으며, 이러한 마개는 한번 사용한 후에는 폐기되어야 한다. • 양철 캔과 그 마개는 청결하고 건조해야 한다. • 사용하기 전에 캔의 상태를 조사해야 하며 누설이나 녹이 발견될 때에는 사용할 수 없다.
시료용기의 마개	• 코르크 마개, 고무(클로로프렌 고무는 제외), 마분지, 합성 코르크 마개 또는 플라스틱 물질(PTFE는 제외)은 시료와 직접 접촉되어서는 안 된다. • 만일 이런 물질들을 시료용기의 밀폐에 사용할 때에는 알루미늄이나 주석 호일로 감싸야 한다. • 양철 용기는 돌려 막는 스크루 뚜껑만 아니라 밀어 막는 금속 마개를 갖추어야 한다. • 유리 마개는 병의 목 부분에 공기가 새지 않도록 단단히 막아야 한다.

한번더클릭 증거물 시료용기 3가지

암기법 양주유

- 양철 캔
- 주석 도금 캔
- 유리병

한번더클릭 증거물 시료용기 마개의 시료 직접 접촉 금지 규정

암기법 코골(고)지마 하(합)품(플라스틱) 안되

코르크 마개, 고무(클로로프렌 고무는 제외), 마분지, 합성 코르크 마개 또는 플라스틱 물질(PTFE는 제외)은 시료와 직접 접촉되어서는 안 된다.
※ 변형 기출이 가능한 문제이니 주의해서 암기해야 한다.

③ 증거물을 수집할 때는 휘발성이 높은 것에서 낮은 순서로 진행해야 한다.
④ 증거물의 소손 또는 소실 정도가 심하여 증거물의 일부분 또는 전체가 유실될 우려가 있는 경우는 증거물을 밀봉하여야 한다.
⑤ 증거물이 파손될 우려가 있는 경우 충격금지 및 취급방법에 대한 주의사항을 증거물의 포장 외측에 적절하게 표기하여야 한다.
⑥ 증거물 수집 목적이 인화성 액체 성분 분석인 경우에는 인화성 액체 성분의 증발을 막기 위한 조치를 하여야 한다.
⑦ 증거물 수집 과정에서는 증거물의 수집자, 수집 일자, 상황 등에 대하여 기록을 남겨야 하며, 기록은 가능한 법과학자용 표지 또는 태그를 사용하는 것을 원칙으로 한다.
⑧ 화재조사에 필요한 증거물 수집을 위하여 다음과 같이 조치를 할 수 있다.

> **한번데 클릭** 화재현장 보존조치 통지 등 표지 설치
>
> 소방관서장이나 관할 경찰서장 또는 해양경찰서장은 화재현장 보존조치를 하거나 통제구역을 설정하는 경우 다음 각 호의 사항을 화재가 발생한 소방대상물의 소유자·관리자 또는 점유자에게 알리고 해당 사항이 포함된 표지를 설치해야 한다.
> 1. 화재현장 보존조치나 통제구역 설정의 이유 및 주체
> 2. 화재현장 보존조치나 통제구역 설정의 범위
> 3. 화재현장 보존조치나 통제구역 설정의 기간

5) 증거물의 포장

입수한 증거물을 이송할 때에는 포장을 하고 상세 정보를 다음의 별지에 기록하여 부착한다. 이 경우 증거물의 포장은 보호상자를 사용하여 개별 포장함을 원칙으로 한다.

화재증거물

수 집 일 시	_____	증 거 물 번 호	_____
수 집 장 소	_____	화재조사번호	_____
수 집 자	_____	소 방 서	_____

증 거 물 내 용
_____
_____
_____

| 봉 인 자 | _____ | 봉 인 일 시 | _____ |

암기법 일장자내봉

6) 증거물 보관·이동

자격·책임	증거물은 수집 단계부터 검사 및 감정이 완료되어 반환 또는 폐기되는 전 과정에 있어서 화재조사관 또는 이와 동일한 자격 및 권한을 가진 자의 책임하에 행해져야 한다.
지정·작성사항	증거물의 보관 및 이동은 장소 및 방법, 책임자 등이 지정된 상태에서 행해져야 되며, 책임자는 전 과정에 대하여 이를 입증할 수 있도록 다음 각 호의 사항을 작성하여야 한다. 1. 증거물 최초상태, 개봉일자, 개봉자 2. 증거물 발신일자, 발신자 3. 증거물 수신일자, 수신자 4. 증거 관리가 변경되었을 때 기타사항 기재
보관·이력관리	증거물의 보관은 전용실 또는 전용함 등 변형이나 파손될 우려가 없는 장소에 보관해야 하고, 화재조사와 관계없는 자의 접근은 엄격히 통제되어야 하며, 보관관리 이력은 다음 서식에 따라 작성하여야 한다. **보관이력관리** 최 초 상 태 _____ □ 봉인 □ 기타(Others) 개 봉 일 자 _____ 개봉자(소속,이름) _____ 발 신 일 자 _____ 발신자(소속,이름) _____ 수 신 일 자 _____ 수신자(소속,이름) _____
이동	증거물 이동과정에서 증거물의 파손·분실·도난 또는 기타 안전사고에 대비하여야 한다.
파손방지	파손이 우려되는 증거물, 특별 관리가 필요한 증거물 등은 이송상자 및 무진동 차량 등을 이용하여 안전에 만전을 기하여야 한다.
반환·폐기	증거물은 화재증거 수집의 목적달성 후에는 관계인에게 반환하여야 한다. 다만 관계인의 승낙이 있을 때에는 폐기할 수 있다

7) 증거물에 대한 유의사항

증거물의 수집, 보관 및 이동 등에 대한 취급방법은 증거물이 법정에 제출되는 경우에 증거로서의 가치를 상실하지 않도록 적법한 절차와 수단에 의해 획득할 수 있도록 다음 각 호의 사항을 준수하여야 한다.
① 관련 법규 및 지침에 규정된 일반적인 원칙과 절차를 준수한다.
② 화새소사에 필요한 증거 수집은 화재피해자의 피해를 최소화하도록 하여야 한다.
③ 화재증거물은 기술적, 절차적인 수단을 통해 진정성, 무결성이 보존되어야 한다.
④ 화재증거물을 획득할 때에는 증거물의 오염, 훼손, 변형되지 않도록 적절한 장비를 사용하여야 하며, 방법의 신뢰성이 유지되어야 한다.
⑤ 최종적으로 법정에 제출되는 화재 증거물의 원본성이 보장되어야 한다.

8) 촬영 시 유의사항

① 최초 도착하였을 때의 원상태를 그대로 촬영하고, 화재조사의 진행순서에 따라 촬영
② 증거물을 촬영할 때는 그 소재와 상태가 명백히 나타나도록 하며, 필요에 따라 구분이 용이하게 번호표 등을 넣어 촬영

③ 화재현장의 특정한 증거물 등을 촬영함에 있어서는 그 길이, 폭 등을 명백히 하기 위하여 측정용 자 또는 대조도구를 사용하여 촬영
④ 화재상황을 추정할 수 있는 다음의 대상물 형상은 면밀히 관찰 후 자세히 촬영
 • 사람, 물건, 장소에 부착되어 있는 연소흔적 및 혈흔
 • 화재와 연관성이 크다고 판단되는 증거물, 피해물품, 유류
⑤ 현장사진 및 비디오 촬영과 현장기록물 확보 시에는 연소확대 경로 및 증거물 기록에 대한 번호표와 화살표 등을 활용하여 작성한다.

CHAPTER 03 화재조사 관련 기타법률

1 「형사소송법」

(1) 영장에 의하지 아니한 강제처분
검사 또는 사법경찰관은 규정에 의하여 피의자를 체포 또는 구속하는 경우에 필요한 때에는 영장없이 다음 처분을 할 수 있다.
① 타인의 주거나 타인이 간수하는 가옥, 건조물, 항공기, 선차 내에서의 피의자 수색
② 체포현장에서의 압수, 수색, 검증

(2) 영장에 의하지 아니한 압수
검사, 사법경찰관은 피의자 기타인의 유류한 물건이나 소유자, 소지자 또는 보관자가 임의로 제출한 물건을 영장없이 압수할 수 있다.

(3) 증거재판주의
① 사실의 인정은 증거에 의하여야 한다.
② 범죄사실의 인정은 합리적인 의심이 없는 정도의 증명에 이르러야 한다.

(4) 자유심증주의
증거의 증명력은 법관의 자유판단에 의한다.

(5) 위법수집증거의 배제
적법한 절차에 따르지 아니하고 수집한 증거는 증거로 할 수 없다.

(6) 진술거부권 등의 고지
① 검사 또는 사법경찰관은 피의자를 신문하기 전에 다음 각 호의 사항을 알려주어야 한다.
  ㉠ 일체의 진술을 하지 아니하거나 개개의 질문에 대하여 진술을 하지 아니할 수 있다는 것
  ㉡ 진술을 하지 아니하더라도 불이익을 받지 아니한다는 것
  ㉢ 진술을 거부할 권리를 포기하고 행한 진술은 법정에서 유죄의 증거로 사용될 수 있다는 것
  ㉣ 신문을 받을 때에는 변호인을 참여하게 하는 등 변호인의 조력을 받을 수 있다는 것

> **암기법** 아불유변

② 검사 또는 사법경찰관은 제1항에 따라 알려 준 때에는 피의자가 진술을 거부할 권리와 변호인의 조력을 받을 권리를 행사할 것인지의 여부를 질문하고, 이에 대한 피의자의 답변을 조서에 기재하여야 한다. 이 경우 피의자의 답변은 피의자로 하여금 자필로 기재하게 하거나 검사 또는 사법경찰관이 피의자의 답변을 기재한 부분에 기명날인 또는 서명하게 하여야 한다.

(7) 진술의 임의성

① 피고인 또는 피고인 아닌 자의 진술이 임의로 된 것이 아닌 것은 증거로 할 수 없다.
② 전항의 서류는 그 작성 또는 내용인 진술이 임의로 되었다는 것이 증명된 것이 아니면 증거로 할 수 없다.
③ 검증조서의 일부가 피고인 또는 피고인 아닌 자의 진술을 기재한 것인 때에는 그 부분에 한하여 전2항의 예에 의한다.

> **한번더클릭** 화재 현장임장 및 증거물 수집활동 관련 주요 조항 4가지
>
> - 영장에 의하지 아니한 강제처분 및 압수
> - 증거재판주의
> - 자유심증주의
> - 위법수집증거의 배제

2. 「형법」

(1) 방화와 실화 등

구분		대상		처벌
방화	현주건조물	불을 놓아 사람이 주거로 사용하거나 사람이 현존하는 건조물, 기차, 전차, 자동차, 선박, 항공기 또는 지하채굴시설을 불태운 자  암기법 건기에 전자산업은 순(선)항하지	인명피해가 없는 경우	무기 또는 3년 이상의 징역 (미수범 처벌)
			사람을 상해에 이르게 한 경우	무기 또는 5년 이상의 징역
			사람을 사망에 이르게 한 경우	사형, 무기 또는 7년 이상의 징역
	공용건조물	불을 놓아 공용(公用)으로 사용하거나 공익을 위해 사용하는 건조물, 기차, 전차, 자동차, 선박, 항공기 또는 지하채굴시설을 불태운 자		무기 또는 3년 이상의 징역 (미수범 처벌)
	일반건조물	불을 놓아 현주·공용건조물 등에 기재한 이외의 건조물, 기차, 전차, 자동차, 선박, 항공기 또는 지하채굴시설을 불태운 자		2년 이상의 유기징역(미수범 처벌)
		자기 소유인 건조물의 물건을 불태워 공공의 위험을 발생하게 한 자		7년 이하의 징역 또는 1천만 원 이하의 벌금
	일반물건	불을 놓아 현주·공용·일반건조물 등의 방화에 기재한 외의 물건을 불태워 공공의 위험을 발생하게 한 자	불태운 물건이 타인의 소유인 경우	1년 이상 10년 이하의 징역
			불태운 물건이 자기 소유인 경우	3년 이하의 징역 또는 700만 원 이하의 벌금

연소		자기소유의 일반건조물·일반물건 방화로 현주·공용·일반건조물 방화에 기재한 물건에 연소한 때		1년 이상 10년 이하의 징역
		자기소유의 일반물건을 방화하여 현주·공용·일반건조물방화에 기재한 외의 물건에 연소한 때		5년 이하의 징역
진화방해		화재에 있어서 진화용의 시설 또는 물건을 은닉 또는 손괴하거나 기타 방법으로 진화를 방해한 자		10년 이하의 징역
과실	실화	• 과실로 현주·공용건조물방화에 기재한 물건 또는 타인 소유인 일반건조물방화에 기재한 물건을 불태운 자 • 과실로 자기 소유인 일반건조물·일반물건방화에 기재한 물건을 불태워 공공의 위험을 발생하게 한 자 예 과실로 인하여 사람이 주거로 사용하거나 사람이 현존하는 건조물, 기차, 전차 또는 광갱을 소훼한 자		1천500만 원 이하의 벌금
	업무상실화, 중실화	업무상과실 또는 중대한 과실로 인하여 실화의 죄를 범한 자		3년 이하의 금고 또는 2천만 원 이하의 벌금
폭발성물건파열		보일러, 고압가스 기타 폭발성있는 물건을 파열시켜 사람의 생명, 신체 또는 재산에 대하여	위험을 발생시킨 자	1년 이상의 유기징역(미수범 처벌)
			사람을 상해에 이르게 한 때	무기 또는 3년 이상의 징역
			사람을 사망에 이르게 한 때	무기 또는 5년 이상의 징역
가스·전기등 방류		가스, 전기, 증기 또는 방사선이나 방사성 물질을 방출, 유출 또는 살포시켜 사람의 생명, 신체 또는 재산에 대하여	위험을 발생시킨 자	1년 이상 10년 이하의 징역 (미수범 처벌)
			사람을 상해에 이르게 한 때	무기 또는 3년 이상의 징역
			사람을 사망에 이르게 한 때	무기 또는 5년 이상의 징역
가스·전기등 공급방해		가스, 전기 또는 증기의 공작물을 손괴 또는 제거하거나 기타 방법으로 이들의 공급이나 사용을 방해하여	공공의 위험을 발생하게 한 자	1년 이상 10년 이하의 징역 (미수범 처벌)
			공급이나 사용을 방해한 자	
			사람을 상해에 이르게 한 때	2년 이상의 유기징역
			사람을 사망에 이르게 한 때	무기 또는 3년이상의 징역
과실폭발성물건파열등		과실로 폭발성물건파열, 가스·전기등 방류, 가스·전기등 공급방해의 죄를 범한 자		5년 이하의 금고 또는 1천500만 원 이하의 벌금
		업무상과실 또는 중대한 과실로 위 항의 죄를 범한 자		7년 이하의 금고 또는 2천만 원 이하의 벌금
방화예비, 음모		• 현주·공용·일반건조물방화, 폭발성물건파열, 가스·전기 등 공급방해의 죄를 범할 목적으로 예비 또는 음모한 자 • 단 그 목적한 죄의 실행에 이르기 전에 자수한 때에는 형을 감경 또는 면제		5년 이하의 징역

한번더클릭 타인의 권리대상이 된 자기의 물건

자기의 소유에 속하는 물건이라도 압류 기타 강제처분을 받거나 타인의 권리 또는 보험의 목적물이 된 때에는 본장의 규정의 적용에 있어서 타인의 물건으로 간주한다.

(2) 방화와 실화의 처벌 요약 비교

방화 종류		사형	무기	유기	징역(년)	금고(년)	벌금(만 원)	미수범
현주건조물	원칙		○		3			○
	상해		○		5			
	사망	○	○		7			
공용건조물			○		3			○
일반건조물	원칙			○	2			○
	자기소유				7 이하		천 이하	
일반물건	원칙				1~10 이하			
	자기소유				3 이하		7백 이하	
연소	자기소유				1~10 이하			
	자기소유 기재외				5 이하			
진화방해					10 이하			
실화							1.5천 이하	
업무상실화, 중실화						3 이하	2천 이하	
폭발성물건파열	위험발생			○	1 이하			○
	상해		○		3 이상			
	사망	○			5 이상			
가스·전기등 방류	원칙				1~10 이하			○
	상해		○		3 이상			
	사망	○			5 이상			
가스·전기등 공급방해	위험발생				1~10 이하			○
	방해							
	상해			○	2 이상			
	사망		○		3 이상			
과실폭발성물건 파열등	원칙					5 이하	1.5천 이하	
	업무상·중대한과실					7 이하	2천 이하	
방화예비, 음모						5 이하		

경찰청 범죄수사규칙

(1) 임의 제출물의 압수 등

① 물건제출요청서	경찰관은 소유자, 소지자 또는 보관자에게 임의제출을 요구할 필요가 있을 때에는 <u>물건제출요청서</u>를 발부할 수 있다.
② 압수목록교부서	경찰관은 소유자등이 임의 제출한 물건을 압수할 때에는 제출자에게 임의제출의 취지 및 이유를 적은 임의제출서를 받아야 하고, 압수조서와 압수목록교부서를 작성하여야 한다. 이 경우 제출자에게 <u>압수목록교부서</u>를 교부하여야 한다.
③ 소유권포기서	경찰관은 임의 제출한 물건을 압수한 경우에 소유자등이 그 물건의 소유권을 포기한다는 의사표시를 하였을 때에는 제2항의 임의제출서에 그 취지를 작성하게 하거나 <u>소유권포기서</u>를 제출하게 하여야 한다.

(2) 유류물의 압수

① 경찰관은 유류물을 압수할 때에는 거주자, 관리자 또는 이에 준하는 사람의 참여를 얻어서 행하여야 한다. 다만, 대상자가 참여하지 아니한다는 의사를 명시하는 등 참여할 사람이 없는 경우에는 예외로 한다.

② 압수에 관하여는 압수조서 등에 그 물건이 발견된 상황 등을 명확히 기록하고 압수목록을 작성하여야 한다.

(3) 현장보존

① 범위	경찰관은 범죄가 실행된 지점뿐만 아니라 현장보존의 범위를 충분히 정하여 수사자료를 발견하기 위해 노력하여야 한다.
② 출입제한·기록	경찰관은 보존하여야 할 현장의 범위를 정하였을 때에는 지체 없이 출입금지 표시 등 적절한 조치를 하여 함부로 출입하는 자가 없도록 하여야 한다. 이때 <u>현장에 출입한 사람이 있을 경우</u> 그들의 성명, 주거 등 인적사항을 기록하여야 하며, 현장 또는 그 근처에서 배회하는 등 수상한 사람이 있을 때에는 그들의 성명, 주거 등을 파악하여 기록하도록 노력한다.
③ 보존	경찰관은 현장을 보존할 때에는 되도록 현장을 범행 당시의 상황 그대로 보존하여야 한다.
④ 예외	경찰관은 부상자의 구호, 증거물의 변질·분산·분실 방지 등을 위해 특히 부득이한 사정이 있는 경우를 제외하고는 함부로 현장에 들어가서는 아니된다.
⑤ 덮개 등 사용	경찰관은 현장에서 발견된 수사자료 중 햇빛, 열, 비, 바람 등에 의하여 변질, 변형 또는 멸실할 우려가 있는 것에 대하여는 덮개로 가리는 등 적당한 방법으로 그 원상을 보존하도록 노력하여야 한다.
⑥ 사진 등 기록	경찰관은 부상자의 구호 그 밖의 부득이한 이유로 현장을 변경할 필요가 있는 경우 등 수사자료를 원상태로 보존할 수 없을 때에는 사진, 도면, 기록 그 밖의 적당한 방법으로 그 원상을 보존하도록 노력하여야 한다.

(4) 현장에서의 수사사항

① 경찰관은 현장에서 수사를 할 때는 현장 감식 그 밖의 과학적이고 합리적인 방법에 의하여 다음 각 호의 사항을 명백히 하도록 노력하여 범행의 과정을 전반적으로 파악하여야 한다.

㉠ 일시 관계	• 범행의 일시와 이를 추정할 수 있는 사항 • 발견의 일시와 상황 • 범행당시의 기상 상황 • 특수일 관계(시일, 명절, 축제일 등) • 그 밖의 일시에 관하여 참고가 될 사항
㉡ 장소 관계	• 현장으로 통하는 도로와 상황 • 가옥 그 밖의 현장근처에 있는 물건과 그 상황 • <u>현장 방실의 위치와 그 상황</u> • <u>현장에 있는 기구 그 밖의 물품의 상황</u> • <u>지문, 족적, DNA시료 그 밖의 흔적, 유류품의 위치와 상황</u> • 그 밖의 장소에 관하여 참고가 될 사항
㉢ 피해자 관계	• 범인과의 응대 그 밖의 피해 전의 상황 • 피해 당시의 저항자세 등의 상황 • 상해의 부위와 정도, 피해 금품의 종류, 수량, 가액 등 피해의 정도 • <u>시체의 위치, 창상, 유혈 그 밖의 상황</u> • 그 밖의 피해자에 관하여 참고가 될 사항
㉣ 피의자 관계	• 현장 침입 및 도주 경로 • 피의자의 수와 성별 • 범죄의 수단, 방법 그 밖의 범죄 실행의 상황 • 피의자의 범행동기, 피해자와의 면식 여부, 현장에 대한 지식 유무를 추정할 수 있는 상황 • 피의자의 인상·풍채 등 신체적 특징, 말투·습벽 등 언어적 특징, 그 밖의 특이한 언동 • 흉기의 종류, 형상과 가해의 방법 그 밖의 가해의 상황 • 그 밖의 피의자에 관하여 참고가 될 사항

② 현장감식을 하였을 경우에는 현장감식결과보고서를 작성하여야 한다.

(5) 감식자료 송부

① 경찰관은 감식을 하기 위하여 수사자료를 송부할 때에는 변형, 변질, 오손, 침습, 멸실, 산일, 혼합 등의 사례가 없도록 주의하여야 한다.
② 제1항의 경우에 우송을 할 때에는 그 포장, 용기 등에 세심한 주의를 기울여야 한다.
③ <u>중요하거나 긴급한 증거물 등은 경찰관이 직접 지참하여 송부하여야 한다.</u>
④ 감식자료를 인수·인계할 때에는 그 연월일과 인수·인계인의 성명을 명확히 해두어야 한다.

(6) 재감식을 위한 고려

경찰관은 혈액, 정액, 타액, 대소변, 장기, 모발, 약품, 음식물, 폭발물 그 밖에 분말, 액체 등을 감식할 때에는 되도록 필요 최소한의 양만을 사용하고 잔량을 보존하여 재감식에 대비하여야 한다.

(7) 증거물의 보존

① 경찰관은 지문, 족적, 혈흔 그 밖에 멸실할 염려가 있는 증거물은 특히 그 보존에 유의하고 검증조서 또는 다른 조서에 그 성질 형상을 상세히 적거나 사진을 촬영하여야 한다.
② 경찰관은 시체해부 또는 증거물의 파괴 그 밖의 원상의 변경을 요하는 검증을 하거나 감정을 위촉할 때에는 제1항에 준하여 변경 전의 형상을 알 수 있도록 유의하여야 한다.
③ 경찰관은 제1항 및 제2항의 경우 또는 유류물 그 밖의 자료를 발견하였을 때에는 증거물의 위치를 알 수 있도록 원근법으로 사진을 촬영하되 가까이 촬영할 때에는 되도록 증거물 옆에 자를 놓고 촬영하여야 한다.
④ 경찰관은 제3항의 경우 증명력의 보전을 위하여 필요하다고 인정되는 참여인을 함께 촬영하거나 자료 발견 연월일시와 장소를 기재한 서면에 참여인의 서명을 요구하여 이를 함께 촬영하고, 참여인이 없는 경우에는 비디오 촬영 등으로 현장상황과 자료수집과정을 녹화하여야 한다.

(8) 감정의 위촉 등

① 경찰관은 수사에 필요하여 국립과학수사연구원 등에게 감정을 의뢰하는 경우에는 감정의뢰서에 따른다.
② 경찰관은 이외의 감정기관이나 적당한 학식·경험이 있는 사람에게 감정을 위촉하는 경우에는 감정위촉서에 따르며, 이 경우 감정인에게 예단이나 편견을 생기게 할 만한 사항을 적어서는 아니 된다.
③ 경찰관은 감정을 위촉하는 경우에는 감정인에게 감정의 일시, 장소, 경과와 결과를 관계자가 용이하게 이해할 수 있도록 간단명료하게 기재한 감정서를 제출하도록 요구하여야 한다.
④ 경찰관은 감정인이 여러 사람인 때에는 공동의 감정서를 제출하도록 요구할 수 있다.
⑤ 경찰관은 감정서의 내용이 불명확하거나 누락된 부분이 있을 때에는 이를 보충하는 서면의 제출을 요구하여 감정서에 첨부하여야 한다.

(9) 감정유치 및 감정처분허가신청

경찰관은 판사로부터 감정처분허가장을 발부받은 경우 감정인에게 이를 교부하여야 한다

 **범죄수사규칙상 수사의 원칙**

- 임의수사 원칙
- 공범자의 분리수사 원칙
- 피의자의 불구속 수사 원칙

「민법」

(1) 불법행위 및 배상책임

불법행위의 내용	고의 또는 과실로 인한 위법행위로 타인에게 손해를 가한 자는 그 손해를 배상할 책임이 있다.
재산 이외의 손해의 배상	① 타인의 신체, 자유 또는 명예를 해하거나 기타 정신상고통을 가한 자는 재산 이외의 손해에 대하여도 배상할 책임이 있다. ② 법원은 전항의 손해배상을 정기금채무로 지급할 것을 명할 수 있고 그 이행을 확보하기 위하여 상당한 담보의 제공을 명할 수 있다.
생명침해로 인한 위자료	**암기법** 직계 존 비 배 타인의 생명을 해한 자는 피해자의 직계존속, 직계비속 및 배우자에 대하여는 재산상의 손해없는 경우에도 손해배상의 책임이 있다.
심신상실자의 책임능력	심신상실 중에 타인에게 손해를 가한 자는 배상의 책임이 없다. 그러나 고의 또는 과실로 인하여 심신상실을 초래한 때에는 그러하지 아니하다.

사용자의 배상책임	① 사용자 책임	원칙	타인을 사용하여 어느 사무에 종사하게 한 자는 피용자가 그 사무집행에 관하여 제삼자에게 가한 손해를 배상할 책임이 있다.
		면책	그러나 사용자가 피용자의 선임 및 그 사무감독에 상당한 주의를 한 때 또는 상당한 주의를 하여도 손해가 있을 경우에는 그러하지 아니하다.
	② 감독자 책임		사용자에 갈음하여 그 사무를 감독하는 자도 전항의 책임이 있다.
	③ 피용자 구상권		전2항의 경우에 사용자 또는 감독자는 피용자에 대하여 구상권을 행사할 수 있다.
	예 용접업체에서 용접공을 고용하여 작업을 하다가 용접공의 실수로 화재가 발생하여 제삼자에게 피해를 가한 경우 • 배상 책임자 → 용접공 사용자, 감독하는 자 • 면책 사유 → 용접공 사용자가 피용자(용접공)에게 상당한 주의를 하였음에도 손해가 있는 경우 • 구상권 → 상당한 주의를 한 용접공 사용자 또는 감독자는 피용자(용접공)에 대하여 구상권을 행사 가능		

공작물등의 점유자, 소유자의 책임	① 공작물의 설치 또는 보존의 하자로 인하여 타인에게 손해를 가한 때에는 공작물점유자가 손해를 배상할 책임이 있다. 그러나 점유자가 손해의 방지에 필요한 주의를 해태하지 아니한 때에는 그 소유자가 손해를 배상할 책임이 있다. ② 전항의 규정은 수목의 재식 또는 보존에 하자있는 경우에 준용한다. ③ 전2항의 경우 점유자 또는 소유자는 그 손해의 원인에 대한 책임있는 자에 대하여 구상권을 행사할 수 있다.
정당방위, 긴급피난	① 타인의 불법행위에 대하여 자기 또는 제삼자의 이익을 방위하기 위하여 부득이 타인에게 손해를 가한 자는 배상할 책임이 없다. 그러나 피해자는 불법행위에 대하여 손해의 배상을 청구할 수 있다. ② 전항의 규정은 급박한 위난을 피하기 위하여 부득이 타인에게 손해를 가한 경우에 준용한다.
손해배상청구권에 있어서의 태아의 지위	태아는 손해배상의 청구권에 관하여는 이미 출생한 것으로 본다.
배상액의 경감청구	배상의무자는 그 손해가 고의 또는 중대한 과실에 의한 것이 아니고 그 배상으로 인하여 배상자의 생계에 중대한 영향을 미치게 될 경우에는 법원에 그 배상액의 경감을 청구할 수 있다.

 **「민법」의 불법행위 및 배상책임 주요 내용**

- 고의 또는 과실로 인한 위법행위
- 타인의 신체, 자유 또는 명예, 기타 정신상 고통의 손해
- 타인의 생명을 해한 자
- 미성년자, 심신상실자의 경우 책임능력이 없어 배제
- 감독자, 사용자 등의 책임
- 정당방위, 긴급피난은 배상책임에서 배제

미성년자 구분 및 배상책임

성년	사람은 19세로 성년에 이르게 된다.
나이의 계산과 표시	나이는 출생일을 산입하여 만(滿) 나이로 계산하고, 연수(年數)로 표시한다. 다만, 1세에 이르지 아니한 경우에는 월수(月數)로 표시할 수 있다.
미성년자의 책임능력	미성년자가 타인에게 손해를 가한 경우에 그 행위의 책임을 변식할 지능이 없는 때에는 배상의 책임이 없다.

「제조물책임법」

(1) 「제조물책임법」의 목적

제조물의 결함으로 발생한 손해에 대한 제조업자 등의 손해배상책임을 규정하여 다음에 이바지함을 목적으로 한다.
① 피해자의 보호를 도모
② 국민생활의 안전 향상
③ 국민경제의 건전한 발전

(2) 「제조물책임법」의 용어 정의

용어	정의
제조물	제조되거나 가공된 동산(다른 동산이나 부동산의 일부를 구성하는 경우를 포함한다)
결함	제조물에 다음 각 목의 어느 하나에 해당하는 제조상·설계상 또는 표시상의 결함이 있거나 그 밖에 통상적으로 기대할 수 있는 안전성이 결여되어 있는 것 **암기법** 시 계 조
제조상의 결함	제조업자가 제조물에 대하여 제조상·가공상의 주의의무를 이행하였는지에 관계없이 제조물이 원래 의도한 설계와 다르게 제조·가공됨으로써 안전하지 못하게 된 경우
설계상의 결함	제조업자가 합리적인 대체설계(代替設計)를 채용하였더라면 피해나 위험을 줄이거나 피할 수 있었음에도 대체설계를 채용하지 아니하여 해당 제조물이 안전하지 못하게 된 경우

용어	정의
표시상의 결함	제조업자가 합리적인 설명·지시·경고 또는 그 밖의 표시를 하였더라면 해당 제조물에 의하여 발생할 수 있는 피해나 위험을 줄이거나 피할 수 있었음에도 이를 하지 아니한 경우
제조업자	• 제조물의 제조·가공 또는 수입을 업(業)으로 하는 자 • 제조물에 성명·상호·상표 또는 그 밖에 식별(識別) 가능한 기호 등을 사용하여 자신을 가목의 자로 표시한 자 또는 가목의 자로 오인(誤認)하게 할 수 있는 표시를 한 자 **암기법** 제가수표

(3) 제조물 책임

① 원칙		제조업자는 제조물의 결함으로 생명·신체 또는 재산에 손해(그 제조물에 대하여만 발생한 손해는 제외한다)를 입은 자에게 그 손해를 배상하여야 한다
② 3배 손해배상액 결정 방법	결함 인지한 제조업자	제1항에도 불구하고 제조업자가 제조물의 결함을 알면서도 그 결함에 대하여 필요한 조치를 취하지 아니한 결과로 생명 또는 신체에 중대한 손해를 입은 자가 있는 경우에는 그 자에게 발생한 손해의 3배를 넘지 아니하는 범위에서 배상책임을 진다
	배상액 결정 고려사항	이 경우 법원은 배상액을 정할 때 다음 각 호의 사항을 고려하여야 한다. 1. 고의성의 정도 2. 해당 제조물의 결함으로 인하여 발생한 손해의 정도 3. 해당 제조물의 공급으로 인하여 제조업자가 취득한 경제적 이익 4. 해당 제조물의 결함으로 인하여 제조업자가 형사처벌 또는 행정처분을 받은 경우 그 형사처벌 또는 행정처분의 정도 5. 해당 제조물의 공급이 지속된 기간 및 공급 규모 6. 제조업자의 재산상태 7. 제조업자가 피해구제를 위하여 노력한 정도
③ 제조업자가 미상인 경우		피해자가 제조물의 제조업자를 알 수 없는 경우에 그 제조물을 영리 목적으로 판매·대여 등의 방법으로 공급한 자는 제1항에 따른 손해를 배상하여야 한다. 다만, 피해자 또는 법정대리인의 요청을 받고 상당한 기간 내에 그 제조업자 또는 공급한 자를 그 피해자 또는 법정대리인에게 고지(告知)한 때에는 그러하지 아니하다.

(4) 결함 등의 추정

피해자가 다음 각 호의 사실을 증명한 경우에는 제조물을 공급할 당시 해당 제조물에 결함이 있었고 그 제조물의 결함으로 인하여 손해가 발생한 것으로 추정한다. 다만, 제조업자가 제조물의 결함이 아닌 다른 원인으로 인하여 그 손해가 발생한 사실을 증명한 경우에는 그러하지 아니하다.
① 해당 제조물이 정상적으로 사용되는 상태에서 피해자의 손해가 발생하였다는 사실
② 제1호의 손해가 제조업자의 실질적인 지배영역에 속한 원인으로부터 초래되었다는 사실
③ 제1호의 손해가 해당 제조물의 결함 없이는 통상적으로 발생하지 아니한다는 사실

예 과도한 문어발식 콘센트 사용으로 콘센트 허용전류 이상을 사용하였다면 사용자 부주의 요인으로 세탁기 제조사의 제조물책임은 발생하지 않는다.

(5) 면책사유

① 면책 가능한 경우	손해배상책임을 지는 자가 다음 각 호의 어느 하나에 해당하는 사실을 입증한 경우에는 이 법에 따른 손해배상책임을 면(免)한다. • 제조업자가 해당 제조물을 공급하지 아니하였다는 사실 • 제조업자가 해당 제조물을 공급한 당시의 과학·기술 수준으로는 결함의 존재를 발견할 수 없었다는 사실 • 제조물의 결함이 제조업자가 해당 제조물을 공급한 당시의 법령에서 정하는 기준을 준수함으로써 발생하였다는 사실 • 원재료나 부품의 경우에는 그 원재료나 부품을 사용한 제조물 제조업자의 설계 또는 제작에 관한 지시로 인하여 결함이 발생하였다는 사실 **암기법** 공과법원
② 면책 불가한 경우	손해배상책임을 지는 자가 제조물을 공급한 후에 그 제조물에 결함이 존재한다는 사실을 알거나 알 수 있었음에도 그 결함으로 인한 손해의 발생을 방지하기 위한 적절한 조치를 하지 아니한 경우에는 면책을 주장할 수 없다.

(6) 연대책임

동일한 손해에 대하여 배상할 책임이 있는 자가 2인 이상인 경우에는 연대하여 그 손해를 배상할 책임이 있다.

(7) 면책특약의 제한

이 법에 따른 손해배상책임을 배제하거나 제한하는 특약(特約)은 무효로 한다. 다만, 자신의 영업에 이용하기 위하여 제조물을 공급받은 자가 자신의 영업용 재산에 발생한 손해에 관하여 그와 같은 특약을 체결한 경우에는 그러하지 아니하다.

(8) 소멸시효 등

① 청구권 소멸시효	손해배상의 청구권은 피해자 또는 그 법정대리인이 다음 사항을 모두 알게 된 날부터 3년간 행사하지 아니하면 시효의 완성으로 소멸한다. • 손해 • 손해배상책임을 지는 자
② 청구권 행사기간	손해배상의 청구권은 제조업자가 손해를 발생시킨 제조물을 공급한 날부터 10년 이내에 행사하여야 한다. 다만, 신체에 누적되어 사람의 건강을 해치는 물질에 의하여 발생한 손해 또는 일정한 잠복기간(潛伏期間)이 지난 후에 증상이 나타나는 손해에 대하여는 그 손해가 발생한 날부터 기산(起算)한다.

암기법 모알 3년, 제공 10년

(9) 「민법」의 적용

제조물의 결함으로 인한 손해배상책임에 관하여 이 법에 규정된 것을 제외하고는 「민법」에 따른다.

CHAPTER 04 화재수사 실무 관련 규정

1 화재범죄

(1) 방화로 인한 경우

① 방화의 정의

구분	정의
사전적 정의	일부러 불을 붙여 화재를 일으키는 것, 불을 지름, 지른 불
형법상 정의	고의로 화재를 일으켜 가옥이나 기타의 물건을 연소시키는 행위
NFPA 921 CODE (화재 및 폭발원인조사 가이드) 정의	발화하지 않아야 했을 화재로 인식된 상황하에 고의로 발생된 화재

② 유류화재 또는 방화 현장에서 나타나는 패턴

> **암기법** 포스트독도

㉠ 포어(pour) 패턴
㉡ 스플래시 패턴
㉢ 트레일러(trailer) 패턴
㉣ 독립연소 패턴
㉤ 도넛 패턴

(2) 「경범죄처벌법」상 책임

1) 「경범죄처벌법」

① 남용금지 원칙 : 이 법을 적용할 때에는 국민의 권리를 부당하게 침해하지 아니하도록 세심한 주의를 기울여야 하며, 본래의 목적에서 벗어나 다른 목적을 위하여 이 법을 적용하여서는 아니 된다.

② 「경범죄처벌법」의 용어 정의

용어	정의
범칙행위	경범죄의 위반행위를 말하며, 그 구체적인 범위는 대통령령으로 정한다.
범칙자	범칙행위를 한 사람으로서 다음 각 호의 어느 하나에 해당하지 아니하는 사람(범칙자 미해당자) 1. 범칙행위를 상습적으로 하는 사람 2. 죄를 지은 동기나 수단 및 결과를 헤아려볼 때 구류처분을 하는 것이 적절하다고 인정되는 사람

용어	정의
범칙자	3. 피해자가 있는 행위를 한 사람 4. 18세 미만인 사람
범칙금	범칙자가 통고처분에 따라 국고 또는 제주특별자치도의 금고에 납부하여야 할 금전

③ 교사·방조 : 경범죄를 짓도록 시키거나 도와준 사람은 죄를 지은 사람에 준하여 벌한다.

④ 형의 면제와 병과 : 경범죄 조항에 따라 사람을 벌할 때에는 그 사정과 형편을 헤아려서 그 형을 면제하거나 구류와 과료를 함께 과(科)할 수 있다.

⑤ 통고처분

구분	내용
통고처분 방법	경찰서장, 해양경찰서장, 제주특별자치도지사 또는 철도특별사법경찰대장은 범칙자로 인정되는 사람에 대하여 그 이유를 명백히 나타낸 서면으로 범칙금을 부과하고 이를 납부할 것을 통고
통고처분하지 아니하는 대상	• 통고처분서 받기를 거부한 사람 • 주거 또는 신원이 확실하지 아니한 사람 • 그 밖에 통고처분을 하기가 매우 어려운 사람
통고처분 불이행자 등의 처리	즉결심판 청구	경찰서장, 해양경찰서장 및 제주특별자치도지사는 다음 각 호의 어느 하나에 해당하는 사람에 대하여는 지체 없이 즉결심판을 청구하여야 한다. 다만, 즉결심판이 청구되기 전까지 통고받은 범칙금에 그 금액의 100분의 50을 더한 금액을 납부한 사람에 대하여는 그러하지 아니하다. • "통고처분하지 아니하는 대상"에 해당하는 사람 • 납부기간에 범칙금을 납부하지 아니한 사람
	즉결심판 청구 취소	즉결심판이 청구된 피고인이 통고받은 범칙금에 그 금액의 100분의 50을 더한 금액을 납부하고 그 증명서류를 즉결심판 선고 전까지 제출하였을 때에는 경찰서장 등은 그 피고인에 대한 즉결심판 청구를 취소하여야 한다.
	재처벌 면제	위 조항에 따라 범칙금을 납부한 사람은 그 범칙행위에 대하여 다시 처벌받지 아니한다.

한번데클릭 즉결심판 대상자에 대한 처리(시행령 조항)

경찰서장등은 위 사람에게 지체 없이 다음 각 호의 사항을 적은 <u>즉결심판 출석통지서</u>를 발부하여야 한다.
• 즉결심판 대상자의 <u>인적사항</u>
• <u>위반 내용 및 적용 법조문</u>
• 즉결심판을 위한 <u>출석의 일시 및 장소</u>

2)「경범죄처벌법 시행령」

① 범칙행위의 범위와 범칙금의 액수

구분	범칙행위	범칙금액 (만 원)
업무방해	못된 장난 등으로 다른 사람, 단체 또는 공무수행 중인 자의 업무를 방해한 경우	16
빈집 등에의 침입	다른 사람이 살지 않고 관리하지 않는 집 또는 그 울타리·건조물(建造物)·배·자동차 안에 정당한 이유 없이 들어간 경우	8
시체 현장변경 등	사산아(死産兒)를 감추거나 정당한 이유 없이 변사체 또는 사산아가 있는 현장을 바꾸어 놓은 경우	8

구분	범칙행위	범칙금액 (만 원)
위험한 불씨 사용	충분한 주의를 하지 않고 건조물, 수풀, 그 밖에 불붙기 쉬운 물건 가까이에서 불을 피우거나 휘발유 또는 그 밖에 불이 옮아붙기 쉬운 물건 가까이에서 불씨를 사용한 경우	8
거짓 인적사항 사용	성명, 주민등록번호, 등록기준지, 주소, 직업 등을 거짓으로 꾸며대고 배나 비행기를 타거나 인적사항을 물을 권한이 있는 공무원이 적법한 절차를 거쳐 묻는 상황에서 정당한 이유 없이 다른 사람의 인적사항을 자기의 것으로 거짓으로 꾸며댄 경우	8
공무원 원조불응	눈·비·바람·해일·지진 등으로 인한 재해, 화재·교통사고·범죄, 그 밖의 급작스러운 사고가 발생하였을 때에 현장에 있으면서도 정당한 이유 없이 관계 공무원 또는 이를 돕는 사람의 현장출입에 관한 지시에 따르지 않거나 공무원이 도움을 요청하여도 도움을 주지 않은 경우	5
지문채취 불응	범죄 피의자로 입건된 사람의 신원을 지문조사 외의 다른 방법으로는 확인할 수 없어 경찰공무원이나 검사가 지문을 채취하려고 할 때에 정당한 이유 없이 이를 거부한 경우	5
쓰레기 등 투기	담배꽁초, 껌, 휴지를 아무 곳에나 버린 경우	3
무단 출입	출입이 금지된 구역이나 시설 또는 장소에 정당한 이유 없이 들어간 경우	2

CHAPTER 05 화재 민사분쟁 관련 법규

1 「실화책임에 관한 법률」

(1) 제정 목적

이 법은 실화(失火)의 특수성을 고려하여 실화자에게 중대한 과실이 없는 경우 그 손해배상액의 경감에 관한 「민법」 제765조의 특례를 정함을 목적으로 한다.

(2) 「실화책임에 관한 법률」의 적용범위

이 법은 실화로 인하여 화재가 발생한 경우 연소(延燒)로 인한 부분에 대한 손해배상청구에 한하여 적용한다.

(3) 손해배상액의 경감

① 대상	실화가 중대한 과실로 인한 것이 아닌 경우 그로 인한 손해의 배상의무자는 법원에 손해배상액의 경감을 청구할 수 있다.
② 손해배상액 경감 고려사항	**암기법** 화피 연방 배그 • **화**재의 원인과 규모 • **피**해의 대상과 정도 • **연**소(延燒) 및 피해 확대의 원인 • 피해 확대를 **방**지하기 위한 실화자의 노력 • **배**상의무자 및 피해자의 경제상태 • **그** 밖에 손해배상액을 결정할 때 고려할 사정

2 「국가배상법」

배상책임	배상주체	국가나 지방자치단체는 공무원 또는 공무를 위탁받은 사인이 직무를 집행하면서 고의 또는 과실로 법령을 위반하여 타인에게 손해를 입히거나, 「자동차손해배상 보장법」에 따라 손해배상의 책임이 있을 때에는 이 법에 따라 그 손해를 배상하여야 한다.
	구상권	공무원에게 고의 또는 중대한 과실이 있으면 국가나 지방자치단체는 그 공무원에게 구상(求償)할 수 있다.
양도 등 금지		생명·신체의 침해로 인한 국가배상을 받을 권리는 양도하거나 압류하지 못한다.
외국인에 대한 책임		이 법은 외국인이 피해자인 경우에는 해당 국가와 상호 보증이 있을 때에만 적용한다.
소송과 배상신청의 관계		이 법에 따른 손해배상의 소송은 배상심의회에 배상신청을 하지 아니하고도 제기할 수 있다.
배상심의회	법무부 지정	국가나 지방자치단체에 대한 배상신청사건을 심의하기 위하여 법무부에 본부심의회를 둔다.
	국방부 지정	다만, 군인이나 군무원이 타인에게 입힌 손해에 대한 배상신청사건을 심의하기 위하여 국방부에 특별심의회를 둔다.

CHAPTER 06 화재분쟁의 소송 외적 해결 관련 법규

 「화재로 인한 재해보상과 보험가입에 관한 법률」

(1) 「화재로 인한 재해보상과 보험가입에 관한 법률」의 용어 정의

용어	정의
손해보험회사	「보험업법」 제4조에 따른 화재보험업의 허가를 받은 자
특약부화재보험	화재로 인한 건물의 손해와 제4조제1항에 따른 손해배상책임을 담보하는 보험
특수건물	국유건물 · 공유건물 · 교육시설 · 백화점 · 시장 · 의료시설 · 흥행장 · 숙박업소 · 다중이용업소 · 운수시설 · 공장 · 공동주택과 그 밖에 여러 사람이 출입 또는 근무하거나 거주하는 건물로서 화재의 위험이나 건물의 면적 등을 고려하여 대통령령으로 정하는 건물
소방시설	「소방시설 설치 및 관리에 관한 법률」 제2조제2호에 따른 소방시설등, 「건축법」 제49조에 따른 피난시설, 그 밖에 소방 관련 시설로서 대통령령으로 정하는 것

(2) 특수건물 소유자의 손해배상책임

① 특수건물의 소유자는 그 특수건물의 화재로 인하여 다른 사람이 사망하거나 부상을 입었을 때 또는 다른 사람의 재물에 손해가 발생한 때에는 <u>과실이 없는 경우</u>에도 지정된 보험금액의 범위에서 그 <u>손해를 배상할 책임</u>이 있다. 이 경우 「실화책임에 관한 법률」에도 불구하고 특수건물의 소유자에게 경과실(輕過失)이 있는 경우에도 또한 같다.
② 특수건물 소유자의 손해배상책임에 관하여는 이 법에서 규정하는 것 외에는 <u>「민법」</u>에 따른다.

(3) 보험 가입의 의무

구분	내용
① 원칙	• 특수건물의 소유자는 그 특수건물의 화재로 인한 해당 건물의 손해를 보상받고 손해배상책임을 이행하기 위하여 그 특수건물에 대하여 손해보험회사가 운영하는 특약부화재보험에 가입하여야 한다. • 산업재해보상보험에 가입하고 있는 경우 : 그 종업원에 대한 손해배상책임 중 사망이나 부상에 따른 손해배상책임을 담보하는 보험에 가입하지 아니할 수 있다.
② 부가	특수건물의 소유자는 특약부화재보험에 부가하여 <u>풍재(風災), 수재(水災)</u> 또는 건물의 무너짐 등으로 인한 손해를 담보하는 보험에 가입할 수 있다.
③ 계약	손해보험회사는 제1항과 제2항에 따른 보험계약의 체결을 거절하지 못한다.

구분	내용
④ 기한	특수건물의 소유자는 다음 각 호에서 정하는 날부터 <u>30일 이내</u>에 특약부화재보험에 가입하여야 한다. • 특수건물을 건축한 경우 : 건축물의 사용승인, 주택법에 따른 사용검사 또는 관계 법령에 따른 준공인가 · 준공확인 등을 받은 날 • 특수건물의 소유권이 변경된 경우 : 그 건물의 소유권을 취득한 날 • 그 밖의 경우 : 특수건물의 소유자가 그 건물이 특수건물에 해당하게 된 사실을 알았거나 알 수 있었던 시점 등을 고려하여 대통령령으로 정하는 날
⑤ 갱신	특수건물의 소유자는 제4항의 특약부화재보험에 관한 계약을 <u>매년</u> 갱신하여야 한다.

(4) 외국인 등의 소유 건물에 대한 특례

특수건물 중 다음 하나에 해당하는 건물에 대하여는 특수건물 소유자의 손해배상책임과 보험가입의무를 적용하지 아니한다.
① 대한민국에 파견된 외국의 대사 · 공사(公使) 또는 그 밖에 이에 준하는 사절(使節)이 소유하는 건물
② 대한민국에 파견된 국제연합의 기관 및 그 직원(외국인만 해당한다)이 소유하는 건물
③ 대한민국에 주둔하는 외국 군대가 소유하는 건물
④ 군사용 건물과 외국인 소유 건물로서 <u>대통령령</u>으로 정하는 건물

(5) 보험금액

 사부재 오삼천 1억

구분	보험금액 산정기준	
화재보험	특수건물의 시가(時價)에 해당하는 금액	
손해배상책임을 담보하는 보험	<u>사망</u>의 경우	피해자 1명마다 <u>5천만</u> 원 이상으로서 대통령령으로 정하는 금액
	<u>보상</u>의 경우	피해자 1명마다 사망자에 대한 보험금액의 범위에서 대통령령(<u>3천</u>만~50만 원)으로 정하는 금액
	<u>재물</u>에 대한 손해가 발생한 경우	화재 1건마다 <u>1억</u> 원 이상으로서 국민의 안전 및 특수건물의 화재위험성 등을 고려하여 대통령령으로 정하는 금액

(6) 한국화재보험협회 업무

① 화재예방 및 소방시설에 대한 안전점검
② 화재보험에 있어서의 소화설비에 따른 보험요율의 할인등급에 대한 사정
③ 화재예방과 소방시설에 관한 자료의 조사 · 연구 및 계몽
④ 행정기관이나 그 밖의 관계 기관에 화재예방에 관한 건의
⑤ 그 밖에 금융위원회의 인가를 받은 업무

 조금건 안사
조사 · 연구 및 계몽, 금융위원회의 인가, 건의, 안전점검, 사정

(7) 안전점검 수행 시기 등

원칙	협회는 보험계약을 체결할 때 또는 보험계약을 갱신할 때마다 해당 특수건물의 화재예방 및 소방시설의 안전점검을 하여야 한다.
안전점검을 한 해의 다음 해 면제 대상	일정 기간 안전점검을 하지 않을 수 있는 특수건물 • 안전점검 결과 총리령으로 정하는 화재위험도지수가 낮은 특수건물 • 「고압가스 안전관리법」에 따라 안전성향상계획을 작성하는 건물로서 총리령으로 정하는 위험도가 낮은 특수건물 • 「산업안전보건법」에 따라 공정안전보고서를 작성하는 건물로서 총리령으로 정하는 위험도가 낮은 특수건물

(8) 벌칙 및 과태료

벌칙	특특 500만 원 특수건물의 특약부화재보험에 가입하지 아니한 자는 500만 원 이하의 벌금
과태료	한국화재보험협회 또는 이와 유사한 명칭을 사용한 자에게는 300만 원 이하의 과태료

2 「화재로 인한 재해보상과 보험가입에 관한 법률 시행령」

(1) 특약부화재보험 가입 특수건물의 대상기준

면적	대상
바닥면적 2,000㎡ 이상	학원, 게임제공업, 인터넷컴퓨터게임시설제공업, 노래연습장업, 휴게음식점영업, 일반음식점영업, 단란주점영업, 유흥주점영업, 공유주방 운영업, 목욕장업, 영화상영관
바닥면적 3,000㎡ 이상	숙박업, 대규모 점포, 도시철도의 역사 및 역 시설
연면적 3,000㎡ 이상	병원급 의료기관, 관광숙박업, 공연장, 방송사업목적 건물, 농수산물도매시장 및 민영농수산물도매, 학교, 공장
면적 기준 없음	공동주택으로서 16층 이상의 아파트 및 부속건물, 11층 이상인 건물, 실내사격장

(2) 설립허가 신청

 정사 의사

손해보험회사가 협회의 설립허가를 받으려는 경우에는 그 허가신청서에 다음의 서류를 첨부하여 금융위원회에 제출하여야 한다.
① 정관
② 사업방법서
③ 창립총회 의사록

(3) 보험금액 세부기준

특수건물의 소유자가 가입하여야 하는 보험의 보험금액은 다음의 기준을 충족하여야 하며 손해액의 범위는 총리령으로 정한다.

손해배상항목	보험금액 산정 세부기준	
[A] 사망의 경우	피해자 1명마다 1억 5천만 원의 범위에서 피해자에게 발생한 손해액. 다만, 손해액이 2천만 원 미만인 경우에는 2천만 원	
[B] 부상의 경우	피해자 1명마다 별표 1에 따른 금액의 범위에서 피해자에게 발생한 손해액	
[C] 후유장애	부상에 대한 치료를 마친 후 더 이상의 치료효과를 기대할 수 없고 그 증상이 고정된 상태에서 그 부상이 원인이 되어 신체에 생긴 장애의 경우 피해자 1명마다 별표 2에 따른 금액의 범위에서 피해자에게 발생한 손해액	
[D] 재물에 대한 손해가 발생한 경우	사고 1건마다 10억 원의 범위에서 피해자에게 발생한 손해액	
위 항목중 2가지 이상인 경우	부상당한 피해자가 치료 중 그 부상이 원인이 되어 사망한 경우	피해자 1명마다 [A]+[B] 금액
	부상당한 피해자에게 후유장애가 생긴 경우	피해자 1명마다 [B]+[C] 금액
	[C] 금액을 지급한 후 그 부상이 원인이 되어 사망한 경우	피해자 1명마다 [A]+[C]-사망한 날 이후에 해당하는 손해액

(4) 안전점검

① 통지	협회는 안전점검을 하려는 경우 다음을 특수건물 관계인 중 1명 이상에게 통지한다. • 특수건물에 해당하게 된 이후 처음으로 안전점검을 하는 경우 : 안전점검 15일 전에 특수건물에 해당한다는 사실과 안전점검 일자 등 • 제1호 외의 경우 : 안전점검 48시간 전에 안전점검 일자 등
② 송달	협회는 통지를 하는 경우 통지서를 특수건물 관계인에게 우편, 전자우편 또는 교부의 방법을 이용하여 송달하여야 한다.
③ 전자우편	전자우편의 방법을 이용한 송달은 통지서를 송달받아야 할 특수건물 관계인이 동의하거나 신청하는 경우에만 한다.
④ 증표	안전점검을 실시하는 자는 그 신분을 증명하는 증표를 지니고 이를 특수건물 관계인에게 보여주어야 한다.
⑤ 업무방해·비밀누설	안전점검을 실시하는 자는 안전점검을 함에 있어서 특수건물 관계인의 업무를 방해하거나 알게 된 비밀을 타인에게 누설하여서는 아니된다.
⑥ 수행시간	안전점검은 특수건물 관계인의 승낙 없이 해가 뜨기 전이나 해가 진 뒤에는 할 수 없다.
⑦ 결과통보	협회는 안전점검을 하였을 때에는 10일 내에 그 결과를 해당 특수건물이 소재하는 관할 시장·군수·구청장(자치구의 구청장을 말한다) 또는 소방서장에게 알려야 한다.
⑧ 자료요청	협회는 안전점검을 하여야 하는 특수건물의 현황을 파악하기 위하여 필요한 경우 관계 행정기관의 장과 지방자치단체의 장에게 총리령으로 정하는 자료의 제공을 요청할 수 있다.

(5) 부상등급 및 보험금액

부상등급	보험금액	부상 내용
1급	3천만 원	• 엉덩관절의 골절 또는 골절성 탈구 • 척추체 분쇄성 골절 • 척추체 골절 또는 탈구로 인한 각종 신경증상으로 수술을 시행한 부상 • 외상성 머리뼈안 출혈로 머리뼈 절개수술을 시행한 부상 • 머리뼈의 함몰골절로 신경학적 증상이 심한 부상 또는 경막밑 수종, 수활액 낭종, 거미막밑 출혈 등으로 머리뼈 절개수술을 시행한 부상 • 고도의 뇌타박상(소량의 출혈이 뇌 전체에 퍼져 있는 손상을 포함한다)으로 생명이 위독한 부상(48시간 이상 혼수상태가 지속되는 경우만 해당한다) • 넓적다리뼈 몸통의 분쇄성 골절 • 정강이뼈 아래 3분의 1 이상의 분쇄성 골절 • 화상ㆍ좌창ㆍ괴사성처 등으로 연부조직의 손상이 심한 부상(몸 표면의 9퍼센트 이상의 부상을 말한다) • 팔다리와 몸통의 연부조직에 손상이 심하여 유경식피술(피부의 혈행을 보존한 채로 이식하는 수술을 말한다)을 시행한 부상 • 위팔뼈목 골절과 몸통 분쇄 골절이 중복된 경우 또는 위팔뼈 삼각골절 • 그 밖에 1급에 해당한다고 인정되는 부상
2급	1,500만 원	• 위팔뼈 분쇄성 골절 • 척추체의 압박골절이 있으나 각종 신경증상이 없는 부상 또는 목뼈 탈구(불완전탈구를 포함한다), 골절 등으로 목뼈고정기(할로베스트) 등 고정술을 시행한 부상 • 머리뼈 골절로 신경학적 증상이 현저한 부상(48시간 미만의 혼수상태 또는 반혼수상태가 지속되는 경우를 말한다) • 내부장기 파열과 골반뼈 골절이 동반된 부상 또는 골반뼈 골절과 요도 파열이 동반된 부상 • 무릎관절 탈구 • 발목관절 부위 골절과 골절성 탈구가 동반된 부상 • 자뼈 몸통 골절과 노뼈 뼈머리 탈구가 동반된 부상 • 엉치엉덩관절 탈구 • 무릎관절 전ㆍ후십자인대 및 내측부인대 파열과 내외측 반달모양 물렁뼈가 전부 파열된 부상 • 그 밖에 2급에 해당한다고 인정되는 부상
3급	1,200만 원	• 위팔뼈목 골절 • 위팔뼈 관절융기 골절과 팔꿈치관절 탈구가 동반된 부상 • 노뼈와 자뼈의 몸통 골절이 동반된 부상 • 손목 손배뼈 골절 • 노뼈 신경손상을 동반한 위팔뼈 몸통 골절 • 넓적다리뼈 몸통 골절(소아의 경우에는 수술을 시행한 경우만 해당하며, 그 외의 사람의 경우에는 수술의 시행 여부를 불문한다) • 무릎골(슬개골을 말한다. 이하 같다) 분쇄 골절과 탈구로 인하여 무릎골 완전 적출술을 시행한 부상 • 정강이뼈 관절융기 골절로 인하여 관절면이 손상되는 부상[정강이뼈 융기사이결절 골절로 개방정복(피부와 근육 절개 후 골절된 뼈를 바로잡는 시술을 말한다. 이하 같다)을 시행한 경우를 포함한다] • 발목뼈 적골 간 관절 탈구와 골절이 동반된 부상 또는 발목발허리(Lisfranc : 발등뼈와 발목을 이어주는 관절을 말한다. 이하 같다)의 골절 및 탈구 • 전ㆍ후십자인대 또는 내외측 반달모양 물렁뼈 파열과 정강이뼈 융기사이결절 골절 등이 복합된 속무릎장애(슬내장) • 복부 내장 파열로 수술이 불가피한 부상 또는 복강 내 출혈로 수술한 부상 • 뇌손상으로 뇌신경 마비를 동반한 부상 • 중증도의 뇌타박상(소량의 출혈이 뇌 전체에 퍼져 있는 손상을 포함한다)으로 신경학적 증상이 심한 부상(48시간 미만의 혼수상태 또는 반혼수상태가 지속되는 경우를 말한다)

		• 개방성 공막 찢김상처(열창)로 양쪽 안구가 파열되어 두 눈 적출술을 시행한 부상 • 목뼈고리(목뼈의 추골 뒷부분인 추궁을 말한다)의 선상 골절 • 항문 파열로 인공항문 조성술 또는 요도 파열로 요도성형술을 시행한 부상 • 넓적다리뼈 관절융기 분쇄 골절로 인하여 관절면이 손상되는 부상 • 그 밖에 3급에 해당한다고 인정되는 부상
4급	1천만 원	• 넓적다리뼈 관절융기(먼쪽부위, 과상부 및 대퇴과간을 포함한다) 골절 • 정강이뼈 몸통 골절, 관절면 침범이 없는 정강이뼈 관절융기 골절 • 목말뼈목 골절 • 슬개 인대 파열 • 어깨관절 부위의 돌림근띠(회전근개라고도 하며, 어깨관절을 감싸면서 어깨관절을 돌리는 네 근육을 말한다) 골절 • 위팔뼈 가쪽위관절융기가 어긋나는 골절 • 팔꿈치관절 부위 골절과 탈구가 동반된 부상 • 화상, 좌창, 괴사상처 등으로 연부조직의 손상이 몸 표면의 약 4.5퍼센트 이상인 부상 • 안구 파열로 적출술이 불가피한 부상 또는 개방성 공막 찢김상처로 안구 적출술, 각막 이식술을 시행한 부상 • 넓적다리 네갈래근, 두갈래근 파열로 개방정복을 시행한 부상 • 무릎관절부위의 안외측부 인대, 전·후십자인대, 내외측 반달모양 물렁뼈 완전 파열(부분 파열로 수술을 시행한 경우를 포함한다) • 개방정복을 시행한 소아의 정강이뼈·종아리뼈 아래 3분의 1 이상의 분쇄성 골절 • 그 밖에 4급에 해당한다고 인정되는 부상
5급	900만 원	• 골반뼈의 중복 골절(말게뉴 골절 등을 포함한다) • 발목관절부위의 안쪽·바깥쪽 복사 골절이 동반된 부상 • 발뒤꿈치뼈 골절 • 위팔뼈 몸통 골절 • 노뼈 먼쪽부위[콜리스골절(팔목 바로 위 노뼈가 부러져 손바닥이 등쪽이나 바깥쪽으로 돌아간 상태를 말한다), 스미스골절(콜리스골절의 반대로서 팔목 바로 위 노뼈가 부러져 뼛조각이 손바닥쪽으로 어긋난 상태를 말한다), 손목 관절면, 노뼈 먼쪽 뼈끝 골절을 포함한다] 골절 • 자뼈 몸쪽부위 골절 • 다발성 갈비뼈 골절로 혈액가슴증, 공기가슴증이 동반된 부상 또는 단순 갈비뼈 골절과 혈액가슴증, 공기가슴증이 동반되어 흉관 삽관술을 시행한 부상 • 발등 근육힘줄 파열창 • 손바닥 근육힘줄 파열창[위팔의 깊게 찢긴 상처(심부 열창)로 인한 삼각근, 이두근 근육힘줄 파열을 포함한다] • 아킬레스힘줄 파열 • 소아의 위팔뼈 몸통 골절(분쇄 골절을 포함한다)로 수술한 부상 • 결막, 공막, 망막 등의 자체 파열로 봉합술을 시행한 부상 • 목말뼈 골절(목부위는 제외한다) • 개방정복을 시행하지 않은 소아의 정강이뼈·종아리뼈 아래의 3분의 1 이상의 분쇄 골절 • 개방정복을 시행한 소아의 정강이뼈 분쇄 골절 • 23개 이상의 치아에 보철이 필요한 부상 • 그 밖에 5급에 해당된다고 인정되는 부상
6급	700만 원	• 소아의 다리 장관골 골절(분쇄 골절 또는 성장판 손상을 포함한다) • 넓적다리뼈 대전자부 절편 골절 • 넓적다리뼈 소전자부 절편 골절 • 다발성 발바닥뼈(중족골을 말한다. 이하 같다) 골절 • 두덩뼈·궁둥뼈·엉덩뼈·엉치뼈의 단일 골절 또는 꼬리뼈 골절로 수술한 부상 • 두덩뼈 상·하지 골절 또는 양측 두덩뼈 골절 • 단순 손목뼈 골절 • 노뼈 몸통 골절(먼쪽부위 골절은 제외한다) • 자뼈 몸통 골절(몸쪽부위 골절은 제외한다)

급수	금액	부상 내용
		• 자뼈 팔꿈치 머리 부위 골절
• 다발성 손바닥뼈 골절
• 머리뼈 골절로 신경학적 증상이 경미한 부상
• 외상성 경막밑 수종, 수활액 낭종, 거미막밑 출혈 등으로 수술하지 않은 부상[천공술(원형절제술)을 시행한 경우를 포함한다]
• 갈비뼈 골절이 없이 혈액가슴증 또는 공기가슴증이 동반되어 흉관 삽관술을 시행한 부상
• 위팔뼈 대결절 견연 골절로 수술을 시행한 부상
• 넓적다리뼈 또는 넓적다리뼈 관절융기 찢김 골절
• 19개 이상 22개 이하의 치아에 보철이 필요한 부상
• 그 밖에 6급에 해당한다고 인정되는 부상
7급	500만 원	• 소아의 팔 장관골 골절
• 발목관절 안쪽 복사뼈 또는 바깥쪽 복사뼈 골절
• 위팔뼈 위관절융기 굽힘골절
• 엉덩관절 탈구
• 어깨 관절 탈구
• 봉우리빗장관절 탈구, 관절낭 또는 봉우리빗장 인대 파열
• 발목관절 탈구
• 천장관절 분리 또는 두덩뼈 결합부 분리
• 다발성 얼굴 머리뼈 골절 또는 신경손상과 동반된 얼굴 머리뼈 골절
• 16개 이상 18개 이하의 치아에 보철이 필요한 부상
• 그 밖에 7급에 해당한다고 인정되는 부상
8급	300만 원	• 위팔뼈 결절부위 폠골절 또는 위팔뼈 대결절 찢김 골절로 수술하지 않은 부상
• 쇄골(빗장뼈를 말한다. 이하 같다) 골절
• 팔꿈치관절 탈구
• 어깨뼈(어깨뼈가시 또는 체부, 흉곽 내 탈구, 어깨뼈목, 복사, 견봉돌기 및 어깨뼈부리돌기를 포함한다) 골절
• 봉우리빗장 인대 또는 오구쇄골 인대 완전 파열
• 팔꿈치관절 안 위팔뼈 작은 머리 골절
• 종아리뼈 골절, 종아리뼈 몸쪽부위 골절(신경손상 또는 관절면 손상을 포함한다)
• 발가락뼈의 골절과 탈구가 동반된 부상
• 다발성 갈비뼈 골절
• 뇌 타박상(소량의 출혈이 뇌 전체에 퍼져 있는 손상을 포함한다)으로 신경학적 증상이 경미한 부상
• 얼굴부위 찢김상처, 두개부 타박 등에 의한 뇌손상이 없는 뇌신경손상
• 위턱뼈, 아래턱뼈, 이틀뼈, 얼굴 머리뼈 골절
• 안구 적출술 없이 시신경의 손상으로 실명된 부상
• 족부 인대 파열(부분 파열은 제외한다)
• 13개 이상 15개 이하의 치아에 보철이 필요한 부상
• 그 밖에 8급에 해당한다고 인정되는 부상
9급	240만 원	• 척추골의 가시돌기, 가로돌기 골절 또는 하관절 돌기 골절(다발성 골절을 포함한다)
• 노뼈 뼈머리 골절
• 손목관절 내 반달뼈(월상골) 앞쪽 이탈 등 손목뼈 탈구
• 손가락뼈의 골절과 탈구가 동반된 부상
• 손바닥뼈 골절
• 손목 골절(손배뼈는 제외한다)
• 발목뼈 골절(목말뼈 · 발꿈치뼈는 제외한다)
• 발바닥뼈 골절
• 발목관절부위 삠, 정강이뼈 · 종아리뼈 분리, 족부 인대 또는 아킬레스힘줄의 부분 파열
• 갈비뼈, 복장뼈(흉골), 갈비연골(늑연골) 골절 또는 단순 갈비뼈 골절과 혈액가슴증, 공기가슴증이 동반되어 수술을 시행하지 않은 경우

급수	금액	부상 내용
		• 척추체간 관절부위가 삐어 그 부근의 연부조직(인대, 근육 등을 포함한다) 손상이 동반된 부상 • 척수 손상으로 마비증상이 없고 수술을 시행하지 않은 경우 • 손목관절 탈구(노뼈, 손목뼈 관절 탈구, 손목뼈사이 관절 탈구 및 먼쪽 노자관절 탈구를 포함한다) • 꼬리뼈 골절로 수술하지 않은 부상 • 무릎관절부위 인대의 부분 파열로 수술을 시행하지 않은 경우 • 11개 이상 12개 이하의 치아에 보철이 필요한 부상 • 그 밖에 9급에 해당한다고 인정되는 부상
10급	200만 원	• 외상성 무릎관절 안 혈종(활액막염을 포함한다) • 손허리손가락관절 탈구 • 손목뼈, 손바닥뼈 간 관절 탈구 • 팔부위 각 관절부(어깨관절, 팔꿈치관절 및 손목관절을 말한다) 삠 • 자뼈·노뼈 붓돌기 골절, 제불완전골절(코뼈 골절, 손가락뼈 골절 및 발가락뼈 골절은 제외한다) • 손가락 폄근힘줄 파열 • 9개 이상 10개 이하의 치아에 보철이 필요한 부상 • 그 밖에 10급에 해당한다고 인정되는 부상
11급	160만 원	• 발가락뼈 관절 탈구 및 삠 • 손가락 골절·탈구 및 삠 • 코뼈 골절 • 손가락뼈 골절 • 발가락뼈 골절 • 뇌진탕 • 고막 파열 • 6개 이상 8개 이하의 치아에 보철이 필요한 부상 • 그 밖에 11급에 해당한다고 인정되는 부상
12급	120만 원	• 8일 이상 14일 이하의 입원이 필요한 부상 • 15일 이상 26일 이하의 통원 치료가 필요한 부상 • 4개 이상 5개 이하의 치아에 보철이 필요한 부상
13급	80만 원	• 4일 이상 7일 이하의 입원이 필요한 부상 • 8일 이상 14일 이하의 통원 치료가 필요한 부상 • 2개 이상 3개 이하의 치아에 보철이 필요한 부상
14급	50만 원	• 3일 이하의 입원이 필요한 부상 • 7일 이하의 통원 치료가 필요한 부상 • 1개 이하의 치아에 보철이 필요한 부상

[비고]
- 2급부터 11급까지의 부상 내용 중 개방성 골절은 해당 등급보다 한 등급 높은 금액으로 배상한다.
- 2급부터 11급까지의 부상 내용 중 단순성 선상 골절로 인하여 골편의 뼈가 어긋난 경우가 아닌 골절은 해당 등급보다 한 등급 낮은 금액으로 배상한다.
- 2급부터 11급까지의 부상 중 2가지 이상의 부상이 중복된 경우에는 가장 높은 등급에 해당하는 부상으로부터 하위 3등급(예 : 부상 내용이 주로 2급에 해당하는 경우에는 5급까지) 사이의 부상이 중복된 경우에만 가장 높은 부상 내용의 등급보다 한 등급 높은 금액으로 배상한다.
- 일반 외상과 치아 보철이 필요한 부상이 중복된 경우 1급의 금액을 초과하지 않는 범위에서 부상 등급별로 해당하는 금액의 합산액을 배상한다.

> **한번 더 클릭** 부상등급 및 보험금액 요약

부상등급	보험금액(만 원)	부상 내용
1급	3천	• 척추체 분쇄성 골절 • 화상 · 좌창 · 괴사상처 등으로 연부조직의 손상이 심한 부상(몸 표면의 9퍼센트 이상의 부상을 말한다)
2급	1,500	위팔뼈 분쇄성 골절
3급	1,200	• 위팔뼈목 골절 • 손목 손배뼈 골절 • 넓적다리뼈 몸통 골절
4급	1천	슬개 인대 파열
5급	900	발뒤꿈치뼈 골절
9급	240	노뼈 뼈머리
14급	50	3일 이하의 입원이 필요한 부상

(6) 후유장애 구분 및 보험금액

등급	보험금액	신체장애
1급	1억 5천만 원	• 두 눈이 실명된 사람 • 말하는 기능과 음식물을 씹는 기능을 완전히 잃은 사람 • 신경계통의 기능 또는 정신기능에 뚜렷한 장애가 남아 항상 보호를 받아야 하는 사람 • 흉복부 장기의 기능에 뚜렷한 장애가 남아 항상 보호를 받아야 하는 사람 • 반신마비가 된 사람 • 두 팔을 팔꿈치관절 이상의 부위에서 잃은 사람 • 두 팔을 완전히 사용하지 못하게 된 사람 • 두 다리를 무릎관절 이상의 부위에서 잃은 사람 • 두 다리를 완전히 사용하지 못하게 된 사람
2급	1억 3,500만 원	• 한쪽 눈이 실명되고 다른 쪽 눈의 시력이 0.02 이하로 된 사람 • 두 눈의 시력이 모두 0.02 이하로 된 사람 • 두 팔을 손목관절 이상의 부위에서 잃은 사람 • 두 다리를 발목관절 이상의 부위에서 잃은 사람 • 신경계통의 기능 또는 정신기능에 뚜렷한 장애가 남아 수시로 보호를 받아야 하는 사람 • 흉복부 장기의 기능에 뚜렷한 장애가 남아 수시로 보호를 받아야 하는 사람
3급	1억 2천만 원	• 한쪽 눈이 실명되고 다른 쪽 눈의 시력이 0.06 이하로 된 사람 • 말하는 기능이나 음식물을 씹는 기능을 완전히 잃은 사람 • 신경계통의 기능 또는 정신기능에 뚜렷한 장애가 남아 평생 노무에 종사할 수 없는 사람 • 흉복부 장기의 기능에 뚜렷한 장애가 남아 평생 노무에 종사할 수 없는 사람 • 두 손의 손가락을 모두 잃은 사람
4급	1억 500만 원	• 두 눈의 시력이 모두 0.06 이하로 된 사람 • 말하는 기능과 음식물을 씹는 기능에 뚜렷한 장애가 남은 사람 • 고막이 전부 결손되거나 그 외의 원인으로 인하여 두 귀의 청력을 완전히 잃은 사람 • 한쪽 팔을 팔꿈치관절 이상의 부위에서 잃은 사람 • 한쪽 다리를 무릎관절 이상의 부위에서 잃은 사람 • 두 손의 손가락을 모두 제대로 못 쓰게 된 사람 • 두 발을 발목발허리 관절 이상의 부위에서 잃은 사람

급수	금액	신체장애 내용
5급	9천만 원	• 한쪽 눈이 실명되고 다른 쪽 눈의 시력이 0.1 이하로 된 사람 • 한쪽 팔을 손목관절 이상의 부위에서 잃은 사람 • 한쪽 다리를 발목관절 이상의 부위에서 잃은 사람 • 한쪽 팔을 완전히 사용하지 못하게 된 사람 • 한쪽 다리를 완전히 사용하지 못하게 된 사람 • 두 발의 발가락을 모두 잃은 사람 • 신경계통의 기능 또는 정신기능에 뚜렷한 장애가 남아 특별히 손쉬운 노무 외에는 종사할 수 없는 사람 • 흉복부 장기의 기능에 뚜렷한 장애가 남아 특별히 손쉬운 노무 외에는 종사할 수 없는 사람
6급	7,500만 원	• 두 눈의 시력이 모두 0.1 이하로 된 사람 • 말하는 기능이나 음식물을 씹는 기능에 뚜렷한 장애가 남은 사람 • 고막이 대부분 결손되거나 그 외의 원인으로 인하여 두 귀의 청력이 귀에 입을 대고 말하지 않으면 큰 말소리를 알아듣지 못하게 된 사람 • 한쪽 귀가 전혀 들리지 않게 되고 다른 쪽 귀의 청력이 40센티미터 이상의 거리에서는 보통의 말소리를 알아듣지 못하게 된 사람 • 척추에 뚜렷한 기형이나 뚜렷한 운동장애가 남은 사람 • 한쪽 팔의 3대 관절 중 2개 관절을 못 쓰게 된 사람 • 한쪽 다리의 3대 관절 중 2개 관절을 못 쓰게 된 사람 • 한쪽 손의 5개 손가락을 잃거나 한쪽 손의 엄지손가락과 둘째손가락을 포함하여 4개의 손가락을 잃은 사람
7급	6천만 원	• 한쪽 눈이 실명되고 다른 쪽 눈의 시력이 0.6 이하로 된 사람 • 두 귀의 청력이 모두 40센티미터 이상의 거리에서는 보통의 말소리를 알아듣지 못하게 된 사람 • 한쪽 귀가 전혀 들리지 않게 되고 다른 쪽 귀의 청력이 1미터 이상의 거리에서는 보통의 말소리를 알아듣지 못하게 된 사람 • 신경계통의 기능 또는 정신기능에 장애가 남아 손쉬운 노무 외에는 종사하지 못하는 사람 • 흉복부 장기의 기능에 장애가 남아 손쉬운 노무 외에는 종사하지 못하는 사람 • 한쪽 손의 엄지손가락과 둘째손가락을 잃은 사람 또는 한쪽 손의 엄지손가락이나 둘째손가락을 포함하여 3개 이상의 손가락을 잃은 사람 • 한쪽 손의 5개의 손가락 또는 한쪽 손의 엄지손가락과 둘째손가락을 포함하여 4개의 손가락을 제대로 못 쓰게 된 사람 • 한쪽 발을 발목발허리 관절 이상의 부위에서 잃은 사람 • 한쪽 팔에 가관절(假關節 : 부러진 뼈가 완전히 아물지 못하여 그 부분이 마치 관절처럼 움직이는 상태를 말한다. 이하 같다)이 남아 뚜렷한 운동장애가 남은 사람 • 한쪽 다리에 가관절이 남아 뚜렷한 운동장애가 남은 사람 • 두 발의 발가락을 모두 제대로 못 쓰게 된 사람 • 외모에 뚜렷한 흉터가 남은 사람 • 양쪽의 고환을 잃은 사람
8급	4,500만 원	• 한쪽 눈의 시력이 0.02 이하로 된 사람 • 척추에 운동장애가 남은 사람 • 한쪽 손의 엄지손가락을 포함하여 2개의 손가락을 잃은 사람 • 한쪽 손의 엄지손가락과 둘째손가락을 제대로 못 쓰게 된 사람 또는 한쪽 손의 엄지손가락이나 둘째손가락을 포함하여 3개 이상의 손가락을 제대로 못 쓰게 된 사람 • 한쪽 다리가 5센티미터 이상 짧아진 사람 • 한쪽 팔의 3대 관절 중 1개 관절을 제대로 못 쓰게 된 사람 • 한쪽 다리의 3대 관절 중 1개 관절을 제대로 못 쓰게 된 사람 • 한쪽 팔에 가관절이 남은 사람 • 한쪽 다리에 가관절이 남은 사람 • 한쪽 발의 발가락을 모두 잃은 사람 • 비장 또는 한쪽의 신장을 잃은 사람

급수	금액	내용
9급	3,800만 원	• 두 눈의 시력이 모두 0.6 이하로 된 사람 • 한쪽 눈의 시력이 0.06 이하로 된 사람 • 두 눈에 반맹증, 시야 좁아짐 또는 시야결손이 남은 사람 • 두 눈의 눈꺼풀에 뚜렷한 결손이 남은 사람 • 코가 결손되어 그 기능에 뚜렷한 장애가 남은 사람 • 말하는 기능과 음식물을 씹는 기능에 장애가 남은 사람 • 두 귀의 청력이 모두 1미터 이상의 거리에서는 보통의 말소리를 알아듣지 못하게 된 사람 • 한쪽 귀의 청력이 귀에 입을 대고 말하지 않으면 큰 말소리를 알아듣지 못하고 다른 쪽 귀의 청력이 1미터 이상의 거리에서는 보통의 말소리를 알아듣지 못하게 된 사람 • 한쪽 귀의 청력을 완전히 잃은 사람 • 한쪽 손의 엄지손가락을 잃은 사람 또는 둘째손가락을 포함하여 2개의 손가락을 잃은 사람 또는 엄지손가락과 둘째손가락 외의 3개의 손가락을 잃은 사람 • 한쪽 손의 엄지손가락을 포함하여 2개의 손가락을 제대로 못 쓰게 된 사람 • 한쪽 발의 엄지발가락을 포함하여 2개 이상의 발가락을 잃은 사람 • 한쪽 발의 발가락을 모두 제대로 못 쓰게 된 사람 • 생식기에 뚜렷한 장애가 남은 사람 • 신경계통의 기능 또는 정신기능에 장애가 남아 노무가 상당한 정도로 제한된 사람 • 흉복부 장기의 기능에 장애가 남아 노무가 상당한 정도로 제한된 사람
10급	2,700만 원	• 한쪽 눈의 시력이 0.1 이하로 된 사람 • 말하는 기능이나 음식물을 씹는 기능에 장애가 남은 사람 • 14개 이상의 치아에 보철을 한 사람 • 한쪽 귀의 청력이 귀에 입을 대고 말하지 않으면 큰 말소리를 알아듣지 못하게 된 사람 • 두 귀의 청력이 모두 1미터 이상의 거리에서 보통의 말소리를 듣는 데 지장이 있는 사람 • 한쪽 손의 둘째손가락을 잃은 사람 또는 엄지손가락과 둘째손가락 외의 2개의 손가락을 잃은 사람 • 한쪽 손의 엄지손가락을 제대로 못 쓰게 된 사람 또는 한쪽 손의 둘째손가락을 포함하여 2개의 손가락을 제대로 못 쓰게 된 사람 또는 한 쪽 손의 엄지손가락과 둘째손가락 외의 3개의 손가락을 제대로 못 쓰게 된 사람 • 한쪽 다리가 3센티미터 이상 짧아진 사람 • 한쪽 발의 엄지발가락 또는 그 외의 4개의 발가락을 잃은 사람 • 한쪽 팔의 3대 관절 중 1개 관절의 기능에 뚜렷한 장애가 남은 사람 • 한쪽 다리의 3대 관절 중 1개 관절의 기능에 뚜렷한 장애가 남은 사람
11급	2,300만 원	• 두 눈이 모두 근접반사 기능에 뚜렷한 장애가 남거나 뚜렷한 운동장애가 남은 사람 • 두 눈의 눈꺼풀에 뚜렷한 장애가 남은 사람 • 한쪽 눈의 눈꺼풀에 결손이 남은 사람 • 한쪽 귀의 청력이 40센티미터 이상의 거리에서는 보통의 말소리를 알아듣지 못하게 된 사람 • 두 귀의 청력이 모두 1미터 이상의 거리에서는 작은 말소리를 알아듣지 못하게 된 사람 • 척추에 기형이 남은 사람 • 한쪽 손의 가운뎃손가락 또는 넷째손가락을 잃은 사람 • 한쪽 손의 둘째손가락을 제대로 못 쓰게 된 사람 또는 한쪽 손의 엄지손가락과 둘째손가락 외의 2개의 손가락을 제대로 못 쓰게 된 사람 • 한쪽 발의 엄지발가락을 포함하여 2개 이상의 발가락을 제대로 못 쓰게 된 사람 • 흉복부 장기의 기능에 장애가 남은 사람 • 10개 이상의 치아에 보철을 한 사람

급수	금액	내용
12급	1,900만 원	• 한쪽 눈의 근접반사 기능에 뚜렷한 장애가 있거나 뚜렷한 운동장애가 남은 사람 • 한쪽 눈의 눈꺼풀에 뚜렷한 운동장애가 남은 사람 • 7개 이상의 치아에 보철을 한 사람 • 한쪽 귀의 귓바퀴가 대부분 결손된 사람 • 쇄골, 복장뼈, 갈비뼈, 어깨뼈 또는 골반뼈에 뚜렷한 기형이 남은 사람 • 한쪽 팔의 3대 관절 중 1개 관절의 기능에 장애가 남은 사람 • 한쪽 다리의 3대 관절 중 1개 관절의 기능에 장애가 남은 사람 • 장관골에 기형이 남은 사람 • 한쪽 손의 가운뎃손가락이나 넷째손가락을 제대로 못 쓰게 된 사람 • 한쪽 발의 둘째발가락을 잃은 사람 또는 한쪽 발의 둘째발가락을 포함하여 2개의 발가락을 잃은 사람 또는 한쪽 발의 가운뎃발가락 이하의 3개의 발가락을 잃은 사람 • 한쪽 발의 엄지발가락 또는 그 외의 4개의 발가락을 제대로 못 쓰게 된 사람 • 신체 일부에 뚜렷한 신경증상이 남은 사람 • 외모에 흉터가 남은 사람
13급	1,500만 원	• 한쪽 눈의 시력이 0.6 이하로 된 사람 • 한쪽 눈에 반맹증, 시야 좁아짐 또는 시야결손이 남은 사람 • 두 눈의 눈꺼풀 일부에 결손이 남거나 속눈썹에 결손이 남은 사람 • 5개 이상의 치아에 보철을 한 사람 • 한쪽 손의 새끼손가락을 잃은 사람 • 한쪽 손의 엄지손가락 마디뼈의 일부를 잃은 사람 • 한쪽 손의 둘째손가락 마디뼈의 일부를 잃은 사람 • 한쪽 손의 둘째손가락의 끝관절을 굽히고 펼 수 없게 된 사람 • 한쪽 다리가 1센티미터 이상 짧아진 사람 • 한쪽 발의 가운뎃발가락 이하의 발가락 1개 또는 2개를 잃은 사람 • 한쪽 발의 둘째발가락을 제대로 못 쓰게 된 사람 또는 한쪽 발이 둘째발가락을 포함하여 2개의 발가락을 제대로 못 쓰게 된 사람 또는 한쪽 발의 가운뎃발가락 이하의 발가락 3개를 제대로 못 쓰게 된 사람
14급	1천만 원	• 한쪽 눈의 눈꺼풀 일부에 결손이 있거나 속눈썹에 결손이 남은 사람 • 3개 이상의 치아에 보철을 한 사람 • 한쪽 귀의 청력이 1미터 이상의 거리에서는 보통의 말소리를 알아듣지 못하게 된 사람 • 팔의 보이는 부분에 손바닥 크기의 흉터가 남은 사람 • 다리의 보이는 부분에 손바닥 크기의 흉터가 남은 사람 • 한쪽 손의 새끼손가락을 제대로 못 쓰게 된 사람 • 한쪽 손의 엄지손가락과 둘째손가락 외의 손가락 마디뼈의 일부를 잃은 사람 • 한쪽 손의 엄지손가락과 둘째손가락 외의 손가락 끝관절을 제대로 못 쓰게 된 사람 • 한쪽 발의 가운뎃발가락 이하의 발가락 1개 또는 2개를 제대로 못 쓰게 된 사람 • 신체 일부에 신경증상이 남은 사람

[비고]
• 후유장애가 둘 이상 있는 경우에는 그 중 심한 후유장애에 해당하는 등급보다 한 등급 높은 금액으로 배상한다.
• 시력의 측정은 국제식 시력표로 하고, 굴절 이상이 있는 사람에 대해서 원칙적으로 교정시력을 측정한다.
• "가락을 잃은 것"이란 엄지손가락은 가락뼈 사이 관절, 그 밖의 손가락은 몸쪽 가락뼈 사이 관절 이상을 잃은 경우를 말한다.
• "손가락을 제대로 못 쓰게 된 것"이란 손가락 끝부분의 2분의 1 이상을 잃거나 손허리 손가락 관절(중수지관절) 또는 몸쪽 가락뼈 사이 관절(엄지손가락의 경우에는 가락뼈 사이 관절을 말한다)에 뚜렷한 운동장애가 남은 경우를 말한다.
• "발가락을 잃은 것"이란 발가락 전부를 잃은 경우를 말한다.
• "발가락을 제대로 못 쓰게 된 것"이란 엄지발가락은 끝관절의 2분의 1 이상을, 그 밖의 발가락은 끝관절 이상을 잃거나 발허리 발가락 관절(중족지관절) 또는 몸쪽 가락뼈 사이 관절(엄지발가락의 경우에는 가락뼈 사이 관절을 말한다)에 뚜렷한 운동장애가 남은 경우를 말한다.
• "흉터가 남은 것"이란 성형수술을 한 후에도 맨눈으로 식별이 가능한 흔적이 있는 상태를 말한다.
• "항상 보호를 받아야 하는 것"이란 일상생활에서 기본적인 음식 섭취, 배뇨 등을 다른사람에게 의존하여야 하는 것을 말한다.
• "수시로 보호를 받아야 하는 것"이란 일상생활에서 기본적인 음식 섭취, 배뇨 등은 가능하나, 그 외의 일은 다른 사람에게 의존하여야 하는 것을 말한다.

- "항상 보호 또는 수시 보호를 받아야 하는 기간"은 의사가 판정하는 노동능력 상실기간을 기준으로 하여 타당한 기간으로 정한다.
- "제대로 못 쓰게 된 것"이란 정상기능의 4분의 3 이상을 상실한 경우를 말하고, "뚜렷한 장애가 남은 것"이란 정상기능의 2분의 1 이상을 상실한 경우를 말하며, "장애가 남은 것"이란 정상기능의 4분의 1 이상을 상실한 경우를 말한다.
- "신경계통의 기능 또는 정신기능에 뚜렷한 장애가 남아 특별히 손쉬운 노무 외에는 종사할 수 없는 것"이란 신경계통의 기능 또는 정신기능의 뚜렷한 장애로 노동능력이 일반인의 4분의 1 정도만 남아 평생 동안 특별히 쉬운 일 외에는 노동을 할 수 없는 사람을 말한다.
- "신경계통의 기능 또는 정신기능에 장애가 남아 노무가 상당한 정도로 제한된 것"이란 노동능력이 어느 정도 남아 있으나 신경계통의 기능 또는 정신기능의 장애로 종사할 수 있는 직종의 범위가 상당한 정도로 제한된 경우로서 다음 각 목의 어느 하나에 해당하는 경우를 말한다.
  - 신체적 능력은 정상이지만 뇌손상에 따른 정신적 결손증상이 인정되는 사람
  - 전간(癲癇) 발작과 현기증이 나타날 가능성이 의학적·타각적(대상자의 주관적 의사 표현 없이 증상이 확인되는 것을 말한다) 소견으로 증명되는 사람
  - 팔다리에 경도(輕度)의 단마비(單痲痺)가 인정되는 사람
- "흉복부 장기의 기능에 뚜렷한 장애가 남아 특별히 손쉬운 노무 외에는 종사할 수 없는 것"이란 흉복부 장기의 장애로 노동능력이 일반인의 4분의 1 정도만 남은 경우를 말한다.
- "흉복부 장기의 기능에 장애가 남아 손쉬운 노무 외에는 종사할 수 없는 것"이란 중등도(中等度)의 흉복부 장기의 장애로 노동능력이 일반인의 2분의 1 정도만 남은 경우를 말한다.
- "흉복부 장기의 기능에 장애가 남아 노무가 상당한 정도로 제한된 것"이란 중등도의 흉복부 장기의 장애로 취업가능한 직종의 범위가 상당한 정도로 제한된 경우를 말한다.

 한번 더 클릭

후유장애 등급 및 보험금액 종류 정리

후유장애 등급	보험금액(만 원)
1	1억 5,000
2	1억 3,500
3	1억 2,000
4	1억 500
5	9,000
14	1,000

후유장애의 보호 개념 구분

구분	내용
항상 보호를 받아야 하는 것	일상생활에서 기본적인 음식 섭취, 배뇨 등을 다른 사람에게 의존하여야 하는 것
수시로 보호를 받아야 하는 것	일상생활에서 기본적인 음식 섭취, 배뇨 등은 가능하나, 그 외의 일은 다른 사람에게 의존하여야 하는 것
항상 보호 또는 수시 보호를 받아야 하는 기간	의사가 판정하는 노동능력 상실기간을 기준으로 하여 타당한 기간

후유장애의 기능상실 구분

구분	기능상실 정도
제대로 못 쓰게 된 것	정상기능의 $\frac{3}{4}$ 이상을 상실한 경우
뚜렷한 장애가 남은	정상기능의 $\frac{1}{2}$ 이상을 상실한 경우
장애가 남은 것	정상기능의 $\frac{1}{4}$ 이상을 상실한 경우

> **암기법** 장사 뚜렷한 절반 제대로 성사

장4 뚜렷한 1/2 제대로 3/4

출제예상문제 1회

화재감식평가기사 · 산업기사 필기

01 「소방기본법령」상 시 · 도지사로부터 소방활동의 비용을 지급 받을 수 있는 경우로 옳은 것은?

① 화재 또는 구조 · 구급 현장에서 물건을 가져간 사람
② 소방대장을 도와서 화재현장에서 불을 끄는 일을 한 사람
③ 소방대상물에 화재, 재산 · 재해, 그 밖의 위급한 상황이 발생한 경우 그 관계인
④ 고의 또는 과실로 화재 또는 구조 · 구급 활동이 필요한 상황을 발생시킨 사람

해설
소방활동에 종사한 사람은 시 · 도지사로부터 소방활동의 비용을 지급받을 수 있다.

참고

소방활동 종사 명령 「소방기본법령」

종사자 비용지급	소방활동에 종사한 사람은 시 · 도지사로부터 소방활동의 비용을 지급받을 수 있다	
	지급 받을수 없는 경우	다만, 다음 각 호의 어느 하나에 해당하는 사람의 경우에는 그러하지 아니하다. 1. 소방대상물에 화재, 재난 · 재해, 그 밖의 위급한 상황이 발생한 경우 그 관계인 2. 고의 또는 과실로 화재 또는 구조 · 구급 활동이 필요한 상황을 발생시킨 사람 3. 화재 또는 구조 · 구급 현장에서 물건을 가져간 사람

02 「소방기본법령」상 소방자동차 전용구역에 관한 설명으로 틀린 것은?

① 전용구역 방해행위를 한 자는 300만 원 이하의 과태료에 처한다.
② 소방자동차 전용구역 노면표지 도료의 색채는 황색을 기본으로 한다.
③ 소방자동차 전용구역에 물건 등을 쌓는 등의 방해행위를 하여서는 아니 된다.
④ 세대수가 100세대 이상인 아파트의 건축주는 소방자동차 전용구역을 설치하여야 한다.

해설
전용구역 방해행위를 한 자는 100만 원 이하의 과태료에 처한다.

암기법 전용 백(100)과

03 소방서장 등은 불이 번지는 것을 막기 위하여 필요할 때에는 불이 번질 우려가 있는 소방대상물을 일시적으로 사용하거나 그 사용의 제한 또는 소방활동에 필요한 처분을 할 수 있다. 다음 중 이러한 처분을 방해한 자에 대한 벌칙으로 옳은 것은?

① 3년 이하 징역 또는 3천만 원 이하의 벌금
② 5년 이하 징역 또는 5천만 원 이하의 벌금
③ 1년 이하 징역 또는 500만 원 이하의 벌금
④ 300만 원 이하의 벌금

정답 | 01 ② 02 ① 03 ①

해설
강제처분 방해 및 거부자 벌칙 정리 「소방기본법령」

사용·제한·처분 대상 구분	강제처분 방해 및 거부자 벌칙
사람 구출, 화재확산방지 위한 소방대상물 및 토지	3년 이하의 징역 또는 3천만 원 이하의 벌금
사람 구출, 화재확산방지 위한 긴급 인정 소방대상물 및 토지 외	300만 원 이하의 벌금
긴급 출동시 소방차 통행 위한 방해 차량 및 물건	

	행위	처벌
소방차 방해	2. 소방자동차의 출동을 방해한 사람	
업무 방해	3. 사람을 구출하는 일 또는 불을 끄거나 불이 번지지 아니하도록 하는 일을 방해한 사람	
소방용수 사용 방해	4. 정당한 사유 없이 소방용수시설 또는 비상소화장치를 사용하거나 소방용수시설 또는 비상소화장치의 효용을 해치거나 그 정당한 사용을 방해한 사람	

---

04 「소방기본법」에 의한 화재, 재난·재해 그 밖의 위급한 상황이 발생한 현장에서 그 현장에 있는 사람으로 하여금 사람을 구출하는 일 또는 불을 끄거나 불이 번지지 아니하도록 하는 일을 방해한 자에 대한 벌칙은?

① 5년 이하의 징역 또는 3천만 원 이하의 벌금
② 5년 이하의 징역 또는 5천만 원 이하의 벌금
③ 3년 이하의 징역 또는 1천500만 원 이하의 벌금
④ 3년 이하의 징역 또는 1천만 원 이하의 벌금

해설
벌칙「소방기본법」 5년 이하의 징역 또는 5천만 원 이하의 벌금

	행위	처벌
출동 소방대 방해	1. 다음 각 목의 어느 하나에 해당하는 행위를 한 사람 가. 위력(威力)을 사용하여 출동한 소방대의 화재진압·인명구조 또는 구급활동을 방해하는 행위 나. 소방대가 화재진압·인명구조 또는 구급활동을 위하여 현장에 출동하거나 현장에 출입하는 것을 고의로 방해하는 행위 다. 출동한 소방대원에게 폭행 또는 협박을 행사하여 화재진압·인명구조 또는 구급활동을 방해하는 행위 라. 출동한 소방대의 소방장비를 파손하거나 그 효용을 해하여 화재진압·인명구조 또는 구급활동을 방해하는 행위	5년 이하의 징역 또는 5천만 원 이하의 벌금

---

05 다음은 소방차 전용구역의 설치방법에 대한 내용이다. 빈칸에 알맞은 수치는?

> 전용구역 노면표지의 외곽선은 빗금무늬로 표시하되, 빗금은 두께를 (　)센티미터로 하여 50센티미터 간격으로 표시한다.

① 10　　② 20
③ 30　　④ 50

해설
전용구역의 설치 방법「소방기본법 시행령」의 비고
- 전용구역 노면표지의 외곽선은 빗금무늬로 표시하되, 빗금은 두께를 30센티미터로 하여 50센티미터 간격으로 표시한다.
- 전용구역 노면표지 도료의 색채는 황색을 기본으로 하되, 문자(P, 소방차 전용)는 백색으로 표시한다.

---

06 「소방기본법」상 소방자동차가 화재진압 및 구조·구급 활동을 위하여 출동하는 때에 이를 방해하는 자에 대한 벌칙은?

① 5년 이하의 징역 또는 5천만 원 이하의 벌금
② 5년 이상의 징역 또는 5천만 원 이하의 벌금
③ 3년 이하의 징역 또는 1천500만 원 이하의 벌금
④ 2년 이하의 징역 또는 1천만 원 이하의 벌금

해설
벌칙「소방기본법」에 따라 5년 이하의 징역 또는 5천만 원 이하의 벌금을 부과한다.

정답 | 04 ②　05 ③　06 ①

07 「소방기본법령」상 다음 ( ) 안에 들어갈 내용으로 옳은 것은?

> 화재 또는 구조·구급이 필요한 상황을 거짓으로 알린 사람에게는 ( )만 원 이하의 과태료를 부과한다.

① 100
② 200
③ 300
④ 500

해설
제19조 과태료 부과기준 「소방기본법 시행령」 [별표 3]

행위	처벌
• 화재 또는 구조·구급이 필요한 상황을 거짓으로 알린 사람 • 정당한 사유 없이 화재, 재난·재해, 그 밖의 위급한 상황을 소방본부, 소방서 또는 관계 행정기관에 알리지 아니한 관계인	500만 원 이하의 과태료
• 소방자동차의 출동에 지장을 준 자 • 소방활동구역을 출입한 사람 • 한국소방안전원 또는 이와 유사한 명칭을 사용한 자	200만 원 이하의 과태료
전용구역에 차를 주차하거나 전용구역에의 진입을 가로막는 등의 방해행위를 한 자 ※ 과태료 부과·징수 주체: 시·도지사, 소방본부장 또는 소방서장	100만 원 이하의 과태료 대상

08 「소방기본법」상 200만 원 이하의 과태료 부과 대상이 아닌 것은?

① 소방자동차의 출동에 지장을 준 자
② 소방활동구역을 출입한 사람
③ 한국소방안전원 또는 이와 유사한 명칭을 사용한 자
④ 소방자동차의 출동을 방해한 자

해설
소방자동차의 출동을 방해한 사람은 5년 이하의 징역 또는 5천만 원 이하의 벌금에 처한다.

09 「소방기본법 시행령」상 소방자동차 전용구역 설치 대상의 다음 빈칸에 적합한 것은?

> 1. 「건축법 시행령」 별표 1 제2호가목의 아파트 중 세대수가 (㉠)세대 이상인 아파트
> 2. 「건축법 시행령」 별표 1 제2호라목의 기숙사 중 (㉡)층 이상의 기숙사

① ㉠: 300 ㉡: 3
② ㉠: 100 ㉡: 3
③ ㉠: 500 ㉡: 5
④ ㉠: 500 ㉡: 10

해설
100세대 이상인 아파트, 3층 이상의 기숙사에 소방자동차 전용구역을 설치해야 한다.

10 「소방기본법령」상 손실보상심의위원회(이하 '보상위원회'라 한다)에 관한 설명으로 틀린 것은?

① 위촉되는 위원의 임기는 3년으로 하며, 연임할 수 없다.
② 보상위원회의 사무를 처리하기 위하여 보상위원회에 간사 1명을 둔다.
③ 보상위원회는 위원장 1명을 포함하여 5명 이상 7명 이하의 위원으로 구성한다.
④ 고등교육법에 따른 학교에서 행정학을 가르치는 부교수 이상으로 5년 이상 재직한 사람은 보상위원회 위원이 될 수 있다.

해설
위촉되는 위원의 임기는 2년으로 한다.

참고
손실보상심의위원회의 설치 및 구성

구분	내용
① 설치배경	소방청장등은 손실보상청구 사건을 심사·의결하기 위하여 필요한 경우 각각 손실보상심의위원회를 구성·운영
② 구성인원	위원장 1명을 포함하여 5명 이상 7명 이하의 위원으로 구성
③ 위원 자격	• 소속 소방공무원 • 판사·검사 또는 변호사로 5년 이상 근무한 사람 • 학교에서 법학 또는 행정학을 가르치는 부교수 이상으로 5년 이상 재직한 사람 • 손해사정사 • 소방안전 또는 의학 분야에 관한 학식과 경험이 풍부한 사람
④ 위원 임기	2년
⑤ 간사 1명	소속 소방공무원 중에서 소방청장등이 지명

정답 | 07 ④ 08 ④ 09 ② 10 ①

11 「소방기본법 시행규칙」상 종합상황실장이 상급 종합상황실에 지체 없이 보고해야 하는 화재의 기준으로 틀린 것은?

① 언론에 보도된 재난상황
② 다중이용업소의 화재
③ 철도, 항공기, 발전소 및 변전소의 화재
④ 항구에 매어둔 총 톤수가 500톤 이상인 선박

🗒 해설
항구에 매어둔 총 톤수가 1천 톤 이상인 선박의 화재가 해당된다.

12 「소방기본법 시행규칙」상 종합상황실장이 상급 종합상황실에 지체 없이 보고해야 할 화재에 해당하지 않는 것은?

① 관공서 화재
② 문화재 화재
③ 연립주택 화재
④ 지하철 화재

🗒 해설
연립주택은 4층 이하인 주택으로서 11층 미만이며 대상 용도에도 해당되지 않는다.

> **참고**
> 30일 이내 조사 서류 작성·보고 기한 대상중 "라"항목
> **암기법** 문학관 정지
> 문화재, 학교, 관공서, 정부미 도정공장, 지하철 또는 지하구

13 「소방기본법령」상 종합상황실의 실장이 행하는 업무가 아닌 것은?

① 재난상황의 전파 및 보고
② 소방활동장비 및 설비의 점검
③ 재난상황의 발생의 신고접수
④ 재난상황의 수습에 필요한 정보수집 및 제공

🗒 해설
종합상황실의 실장의 업무 및 기록·관리 사항

구분	업무 및 기록·관리 사항
① 접수	화재, 재난·재해 그 밖에 구조·구급이 필요한 상황(재난상황)의 발생의 신고접수
② 수습	접수된 재난상황을 검토하여 가까운 소방서에 인력 및 장비의 동원을 요청하는 등의 사고수습
③ 요청	하급소방기관에 대한 출동지령 또는 동급 이상의 소방기관 및 유관기관에 대한 지원요청
④ 전파	재난상황의 전파 및 보고
⑤ 파악	재난상황이 발생한 현장에 대한 지휘 및 피해현황의 파악
⑥ 제공	재난상황의 수습에 필요한 정보수집 및 제공

14 「소방기본법」상 소방본부 종합상황실 실장이 소방청장에게 긴급상황을 보고하여야 할 화재에 해당하지 않은 경우는?

① 시장화재
② 지하구의 화재
③ 이재민이 50인 이상 발생한 화재
④ 재산피해가 50억 원 이상 발생한 화재

🗒 해설
이재민이 100인 이상 발생한 화재일 때 긴급상황으로 즉시 보고하여야 한다.

15 「화재조사 및 보고규정」상 화재조사 결과 보고에 관한 사항으로 ( )에 알맞은 내용은?

> 종합상황실장이 상급 종합상황실에 지체 없이 보고해야 하는 화재는 화재발생 종합보고서 내지 화재현장조사서 중 해당 서식과 질문기록서, 화재현장출동보고서 서식을 작성하고, 화재 인지로부터 (㉠)일 이내에 본부장에게 보고하고 기록·유지하여야 한다. 추가 화재현장조사 등이 필요한 경우로 기한을 연장한 경우 그 사유가 해소된 날로부터 (㉡)일 이내에 조사결과를 보고하고 기록·유지하여야 한다.

① ㉠ 15, ㉡ 30
② ㉠ 15, ㉡ 50
③ ㉠ 30, ㉡ 10
④ ㉠ 30, ㉡ 30

정답 | 11 ④ 12 ③ 13 ② 14 ③ 15 ③

해설
조사 보고
「소방기본법 시행규칙」에서 지체없이 보고해야하는 중대한 화재에 해당되는 경우, 화재 발생일로부터 30일 이내에 보고해야 한다. 또한, 조사 보고일을 연장한 경우 그 사유가 해소된 날부터 10일 이내에 소방관서장에게 조사결과를 보고해야 한다.

16 「소방기본법 시행규칙」에서 긴급상황보고를 해야 하는 대형화재에 해당하지 않는 것은?

① 사망자가 6명 발생한 화재
② 중상자 1명, 경상자 12명이 발생한 화재
③ 이재민이 80명 발생한 화재
④ 재산피해가 60억 원 발생한 화재

해설
이재민이 100인 이상 발생한 화재가 긴급상황보고 대형화재에 해당한다.
①, ② 사망자가 5인 이상 발생하거나 사상자가 10인 이상 발생한 화재이므로 해당
④ 재산피해액이 50억 원 이상 발생한 화재이므로 해당

17 「화재조사 및 보고규정」상 화재현장조사서 등의 서식을 작성하여 30일 이내에 보고해야 할 화재에 대한 설명 중 틀린 것은?

① 가스 및 화약류의 폭발에 의한 화재
② 사망 3명이거나 재산피해액이 40억 원 이상으로 추정되는 화재
③ 이재민이 150인 이상 발생한 화재
④ 다중이용업소의 화재

해설
30일 내 보고는 중대한 화재 등에 해당하는 화재로서, 사상자 기준은 사망자가 5인 이상 발생하거나 사상자가 10인 이상 발생한 화재가 해당된다. 재산피해액은 50억 원 이상 발생한 화재가 해당된다.

18 「화재의 예방 및 안전관리에 관한 법률」상 다음의 명령에 따르지 않거나 방해한 경우 벌금 기준은?

> 소방관서장은 화재 발생 위험이 크거나 소화 활동에 지장을 줄 수 있다고 인정되는 행위나 물건에 대하여 행위 당사자나 그 물건의 소유자, 관리자 또는 점유자에게 다음 각 호의 명령을 할 수 있다.

① 100만 원 이하의 벌금
② 200만 원 이하의 벌금
③ 300만 원 이하의 벌금
④ 500만 원 이하의 벌금

해설
화재의 예방조치 등을 위반하는 자는 300만 원 이하의 벌금에 처한다.

화재의 예방조치 등 기준

화재의 예방조치 명령	명령 조치	소방관서장은 화재 발생 위험이 크거나 소화 활동에 지장을 줄 수 있다고 인정되는 행위나 물건에 대하여 행위 당사자나 그 물건의 소유자, 관리자 또는 점유자에게 다음 각 호의 명령을 할 수 있다. 1. 위 항 각 호(화기취급 등)의 어느 하나에 해당하는 행위의 금지 또는 제한 2. 목재, 플라스틱 등 가연성이 큰 물건의 제거, 이격, 적재 금지 등 3. 소방차량의 통행이나 소화 활동에 지장을 줄 수 있는 물건의 이동
	직접 조치	위의 제2호 및 제3호에 해당하는 물건의 소유자, 관리자 또는 점유자를 알 수 없는 경우 소속 공무원으로 하여금 그 물건을 옮기거나 보관하는 등 필요한 조치를 하게 할 수 있다.

「화재의 예방 및 안전관리에 관한 법률」의 벌칙

조사거부, 미선임, 법령 미조치 등	• 화재안전조사를 정당한 사유 없이 거부 · 방해 또는 기피한 자 • 화재의 예방조치 명령을 정당한 사유 없이 따르지 아니하거나 방해한 자 • 소방안전관리자, 총괄소방안전관리자 또는 소방안전관리보조자를 선임하지 아니한 자	300만 원 이하의 벌금

조사거부, 미선임, 법령 미조치 등	• 소방시설·피난시설·방화시설 및 방화구획 등이 법령에 위반된 것을 발견하였음에도 필요한 조치를 할 것을 요구하지 아니한 소방안전관리자 • 화재예방 조치요구를 한 소방안전관리자에게 불이익한 처우를 한 관계인 • 화재예방안전진단 업무를 수행하면서 알게 된 비밀을 이 법에서 정한 목적 외의 용도로 사용하거나 다른 사람 또는 기관에 제공하거나 누설한 자	300만 원 이하의 벌금

19 「화재의 예방 및 안전관리에 관한 법령」상 용접 또는 용단 작업장에서 불꽃을 사용하는 용접·용단기구 사용에 있어서 지켜야 하는 사항 중 다음 (   ) 안에 알맞은 것은? (단, 산업안전보건법상 안전조치의 적용을 받는 사업장의 경우는 제외한다.)

- 용접 또는 용단 작업자로부터 반경 (㉠)m 이내에 소화기를 갖추어 둘 것
- 용접 또는 용단 작업장 주변 반경 (㉡)m 이내에는 가연물을 쌓아두거나 놓아두지 말 것. 다만, 가연물의 제거가 곤란하여 방화포 등으로 방호조치를 한 경우는 제외한다.

① ㉠ 5, ㉡ 7 ② ㉠ 7, ㉡ 5
③ ㉠ 5, ㉡ 10 ④ ㉠ 10, ㉡ 5

해설
불꽃을 사용하는 용접·용단 기구 「화재의 예방 및 안전관리에 관한 법률 시행령」

암기법 소오기, 가열물

가. 용접 또는 용단 작업자로부터 반경 5m 이내에 소화기를 갖추어 둘 것
나. 용접 또는 용단 작업장 주변 반경 10m 이내에는 가연물을 쌓아두거나 놓아두지 말 것

20 다음 문장의 괄호 안에 들어갈 숫자로 옳은 것은?

「화재의 예방 및 안전관리에 관한 법률 시행령」상 특수인화물 중 가연성 고체류에 해당하는 것은 고체로써 인화점이 섭씨 100도 이상 200도 미만이고 연소열량이 1그램당 (   )킬로칼로리 이상이어야 한다.

① 8 ② 18
③ 28 ④ 80

해설
특수가연물에서 가연성 고체류의 정의
가. 인화점이 섭씨 40도 이상 100도 미만인 것
나. 인화점이 섭씨 100도 이상 200도 미만이고 연소열량이 1그램당 8킬로칼로리 이상인 것
다. 인화점이 섭씨 200도 이상이고 연소열량이 1그램당 8킬로칼로리 이상인 것으로서 녹는점이 100도 미만인 것
라. 1기압과 섭씨 20도 초과 40도 이하에서 액상인 것으로서 인화점이 섭씨 70도 이상 섭씨 200도 미만이거나 나목 또는 다목에 해당하는 것

21 다음 문장의 괄호 안에 들어갈 숫자로 옳은 것은?

「화재의 예방 및 안전관리에 관한 법률 시행령」상 특수인화물 중 가연성 고체류에 해당하는 것은 고체로써 인화점이 섭씨 40도 이상 (   )도 미만인 것이어야 한다.

① 80 ② 100
③ 120 ④ 145

해설
「화재의 예방 및 안전관리에 관한 법률 시행령」에 따라 특수가연물에서 가연성 고체류에 해당하는 것은 인화점이 섭씨 40도 이상 100도 미만인 것이어야 한다.

22 「화재의 예방 및 안전관리에 관한 법률」상 관계인의 정당한 업무를 방해하거나, 조사업무를 수행하면서 취득한 자료나 알게 된 비밀을 다른 사람 또는 기관에게 제공 또는 누설하거나 목적 외의 용도로 사용한 자의 얼마 이하의 벌금이 적용되는가?

① 1백만 원 ② 3백만 원
③ 1천만 원 ④ 3천만 원

정답 | 19 ③ 20 ① 21 ② 22 ③

해설
화재의 예방 및 안전관리에 관한 법률의 벌칙

업무방해, 누설 및 불법대여 등	• 화재안전조사 업무 중 관계인의 정당한 업무를 방해하거나, 조사업무를 수행하면서 취득한 자료나 알게 된 비밀을 다른 사람 또는 기관에게 제공 또는 누설하거나 목적 외의 용도로 사용한 자 • 소방안전관리자 자격증을 다른 사람에게 빌려 주거나 빌리거나 이를 알선한 자 • 소방안전원 등의 진단기관으로부터 화재예방안전진단을 받지 아니한 자	1년 이하의 징역 또는 1천만 원 이하의 벌금

23 「소방의 화재조사에 관한 법률」에 따른 화재조사의 주체가 아닌 것은?

① 소방청장　　② 시·도지사
③ 소방본부장　　④ 소방서장

해설
소방의 화재조사에 관한 법률에서 용어의 정의

화재조사	소방청장, 소방본부장 또는 소방서장이 화재원인, 피해상황, 대응활동 등을 파악하기 위하여 자료의 수집, 관계인등에 대한 질문, 현장 확인, 감식, 감정 및 실험 등을 하는 일련의 행위

24 「소방의 화재조사에 관한 법률」상 용어의 정의 중 틀린 것은?

① "소방대상물"이란 건축물, 차량, 선박(선박으로 운항 중인 선박 포함), 선박 건조 구조물, 산림, 그 밖의 인공구조물 또는 물건
② "화재조사"란 소방청장, 소방본부장 또는 소방서장이 화재원인, 피해상황, 대응 활동 등을 파악하기 위하여 자료의 수집, 관계인 등에 대한 질문, 현장 확인, 감식, 감정 및 실험 등을 하는 일련의 행위를 말한다.
③ "화재조사관"이란 화재조사에 전문성을 인정받아 화재조사를 수행하는 소방공무원을 말한다.
④ "관계인 등"이란 화재가 발생한 소방대상물의 소유자·관리자 또는 점유자를 말한다.

해설
①은 「소방기본법」 법률의 내용이며, 매어둔 선박만이 소방대상물에 해당된다. "소방대상물"이란 건축물, 차량, 선박(기선, 범선 및 부선으로서 항구에 매어둔 선박만 해당한다), 선박 건조 구조물, 산림, 그 밖의 인공 구조물 또는 물건을 말한다.

25 「소방의 화재조사에 관한 법령」상 소방관서장이 화재조사를 실시하는 경우 조사하여야 할 사항이 아닌 것은?

① 화재로 인한 인명·재산피해상황
② 소방시설 등의 설치·관리 및 작동 여부에 관한 사항
③ 안전조사의 실시 결과에 관한 사항
④ 소화활동으로 발생한 영업 손실 피해

해설
소화활동으로 발생한 영업 손실 피해사항은 조사하지 않는다.

> **참고**
> **화재조사 범위**
> • 화재원인에 관한 사항
> • 화재로 인한 인명·재산피해상황
> • 대응활동에 관한 사항
> • 소방시설 등의 설치·관리 및 작동 여부에 관한 사항
> • 화재발생건축물과 구조물, 화재유형별 화재위험성 등에 관한 사항
> • 그 밖에 대통령령으로 정하는 사항(화재안전조사의 실시 결과에 대한 사항)

암기법 원시 대피건

• (화재)원인
• (소방)시설
• 대응
• (인명·재산)피해
• (화재발생)건축물

정답 | 23 ② 24 ① 25 ④

26 화재조사의 대상 및 절차 등에 필요한 사항은 무엇으로 정하는가?

① 행정안전부령 ② 대통령령
③ 국토교통부령 ④ 시·도의 조례

해설
화재조사의 실시
화재조사의 대상 및 절차 등에 필요한 사항은 대통령령으로 정한다.

27 「소방의 화재조사에 관한 법률」상 화재조사를 위한 화재조사전담부서 설치·운영 사항 중 다음 (   ) 안에 알맞은 것은?

- 화재조사관은 (㉠)이 실시하는 화재조사에 관한 시험에 합격한 소방공무원 등 화재조사에 관한 전문적인 자격을 가진 소방공무원으로 한다.
- 전담부서의 구성·운영, 화재조사관의 구체적인 자격기준 및 교육훈련 등에 필요한 사항은 (㉠)으로 정한다.

① ㉠ 소방청장, ㉡ 행정안전부령
② ㉠ 시·도지사, ㉡ 행정안전부령
③ ㉠ 소방청장, ㉡ 대통령령
④ ㉠ 시·도지사, ㉡ 대통령령

해설
화재조사전담부서의 설치·운영 등

① 설치·운영 주체	소방관서장
② 화재조사전담부서 수행업무	• 화재조사의 실시 및 조사결과 분석·관리 • 화재조사 관련 기술개발과 화재조사관의 역량증진 • 화재조사에 필요한 시설·장비의 관리·운영 • 그 밖의 화재조사에 관하여 필요한 업무
③ 화재조사 업무 수행자	화재조사관
④ 화재조사관 자격	소방청장이 실시하는 화재조사에 관한 시험에 합격한 소방공무원 등 화재조사에 관한 전문적인 자격을 가진 소방공무원
⑤ 구성·운영 등	전담부서의 구성·운영, 화재조사관의 구체적인 자격기준 및 교육훈련 등에 필요한 사항은 대통령령으로 정한다.

28 다음의 화재조사와 관련된 설명 중 옳은 것은?

① 소방관서장은 전문성에 기반하는 화재조사를 위하여 화재조사전담부서를 설치·운영하여야 한다.
② 소방본부장은 대형화재가 발생하면 조사 본부를 설치·운영할 수 있다. 이 경우 소방서 조사요원은 소방본부 조사업무를 지원하여야 한다.
③ 동일범이 아닌 각기 다른 사람에 의한 방화, 불장난은 동일 대상물에서 발화하는 경우 1개의 화재로 본다.
④ 발화열원에 의해 불이 붙고 이 물질을 통해 제어하기 힘든 화세로 발전한 가연물을 발화물이라 한다.

해설
② 소방관서장은 사상자가 많거나 사회적 이목을 끄는 화재 등 대통령령으로 정하는 대형화재 등이 발생한 경우 종합적이고 정밀한 화재조사를 위하여 유관기관 및 관계 전문가를 포함한 화재합동조사단을 구성·운영할 수 있다.
③ 동일범이 아닌 각기 다른 사람에 의한 방화는 동일 대상물에서 발생했더라도 각각 별건의 화재로 보아 각각 보고서를 작성한다.
④ 최초착화물이란 발화열원에 의해 불이 붙은 최초의 가연물을 말한다.

29 「소방의 화재조사에 관한 법률」상 화재조사를 위한 화재조사전담부서 설치·운영 사항 중 전담부서의 명시된 업무수행이 아닌 것은?

① 화재조사의 실시 및 조사결과 분석·관리
② 화재조사 관련 기술개발과 화재조사관의 역량증진
③ 화재조사에 필요한 시설·장비의 관리·운영
④ 그 밖의 방화·실화 관련 경찰 수사 참여

해설
①~③외에 그 밖의 화재조사에 관하여 필요한 업무를 수행한다.

정답 | 26 ② 27 ③ 28 ① 29 ④

30 다음 중 「소방의 화재조사에 관한 법률」에 관한 내용 중 옳은 것은?

① 전담부서에는 화재조사를 위한 감식·감정 장비 등 대통령령으로 정하는 장비와 시설을 갖추어 두어야 한다.
② 소방관서장은 화재조사전담부서에 화재 조사관을 3명 이상 배치해야 한다.
③ 화재조사결과보고는 소방본부장이 정하는 화재발생종합보고서에 따른다.
④ 소방관서장은 화재조사를 하는 경우 「산림보호법」 제42조에 따른 산불 조사 등 다른 법률에 따른 화재 관련 조사가 원활히 수행될 수 있도록 협조해야 한다.

해설
① 전담부서에는 화재조사를 위한 감식·감정 장비 등 <u>행정안전부령</u>으로 정하는 장비와 시설을 갖추어 두어야 한다.
② 소방관서장은 화재조사전담부서에 화재조사관을 <u>2명</u> 이상 배치해야 한다.
③ 화재조사결과보고는 <u>소방청장</u>이 정하는 화재발생종합보고서에 따른다.

정답 | 30 ④

출제예상문제 2회

01 「소방의 화재조사에 관한 법률」상 화재현장과 그 인근 지역을 통제구역에 관한 사항 중 틀린 것은?

① 방화(放火) 또는 실화(失火)의 혐의로 수사의 대상이 된 경우에는 경찰서장이 통제구역을 설정한다.
② 통제구역을 설정한 경우 누구든지 소방관서장 또는 경찰서장의 허가 없이 화재현장에 있는 물건 등을 이동시키거나 변경·훼손해서는 안 된다.
③ 누구든지 소방관서장 또는 경찰서장의 허가 없이 통제구역에 출입하여서는 아니 된다.
④ 인명구조 등 긴급한 사유가 있는 경우에도 소방관서장 또는 경찰서장의 허가를 득한 후 출입해야 한다.

해설
화재현장 보존 등

훼손금지	원칙	화재현장 보존조치를 하거나 통제구역을 설정한 경우 누구든지 소방관서장 또는 경찰서장의 허가 없이 화재현장에 있는 물건 등을 이동시키거나 변경·훼손하여서는 아니 된다.
	예외	다만, 공공의 이익에 중대한 영향을 미친다고 판단되거나 인명구조 등 긴급한 사유가 있는 경우에는 그러하지 아니하다.

02 화재현장에서 화재조사자의 의무가 아닌 것은?

① 화재원인과 피해조사를 위한 출입 검사의무
② 화재원인과 피해조사 시 경찰공무원과의 협력 의무
③ 증거물과 피의자에 대한 조사를 수행함에 있어 경찰의 수사를 방해하지 않아야 할 의무
④ 방화, 실화 등 범죄의 혐의가 있는 경우 관할 경찰서장에게 알리고 필요한 증거를 수집 보존할 의무

해설
출입·검사가 아닌 출입·조사 등을 할 수 있다.

참고
출입·조사 등 「소방의 화재조사에 관한 법률」
소방관서장은 화재조사를 위하여 필요한 경우에 관계인에게 보고 또는 자료 제출을 명하거나 화재조사관으로 하여금 해당 장소에 출입하여 화재조사를 하게 하거나 관계인 등에게 질문하게 할 수 있다.

03 소방관서장은 방화 또는 실화의 혐의가 있어서 수사기관이 이미 피의자를 체포하였거나 증거물을 압수하였을 때에 화재조사를 위하여 피의자 또는 압수된 증거물에 대한 조사를 하는 경우에 대한 설명으로 옳은 것은?

① 필요할 때는 언제나 조사할 수 있으며 수사기관은 항상 화재조사에 협조하여야 한다.
② 수사기관의 수사가 종료된 후부터 조사를 실시할 수 있다.
③ 수사에 지장을 주지 아니하는 범위에서 조사를 할 수 있으며 수사기관은 신속한 화재조사를 위하여 특별한 사유가 없으면 조사에 협조하여야 한다.
④ 원칙적으로 조사할 수 없으나, 인명피해 등 사회적 문제가 야기된 경우에는 조사할 수 있다.

해설
수사에 지장을 주지 않는 범위에서 수사기관의 협조하에 조사할 수 있다.

정답 | 01 ④ 02 ① 03 ③

04 「소방의 화재조사에 관한 법령」상 화재의 조사에 관한 사항 중 틀린 것은?

① 소방관서장은 화재가 발생하였을 때에는 화재발생 사실을 알게 된 때에는 지체 없이 화재조사를 하여야 한다.
② 화재조사를 하는 관계 공무원은 그 권한을 표시하는 증표를 지니고 이를 관계인에게 보여 주어야 한다.
③ 화재조사를 하는 관계 공무원은 관계인의 정당한 업무를 방해하거나 화재조사를 수행하면서 알게 된 비밀을 다른 사람에게 누설하여서는 아니 된다.
④ 소방관서장은 방화 또는 실화의 혐의가 있다고 인정되면 지체 없이 경찰서장에게 그 사실을 알린 후에는 범죄 수사 단계에는 관여 불가원칙이 있다.

🔥 **해설**
소방공무원과 경찰공무원의 협력 등
소방관서장은 방화 또는 실화의 혐의가 있다고 인정되면 지체 없이 경찰서장에게 그 사실을 알리고 필요한 증거를 수집 · 보존하는 등 그 범죄수사에 협력하여야 한다.

05 「소방의 화재조사에 관한 법률」상 정당한 사유 없이 화재조사 관계 공무원의 출입 또는 조사를 거부 · 방해 또는 기피한 자에 대한 벌칙으로 옳은 것은?

① 100만 원 이하의 벌금
② 200만 원 이하의 벌금
③ 300만 원 이하의 벌금
④ 400만 원 이하의 벌금

🔥 **해설**
「소방의 화재조사에 관한 법률」의 300만 원 이하의 벌금 벌칙 항목 4가지

암기법 물 출 업비 증

- 허가 없이 화재현장에 있는 물건 등을 이동시키거나 변경 · 훼손한 사람
- 정당한 사유 없이 화재조사관의 출입 또는 조사를 거부 · 방해 또는 기피한 사람
- 관계인의 정당한 업무를 방해하거나 화재조사를 수행하면서 알게 된 비밀을 다른 용도로 사용하거나 다른 사람에게 누설한 사람
- 정당한 사유 없이 증거물 수집을 거부 · 방해 또는 기피한 사람

06 「소방의 화재조사에 관한 법률」상 화재조사를 하는 관계 공무원이 화재조사를 수행하면서 알게 된 비밀을 다른 사람에게 누설한 자에 대한 벌칙기준으로 옳은 것은?

① 1,000만 원 이하의 벌금
② 500만 원 이하의 벌금
③ 300만 원 이하의 벌금
④ 200만 원 이하의 벌금

🔥 **해설**
「소방의 화재조사에 관한 법률」에 따라 관계인의 정당한 업무를 방해하거나 화재조사를 수행하면서 알게 된 비밀을 다른 용도로 사용하거나 다른 사람에게 누설한 사람은 300만 원 이하의 벌금에 해당한다.

07 「소방의 화재조사에 관한 법률」상 용어의 정의 중 틀린 것은?

① "소방대상물"이란 건축물, 차량, 선박(선박으로 운항 중인 선박 포함), 선박 건조 구조물, 산림, 그 밖의 인공구조물 또는 물건
② "화재조사"란 소방청장, 소방본부장 또는 소방서장이 화재원인, 피해상황, 대응 활동 등을 파악하기 위하여 자료의 수집, 관계인 등에 대한 질문, 현장 확인, 감식, 감정 및 실험 등을 하는 일련의 행위를 말한다.
③ "화재조사관"이란 화재조사에 전문성을 인정받아 화재조사를 수행하는 소방공무원을 말한다.
④ "관계인 등"이란 화재가 발생한 소방대상물의 소유자 · 관리자 또는 점유자를 말한다.

🔥 **해설**
①은 소방기본법 법률의 내용이며 선박중에서 항구에 매어둔 선박만 소방대상물에 해당된다.

정답 | 04 ④　05 ③　06 ③　07 ①

> **참고**
>
> **화재조사 실시대상**
>
> **암기법** 건차선산인그
>
> - 건축물
> - 차량
> - 선박, 선박 건조 구조물
> - 산림
> - 인공 구조물 또는 물건
> - 그 밖에 소방관서장이 화재조사가 필요하다고 인정하는 화재

08 화재피해액 산정대상에서 선박화재로 볼 수 없는 것은?

① 육상에 있는 미취항의 범선에서 발생한 화재
② 독행 기능을 가지지 않는 거룻배에서 발생한 화재
③ 수리 등을 위해 육상에 일시적으로 있는 선박에서 발생한 화재
④ 독행 기능을 가지는 선박에 의해 끌어진 물건에 발생한 화재

🛢 **해설**

차량 및 운반구의 피해액 산정에서 선박의 정의 「화재피해액 산정 매뉴얼」
- 선박이라는 것은 독행기능을 가지는 범선, 기선 및 입선 및 독행기능을 가지지 않는 주거선, 창고선, 거룻배(등록, 엔진등재의 유무는 관계없다) 등을 말하나 <u>미취항의 것으로 육상에 있는 것은 선박이 아니다.</u>
- 수리 등을 위해 육상에 일시적으로 있는 선박이나 독행기능을 가지는 선박에 의해 끌어진 물건에 화재가 발생했을 경우에도 선박화재에 속한다.

09 「소방의 화재조사에 관한 법률 시행령」에서 화재조사관의 자격 기준으로 옳지 않은 것은?

① 소방청장이 실시하는 화재조사에 관한 시험에 합격한 소방공무원
② 화재감식평가 분야의 기사 자격을 취득한 소방공무원
③ 화재감식평가 분야의 산업기사 자격을 취득한 소방공무원
④ 화재조사관 8주 교육 수료 후 건축·위험물·전기·안전관리 분야 산업기사 이상 자격을 취득한 소방공무원

🛢 **해설**

화재조사관의 자격기준 등
1. 소방청장이 실시하는 화재조사에 관한 시험에 합격한 소방공무원
2. 화재감식평가 분야의 기사 또는 산업기사 자격을 취득한 소방공무원

10 「소방의 화재조사에 관한 법령」상 소방서장이 화재조사를 하기 위하여 관계인에게 보고 또는 자료제출을 명했을 때 이를 위반하여 보고 또는 제출을 하지 아니한 자에 대한 과태료 기준으로 옳은 것은?

① 200만 원 이하의 과태료
② 300만 원 이하의 과태료
③ 500만 원 이하의 과태료
④ 1,000만 원 이하의 과태료

🛢 **해설**

화재조사에 관한 법률, 시행령 위반행위 과태료 정리

위반행위	과태료 금액 (만 원)			부과·징수권자	
	1회	2회	3회	소방관서장	경찰서장
허가 없이 화재현장 통제구역에 출입한 사람				○	
방화(放火) 또는 실화(失火)의 혐의로 수사의 대상이 된 경우 경찰서장이 설정한 통제구역을 허가 없이 출입한 사람					○
<u>화재조사를 위한 보고 또는 자료 제출을 하지 아니하거나 거짓으로 보고 또는 자료를 제출한 사람</u>	100	150	200	○	
화재조사에 정당한 사유 없이 출석을 거부하거나 질문에 대하여 거짓으로 진술한 사람				○	

정답 | 08 ① 09 ④ 10 ①

11 「소방의 화재조사에 관한 법령」상 소방공무원과 경찰공무원의 협력에 관한 사항으로 (　)에 알맞은 내용은?

> 소방본부장이나 소방서장은 화재조사 결과 방화 또는 실화의 혐의가 있다고 인정하면 지체 없이 (　)에게 그 사실을 알리고 필요한 증거를 수집·보존하여 그 범죄수사에 협력해야 한다.

① 시·도지사　　② 관할 구청장
③ 관할 검찰지청　④ 관할 경찰서장

해설
소방관서장은 방화 또는 실화의 혐의가 있다고 인정되면 지체 없이 경찰서장에게 그 사실을 알리고 필요한 증거를 수집·보존하는 등 그 범죄수사에 협력하여야 한다.

12 「소방의 화재조사에 관한 법률」에 따른 다음 내용에서 (　)에 들어갈 내용으로 옳은 것은?

> 소방관서장은 사상자가 많거나 사회적 이목을 끄는 화재 등 대통령령으로 정하는 대형화재 등이 발생한 경우 종합적이고 정밀한 화재조사를 위하여 유관기관 및 관계 전문가를 포함한 (　)을/를 구성·운영할 수 있다.

① 화재합동조사단　　② 화재조사 전담부서
③ 대형화재조사본부　④ 화재특별조사단

해설
소방관서장은 사상자가 많거나 사회적 이목을 끄는 화재 등 대통령령으로 정하는 대형화재 등이 발생한 경우 종합적이고 정밀한 화재조사를 위하여 유관기관 및 관계 전문가를 포함한 화재합동조사단을 구성·운영할 수 있다.

13 「소방의 화재조사에 관한 법률」상 화재합동조사단의 단원의 자격으로 틀린 것은?

① 화재조사관
② 학교 또는 이에 준하는 교육기관에서 화재조사, 소방 또는 안전관리 등 관련 분야 조교수 이상의 직에 3년 이상 재직한 사람
③ 국가기술자격의 직무분야 중 안전관리 분야에서 산업기사 이상의 자격을 취득한 사람
④ 화재조사 업무에 관한 경력이 1년 이상인 소방공무원

해설
④ 화재조사 업무에 관한 경력이 3년 이상인 소방공무원

14 「소방의 화재조사에 관한 법령」상 화재합동조사단이 화재조사를 완료하면 결과 보고 해야 할 사항 중 틀린 것은?

① 화재합동조사단 운영 개요
② 다수의 인명피해가 발생한 경우 그 원인
③ 현행 제도의 문제점 및 개선 방안
④ 화재합동조사단의 해산 사유

해설
화재합동조사단 구성·운영 「소방의 화재조사에 관한 법률 시행령」

암기법 운개실 원문

결과 보고
- 화재합동조사단 운영 개요
- 화재조사 개요
- 화재조사에 관한 사항(법률 5조의 화재조사 실시 사항을 말한다)
- 다수의 인명피해가 발생한 경우 그 원인
- 현행 제도의 문제점 및 개선 방안
- 그 밖에 소방관서장이 필요하다고 인정하는 사항

15 다음은 「소방의 화재조사에 관한 법률」상 화재조사관 시험에 관한 내용이다. 빈칸에 알맞은 것은?

> 소방청장이 영 제5조 제1항 제1호의 화재조사에 관한 시험(이하 "자격시험"이라 한다)을 실시하는 경우에는 시험의 과목·일시·장소 및 응시 자격·절차 등을 시험 실시 (　)전까지 소방청의 인터넷 홈페이지에 공고해야 한다.

① 30일　　② 20일
③ 10일　　④ 5일

해설
「소방의 화재조사에 관한 법률」에 따라 화재조사에 관한 시험은 1달 전에 공고해야 한다.

정답 | 11 ④　12 ①　13 ④　14 ④　15 ①

16 「소방의 화재조사에 관한 법령」상 소방청장이 실시하는 화재조사에 관한 시험의 응시자격에 대한 내용이다. 다음 ( ) 안에 알맞은 것은?

> ㉠ 화재조사관 양성을 위한 전문교육을 이수한 사람
> ㉡ 소방청장이 인정하는 외국의 화재조사 관련 기관에서 ( )주 이상 화재조사에 관한 전문교육을 이수한 사람

① 15 ② 12
③ 10 ④ 8

해설
화재조사에 관한 시험 응시자격은 8주 이상 화재조사에 관한 전문교육 이수자이다.

17 「소방의 화재조사에 관한 법령」상 화재조사관 양성을 위한 전문교육의 내용으로 옳지 않은 것은?

① 화재조사 이론과 실습
② 주요 · 특이 화재조사, 감식 · 감정에 관한 사항
③ 화재조사 관련 정책 및 법령에 관한 사항
④ 화재조사관이 전문능력의 배양을 위해 필요하다고 인정하는 사항

해설
소방청장이 화재조사 관련 전문능력의 배양을 위해 필요하다고 인정하는 사항이다.

18 「소방의 화재조사에 관한 법령」상 화재조사에 관한 전문교육 과정의 교육과목 중 전문교육에 해당하는 과목이 아닌 것은?

① 화재조사 이론과 실습
② 범죄심리학 이론과 실습
③ 주요 · 특이 화재조사, 감식 · 감정에 관한 사항
④ 화재조사 시설 및 장비의 사용에 관한 사항

해설
화재조사에 관한 교육훈련

① 전문교육		화재조사관 양성을 위한 전문교육의 내용 1. 화재조사 이론과 실습 2. 화재조사 시설 및 장비의 사용에 관한 사항 3. 주요 · 특이 화재조사, 감식 · 감정에 관한 사항 4. 화재조사 관련 정책 및 법령에 관한 사항 5. 그 밖에 소방청장이 화재조사 관련 전문능력의 배양을 위해 필요하다고 인정하는 사항
② 의무 보수교육	기한	전담부서에 배치된 화재조사관은 의무 보수교육을 2년마다 받아야 한다. 다만, 전담부서에 배치된 후 처음 받는 의무 보수교육은 배치 후 1년 이내에 받아야 한다.
	미 이수자	보수교육을 이수할 때까지 화재조사 업무를 수행 불가

19 「소방의 화재조사에 관한 법령」상 화재조사에 관한 교육훈련에 관한 설명 중 괄호에 들어갈 숫자로 맞는 것은?

> 전담부서에 배치된 화재조사관은 의무 보수교육을 ( )마다 받아야 한다. 다만, 전담부서에 배치된 후 처음 받는 의무 보수교육은 배치 후 ( )이내에 받아야 한다.

① 3년, 2년 ② 2년, 1년
③ 1년, 6개월 ④ 2년, 6개월

해설
「소방의 화재조사에 관한 법령」의 의무 보수교육에 관한 내용에 따르면, 전담부서에 배치된 화재조사관은 의무 보수교육을 2년마다 받아야 한다. 다만, 전담부서에 배치된 후 처음 받는 의무 보수교육은 배치 후 1년 이내에 받아야 한다고 명시되어 있다.

20 「소방의 화재조사에 관한 법령」에 따른 화재조사 전담부서에 갖추어야 할 장비와 시설 구분에서 감식용 기기가 아닌 것은?

① 누설전류계 ② 가스(유증)검지기
③ 멀티테스터기 ④ 적외선거리 측정기

정답 | 16 ④ 17 ④ 18 ② 19 ② 20 ④

해설

적외선거리 측정기는 기록용 기기에 속한다.
- 대다수의 감식기기의 특징은 전기적 점화원 측정 기기로 구성되어 있다.
- 그 외 감식기기는 발화원을 추정하거나 가연물을 측정 확인하는 기기가 다수다.
- 기록용 기기는 주로 화재 현장의 물리적 구조, 상태를 나타내는데 사용되는 기기로 주로 구성되었다.

[참고] 화재조사 전담부서에 갖추어야 할 장비와 시설 중 감식용 기기

구분	기자재명 및 시설규모
감식기기 (16종)	절연저항계, 멀티테스터기, 클램프미터, 정전기측정장치, 누설전류계, 검전기, 복합가스측정기, 가스(유증)검지기, 확대경, 산업용실체현미경, 적외선열상카메라, 접지저항계, 휴대용디지털현미경, 디지털탄화심도계, 슈미트해머(콘크리트 반발 경도 측정기구), 내시경현미경

21 「소방의 화재조사에 관한 법령」상 소방서의 화재조사 전담부서에 갖추어야 할 감식기기를 모두 고른 것은?

| ㉠ 절연저항계 | ㉡ 디지털탄화심도계 |
| ㉢ 복합가스측정기 | ㉣ 적외선열상카메라 |

① ㄱ, ㄴ, ㄷ, ㄹ ② ㄱ, ㄴ, ㄹ
③ ㄱ, ㄷ, ㄹ   ④ ㄴ, ㄷ, ㄹ

해설

화재조사 전담부서에 갖추어야 할 장비와 시설 중 감식용 기기

구분	기자재명 및 시설규모
감식기기 (16종)	절연저항계, 멀티테스터기, 클램프미터, 정전기측정장치, 누설전류계, 검전기, 복합가스측정기, 가스(유증)검지기, 확대경, 산업용실체현미경, 적외선열상카메라, 접지저항계, 휴대용디지털현미경, 디지털탄화심도계, 슈미트해머(콘크리트 반발 경도 측정기구), 내시경현미경

22 「소방의 화재조사에 관한 법령」상 소방서의 화재조사 전담부서에 갖추어야 할 감정용기기를 모두 고른 것은?

| ㉠ 절연저항계 | ㉡ 접지저항계 |
| ㉢ 접점저항계 | ㉣ 직류전압전류계 |

① ㄱ, ㄴ, ㄷ, ㄹ ② ㄱ, ㄴ, ㄹ
③ ㄱ, ㄷ, ㄹ   ④ ㄷ, ㄹ

해설

화재조사 전담부서에 갖추어야 할 장비와 시설 중 감정용 기기

구분	기자재명 및 시설규모
감정용 기기 (21종)	가스 크로마토그래피, 고속카메라세트, 화재시뮬레이션시스템, X선 촬영기, 금속현미경, 시편(試片)절단기, 시편성형기, 시편연마기, 접점저항계, 직류전압전류계, 교류전압전류계, 오실로스코프(변화가 심한 전기 현상의 파형을 눈으로 관찰하는 장치), 주사전자현미경, 인화점측정기, 발화점측정기, 미량융점측정기, 온도기록계, 폭발압력측정기세트, 전압조정기(직류, 교류), 적외선 분광광도계, 전기단락흔실험장치(1차 용융흔(鎔融痕), 2차 용융흔(鎔融痕), 3차 용융흔(鎔融痕) 측정 가능)

23 「소방의 화재조사에 관한 법령」상 화재조사전담부서에서 갖추어야 할 장비 및 시설 중 화재조사 분석실은 몇 m² 이상의 실을 보유하여야 하는가?

① 10m² 이상   ② 20m² 이상
③ 30m² 이상   ④ 40m² 이상

해설

전담부서에 갖추어야 할 장비와 시설

화재조사 분석실의 구성장비를 유효하게 보존·사용할 수 있고, 환기 시설 및 수도·배관시설이 있는 30제곱미터(m²) 이상의 실

암기법 분석(3)실

정답 | 21 ① 22 ④ 23 ③

24 「화재증거물수집관리규칙」상 증거물 시료용기 중 유리병으로 휘발성 액체를 수집할 경우 마개로 사용할 수 없는 것은?

① 유리 마개
② 코르크 마개
③ 금속 스크루 마개
④ 폴리테트라플루오로에틸렌(PTEE) 마개

해설
코르크 마개를 휘발성 액체 수집용기에 사용하지 않는다.

증거물 시료용기 중 유리병

구분	용기 내용
유리병	• 유리병은 <u>유리 또는 폴리테트라플루오로에틸렌(PTFE)</u>로 된 마개나 <u>내유성의 내부판</u>이 부착된 플라스틱이나 금속의 스크루 마개를 가지고 있어야 한다. • <u>코르크 마개는 휘발성 액체에 사용하여서는 안 된다.</u> 만일 제품이 빛에 민감하다면 짙은 색깔의 시료병을 사용한다. • 세척 방법은 병의 상태나 이전의 내용물, 시료의 특성 및 시험하고자 하는 방법에 따라 달라진다.

25 「화재증거물수집관리규칙」상 증거물 시료용기 중 양철 캔(CAN)에 관한 설명으로 틀린 것은?

① 양철 캔과 그 마개는 청결하고 건조해야 한다.
② 사용하기 전에 캔의 상태를 조사해야 하며 누설이나 녹이 발견될 때에는 사용할 수 없다.
③ 양철 캔은 기름에 견딜 수 있는 디스크를 가진 스크루 마개 또는 누르는 금속마개로 밀폐될 수 있으며, 이러한 마개는 재사용이 가능하다.
④ 양철 캔은 적합한 양철판으로 만들어야 하며, 프레스를 한 이음매 또는 외부 표면에 용매로 송진 용제를 사용하여 납땜을 한 이음매가 있어야 한다.

해설
증거물 시료용기 중 양철 캔

구분	용기 내용
양철 캔 (CAN)	• 양철 캔은 적합한 양철판으로 만들어야 하며, 프레스를 한 이음매 또는 외부 표면에 용매로 송진 용제를 사용하여 납땜을 한 이음매가 있어야 한다. • 양철 캔은 기름에 견딜 수 있는 디스크를 가진 스크루 마개 또는 누르는 금속마개로 밀폐될 수 있으며, <u>이러한 마개는 한번 사용한 후에는 폐기되어야 한다.</u> • 양철 캔과 그 마개는 청결하고 건조해야 한다. • 사용하기 전에 캔의 상태를 조사해야 하며 누설이나 녹이 발견될 때에는 사용할 수 없다.

26 「화재증거물수집관리규칙」상 증거물 시료용기가 갖추어야 할 공통사항으로 틀린 것은?

① 장비와 용기를 포함한 모든 장치는 원래의 목적과 채취할 시료에 적합하여야 한다.
② 시료의 저장과 이동에 사용되는 용기로 적당한 마개를 가지고 있어야 한다.
③ 취급할 제품에 의한 용매의 작용에 투과성이 있고 내성을 갖는 재질로 되어 있어야 한다.
④ 정상적인 내부 압력에 견딜 수 있고 시료채취에 필요한 충분한 강도를 가져야 한다.

해설
시료용기는 취급할 제품에 의한 용매의 작용에 투과성이 없고 내성을 갖는 재질로 되어 있어야 한다.

27 「화재증거물수집관리규칙」에 따른 현장 수거(채취)물 목록의 기재사항이 아닌 것은?

① 수거(채취)장소
② 감정기관
③ 화재조사번호
④ 최종결과

해설
화재조사번호는 현장 수거(채취)물 목록의 기재사항에 해당되지 않는다.

현장 수거(채취)물 목록

연번	수거(채취)물	수량	수거(채취)장소	채취자	채취시간	감정기관	최종결과
1							

관리자(인계자) : (인)

년 월 일   인수자 : (인)

암기법 물량장자 시감결

---

28 「화재증거물수집관리규칙」상 현장수거(채취)물 목록의 기입사항이 아닌 것은?

① 감정기관 ② 발견자
③ 최종결과 ④ 수거(채취)물

해설
현장수거에 있어 발견자는 기재항목에 없다.

---

29 「화재증거물수집관리규칙」상 입수한 증거물을 이송할 때에 기록해야 할 내용이 아닌 것은?

① 수집자 ② 수집일시
③ 화재조사번호 ④ 증거물 시료용기 종류

해설
시료용기 종류는 기재되지 않는다.

참고
증거물의 포장 조항에서 화재증거물의 기재 사항
암기법 일장자내봉
일시, 장소, 수집자, 내용, 봉인자

---

30 [다음]의 현장에 출동한 화재조사관이 화재조사 및 화재증거물 분석 결과를 토대로 국가화재정보시스템에서 방화·방화의심 조사서를 작성하는 과정에서 보기의 항목 중 방화도구(연료), 방화의심 항목을 선택한 것으로 옳은 것은?

[다음]
단독주택 2층 중 2층에서 화재가 발생하였다. 이 화재로 2층 및 옥상으로 연결된 계단실의 내부 마감재 등이 전소되고, 1명이 사망 및 2명이 부상을 입었다. 화재조사결과 화재발생 전 주택 2층 거실에서 아들(사망자, 45세)과 어머니(부상자, 72세)사이에 재산상속 문제로 싸움이 있었으며, 아들이 현관문 밖에 미리 준비해 놓은 시너를 가져와 거실에서 본인의 몸에 붓고 라이터로 불을 붙여 아들이 그 자리에서 사망하고, 어머니와 며느리(여, 43세)는 대피하는 과정에서 화상을 입고 2층에서 추락하여 심각한 부상을 입었다.

[보기]
• 방화도구(연료)(※1개만 선택)
  ㉮ 인화성 액체
  ㉯ 일반가연물
• 방화의심 사유(※해당 항목 모두 선택)
  ⓐ 유류 사용 흔적
  ⓑ 2지점 이상의 발화지점
  ⓒ 연소현상 특이 (급격연소)

① 방화도구(연료) : ㉮, 방화의심 : ⓐ, ⓒ
② 방화도구(연료) : ㉮, 방화의심 : ⓐ, ⓑ
③ 방화도구(연료) : ㉯, 방화의심 : ⓐ, ⓒ
④ 방화도구(연료) : ㉯, 방화의심 : ⓐ, ⓑ

해설
방화도구는 시너로써 인화성 액체로 분류하고, 방화의심 사유는 유류사용 흔적과 급격한 연소라 할 수 있다.

정답 | 28 ② 29 ④ 30 ①

출제예상문제 3회

01 화재현장에서의 현장임장 및 증거물 수집활동의 법적 근거가 아닌 것은?

① 「형사소송법」 제218조 영장에 의하지 아니한 압수
② 「형사소송법」 제216조 영장에 의하지 아니한 강제처분
③ 「형사소송법」 제308조 제2항 위법수집증거 배제원칙
④ 「범죄수사규칙」 제8장 제2절, 제4장 제2절, 제142조, 143조 범죄현장과 증거보존, 유류물 등의 압수

🏺 해설
위법수집증거의 배제원칙은 적법한 절차에 따라 증거를 수집해야 한다는 내용이다.

02 「형사소송법」에 따른 체계상 사진이나 비디오 등 영상물에 대한 법적 증명력을 부여하는 권한을 가진 자로 옳은 것은?

① 검사   ② 법관
③ 변호사   ④ 피해자

🏺 해설
자유심증주의에 따라 증거의 증명력은 법관의 자유판단에 의한다.

03 사법경찰관이 피의자를 심문하기 전에 알려주어야 하는 사항과 가장 거리가 먼 것은?

① 진술을 하지 않은 경우에 불이익을 받을 수 있다는 것
② 신문을 받을 때 변호인의 조력을 받을 수 있다는 것
③ 일체의 진술을 하지 아니할 수 있다는 것
④ 진술을 거부할 권리를 포기하고 행한 진술은 법정에서 유조의 증거로 사용될 수 있다는 것

🏺 해설
진술거부권 등의 고지 「형사소송법」
- 일체의 진술을 하지 아니하거나 개개의 질문에 대하여 진술을 하지 아니할 수 있다는 것
- 진술을 하지 아니하더라도 불이익을 받지 아니한다는 것
- 진술을 거부할 권리를 포기하고 행한 진술은 법정에서 유죄의 증거로 사용될 수 있다는 것
- 신문을 받을 때에는 변호인을 참여하게 하는 등 변호인의 조력을 받을 수 있다는 것

 아불유변

04 「형사소송법」상 검사 또는 사법경찰관이 피의자를 신문하기 전 고지사항으로 틀린 것은?

① 일체의 진술을 하지 아니하거나 개개의 질문에 대하여 진술하지 아니할 수 있다는 것
② 진술을 하지 아니하더라도 불이익을 받지 아니한다는 것
③ 신문을 받을 때에는 변호인을 참여하게 하는 등 변호인의 조력을 받을 수 있다는 것
④ 진술을 거부할 권리를 포기하고 행한 진술을 법정에서 유죄의 증거로 사용될 수 없다는 것

🏺 해설
「형사소송법」의 진술거부권 등의 고지에 따르면 진술을 거부할 권리를 포기하고 행한 진술은 법정에서 유죄의 증거로 사용될 수 있다.

정답 | 01 ③ 02 ② 03 ① 04 ④

05 승객이 있는 기차에 불을 놓은 경우에 해당되는 죄는 무엇인가?

① 현주건조물 등에의 방화
② 공용건조물 등에의 방화
③ 일반건조물 등에의 방화
④ 일반물건 등에의 방화

📖 해설
① 현주건조물 등에의 방화죄 : 사람이 주거로 현존하는 장소에 방화
② 공용건조물 등에의 방화죄 : 공용 또는 공익에 공하는 장소에 방화
③ 일반건조물 등에의 방화죄 : 공용건조물, 현주건조물 외의 장소에 방화
④ 일반물건 등에의 방화죄 : 공용건조물, 현주건조물, 일반건조물 외의 물건에 방화

06 불을 놓아 공용 또는 공익에 공하는 건조물, 기차, 전차, 자동차, 선박, 항공기 또는 광갱을 소훼한 자에 대한 죄명은?

① 현주건조물 등에의 방화죄
② 일반물건 등에의 방화죄
③ 일반건조물 등에의 방화죄
④ 공용건조물 등에의 방화죄

📖 해설
공용 또는 공익에 공하는 장소에 방화는 단어 그대로 공용건조물 등에의 방화죄이다. 단어 그대로 풀어서 해석하면 답을 찾을 수 있다.

07 자기 소유인 건조물, 기차, 전차, 자동차, 선박, 항공기 또는 지하채굴시설의 물건을 불태워 공공의 위험을 발생하게 한 자로서 7년 이하의 징역 또는 1천만 원 이하의 벌금에 처하는 죄명은?

① 현주건조물 등에의 방화죄
② 일반물건 등에의 방화죄
③ 일반건조물 등에의 방화죄
④ 공용건조물 등에의 방화죄

📖 해설
일반건조물 등 방화

대상	처벌
불을 놓아 현주·공용건조물 등에 기재한 이외의 건조물, 기차, 전차, 자동차, 선박, 항공기 또는 지하채굴시설을 불태운 자	2년 이상의 유기징역 (미수범 처벌)
자기 소유인 건조물의 물건을 불태워 공공의 위험을 발생하게 한 자	7년 이하의 징역 또는 1천만 원 이하의 벌금

08 「형법」에 따른 다음 일반물건 방화의 내용중 빈칸에 알맞은 것은?

- 불을 놓아 제164조(현주건조물 등 방화)부터 제166조(일반건조물 등 방화)까지에 기재한 외의 물건을 불태워 공공의 위험을 발생하게 한 자는 1년 이상 10년 이하의 징역에 처한다.
- 위의 물건이 자기 소유인 경우에는 (㉠)년 이하의 징역 또는 (㉡)원 이하의 벌금에 처한다.

① ㉠ : 3, ㉡ : 700
② ㉠ : 5, ㉡ : 700
③ ㉠ : 3, ㉡ : 1,000
④ ㉠ : 5, ㉡ : 1,000

📖 해설
일반물건 방화

대상		처벌
불을 놓아 현주·공용·일반건조물등의 방화에 기재한 외의 물건을 불태워 공공의 위험을 발생하게 한 자	불태운 물건이 타인의 소유인 경우	1년 이상 10년 이하의 징역
	불태운 물건이 자기 소유인 경우	3년 이하의 징역 또는 700만 원 이하의 벌금

09 화재에 있어서 진화용의 시설 또는 물건을 은닉 또는 손괴하거나 기타 방법으로 진화를 방해한 자는 몇 년 이하의 징역에 처하는가?

① 3
② 5
③ 7
④ 10

정답 | 05 ① 06 ④ 07 ③ 08 ① 09 ④

해설
진화방해

대상	처벌
화재에 있어서 진화용의 시설 또는 물건을 은닉 또는 손괴하거나 기타 방법으로 진화를 방해한 자	10년 이하의 징역

10 「형법」상, 과실로 인하여 사람이 주거로 사용하거나 사람이 현존하는 건조물, 기차, 전차 또는 광갱을 소훼한 자에 대한 벌금기준으로 옳은 것은?

① 1,500만 원 이하의 벌금
② 2,500만 원 이하의 벌금
③ 3,500만 원 이하의 벌금
④ 4,500만 원 이하의 벌금

해설
실화

대상	처벌
• 과실로 현주·공용건조물방화에 기재한 물건 또는 타인 소유인 일반건조물방화에 기재한 물건을 불태운 자 • 과실로 자기 소유인 일반건조물·일반물건 방화에 기재한 물건을 불태워 공공의 위험을 발생하게 한 자도 제1항의 형에 처한다. 예 과실로 인하여 사람이 주거로 사용하거나 사람이 현존하는 건조물, 기차, 전차 또는 광갱을 소훼한 자	1천500만 원 이하의 벌금

11 「형법」상 업무상과실 또는 중대한 과실로 인하여 실화의 죄를 범한 자에 대한 벌칙 기준으로 옳은 것은?

① 2년 이하의 금고 또는 700만 원 이하의 벌금
② 3년 이하의 금고 또는 2,000만 원 이하의 벌금
③ 5년 이하의 금고 또는 1,500만 원 이하의 벌금
④ 7년 이하의 금고 또는 2,000만 원 이하의 벌금

해설
업무상실화, 중실화

대상	처벌
업무상과실 또는 중대한 과실로 인하여 실화의 죄를 범한 자	3년 이하의 금고 또는 2천만 원 이하의 벌금

12 보일러, 고압가스 기타 폭발성 있는 물건을 파열시켜 사람의 생명, 신체 또는 재산에 대하여 위험을 발생시키는 범죄명은?

① 폭발성물건파열죄
② 현주건조물방화죄
③ 가스방류죄
④ 폭발물사용죄

해설
폭발성물건파열

대상		처벌
보일러, 고압가스 기타 폭발성있는 물건을 파열시켜 사람의 생명, 신체 또는 재산에 대하여	위험을 발생시킨 자	1년 이상의 유기징역 (미수범 처벌)
	사람을 상해에 이르게 한 때	무기 또는 3년 이상의 징역
	사람을 사망에 이르게 한 때	무기 또는 5년 이상의 징역

13 「형법」에 따른 다음 가스·전기등 방류의 내용 중 빈칸에 알맞은 것은?

> 가스, 전기, 증기 또는 방사선이나 방사성 물질을 방출, 유출 또는 살포시켜 사람의 생명, 신체 또는 재산에 대하여 위험을 발생시킨 자는 1년 이상 ( )년 이하의 징역에 처한다.

① 3
② 5
③ 7
④ 10

해설
가스·전기 등 방류

대상		처벌
가스, 전기, 증기 또는 방사선이나 방사성 물질을 방출, 유출 또는 살포시켜 사람의 생명, 신체 또는 재산에 대하여	위험을 발생시킨 자	1년 이상 10년 이하의 징역 (미수범 처벌)
	사람을 상해에 이르게 한 때	무기 또는 3년 이상의 징역
	사람을 사망에 이르게 한 때	무기 또는 5년 이상의 징역

정답 | 10 ① 11 ② 12 ① 13 ④

14 소방관서장은 방화 또는 실화의 혐의가 있어서 수사기관이 이미 피의자를 체포하였거나 증거물을 압수하였을 때에 화재조사를 위하여 피의자 또는 압수된 증거물에 대한 조사를 하는 경우에 대한 설명으로 옳은 것은?

① 필요할 때는 언제나 조사할 수 있으며 수사기관은 항상 화재조사에 협조하여야 한다.
② 수사기관의 수사가 종료된 후부터 조사를 실시할 수 있다.
③ 수사에 지장을 주지 아니하는 범위에서 조사를 할 수 있으며 수사기관은 신속한 화재조사를 위하여 특별한 사유가 없으면 조사에 협조하여야 한다.
④ 원칙적으로 조사할 수 없으나, 인명피해 등 사회적 문제가 야기된 경우에는 조사할 수 있다.

📖 **해설**
화재조사 증거물 수집 등 「소방의 화재조사에 관한 법률」에 의거 수사에 지장을 주지 않는 범위에서 수사기관의 협조하에 조사할 수 있다.

15 「범죄수사규칙」상 수사의 기본원칙으로 옳지 않은 것은?

① 임의수사 원칙
② 공개수사 원칙
③ 공범자의 분리수사 원칙
④ 피의자의 불구속 수사 원칙

📖 **해설**
공개수사는 수사의 기본원칙이 아니다.

16 경찰청 「범죄수사규칙」에 따라 경찰관은 소유자, 소지자 또는 보관자에게 임의제출을 요구할 필요가 있을 때에는 무엇을 발부할 수 있는가?

① 물건제출요청서
② 압수목록교부서
③ 소유권포기서
④ 증거물교부서

📖 **해설**
임의 제출물의 압수 등 「범죄수사규칙」
경찰관은 소유자, 소지자 또는 보관자에게 임의제출을 요구할 필요가 있을 때에는 <u>물건제출요청서</u>를 발부할 수 있다.

17 경찰청 「범죄수사규칙」에 따라 현장에서의 수사사항중 장소관계에 해당되지 않는 것은?

① 현장 방실의 위치와 그 상황
② 현장에 있는 기구 그 밖의 물품의 상황
③ 지문, 족적, DNA시료 그 밖의 흔적, 유류품의 위치와 상황
④ 시체의 위치, 창상, 유혈 그 밖의 상황

📖 **해설**
현장에서의 수사사항 「범죄수사규칙」
시체의 위치, 창상, 유혈 그 밖의 상황은 피해자 관계에 해당한다.

장소 관계	• 현장으로 통하는 도로와 상황 • 가옥 그 밖의 현장근처에 있는 물건과 그 상황 • <u>현장 방실의 위치와 그 상황</u> • <u>현장에 있는 기구 그 밖의 물품의 상황</u> • <u>지문, 족적, DNA시료 그 밖의 흔적, 유류품의 위치와 상황</u> • 그 밖의 장소에 관하여 참고가 될 사항

18 경찰청 「범죄수사규칙」의 내용이 틀린 것은?

① 경찰관은 감식을 하기 위하여 수사자료를 송부할 때에는 변형, 변질, 오손, 침습, 멸실, 산일, 혼합 등의 사례가 없도록 주의하여야 한다.
② 범죄와 관련된 증거물의 경우 유실되지 않도록 경찰관이 직접 지참하여 송부하여야 한다.
③ 감식자료를 인수·인계할 때에는 그 연월일과 인수·인계인의 성명을 명확히 해두어야 한다.
④ 경찰관은 지문, 족적, 혈흔 그 밖에 멸실할 염려가 있는 증거물은 특히 그 보존에 유의하고 검증조서 또는 다른 조서에 그 성질 형상을 상세히 적거나 사진을 촬영하여야 한다.

📖 **해설**
감식자료 송부 「범죄수사규칙」
• 경찰관은 감식을 하기 위하여 수사자료를 송부할 때에는 변형, 변질, 오손, 침습, 멸실, 산일, 혼합 등의 사례가 없도록 주의하여야 한다.
• 우송을 할 때에는 그 포장, 용기 등에 세심한 주의를 기울여야 한다.
• 중요하거나 긴급한 증거물 등은 경찰관이 직접 지참하여 송부하여야 한다.
• 감식자료를 인수·인계할 때에는 그 연월일과 인수·인계인의 성명을 명확히 해두어야 한다.

정답 | 14 ③ 15 ② 16 ① 17 ④ 18 ②

19 「민법」에서 규정하고 있는 불법행위에 의한 손해배상청구권이 성립하기 위한 조건으로 옳지 않은 것은?

① 행위자의 고의·과실
② 행위자의 책임능력
③ 행위자의 경제능력
④ 행위자의 긴급피난 여부

해설
「민법」 불법행위에 의한 손해배상청구권 성립요건에서 경제능력에 관한 사항은 없다.

> **참고**
> 민법의 불법행위 및 배상책임 주요 내용
> 1. 고의 또는 과실로 인한 위법행위
> 2. 타인의 신체, 자유 또는 명예, 기타 정신상 고통의 손해
> 3. 타인의 생명을 해한 자
> 4. 미성년자, 심신상실자의 경우 책임능력이 없어 배제
> 5. 감독자, 사용자 등의 책임
> 6. 정당방위, 긴급피난은 배상책임에서 배제

20 「민법」상 타인의 생명을 해한 자의 손해배상 책임 대상으로 명시되지 않은 것은?

① 피해자의 형제　② 피해자의 배우자
③ 피해자의 직계존속　④ 피해자의 직계비속

해설
생명침해로 인한 위자료 「민법」

암기법 직계 존 비 배

타인의 생명을 해한 자는 피해자의 직계존속, 직계비속 및 배우자에 대하여는 재산상의 손해없는 경우에도 손해배상의 책임이 있다.

21 미성년자가 타인에게 손해를 가한 경우에 그 행위의 책임을 변식할 지능이 없는 때에는 배상의 책임이 없다. 이 경우 「민법」상 미성년자임을 판단하는 연령과 그 산정방법으로 옳은 것은?

① 14세 미만, 출생일 산입
② 18세 미만, 출생일 불산입
③ 19세 미만, 출생일 산입
④ 20세 미만, 출생일 불산입

해설
미성년자 구분 및 배상책임

성년	사람은 19세로 성년에 이르게 된다.
나이의 계산과 표시	나이는 출생일을 산입하여 만(滿) 나이로 계산하고, 연수(年數)로 표시한다. 다만, 1세에 이르지 아니한 경우에는 월수(月數)로 표시할 수 있다.
미성년자의 책임능력	미성년자가 타인에게 손해를 가한 경우에 그 행위의 책임을 변식할 지능이 없는 때에는 배상의 책임이 없다.

22 「민법」상 공작물 등의 책임에 대한 설명으로 옳은 것은?

① 공작물의 설치 또는 보존의 하자로 인하여 타인에게 손해를 가한 때에는 공작물 관리자가 손해를 배상할 책임이 있다.
② 관리자가 손해의 방지에 필요한 주의를 해태하지 아니한 때에는 그 점유자가 손해를 배상할 책임이 있다.
③ 공작물의 설치 및 보존에 관한 배상책임은 수목의 재식 또는 보존에 하자있는 경우에 준용한다.
④ 수목의 재식 또는 보존에 하자있는 경우 관리자 또는 점유자는 그 손해의 원인에 대한 책임있는 자에 대하여 구상권을 행사할 수 있다.

해설
① 공작물의 설치 또는 보존의 하자로 인하여 타인에게 손해를 가한 때에는 공작물 점유자가 손해를 배상할 책임이 있다.
② 점유자가 손해의 방지에 필요한 주의를 해태하지 아니한 때에는 그 소유자가 손해를 배상할 책임이 있다.
④ 수목의 재식 또는 보존에 하자있는 경우 점유자 또는 소유자는 그 손해의 원인에 대한 책임있는 자에 대하여 구상권을 행사할 수 있다.

정답 | 19 ③　20 ①　21 ③　22 ③

23 「민법」에서 규정하는 불법행위에 대한 설명으로 틀린 것은?

① 과실로 인한 위법행위로 타인에게 손해를 가한 자는 그 손해를 배상할 책임이 있다.
② 타인의 신체, 자유 또는 명예를 해하거나 기타 정신상 고통을 가한 자는 재산 이외의 손해에 대하여도 배상할 책임이 있다.
③ 심신상실 중에 타인에게 손해를 가한 자는 배상의 책임이 있다.
④ 태아는 손해배상의 청구권에 관하여는 이미 출생한 것으로 본다.

🔍 **해설**
심신상실 중에 타인에게 손해를 가한 자는 배상의 책임이 없다. 그러나 고의 또는 과실로 인하여 심신상실을 초래한 때에는 그러하지 아니하다.
① 제750조 불법행위의 내용
② 제751조 재산 이외의 손해의 배상
③ 제754조 심신상실자의 책임능력
④ 제762조 손해배상청구권에 있어서 태아의 지위

24 「민법」상 불법행위에 관한 설명으로 틀린 것은?

① 타인의 생명을 해한 자는 피해자의 직계존속에 대하여는 재산상의 손해 없는 경우에는 손해배상의 책임이 없다.
② 고의 또는 과실로 인한 위법행위로 타인에게 손해를 가한 자는 그 손해를 배상할 책임이 있다.
③ 미성년자가 타인에게 손해를 가한 경우에는 그 행위의 책임을 변식할 지능이 없는 때에는 배상의 책임이 없다.
④ 타인의 신체, 자유 또는 명예를 해하거나 기타 정신상 고통을 가한 자는 재산 이외의 손해에 대하여도 배상할 책임이 있다.

🔍 **해설**
생명침해로 인한 위자료 「민법」
`암기법` 직계 존 비 배

타인의 생명을 해한 자는 피해자의 직계존속, 직계비속 및 배우자에 대하여는 재산상의 손해없는 경우에도 손해배상의 책임이 있다.

25 「민법」상 타인의 생명을 해한 자의 손해배상 책임 대상으로 명시되지 않은 것은?

① 피해자의 형제　　② 피해자의 배우자
③ 피해자의 직계존속　④ 피해자의 직계비속

🔍 **해설**
「민법」의 생명침해로 인해 위자료 내용에 따르면 타인의 생명을 해한 자는 피해자의 직계존속, 직계비속 및 배우자에 대하여는 재산상의 손해없는 경우에도 손해배상의 책임이 있다고 명시되어 있다.

26 「민법」상 다음의 경우 사용자 책임배상에 관한 사항 중 틀린 것은?

> 용접업체에서 용접공을 고용하여 작업을 하다가 용접공의 실수로 화재가 발생하여 제삼자에게 피해를 가한 경우

① 용접공 사용자에게 손해배상의 책임이 있다.
② 용접공 사용자에 갈음하여 용접공을 감독하는 자도 손해를 배상할 책임이 있다.
③ 용접공 사용자가 피용자(용접공)에게 상당한 주의를 하였음에도 손해가 있는 경우에는 면책된다.
④ 용접공 사용자 또는 감독자는 피용자(용접공)에 대하여 구상권을 행사할 수 없다.

🔍 **해설**
사용자의 배상책임 「민법」에 의거 사용자 또는 감독자는 피용자에 대하여 구상권을 행사할 수 있다.

27 「민법」상 다음 (　) 안에 알맞은 용어는?

> 공작물의 설치 또는 보존의 하자로 인하여 타인에게 손해를 가한 때에는 공작물(㉮)가 손해를 배상할 책임이 있다. 그러나 (㉮)가 손해의 방지에 필요한 주의를 해태하지 아니한 때에는 그 (㉯)가 손해를 배상할 책임이 있다.

① ㉮ 소유자, ㉯ 설계자
② ㉮ 점유자, ㉯ 소유자
③ ㉮ 소유자, ㉯ 중개자
④ ㉮ 점유자, ㉯ 건축자

정답 | 23 ③　24 ①　25 ①　26 ④　27 ②

🛢 **해설**
공작물 등의 점유자, 소유자의 책임 「민법」
공작물의 설치 또는 보존의 하자로 인하여 타인에게 손해를 가한 때에는 공작물 <u>점유자</u>가 손해를 배상할 책임이 있다. 그러나 <u>점유자</u>가 손해의 방지에 필요한 주의를 해태하지 아니한 때에는 그 <u>소유자</u>가 손해를 배상할 책임이 있다.

28 화재로 인한 손해의 배상의무자가 법원에 손해배상액의 경감을 청구할 수 있는 경우로 옳은 것은?

① 고의에 인한 화재인 경우
② 중대한 과실로 인한 실화인 경우
③ 경미한 과실로 인한 실화인 경우
④ 악의적인 방화로 인한 화재인 경우

🛢 **해설**
배상액의 경감청구 「민법」
배상의무자는 그 손해가 고의 또는 중대한 과실에 의한 것이 아니고 그 배상으로 인하여 배상자의 생계에 중대한 영향을 미치게 될 경우에는 법원에 그 배상액의 경감을 청구할 수 있다.

29 「민법」의 불법행위 및 배상책임의 내용으로 틀린 것은?

① 타인의 신체 등을 해한 자는 재산 이외의 정식적 손해에 대한 배상 책임이 있다.
② 타인의 생명을 해한 자는 피해자의 자녀에 대하여 손해배상의 책임이 있다.
③ 과실로 인하여 심신상실을 초래한 자가 타인에게 손해를 가한 때에는 손해배상의 책임이 없다.
④ 공작물의 하자로 인하여 타인에게 손해를 가한 때에는 공작물 점유자가 손해를 배상할 책임이 있다.

🛢 **해설**
「민법」에 따르면 심신상실 중에 타인에게 손해를 가한 자는 배상의 책임이 없다. 그러나 고의 또는 과실로 인하여 심신상실을 초래한 때에는 그러하지 아니하다고 명시되어 있다. 따라서 과실로 인하여 심신상실을 초래한 자가 타인에게 손해를 가한 때에는 손해배상의 책임이 있다.

30 실화의 특수성을 고려하여 실화자에게 중대한 과실이 없는 경우 그 손해배상액의 경감에 관한 「민법」 제765조의 특례를 정함을 목적으로 하는 법률은?

① 소방기본법
② 실화책임에 관한 법률
③ 화재예방, 소방시설 설치·유지 및 안전관리에 관한 법률
④ 화재로 이한 재해보상과 보험가입에 관한 법률

🛢 **해설**
「실화책임에 관한 법률」의 목적이다.

정답 | 28 ③ 29 ③ 30 ②

출제예상문제 4회

화재감식평가기사 · 산업기사 필기

01 「제조물 책임법」의 제정 목적이 아닌 것은?
① 제조업자의 이익증진
② 피해자의 보호를 도모
③ 국민생활의 안전 향상
④ 국민경제의 건전한 발전

해설
목적「제조물 책임법」
제조물의 결함으로 발생한 손해에 대한 제조업자 등의 손해배상책임을 규정하여 피해자의 보호를 도모, 국민생활의 안전 향상, 국민경제의 건전한 발전 이바지함을 목적으로 한다.

02 「제조물 책임법」상 결함의 종류에 해당되지 않는 것은?
① 표지   ② 제조
③ 설계   ④ 표시

해설
제조물 책임법에서 결함은 표시, 설계, 제조상 결함이다.

암기법 시계 조

03 「제조물 책임법」상 용어의 정의에서 (   ) 안에 적합한 단어는?

"(   )상의 결함"이란 제조업자가 합리적인 설명 · 지시 · 경고 또는 그 밖의 (   )을(를) 하였더라면 해당 제조물에 의하여 발생할 수 있는 피해나 위험을 줄이거나 피할 수 있었음에도 이를 하지 아니한 경우

① 표지   ② 제조
③ 설계   ④ 표시

해설
② 제조 : 제조상 · 가공상의 주의의무
③ 설계 : 합리적인 대체설계

04 「제조물 책임법」상 제조업자에 해당하는 자로 옳지 않은 것은?
① 제조물의 제조 · 가공을 업으로 하는 자
② 제조물의 유통을 업으로 하는 자
③ 제조물의 수입을 업으로 하는 자
④ 제조물에 성명 · 상호 · 상표 등을 사용하여 자신을 제조업자로 오인하게 할 수 있는 표시를 한 자

해설
제조물의 유통을 업으로 하는 자는 유통업자다.

제조업자	• 제조물의 제조 · 가공 또는 수입을 업(業)으로 하는 자 • 제조물에 성명 · 상호 · 상표 또는 그 밖에 식별(識別) 가능한 기호 등을 사용하여 자신을 가목의 자로 표시한 자 또는 가목의 자로 오인(誤認)하게 할 수 있는 표시를 한 자

암기법 제가수표

정답 | 01 ① 02 ① 03 ④ 04 ②

05 「제조물 책임법」상 제조상의 결함에 해당되는 것은?

① 제조업자가 합리적인 대체설계를 채용하였더라면 피해나 위험을 줄이거나 피할 수 있었음에도 대체설계를 채용하지 아니하여 해당 제조물이 안전하지 못하게 된 경우를 말한다.
② 제조업자가 제조물에 대하여 제조상·가공상의 주의의무를 이행하였는지에 관계없이 제조물이 원래 의도한 설계와 다르게 제조·가공됨으로써 안전하지 못하게 된 경우를 말한다.
③ 제조업자가 합리적인 설명·지시·경고 또는 그 밖의 표시를 하였더라면 해당 제조물에 의하여 발생할 수 있는 피해나 위험을 줄이거나 피할 수 있었음에도 이를 하지 아니한 경우를 말한다.
④ 제조업자가 물류·유통과정에서 발생할 수 있는 위험을 인지하지 못하여 제조물의 파손을 초래한 경우를 말한다.

🗑 **해설**
「제조물 책임법」상 결함은 제조상, 설계상, 표시상 결함을 말한다.
① 설계상 결함
② 제조상 결함
③ 표시상 결함
④ 해당 없음

06 「제조물 책임법」에 따른 다음 빈칸의 수치는?

> 제조업자가 제조물의 결함을 알면서도 그 결함에 대하여 필요한 조치를 취하지 아니한 결과로 생명 또는 신체에 중대한 손해를 입은 자가 있는 경우에는 그 자에게 발생한 손해의 (   )배를 넘지 아니하는 범위에서 배상책임을 진다.

① 2 ② 3
③ 5 ④ 10

🗑 **해설**
결함을 인지하면서도 조치하지 않은 경우 손해의 3배 이내로 배상액을 결정한다.

07 과도한 문어발식 콘센트 사용으로 발생한 전기화재로 인하여, 구입한 지 5년 된 세탁기가 소손되었다. 이 소손에 대하여 「제조물 책임법령」상 손해배상책임에 관한 설명으로 옳은 것은?

① 세탁기 제조상 결함으로 손해배상책임은 세탁기 제조사가 부담한다.
② 세탁기 소유자의 사용상 문제로 손해배상책임은 발생하지 않는다.
③ 세탁기 설계상 결함으로 손해배상책임은 세탁기 설계자가 부담한다.
④ 세탁기 유통상 결함으로 손해배상책임은 제품 유통업체에서 부담한다.

🗑 **해설**
과도한 문어발식 콘센트 사용으로 발생한 전기화재는 최초발화지점이 콘센트이고, 세탁기는 연소 확대된 제품으로 「제조물 책임법령」상 제조자에게 손해배상책임을 요구할 수 없다.

08 「제조물 책임법」에서 규정하는 손해배상책임을 지는 자의 배상책임 면책 기준 중 옳지 않은 것은?

① 제조업자가 해당 제조물을 공급하지 아니하였다는 사실을 입증한 경우
② 제조업자가 해당 제조물을 공급한 당시의 과학·기술수준으로는 결함의 존재를 발견할 수 없었다는 사실을 입증한 경우
③ 제조물 결함이 제조업자가 해당 제조물의 결함이 발생할 당시의 법령이 정하는 기준을 준수함으로써 발생한 사실을 입증한 경우
④ 원재료나 부품의 경우에는 그 원재료나 부품을 사용한 제조물 제조업자의 설계 또는 제작에 관한 지시로 인하여 결함이 발생하였다는 사실을 입증한 경우

🗑 **해설**
제조물의 "결함이 발생 당시 법령"이 아니라 제조물을 "공급 당시 법령"이 기준이다.

정답 | 05 ② 06 ② 07 ② 08 ③

> **참고**
>
> **면책사유 「제조물 책임법」**
> 손해배상책임을 지는 자가 다음 각 호의 어느 하나에 해당하는 사실을 입증한 경우에는 이 법에 따른 손해배상책임을 면(免)한다.
> 1. 제조업자가 해당 제조물을 공급하지 아니하였다는 사실
> 2. 제조업자가 해당 제조물을 공급한 당시의 과학·기술 수준으로는 결함의 존재를 발견할 수 없었다는 사실
> 3. 제조물의 결함이 제조업자가 해당 제조물을 공급한 당시의 법령에서 정하는 기준을 준수함으로써 발생하였다는 사실
> 4. 원재료나 부품의 경우에는 그 원재료나 부품을 사용한 제조물 제조업자의 설계 또는 제작에 관한 지시로 인하여 결함이 발생하였다는 사실

암기법 공과법원

---

09 「제조물 책임법」에 대한 내용으로 틀린 것은?

① 동일한 손해에 대하여 배상할 책임이 있는 자가 2인 이상인 경우에는 연대하여 그 손해를 배상할 책임이 있다.
② 「제조물 책임법」에 따른 손해배상책임을 배제하거나 제한하는 특약은 유효한 것이 원칙이다.
③ 제조물의 결함으로 인한 손해배상책임에 관하여 「제조물 책임법」에 규정된 것을 제외하고는 민법에 따른다.
④ 일반적으로 손해배상의 청구권은 제조업자가 손해를 발생시킨 제조물을 공급한 날부터 10년 이내에 행사하여야 한다.

해설
면책특약의 제한 「제조물 책임법」
손해배상책임을 배제하거나 제한하는 특약은 무효로 한다.

---

10 「제조물 책임법」상 손해배상의 청구권은 제조업자가 손해를 발생시킨 제조물을 공급한 날부터 몇 년 이내에 행사하여야 하는가?

① 3   ② 5
③ 7   ④ 10

해설
소멸시효 등

암기법 모알 3년, 제공 10년

① 청구권 소멸시효	손해배상의 청구권은 피해자 또는 그 법정대리인이 다음 사항을 모두 알게 된 날부터 3년간 행사하지 아니하면 시효의 완성으로 소멸한다. 1. 손해 2. 손해배상책임을 지는 자
② 청구권 행사기간	손해배상의 청구권은 제조업자가 손해를 발생시킨 제조물을 공급한 날부터 10년 이내에 행사하여야 한다. 다만, 신체에 누적되어 사람의 건강을 해치는 물질에 의하여 발생한 손해 또는 일정한 잠복기간(潛伏期間)이 지난 후에 증상이 나타나는 손해에 대하여는 그 손해가 발생한 날부터 기산(起算)한다.

---

11 「제조물 책임법」상 명시된 소멸시효에 관한 내용으로 ( )에 알맞은 내용은?

> 손해배상의 청구권은 피해자 또는 그 법정대리인이 손해와 손해배상책임을 지는 자를 모두 알게 된 날부터 ( )년간 행사하지 아니하면 시효의 완성으로 소멸한다.

① 1   ② 2
③ 3   ④ 5

해설
손해배상의 청구권은 피해자 또는 그 법정대리인이 손해와 손해배상책임을 지는 자를 모두 알게 된 날부터 3년간 행사하지 아니하면 시효의 완성으로 소멸한다.

정답 | 09 ② 10 ④ 11 ③

12 「경범죄 처벌법」상의 처벌 대상이 아닌 경우는?

① 정당한 사유 없이 소방용수시설을 사용한 사람
② 있지 아니한 범죄나 재해사실을 공무원에게 거짓으로 신고한 사람
③ 충분한 주의를 하지 아니하고 휘발유 그 밖에 불이 옮아 붙기 쉬운 물건 가까이에서 불씨를 사용한 사람
④ 지진 등으로 인한 화재가 발생하였을 때에 현장에 있으면서도 정당한 이유 없이 공무원이 도움을 요청하여도 도움을 주지 아니한 사람

💡 해설
②, ③, ④는 「경범죄 처벌법」의 경범죄의 종류이나, ①은 「소방기본법」 위반죄로 5년 이하의 징역 또는 5천만 원 이하의 벌금에 해당한다.

참고
경범죄 처벌법의 용어정의

용어	정의
범칙행위	경범죄의 위반행위를 말하며, 그 구체적인 범위는 대통령령으로 정한다.
범칙자	범칙행위를 한 사람으로서 다음 각 호의 어느 하나에 해당하지 아니하는 사람 1. 범칙행위를 상습적으로 하는 사람 2. 죄를 지은 동기나 수단 및 결과를 헤아려 볼 때 구류처분을 하는 것이 적절하다고 인정되는 사람 3. 피해자가 있는 행위를 한 사람 4. 18세 미만인 사람
범칙금	범칙자가 통고처분에 따라 국고 또는 제주특별자치도의 금고에 납부하여야 할 금전

13 「경범죄 처벌법령」상 범칙행위의 범위와 범칙금액에 관한 사항 중 다음 범칙행위에 대한 범칙금액은?

> 충분한 주의를 하지 않고 건조물, 수풀, 그 밖에 불붙기 쉬운 물건 가까이에서 불을 피우거나 휘발유 또는 그 밖에 불이 옮아붙기 쉬운 물건 가까이에서 불씨를 사용한 경우

① 2만 원   ② 3만 원
③ 5만 원   ④ 8만 원

💡 해설
「경범죄 처벌법 시행령」에서 위험한 불씨 사용 벌칙금은 8만 원이다.

14 「경범죄 처벌법」상 범칙 행위를 한 사람으로서 범칙자에 해당하는 사람은?

① 나이가 18세 이상인 사람
② 피해자가 있는 행위를 한 사람
③ 범칙 행위를 상습적으로 하는 사람
④ 죄를 지은 동기나 수단 및 결과를 헤아려 볼 때 구류처분을 하는 것이 적절하다고 인정되는 사람

💡 해설
18세 미만인 사람은 범칙자에서 제외하므로 18세 이상인 사람은 범칙자에 해당한다.

15 「경범죄 처벌법」상 즉결심판 대상자에게 발부하는 즉결심판 출석통지서에 기재하는 사항이 아닌 것은?

① 위반 내용 및 적용 법조문
② 즉결심판 대상자의 인적사항
③ 즉결심판을 위한 출석의 일시 및 장소
④ 지방법원, 지원 또는 시·군 법원의 판사 이름

💡 해설
즉결심판 출석통지서에 판사 이름은 기재하지 않는다.

참고
즉결심판 대상자에 대한 처리
경찰서장등은 위 사람에게 지체 없이 다음 각 호의 사항을 적은 즉결심판 출석통지서를 발부하여야 한다.
1. 즉결심판 대상자의 인적사항
2. 위반 내용 및 적용 법조문
3. 즉결심판을 위한 출석의 일시 및 장소

정답 | 12 ① 13 ④ 14 ① 15 ④

16 「실화책임에 관한 법률」의 적용범위에 대하여 올바르게 기술한 것은?

① 실화로 인하여 화재가 발생한 경우 화재건물 부분에 대한 손해배상 청구에 한하여 적용한다.
② 실화로 인하여 화재가 발생한 경우 간접적 피해를 제외한 직접적 피해 부분에 대한 손해배상 청구에 한하여 적용한다.
③ 실화로 인하여 화재가 발생한 경우 연소로 인한 부분에 대한 손해배상청구에 한하여 적용한다.
④ 실화로 인하여 화재가 발생한 경우 화재피해 부분에 대한 손해배상청구에 한하여 적용한다.

해설
「실화책임에 관한 법률」의 적용범위는 연소로 인한 부분이다.

17 「실화책임에 관한 법률」에 대한 설명으로 옳은 것은?

① 실화자에게 중대한 과실이 있을 때 한하여 적용한다.
② 배상의무자 및 피해자의 경제상태를 고려하여 배상액을 경감할 수 있다.
③ 경과실이 있을 때에는 손해배상을 면책한다.
④ 피해자보다 실화자의 보호를 우선시한다.

해설
① 실화자에게 중대한 과실이 없는 경우에 적용한다.
③ 경과실이 있을 때에는 손해배상을 면책이 아닌 경감할 수 있다.
④ 실화자보다 피해자의 보호를 우선시한다.

18 「실화책임에 관한 법률」상 손해배상액 경감의 고려사항으로 옳지 않은 것은?

① 화재의 원인과 규모
② 소화수에 의한 수손 피해의 정도
③ 배상의무자 및 피해자의 경제상태
④ 피해 확대를 방지하기 위한 실화자의 노력

해설
손해배상액 경감의 고려 시 소화수에 의한 수손 피해의 정도는 해당 없다.

참고

손해배상액 경감의 고려사항

암기법 화피 연방 배그

1. 화재의 원인과 규모
2. 피해의 대상과 정도
3. 연소(延燒) 및 피해 확대의 원인
4. 피해 확대를 방지하기 위한 실화자의 노력
5. 배상의무자 및 피해자의 경제상태
6. 그 밖에 손해배상액을 결정할 때 고려할 사정

---

19 「국가배상법」상 국가공무원의 위법행위로 인하여 제3자에게 발생한 손해를 국가가 배상한 후 해당 공무원에게 행사하는 구상권에 관한 설명으로 옳은 것은?

① 해당 공무원에게 고의 또는 중대한 과실이 있는 경우에 구상권을 행사할 수 있다.
② 해당 공무원에게 고의 또는 중대한 과실이 있는 경우라도 인적피해가 없으면 구상권을 행사할 수 없다.
③ 해당 공무원에게 고의 또는 중대한 과실이 없어도 금전적 손실이 발생하면 구상권을 행사할 수 있다.
④ 해당 공무원에게 고의 또는 중대한 과실이 있으면 피해자 및 그 대리인은 그 공무원에게 구상권을 행사할 수 있다.

해설
「국가배상법」 배상책임에 의거 공무원에게 고의 또는 중대한 과실이 있으면 그 공무원에게 구상할 수 있다.

20 「국가배상법령」상의 내용으로 틀린 것은?

① 외국인이 피해자인 경우에는 해당 국가와 상호 보증이 있을 때에만 적용한다.
② 생명·신체의 침해로 인한 국가배상을 받을 권리는 양도할 수 있다.
③ 손해배상의 소송은 배상심의회에 배상 신청을 하지 아니하고도 제기할 수 있다.
④ 국가나 지방자치단체는 공무원이 직무를 집행하면서 고의 또는 과실로 법령을 위반하여 타인에게 손해를 입힌 경우에 그 손해를 배상하는 것이 원칙이다.

정답 | 16 ③ 17 ② 18 ② 19 ① 20 ②

> **해설**
> 양도 등 금지 「국가배상법」
> 생명·신체의 침해로 인한 국가배상을 받을 권리는 양도하거나 압류하지 못한다.

21 「국가배상법」상 화재조사관이 직무를 집행하면서 과실로 법령을 위반하여 타인에게 손해를 입힐 경우 손해배상의 책임자는?

① 소방서장
② 화재조사관
③ 소방재난본부장
④ 국가나 지방자치단체

> **해설**
> 배상책임 「국가배상법」에 의거 국가나 지방자치단체는 공무원이 직무를 집행하면서 타인에게 손해를 입힐 경우 배상해야 한다.

22 「화재로 인한 재해보상과 보험가입에 관한 법률」의 설명으로 틀린 것은?

① 보험금 청구권 중 손해배상책임을 담보하는 보험의 청구권은 압류할 수 없다.
② "손해보험회사"란 손해배상법에 따른 화재보험업의 허가를 받은 자를 말한다.
③ 대한민국에 주둔하는 외국군대가 소유하는 건물은 특수건물소유자의 손해배상책임에 적용되지 않는다.
④ 손해보험회사는 대통령령으로 정하는 바에 따라 협회의 설립과 운영에 필요한 비용을 출연하여야 한다.

> **해설**
> 손해보험회사란 손해배상법이 아닌 「보험업법」에 따른 화재보험업의 허가를 받은 자를 말한다.

23 「화재로 인한 재해보상과 보험가입에 관한 법률」상 특수건물 화재 발생 시 소유자의 손해배상책임의 한계로 옳은 것은?

① 배상은 과실이 있는 경우에만 해당한다.
② 그 건물의 화재로 인하여 다른 사람이 사망하거나 부상을 입었을 때에는 과실이 없는 경우에도 그 손해를 배상할 책임이 있다.
③ 특약부화재보험에 부가하여 화재 이외에 풍재·수재 또는 건물의 무너짐 등으로 인한 손해를 담보하는 보험에 가입할 수 없다.
④ 특수건물 소유자의 손해배상책임에 관하여는 화재로 인한 재해보상과 보험가입에 관한 법률에 규정하는 것 이외에는 상법에 따른다.

> **해설**
> ① 특수건물 소유자는 과실이 없는 경우에도 손해를 배상할 책임이 있다.
> ③ 화재 이외에 풍재·수재 또는 건물의 무너짐 등으로 인한 손해를 담보하는 보험에 가입할 수 있다.
> ④ 상법이 아니고 민법을 따른다.

24 「화재로 인한 재해보상과 보험가입에 관한 법률」의 내용으로 옳지 않은 것은?

① 한국화재보험협회는 사단법인으로 한다.
② 특수건물의 소유자는 특약부화재보험계약을 2년마다 갱신하여야 한다.
③ 특수건물의 소유자는 손해배상책임에 관하여는 이 법에서 규정한 것 외에는 민법에 따른다.
④ 소방청장은 협회의 업무 중 화재예방 및 소화시설에 대한 안전점검 업무에 관하여 감독상 필요한 명령을 할 수 있다.

> **해설**
> 특수건물의 소유자는 특약부화재보험계약을 2년이 아닌 매년 갱신하여야 한다.

25 「화재로 인한 재해보상과 보험가입에 관한 법률」에 따르면 특수건물의 소유권이 변경된 경우 소유권을 취득한 날부터 며칠 이내에 특약부화재보험에 가입하여야 하는가?

① 즉시
② 10일
③ 20일
④ 30일

> **해설**
> 제5조 보험가입의 의무 「화재로 인한 재해보상과 보험가입에 관한 법률」에 의거 30일 이내 특약부화재보험에 가입해야 한다.

정답 | 21 ④ 22 ② 23 ② 24 ② 25 ④

26 「화재로 인한 재해보상과 보험가입에 관한 법률」에서 외국인 등의 소유 건물에 대한 특례에 해당하는 건물로 옳지 않은 것은?

① 대한민국에 주둔하는 외국 군대가 소유하는 건물
② 대한민국에 파견된 외국의 대사·공사가 소유하는 건물
③ 군사용 건물과 외국인 소유 건물로서 행정안전부장관령으로 정하는 건물
④ 대한민국에 파견된 국제연합의 기관 및 그 직원(외국인만 해당한다)이 소유하는 건물

🗒 해설
군사용 건물과 외국인 소유 건물로서 행정안전부장관령이 아닌 대통령령으로 정하는 건물이다.

> **참고**
> 외국인 등의 소유 건물에 대한 특례 「화재로 인한 재해보상과 보험가입에 관한 법률」
> 1. 대한민국에 파견된 외국의 대사·공사 또는 그 밖에 이에 준하는 사절이 소유하는 건물
> 2. 대한민국에 파견된 국제연합의 기관 및 그 직원(외국인만 해당한다)이 소유하는 건물
> 3. 대한민국에 주둔하는 외국 군대가 소유하는 건물
> 4. 군사용 건물과 외국인 소유 건물로서 대통령령으로 정하는 건물

27 「화재로 인한 재해보상과 보험가입에 관한 법률」상 특약부화재보험을 가입하지 않은 특수건물 소유자의 벌칙으로 옳은 것은?

① 200만 원 이하의 벌금
② 300만 원 이하의 벌금
③ 400만 원 이하의 벌금
④ 500만 원 이하의 벌금

🗒 해설
특약부화재보험에 가입하지 아니한 자는 500만 원 이하의 벌금에 처한다.

28 「화재로 인한 재해보상과 보험가입에 관한 법률」상 특수건물 소유자가 손해배상특약부 화재보험에 가입하는 보험의 보험금액 기준 중 다음 ( ) 안에 알맞은 것은? (단, 종업원에 대하여 산업재해보상보험에 가입하고 있는 경우는 제외한다.)

> 손해배상책임보험 중 사망자의 경우 피해자 1명마다 ( )천만 원 이상으로서 대통령령으로 정하는 금액

① 3　　　② 5
③ 10　　 ④ 13

🗒 해설
사망의 경우에 피해자 1명마다 5천만 원 이상으로서 대통령령으로 정하는 금액

29 「화재로 인한 재해보상과 보험가입에 관한 법령」상 한국화재보험협회의 업무를 모두 고른 것은?

> ㉠ 화재예방 및 소화시설에 대한 안전점검
> ㉡ 화재보험에 있어서의 소화설비에 따른 보험요율의 할인등급에 대한 사정
> ㉢ 화재예방과 소화시설에 관한 자료의 조사·연구 및 계몽
> ㉣ 행정기관이나 그 밖의 관계 기관에 화재예방에 관한 건의

① ㉠, ㉡
② ㉡, ㉢, ㉣
③ ㉠, ㉢, ㉣
④ ㉠, ㉡, ㉢, ㉣

🗒 해설
4가지 모두 한국화재보험협회 업무에 해당한다.

> **참고**
> 한국화재보험협회 업무 「화재로 인한 재해보상과 보험가입에 관한 법률」
> 1. 화재예방 및 소방시설에 대한 <u>안전점검</u>
> 2. 화재보험에 있어서의 소화설비에 따른 보험요율의 할인등급에 대한 <u>사정</u>
> 3. 화재예방과 소방시설에 관한 자료의 <u>조사·연구 및 계몽</u>
> 4. 행정기관이나 그 밖의 관계 기관에 화재예방에 관한 <u>건의</u>
> 5. 그 밖에 <u>금융위원회의 인가</u>를 받은 업무

암기법 조금건 안사

정답 | 26 ③　27 ④　28 ②　29 ④

30 「화재보험법령」상 손해보험회사가 운영하는 특약부화재보험에 가입하여야 하는 특수건물의 기준으로 옳은 것은?

① 노래연습장업으로 사용하는 부분의 바닥면적의 합계가 1,000m² 이상인 건물
② 학원으로 사용하는 부분의 바닥면적의 합계가 1,000m² 이상인 건물
③ 병원급 의료기관으로 사용하는 건물로서 연면적의 합계가 2,000m² 이상인 건물
④ 관광숙박업으로 사용하는 건물로서 연면적의 합계가 3,000m² 이상인 건물

📖 해설

특수건물「화재로 인한 재해보상과 보험가입에 관한 법률 시행령」

면적	대상
바닥면적 2,000m² 이상	학원, 게임제공업, 인터넷컴퓨터게임시설제공업, 노래연습장업, 휴게음식점영업, 일반음식점영업, 단란주점영업, 유흥주점영업, 공유주방 운영업, 목욕장업, 영화상영관
바닥면적 3,000m² 이상	숙박업, 대규모 점포, 도시철도의 역사 및 역 시설
연면적 3,000m² 이상	병원급 의료기관, 관광숙박업, 공연장, 방송사업목적 건물, 농수산물도매시장 및 민영농수산물도매, 학교, 공장
면적 기준 없음	공동주택으로서 16층 이상의 아파트 및 부속건물, 11층 이상인 건물, 실내사격장

정답 | 30 ④